资治通鉴

全本全注全译

第一册

周纪　秦纪

［宋］司马光　编著
张大可　韩兆琦　等　注译

浙江人民出版社

浙江省版权局著作权合同登记章
图字:11-2023-344号

图书在版编目（CIP）数据

资治通鉴全本全注全译. 第一册 / （宋）司马光编著 ；张大可等注译. -- 杭州 ：浙江人民出版社，2024. 10（2025. 6重印）.

ISBN 978-7-213-11659-9

Ⅰ. K204. 3

中国国家版本馆CIP数据核字第2024Z1X231号

资治通鉴全本全注全译　第一册

ZIZHI TONGJIAN QUANBEN QUANZHU QUANYI

［宋］司马光　编著　　张大可　韩兆琦　等　注译

出版发行：浙江人民出版社（杭州市环城北路 177 号　邮编　310006）
　　　　　市场部电话：（0571）85061682　85176516
选题策划：胡俊生
项目统筹：潘海林　魏　力
责任编辑：齐桃丽　魏　力
营销编辑：童　桦
责任校对：王欢燕　杨　帆　汪景芬
责任印务：程　琳　幸天骄
封面设计：北京之江文化传媒有限公司
电脑制版：北京之江文化传媒有限公司
印　　刷：浙江新华数码印务有限公司
开　　本：710 毫米 ×1000 毫米　1/16　　印　　张：36.25
字　　数：705 千字　　插　　页：4
版　　次：2024 年 10 月第 1 版　　印　　次：2025 年 6 月第 2 次印刷
书　　号：ISBN 978-7-213-11659-9
定　　价：124.00 元

注译者

张大可

张大可，生于一九四〇年，重庆市人。一九六六年毕业于北京大学中文系古典文献专业。历任兰州大学历史系教授、北京外国语大学中文系教授兼系副主任、中央社会主义学院教授。现为北京师范大学历史学院特聘教授。社会兼职主要有中国史记研究会会长、中国历史文献研究会常务理事、中华伏羲文化研究会常务理事等。享受国务院政府特殊津贴。长期从事中国历史文献学与秦汉三国史方向的研究，发表学术论文近二百篇，主要著作有《史记研究》《史记新注》《史记文献研究及选讲》《史记论赞辑释》《史记精言妙语》《史记十五讲》《〈史记〉史话》《司马迁评传》《三国史研究》《三国史》《三国十二帝》及《张大可文集》（1—10卷）等。主编高校教材《中国历史文选》《中国历史文献学》《史记教程》等。整理注译《史记》《资治通鉴》等多种。有六部学术专著获省部级优秀图书奖。

韩兆琦

韩兆琦，生于一九三三年，天津市人。一九五九年北京师范大学中文系毕业，一九六二年复旦大学中文系研究生毕业。历任北京师范大学中文系教授、博士生导师，中国人民大学国学院特聘教授、博士生导师。社会兼职主要有中国史记研究会名誉会长、中国散文学会副会长等。长期从事中国古典文学与中国古代历史的教学与研究，著作等身，蜚声中外。曾穷十余年之功完成的《史记》研究巨著《史记笺证》，为《史记》研究开创了新局面。主要著作有《史记通论》、《史记题评》、《史记选注集说》、《史记评议赏析》、《史记笺证》、《新译史记》、《史记》（三全本）、《史记》（评注本）、《史记品鉴》（插图本）、《史记精讲》、《〈史记〉解读》、《〈史记〉新读》、《〈史记〉与传记文学二十讲》、《点赞·志疑：史记研读随笔》、《中国传记艺术》、《中国传记文学史》、《中国古代的隐士》、《中国古代散文专题》等。

出版说明

由三民书局授权浙江人民出版社出版的简体版《资治通鉴全本全注全译》(三民书局版原书名为《新译资治通鉴》，系其出版的“古籍今注新译丛书”中的一种)，在读者朋友的翘首期盼中，终于与大家见面。本书由张大可、韩兆琦等专家学者精心注译。三民书局版《新译资治通鉴》从二〇〇一年开始规划出版并撰稿，二〇一一年交稿，再经调整和修改，历时十余年。原书全套四十册，共约一千五百万字，繁体竖排，分精装版和平装版，于二〇一七年出版。

《新译资治通鉴》出版后，深受海峡两岸读者喜爱，好评如潮。时隔七年，浙江人民出版社出版简体版并更名为《资治通鉴全本全注全译》，更便于大陆读者阅读。全套二十四册，简体横排，分精装版和平装版。

《资治通鉴全本全注全译》为三民书局《新译资治通鉴》的简体版，由张大可、韩兆琦等名家全注全译，无删节。本书采用文白对照的形式排版，即全书左页文言原文，右页白话译文，便于对照阅读；段后有“注释”，对文言原文的字词句作详尽解释；每段后加“段旨”导读，简述本段要旨；全段最后的“校记”，是对本段原文的勘误；每卷前有“题解”，概述本卷主要内容；每卷后的“研析”，则评述本卷所记内容的历史得失，引导读者学习和思考。

本书虽经精心编校，但限于编者水平，仍难免存在错漏不妥之处，敬请读者方家不吝赐教，以使本书修订完善。

浙江人民出版社

《资治通鉴全本全注全译》（全二十四册）

总目录

第十六册　卷第一百七十一至卷第一百八十四（陈纪五至隋纪八）

刊印“古籍今注新译丛书”缘起

刘振强（中国台湾三民书局董事长）

人类历史发展，每至偏执一端，往而不返的关头，总有一股新兴的返本运动继起，要求回顾过往的源头，从中汲取新生的创造力量。孔子所谓的述而不作、温故知新，以及西方文艺复兴所强调的再生精神，都体现了创造源头这股日新不竭的力量。古典之所以重要，古籍之所以不可不读，正在这层寻本与启示的意义上。处于现代世界而倡言读古书，并不是迷信传统，更不是故步自封，而是当我们愈懂得聆听来自根源的声音，我们就愈懂得如何向历史追问，也就愈能够清醒正对当世的苦厄。要扩心量，冥契古今心灵，会通宇宙精神，不能不由学会读古书这一层根本的功夫做起。

基于这样的想法，本局自草创以来，即怀着注译传统重要典籍的理想，由第一部的“四书”做起，希望借由文字障碍的扫除，帮助有心的读者，打开禁锢于古老话语中的丰沛宝藏。我们工作的原则是“兼取诸家，直注明解”。一方面熔铸众说，择善而从；一方面也力求明白可喻，达到学术普及化的要求。丛书自陆续出刊以来，颇受各界的喜爱，使我们得到很大的鼓励，也有信心继续推广这项工作。随着海峡两岸的交流，我们注译的成员，也由台湾各大学的教授，扩及大陆各有专长的学者。阵容的充实，使我们有更多的资源，整理更多样化的古籍。兼采经、史、子、集四部的要典，重拾对通才练识的重视，将是我们进一步工作的目标。

古籍的注译，固然是一件繁难的工作，但其实也只是整个工作的开端而已，最后的完成与意义的赋予，全赖读者的阅读与自得自证。我们期望这项工作能有助于为世界文化的未来汇流，注入一股源头活水；也希望各界博雅君子不吝指正，让我们的步伐能够更坚稳地走下去。

《新译资治通鉴》前言

唐太宗尝曰:“以铜为镜，可以正衣冠；以古为镜，可以知兴替；以人为镜，可以明得失。”可见历史具有“鉴往知来”的效果。中国人最注重历史。在儒家奉为圭臬的十三部经典中，属于历史记载者便占了四部之多；而清代集图书之大成的《四库全书》，更将“史部”列名四部第二，足证历朝统治者对于编修史书之重视。若从文体分，又以纪传体、编年体与纪事本末体最为人所熟知。而编年体史书的起源最早。编年体始创于春秋，依历史发生的先后顺序加以编撰记载，较著名的编年体史书有《春秋》《竹书纪年》，而将之推上顶峰者，则是司马光的《资治通鉴》。其记自周威烈王二十三年（公元前四〇三年），迄于后周世宗显德六年（公元九五九年），横跨十六个朝代，时间长达一千三百六十二年。想要了解各朝代的兴衰更替、透析历史洪流的固定脉络，熟读《资治通鉴》，绝对有助于贯通古今、汲取教训。

自公元二〇〇一年规划出版《新译资治通鉴》，我们即觅寻对此方面具有相当研究之专家学者，历经千辛万苦，终获中国历史文献研究会张大可教授与北京师范大学中文系韩兆琦教授首肯，共同承担本书的注译工作，并从二〇〇六年开始陆续交稿。经过多年努力，埋首案牍、辛苦撰稿，终在二〇一一年全部稿齐。

二位教授于点校、注译等各方面着力颇深、极富学术性，对于本书的贡献实功不可没。然而此时距规划出版此书已逾十年，一则相关学术成果迭出，或有新旧争鸣，二则受社会变迁带来教育发展、思维变化等诸多影响，现今学子与社会大众的古文能力已不比从前，一般读者恐难吸收个中菁华，如即行出版，有悖初衷。鉴于二位教授年事已高，故此，我们特别邀请北京大学中文系侯忠义教授、中国社会科学院历史所研究员吴树平先生、北京大学中文系林嵩副教授等多位专家学者，在尊重原稿基础上，对书中部分内容进行适当的调整与修改，期使本书汲取新意并深入浅出，以达学术与普及兼备、雅俗共赏之目标。经过诸位学者专家齐心努力，终于圆满完成。

本书能够顺利出版，要感谢以下诸位专家学者：张大可、韩兆琦、侯忠义、吴树平、杨振红、赖长扬、马怡、骈宇骞、陈抗、魏连科、张文质、林嵩、汪华龙、滑裕、谢振华、孔令洁、孙秋婷、章鸿昊。亦要向排校过程中，一同参与相关工作的编辑部同仁致上最大的敬意。因为有大家的通力合作、无私付出，方能使本书顺利付梓，不胜感激。本书虽经细心核校，仍恐有所疏漏，尚祈各界方家不吝指教，以使本书俾臻完善。

三民书局编辑部谨志

凡　例

一、底本及解读内容

1. 底本。《资治通鉴》原文以清胡克家本为底本，参考章钰校记、当今相关研究厘定文字，以完整的史事记述为单元划分注释段落。并采择章钰等人校勘成果，校订正文，且写入校记为专条。

2. 新译读本的内容。包括题解、段旨（说明）、注释、校记、语译、研析六项内容。题解、段旨（说明）、研析宏观解读《资治通鉴》编年记事的内容。题解、研析以卷为单元，每卷开头有题解，指出该卷大事内容，卷末研析评点大事。段旨（说明）以注释段落首尾完备的大事件为单元，述与评结合，写在该注释段落之末，提示串述重要史事。校记主要采用章钰校勘成果，旁及相关史料。注释、语译两项内容，以疏通文字为目的。微观解读字、词、句，是新注本的重心，技术要求，分述于次。

二、注释内容及体例

1. 词义。一般词语不注释。笔法用语、特殊词语、通假字等均一一用简洁现代汉语注释，尽可能做到不漏、不滥。

2. 语句。因有译文，故一般不串释语句。但特殊短语、难句、复杂历史内容的句子、必须疏解的语法及修饰作用的句子，不串释不得要领者，既释单词，再做说明性串释，以弥补字面语译的不足。

3. 历史。包括史事、考辨、掌故等多项内容，注释以简明为原则，不作繁琐引证；对学术界争论的问题，只取通行的或某家之说，不进行争鸣。

4. 天文。用现代天文学成就与《资治通鉴》天文用语直接对译。不明天象及感应灾祥，不强加解释，也不妄评，而只注明“不明天象”或“待考”字样，存疑以待贤者。

5. 地理。与阅读无关的地名一律不注，如官爵中的地名就不注。应注地名分三大类，体例如次：

（1）各级政区地名，只注治所方位的今地，不注沿革及范围。例：

①淮阳：郡名，治所在今河南淮阳。

②蓝田：县名，县治在今陕西蓝田西部。

（2）地区地名，只用一两句概略语简注，不详述范围。例：

①关内：地区名，古指函谷关以西关中之地。

②关东：地区名，古指函谷关以东之地。

③关中：地区名，相当于今陕西中部地区。旧说在东函谷关、南武关、西散关、

北萧关等四关之中。

（3）一般地名，直接对译，重要地区如军镇、古战场等等，说明其性质。例：

①荥阳：地处冲要的军事重镇，在今河南荥阳。

6. 职官。一般只简注职能，不详注沿革变迁和秩禄。例：

①丞相：官名，朝廷的最高行政长官，协助皇帝处理国家政务。

②太常：官名，秦、汉九卿之一，掌宗庙礼仪，兼掌博士与选举。

③郎中令：官名，秦、汉九卿之一，掌护皇宫，统属诸郎。

④詹事：官名，主管宫中皇后、太子日常事务。

⑤丞：秦、汉朝廷和地方官署均有丞，辅佐长官。

（以上各条注，均简洁说明其职守，以助读者读懂原文，不详注，也不对译成现代官名。如丞相，总理；长史，秘书长；谒者，礼宾司司长；等等。）

7. 人物。注释内容有六大要项，即名（姓名、表字）、时（生卒年）、地（籍贯）、官（主要的或最高的、最后的）、事（代表性的经历）、传（见某史书某卷），完整释例如下：

①萧望之（？至公元前四七年）：字长倩，东海兰陵（今山东兰陵西南）人，徙杜陵（今陕西西安东南）。汉宣帝时，历任左冯翊、大鸿胪、御史大夫、太子太傅等官。甘露三年（公元前五一年），主持石渠阁会议，评议“五经”同异。元帝即位，以帝师甚受尊重，爵关内侯。传见《汉书》卷七十八。

人物众多，一般只作索引式简注，为读者提供检索便利；正史不载的次要人物，只简注“人名”二字即可，不一一详注六项内容。例如：

①朱祐（？至公元四八年）：东汉开国功臣之一，封安阳侯。传见《后汉书》卷二十二。

②冯勤（？至公元五六年）：传见《后汉书》卷二十六。

③景言：泉景言，人名，曾任建节将军。

④曹泥：人名。

注释人物的详略分寸，视其读史需要，而不是按人物级别来定。像秦始皇、汉武帝、韩信、韩愈等有重大影响的历史人物，知名度高，读者容易查找，不必评注。但国君、皇帝，一般注明在位年代。例：

①威烈王：名午，东周时代的第十七代国君，周考王之子，公元前四二五至前四〇二年在位。

8. 名物、制度、风俗、习惯等词目的注释。吸收考古及学术界的研究成果，体现出“新”的内容特色。

9. 校勘。本书对章钰校勘成果择要选录，特出校记条目，列于注释项后。

10. 正文、注释的联系。用数字为序号联系。以被注词句为条目，冒号后书写注文。

三、对语译的要求

使用简洁明快的现代汉语翻译《资治通鉴》原文，应与注释紧密配合，两者不能有抵牾。为使译文紧贴原文，而又简洁明快，特做如下一些技术规范。

1. 扣紧字词句。以叙述语直译为主，意译为辅。一些用当今通俗语意译的词句，加注说明。例如“苍头”，随文译为“随身保镖”，是“奴仆”的引申译法就必须出注说明。又如“宴惰”意译为“岁首欢宴，放松警惕”，也应出注说明。

2. 切忌以串释代语译。译文是以今语对转古语，前人称为诂；串释是用众多词语解释一个词语，前人称为训。需要串释的词句出注训释，以使译文简练。

3. 古代官名、地理、特殊事物名称、习用语不译。为避免译文不准确，并保持时代特色，故不译。

4. 古今习见的通用语、成语典故不译。例如“挟天子以令诸侯”“大赦天下”“唯利是图”“出其不意”“秋毫无犯”“若合符契”“犹豫不决”等精粹语言，现代语中仍然通用，如果强要硬译，反觉累赘，不译为好。

5. 干支纪日的译法。在译文中要保留干支名称，以使译文畅通，时间一目了然。例：某干支“辛丑”为“十六日”，如译文只写“十六日”，时间概念仍模糊，而写成“七月十六日辛丑”就非常明晰。如果正文所提干支有误，则在注文中考证，更正误记的日期，而译文仍依正文之纪日。

6. 省略的官名译文用全称。例如省称的官名“舍人”要译为“中书舍人”，而作为宾客的“舍人”可以随文译成“管家”或不译。

7. 特殊语“上”字的译法。作为皇帝通称的“上”，一般不通译为“皇上”，而转译为具体所指，如“北魏孝武帝”“梁武帝”等，以使译文清晰。

8. 第三人称，译文复指其名，一般不译为“他”。

9. 一些字面语背后含有一定的历史内容的译文，皆出注说明。例如“乔宁、张子期之死”，补充原因，出注说明，这样译文就可保持干净。

总之，注与译都要突出“新”与“通俗”两个特点，使《资治通鉴》打破时空的隔阂，成为人人可读的书。整理者必须随文下功夫，特别是语言的感情色彩，只能心领神会，点染加工，不可能用条例规范，这里就不多说了。

导　读

《资治通鉴》是北宋大政治家、大史学家司马光领衔修撰的一部历史名著，是我国历史上第一部编年体通史，有着巨大的历史价值以及知往鉴今的借鉴价值，值得所有人阅读。我国台湾的三民书局为了普及《资治通鉴》，邀请我与当今著名的学者韩兆琦先生主持诠译《资治通鉴》，经过多年的努力终于杀青，定名为《新译资治通鉴》。本文为该书导言，旨在引领读者怎样读《资治通鉴》，着重点是评价编年体史书的特点，了解《资治通鉴》一书的内容、体制及价值，还应涉及编年体史书的源和流，方能透彻了解《资治通鉴》的特点。作者司马光就不赘言了，以下分三节来集中评说《资治通鉴》。

一、编年体史书的源流与特点

《资治通鉴》全书二百九十四卷，不计标点约有三百三十万字，上起周威烈王二十三年（公元前四〇三年），下迄后周世宗显德六年（公元九五九年），记载了战国初年迄于五代末叶一千三百六十二年错综复杂的历史，是一部贯通古今的编年史巨著，其气势与规模，不仅在古代中国，就是在世界中世纪史坛上，都堪称高视独步、无与伦比之作。如此一部伟大的历史巨著，不是凭空产生的，它是编年体史书发展到成熟时期水到渠成之作。大体说来，编年体史书的发展经历了三个历史阶段。编年体史书，以下行文又简称编年史书。商、周迄秦，即先秦时期，是编年史书的草创时期，可称之为源。两汉迄唐，即汉唐时期，是编年史书的确立时期。两宋迄清，是编年史书的成熟时期，《资治通鉴》是其成熟的标志。这后两个时期，可通称为流。本节简括地评介《资治通鉴》产生前的编年史书的源和流，即先秦时期与汉唐时期，《春秋》和《汉纪》分别是这两个时期的代表之作，重点说这两部书，以了解编年史书的特点。

1. 先秦时期，编年史书的草创

编年体是按时间发展顺序记叙历史的一种史书体裁，是我国上古记载史事普遍使用的一种体裁，所以《隋书·经籍志》称为古史。上古事简，低下的生产力限制了人们的眼光，加以书写条件极其困难，负责记叙历史的史官或档案人员，只能用简练的文字记下他们认为重要的事，为使所记载资料更具使用价值，往往冠之以时间单位，因而很自然地创造了编年记事的形式，此不独中国为然，世界各国亦多循此途拉开各自史学发展的序幕。原始社会结绳记事，刻木为志，就是最早的以时间为顺序的编年体式。我国现存最早的记事文献为商朝甲骨文。甲骨文又称卜辞。卜辞记事就已标明年月日的顺序，只是一般以日、月在前，而年代居后。现存西周的文献，也有只记日、月而不记年的，或者只记年、月、日其中之一项的，缺乏完整准确的时间观念，说明编年记事体制尚处在原始阶段。

《汉书·艺文志》载，西周时“左史记言，右史记事”。但传世文献，西周史书记事很不完备，不重时间观念，以记言体为主，记事编年体处于附属地位。春秋战国时期群雄竞起，称霸争雄。为在变动的社会中掌握历史主动权，统治者招延名师攻习历史，不仅是时髦，而且更是实际需要，从而推动了史学的发展。记言体史书，因大多无时间定位，日益不受重视，如《国语》就被目为《春秋外传》，地位在《左传》之下。这时，编年史书由于有时间作为界标，便于考察时事，抑恶劝善，进一步发展起来，成为史书编纂的主导形式。此时期编年记事方式有了发展，按年、时（季）、月、日记事的程序已固定下来，所以内容也丰富充实得多了。编年体的史书编纂体例已略具定式。周代王室和各诸侯国都设有专门的史官，有左史、右史、内史、外史、大史之类，负责编年记载史事，所成之书，通称“春秋”。《墨子·明鬼》所谓“百国春秋”，犹言各国“春秋”，乃合指周王室和各诸侯国的大事记式的编年史。也有少数诸侯国不称“春秋”的，如晋之《乘》、楚之《梼杌》等，据《孟子》一书解释，都是“春秋”的别称，也就是该国各自的编年史。

秦始皇焚书，“诸侯史记尤甚，为其有所刺讥也”①。“史记”是“春秋”的又一通称，指为史官所记。先秦编年史书劫后复见者，仅存孔子所修鲁史《春秋》，为“五经”之一，这是极为遗憾的事。相传孔子以鲁国的“春秋”为主，参照其他国家的记载整理删定而成《春秋》。从此以后，《春秋》成为对一书的专称。《春秋》用鲁国年号，按年、时、月、日分条记事，以展示自鲁隐公元年（公元前七二二年）至鲁哀公十四年（公元前四八一年）共二百四十二年的春秋列国史②。文字极简略，每事只记结果或结论，没有过程的描述和事态的展开，且措辞隐晦，往往使人不知所云，又对于社会情况及重大事件多有缺漏。于是，为《春秋》作注解的所谓“传”便相继出现了。汉代传《春秋》的有五家，即《左氏传》三十卷，《公羊传》《穀梁传》《邹氏传》《夹氏传》各十一卷。《邹氏》《夹氏》两传早亡，剩下的就是著名的“春秋三传”。其中《公羊》《穀梁》两传，重在阐释微言大义，向不目为史学著作。但细考二传，都是严格遵循编年体式，按时间顺序以阐释《春秋》义旨的，其中着重阐释避讳、书法理论及大一统思想之类，对后世史学影响甚巨，且在编年释义中，亦偶有史料的补充，因之，仍具有某种编年史书性质，应该在史部典籍中占有一定的地位。至于《左传》，因作了大量的史料补充和在史学上的重大探索而成为我国第一部比较完备的编年体史书，则是举世皆知的了。

《左传》原名《左氏春秋》，形式上虽也以鲁国隐、桓、庄、闵、僖、文、宣、成、襄、昭、定、哀十二公记事，但其内容追溯到周宣王二十三年（公元前八〇五年），较《春秋》记事提前八十三年，又下延记事至智伯之灭（公元前四五三年），

后延二十八年，前后共计多出一百一十一年以上。其记事特点，不仅尽力充实史料，更注意过程的叙述、场面的描写、人物的刻画，同时又新创史论，于人物、事件有分析，有评说，文辞更是着意求工，曲尽其妙，使人读之兴味盎然。凡此诸端，遂使《左传》成为我国古代第一部独立的史著。换言之，《左传》虽属解释《春秋》的“传”，但它可以离开《春秋》而显示史学著作的功能，而《春秋》如离开《左传》，不少地方会使人难明所指。由于《左传》不仅记述了春秋时期政治、军事、社会、文化等各方面的重大史实，而且集录了很多有关春秋以前的历史事实和传说，因而成为研究先秦历史的重要资料。

《左传》与《春秋》相比，史体有重大改进。大体说有三个方面：一是丰富了史料。《春秋·宣公二年》“秋九月乙丑，晋赵盾弑其君夷皋”。此条史事寥寥十三字，《左传》则衍为五百三十四字，详细地予以记述，才使得事件真相大白，读者明其所以。二是注意了文采。《左传》记事渊懿美茂，其语生气勃勃，文章优美，便于习诵，有利流传。三是新创了史论。《左传》记事用评论来表现是非，或以“君子曰”发端，或借引“孔子曰”代己立言，或系判断语于事尾，巧妙地将各种形式的史论，组合交织于记事之中，是述史的一种“书法”。这种书法，左丘明发端于前，司马迁弘扬于后，理论概括称之为“寓论断于序事”，从《春秋》的“书”与“不书”或一字褒贬之法上升至不可同日而语的境界。《左传》编年记事的成就，对《资治通鉴》产生重大的影响。上述《左传》改造《春秋》史体的三大特点，在《资治通鉴》中有淋漓尽致的发扬。

2. 汉唐时期，编年史书的确立

到了汉代，编年体史书结束了它的草创时期而进入确立时期。具体说有两大标志。

其一，《史记》《汉书》创立的“本纪”编年记事，是这一时期编年体确立的第一个标志。总体上，纪传体与编年体各为一体，互相争胜于史坛，但细致分析，纪传体实际是把编年记事、人物传记、年表谱录与制度专史熔于一炉的综合体。其中“本纪”明确采用编年体为全书之纲。《史记》《汉书》的“本纪”以年、时、月、日为经，以载录大事为纬，广泛涉及政治、经济、军事、文化、民族关系乃至中外交通，强调揭示一定时期历史发展的重要线索和基本轮廓，故能成为全书之总纲，其余列传、表、志所述，无不据以为依归。这种述史体制，较之《春秋》基本不录社会、经济、文化史料是一个巨大的进步。《左传》载政治、军事又囿于常事不书、非告无录、斤斤于礼、叙存细事、讳饰含混，乃至于黑白颠倒，有害实录。《史记》《汉书》本纪编年对先秦编年体所作的重大改造，也为《资治通鉴》所吸收。

其二，此时期出现了改编纪传史而成的新型断代编年史书《汉纪》，是编年体确立的第二个标志。《汉纪》为东汉末荀悦所编。起因是汉献帝读《汉书》，苦其“文繁难省”，乃命荀悦删之，荀悦在建安五年（公元二〇〇年）完成改编《汉书》的编年史书《汉纪》三十卷。是书以“辞约事详，论辩多美”[③]著称于世。所谓改编，并非就《汉书》各帝本纪加以简单串联，而是统驭全书材料，分类排比，再撷其精要，足以显示历史发展脉络者，以编年之法表现出来。荀悦改编《汉书》的成功为后世编年史书，特别是《资治通鉴》的修撰提供了宝贵的经验。此外荀悦还有三大创新：一是首创了断代编年史书，其后专写一个王朝的编年史书接踵而起，《汉纪》所起开山引导的作用，不能低估。二是首开以“纪”名编年之例，即改“春秋”为“纪”，它不只是一个称谓问题，实则寓有纲纪的深意。“盖纪者，纲纪庶品，网罗万物”[④]，取纪以名编年之史，表明其记事原则不是有闻必录、洪纤靡失，而是突出重大事件，纲纪万物，以表现一代之史。三是首为自立凡例与著书意图以统驭全书。总上，《汉纪》在史体方面的创新，使编年体正式确立，后世史家给予了高度评价。刘知幾在《史通》中论史体的发展，提出了“六家”“二体”之说，就是以班固断代的《汉书》和荀悦断代的《汉纪》作为纪传、编年二体的代表总结理论，肯定了荀书确立编年体的历史地位。近代学者亦给予高度评价。梁启超称《汉纪》是“现存新编年体之第一部书”[⑤]，金毓黻说《汉纪》为司马光修《资治通鉴》之所本[⑥]，都是很有见地的。

在东汉末年荀悦《汉纪》的影响之下，魏晋南北朝时期，断代编年史书大兴。一国之史，往往一部纪传史出，旋即有一部编年史与之相配，更有先出编年后出纪传，乃至仅有编年而无纪传者。编年史书蜂起，与纪传史书争胜于史坛，形成自春秋、战国以后编年史书发展史上的又一次高潮。其中，影响较大的有袁宏《后汉纪》、孙盛《晋阳秋》、干宝《晋纪》、王韶之《晋安帝阳秋》、裴子野《宋略》、何之元《梁典》以及王劭《齐志》等。因种种原因，流传下来的只有袁宏《后汉纪》一种。袁书对编年体又有丰富与发展，是编年体确立时期堪与《汉纪》相媲美的一部力作。

二、《资治通鉴》的特点与成就

唐初修《晋书》《梁书》《陈书》《北齐书》《周书》《隋书》《南史》《北史》，确立纪传体为正史编修体例，编年体的发展势头相对低落。至北宋《资治通鉴》出，又重振雄风，进入了编年史书的成熟时期。

《资治通鉴》总结了以往编年史家的经验，发展和完善了这种古老的体裁，使编年体得以重振，代表了我国古代编年史的最高成就。兹从以下六个方面略述其体制特点与成就。

1. 预先制定严密的工作程序和体例细则以指导编纂全过程

司马光修纂《资治通鉴》，开创了主编全面负责的集体分工合作制。司马光为全书主编，刘恕、刘攽、范祖禹为主要的协编。《资治通鉴》编书程序，分作三大环节，先作丛目，次成长编，最后定稿。前两步工作由协编者分段负责，大体分工是刘攽负责汉史长编，刘恕负责魏晋南北朝史及隋史长编，范祖禹负责唐史长编。五代史也归刘恕。刘恕中途病死，未完的南北朝部分归刘攽，五代部分归范祖禹。最后定稿由司马光一人独力完成。丛目制作之法，首先在广泛阅读原始文献的基础之上，按时间顺序列出事题目录，叫作“事目”，然后为事目作注，即将收入各目之资料，注明篇卷出处，因事目繁多，故谓之“丛目”。长编又称“草卷”，实即初稿，制作之法，是根据丛目提供的线索，将史料重新检阅一次，然后经过取舍、综合、诠次，写出编年史雏形。长编写成后，交由主编“笔削”，作进一步加工，又有“粗删”“细删”的程序，以期定稿趋于完美。司马光在修《资治通鉴》之前先拟定出《通鉴释例》一卷，确定全书用语、格式等方面凡例三十六条，后又与刘恕反复商讨，定出纪元、薨卒等多项义例，又对范祖禹工作作出指示，全面申述丛目及长编修撰细则。这些规则，为所有编写人员所遵守，成功地体现在整个编书实践中。以上种种措施，皆为编书质量提供了保证，使《资治通鉴》在结构谨严、体例统一方面，能够卓然高出传统编年史书。

2. 主干材料与辅翼材料交相为用，使编年体史书体制一新

为什么要编《资治通鉴》，司马光自道原因说：“每患迁、固以来，文字繁多，自布衣之士，读之不遍，况于人主，日有万机，何暇周览！臣常不自揆，欲删削冗长，举撮机要，专取关国家盛衰，系生民休戚，善可为法，恶可为戒者，为编年一书，使先后有伦，精粗不杂。”⑦可见《资治通鉴》之修，实存在满足士子学史需要和提供君主治国借鉴两方面的原因。由于前者，必须写成“举其大略”的比较全面反映历史内容的通史，由于后者，必须强调政治史，以便从“国家盛衰”与“生民休戚”中引出“善可为法，恶可为戒”的历史借鉴，二者的综合，遂使主干材料与辅翼材料交相为用的述史体制应运而生。《资治通鉴》着重叙述历代重大政治事件和战争，以“穷探治乱之迹”，同时对于重要历史人物的言论事迹、各类典章制度的沿革、民族间的交往、经济的发展、习俗的变迁、历法的进步之类，皆有扼要的记述，以为“生民休戚”之表征和“治乱兴衰”之基托。所以胡三省说：“温公作《通鉴》，不特纪治乱之迹而已。至于礼乐、历数、天文、地理，尤致其详。读《通鉴》者，如饮河之鼠，各充其量而已。”⑧纪传体广载史事，各类史料按纪、传、表、志，分体著录，做到分而不散。《资治通鉴》则合纪、传、表、志材料于一炉，用编年线索加以贯串，使之统而不分。如此述史，于中心突出之际，兼收包罗宏富之功，既便于总结历史治乱兴衰的经验教训，又便于全面表现社会历史的概貌。此例之设，为编年体注入了新的血液，使编年史书真正建立起了与纪传史书并驾齐驱的体制基础。

3. 首创史料考异之法以取信，使编年述史体制臻于精善

《资治通鉴》载述一千三百六十二年的历史，史料极其浩繁，如何考订鉴别，成为一大难题。为了准确记事，对相互矛盾的史料，必须有所去取，对各有短长的记载，必须综合诠次。司马光将此等去取诠次的情形，写成《通鉴考异》三十卷，随附《资治通鉴》并行，由此创造了史料考异之法，也开启了修史之家"自撰一书，明所以去取之故"的先例，遂使古老编年体臻于精善。考异之例一开，对后世史家震动甚大，有作为而又实事求是的史家争相效仿之。如《资治通鉴》协编者之一范祖禹之子范冲，南宋高宗朝时重修北宋《神宗实录》，即著《神宗实录考异》五卷，以明对旧录删改去取之由。此外，李焘等一些史家，在他们的编年著作中，更将考异文字直接附于正文有关史事条下，体式又有所推进。

4. 纪年方法进一步改进

时间本位是编年史书最根本的特征，也是它区别于其他史体的最主要依据。在标准编年体式中，被记载下来的所有史实，无不一一与其确定的时间相联系，并被嵌入相应的日、月、时、年、年号、君主、朝代的严密序列当中。如此述史，便于把握大势，使一定时期历史发展的概貌，由远及近地展现在读者面前。如何编年记事，前节评述了《春秋》《汉纪》，乃至《史记》《汉书》的本纪已经奠定了基础，至《资治通鉴》又有改进。具体说，纪年的改进，主要有以下三项。

（1）《资治通鉴》纪年吸取了当时历法的最新成就。古代用干支纪年，要推定朔闰，必然牵涉到历法，而历法精粗不一，自然导致纪年的准确程度呈现差异。北宋著名天文历法专家刘羲叟著《长历》一书，相当精密。司马光即采用《长历》辨定典籍所载史事的朔闰、甲子，因而使纪年错误较少。

（2）《春秋》《左传》记事叙次的原则，如注家杜预所概括，乃"以事系日，以日系月，以月系时（季），以时系年"。《资治通鉴》因系通史，又加上"以年（号）系君主，以君主系朝代"，则其纪年体式为"以事系日，以日系月，以月系时，以时系年，以年系号，以号系朝"。例如曹操之死，《资治通鉴》记为："魏纪 · 世祖文皇帝（曹丕）· 黄初元年：春，正月，武王（曹操）至洛阳。庚子，薨。"汉武帝以前，没有年号，鲁庄公某年，秦始皇某年，汉高祖某年之类，是当时通行的纪年法，还不属"以年号系君主"，《资治通鉴》以前没有编年体通史，断代编年，自然没有在行文中标明朝代的必要。可见，《资治通鉴》改进纪年法，也是时代变化、史学发展的必然结果。

（3）诸侯并立，王朝分裂，各国对峙时期，《资治通鉴》纪年，只取一国、一帝年号；又更号改元之岁，皆取最后一个年号。这种纪年方法，容易示人主从亲疏，并产生"头齐脚不齐"的感觉，有待进一步改进；但能使行文简明，体例划一，也是无法否认的。

5. 叙论分出，突出史论地位，创新史论体式

所谓叙论分出，是指在编年史书中，史事的叙述与撰史者的评论明确分开，并突出史论的地位。一般来说，史事的叙述，严格依据有关史料来写，“悉从论纂，皆有凭依”[⑨]，不得向壁虚造。史而有论，乃是史学著作区别于单纯史料汇编的重要标志。我国古人撰史，向来重视“事”“文”“义”的有机联系。《资治通鉴》史论，即是为“义”而发之作。自《左传》创立史论体式以来，有作为的史家，无不致力于此，写出脍炙人口的力作。《资治通鉴》既以“资治”为重要编书目的，则发掘、阐发史义的文字，便不能不提到突出地位。表现在数量方面，据精确统计，《资治通鉴》全书设史论二百一十八篇，其中有不少千言以上的大论，这在我国古代史书编撰中是空前的。内容方面，除一般的讨论为政得失、褒善贬恶外，更围绕以礼治国思想反复宣扬，并对史学功能、经史关系乃至编修凡例之类，展开广泛评说。《资治通鉴》突出史论地位，是与它主要作为政治史的体制相吻合的。

《资治通鉴》史论，分为两大类型：一是司马光自撰之论，以“臣光曰”发端；一是借引前人成说之论，以借引史家姓名或著作名发端。前者可称“自论”，后者可称“借论”。《资治通鉴》对欲评之事，一般一事一论，或自论，或借论。间亦有同时借引两则成说，或借引一则成说之后又作“臣光曰”，即以二论共评一事者。《资治通鉴》全书，共设借论九十八篇，征引作者三十四家，其中：

孟轲一篇　荀况二篇　贾谊一篇　司马迁二篇　扬雄六篇　班彪三篇　班固十五篇　仲长统一篇　荀悦八篇　傅玄一篇　华峤一篇　陈寿五篇　徐众一篇　孙盛五篇　习凿齿六篇　鱼豢一篇　虞喜一篇　干宝一篇　袁宏三篇　袁准一篇　范晔三篇　崔鸿二篇　沈约四篇　裴子野十一篇　萧子显一篇　萧方一篇　颜之推一篇　陈岳二篇　李延寿二篇　权德舆一篇　李德裕一篇　柳防一篇　苏冕一篇　欧阳修二篇

借引成说立论，发自左丘明，司马光加以弘扬，广泛借引成说，将借论与自论有机地结合起来，构成遍布本书之经络，无疑是对编年体式的一种创新。

6. 主体著作与成套系列著作联为一气，使编年史体气象万千

《资治通鉴》因记事时限太长，虽极简要之能事，亦洋洋三百余万言，颇难掌握。为便阅读，提高史著的社会效益，司马光以《资治通鉴》为中心，先后编写了一系列著作，以与主体互相发明。除《通鉴考异》三十卷起辨析增广史料的作用外，“又略举事目，年经国纬，以备检寻，为《目录》三十卷”[⑩]。

《资治通鉴》目录与一般书籍的标题目录不同，其特点是“年经国纬，著其岁阳岁名于上，而各标《通鉴》卷数于下，又以刘羲叟《长历》气朔闰月及史所载七政之变著于上方，复撮书中精要之语散于其间。次第厘然，具有条理”[⑪]，实为一内容提要性的大事年表。《目录》与《考异》随《资治通鉴》同时上奏宋神宗，是《资

山东曲阜东南，后改都于今山东邹城东南，战国时被楚国所灭。莒国是己姓，初都介根，在今山东胶州西南，后迁于莒，即今山东莒县。⑩ 历数百年二句：周天子作为天下各国所共同尊崇的首脑，一直经历了数百年。宗主，为诸国所尊崇、所拥戴的首脑。〖按〗周王朝自武王灭商建国（公元前一〇四六年）至赧王死，周被秦所灭，共历七百九十一年。⑪ 晋、楚、齐、秦：都是春秋时期的大国名。晋国是武王之子叔虞的后代所领之地，自晋文公称霸开始，晋国长期处于霸主地位。楚国是熊绎的后代所领之地，至成王、庄王时强极一时，成为北方所惧怕的南方大国。齐国是武王功臣姜太公的后代所领之地，自桓公开始一直是春秋时代的泱泱大国。秦国自襄公佐周室东迁列为诸侯，至穆公时一度很强大，是西部地区的大国。⑫ 不敢加：不敢凌驾于周天子之上。⑬ 徒以：就是因为。⑭ 名分尚存：指各国诸侯与周天子尚基本保存一种"君君臣臣"的样子，还不像战国时那样不把周天子看在眼里，甚至最后竟然把周国灭掉。⑮ 季氏之于鲁：季氏的势力与鲁国国君相比。季氏也称"季孙氏"，是鲁国国内的权臣，与另外两家权臣孟孙氏、叔孙氏世代执掌鲁国政权，历史上称之曰"三桓"。"三桓"都是鲁桓公的后代。鲁桓公名允，公元前七一一至前六九四年在位。鲁桓公有四个儿子。长子名同，即鲁庄公，公元前六九三至前六六二年在位。鲁庄公的二弟曰庆父，三弟曰叔牙，四弟曰季友。庄公晚年为怕叔牙日后立庆父，先令季友逼叔牙自杀。庄公死后，庆父杀庄公子闵公，季友又在齐桓公的帮助下杀了庆父而立僖公，从此季友遂为鲁国最大权臣，世为鲁国首辅。叔牙之后为叔孙氏，庆父之后为孟孙氏，亦世代为鲁国权臣。三家的势力越来越大，后来竟发展到驱逐鲁昭公，使其终身不能回国。事见《史记·鲁周公世家》。⑯ 田常之于齐：田常与齐国国君的势力相比。田常也叫"田恒"，汉人避文帝讳，故改"恒"为"常"。因其原为陈国贵族，故也称"陈恒""陈常"。田常的先人于齐桓公时代逃到齐国，在齐国逐渐发展起来。至田常时执掌齐政，杀了齐悼公，改立齐平公，为其后代田和篡夺齐国政权准备了条件。事情详见《史记·田敬仲完世家》。⑰ 白公：名胜，是楚平王太子建的儿子。太子建被奸臣费无极所谗杀，白公胜逃居吴国。后来白公胜被楚国令尹子西召回，使居吴境，号称白公。白公胜欲为父报仇，与令尹子西等发生矛盾。白公胜杀令尹子西，劫楚惠王。白公胜的党羽劝白公胜杀楚惠王自立，白公胜畏惧不敢，后被楚人所杀。事见《左传·哀公十六年》。⑱ 智伯：名瑶，晋国六卿中最强的一个，先与韩、赵、魏三家驱逐了范氏、中行氏，四家共分其地。晋出公派兵伐智伯，智伯攻晋出公，出公外逃死于道。智伯欲篡晋而未敢，乃立晋哀公。事见《史记·晋世家》。⑲ 自为：自己篡国为君。⑳ 卒不敢：最后还是不敢。卒，终于。㉑ 奸名犯分：违背名分；不顾名分。奸，冒犯。㉒ 晋大夫：指韩、赵、魏三家。㉓ 暴蔑：欺凌蔑视。㉔ 剖分晋国：周贞定王十六年（公元前四五三年），亦即晋出公二十二年，赵、魏、韩三家灭智伯后，三分其地，从此，当年晋国的全部国土遂落入三家之手。剖分，瓜分。㉕ 宠秩：宠爱并授以爵位，指册封三家为诸侯。秩，级别、爵位。㉖ 使列于诸侯：将他们三家都列入诸侯的行列。⑫⑦ 于斯：于此；在这个问题上。⑫⑧ 当是之时：当韩、赵、魏三家瓜分晋国的时候。是，此。⑫⑨ 三晋：指瓜分晋国的韩、赵、魏三大家族。由于后来他们都成了三个独立的诸侯国，故历史上也称战国时代的赵、魏、韩三国为“三晋”。⑬⓪ 其可得乎：那可能吗。得，能。⑬① 苟：假如；一旦。⑬② 犯义侵礼：冒犯礼义之大规。⑬③ 悖逆：叛逆；犯上作乱。⑬④ 桓、文之君：类似齐桓公、晋文公那样的诸侯霸主。齐桓公名小白，襄公之弟，公元前六八五至前六四三年在位，春秋五霸之一。事见《史记·齐太公世家》。⑬⑤ 奉礼义：打着礼义的旗号。奉，秉承。⑬⑥ 请于天子：指韩、赵、魏三家向周天子请求晋升为诸侯。⑬⑦ 乌呼：同“呜呼”。⑬⑧ 以智力相雄长：以智谋武力彼此争高争强。⑬⑨ 圣贤之后为诸侯者：如陈国、杞国、宋国等等。陈国是舜的后代，被周武王封于淮阳；杞国是大

【原文】

初，智宣子⑭③将以瑶为后⑭④。智果⑭⑤曰：“不如宵⑭⑥也。瑶之贤于人者五，其不逮⑭⑦者一也。美鬓[2]长大则贤⑭⑧，射御足力⑭⑨则贤，伎艺毕给⑮⓪则贤，巧文辩惠⑮①则贤，强毅果敢⑮②则贤。如是而甚不仁⑮③。夫以其五贤陵人⑮④，而以不仁行之⑮⑤，其谁能待之⑮⑥？若果立瑶也，智宗⑮⑦必灭。”弗听。智果别族于太史⑮⑧，为辅氏。

赵简子⑮⑨之子，长曰伯鲁，幼曰无恤。将置后⑯⓪，不知所立，乃书训戒之辞于二简⑯①，以授二子曰：“谨识之⑯②。”三年而问之，伯鲁不能举⑯③其辞，求⑯④其简，已失之矣。问无恤，诵其辞甚习⑯⑤，求其简，出诸袖中而奏之⑯⑥。于是简子以无恤为贤，立以为后。

简子使尹铎⑯⑦为晋阳⑯⑧，请曰：“以为茧丝乎⑯⑨，抑为保障乎⑰⓪？”简子曰：“保障哉。”尹铎损其户数⑰①。简子谓无恤曰：“晋国有难⑰②，而无以尹铎为少⑰③，无以晋阳为远⑰④，必以为归⑰⑤。”

及智宣子卒，智襄子为政⑰⑥，与韩康子⑰⑦、魏桓子⑰⑧宴于蓝台⑰⑨。智伯戏康子而侮段规⑱⓪。智国⑱①闻之，谏曰：“主⑱②不备难，难必至矣。”

为之病，这就是他的立场。

《资治通鉴》对于正史诸志中关于礼仪、刑罚、职官、食货等方面的内容，颇多采录，如西汉除肉刑、东汉立《石经》、曹魏九品官人法、西晋罢州郡兵、北周创府兵等等。涉及土地制度与民生的财赋制度亦纳为重要的政治内容。如商鞅变法、文景时期的轻徭薄赋、北魏孝文帝的均田制、唐代德宗实行两税法，以及水旱丰歉等等，记载不遗余力。当然，比起纪传史来，综合史的内容大大减少，突出的是政治、军事，这是编年史书的一个特点。

由于《资治通鉴》吸收《左传》《汉纪》，以及纪传史之"本纪"叙事的优点，在政治、军事中关注礼乐、历数、天文、地理、经济、文化等内容，因此《资治通鉴》是一部内容宏富的古代政治编年通史。简括条列其述史内容，主要有以下十个方面：

（1）帝王的即位、治绩与丧葬、评说。

（2）重要历史人物的活动与卒年。

（3）经济、政治制度的变革与重要的法令颁布。

（4）社会各阶级、各阶层尖锐复杂的矛盾斗争。

（5）重大的军事活动与战争。

（6）民族关系。

（7）中外关系。

（8）重要的发明与发现。

（9）生产工具和生产技术的改进。

（10）重大的自然变革与灾害。

2.《资治通鉴》的史学价值

《资治通鉴》的史学价值，在史学、史体、史料三个方面都有突出的创造，试简析之如次：

（1）史学方面。作为鸿篇巨制的《资治通鉴》，它较为详尽地反映了中国古代从战国至五代共一千三百六十二年（公元前四〇三至九五九年）的历史，熔铸于史事内容中的史学价值有三个方面。

第一，贯通古今。《资治通鉴》一书在手，历代大事囊括其中，兴衰得失汇聚眼前，这一优点，其他任何一部史籍无可比拟。清张之洞、近人梁启超做了画龙点睛的评价。张之洞说："若欲通知历朝大势，莫如《资治通鉴》及《续通鉴》。"[21] 梁启超说："司马温公《通鉴》亦天地一大文也。其结构之宏伟，其取材之丰赡，使后世有欲著通史者，势不能不据为蓝本，而至今卒未有能逾之者焉。"[22]

第二，以政治史为中心。司马光《进〈资治通鉴〉表》明确其著书目的说："专取关国家盛衰，系生民休戚，善可为法，恶可为戒者，为编年一书。"知往鉴今，其要在政治，《资治通鉴》的主要价值亦在此，这是读《资治通鉴》要牢牢把握的。

第三，以史为鉴。这一点经历了历史的考验，正如胡三省所说："为人君而不知《通鉴》，则欲治而不知自治之源，恶乱而不知防乱之术。为人臣而不知《通鉴》，则上无以事君，下无以治民。为人子而不知《通鉴》，则谋身必至于辱先，作事不足以垂后。乃如用兵行师，创法立制，而不知迹古人之所以得，鉴古人之所以失，则求胜而败，图利而害，此必然者也。"㉓

（2）史体方面。在我国史体发展史上，编年体占有重要位置，一是开众体之先，二是奠众体之基。无论是中国还是世界，按年月日记事，是人类最早用于编写史书的方法，也就是人类创造的最古老的史体。在这个意义上，可以说编年体开众体之先，乃史体之祖。中国编年体经历了自草创、确立直至成熟的过程。在其自身发展的同时，又给后起其他史体以普遍的深刻影响。《资治通鉴》追附交错的叙事，编年之中带纪事本末的辅助，对一些事件的前因或过程加以补叙，多用"初"字起笔，避免了割裂。《资治通鉴》已经达到史家叙事得心应手的境界。由《资治通鉴》又派生出袁枢的《通鉴纪事本末》，以及朱熹的《资治通鉴纲目》，成为南宋以后流行的史书体裁。特别是《资治通鉴》完备的时间本位叙事，为各种史体奠定了基础。

（3）史料方面。司马光对史料的处理，考异取信已如前述，这里补述其搜罗之宏富。司马光说，他搜集史料"遍阅旧史，旁采小说，简牍盈积，浩如烟海"㉔。后人考证司马光采用的资料有三百余种。宋人高似孙《纬略》说："《通鉴》采正史之外，其用杂史诸书凡二百二十二家。"清人胡元常录《通鉴考异》所载书名，作《通鉴引书考》，凡得二百七十二种。近人张煦侯据《资治通鉴》和《通鉴考异》所引各书加以考索，分为正史、编年、别史、杂史、霸史、传记（附碑碣）、秦汉（附别集）、地理、小说、诸子共十类，得三百零一种。一九八七年《河北师院学报》第二期载陈光崇先生的《〈通鉴〉引用书目的再检核》，拾遗补阙，考定为三百五十九种。司马光实际引用的书目可能还不止此数，足见其用力之勤，为后进述史者树立了榜样。

司马光从宋英宗治平三年（公元一〇六六年）奉命编写《资治通鉴》，到宋神宗元丰七年（公元一〇八四年）完成，历时十九年，耗尽了司马光的一生心血。在这十九年中，司马光"研精极虑，穷竭所有，日力不足，继之以夜"，把全部精力投入这部书上。由此可见，要写出一部历史名著，作者要付出何等高昂的代价。司马光的付出，换来了《资治通鉴》的永垂不朽。《资治通鉴》自问世以来，一直享有很高的声誉。宋神宗钦赐书名《资治通鉴》。南宋王应麟说："自书契以来，未有如《通鉴》者。"清王鸣盛称其为"此天地间必不可无之书，亦学者必不可不读之书也"㉕。清浦起龙对《资治通鉴》产生的影响作了高度评价，浦氏说：国史"上起三国（指韩赵魏列为诸侯），下终五季，弃编年而行纪传，史体偏缺者五百余年，至宋司马光始有《通鉴》之作，而后史家二体，到今而行，坠绪复续，厥功伟哉”[26]。这是说《资治通鉴》带动了编年史书的复兴，产生了贯通中国历史的编年史书系列，与纪传体全史交相辉映。司马光对中国史学的贡献，铸就了他在中国史学史上崇高的历史地位。

最后，还须交代一下，司马光写《资治通鉴》既不写上古，又不写后周之灭，止于禅让之前，一部通史，无头无尾，总给人以遗憾，其实这正是司马光的用心处。《资治通鉴》始于周威烈王命韩、赵、魏三家为诸侯，由此写了一篇史论，批评周王违背了名与器不可假人的礼，开启了礼坏乐崩的时代，表明司马光维护帝王权威，臣下不可越礼犯分的思想。《资治通鉴》下限不书宋周禅代，既为本朝回护，隐讳赵匡胤从孤儿寡母手中夺权的尴尬，也为自己避免触讳，少惹麻烦。中国历史上的文字狱，历史学家首当其冲，因此我们不能苛责司马光去效法南史氏吧。由此可知，《资治通鉴》无头无尾，皆寓意良深，这也是曲折地反映了中国古代社会的某种特色吧！

张大可　于北京
二〇一一年九月二十八日

【注释】

①《史记》卷十五《六国年表·序》。②“春秋三传”，《公羊传》《穀梁传》记事至鲁哀公十四年（公元前四八一年），《左传》则延至智伯灭亡，全书记事为二百六十九年。③《后汉书》卷六十二《荀悦传》。④《史通》卷二《本纪》。⑤梁启超：《中国历史研究法》。⑥金毓黻：《中国史学史》。⑦司马光：《进〈资治通鉴〉表》。⑧《资治通鉴》卷二百十二胡注。⑨司马光：《进〈稽古录〉表》。⑩司马光：《进〈资治通鉴〉表》。⑪《四库全书总目》卷四十七《资治通鉴目录》条。⑫《温国文正司马公文集》卷五十一《乞令校定〈资治通鉴〉所写〈稽古录〉札子》。⑬司马光：《进〈资治通鉴〉表》。⑭司马光：《稽古录》卷十六。⑮司马光：《稽古录》卷十六。⑯司马光：《资治通鉴》卷十六。⑰司马光：《资治通鉴》卷二十七。⑱司马光：《稽古录》卷十六。⑲司马光：《稽古录》卷十六。⑳顾炎武：《日知录》卷二十六。㉑张之洞：《輶轩语》。㉒梁启超：《新史学》。㉓胡三省：《〈新注资治通鉴〉序》。㉔司马光：《进〈资治通鉴〉表》。㉕王鸣盛：《十七史商榷》卷一百。㉖浦起龙：《史通通释》卷十二。

资治通鉴序　御制[①]

【题解】

此序为治平四年（公元一〇六七年）十月九日，宋神宗赵顼为《资治通鉴》所御制。在此序中，神宗取义于《诗经》“商鉴不远，在夏后之世”，特赐书名为《资治通鉴》。

【原文】

朕惟“君子多识前言往行，以畜其德[②]”，故能“刚健笃实，辉光日新[③]”。《书》亦曰：“王，人求多闻，时惟建事[④]。”《诗》《书》《春秋》，皆所以明乎得失之迹，存王道之正，垂鉴戒于后世者也。

汉司马迁紬石室金匮之书[⑤]，据左氏《国语》[⑥]，推《世本》《战国策》《楚汉春秋》，采经摭[⑦]传，罔罗天下放失旧闻[⑧]，考之行事，驰骋上下数千载间[⑨]，首记轩辕[⑩]，至于麟止[⑪]，作为纪、表、世家、书、传，后之述者不能易此体[⑫]也。惟其是非不谬于圣人[⑬]，褒贬出于至当，则良史之才矣。

若稽古英考[⑭]，留神载籍，万机之下，未尝废卷。尝命龙图阁直学士司马光论次历代君臣事迹，俾就秘阁翻阅[⑮]，给吏史笔札[⑯]，起周威烈王，讫于五代。光之志以为周积衰，王室微，礼乐征伐自诸侯出。

【语译】

朕听闻《易·大畜》说道“君子往往记诵前人的言行，以此来蓄养自己的德行”，因此才能“刚健忠实，日日都有新的气象”。《尚书》也说道：“王啊，人们之所以追求知识，是为了建立事业。”《诗经》《尚书》《春秋》，都是用来彰显得失的本末，保存王道的正轨，为后世高悬鉴戒的。

西汉司马迁缀集石室金匮中的藏书，依据左氏《国语》，推详《世本》《战国策》《楚汉春秋》，采择经、传，搜罗天下那些遗逸的旧闻，考证史事的源流，纵横上下数千年之间，记事始于黄帝，而以汉武帝于雍地得到白麟为止，开创了纪、表、世家、书、传的撰述体例，后来的修史者都依从了司马迁的体例。特别是《史记》对是非的判断，不与圣人的标准矛盾，褒贬又都妥帖，这实在是优秀史官的才能。

先帝英宗皇帝能顺应古道，留意于书籍，尽管日理万机，却仍然手不释卷。英宗曾命龙图阁直学士司马光编纂历代的君臣事迹，并准许他翻阅秘阁藏书，拨给编修者笔墨纸砚，记事始于周威烈王，至五代为止。司马光认为周代积弱，王室衰微，

平王东迁，齐、楚、秦、晋始大，桓、文更霸，犹托尊王为辞以服天下。威烈王自陪臣命韩、赵、魏为诸侯，周虽未灭，王制尽矣！此亦古人述作造端立意之所繇也⑰。其所载明君、良臣，切摩治道，议论之精语，德刑之善制，天人相与之际，休咎庶证之原⑱，威福盛衰之本，规模利害之效，良将之方略，循吏之条教，断之以邪正，要之于治忽⑲，辞令⑳渊厚之体，箴谏㉑深切之义，良谓备焉。凡十六代，勒成二百九十四[1]卷，列于户牖之间而尽古今之统，博而得其要㉒，简而周于事㉓，是亦典刑㉔之总会，册牍之渊林矣。

荀卿有言："欲观圣人之迹，则于其粲然者矣，后王是也㉕。"若夫汉之文、宣，唐之太宗，孔子所谓"吾无间焉㉖"者。自余治世盛王，有惨怛之爱，有忠利之教㉗，或知人善任，恭俭勤畏㉘，亦各得圣贤之一体，孟轲所谓"吾于《武成》取二三策而已㉙"。至于荒坠颠危，可见前车之失，乱贼奸宄，厥有履霜之渐㉚。《诗》云："商鉴不远，在夏后之世㉛。"故赐其书名曰《资治通鉴》，以著朕之志焉耳。

治平四年十月，初开经筵，奉圣旨读《资治通鉴》。其月九日，臣光初进读，面赐御制序，令候书成日写入㉜。

【注释】

①御制：宋神宗亲自撰写。②君子多识前言往行二句：语出《易·大畜·象辞》。识，记住。前言往行，前人的言行。畜，蓄养。③刚健笃实二句：语出《易·大畜·象辞》。日新，日日都有新的气象。④王三句：语出《尚书·商书·说命》。人们之所以追求知识，是为了建立事业。⑤紬石室金匮之书：引自《史记·太史公自序》："紬史记石室金匮之书。"紬，缀集。石室金匮，国家藏书之处。⑥左氏《国语》：指左丘明的《国语》。一说指《左氏春秋》与《国语》两书，断作"《左氏》《国语》"。⑦摭：择取。⑧罔罗天下放失旧闻：引自《史记·太史公自序》。罔罗，网罗。放失旧闻，旧闻有遗失放逸者。⑨驰骋上下数千载间：南朝宋裴骃《史记集解·序》："驰骋古今上下数千载间。"⑩轩辕：黄帝。

本应由天子主导的礼乐征伐却被诸侯所掌控。周平王东迁时，齐、楚、秦、晋才开始坐大，到齐桓公、晋文公次第成为霸主的时候，仍然假托尊奉周天子来使天下服从。而到周威烈王的时候，竟然任命身为陪臣的韩、赵、魏三家为诸侯，周朝虽然没有灭亡，但周王室的制度至此结束了！司马光以三家分晋为记事的开端，正是古人撰述时发端立意的做法。其书中所记载的明君、良臣，在治理天下上的切磋砥砺，议论间精妙的言语，恩泽与刑罚中良好的制度，天人交感的关系，吉凶应验的原委，统治者的威福与王朝盛衰的关系，谋划利弊的实际效果，良将的军事方略，循吏治民的法规，判断其间的善恶邪正，概括总结为治乱，文辞厚重的体例，规诫劝谏的深切，可以说都很好地具备了。其书总计十六代的史事，编成二百九十四卷，放在书案上就能纵览古今的统治，记事广博而能尽得其要旨，文辞简洁而能明白晓畅，可以说是治道常法的汇编，文书书籍的渊薮了。

荀子曾说："想要知晓圣人的遗法，就要去看那些明白清楚的，也就是后王的治国之道。"诸如汉文帝、宣帝，唐太宗，都是孔子所说"我完全赞同"的贤君。其他太平之世的贤君，对百姓有悲悯的爱，有忠和的教化，或是知人善任，能够恭敬、俭朴、勤劳、常怀敬畏，也是各自做到了圣贤之道的一部分，正是孟子所说"我对《武成》仅采信其两三枚简罢了"。至于古来的荒乱政局、王朝崩溃，可以作为前车之鉴，乱贼奸邪，则可以作为履霜之戒。《诗经》中说："殷商的镜鉴并不远，就是夏王朝灭亡的历史。"因此，赐其书名为《资治通鉴》，以此来显明朕的志向。

治平四年十月，初次为圣上开设讲席，奉圣旨读《资治通鉴》。十月九日，臣司马光初次进上书稿并为圣上讲读，得到圣上当面赐下御制的书序，并命令等到全书完成的时候将其写入书中。

《史记》以《五帝本纪·黄帝纪》为记事开端。⑪ 麟止：汉武帝于雍得到白麟，司马迁将此年作为记事下限，此举也是对《春秋》终于获麟的模仿。⑫ 易此体：改变"纪、表、世家、书、传"的体例。⑬ 是非不谬于圣人：对是非的判断，不与圣人的标准矛盾。⑭ 若稽古英考：能顺应古道的先帝英宗皇帝。《尚书·尧典》曰："若稽古帝尧。""若稽古英考"即仿照此句。英考，即神宗称"先帝英宗"。⑮ 俾就秘阁翻阅：允许入秘阁翻阅资料。俾，使。⑯ 给吏史笔札：为编修者提供笔墨、纸张。⑰ 威烈王四句：《资治通鉴》首句为"初命晋大夫魏斯、赵籍、韩虔为诸侯"，即以"三家分晋"作为记事的起点。此句下司马光大发议论，认为三家窃晋当诛，却被周威烈王命为诸侯，是名分失堕、礼崩乐坏，天下自此流于纷争。⑱ 休咎庶证之原：吉、凶征兆最终应验的原委。⑲ 要之于治忽：以治乱来概

括。⑳辞令：文辞。㉑箴谏：规诫劝谏。㉒博而得其要：记事广博而能尽得其要旨。㉓简而周于事：文辞简洁而能明白晓畅。㉔典刑：常法。㉕欲观圣人之迹三句：语出《荀子·非相》。司马迁以后，多将荀子学说概括为"法后王"，以与孟子"法先王"相对。后王，指晚近的贤王。㉖吾无间焉：语出《论语·泰伯》："禹，吾无间然矣。"无间，没有罅隙，完全赞同。㉗有惨怛之爱二句：语出《礼记·表记》："(虞帝)子民如父母，有憯怛之爱，有忠利之教。"即对百姓有悲悯的爱，有忠和的教化。惨怛，悲痛。忠利，王念孙疏为"忠和"。㉘恭俭勤畏：恭敬、俭朴、勤劳、敬畏。畏，《论语·季氏》："君子有三畏：畏天命，畏大人，畏圣人之言。"㉙吾于《武成》取二三策而已：语出《孟子·尽心》。前句为"尽信书，则不如无书"，此处指不必全盘接纳，仅选择"得圣贤之一体"者。㉚履霜之渐：《易·坤卦·爻辞》："履霜，坚冰至。"意即见微知著，防微杜渐。㉛商鉴不远二句：语出《诗·大雅·荡》。殷商的镜鉴并不远，就是夏王朝灭亡的历史。夏后，夏的国号。㉜治平四年十月七句：此非神宗序文，而是司马光记录神宗赐序始末的文字。经筵，为皇帝讲解经传史鉴而特设的讲席。

【校记】

［1］四：原作"六"。据章钰校，乙十一行本作"四"，今据改。〖按〗《资治通鉴》卷数正为二百九十四。

目　录

卷第一　周纪一

起著雍摄提格[①]（戊寅，公元前四〇三年），尽玄黓困敦[②]（壬子，公元前三六九年），凡三十五年。

【题解】

本卷记述了从周威烈王二十三年（公元前四〇三年）起至周烈王七年（公元前三六九年）共三十五年战国初期的各国大事。写了司马光对周威烈王册封赵、魏、韩三家大夫为诸侯一事发表了长长的感慨，对这三十多年中的杰出人物魏文侯表示了由衷的敬佩，对智伯势力极强而被三家所灭的历史教训给予了强调，对吴起的生平始末、子思与卫侯相互对答的几则小故事都记载得相当生动。

【原文】

威烈王[③]

二十三年（戊寅，公元前四〇三年）

初命晋大夫魏斯、赵籍、韩虔为诸侯[④]。

臣光[⑤]曰："臣闻天子之职，莫大于礼[⑥]，礼莫大于分[⑦]，分莫大于名[⑧]。何谓礼？纪纲[⑨]是也。何谓分？君臣是也。何谓名？公、侯、卿、大夫是也。

"夫以四海[⑩]之广，兆民[⑪]之众，受制于一人，虽有绝伦[⑫]之力，高世[⑬]之智，莫不奔走而服役[⑭]者，岂非以礼为之纪纲哉！是故天子统三公[⑮]，三公率诸侯[⑯]，诸侯制卿大夫[⑰]，卿大夫治士庶人[⑱]。

【语译】

威烈王

二十三年（戊寅，公元前四〇三年）

周威烈王姬午开始将晋国的三个大夫列为诸侯：魏斯称为魏文侯，赵籍称为赵烈侯，韩虔称为韩景侯。

司马光说："我听说，天子最大的职责是按照礼来治理国家，而礼之中又以等级关系最重要，等级关系中又以爵位最重要。什么是礼？国家的法度、法纪就是礼。什么是分？等级关系就是分。什么是名？公、侯、卿、大夫的官名、爵位就是名。

"四海之中，地域是如此广阔，有亿万之众，人民是如此之多，却都要接受一个人的统治，即使有盖世武功，纵然有出类拔萃的智慧，没有一个不是心甘情愿地为他奔走效劳，是什么原因呢？还不是因为用礼来作为治理国家的法律和制度吗！所以天子只要统领好政府中的高层长官三公，三公领导好诸侯，诸侯管理好属下的卿、大夫，卿、大夫治理好百姓就可以了。

贵以临⑲贱，贱以承⑳贵。上之使下，犹心腹之运㉑手足，根本㉒之制支叶㉓；下之事上，犹手足之卫心腹，支叶之庇㉔本根。然后能上下相保，而国家治安㉕。故曰：天子之职，莫大于礼也。

“文王序《易》㉖，以‘乾’‘坤’为首㉗。孔子系之曰㉘：‘天尊地卑，乾坤定矣㉙。卑高以陈，贵贱位矣㉚。’言君臣之位，犹天地之不可易㉛也。《春秋》抑诸侯，尊王室㉜。王人㉝虽微㉞，序于诸侯之上㉟，以是㊱见圣人于君臣之际，未尝不惓惓㊲也。非有㊳桀、纣㊴之暴，汤、武㊵之仁，人归之㊶，天命之㊷，君臣之分，当守节伏死㊸而已矣。是故以微子而代纣㊹，则成汤配天㊺矣，以季札而君吴㊻，则太伯血食㊼矣。然二子㊽宁亡国而不为者，诚㊾以礼之大节㊿不可乱也。故曰：礼莫大于分(51)也。

“夫礼，辩(52)贵贱，序(53)亲疏，裁群物(54)，制庶事(55)。非名不著(56)，非器不形(57)。名以命之(58)，器以别(59)之。然后上下粲然有伦(60)，此礼之大经(61)也。名器既亡(62)，则礼安得独在哉？昔仲叔于奚有功于卫(63)，辞邑而请繁缨(64)。孔子以为‘不如多与之邑(65)。惟名与器[1]，不可以假人(66)，君之所司(67)也’，政亡(68)则国家从之(69)。卫君(70)待孔子而为政(71)，孔子欲先正名(72)，以为名不正，则民无所措手足(73)。夫繁缨，小物也，而孔子惜(74)之；正名，细务(75)也，而孔子先之(76)。诚以名器既乱(77)，则上下无以相保(78)故也。夫事(79)未有不生于微而成于著(80)，圣人之虑远，故能谨其微而治之(81)；

地位尊贵的人就应该统治地位低贱的人，地位低贱的人就应该接受地位高贵的人的统治。地位高的驱使地位低的，就像是人的身体运转四肢，树根支持枝干；在下位的侍奉在上位的，就如同手足护卫心腹，枝叶依托树根。上下能够互为保护、依托，国家就能够政治清明、社会安定。所以说：天子的最大职责就是按照礼来治理国家。

“周文王姬昌传述《易》，把‘乾’‘坤’两卦排列在第一、第二的位置。孔子阐释《易》说：‘天高地低，乾为天、为阳，坤为地、为阴，则乾尊坤卑，尊卑的位置已经决定。地低天高的形势已经显现出来，那么天贵地贱也就因此而定了。’说的就是国君和臣子的地位就如同天高地卑一样不可改变。鲁国的史书《春秋》在记载内容上就是贬抑诸侯，尊崇周王室。周王室之官即使很小，也要把他排列在诸侯之前，从这里就可以看出孔子在对待君臣之间的关系方面，一直都给予特别的关注。除遇见像夏桀、商纣那样的暴君，同时又有商汤、周武王这样仁德的君主，人民都归附他们，上天又赋予他们讨伐暴君的使命外，臣子对待国君都应该恪守臣节，即使是为此付出生命的代价。所以当初如果让微子代替商纣为国君，那么商朝的开国之君商汤就可以和上天一样永远享受祭祀；如果让季札做吴国的国君，那么吴的祖先吴太伯的祭祀也就不会断绝了。然而微子和季札宁肯使国家灭亡也不肯做国君，就是因为礼法中，贵贱尊卑、长幼有序这个最大的原则是不能破坏的。所以说：礼之中最重要的就是确立等级关系。

“遵循礼，就可以分别贵贱，使亲疏有序，衡量各种事物，辨明各种是非。没有名位、爵号，地位的尊卑贵贱就表现不出来，不用标志名位、爵号的器物，地位的尊卑贵贱就体现不出来。爵号是用来称呼人的爵位，器物是用来区别人的职位。这样，就会使上下的关系分明、秩序井然，这就是礼的主要内容。如果连名位爵号和代表名位爵号的器物都没有了，礼又怎么能单独存在呢？过去，卫国的大夫仲叔于奚有功于卫国，卫君赏给他一块封地，他谢绝接受封地，却向卫君请求允许他的马佩上只有贵族才有资格使用的装饰物——繁缨。孔子认为‘即使多给他一些封地，也不应该准许他使用繁缨。这是因为名号与器物是不可以随便借人的，它们是国君行使权力的象征’，国君的政治权力丧失了，国家也就随之灭亡了。卫出公准备重用孔子辅佐自己治理国家，孔子提出治理国家必须首先纠正名分上的用词不当，孔子认为，在名分上用词不当就会使百姓不知该怎么办，连手脚都不知道该放在哪里才好。繁缨，是一个小的装饰物，而孔子很珍惜它；正名分，是一件很小的事情，而孔子把它放在首位。确实是因为名分和器物如果一乱，上下的等级关系就没有办法维持。任何事情都是从微小开始，而最终成就其大，圣人深谋远虑，所以能够从很小的事情着手；

众人[82]之识近[83]，故必待其著而后救之。治其微，则用力寡而功多；救其著，则竭力而不能及[84]也。《易》曰‘履霜坚冰至[85]’，《书》[86]曰‘一日二日万几[87]’，谓此类也[88]。故曰：分莫大于名[89]也。

“呜呼！幽、厉失德[90]，周道[91]日衰。纲纪散坏，下陵上替[92]。诸侯专征[93]，大夫擅政[94]。礼之大体，什丧七八[95]矣，然文、武之祀，犹绵绵相属[96]者，盖以周之子孙[97]尚能守其名分[98]故也。何以言之？昔晋文公有大功于王室[99]，请隧于襄王[100]。襄王不许，曰：‘王章[101]也。未有代德[102]而有二王[103]，亦叔父之所恶[104]也。不然，叔父有地而隧[105]，又何请焉[106]！’文公于是惧而不敢违[107]。是故以周之地，则不大于曹、滕[108]，以周之民，则不众于邾、莒[109]，然历数百年，宗主天下[110]，虽以晋、楚、齐、秦[111]之强，不敢加[112]者，何哉？徒以[113]名分尚存[114]故也。

“至于季氏之于鲁[115]、田常之于齐[116]、白公[117]之于楚、智伯[118]之于晋，其势皆足以逐君而自为[119]，然而卒不敢[120]者，岂其力不足而心不忍哉？乃畏奸名犯分[121]，而天下共诛之也。今晋大夫[122]暴蔑[123]其君，剖分晋国[124]，天子既不能讨，又宠秩[125]之，使列于诸侯[126]，是区区之名分复不能守而并弃之也。先王之礼于斯[127]尽矣。

“或者以为，当是之时[128]，周室微弱，三晋[129]强盛，虽欲勿许，其可得乎[130]！是大不然。夫三晋虽强，苟[131]不顾天下之诛，而犯义侵礼[132]，则不请于天子而自立矣。不请于天子而自立，则为悖逆[133]之臣，天下苟有桓、文之君[134]，必奉礼义[135]而征之。今请于天子[136]，而天子许之，是受天子之命而为诸侯也，谁得而讨之！故三晋之列于诸侯，非三晋之坏礼，乃天子自坏之也。乌呼[137]！君臣

普通的人见识短浅，所以必须等到事情已经闹到几乎不可收拾的地步才想办法去纠正。从事情出现苗头的时候抓起，就会用力少而功效显著，等到事情发展到了一定程度再去救治，恐怕是竭尽全力也来不及了。《易经》上说‘踩在结霜的地面上就知道快要结冰了’，《尚书》上说‘每天都有成千上万件事情的苗头出现’，说的都是这类的情况。所以说，等级关系中没有比名分更重要的了。

“哎呀！周幽王、周厉王政德败坏，周朝的统治日渐衰微。制度法规遭到破坏，在下位的欺凌在上位的，在上位的权势逐渐被削弱。诸侯国中的强大者专擅诛讨征伐的大权，大夫又掌握着各诸侯国的生杀大权。种种迹象表明周朝的礼制十分之中已经丧失了七八分，然而周文王、周武王所建立的周王朝政权依然绵延不断、子孙世祀不绝，就是因为周的后代子孙还能够恪守名分的缘故。为什么这么说呢？过去晋文公有大功于周王室，他向周襄王请求允许他死后用只有周天子才能用的‘隧葬’仪式。周襄王不肯答应，说：‘“隧葬”是王者的葬礼。还没有取代天子之位的贤德之人而有两个天子，我想这也是叔父您所忌讳的。不然的话，您有自己的领土，您在自己的领土上用隧葬的仪式，何必还要向我请示呢！’晋文公心生畏惧，不敢违背周王朝的礼制。所以，周王朝从它当时所占有的领土来说，并不比曹、滕这样的小国大，周王朝的人口也不比郑、莒这样的小国多，然而它作为天下的宗主国，绵延了数百年，即使是晋、楚、齐、秦这样强大的诸侯国，也不敢凌驾其上，原因是什么呢？只是因为宗主天下的名分还在保持的缘故。

“至于说鲁国的季氏、齐国的田常、楚国的白公、晋国的智伯，他们的势力完全可以驱逐原来的国君而自己当国君，然而最终没敢那样去做的原因，难道是他们的力量不够或者是不忍心那样去做吗？不是，是因为畏惧冒犯名分而招致天下人的讨伐。而现在晋国的大夫蔑视他们的国君，瓜分了晋国，周天子不仅不能征讨他们，反而宠着他们，授予他们爵位，使他们列入诸侯的行列，周王朝就连这点剩余的宗主天下的名分都不能守住，还要把它扔掉。先王的礼制到这时恐怕是丧失殆尽了。

“有的人会认为，在那个时候，周王室的势力衰微，晋国的赵氏、魏氏、韩氏势力强盛，周天子即使不允许，难道能够吗！这话说得不对。魏、韩、赵虽然强盛，假如不畏惧遭到天下的讨伐而敢于违犯礼法的话，就会不向周天子请示加封，自己就称起诸侯来了。三国不向周天子请求而自立为诸侯，就成了犯上作乱的叛臣，当时如果还有齐桓公、晋文公那样的国君，必定会以礼法为号召率领大军前去讨伐他。而今三国已经向周天子请示，并得到了周天子的批准，这就成了奉天子之命而称诸侯，谁还能讨伐他们呢！所以说，三国进入诸侯的行列，并不是三国破坏了礼法，而是周天子本人自己破坏了礼法。哎呀！君是

之礼既坏矣，则天下以智力相雄长[138]，遂使圣贤之后为诸侯者[139]，社稷无不泯绝[140]，生民[141]之类，糜灭几尽[142]，岂不哀哉！"

【段旨】

以上为第一段，是司马光就周天子册封赵、魏、韩三家大夫为诸侯所抒发的感慨与评论，突出表现了他作为一个封建士大夫维护封建等级制的迂腐观念。

【注释】

①著雍摄提格：古代干支纪年的名称，相当于通常所说的"戊寅"年。②玄黓困敦：古代干支纪年的名称，相当于通常所说的"壬子"年。古代纪年的方法是以"十天干"（甲、乙、丙、丁、戊、己、庚、辛、壬、癸）与"十二地支"（子、丑、寅、卯、辰、巳、午、未、申、酉、戌、亥）相互配对，如"甲子""乙丑""丙寅""丁卯"等等，六十年成一个周期。这种纪年方式起源甚早，在商朝的甲骨文上就有这种干支的字样。到了战国时期，又出现了一种与旧有天干、地支不同的称呼，对于天干他们不称"甲""乙""丙""丁"云云，而称作"阏逢""旃蒙""柔兆""强圉"等等；对于地支他们不称"子""丑""寅""卯"云云，而称作"困敦""赤奋若""摄提格""单阏"等等。对于天干、地支相互配对而成的纪年用语，他们也不再称"甲子""乙丑""丙寅""丁卯"云云，而称作"阏逢困敦""旃蒙赤奋若""柔兆摄提格""强圉单阏"等等。这些听起来既怪谲又神秘，实际上与那种简明的"甲子""乙丑"没有任何区别。司马光偏偏使用这一套，不过是表现了他的一种特殊兴趣而已，没有多少道理可讲。③威烈王：名午，东周时代的第二十代国君，周考王之子，公元前四二五至前四〇二年在位。④初命晋大夫魏斯句：晋国的三家大权臣首次被周威烈王策命为诸侯。初，开始。命，策命。晋，西周初年以来的诸侯国名，始封之君为周成王之弟叔虞。叔虞开始被封于唐，至燮父时国号改为晋。历六百九十余年，至静公时晋国被其大夫赵、魏、韩三家所瓜分而国灭。详见《史记·晋世家》。大夫，诸侯国的执政大臣。魏斯，即魏文侯，魏桓公之子，魏氏建国后的第一代国君，公元前四四五至前三九六年在位。事详《史记·魏世家》。赵籍，即赵烈侯，赵献侯之子，赵氏建国后的第一代国君，公元前四〇八至前三八七年在位。事详《史记·赵世家》。韩虔，韩武子之子，韩国第一代国君韩景侯，公元前四〇八至前四〇〇年在位。事详《史记·韩世家》。〖按〗缪文远《战国史系年辑证》曰："三晋称侯，乃由上年周王命三晋伐齐有功而起，故本年周王命三家为侯，实具有酬庸性质。"〖按〗据杨宽考证，三晋胜齐的战斗，即"王命韩景子、赵烈子、翟员伐齐，入长

君，臣是臣，君臣之间的等级关系已经遭到了破坏，诸侯国之间凭借智谋的高下、武力的强弱来争夺霸主的地位就成为不可避免了，于是使得圣贤后代为国君的诸侯国全部被大国消灭，苍生惨遭荼毒，几乎灭绝，这难道不是让人感到非常哀痛吗!”

城”。见载于《竹书纪年》、《吕览》之《下贤》《不广》、《淮南子·人间》等，而《史记》《资治通鉴》皆不载，是重大遗漏。⑤ 臣光：本书作者司马光自称其名。司马光（公元一〇一九至一〇八六年），字君实，陕州夏县（今山西夏县）人，北宋杰出的史学家。宋仁宗宝元（公元一〇三八至一〇四〇年）年间进士，宋神宗熙宁（公元一〇六八至一〇七七年）初年官至翰林学士、御史中丞，因反对王安石变法被免职。公元一〇八五年宋哲宗即位，司马光任宰相，废除全部新法，但不久去世。司马光在公元一〇六六至一〇八四年失势的十九年间，主持编写了本书《资治通鉴》。“臣光曰”是司马光在编写《资治通鉴》过程中就历史人物、历史事件发表个人感慨、议论所采用的一种方式，与《史记》中的“太史公曰”、《汉书》中的“赞曰”大致相同。⑥ 礼：这里即指国家的礼仪、法制等等，以规定君臣上下各自等级、本分的东西。⑦ 分：本分，指君臣上下各自应处的地位、应守的规矩、应尽的责任等等。⑧ 名：名称，指所任的官名与所处的爵位等等。⑨ 纪纲：也称“纲纪”，指维护封建国家政权与其宗法统治的基本纲领，诸如体现“三纲”“五常”的礼仪、法制等等。⑩ 四海：代指中国、天下。⑪ 兆民：亿兆之民，泛称普天之下的黎民百姓。⑫ 绝伦：超出一般人。伦，类、辈。⑬ 高世：高出世人，与“绝伦”同义。⑭ 莫不奔走而服役：没有一个不受皇帝的驱使，为皇家奔走效力。⑮ 统三公：统领国家的三个最高大臣。周朝的三公为太师、太傅、太保，秦汉时代则称丞相、太尉、御史大夫。⑯ 率诸侯：统率各国诸侯。商、周时代实行分封制，国家的最高统治者称作“王”，他有自己直辖管理的一大块领地；而将其四周的其他领地分成若干国，以分封他的亲属与功臣，这些受封的各国封君称为诸侯。⑰ 制卿大夫：管理卿与大夫。制，管制、管理。诸侯国的执政大臣通常称“大夫”，其中个别受过周天子加封的则称为“卿”，如春秋时期齐国的管仲、鲁国的“三桓”、晋国的“六卿”等等。⑱ 卿大夫治士庶人：治，统治、管理。士，低于大夫的下级官员。庶人，平民，即今所谓黎民百姓。⑲ 临：居高临下，意即“统治”。⑳ 承：奉；捧着。指听其指挥，为其效力。㉑ 运：指挥。㉒ 根本：树根；树干。㉓ 支叶：通“枝叶”。㉔ 庇：护卫。㉕ 治安：政治清明，社会安定。㉖ 文王序《易》：周文王名姬昌，周武王之父，殷末时的西方诸侯。曾被殷纣王囚于羑里，据说周文王就是在这次被囚的时候研究《易经》，将其由八卦发展成了六十四卦。序，解释、阐发。㉗ 以“乾”“坤”为首：《周易》六十四卦的第一卦就是“乾

卦”，第二卦是“坤卦”。㉘孔子系之曰：孔子在为《易经》写的《系辞》中说。孔子（公元前五五一至前四七九年），名丘，字仲尼，春秋末期鲁国人，我国古代著名的思想家、教育家，儒家学派的创始人。事迹详见《史记·孔子世家》。系，引申、解释。这里即指写作《周易·系辞》。㉙天尊地卑二句：二句见《周易·系辞上》。意思是，天高在上，地低在下，天与地的关系就这样永远地确定了。“乾坤”原是两个卦名，从此引申为天地、阴阳、男女、君臣、强弱等等一切彼此对立的矛盾事物。㉚卑高以陈二句：二句亦见于《周易·系辞上》。意思是，一旦所处的地位不同，身份的贵贱也就显示出来了。陈，列。位，立、显示。㉛不可易：不容改变。易，改变。㉜《春秋》抑诸侯二句：《春秋》是鲁国的一部编年史，记事上起隐公元年（公元前七二二年），下至哀公十四年（公元前四八一年），共记二百四十二年事。孟轲、司马迁认为《春秋》是孔子所作，并被儒门尊为六种经典之一。抑，贬。王室，即周王朝。㉝王人：周王朝的官员。㉞微：低；贱。㉟序于诸侯之上：在叙事、列名的时候列于大国诸侯之前。序，列。㊱以是：从这些地方。是，此。㊲惓惓：忠谨恳切的样子。㊳非有：如果没有；只要不是。㊴桀、纣：桀是夏朝的末代君主，姓姒，名履癸，因残暴无道，被商汤所灭。纣是商朝的末代君主，姓子，名辛，亦名受。荒淫无道，被周武王所灭。桀、纣都被后代用为残暴荒淫帝王的代表。㊵汤、武：汤是商朝的开国君主，姓子，名履，原为夏朝诸侯，因夏桀无道，诸侯归汤，汤起兵伐灭夏桀，建立了商王朝。事见《史记·殷本纪》。武指周武王，姓姬，名发，文王之子。原是商朝西部地区的诸侯，因商纣荒淫无道，天下诸侯归周，故武王起兵灭了商纣，建立了周王朝。事见《史记·周本纪》。㊶人归之：人心归附于商汤、周武王。㊷天命之：上天降大命使商汤、周武王为改朝换代的帝王。㊸守节伏死：谨守臣子的职分，听凭君主的处置，直到被诛戮都无怨。守节，守职分。㊹以微子而代纣：谓假如当初不是让殷纣为帝而是让微子为帝。微子，即微子启，纣王之庶兄。纣无道，微子启屡屡劝谏，纣不听，微子离开了朝廷。周灭商后，微子称臣于周，后被封于宋，为宋国诸侯的始祖。事见《史记·宋微子世家》。㊺成汤配天：可以让商朝的开国君主成汤永远和上帝一起享受商朝后代的祭祀，也就是商朝不至于灭亡。配天，将先祖的灵牌摆在上帝灵位的旁边，一道接受祭祀。㊻以季札而君吴：如果当初让季札当了吴国之君。季札，吴太伯的第二十代孙，吴王寿梦之子。寿梦有子四人，长曰诸樊，次曰余祭，三曰余眜，四曰季札。季札贤，寿梦欲立之，季札不从。其后诸樊、余祭、余眜三人又依次让季札，季札始终不受。其后诸樊之子光与余眜之子僚争位相杀，至吴王夫差时，吴国被越王勾践所灭。见《史记·吴太伯世家》。㊼太伯血食：吴国不致被他国所灭。太伯是周文王的大伯父，周太王的长子，理应在周国为君，因太王见三弟之子姬昌仁圣，欲使姬昌日后为周君，于是太伯与其弟仲雍遂自动离开周国，另到吴地创业，成了吴国的开国之君。事见《史记·吴太伯世家》。血食，指享受祭祀，因祭祀要用宰杀的牛羊猪为祭品。此句的“血食”与上句的“配天”意思相同。㊽二子：指微子、季札。㊾诚：实在是。㊿礼之大节：此指贱不能越贵，幼不能陵长。微子由于生母的地位低，季札由于年龄小，故而都谨守礼法，不敢越礼继承君位。51礼莫大于分：礼的最大问题是讲名分，否则伦理纲常就要乱套。52辨：通“辨”，分别、辨别。53序：列，这里的意思同“辨”，也是分别的意思。54裁群物：衡量各种事物。裁，衡量。55制庶事：裁决各种事情。制，裁决。庶，众多。56非名不著：没有名分就表示不出差别。名，名分，指官位、爵号。著，显。57非器不形：没有一定的器物就没法显示高低贵贱。器，指服饰、车马、仪仗、钟磬等。58名以命之：用名号来称呼他。命，名、称呼。59别：区分。60粲然有伦：清楚而有条理的样子。伦，条理、次序。61大经：大纲；根本问题。62名器既亡：指周威烈王随便地封韩、赵、魏三家为诸侯，把名位、器物滥赏于人。63仲叔于奚有功于卫：据《左传·成公二年》，卫国的孙良夫率军伐齐，卫军失败，卫国的新筑大夫仲叔于奚救出了孙良夫，故有功于卫。64辞邑而请繁缨：仲叔于奚因救孙良夫有功，卫侯欲赏之以封地，仲叔于奚不愿得地，请求得到“曲悬、繁缨”的器物，卫侯答应了。曲悬是指三面悬挂钟磬，这是诸侯享用的礼仪，仲叔于奚身为大夫，按礼法只能两面悬挂钟磬。繁缨是诸侯车驾马鬣上的装饰物，仲叔于奚请求用这种装饰物，也是越礼行为。65不如多与之邑：与其答应他“曲悬、繁缨”，还不如多赏赐他一些领地。66假人：给人。假，借，这里即指给。67君之所司：这些都是国家的君主自己所要掌握的。司，掌管、专有。〖按〗以上四句见《左传·成公二年》。68政亡：发号施令的权力一旦丢失。政，下达政令、发号施令。69从之：指随之灭亡。〖按〗“政亡则国家从之”也是《左传》中所引的孔子的原话。70卫君：卫国的君主，即卫出公，名辄，公元前四九二至前四八一年在位。71待孔子而为政：急需孔子去治理这个国家。为政，执政、治理国家。72正名：杨伯峻《论语译注》以为是指“纠正名分上的用词不当”。73民无所措手足：连手脚都不知道该往哪里放，指一切事情都不知该怎么办才好。〖按〗以上三句见《论语·子路》，原文作：“子路曰：‘卫君待子而为政，子将奚先?’子曰：‘必也正名乎?’子路曰：‘有是哉，子之迂也是！奚其正?’子曰：‘野哉，由也！君子于其所不知，盖阙如也。名不正则言不顺，言不顺则事不成，事不成则礼乐不兴，礼乐不兴则刑罚不中，刑罚不中则民无所措手足。’”74惜：惋惜；遗憾。指为卫君以曲悬、繁缨许人的过错而感到惋惜。75细务：琐碎的小事。76先之：把它放在首位。之，指正名。77既乱：一旦乱套。78上下无以相保：指君臣之间的正常关系瓦解。相保，相互尽职尽责。79事：万事万物，此处实指灾难祸患。80成于著：最后酿成大灾大难。著，显、巨大。81谨其微而治之：谨慎地从问题开始发生时就及时地予以救治。微，萌芽、苗头。82众人：一般人。83识近：眼光短浅。84不能及：达不到；挽救不了。85履霜坚冰至：人一踩到秋霜，便知道结冰的时节快到了。比喻任何大变化都是逐渐而来的。语出《周易·坤卦·初六·爻辞》。86《书》：《尚书》，原是我国上古的历史资料汇编，后来被儒家定为少有的几部经典之一，故也称《书经》。87一日二日万几：出自《尚书·皋陶谟》。孔安国

注："几，微也，言当戒惧万事之微。"大意谓每天都有成千上万个问题的苗头出现，需要我们去及时处理。⑱ 谓此类也：说的就是这种应该见微知著的道理。⑲ 分莫大于名：要分清每个人的身份等级，没有比确定各自的名更重要的了。⑳ 幽、厉失德：幽指周幽王，西周的末代帝王。宣王之子，名宫涅，公元前七八一至前七七一年在位。因宠爱褒姒，废申后及太子宜臼，被申侯勾结犬戎杀于骊山之下，西周从此灭亡。见《史记·周本纪》。厉指周厉王，名胡，公元前八七七至前八四一年在位。因残暴并堵塞言路，被国人暴动所驱逐，逃死于彘。事见《史记·周本纪》。"幽、厉"被后人用作荒淫残暴君主的代表。失德，意即无道。㉑ 周道：周王朝的统治。道，政治措施。㉒ 下陵上替：在下位者欺侮在上位者，在上位者的权威越来越下降。陵，侵犯、欺侮。替，衰败。㉓ 诸侯专征：大国诸侯凭着武力强大，任意征伐吞并小国，如齐桓公、晋文公、宋襄公、楚庄王、秦穆公等是也。孔子有所谓"天下有道，礼乐征伐自天子出；天下无道，礼乐征伐自诸侯出"。这是春秋时期的情景。㉔ 大夫擅政：从春秋后期开始，各国诸侯的权威下降，各国大夫的权势日强，分别掌管各国的政务，如晋国的韩氏、赵氏、魏氏、范氏、中行氏、知氏，齐国的陈（田）氏，鲁国的季氏、孟氏、叔孙氏都是如此。擅，专。㉕ 礼之大体，什丧七八：这就是通常所说的"礼崩乐坏"。什丧七八，丧失了十分之七八。什，同"十"。㉖ 文、武之祀，犹绵绵相属：周王朝还能勉强维持，没有灭亡。文、武之祀，对周文王、周武王的祭祀。绵绵，连续不断的样子。属，连接。㉗ 周之子孙：指春秋以来周王朝的历代帝王。㉘ 守其名分：谓谨慎把持西周先人制定的名分，不滥赐于人。㉙ 晋文公有大功于王室：指晋文公出兵平定了周王朝的内乱，杀了作乱的太叔带，恢复并稳定了周襄王的统治。晋文公名重耳，献公之子，公元前六三六至前六二八年在位，是春秋时期继齐桓公之后又一位更强大的霸主。太叔带是周襄王之弟，因曾受其父之宠，故而发动叛乱，驱逐了周襄王而自己称王，最后被晋文公所诛。⑽ 请隧于襄王：晋文公为周襄王平定了内乱后，在接受周襄王的赏赐时，向周襄王请求允许自己死后能以王者的礼仪殡葬。隧，即指隧葬，挖地洞送棺椁入墓穴。这是当时周天子殡葬的仪式，诸侯是不被允许的。诸侯只能挖坑道送棺椁入墓穴。说见杨伯峻《春秋左传注》。⑾ 王章：王者殡葬的规格，指隧葬。⑿ 未有代德：我的品德还没有坏到该被人取代的程度。⒀ 而有二王：现在一下子出现了二王并立。请隧即等于请求称王。⒁ 亦叔父之所恶：出现这种不正常的二王并立，我想这也是叔父您所不愿看到的。恶，厌恶、不愿看到。当时周天子敬称同姓国的诸侯曰"叔父"，敬称异姓国的诸侯曰"舅父"。⒂ 有地而隧：有的是地盘，尽可以挖洞送棺。⒃ 又何请焉：又有什么可请求批准的呢。⒄ 文公于是惧而不敢违：〖按〗以上周襄王拒绝晋文公请隧事，见《左传·僖公二十五年》。⒅ 曹、滕：都是春秋时期的姬姓小国名。曹国是武王之弟叔振铎的后代所领之地，都城在今山东菏泽市定陶区西南，公元前四八七年被宋国所灭。滕国是武王之弟叔绣的后代所领之地，都城在今山东滕州西南。⒆ 邾、莒：也都是春秋时代的小国名。邾国也称"邹"，曹姓，初都于今

山东曲阜东南，后改都于今山东邹城东南，战国时被楚国所灭。莒国是己姓，初都介根，在今山东胶州西南，后迁于莒，即今山东莒县。⑩历数百年二句：周天子作为天下各国所共同尊崇的首脑，一直经历了数百年。宗主，为诸国所尊崇、所拥戴的首脑。〖按〗周王朝自武王灭商建国（公元前一〇四六年）至赧王死，周被秦所灭，共历七百九十一年。⑪晋、楚、齐、秦：都是春秋时期的大国名。晋国是武王之子叔虞的后代所领之地，自晋文公称霸开始，晋国长期处于霸主地位。楚国是熊绎的后代所领之地，至成王、庄王时强极一时，成为北方所惧怕的南方大国。齐国是武王功臣姜太公的后代所领之地，自桓公开始一直是春秋时代的泱泱大国。秦国自襄公佐周室东迁列为诸侯，至穆公时一度很强大，是西部地区的大国。⑫不敢加：不敢凌驾于周天子之上。⑬徒以：就是因为。⑭名分尚存：指各国诸侯与周天子尚基本保存一种"君君臣臣"的样子，还不像战国时那样不把周天子看在眼里，甚至最后竟然把周国灭掉。⑮季氏之于鲁：季氏的势力与鲁国国君相比。季氏也称"季孙氏"，是鲁国国内的权臣，与另外两家权臣孟孙氏、叔孙氏世代执掌鲁国政权，历史上称之曰"三桓"。"三桓"都是鲁桓公的后代。鲁桓公名允，公元前七一一至前六九四年在位。鲁桓公有四个儿子。长子名同，即鲁庄公，公元前六九三至前六六二年在位。鲁庄公的二弟曰庆父，三弟曰叔牙，四弟曰季友。庄公晚年为怕叔牙日后立庆父，先令季友逼叔牙自杀。庄公死后，庆父杀庄公子闵公，季友又在齐桓公的帮助下杀了庆父而立僖公，从此季友遂为鲁国最大权臣，世为鲁国首辅。叔牙之后为叔孙氏，庆父之后为孟孙氏，亦世代为鲁国权臣。三家的势力越来越大，后来竟发展到驱逐鲁昭公，使其终身不能回国。事见《史记·鲁周公世家》。⑯田常之于齐：田常与齐国国君的势力相比。田常也叫"田恒"，汉人避文帝讳，故改"恒"为"常"。因其原为陈国贵族，故也称"陈恒""陈常"。田常的先人于齐桓公时代逃到齐国，在齐国逐渐发展起来。至田常时执掌齐政，杀了齐悼公，改立齐平公，为其后代田和篡夺齐国政权准备了条件。事情详见《史记·田敬仲完世家》。⑰白公：名胜，是楚平王太子建的儿子。太子建被奸臣费无极所谗杀，白公胜逃居吴国。后来白公胜被楚国令尹子西召回，使居吴境，号称白公。白公胜欲为父报仇，与令尹子西等发生矛盾。白公胜杀令尹子西，劫楚惠王。白公胜的党羽劝白公胜杀楚惠王自立，白公胜畏惧不敢，后被楚人所杀。事见《左传·哀公十六年》。⑱智伯：名瑶，晋国六卿中最强的一个，先与韩、赵、魏三家驱逐了范氏、中行氏，四家共分其地。晋出公派兵伐智伯，智伯攻晋出公，出公外逃死于道。智伯欲篡晋而未敢，乃立晋哀公。事见《史记·晋世家》。⑲自为：自己篡国为君。⑳卒不敢：最后还是不敢。卒，终于。㉑奸名犯分：违背名分；不顾名分。奸，冒犯。㉒晋大夫：指韩、赵、魏三家。㉓暴蔑：欺凌蔑视。㉔剖分晋国：周贞定王十六年（公元前四五三年），亦即晋出公二十二年，赵、魏、韩三家灭智伯后，三分其地，从此，当年晋国的全部国土遂落入三家之手。剖分，瓜分。㉕宠秩：宠爱并授以爵位，指册封三家为诸侯。秩，级别、爵位。㉖使列于诸侯：将他们三家都列入诸侯的行列。⑫⑦于斯：于此；在这个问题上。⑫⑧当是之时：当韩、赵、魏三家瓜分晋国的时候。是，此。⑫⑨三晋：指瓜分晋国的韩、赵、魏三大家族。由于后来他们都成了三个独立的诸侯国，故历史上也称战国时代的赵、魏、韩三国为“三晋”。⑬⓪其可得乎：那可能吗。得，能。⑬①苟：假如；一旦。⑬②犯义侵礼：冒犯礼义之大规。⑬③悖逆：叛逆；犯上作乱。⑬④桓、文之君：类似齐桓公、晋文公那样的诸侯霸主。齐桓公名小白，襄公之弟，公元前六八五至前六四三年在位，春秋五霸之一。事见《史记·齐太公世家》。⑬⑤奉礼义：打着礼义的旗号。奉，秉承。⑬⑥请于天子：指韩、赵、魏三家向周天子请求晋升为诸侯。⑬⑦乌呼：同“呜呼”。⑬⑧以智力相雄长：以智谋武力彼此争高争强。⑬⑨圣贤之后为诸侯者：如陈国、杞国、宋国等等。陈国是舜的后代，被周武王封于淮阳；杞国是大

【原文】

初，智宣子⑭③将以瑶为后⑭④。智果⑭⑤曰：“不如宵⑭⑥也。瑶之贤于人者五，其不逮⑭⑦者一也。美鬓[2]长大则贤⑭⑧，射御足力⑭⑨则贤，伎艺毕给⑮⓪则贤，巧文辩惠⑮①则贤，强毅果敢⑮②则贤。如是而甚不仁⑮③。夫以其五贤陵人⑮④，而以不仁行之⑮⑤，其谁能待之⑮⑥？若果立瑶也，智宗⑮⑦必灭。”弗听。智果别族于太史⑮⑧，为辅氏。

赵简子⑮⑨之子，长曰伯鲁，幼曰无恤。将置后⑯⓪，不知所立，乃书训戒之辞于二简⑯①，以授二子曰：“谨识之⑯②。”三年而问之，伯鲁不能举⑯③其辞，求⑯④其简，已失之矣。问无恤，诵其辞甚习⑯⑤，求其简，出诸袖中而奏之⑯⑥。于是简子以无恤为贤，立以为后。

简子使尹铎⑯⑦为晋阳⑯⑧，请曰：“以为茧丝乎⑯⑨，抑为保障乎⑰⓪？”简子曰：“保障哉。”尹铎损其户数⑰①。简子谓无恤曰：“晋国有难⑰②，而无以尹铎为少⑰③，无以晋阳为远⑰④，必以为归⑰⑤。”

及智宣子卒，智襄子为政⑰⑥，与韩康子⑰⑦、魏桓子⑰⑧宴于蓝台⑰⑨。智伯戏康子而侮段规⑱⓪。智国⑱①闻之，谏曰：“主⑱②不备难，难必至矣。”

禹的后代，被周武王封于杞县；宋国是微子的后代，被周武王封于商丘。⑭⓪ 社稷无不泯绝：国家都被大国所灭。陈国、杞国都在春秋时期被楚国所灭，宋国在战国时期被齐国所灭。社稷，供奉土神、谷神的坛台。因为只有一个国家的最高统治者才有资格祭祀社稷，故社稷常被用为国家政权的代称。泯绝，犹言“灭绝”。⑭① 生民：犹言“苍生”“黎民”。⑭② 糜灭几尽：几乎都被兵火毁灭殆尽。几尽，几乎死光。

【校记】

［1］惟名与器：据章钰校，十二行本、乙十一行本、孔天胤本皆作“惟器与名”。〖按〗《左传》《通鉴纪事本末》并作“惟器与名”。

【语译】

当初，智宣子准备确立智瑶为接班人。族人智果劝阻说：“立智瑶不如立智宵。智瑶有五个方面的优点胜过别人，不如别人的地方虽然只有一个，却是最要命的。他的优点是：仪表堂堂、身材高大，精通骑射、体力过人，通晓各种技能而多才多艺，有文采又能言善辩，处理事务坚决果敢。他不如人的地方是心术不正、刻薄寡恩。他用五种超人的能力欺压别人，运用他的聪明才智来做坏事，谁还能忍受得了？如果一定要立智瑶为继承人，恐怕智氏家族就要灭亡了。”智宣子不听。智果只好另立门户，到负责确定姓氏的太史那里注册，改姓辅氏。

赵简子赵鞅的长子叫伯鲁，幼子叫无恤。他也准备确定继承人，但不知道立谁好，于是就在两个狭长的竹简上分别写上训诫之辞，然后交给两个儿子说：“你们要牢牢记住写在竹简上的这些训诫之辞。”过了三年，赵简子问两个儿子竹简上写的是什么，长子伯鲁一点也说不上来，再问他竹简在哪里，回答是已经丢失了。再问赵无恤，无恤非常熟练地背诵了一遍，问他竹简，无恤马上从袖子中拿出来呈给赵简子。赵简子认为无恤胜过伯鲁，于是下定决心立无恤为自己的继承人。

赵简子派家臣尹铎去镇守晋阳，尹铎临行的时候向赵简子请示说：“您派我到晋阳，是让我去为您聚敛财富呢，还是让我去把晋阳治理成保护当地人民的城堡呢？”赵简子说：“当然是城堡了。”尹铎到了晋阳以后，首先是减轻人民的赋税。赵简子对无恤说：“晋国如果发生灾祸，你千万不要轻视尹铎，不要认为晋阳离首府太远，你一定要依靠尹铎，一定要以晋阳作为我们家族的归宿之地。”

等到智宣子去世以后，智襄子智瑶接替了他的父亲执掌了晋国的政权，他和韩康子、魏桓子在蓝台饮酒。饮酒当中，智襄子不仅取笑了韩康子，还侮辱了韩康子的国相段规。智国听到消息以后就去提醒智襄子说：“您在酒宴上得罪了韩氏，应该防

智伯曰:“难将由我[183],我不为难,谁敢兴[184]之?”对曰:“不然。《夏书》[185]有之,‘一人三失,怨岂在明,不见是图[186]’。夫君子能勤小物[187],故无大患[188]。今主一宴而耻人之君相[189],又弗备,曰‘不敢兴难’[190],无乃不可乎[191]?蚋、蚁、蜂、虿[192],皆能害人,况君相乎!”弗听。

智伯请[193]地于韩康子,康子欲弗与[194]。段规曰:“智伯好利而愎[195],不与,将伐我,不如与之。彼狃于得地[196],必请于他人[197]。他人不与,必向之以兵[198],然后[3]我得免于患[199],而待事之变[200]矣。”康子曰:“善。”使使者致[201]万家之邑[202]于智伯。智伯悦,又求地于魏桓子。桓子欲弗与,任章[203]曰:“何故弗与?”桓子曰:“无故索[204]地,故弗与。”任章曰:“无故索地,诸大夫必惧,吾与之地,智伯必骄。彼骄而轻敌,此惧而相亲[205]。以相亲之兵,待[206]轻敌之人,智氏之命必不长矣。《周书》[207]曰:‘将欲败之,必姑辅[208]之;将欲取之,必姑与之[209]。’主不如与之,以骄智伯[210],然后可以择交[211]而图[212]智氏矣。奈何[213]独以吾为智氏质[214]乎?”桓子曰:“善。”复与之万家之邑一。

智伯又求蔡皋狼[215]之地于赵襄子,襄子弗与[216]。智伯怒,帅韩、魏之甲[217]以攻赵氏。襄子将出[218],曰:“吾何走[219]乎?”从者曰:“长子[220]近,且城厚完[221]。”襄子曰:“民罢力以完之[222],又毙死以守之[223],其谁与我[224]!”从者曰:“邯郸[225]之仓库实[226]。”襄子曰:“浚民之膏泽[227]以实之,又因而杀之[228],其谁与我!其晋阳乎[229]?先主[230]之所属[231]也,尹铎之所宽[232]也,民必和[233]矣。”乃走晋阳。

三家[234]以国人[235]围而灌之[236],城不浸者三版[237],沈灶产蛙[238],民无叛意。智伯行水[239],魏桓子御[240],韩康子骖乘[241]。智伯曰:“吾乃今知水

备韩氏报复，如果不做防备的话，恐怕就要大难临头了。”智伯说：“如果有灾难的话，那也是由我兴兵去消灭他们。我不发难，别人谁敢向我挑战？”智国说：“您说得不对。《夏书》上记载，‘一个人如果多次犯有过失，就会遭人怨恨，这种怨恨并不会明显地表现出来，所以不能因为不明显就不认真对待’。君子能关注细小的苗头，所以能够避免大的灾祸。今天您在酒席宴上一次就侮辱了韩康子、段规君臣两个人，事后又不防备，还认为他们不敢发难，这样做恐怕不行吧？就连蚊子、蚂蚁、蜜蜂、蝎子等小动物都能伤害人，何况是一个国家的君主和国相呢！”智伯仍然不听。

智伯向韩康子提出割让土地的要求，韩康子不想给。段规说：“智伯贪图利益而又强硬固执，如果我们不给他土地，他就要攻打我们，不如给他。他从我们这里尝到了得地的甜头，一定会去向别人提出割让土地的要求。别人不给他，他必定会出兵攻打，这样我们既可以避免一场灾祸，又能坐观其变。”韩康子说：“这个主意好。”于是派使者把一个拥有一万人口的城邑献给智伯。智伯很高兴，就又去向魏桓子要求割让土地。魏桓子也不想给，他的家臣任章说：“为什么不想给呢？”魏桓子说：“智氏平白无故地向我们索要土地，所以不想给他。”任章说：“智氏平白无故地向别人索要土地，那些大夫们一定感到很害怕，我们把地给了智氏，智氏必定会因此而骄傲起来。智氏一骄傲，就会产生轻敌的思想，而我们这些弱势群体也会因为惧怕智氏而相互团结起来。用团结一致的力量来对付毫无准备的智氏，智氏的命运就一定不会长久了。《周书》说：‘想要最终打败他，就先要帮助他，使他恶贯满盈；想要夺取他，就先要给予他，使他对你不防备。’所以您不如把地给智氏，让智氏骄横自大起来，然后我们就可以选择同盟者一起图谋智氏了。怎么能单单地让我们魏氏去充当智氏的箭靶子呢？”魏桓子说：“说得好。”魏氏也把万户的一个大邑割让给智氏。

智伯又去向赵襄子提出割让土地的要求，并指明要蔡皋狼之地，赵襄子不给。智伯恼羞成怒，就率领着韩、魏的军队去攻打赵襄子。赵襄子估计自己不是三家的对手，就决定逃走，说：“我要逃到哪里去呢？”他的侍从建议他说：“长子县离得近，而且城墙既厚又完好。”赵襄子说：“老百姓把它修建起来已经是筋疲力尽，现在又要让百姓拼死命去为我们守城，那谁还会支持我们呢！”侍从又说：“邯郸的仓库里粮食储备得很多，可以到邯郸去。”赵襄子说：“平时榨取了百姓的财富来充实府库，情势危急时又让百姓为我们守城而送掉性命，谁会帮助我们呢！还是到晋阳去吧？这是先主临终前嘱咐过的，尹铎在那里宽厚待民，百姓一定会拥护我们。”于是就投奔晋阳去了。

智伯率领智、韩、魏三家的士卒把晋阳城包围起来，然后决开汾水冲灌晋阳城，水位离城头只剩下四尺多，几乎把晋阳淹没了。渗进城内的水，把百姓家里的灶台都泡塌了，城中到处积满了水，水中生出了青蛙，但百姓仍然坚守，没有一个人想向智氏投降。智伯乘车察看水势，魏桓子给他赶车，韩康子做他的陪乘。智伯说：

可以亡人国也[242]。”桓子肘[243]康子，康子履桓子之跗[244]，以汾水可以灌安邑，绛水可以灌平阳也[245]。

絺疵[246]谓智伯曰：“韩、魏必反矣。”智伯曰：“子[247]何以知之？”絺疵曰：“以人事[248]知之。夫从韩、魏之兵[249]以攻赵，赵亡，难必及[250]韩、魏矣。今约胜赵而三分其地，城不没者三版，人马相食[251]，城降有日[252]，而二子无喜志[253]，有忧色，是非反而何[254]？”明日，智伯以絺疵之言告二子，二子曰：“此夫[255]谗人[256]欲为赵氏游说，使主疑于二家，而懈[257]于攻赵氏也。不然，夫二家岂不利[258]朝夕[259]分赵氏之田[260]，而欲为危难不可成之事[261]乎？”二子出，絺疵入曰：“主何以臣之言告二子也？”智伯曰：“子何以知之？”对曰：“臣见其视臣端而趋疾[262]，知臣得其情[263]故也。”智伯不悛[264]，絺疵请使于齐[265]。

赵襄子使张孟谈[266]潜出[267]，见二子，曰：“臣闻唇亡则齿寒[268]，今智伯帅韩、魏以攻赵，赵亡，则韩、魏为之次[269]矣。”二子曰：“我心知其然也，恐事未遂[270]而谋泄，则祸立至矣。”张孟谈曰：“谋出二主[271]之口，入臣[272]之耳，何伤也！”二子乃潜与张孟谈约，为之期日[273]而遣之。襄子夜使人杀守堤之吏，而决水灌智伯军。智伯军救水而乱，韩、魏翼而击之[274]，襄子将卒犯其前[275]，大败智伯之众，遂杀智伯，尽灭智氏之族[276]。唯辅果在[277]。

臣光曰：“智伯之亡也，才胜德[278]也。夫才与德异，而世俗莫之能辩[279]，通谓之贤[280]，此其所以失人[281]也。夫聪察强毅[282]之谓才，正直中和[283]之谓德。才者，德之资也[284]；德者，才之帅也[285]。云梦[286]之竹，天下之劲[287]也，然而不矫揉[288]、不羽括[289]，则不能以入坚[290]；棠

"我现在才知道水是可以灭人之国的。"魏桓子听了就用胳膊肘碰了一下韩康子，韩康子也用脚踩了一下魏桓子的脚，以此来表达自己的心情。因为汾水可以灌魏桓子的都城安邑，绛水可以灌韩康子的都城平阳。

絺疵对智伯说："韩、魏二人一定会背叛你。"智伯说："你怎么知道?"絺疵说："我是根据人之常情分析出来的。今天韩、魏率领自己的家臣跟随攻打赵氏，赵氏灭亡以后，下一个就轮到韩、魏了。事先约定灭赵以后，就把赵氏的土地三家平分，如今晋阳城只剩四尺多的高度没有被淹没，城内粮食短缺，把战马都宰杀吃掉了，晋阳陷落指日可待，而魏桓子和韩康子的脸上不仅没有一点高兴的样子，反而流露出忧愁的神色，这不是想背叛又是什么呢?"第二天，智伯把絺疵的话告诉了韩康子、魏桓子二人。二人说："这是一个挑拨是非的人，恐怕是在为赵氏游说，使您怀疑我们两家，以达到松懈攻赵的目的，不然的话，我们两家难道不盼望尽早分到赵氏的土地，反而想要冒着风险去做那完全不可能成功的事情吗?"韩、魏二人离开以后，絺疵进去问智伯说："您为什么把我说的话告诉他们二人呢?"智伯惊讶地说："你怎么知道我把你的话告诉他们了呢?"絺疵回答说："他们出去的时候，我看见他们看我的眼神直勾勾的，显得很慌乱，而且脚步踉跄，急匆匆地就走过去了，这是他们知道我看穿他们内心秘密的缘故啊。"智伯仍然不醒悟，絺疵为了避祸向智伯请求出使齐国。

被包围在晋阳城中的赵襄子派家臣张孟谈偷偷地窜出晋阳城来求见魏桓子和韩康子，张孟谈说："我听说嘴唇没有了，牙齿就会感到寒冷，如今智伯率领韩、魏前来攻打赵氏，赵氏灭亡以后，紧接着就该轮到韩、魏了。"韩康子和魏桓子说："我们也知道是这样的，只是害怕事情不能成功而密谋泄露，我们就要大祸临头了。"张孟谈说："计谋出自你们二人之口，进入我的耳中，再没有别人知道，又有什么关系呢!"于是韩、魏二人就暗中与赵氏特使张孟谈订立盟约，定好了攻击智伯的日期以后，就护送张孟谈回到晋阳城。赵襄子趁着黑夜，偷偷地派人杀掉了智伯守堤的兵士，挖开了汾水，汹涌的河水涌进智伯的军营。智伯的军队慌忙从洪水中逃生，因而军纪大乱。此时韩、魏两家的军队从两翼夹击智氏，赵襄子率领赵军从城中冲出来正面攻打，智氏的军队被打得大败，智伯也被杀死；三家又把智伯的族人不分男女老幼全部杀光。只有智果一支因为另立门户、改姓辅氏而得以逃此浩劫。

司马光说："智伯灭亡的原因，是他的才能胜过他的品德。才能与品德是两码事，而世上普通人却不能加以区别，只要能干就称赞他们贤能，这就是看错人的原因。具备聪慧、明察、有魄力、坚毅的特点的人才能称得上是有才能，具备公平、公正、正直、平和的特点的人就叫有德。才能是品德的资本，品德是才能的主宰。云梦产的竹子，最为坚韧，然而用它制造箭，如果不经过加工矫正，不给它装上羽毛，那么它再坚韧也不能射透坚硬的铠甲；

溪之金[291]，天下之利[292]也，然而不镕范[293]、不砥砺[294]，则不能以击强[295]。是故才德全尽[296]，谓之‘圣人’；才德兼亡[297]，谓之‘愚人’。德胜才，谓之‘君子’；才胜德，谓之‘小人’。凡取人之术，苟不得[298]圣人、君子而与之[299]，与其得小人，不若得愚人。何则？君子挟才以为善[300]，小人挟才以为恶。挟才以为善者，善无不至[301]矣；挟才以为恶者，恶亦无不至矣。愚者虽欲为不善，智不能周[302]，力不能胜[303]，譬如乳狗[304]搏人，人得而制[305]之。小人智足以遂其奸[306]，勇足以决其暴[307]，是虎而翼[308]者也，其为害岂不多哉！夫德者人之所严[309]，而才者人之所爱。爱者易亲，严者易疏，是以察者[310]多蔽于才[311]而遗于德[312]。自古昔以来，国之乱臣、家之败子，才有余而德不足，以至于颠覆[313]者多矣，岂特[314]智伯哉！故为国为家者，苟能审于才德之分[315]，而知所先后[316]，又何失人之足患[317]哉！”

【段旨】

以上为第二段，追述了智伯家族被韩、赵、魏三家所灭之事，司马光对智伯其人进行了评论，并由智伯引出鉴别人才、任用人才的标准。

【注释】

⑭③智宣子：姓智，名甲，也有本子作“申”，“宣子”是谥。智氏原姓荀，自智甲的高祖父荀首开始自荀氏家族分出，以封地为姓，改称智氏。智也写作“知”。⑭④以瑶为后：以智瑶为其接班人。智瑶即通常所说的“智伯”，也称“智襄子”，智甲之子。⑭⑤智果：智氏的族人，又作知过、智国。⑭⑥宵：智甲的庶子。⑭⑦不逮：不如别人。⑭⑧美鬓长大则贤：鬓发很美，身材又高，这是别人比不了的。鬓，有的本子作“须”，较“鬓”字为长。⑭⑨射御足力：精通射箭、赶车，有的是力气。⑮⓪伎艺毕给：通晓各种技能。毕给，要什么有什么。⑮①巧文辩惠：有文采，能说会道。辩，有口才。惠，通“慧”，聪明。⑮②强毅果敢：办事坚决果断。⑮③如是而甚不仁：有如此的五条长处，但就是心眼不好。⑮④以其五贤陵人：靠着他的五项长处来欺压别人。陵，侵犯。⑮⑤以不仁行之：运用他的聪明才智来做坏事。⑮⑥谁能待之：谁能忍受。待，宽容、容忍。⑮⑦智宗：智氏家族。⑮⑧别族于太史：到国家掌管族谱的官员那里申明，自己要从智氏家族中分出，另立门户。太史，掌管宗族谱

棠溪出产的铜，是质量最好的，然而用它制造兵器，如果不经过冶炼铸造，不进行磨砺，也不能刺穿坚固的铠甲。所以只有才德都好到极点才能称得上是圣人，既无才又无德的就是愚人。品德胜过才能的是君子，才能胜过品德的是小人。概括起来，在选拔人才的时候，如果实在物色不到圣人、君子，那么与其任用小人，还不如任用愚人。为什么呢？因为君子利用他的才能去做好事，而小人则利用他的才能去做坏事。利用才能去做好事，那他什么好事都会去做；而小人凭借他的才能干坏事，那什么坏事也都干得出来。愚钝的人虽然想去做不好的事情，然而他的智慧不足，能力不够，就如同刚出生的小狗去撕咬人，人能够很容易制服它。小人就不同了，他的智慧完全可以使他的奸谋得逞，他的能力完全可以使他的暴虐得以实施，这就像是老虎添加了翅膀，危害怎么会不大呢！有德的人会使人产生敬畏，而有才能的人会受到人们的喜爱。喜爱就容易亲近，敬畏就容易使人敬而远之。所以选拔人才的人往往被其才能所蒙蔽，而忘掉了德。从古到今，扰乱国家的奸佞、破败家庭的子孙，往往是才能有余而道德缺乏，最终导致灭国毁家的事例太多了，又岂止智伯一个人呢！所以治国治家的人如果能够明确知道才能与道德的区别，而又懂得用人时才能与道德哪个在前哪个在后，又何必担心用人不当呢！”

系的官员。〖按〗以上智果有先见之明事，见《国语·晋语九》。⑮⑨赵简子：名鞅，赵襄子无恤之父。⑯⑩置后：确定接班人、继承人。⑯①简：古代用以写字的狭长竹片。⑯②谨识之：好好记住竹简上所写的“训诫之辞”。识，记。⑯③举：说出。⑯④求：索要。⑯⑤诵其辞甚习：背诵竹简上的词语很是熟练。诵，背诵。⑯⑥出诸袖中而奏之：立刻从袖中取出呈给他的父亲。诸，之于。奏，呈上。⑯⑦尹铎：赵简子的家臣。⑯⑧为晋阳：任晋阳的地方官。为，治理。晋阳，赵氏领地的邑名，在今山西太原西南。⑯⑨以为茧丝乎：是把它当作蚕丝来抽，不尽不止呢。比喻竭力搜刮该地的财富。⑰⑩抑为保障乎：还是为当地人民做屏障，以保护他们的安危呢。抑，还是。保障，可作为依靠、求得庇护的屏障。⑰①损其户数：犹言减轻税负。当时按户征税，并小户为大户，户数少则缴税少。⑰②晋国有难：如果晋国有灾难降临。⑰③无以尹铎为少：不要轻视尹铎。无，不要。⑰④无以晋阳为远：不要嫌晋阳离晋国的都城绛县遥远。当时赵简子为晋国正卿，住在都城。⑰⑤必以为归：一定要以晋阳为我们家族的归宿之地。⑰⑥为政：为晋国正卿，掌管晋国政权。⑰⑦韩康子：名虎，“康子”是谥，晋国的六卿之一。事迹见《史记·韩世家》。⑰⑧魏桓子：名驹，“桓子”是谥，晋国的六卿之一。事迹见《史记·魏世家》。⑰⑨蓝台：台观名，应在晋都绛县，或离绛县不远。⑱⑩段规：韩康子的相。⑱①智国：智伯的族人，又作智果、智过。⑱②主：称智伯。春

秋以来，大夫的家臣称大夫为“主”。⑱难将由我：要发难也是我兴兵消灭他们，他们怎么敢向我挑战。难，发难、掀起动乱。⑱兴：发起。⑱《夏书》：指《尚书》中记载夏朝历史的部分。今本《尚书·五子之歌》有此文。⑱一人三失三句：一个人多次犯错误，必然招人怨恨，难道别人的不满都表现在明处吗？关键是我们要特别注意那些还没有公开表现出来的东西。三，泛指数量之多。图，谋划、注意。〖按〗以上三句见古文《尚书》之《五子之歌》。⑱勤小物：关注细小的苗头。勤，用心、致力。⑱大患：大的灾难。⑱耻人之君相：指侮辱段规，同时也是侮辱了韩康子。⑲曰“不敢兴难”：说什么“我不为难，谁敢兴之”。⑲无乃不可乎：恐怕是不行吧。⑲蚋、蚁、蜂、虿：四种有害于人的昆虫。蚋，蚊子的一种。虿，蝎子一类毒虫。⑲请：要；勒索。⑲弗与：不答应；不给他。⑲愎：强硬固执。⑲狃于得地：从向我们勒索土地上吃到了甜头。狃，习，指从一件事上得到甜头而由此得寸进尺。⑲必请于他人：必然接着又向别人勒索土地。⑲向之以兵：对人家使用武力。⑲然后我得免于患：这样他以后就不可能再向我们讨要土地了。据章钰校，有的本子“后”作“则”，“然则”意即“这样一来”，作“则”较好。⑳待事之变：等待被勒索者建立联盟以共同消灭它。⑳致：送；献上。⑳万家之邑：有万户居民的大城。⑳任章：魏桓子的家臣。⑳索：求；讨要。⑳此惧而相亲：这些被勒索土地的大夫们必然彼此亲近而联合起来。⑳待：对待，意即对付。⑳《周书》：指《太公兵法》一类带有黄老色彩的权谋著作，为苏秦、张良所读者。王应麟《困学纪闻》卷二：“任章引《周书》……此岂苏秦所读《周书》《阴符》者欤？老氏之言，范蠡、张良之谋皆出于此。”⑳辅：助。⑳将欲取之二句：与，给。与此相同的字句亦见于《老子》第三十六章，其文作：“将欲歙之，必固张之。将欲弱之，必固强之。将欲废之，必固兴之。将欲夺之，必固与之。是谓微明。”㉑以骄智伯：使智伯骄横自大。㉑择交：选择同道，建立联盟。㉑图：谋，寻求消灭它的办法。㉑奈何：怎么能。㉑为智氏质：成为智氏讨伐的目标。质，箭靶、目标。㉑蔡皋狼：蔡早已被楚所灭，且蔡邑从未属赵。《战国策》鲍彪注以为“蔡”应作“蔺”，其说是。蔺邑在今山西吕梁市离石区西，皋狼故城在今山西吕梁市离石区西北。㉑弗与：不给。㉑甲：铠甲，这里即指士兵。㉑将出：准备出逃。㉑何走：逃往何处。走，逃向。㉒长子：赵氏之邑名，即今山西长子。㉒厚完：城墙既厚，且又完好。㉒罢力以完之：费尽力气修好了它。罢，通“疲”。㉒毙死以守之：又要让他们为我守城，舍去生命。毙，死。㉒其谁与我：还有谁肯帮助我。与，助、支持。㉒邯郸：赵邑名，即今河北邯郸。㉒仓库实：那里的粮食、武器充足。仓，藏谷之处。库，存车马、兵甲之处。实，满、充足。㉒浚民之膏泽：榨取百姓的财富、血汗。浚，榨取。见《左传·襄公二十四年》杜预注。膏泽，指财富、血汗，即通常所说的“民脂民膏”。㉒又因而杀之：现在又让他们因为我守城而牺牲生命。㉒其晋阳乎：看来还是逃向晋阳吧。其，表示推断的语气词。㉓先主：指襄子之父简子。㉓属：同“嘱”，嘱咐。即前所谓“无以晋阳为远，必以为归”云云。㉓所宽：所实行宽惠政策的地方。㉓和：融洽，这里指民心倾向于我们、拥护我们。㉞三家：指智伯、魏桓子、韩康子。㉟国人：三家封地上的士民。㊱围而灌之：将晋阳包围起来，决汾水（实指从悬瓮山引来的水）以灌其城。㊲城不浸者三版：城墙没被大水所泡的只剩下四尺多。浸，被水所泡。版，古代筑墙所用夹板，其高二尺。三版即指六尺。战国时的一尺约现在的二十三点一厘米，三版有今之四尺多。㊳沈灶产蛙：做饭的锅灶都淹在水里，里面住起了青蛙。㊴行水：察看水势。行，巡视、视察。㊵魏桓子御：魏桓子给智伯赶车，这是一种给人做仆役的姿态。㊶韩康子骖乘：韩康子站在智伯右侧，为之当保镖。骖乘也称"车右"，是站在君主或军队主帅右侧为之当警卫的人。㊷吾乃今知句：这句话的弦外之音是，日后你们如果不服我，我就会照样用河水来淹你们。乃今，而今、如今。㊸肘：用胳膊肘碰之以示意。㊹履桓子之跗：踩了一下魏桓子的脚，也是向他示意。履，踩。跗，脚。㊺汾水可以灌安邑二句：《战国策·秦策四》《史记·魏世家》原文皆如此，梁玉绳以为二句应作"汾水可以灌平阳，绛水可以灌安邑"。盖因汾水源出于山西静乐北管涔山南，流经平阳，西南至荣河县北入黄河。平阳为韩康子首埠，故城在今山西临汾西南。绛水也称涑水，源于山西绛县北山，西南流经闻喜南，经安邑、解州，至蒲县西南入黄河。安邑即魏桓子首埠，故城在今山西夏县西北。㊻絺疵：亦作"郝疵""郄疵"，智伯的家臣。㊼子：敬称对方，犹言"你"。㊽人事：人之常情。㊾从韩、魏之兵：率领韩、魏之兵。从，使之跟从，意即率领。㊿必及：必然轮到。(251)人马相食：人杀马而食，马饿亦吃死人。(252)有日：指日可待。(253)无喜志：没有高兴的意思。志，心思。(254)是非反而何：这不是想造反是想干什么。(255)此夫：此乃。(256)谗人：说人坏话，挑拨是非的人。(257)懈：放松。(258)岂不利：哪能不贪图。(259)朝夕：眼看着，即前所谓"有日"。(260)田：封土。(261)危难不可成之事：既危险又肯定办不成的事情，指造反消灭智伯。(262)视臣端而趋疾：直直地看了我一眼，很快就走了。(263)得其情：看透了他们的心思。(264)不悛：不醒悟；不改变。(265)絺疵请使于齐：絺疵请求离开智氏以避祸。(266)张孟谈：赵襄子的家臣。(267)潜出：秘密出城。(268)唇亡则齿寒：古代谚语，以唇齿比喻两者的利害相关，最早见于《左传·僖公五年》。(269)为之次：成为它的第二个。(270)遂：成。(271)二主：以称韩康子与魏桓子。(272)臣：张孟谈自称。(273)为之期日：约定好动手的日期。(274)翼而击之：左右夹击。翼，指两侧。(275)犯其前：从正面进攻智伯军。犯，进攻。(276)尽灭智氏之族：据《史记·晋世家》，以上事件发生在周贞定王十六年（公元前四五三年）。(277)唯辅果在：因其有先见之明，提前从智氏家族分出，另立门户故也。(278)才胜德：才高德坏。(279)莫之能辩：即"莫能辩之"。辩，通"辨"，别、区分。(280)通谓之贤：看到他有一个方面好，于是就说他好。(281)失人：看错人；用错人。(282)聪察强毅：聪慧，明察，有气魄，有毅力。(283)中和：中正和平，意即不偏不倚，一切都恰到好处。(284)才者，德之资也：才能是品德的资本。(285)德者，才之帅也：品德是才干的统帅。(286)云梦：古薮泽名，分跨于今湖北之长江南北，江北者称云泽，江南者称梦泽。今曹湖、洪湖、梁子湖、斧头湖等数十湖泊，皆其遗迹。(287)天下之劲：云梦泽所产的竹子，是天下所产竹子中最坚韧的。(288)矫揉：使曲者变直为矫，使直者变曲为揉。这里即指按照要求对其进行加工。(289)羽括：插上羽毛，装上括。括是箭尾受弦的部件。(290)入坚：穿透坚硬的铠甲。(291)棠溪之金：棠溪出产的铜。棠溪，古地名，即今河南漯河市郾城区。(292)利：锋利，这里即指优良。(293)镕范：指冶炼制造。镕，冶炼。范，铸造器物的模型。(294)砥砺：打磨。原指磨石。细者为砥，粗者为砺。(295)击强：刺透坚硬的东西。(296)全尽：两者都好到极点。(297)兼亡：全都没有。亡，同“无”。(298)苟不得：如果实在得不到。(299)与之：和他结交；和他打交道。与，结交。(300)挟才以为善：运用才干做好事。挟，持、运用。(301)善无不至：善事可以做得无限好。(302)智不能周：智力达不到。周，周密、完备。(303)力不能胜：能力完成不了。胜，任、承受。(304)乳狗：吃奶的小狗。(305)制：制服。(306)智足以遂其奸：智力能够让他办成坏事。足，可、能够。遂，成。奸，做坏事。(307)勇足以决其暴：勇气能够让他做出为大恶的决定。决，决心施行。(308)虎而

【原文】

三家分智氏之田。赵襄子漆智伯之头，以为饮器[318]。智伯之臣豫让[319]欲为之报仇，乃诈为刑人[320]，挟[321]匕首，入襄子宫中涂厕[322]。襄子如厕，心动[323]，索[324]之，获豫让。左右欲杀之，襄子曰：“智伯死无后[325]，而此人欲为报仇，真义士也！吾谨避之耳。”乃舍之[326]。豫让又漆身为癞[327]，吞炭为哑。行乞于市，其妻不识也。行见其友，其友识之，为之泣曰：“以子之才，臣事赵孟[328]，必得近幸[329]，子乃为所欲为[330]，顾不易邪[331]？何乃自苦如此[332]，求以报仇[333]，不亦难乎！”豫让曰：“不可[4]。既已委质[334]为臣，而又求杀之，是二心也。凡吾所为[335]者，极难耳，然所以为此者，将以愧[336]天下后世之为人臣怀二心[337]者也。”襄子出，豫让伏于桥下。襄子至桥，马惊[338]，索之，得豫让，遂杀之[339]。

襄子为伯鲁之不立[340]也，有子五人，不肯置后[341]。封伯鲁之子于代[342]，曰代成君[343]，早卒，立其子浣为赵氏后[344]。襄子卒[345]，弟桓子[346]逐浣而自立。一年卒[347]。赵氏之人曰：“桓子立，非襄主意。”乃共杀其

翼：给老虎加上翅膀。309 严：敬畏；敬而远之。310 察者：鉴别人才、推荐人才的人。311 蔽于才：被其才干所蒙蔽。312 遗于德：对其品德往往疏忽，忘掉了德。313 颠覆：指国破家亡。314 岂特：岂止。特，独。315 审于才德之分：弄明白才能与品德的区别。316 知所先后：知道才干与品德哪一项应放在前面，哪一项应放在后面。317 又何失人之足患：又怎么会总是担心看错人呢。失人，看错人。患，忧虑。

【校记】

［2］鬓：据章钰校，十二行本、乙十一行本皆作“须”。［3］然后：据章钰校，十二行本、乙十一行本皆作“然则”。

【语译】

韩、赵、魏三家瓜分了智氏的土地。赵襄子把智伯的头骨用漆漆了当作饮酒的器皿。智伯的家臣豫让想要为智伯报仇，就装扮成一个被判了徒刑罚做苦役的人，身上暗藏着匕首，进入赵襄子的家，躲在厕所里装作涂刷厕所。赵襄子上厕所的时候，感觉有异常，就立即派人搜索，结果抓获了豫让。赵襄子身边的人都主张杀死豫让，赵襄子说：“智伯宗族灭绝，没有留下后代。而这个人想要为智伯报仇，真可算得上是一个忠臣义士！我今后躲避他就是了。”于是就将豫让释放了。后来豫让又用漆涂抹全身，使全身长满癞疮；又吞食木炭，让自己的声音变哑。然后就到市集上去讨饭，他的妻子看见了也认不出是他。豫让又去拜访他的朋友，他的朋友看到他这个样子，伤心地哭起来，说：“凭借你的才能，如果投靠赵襄子，一定能被信任重用，到那时你想干什么就干什么，岂不是容易多了吗？何必要如此折磨自己，采用这种办法求得报仇，不是太难了吗！”豫让说：“不可以。假如我做了赵襄子的家臣，赵襄子就是我的主人，杀死主人就是不忠。我知道自己所做的事情很难成功，但我还是要那样去做的原因，就是要使天下以及后世的那些对主人不忠、怀有二心的人感到惭愧。”赵襄子出行，豫让预先埋伏在桥下准备刺杀他。不料赵襄子骑马将到桥头的时候，座下的马突然受到惊吓，他立即派人搜索，又将豫让抓获。这次赵襄子下令杀死了豫让。

当初，赵襄子的父亲废掉了太子伯鲁而让赵襄子做了他的继承人，出于这个原因，赵襄子虽然生有五个儿子，但始终不肯指定自己的儿子为继承人。他把代地封给伯鲁的儿子赵周，号代成君。代成君赵周很早就死了，后来赵襄子又指定代成君赵周的儿子赵浣做自己的继承人。赵襄子死了以后，他的弟弟赵嘉驱逐了赵浣，自己即位，就是赵桓子。一年以后，赵桓子也死了。赵氏家族的人说，桓子赵嘉即位

子[348]，复迎浣而立之，是为献子[349]。献子生籍，是为烈侯[350]。

魏斯者，魏桓子之孙也，是为文侯[351]。

韩康子生武子[352]，武子生虔，是为景侯[353]。

【段旨】

以上为第三段，追述赵襄子至献侯、赵籍之间的赵氏历史，赵襄子是为赵氏建国奠定基础的关键人物。

【注释】

⑱饮器：盛酒之器。也有人理解为尿壶。似以前者为是。⑲豫让：智伯的家臣。《战国策·赵策一》说他是毕阳之孙，先曾为范氏、中行氏做事，不受重用，改投智伯，智伯宠任之，遂为智氏忠臣。事迹亦见于《史记·刺客列传》。⑳诈为刑人：伪装成一个苦役。刑人，判徒刑做苦工的人。㉑挟：夹带；暗藏。㉒涂厕：抹厕所的墙。㉓如厕二句：第六感的一种反应。如，往。㉔索：搜查。㉕无后：指其宗族灭绝，领地瓜分，不仅如后世所理解的只是没有儿子断绝香火而已。㉖舍之：将其释放。㉗漆身为癞：以漆涂身，使全身长满癞疮。㉘臣事赵孟：假装投降去给赵襄子做事。〖按〗自赵盾为晋国正卿后，赵氏为卿者皆世称"孟"，如赵武、赵鞅、赵襄子皆然。㉙必得近幸：必能得到赵襄子的亲近宠爱。㉚为所欲为：干你想干的事情，指刺杀赵襄子。㉛顾不易邪：那还不是很容易的事吗。顾，岂。㉜何乃自苦如此：何必把自己弄成这种样子。㉝求以报仇：用这种办法求得报仇。㉞委质：托身；献身于人。有说"委质"即交上见面礼；也有说"委质"即与人家立契约，写保证书。㉟吾所为：指既不用假投降的骗术，又非要行刺赵襄子。㊱愧：使之惭愧，意即羞辱。㊲为人臣怀二心：既为人家做臣仆，又暗地里想害

【原文】

魏文侯以卜子夏[354]、田子方[355]为师，每过段干木[356]之庐必式[357]，四方贤士多归之。

本来就不是襄子的本意，于是一起杀死了桓子的儿子，把赵浣迎接回来即位，就是赵献子。赵献子生赵籍，赵籍就是赵烈侯。

魏斯，是魏桓子的孙子，就是魏文侯。

韩康子生韩武子，韩武子生韩虔，韩虔就是韩景侯。

人家。㊳㊳8 马惊：又是一种第六感，颇具神秘色彩。339 遂杀之：以上故事详见《史记·刺客列传》，司马迁所写还比这里生动得多。340 伯鲁之不立：伯鲁是赵简子的长子，理应为接班人，但因赵简子察知无恤最有才干，故而不立伯鲁，立无恤为接班人。341 不肯置后：不肯立自己的儿子为接班人，因为觉得那样做对不起长兄伯鲁。342 封伯鲁之子于代：据《史记》，伯鲁早死，故而封伯鲁之子为代成君。代，原是北方的一个小国名，其都城在今河北蔚县东北。此国被赵襄子所灭，故而封其侄。赵襄子灭代的惨烈过程详见《史记·赵世家》。343 代成君：据《史记·赵世家》，代成君名周，“成”字是谥。344 立其子浣为赵氏后：立代成君之子赵浣为自己的接班人。345 襄子卒：卒于周威烈王元年（公元前四二五年）。346 桓子：赵简子之子，襄子之弟，名嘉。347 一年卒：卒于周威烈王二年（公元前四二四年）。348 乃共杀其子：桓子死后，其子继位，被众人所杀。349 献子：历史上所说的赵献侯，公元前四二三至前四〇九年在位。“献”字是谥。350 烈侯：名籍，公元前四〇八至前三八七年在位。351 文侯：名斯，魏国最先独立称侯的人。公元前四四五至前三九六年在位。魏文侯是战国初期最有作为的君主。事见《史记·魏世家》。352 武子：名启章，公元前四二四至前四〇九年在位。353 景侯：名虔，公元前四〇八至前四〇〇年在位。

【校记】

［4］不可：原无此二字。据章钰校，十二行本、乙十一行本、孔天胤本皆有此二字，张敦仁《通鉴刊本识误》、张瑛《通鉴校勘记》同，今据补。

【语译】

魏文侯用卜子夏、田子方两位贤士做自己的老师，而且他每次经过德高望重的段干木的住宅门口都一定要站在车上，手扶车轼，弯下身子来表示敬意。因此，四面八方的贤德之人都来投奔魏国。

文侯与群臣饮酒，乐，而天雨[358]，命驾[359]将适野[360]。左右曰："今日饮酒乐，天又雨，君将安之[361]？"文侯曰："吾与虞人[362]期猎[363]，虽乐，岂可无一会期[364]哉！"乃往，身自罢之[365]。

韩借师[366]于魏以伐赵，文侯曰："寡人与赵，兄弟也，不敢闻命[367]。"赵借师于魏以伐韩，文侯应之亦然。二国皆怒而去，已而[368]知文侯以讲于己[369]也，皆朝于魏。魏于是始大于三晋[370]，诸侯莫能与之争。

使乐羊[371]伐中山[372]，克之[373]，以封其子击[374]。文侯问于群臣曰："我何如主[375]？"皆曰："仁君。"任座[376]曰："君得中山，不以封君之弟，而以封君之子，何谓仁君？"文侯怒，任座趋出[377]。次问翟璜[378]，对曰："仁君。"文侯曰："何以知之？"对曰："臣闻君仁则臣直，向者[379]任座之言直，臣是以知之。"文侯悦，使翟璜召任座而反之，亲下堂迎之，以为上客。

文侯与田子方饮，文侯曰："钟声不比[380]乎？左高[381]。"田子方笑。文侯曰："何笑？"子方曰："臣闻之，'君明乐官，不明乐音[382]'，今君审于音[383]，臣恐其聋于官[384]也。"文侯曰："善。"

子击出，遭[385]田子方于道，下车伏谒[386]。子方不为礼[387]。子击怒谓子方曰："富贵者骄人[388]乎？贫贱者骄人乎？"子方曰："亦[389]贫贱者骄人耳，富贵者安敢骄人！国君而[390]骄人，则失其国；大夫而骄人，则失其家[391]。失其国者，未闻有以国待之[392]者也；失其家者，未闻有以家待之者也。夫士[393]贫贱者，言不用[394]，行不合[395]，则纳履而去[396]耳，安往而不得贫贱哉[397]？"子击乃谢[398]之。

文侯谓李克[399]曰："先生尝有言曰：'家贫思良妻，国乱思良相[400]。'

魏文侯与大臣们一起饮酒，心情非常愉快，而老天竟然下起了大雨，魏文侯命令准备好车马到郊外去。他左右的人都劝阻说：“现在大家一起喝酒正喝得高兴，外面又在下雨，您到郊外去做什么？”魏文侯说：“我与管理苑囿的虞人约好今天一起去打猎，我在这里虽然快乐，但怎么能失约不去呢！”于是便亲自冒雨前往苑囿告诉那个虞人说，因为下雨取消打猎。

韩国向魏国借军队去攻打赵国，魏文侯说：“我们魏国和赵国是兄弟邻邦，所以我不能按照贵国的吩咐办。”赵国为了攻打韩国也向魏国借兵，魏文侯也像当初拒绝韩国一样拒绝了赵国。两国都因为遭到拒绝而很生气地离开，事后得知魏文侯都暗中站在将要被攻打的一方时很受感动，就都来拜见魏文侯。魏国因此在三个国家中最强大，其他诸侯不敢与魏国争强。

魏文侯派将军乐羊去攻打中山国，乐羊很快就攻陷了中山，魏文侯将中山的领土分封给自己的儿子魏击。魏文侯询问诸位大臣说：“你们认为我是一个怎么样的君主？”在座的都说：“您是一个仁德的君主。”任座说：“您得到中山的领土，不把它分封给您的弟弟而分封给了您的儿子，怎么能够算得上是仁德的君主？”魏文侯非常愤怒，任座见魏文侯发怒，赶紧退了出来。魏文侯又去问翟璜，翟璜回答说：“是仁德的君主。”魏文侯说：“你凭什么这么说？”翟璜回答：“我听说，国君仁德，臣子就敢于说真话，刚才任座说的是真话，我根据这一点知道的。”魏文侯听了很高兴，就派翟璜把任座请了回来，魏文侯亲自走下堂来迎接他，并把他奉为上宾。

魏文侯与田子方一块饮酒，魏文侯说：“伴奏的音乐声调不协调吗？左边的编钟音调高。”田子方听了以后没说话，只是笑了笑。魏文侯问他：“你笑什么呢？”田子方回答说：“我听说，‘国君只要了解管理音乐的官员是否称职就行了，不必具体管音律是否和谐’，而今您对音乐如此精通，我担心您在管理官员、处理政务方面会显得昏聩无能。”魏文侯说：“说得好。”

魏文侯的儿子魏击出行，在路上遇见田子方，他赶紧下车在路边行拜见礼。田子方并不还礼。魏击怒气冲冲地质问田子方说：“我问你，是富贵的人在别人面前摆谱、傲慢呢，还是没有官爵俸禄的普通人在别人面前摆谱、傲慢？”田子方说：“当然是没有官爵俸禄的普通人在别人面前摆谱、傲慢了，富贵的人怎么敢在别人面前摆谱、傲慢呢！一国之君如果在别人面前摆谱、傲慢，就会失去他的国家；大夫在别人面前摆谱、傲慢，就会失去他的家族所有。失去国就不会再有国，失掉家族所有就不会再有家族所有。而像我们这样没有官爵俸禄的普通人，意见不被采纳，行为不合主人的心意，那么穿上鞋子走人，走到哪里还不都是一样吗？”魏击赶紧为自己刚才的鲁莽行为向田子方道歉。

魏文侯对李克说：“先生您曾经说过这样的话：‘家境贫穷，就希望娶个贤惠的妻子；国家治理不好，就渴望能有一位贤明的宰相。’如今要任命宰相，不是任用魏

今所置[401]，非成则璜[402]，二子何如？”对曰：“卑不谋尊[403]，疏不谋戚[404]。臣在阙门[405]之外，不敢当命[406]。”文侯曰：“先生临事勿让[407]。”克曰：“君弗察[408]故也。居[409]视其所亲，富视其所与[410]，达[411]视其所举[412]，穷[413]视其所不为[414]，贫视其所不取[415]。五者足以定之矣，何待克哉[416]！”文侯曰：“先生就舍[417]，吾之相定矣[418]。”

李克出，见翟璜。翟璜曰：“今者闻君召先生而卜相[419]，果谁为之[420]？”克曰：“魏成[421]。”翟璜忿然作色[422]曰：“西河守吴起[423]，臣所进也。君内以邺为忧[424]，臣进西门豹[425]。君欲伐中山，臣进乐羊。中山已拔[426]，无使[427]守之，臣进先生。君之子[428]无傅[429]，臣进屈侯鲋[430]。以耳目之所睹记[431]，臣何负于魏成[432]！”李克曰：“子言克于子之君[433]者，岂将[434]比周[435]以求大官哉？君问相[436]于克，克之对如是[437]。所以知君之必相魏成[438]者，魏成食禄千钟[439]，什九在外，什一在内[440]，是以[441]东得卜子夏、田子方、段干木。此三人者，君皆师之[442]；子所进五人者，君皆臣之[443]。子恶得与魏成比也[444]？”翟璜逡巡[445]再拜曰：“璜，鄙人[446]也，失对[447]，愿卒为弟子[448]。”

吴起者，卫[449]人，仕于鲁[450]。齐[451]人伐鲁，鲁人欲以为将。起取[452]齐女为妻，鲁人疑之，起杀妻以求将[453]，大破齐师。或谮之鲁侯[454]曰：“起始事曾参[455]，母死不奔丧[456]，曾参绝之[457]。今又杀妻以求为君将。起，残忍薄行[458]人也。且以鲁国区区[459]而有胜敌之名，则诸侯图鲁[460]矣。”起恐得罪，闻魏文侯贤，乃往归之。文侯问诸李克，

成，就是任用翟璜，您觉得两个人当中哪一个更合适？”李克回答说：“地位低微的人不应该参与决定地位上层人的事情，关系疏远的人不应该参与决定人家关系亲近者之间的事情。我是公室以外的人，我不应该参与国君家庭内部的事情，所以我不能回答您提出的问题。”魏文侯说：“这是关系国家前途的大事，希望您不要推辞。”李克说：“您拿不定主意，是因为您没有仔细体察的缘故。平时看他所亲近的是什么样的人；有了钱财，看他结交的是什么样的人；地位尊贵的时候，看他举荐的是什么样的人；在不得志的时候，看他是不是能够不改变自己的操守；贫穷的时候，看他是不是接受那些不义之财。从这五个方面考察就能决定任用谁最合适，哪里还用得着我来说什么呢！”魏文侯说：“先生您可以回去了，任用谁为宰相，我心中已经选好了。”

李克从魏文侯那里出来正好遇见翟璜。翟璜问李克说：“今天听说国君召您进宫，是向您征求宰相的人选，最后决定任用谁呢？”李克说：“是魏成。”翟璜一听马上变了脸色，怒气冲冲地说：“守卫西河的太守吴起是我推荐给国君的。国君因为邺郡得不到很好的治理感到担忧，我又向国君举荐了西门豹。国君想要攻打中山，我推举了乐羊。中山被攻下以后，没有合适的人选去治理中山，是我推荐了先生。国君的儿子找不到可以胜任的老师，是我介绍了屈侯鲋。就您耳朵听到的、眼睛看见的这几件事来说，我哪一点比不过魏成！”李克说：“当初你把我李克举荐给国君，难道就是为了结党营私用来谋取高官吗？国君向我征求谁适合担任宰相，我是这样回答的，并没有具体说谁合适。但我知道国君必然任用魏成为宰相，因为魏成虽然享有千钟的俸禄，但用其中的十分之九去结交天下的贤能之士，只把其中的十分之一留作家用，所以他才能够物色到卜子夏、田子方、段干木这样的德才兼备之士。这三个人，国君把他们当作自己的老师；而你所举荐的人，国君把他们当作臣子。你怎么能跟魏成相比呢？”翟璜迟疑了一阵以后，向李克拜了两拜，惭愧地说：“我真是一个见识短浅的人，刚才不该那样问您。从今以后我愿意一辈子做您的弟子。”

吴起原本是卫国人，在鲁国做官。齐国的军队攻打鲁国，鲁君想任命吴起为大将，但因为吴起的妻子是齐国人，鲁国人担心他会因此而对鲁国不忠。吴起为了解除鲁国人对自己的疑虑，实现自己的政治理想，就残忍地杀死了自己的妻子，最后如愿以偿，当上了鲁国的大将，率领鲁军打败了齐军。有人在鲁国国君面前诋毁吴起说：“吴起曾经跟随曾参学习，他的母亲死了，他不回去奔丧，曾参认为他不孝，与他断绝了师徒关系。如今为了能当上大将又杀死了妻子。吴起真是一个残忍、无情无义的小人！再说，就凭小小的鲁国却有一个打败强大齐国的名声，我担心鲁国今后将会成为其他诸侯进攻的目标了。”吴起得知有人在国君面前诋毁自己，害怕被杀，他听说魏文侯很贤明，就离开了鲁国投奔魏国。魏文侯征求李克的意见，

李克曰："起贪[461]而好色，然用兵，司马穰苴[462]弗能过也。"于是文侯以为将，击秦，拔五城。

起之为将，与士卒最下者同衣食，卧不设席[463]，行不骑乘[464]，亲裹赢粮[465]，与士卒分劳苦。卒有病疽[466]者，起为吮[467]之，卒母闻而哭之。人曰："子，卒也[468]，而将军自吮其疽，何哭为[469]？"母曰："非然也[470]，往年吴公吮其父疽[471]，其父战不旋踵[472]，遂死于敌。吴公今又吮其子，妾[473]不知其死所[474]矣，是以哭之。"

燕湣公[475]薨[476]，子僖公[477]立。

二十四年（己卯，公元前四〇二年）

王崩[478]，子安王骄[479]立。

盗杀楚声王[480]，国人立其子悼王[481]。

【段旨】

以上为第四段，追述魏文侯的英明干练，使魏国在正式被封立之前就已经强大一时。

【注释】

㉞卜子夏：孔子的弟子，名商，字子夏，晋国温（今河南温县西南）人，后居于魏。长于文学。曾讲学于魏国之西河，为魏文侯师。事迹详见《史记·仲尼弟子列传》。355田子方：名无泽，战国时魏人，曾受学于子贡。见《史记·魏世家》。356段干木：魏国的商人，曾受学于子夏，成为有名的贤士，深受魏文侯敬重。357式：同"轼"，古代车厢前用作扶手的横木。古人立乘车上，遇有当表示恭敬之事，则俯身扶轼，以表敬意。358天雨：天下起雨来。359命驾：吩咐整备车马。驾，帝王车乘。360适野：要到郊外去。适，往。361安之：要到哪里去。之，往。362虞人：掌管苑囿的小吏。363期猎：约定今天要去打猎。期，约定时间。364无一会期：词语生涩，意即到时不去，即失约。365身自罢之：亲自前往告知虞人因雨罢猎。366借师：借兵。367不敢闻命：不能按您的吩咐办。闻命，听命、受命。368已而：事后；后来。369讲于己：与两方都有联盟。讲，结、结盟。370大于三晋：在韩、赵、魏三

李克说："吴起为人既贪名又好色，然而在用兵打仗方面却是一个奇才，就连司马穰苴这样的军事家也未必比得上他。"于是魏文侯就任命吴起为大将攻打秦国，一战就攻克了秦国的五座城邑。

吴起虽然身为大将，但在部队当中，与地位最低的士卒吃一样的饭菜，穿一样的衣服；睡觉的时候，身下不铺席子，就地而卧；行军的时候不骑马不坐车，亲自背着干粮徒步而行，与士卒同甘共苦。有一个士兵身上长了疽疮，吴起就亲自用嘴给他嘬脓，这个士兵的母亲听说以后，就痛哭起来。有人问她说："你的儿子只是一个小卒，而将军亲自用嘴给他嘬脓，你还哭什么呢？"小卒的母亲说："你们不知道，以前吴将军就曾经给他的父亲用嘴嘬过脓，他父亲为了报答将军，在战场上拼死向前杀敌，一步也不肯后退，最后战死在沙场之上。如今吴将军又为我的儿子嘬脓，我真不知道我儿子会死在哪里了，我是为这个才痛哭的呀。"

燕湣公去世，他的儿子僖公即位。

二十四年（己卯，公元前四〇二年）

周威烈王姬午去世，他的儿子姬骄即位，就是周安王。

强盗杀死了楚国国君楚声王芈当，楚国人拥戴他的儿子芈疑做了国君，就是楚悼王。

国中势力最强。三晋，由瓜分晋国所建立的三个国家。㊱乐羊：魏文侯时的将领。㊲中山：春秋后期鲜虞人建立的小国，都城顾，即今河北定州。㊳克之：攻克了中山国。〖按〗据《史记·魏世家》，魏文侯派乐羊灭中山在魏文侯四十年（公元前四〇六年）。㊴其子击：即日后的魏武侯，名击，公元前三九五至前三七〇年在位。㊵何如主：怎样的一个君主。㊶任座：魏文侯的大臣，以直言闻名。事见《新序·杂事一》《说苑·奉使》《吕氏春秋·长见》。有说任座即公叔痤。㊷趋出：小步疾行而出。趋，小步急行，这是古代臣子在君父面前走路的一种恭敬的姿态。㊸翟璜：又作"翟黄"，魏文侯的大臣。事迹见《韩非子·内储说下》《吕氏春秋·下贤》《史记·魏世家》等。㊹向者：刚才。㊺不比：不协调。㊻左高：左边的编钟音高。㊼君明乐官二句：国君只要了解管理音乐的官员是否称职就行了，不必管具体音律是否和谐。㊽审于音：对音律问题如此精审。审，理解得深刻、透彻。㊾聋于官：对管理官员、处理政事昏聩无能。聋，无听觉，这里即指政治昏聩。㊿遭：遇。(386)伏谒：趴在地上拜见。(387)不为礼：不还礼；不以礼相答。(388)骄人：向人摆谱；对人傲慢。(389)亦：也；看来是。表示推断的语气词。(390)而：若；假如。(391)失其家：丢掉他的家族所有，包括土地、士民、军队等等。周朝实行层层的分封制，周天子的辖区称作"天下"，诸侯的辖区称作"国"，大夫的辖区称作"家"。(392)以国待之：把国家再交还给他。待，留，留着再给

他。㊈士：没有官爵俸禄的普通人。㊉言不用：建议不被采纳。㊊行不合：做事不合统治者的要求。㊋纳履而去：穿上鞋子就走。纳，插、穿。㊌安往而不得贫贱哉：什么地方找不到“贫贱”呢。㊍谢：道歉。㊎李克：也作“里克”，子夏弟子。魏文侯灭中山后，封太子击为中山君，任李克为其相。《汉书·艺文志·诸子略》之儒家类有《李克》七篇。㊏家贫思良妻二句：古之成语，以言妻之在家与相之在国的重要地位。㊐所置：即指置相。置，设立、任命。㊑非成则璜：如果不是文侯之弟公子成，那就一定是翟璜。翟璜是文侯的大臣。㊒卑不谋尊：地位低的人没法参与谋划上层的事。㊓疏不谋戚：关系疏远的人没法参与谋划人家亲近者之间的事。卑、疏者，李克自指；尊、戚者，指翟璜与公子成。㊔阙门：宫门，古代宫门左右有双阙，故称宫门为“阙门”。“在阙门之外”，极言自己的地位之低和与国家君主的关系之远。㊕当命：接受命令；承担任务。当，承受。㊖勿让：不要推辞。㊗弗察：没有认真体察。㊘居：平时。㊙所与：结交什么人。㊚达：尊贵；地位高。㊛举：推荐。㊜穷：不逢时；不得志。㊝不为：不干什么，指不改自己的操守。㊞不取：不取什么，指不贪钱财。㊟何待克哉：哪里还用得着我说呢。㊠就舍：回府。就，去、到。㊡吾之相定矣：任命谁为相，我心中选好啦。㊢卜相：商量任谁为相。卜，研究以谁为好。㊣果谁为之：最后确定了谁当。果，最后、究竟。㊤魏成：公子成。㊥作色：改变面色，指动怒的样子。㊦西河守吴起：西河地区的守将吴起。西河指今陕西与山西之间的那段黄河，当时的晋国人称之曰“西河”。战国初期这段黄河以西的部分陕西地区归魏国所有，而吴起曾为魏文侯镇守这一带地区。吴起是战国初期的杰出军事家，原卫人，先后曾在鲁国、魏国、楚国任职，所在有功。事迹详见《史记·吴起列传》。㊧以邺为忧：正在为邺县的问题伤脑筋。邺，魏县名，在今河北临漳。㊨西门豹：姓西门，名豹，魏文侯时代的著名地方官。为邺令时，曾严厉惩治“河伯娶妇”的歹徒，并在当地兴修水利。事见《史记·滑稽列传》。㊩拔：攻克。㊪无使：没有合适的人可派往镇守。㊫君之子：指太子击。㊬无傅：没有合适的人任太子太傅。太子太傅是太子的教导官。㊭屈侯鲋：姓屈侯，名鲋，魏国的贤人。㊮以耳目之所睹记：以眼前易见的这些事情来说。㊯何负于魏成：我哪一点比魏成差。㊰子言克于子之君：你当年把我举荐给你的君主。言，进言、介绍。㊱岂将：难道是为了。㊲比周：为了私利而相互依附，即今之所谓“狼狈为奸”。㊳问相：问任谁为相更好。㊴克之对如是：我是这样回答的。如是，如此。㊵必相魏成：必以公子成为相。㊶食禄千钟：享有千钟的俸禄。这在古代算是很多的。钟，古之容量单位，一钟等于六斛四斗。古之量小，千钟略当于今之一千三百石。㊷什九在外二句：十分之九用在奉养贤士，十分之一留给家用。㊸是以：以是；所以才能。㊹君皆师之：君主（指文侯）都把他们尊为师。㊺君皆臣之：君主都把他们当作臣下。㊻子恶得与魏成比也：您怎么能和公子成相比呢。恶得，如何能够。也，同“邪”，反问语气词。㊺逡巡：失落丧气的样子。㊻鄙人：见识低下的人。㊼失对：回答得不得体。㊽卒为弟子：永远做您的学生。㊾卫：西周以来的封国名，始封之君为武王之弟康叔，原都于朝歌（今河南淇县），春秋时代迁于今河南濮阳西南。详见《史记·卫康叔世家》。㊿仕于鲁：在鲁国为官。鲁，西周以来的封国名，始封之君为武王之弟周公，国都即今山东曲阜。事见《史记·鲁周公世家》。451齐：西周以来的诸侯国名，始封之君为武王的功臣姜尚，都城即今山东淄博市临淄区。但这时的齐康公已成为田氏权臣的傀儡，一切大权皆在田和之手。452取：同“娶”。453杀妻以求将：杀其妻以表明自己与齐国无牵连，而求得鲁君任以为将。454或谮之鲁侯：或，有人。谮，说坏话以坏人之事。鲁侯，当是鲁穆公，名显，公元前四〇七至前三七七年在位。455始事曾参：开始跟着曾参为弟子。事，这里意思同“侍”。曾参，孔子的弟子，以孝闻名。按年代计算，这时不应再有曾参，有人认为应是曾申，曾参的儿子。456奔丧：闻长辈死讯，奔回以理丧事。457绝之：与之断绝了关系。458薄行：没有好的品行。459区区：弱小的样子。460诸侯图鲁：鲁国成为各国诸侯的进攻目标。图，算计、打主意。461贪：贪名。杀妻求将即其一例。462司马穰苴：春秋齐人，姓田，名穰苴，为大司马，故称。齐景公时的名将，曾大破燕、晋之师。事迹详见《史记·司马穰苴列传》。463卧不设席：不铺褥垫，就地而卧。464行不骑乘：徒步而行，不坐车、不骑马。465亲裹赢粮：亲自背着包裹、粮食。赢，背着、挑着。466病疽：长了毒疮。这种毒疮生在颈部或背部，有生命危险。467吮：用嘴吸毒疮里的脓，因当时条件恶劣，情况紧急。468子，卒也：你的儿子，不过是个小卒。469何哭为：你还哭什么。古汉语的反问句，“为”字常移在句尾。470非然也：我不是说这个。471吮其父疽：为其父吮过毒疮。472战不旋踵：打起仗来连头也不回。旋踵，转过脚跟，即回身向后。473妾：婢仆，古时妇女常用以谦称自己。474不知其死所：不知死在什么地方，意即此子日后为报吴公之恩，必然在战场上不怕牺牲。〖按〗司马光在这里的叙事完全依据《史记》，司马迁讨厌法家人物，故而对吴起没有好感。关心、爱护士卒本是优秀指挥官的行为，但司马迁加上小卒之母的一哭，吴起形象顿然减色。475燕湣公：孝公之子，公元前四三三至前四〇三年在位。燕是西周初年以来的诸侯国名，始封之君是武王之弟召公姬奭。都城开始在今北京西南之琉璃河，后来灭蓟后迁于今北京市。476薨：以称诸侯之死。477僖公：湣公之子，公元前四〇二至前三七三年在位。478王崩：此指周威烈王死，古称帝王之死曰崩。479安王骄：周安王名骄，公元前四〇一至前三七六年在位。480盗杀楚声王：楚声王是楚简王之子，名当，公元前四〇七至前四〇二年在位。楚声王是自熊绎以后的第三十二代楚王。481国人立其子悼王：标明“国人”，说明此举非当时之统治阶层所情愿。国人，指居住在国家京城及其郊区的士、农、工、商之民。悼王名疑，一名类，公元前四〇一至前三八一年在位。

【原文】

安王

元年（庚辰，公元前四〇一年）

秦[482]伐魏，至阳狐[483][5]。

二年（辛巳，公元前四〇〇年）

魏、韩、赵伐楚[484]，至桑丘[485]。

郑[486]围韩阳翟[487]。

韩景侯薨，子烈侯取[488]立。

赵烈侯薨，国人立其弟武侯[489]。

秦简公薨，子惠公[490]立。

三年（壬午，公元前三九九年）

王子定[491]奔晋[492]。

虢山[493]崩，壅河[494]。

四年（癸未，公元前三九八年）

楚围郑[495]。郑人杀其相驷子阳[496]。

五年（甲申，公元前三九七年）

日有食之[497]。

三月，盗杀韩相侠累[498]。侠累与濮阳严仲子[499]有恶[500]。仲子闻轵[501]人聂政[502]之勇，以黄金百溢[503]为政母寿[504]，欲因以报仇[505]。政不受，曰："老母在，政身未敢以许人[506]也。"及母卒，仲子乃使政刺侠累。侠累方坐府上，兵卫甚众，聂政直入上阶，刺杀侠累，因自皮面决[6]眼[507]，自屠[508]出肠。韩人暴其尸于市[509]，购问[510]，莫能识。其姊嫈闻而往哭之曰："是轵深井里[511]聂政也，以妾尚在之故，重自刑[512]以绝从[513]。妾奈何[514]畏殁身之诛[515]，终灭贤弟之名[516]！"遂死于政尸之旁[517]。

六年（乙酉，公元前三九六年）

郑驷子阳之党弑繻公[518]，而立其弟乙，是为康公[519]。

【语译】

安王

元年（庚辰，公元前四〇一年）

秦国攻打魏国，秦国的军队一直深入魏国的阳狐。

二年（辛巳，公元前四〇〇年）

魏国、韩国、赵国联合起来攻打楚国，大军挺进到楚国的桑丘。

郑国派军队包围了韩国的阳翟。

韩国的国君景侯韩虔去世，他的儿子韩取即位，就是韩烈侯。

赵国的国君赵烈侯赵籍去世，赵国的贵族拥立赵籍的弟弟做了国君，就是赵武侯。

秦简公嬴悼子去世，他的儿子秦惠公即位。

三年（壬午，公元前三九九年）

周安王的儿子姬定出逃到了晋国。

虢山发生崩塌，崩落的土石堵塞了黄河。

四年（癸未，公元前三九八年）

楚国的军队包围了郑国的都城新郑。郑国人杀死了宰相驷子阳。

五年（甲申，公元前三九七年）

有日食发生。

三月，韩国的宰相侠累被刺客杀死。侠累和居住在濮阳的严仲子有仇怨。严仲子听说轵县人聂政勇猛过人，就把一百镒黄金送给聂政的母亲作为祝寿的礼物，想请聂政为自己报仇。聂政不肯接受礼物，说："我还有老母需要奉养，现在我不敢答应去替人卖命。"等到聂政的母亲去世以后，严仲子就派聂政去刺杀侠累。当时侠累正坐在宰相府中，他身边的警卫人员很多，聂政径直走进相府，蹿上台阶，一下子就把侠累刺死了。聂政杀死侠累以后，马上将手中的宝剑刺向了自己，他先是割下自己的面皮，又剜出自己的眼睛，然后才剖开自己的肚腹，肠子都流了出来。聂政自杀以后，韩国把他的尸体扔在闹市当中示众，并悬赏辨认他的身份，但没有人能认出他是谁。聂政的姐姐聂嫈听到消息以后马上赶来，边哭边诉说："这个人是轵县县城深井里的聂政，他是因为怕连累我，所以才如此残酷地毁了自己的面容，割断了牵连别人的线索。我又怎么能够因为害怕遭受杀身之祸，而埋没了我弟弟的英名呢！"于是就在聂政的身边自杀了。

六年（乙酉，公元前三九六年）

郑国已故宰相驷子阳的党羽杀死了当时的国君繻公，而立繻公的弟弟乙为国君，就是郑康公。

宋悼公[520]薨，子休公田[521]立。

八年（丁亥，公元前三九四年）

齐伐鲁，取最[522]。韩救鲁[7]。

郑负黍[523]叛，复归韩。

九年（戊子，公元前三九三年）

魏伐郑[524]。

晋烈公[525]薨，子孝公倾[526]立。

十一年（庚寅，公元前三九一年）

秦伐韩宜阳[527]，取六邑[528]。

初，田常[529]生襄子盘[530]，盘生庄子白[531]，白生太公和[532]。是岁[533]，齐田和[8]迁齐康公于海上[534]，使食一城[535]，以奉其先祀[536]。

十二年（辛卯，公元前三九〇年）

秦、晋战于武城[537]。

齐伐魏，取襄阳[538]。

鲁败齐师于平陆[539]。

十三年（壬辰，公元前三八九年）

秦侵晋[540]。

齐田和会魏文侯[541]、楚人、卫人于浊泽[542]，求为诸侯。魏文侯为之请于王[543]及诸侯，王许之。

十五年（甲午，公元前三八七年）

秦伐蜀[544]，取南郑[545]。

魏文侯薨[546]，太子击立，是为武侯[547]。

武侯浮西河而下[548]，中流[549]顾[550]谓吴起曰："美哉，山河之固[551]，此魏国之宝也！"对曰："在德不在险[552]。昔三苗氏[553]，左洞庭，右彭蠡[554]。德义不修[555]，禹灭之[556]。夏桀之居[557]，左河、济，右泰华[558]，伊阙[559]在其南，羊肠[560]在其北。修政不仁[561]，汤放之[562]。商纣之国[563]，左孟门，右太行[564]，常山[565]在其北，大河[566]经其南。修政不德[567]，武王杀之[568]。由此观之，在德不在险[569]。若君不修德，舟中之人皆敌国也[570]。"

宋国的国君悼公去世，他的儿子田即位，就是宋休公。

八年（丁亥，公元前三九四年）

齐国派军队攻打鲁国，占领了最邑。韩国救援了鲁国。

郑国负黍城背叛了郑国，再次回到韩国的怀抱。

九年（戊子，公元前三九三年）

魏国攻打郑国。

晋国的国君晋烈公姬止去世，他的儿子晋孝公姬倾即位。

十一年（庚寅，公元前三九一年）

秦国的军队攻打韩国的宜阳，占领了六个邑。

当初，齐国的宰相田成子田常生田襄子田盘，田盘生田庄子田白，田白生田太公田和。这一年，太公田和把齐国姜姓国君齐康公姜贷赶出齐国的都城临淄，放逐到了东海边上，只留给他一个小城镇作为食邑，让他供奉姜齐的祖先。

十二年（辛卯，公元前三九〇年）

秦国和晋国在武城展开激战。

齐国攻打魏国，占领了魏国的襄阳。

鲁国的军队在平陆打败了齐国的军队。

十三年（壬辰，公元前三八九年）

秦国的军队进犯晋国。

齐国的田和在浊泽与魏文侯、楚国和卫国派出的使节举行会晤，目的是让自己的诸侯地位得到承认。会后，魏文侯出面在周安王和其他诸侯面前代田和请求认可，周安王答应了魏文侯的请求，承认了田和为齐国国君。

十五年（甲午，公元前三八七年）

秦国攻打蜀国，占领了蜀国的南郑。

魏文侯去世，太子魏击即位，是为魏武侯。

魏武侯乘船沿黄河顺流而下，行进途中，他情不自禁地回过头来对吴起说："多么壮美的河山，就像金城汤池一样坚固，这是我们魏国的护国法宝啊！"吴起回答说："国家的安危，取决于君主美好的品德而不取决于河山关隘的险阻。古代的三苗部落，左边有洞庭湖，右边有彭蠡泽，河山不可谓不险。但国君不修德行、不讲信义，最后被夏禹灭掉。夏朝的最后一位国君夏桀，他的都城左边是黄河、济水，右边有泰华山，南边有伊阙山，北面有著名的险塞羊肠阪。但是夏桀不施仁政，结果被商汤放逐到远方。商朝的最后一位君主商纣王，他的都城左有孟门山，右有太行山，常山在它的北面，黄河流经它的南面。但他暴虐无道、不施仁政，最后被周武王所灭。从这些史实不难看出，国家的安危确实在于国君的道德水平而不在于山河的险阻。如果国君不能修明政治，即使是船中的这些亲信侍从恐怕也都跑到敌国那里去了。"魏

武侯曰："善。"

魏置相，相田文[571]。吴起不悦，谓田文曰："请与子论功可乎？"田文曰："可。"起曰："将三军，使士卒乐死，敌国不敢谋，子孰与起[572]？"文曰："不如子。"起曰："治百官，亲万民，实府库[573]，子孰与起？"文曰："不如子。"起曰："守西河，秦兵不敢东乡[574]，韩、赵宾从[575]，子孰与起？"文曰："不如子。"起曰："此三者，子皆出吾下[576]，而位居吾上，何也？"文曰："主少国疑[577]，大臣未附[578]，百姓不信。方是之时[579]，属[580]之子乎，属之我乎？"起默然良久曰："属之子矣[581]。"

久之，魏相公叔[582]尚魏公[9]主[583]而害[584]吴起。公叔之仆[585]曰："起易去[586]也。起为人刚劲自喜[587]。子先言于君曰：'吴起，贤人也，而君之国小[588]，臣恐起之无留心也。君盍试延以女[589]？起无留心，则必辞[590]矣。'子因与起归[591]，而使公主辱子[592]，起见公主之贱子也，必辞[593]，则子之计中[594]矣。"公叔从之，吴起果辞公主，魏武侯疑之而未信[595]。起惧诛，遂奔楚[596]。

楚悼王[597]素闻其贤，至则任之为相。起明法审令[598]，捐不急之官[599]，废公族疏远者[600]，以抚养战斗之士，要[601]在强兵，破游说之言从横者[602]。于是南平百越[603]，北却三晋[604]，西伐秦[605]，诸侯皆患楚之强，而楚之贵戚大臣多怨吴起者。

秦惠公薨，子出公[606]立。

赵武侯薨[607]，国人复立烈侯之太子章，是为敬侯[608]。

韩烈侯薨，子文侯[609]立。

武侯凛然说：“你说得很对。”

魏武侯任命田文为宰相，吴起很不高兴，他对田文说：“我和您比一比功劳可以吗？”田文说：“当然可以。”吴起说：“率领三军，让那些士兵都心甘情愿去拼死作战，乐意为他的统帅去牺牲生命，使敌对的国家因为惧怕而不敢打魏国的主意，在这方面您和我吴起比起来谁强？”田文回答：“我比不上您。”吴起又说：“管理文武百官，使百姓亲附，使国库储备充足，在这方面您和我比起来谁强？”田文回答：“我不如您。”吴起又问：“防守西河，使秦国的军队不敢向东侵略，使韩国、赵国对我们魏国唯命是从，在这方面您和我比起来谁强？”田文回答：“我不如您。”吴起说：“以上三个方面您都不如我，但您的地位却在我之上，这是为什么呢？”田文回答说：“目前我们魏国的情势是：新登基的国君年纪尚小，全国的政局还没有稳定，大臣们对新君还不亲附，百姓对新政府也抱着一种观望的态度。在这种情况下，是用您担任宰相合适呢，还是用我田文担任宰相合适呢？”吴起沉默了好一会才歉疚地说：“还是用您合适。”

过了很久，魏国的宰相公叔娶了魏国公主做妻子，他心里一向嫉恨吴起。他的一个仆人对他说：“把吴起排挤走很容易。吴起为人太刚强，又特别重视自己的名声。您可以先去对国君说：‘吴起这个人是一个很有才能的人，而您的国家又不大，我担心吴起没有长期留在魏国的打算。您何不用招女婿的办法来考验他一下呢？如果吴起没有留下来的意思，他就一定会借故推辞。’然后您再邀请吴起到相府来，事先与公主说好，让公主当着吴起的面侮辱您，吴起看见公主侮辱您，肯定不愿意把公主娶回家，必定拒绝国君的美意，那就正好中了您的圈套了。”公叔按照仆人说的办法安排好了以后，吴起果然拒绝娶公主为妻，魏武侯因此对吴起产生怀疑而不再信任。吴起害怕灾祸降临到自己头上，于是就逃到楚国去了。

楚悼王芈疑早就听说吴起很有才能，所以吴起一到楚国，楚悼王马上就任命吴起为楚国的宰相。吴起上任以后，立即开始了一系列的改革，他明确法规，审定律令，裁减冗员，削减王族中关系疏远者的俸禄，用节省下来的财物去抚慰战士的家属，目的就是要富国强兵，反对那些游说之士的所谓合纵连横的理论，坚持独立的外交政策。经过吴起大刀阔斧的改革，楚国向南统一了百越，扩大了楚国的疆域，向北击退了韩、魏、赵三国的进攻，向西攻打强大的秦国，这时，各诸侯国对楚国的崛起都感到很害怕，而在楚国国内，那些被裁减了俸禄的贵族和被剥夺了权力的大臣中许多人对吴起充满了仇恨。

秦惠公去世，他的儿子做了秦国的国君，就是秦出公。

赵武侯去世，赵国人没有立武侯的儿子，而是把赵烈侯的太子赵章扶上了国君的宝座，这就是赵敬侯。

韩烈侯韩取去世，他的儿子文侯继位。

十六年（乙未，公元前三八六年）

初命齐大夫田和⑩为诸侯。

赵公子朝作乱⑪，出[10]奔魏，与魏袭邯郸⑫，不克。

十七年（丙申，公元前三八五年）

秦庶长改⑬逆献公于河西而立之⑭，杀出子及其母，沉之渊旁。

齐伐鲁。

韩伐郑，取阳城⑮。伐宋⑯，执宋公⑰。

齐太公薨，子桓公午立⑱。

十九年（戊戌，公元前三八三年）

魏败赵师于兔台⑲。

二十年（己亥，公元前三八二年）

日有食之，既⑳。

二十一年（庚子，公元前三八一年）

楚悼王薨㉑，贵戚大臣作乱，攻吴起。起走之王尸而伏之㉒，击起之徒因射刺起，并中王尸㉓。既葬，肃王㉔即位，使令尹㉕尽诛为乱者，坐起夷宗者七十余家㉖。

二十二年（辛丑，公元前三八〇年）

齐伐燕㉗，取桑丘㉘。魏、韩、赵伐齐㉙，至桑丘。

二十三年（壬寅，公元前三七九年）

赵袭卫㉚，不克。

齐康公薨㉛，无子，田氏遂并齐而有之。

是岁，齐桓公亦薨㉜，子威王因齐立㉝。

二十四年（癸卯，公元前三七八年）

狄㉞败魏师于浍㉟。

魏、韩、赵伐齐，至灵丘㊱。

晋孝公薨，子靖公俱酒㊲立。

十六年（乙未，公元前三八六年）

周安王正式封齐国的田和为诸侯。

赵国的公子朝作乱，事情败露以后出奔魏国，又与魏国的军队一起袭击赵国的都城邯郸，最后以失败告终。

十七年（丙申，公元前三八五年）

秦国一个担任庶长职务、名字叫作改的人发动了政变，他把流亡于河西的秦灵公的儿子嬴师隰迎接回国立为国君，就是秦献公，庶长改还把现任国君秦出公和他的母亲杀死，并把他们的尸体沉入河里。

齐国攻打鲁国。

韩国攻打郑国，占领了阳城。又攻打宋国，俘虏了宋国的国君宋休公。

齐太公田和去世，他的儿子田午做了齐国的国君，就是齐桓公。

十九年（戊戌，公元前三八三年）

魏国的军队在兔台打败了赵国的军队。

二十年（己亥，公元前三八二年）

发生日食，开始是日半食，后来整个太阳都被遮盖住了。

二十一年（庚子，公元前三八一年）

楚悼王芈疑去世，贵戚大臣趁机作乱，追杀吴起。吴起跑到楚悼王的停灵之所，趴伏在楚悼王的尸体旁，那些追杀吴起的人一心要杀死吴起，就乱箭齐发，既射死了吴起，也射中了悼王的尸体。等到办完悼王的丧事，悼王的儿子芈臧即位为楚肃王后，就让令尹把当时作乱的人全部杀掉，因吴起之事而受株连被灭族的有七十多家。

二十二年（辛丑，公元前三八〇年）

齐国攻打燕国，占领了燕国的桑丘。魏国、韩国、赵国为救燕国而出兵攻打齐国，三国联军抵达桑丘。

二十三年（壬寅，公元前三七九年）

赵国袭击卫国，没有取得任何战果。

齐康公姜贷去世，由于没有后代，齐桓公田午把姜贷的那个食邑也收归自己所有，姜齐政权彻底灭亡了。

这一年，齐桓公田午去世，他的儿子田因齐即位，就是齐威王。

二十四年（癸卯，公元前三七八年）

魏国的军队在浍水边被北部的狄部落打败。

魏国、韩国、赵国联合起来攻打齐国，军队抵达齐国的灵丘。

晋孝公去世，他的儿子姬俱酒即位，就是晋靖公。

二十五年（甲辰，公元前三七七年）

蜀伐楚，取兹方[638]。

子思[639]言苟变于卫侯[640]曰："其才可将五百乘[641]。"公曰："吾知其可将，然变也尝为吏，赋于民[642]而食人二鸡子[643]，故弗用也。"子思曰："夫圣人之官人[644]，犹匠之用木也，取其所长，弃其所短。故杞梓[645]连抱[646]，而有数尺之朽，良工[647]不弃。今君处战国之世[648]，选爪牙之士[649]，而以二卵弃干城之将[650]，此不可使闻于邻国[651]也。"公再拜曰："谨受教[652]矣。"

卫侯言计非是[653]，而群臣和者如出一口[654]。子思曰："以吾观卫[655]，所谓'君不君，臣不臣'者也[656]。"公丘懿子[657]曰："何乃若是[658]？"子思曰："人主自臧[659]，则众谋不进[660]。事是而臧之[661]，犹却众谋[662]，况和非[663]以长恶[664]乎！夫[665]不察事之是非，而悦人赞己，暗莫甚焉[666]；不度理之所在，而阿谀求容[667]，谄莫甚焉[668]。君暗臣谄，以居百姓之上，民不与[669]也。若此不已[670]，国无类[671]矣！"

子思言于卫侯曰："君之国事将日非[672]矣。"公曰："何故？"对曰："有由然焉[673]。君出言，自以为是，而卿大夫[674]莫敢矫其非[675]；卿大夫出言，亦自以为是，而士庶人[676]莫敢矫其非。君臣既自贤[677]矣，而群下同声贤之[678]。贤之则顺而有福[679]，矫之则逆而有祸[680]。如此则善安从生[681]？《诗》[682]曰：'具曰"予圣"，谁知乌之雌雄[683]？'抑亦似君之君臣乎[684]？"

鲁穆公[685]薨，子共公[686]奋立。

韩文侯薨，子哀侯立[687]。

二十六年（乙巳，公元前三七六年）

王崩[688]，子烈王喜[689]立。

魏、韩、赵共废晋靖公为家人[690]而分其地[691]。

二十五年（甲辰，公元前三七七年）

蜀国攻打楚国，占领了楚国的兹方。

孔子的孙子子思向卫侯举荐苟变说："苟变这个人有指挥五百辆战车作战的才能。"卫侯说："我知道他是一个很有军事指挥才能的人，但是苟变曾经担任过征收赋税的小官吏，他在征收赋税的时候吃了纳税人的两个鸡蛋，所以我才不愿意重用他。"子思说："圣明的君主选拔官吏，就像木匠选用木材一样，用其所长，弃其所短。比如杞木和梓木，都是建筑用的上等木材，假如有一棵杞木或梓木高大无比，几个人手拉手都抱不过来，只是中间有几尺腐朽的地方，那么优秀的木匠仍然会量材而用，而不会丢弃它。如今您处在一个混乱的时代，在选拔人才的时候，却因为他吃了别人两个鸡蛋这么一点小事而舍弃一位捍卫国家的勇猛之将，这件事千万不要传扬到别的国家去。"卫侯这才恍然大悟，他再三地向子思感谢说："我一定牢记您的教导。"

卫侯的决策并不正确，而那些大臣却异口同声地说好。子思对公丘懿子说："用我的眼光来看卫国，那简直就是'国君不像国君，大臣不像大臣'。"公丘懿子说："哪里会糟糕到这种程度？"子思说："国君如果处处自以为是，大臣就不敢说出自己的主张。即使国君事事做得对，自以为是尚且会导致大臣三缄其口，堵塞了言路，何况是国君明明错了，大臣们也还要随声附和、交口称赞，这岂不是助长邪恶吗！不管做的事情是否正确，却一味喜欢听别人赞扬，这样的君主真是糊涂、昏庸透顶了；不管做的事情是否在理，却只是一味地迎合，以讨君主的欢心，这样的臣子纯粹是奸佞小人。君主糊涂，大臣谄媚，让这样的人治理国家，百姓不会同他们合作。长此以往，国家必定灭亡！"

子思对卫侯说："您的国家恐怕会一天比一天地衰落了。"卫侯问："为什么呢？"子思回答说："当然有原因啦。您总认为自己说的话是对的，所以即使不对，大臣们也不敢纠正您的错误；卿大夫也认为自己说的话是对的，所以即使不对，下面的百姓也不敢纠正他们的错误。国君和大臣都自以为是，在下位的小官吏和百姓就会异口同声地称赞。因为称赞国君、称赞大臣就被认为是贤臣顺民，就会得到奖赏；反之，谁敢于指出国君或者大臣的错误，谁就会被视为乱臣贼子，灾祸就会降临到他的头上。这样的话，善政、善事又哪里会产生呢？《诗经》上说：'大家都说"我最圣明"，其实却是一群连乌鸦的雌雄都分辨不清的糊涂虫。'说的是不是很像卫国的国君和大臣呢？"

鲁穆公姬显去世，他的儿子姬奋即位，是为鲁共公。

韩文侯去世，他的儿子韩哀侯即位。

二十六年（乙巳，公元前三七六年）

周安王姬骄驾崩，他的儿子姬喜即位，就是周烈王。

魏国、韩国、赵国联合起来废掉了晋靖公姬俱酒，把他贬为庶民，并把晋靖公仅有的一小块领地也给瓜分了。

【段旨】

以上为第五段。主要写了周安王在位二十六年之间的各国大事，用笔较多的是吴起在魏国的一些建树，以及其被排挤到楚国，在楚国变法有效而最后被旧贵族所杀的过程；最后写了子思议论卫国政治的几个小故事，颇有色彩。

【注释】

㊽秦：春秋初年以来的诸侯国名，始封之君为秦襄公，因驱逐犬戎，佐助周王室东迁有功，被册封为诸侯，春秋时期国都在雍。此时秦国在位的君主为秦简公，魏国为魏文侯。㊽阳狐：魏邑名，在今山西垣曲东南。㊽魏、韩、赵伐楚：此时韩国的国君为韩景侯，赵国的国君为赵烈侯，楚国的国君为楚悼王。㊽桑丘：据《史记·楚世家》与梁玉绳考证，当作“乘丘”，楚邑名，在今山东济宁市兖州区西。㊽郑：西周末期以来的诸侯国名，始封之君为周宣王之弟姬友，最初都于棫林（今陕西渭南市华州区西北），后来东迁于今河南新郑。郑国到战国初期已经相当弱小。此时在位的君主是郑康公。㊽阳翟：韩景侯时期的国都，即今河南禹州。㊽烈侯取：名取，公元前三九九至前三八七年在位。㊽武侯:《史记》之《赵世家》与《六国年表》都有“武侯”（或武公）一代，其在位年限为公元前三九九至前三八七年。但今之战国史研究者皆不取《史记》说，而将“武侯”与“烈侯”并列一代，在位年限为公元前四〇八至前三八七年。㊾惠公：公元前三九九至前三八七年在位。㊾王子定：安王子名定。㊾奔晋：逃到晋地。晋，古邑名，疑属齐。〖按〗王子定奔晋是政治行为，究为何事，史无明载。㊾虢山：山名，在今河南三门峡西南，黄河的南岸。〖按〗山崩是自然界的重大变化，古人认为是巨大不祥，是预示社会将有重大灾难，故书之于史。㊾壅河：堵塞了黄河。河，黄河。㊾楚围郑：此时郑君为郑繻公。《史记·楚世家》作“楚伐周”，未云楚围郑。周是天子之国，都于洛阳，在郑都新郑西北。㊾郑人杀其相驷子阳：子阳是郑繻公之相，为何被“郑人”所杀，历史也没有明确记载。据杨宽《战国史·战国大事年表》:“郑国杀相国子阳，子阳之党起来反抗。楚国进围郑。”依杨说，郑杀其相子阳，乃迫于楚国压力。子阳原姓姬，是郑穆公之子子驷的后代，该族自子驷起改姓驷氏。㊾日有食之：日食。〖按〗未书某月某日，即言“日有食之”，似不合写法。日食也是自然界的重大变化，古人对此恐惧，故书之于史。㊾盗杀韩相侠累：时为韩烈侯三年（公元前三九七年），其相侠累被刺客聂政所杀。事情详见《史记·刺客列传》。聂政的背后指使者，是韩国的贵族严仲子。司马光在本年开头所以没头没脑地来一句“日有食之”，似乎就为韩国的此次剧变作先兆。㊾濮阳严仲子：居住在濮阳的严仲子。严仲子名遂，韩国贵族，因与宰相侠累不合，出居于卫国的都城濮阳。㊿有恶：有仇怨；关系恶劣。㊿轵：古县名，在今河南济源东南。㊿聂政：当时的著名刺客。事迹见《战国策·韩策二》与《史记·刺客列传》。当时聂政因躲避仇人正隐居齐国。㊿溢：也写作“镒”，古重量单位，二十两（或二十四两）为一

谥。504 为政母寿：为……寿，送礼或敬酒以祝人健康长寿，这里即指献礼。505 欲因以报仇：想请他出来为自己报仇。因，借、使用。506 许人：答应去替人卖命。《礼记·曲礼上》："父母存，不许友以死。"507 皮面决眼：划破脸上的皮肉，挖出自己的眼睛，使人不能辨认是谁。508 自屠：此处即指剖腹，以改变自己的体形。509 暴其尸于市：把刺客的身体陈列在市场上。暴，露，这里即指丢弃、陈列。市，市场，古代城市的市场有固定地点，四周有围墙，有门口。510 购问：悬赏以求能指认者。511 轵深井里：轵县县城的深井里。深井是里巷的名称。512 重自刑：残酷地毁坏自身。513 绝从：断绝官府追查的线索。从，通"踪"，踪迹。514 奈何：怎么能。515 殁身之诛：杀身之祸。516 灭贤弟之名：埋没这么好的一个兄弟的名声。517 遂死于政尸之旁：以上故事详见《战国策·韩策二》与《史记·刺客列传》。黄洪宪曰："司马迁传刺客凡五人，专诸为下，聂政为最下。夫丈夫之身所系亦大矣，聂政得严仲子百金之惠，即以身许之。且侠累与仲子非有杀君之仇，特以争宠不平小嫌耳，在仲子且不必报。政为其所知，即当谏阻；不听，则归其金已耳。何至挺身刃累，而自裂其面、碎其体以为勇乎？以为义乎？此与羊豕之货屠为肉何异，愚亦甚矣！"518 弑缥公：以其杀郑相子阳故也。519 康公：名乙，公元前三九五至前三七五年在位。520 宋悼公：昭公之子，名购由，公元前四〇三至前三九六年在位。521 休公田：有本作"昭公"，名田，公元前三九五至前三七三年在位。522 最：有说"最"是"郰"字之讹。郰邑在今山东曲阜东南。523 负黍：即今河南登封西南。原为韩邑，据《史记·郑世家》："（缥公）十六年，郑伐韩，败韩兵于负黍。"遂据而有之。至今年，负黍反归韩。524 魏伐郑：据《史记·六国年表》："魏文侯三十二年伐郑，城酸枣。"酸枣在今河南延津西南。525 晋烈公：名止，公元前四一九至前三九三年在位。526 孝公倾："孝公"有本作"桓公"，公元前三九二至前三七八年在位。527 秦伐韩宜阳：事在秦惠公九年（公元前三九一年）、韩烈侯九年。宜阳，韩国西部的军事重镇，在今河南宜阳西。528 取六邑：杨宽曰，即六个较大的村落。529 田常：春秋末期的齐国权臣，田乞之子。原名恒，汉人为避文帝讳，改称田常。田常弑其君简公，另立平公，自己为相。姜氏之君完全成为傀儡。530 襄子盘：名盘，"襄"字是谥。531 庄子白：名白，"庄"字是谥。532 太公和：名和，太公是田氏后代对田和的尊称。田和是第一个正式篡取姜氏齐国政权，独立称诸侯的人。事在齐康公十九年（公元前三八六年）。在位两年。533 是岁：田和被齐康公承认为诸侯的那一年。534 迁齐康公于海上：齐康公是齐宣公之子，名贷，姜齐的末代君主。公元前四〇四至前三七九年在位。齐康公于其十九年（公元前三八六年）被田和赶出都城临淄，放逐到东海之滨。535 使食一城：只收取一个小城的赋税以维持其生活。536 奉其先祀：供奉其国家的先祖先王，意思是姜氏齐国还不算彻底灭亡。537 秦晋战于武城：事在秦惠公十年（公元前三九〇年）、魏武侯六年。这里所说的"晋"其实即指魏。武城，魏邑名，在今陕西渭南市华州区东。538 齐伐魏二句："襄阳"应作"襄陵"。襄陵，魏邑名，即今河南睢县。539 鲁败齐师于平陆：事当鲁穆公十八年（公元前三九〇年）、齐康公十五年。平陆，齐邑名，在今山东汶上北。540 秦侵晋：此“晋”字也实际指魏。杨宽《战国史·战国大事年表》于此作“秦进攻魏的阴晋”。阴晋，魏邑名，在今陕西华阴东。㊶魏文侯：此与下句皆应作“魏武侯”，魏文侯已死于公元前三九六年。《史记》之《六国年表》与《魏世家》《田敬仲完世家》等数篇多有错误，见《史记笺证》。㊷浊泽：故墟在今河南长葛西北。㊸请于王：请示过周安王。㊹蜀：古国名，都城即今成都。㊺南郑：古邑名，即今陕西汉中。㊻魏文侯薨：此说有误，今历史家皆书魏文侯死于公元前三九六年。㊼武侯：名击，公元前三九五至前三七〇年在位。㊽浮西河而下：沿着今山西、陕西间的黄河向南漂流而下。浮，顺水漂流。㊾中流：漂流到一半；在河水当中。㊿顾：回头对着。551山河之固：这有山有河的险要防线。552在德不在险：国家的强盛在于君主的英明德高，而不在地形险要。553三苗氏：相传为远古时代居住在今江西与湖南之间的少数民族名。554左洞庭二句：左侧（西侧）有洞庭湖，右侧（东侧）有彭蠡泽。彭蠡，即今江西境内之鄱阳湖。三苗由于坐南朝北地与北方的帝王对抗，故称其左为西，右侧为东。555德义不修：不讲义，不修德。556禹灭之：被大禹所灭。禹，传说是舜时的良臣，因治水有功，受舜禅而为帝，是夏朝的开国之君，事见《史记》之《五帝本纪》《夏本纪》。557夏桀之居：夏桀所居的都城曰原，在今河南济源西北。夏桀是夏朝的亡国之君，暴虐无道，被商汤所灭。见《史记·夏本纪》。558左河、济二句：左侧（东侧）有黄河、济水，右侧（西侧）有泰华山。夏桀是北方的帝王，坐北朝南，故称左侧为东，右侧为西。所谓河、济，此指今河南温县东，其地为黄河与济水的分流处。泰华，即今陕西华山，在今陕西华阴南。559伊阙：山名，又名龙门山，在今河南洛阳南。因两山相对如门，伊水流经其间，故名。560羊肠：指羊肠阪，太行山上的通道，以其萦曲如羊肠，故名。在今山西晋城南。561修政不仁：不修仁政。562汤放之：被商汤打败后，逃于鸣条（今河南封丘东，也有说在今山西运城之安邑北）而死，其事约在公元前一六〇〇年，见《史记》之《夏本纪》《殷本纪》。563商纣之国：商纣的国都朝歌，即今河南淇县。商纣是商朝的末代帝王，公元前一〇七五至前一〇四六年在位。564左孟门二句：左有孟门山，右有太行山。〖按〗孟门山在今河南辉县西。太行山盘踞于今山西东南部与河南、河北交界处。孟门、太行皆在朝歌之西（右），强言“左”“右”者，为对举整齐，于实际不合。565常山：恒山，在今河北曲阳西北与山西接壤处。566大河：黄河。567修政不德：不修德政。568武王杀之：殷纣被周武王打败后逃往鹿台自焚，商朝被灭事，在公元前一〇四六年，见《史记》之《殷本纪》《周本纪》。569在德不在险：泷川资言《史记会注考证》曰：“《左传·昭公四年》，司马侯对晋侯曰：‘四岳、三涂、阳城、太室、荆山、中南，九州之险也，是不一姓；冀之北土，马之所生，无兴国焉。恃险与马，不可以为固也，自古已然，是以先王务修德音，以宁神人，不闻务险与马也。’吴起之对盖本于此。”570若君不修德二句：《史记索隐》引扬雄《法言》曰：“美哉言乎，使起之用兵每若斯，则太公何以加诸！”〖按〗《左传纪事本末》引《尸子》谓范献子灭栾氏后，游于河，问诸人栾氏是否尚有后裔，舟人清涓谓范献子曰：“善修晋国之政，内得大夫，外不失百姓，虽栾氏子，其若君何；若不修晋国之政，内不得大夫，而外失百姓，则舟中之人皆栾氏子也。”与吴起对武侯语相同，不知孰为原始，孰为抄袭。㉛ 相田文：以田文为相。〖按〗此田文为魏国贵族，《吕氏春秋》作“商文”，与后来齐国的孟尝君田文非一人。572 子孰与起：你比我吴起如何。573 实府库：使府库充实，指理财而言。实，充满、装满。574 东乡：指向东方进犯。乡，通“向”。575 韩、赵宾从：使韩、赵二国服从魏国。宾，服。576 出吾下：居我之下。577 主少国疑：国君年少，政局不稳。疑，谓臣民对国君、对朝政有疑虑、不信任。578 大臣未附：谓群臣离心离德，心不往一处想，劲不向一处使。579 方是之时：当这种时刻。580 属：瞩目；眼睛盯着。言其一身系天下之重。郭嵩焘曰：“武侯之立，年十四耳，此言置相当在武侯初立时，故有‘主少国疑’之言。然文侯在位时久，内有魏成子、翟璜，外有西门豹、李克之属，吴起为将在文侯时，则亦老臣矣，不得复云‘大臣未附，百姓不信’也。”581 属之子矣：〖按〗以上吴起不平田文为相事，见《吕氏春秋·执一》。梁玉绳曰：“此本《吕览·执一篇》，而言各不同，未晓所以。”杨宽曰：“其（田文）为相当在魏武侯初即位之时，是时文侯功臣先后谢世，吴起仍为西河守，功高而不得居相位，因而与新任相国有论功之举。”582 公叔：原韩国族，居魏而为相。梁玉绳、张照都认为公叔即临死前向魏王举荐商鞅之公叔痤。恐非。583 尚魏公主：娶魏国的公主为妻。尚，上配，对娶帝王之女的敬称。584 害：忌恨，以其存在为己之病。585 仆：车夫。或谓即指仆人。586 易去：不难将其排挤走。587 自喜：重视自己的名誉。588 君之国小：〖按〗当时秦未变法，国力未强，而魏国于文侯、武侯时代，国力为天下第一，今乃谓其“国小”，写史者编故事不合实情。589 盍试延以女：何不用招女婿的办法来试探他一下。盍，何不。延，请、招纳。590 辞：推辞；拒绝。591 因与起归：随后即将其邀来相府。592 使公主辱子：让公主故意侮辱你，让吴起看到给公主当丈夫不是好玩的。593 必辞：谓辞绝武侯的“延以公主”之事。594 子之计中：你排挤吴起的计谋就实现了。595 疑之而未信：怀疑吴起，不再信任吴起。596 起惧诛二句：〖按〗以上公叔设陷阱以倾害吴起事，不知出于何处。《吕氏春秋·长见》谓害吴起者为“王错”，其文曰：“吴起治西河之外，王错谮之于魏武侯，武侯使人召之。吴起至于岸门，止车而望西河，泣数行而下。其仆谓吴起曰：‘窃观公之意，视释天下若释躧，今去西河而泣，何也?’吴起抿泣而应之曰：‘子不识。君知我而使我，毕能西河可以王；今君听谗人之议，而不知我，西河之为秦取不久矣。’”杨宽曰：“《吕氏春秋》谓吴起去魏，有间而西河毕入秦，并非事实，仅魏在河西受秦侵，或为秦败而已，西河地犹未失也。”又曰：“《吴起列传》又谓出于‘公叔为相，尚魏公主而害吴起’。此乃传闻异辞。公叔不知何名，《魏策一》有公叔痤为将，于魏惠王时与韩、赵战浍北，擒乐祚，得赏田百万，归功于吴起之余教，因索吴起之后赐之田二十万。公叔痤当非害吴起者。王错为武侯之侍臣而掌有权势者，吴起尝对之曰：‘吾君之言，危国之道也，而子又附之，是危也。’吴起与王错有隙已非一日。林春溥《战国纪年》云：‘吴起去魏，《吕氏春秋》以为王错谮之魏武侯，非痤也。百家传记往往有以证史之误者，此类是也。’”597 楚悼王：名疑，公元前四〇一至前三八一年在位。598 明法审令：使法律严明，使令出必行。审，确、必。599 捐不急之官：精简机构。捐，撤除。不急，不急需的、没有用的。⑩废公族疏远者：褫夺那些疏远的国君宗族的爵禄，使其降为平民。公族，国君的同族。〖按〗《韩非子·和氏》有吴起谓楚王曰："大臣太重，封君太众，若此则上逼主而下虐民，此贫国弱兵之道也。不如使封君之子孙，三世而收爵禄，绝灭百吏之禄秩，损不急之枝官，以奉选练之士。"⑪要：目的在于。⑫破游说之言从横者：取消纵横家们的活动场所。《史记会注考证》引中井积德曰："吴起相楚，先苏秦说赵五十年，秦孝公未出，商鞅未用，何有言'从横'者!"〖按〗《战国策·秦策三》有所谓"吴起事悼王，使私不害公，谗不蔽忠，言不取苟合，行不取苟容，行义不固，毁誉必有，伯主强国，不辞祸凶"，无"破驰说之言从横者"意。⑬南平百越：百越，统称当时居住在今福建、广东、广西一带的少数民族，因其种族繁多，故称"百越"。〖按〗《后汉书·南蛮传》称吴起有所谓"南并蛮越，遂有洞庭、苍梧"。《战国策·秦策三》载蔡泽称吴起有所谓"南收杨越"。杨宽曰："吴起所开拓，主要为洞庭至苍梧一带。苍梧在今湖南、广西间，蒋伯超《南滑楛语》卷五《吴起非商鞅比》条云：'今南赣诸郡及楚、粤毗连等处，皆吴起相楚悼王时所开。'其说甚是。"⑭北却三晋：却，打退、打败。杨宽曰："'却三晋'，即指此攻魏救赵之大战。赵敬侯四年赵筑刚平，围攻卫国，卫借助于齐、魏之攻赵，于次年攻克赵之刚平，并'堕中牟之郭'。再次年，赵又借助楚之攻魏，火攻魏之棘蒲得胜，至赵敬侯七年拔魏黄城。此乃战国初期中原地区魏、齐、卫与赵、楚之间连续四年之混战，赵、魏两国皆受巨大之创伤。苏代说齐闵王曰：'故刚平之残也，中牟之堕也，黄城之坠也，棘蒲之烧也，此皆非赵、魏之欲也。'楚之大举攻魏，既在楚悼王未卒之前，时吴起正为令尹，则主其军而指挥作战者，必为吴起无疑。"⑮西伐秦：吴起在楚时的秦国诸侯为秦献公，公元前三八四至前三六二年在位，国都栎阳（在今陕西西安市阎良区）。〖按〗以上叙吴起佐悼王强楚诸事多与事实不合，其错皆来自《史记·孙子吴起列传》。⑯出公：也称"出子"，公元前三八六至前三八五年在位。⑰赵武侯薨：此司马光用《史记》旧说，今历史家多以为赵国无"武侯"其人，此时赵君之去世者乃赵烈侯。⑱敬侯：烈侯子，公元前三八六至前三七五年在位。⑲文侯：公元前三八六至前三七七年在位。⑳田和：齐国权臣田常的曾孙，田白之子。在这年，田和将久已成为傀儡的齐康公驱逐出都城临淄，自己公开篡取齐国政权，并贿赂各国诸侯为之向周安王说情，于是周安王遂正式加封田和为诸侯，国号仍称"齐"。㉑赵公子朝作乱：具体情节不详，此公子朝应是敬侯之弟。㉒邯郸：赵邑名，即今河北邯郸。从本年开始，赵国迁都于邯郸。㉓庶长改：庶长名"改"，《吕氏春秋·当赏》作"苗改"。庶长是秦国的爵位名。商鞅变法时定秦国的爵位为二十级，其第十级为左庶长，第十八级为大庶长，这中间的上下共九级都相当于卿。㉔逆献公于河西而立之：把秦献公从河西地区迎来立为国君。逆，迎接。献公，灵公之子，《史记索隐》记载名师隰，《吕氏春秋》记载名连，公元前三八四至前三六二年在位。河西，王念孙《读书杂志》以为"河"字涉下文而衍，此处即指西县，在今甘肃天水西南。㉕阳城：郑邑名，在今河南登封东南。㉖伐宋：指韩国伐宋，当时宋国的都城在彭城，即今江苏徐州。㉗执宋公：捉住了宋国的国君宋休公。宋休公是宋悼公之子，名田，公元前三九五至前三七〇年在位。⑱桓公午立：此据《史记》之《六国年表》《田敬仲完世家》之旧说，今历史家皆谓在太公田和与桓公午之间还有“侯剡”一代。侯剡在位的年限是公元前三八四至前三七五年。⑲兔台：赵国的台观名，在今河北大名东。⑳日有食之二句：开始是日半食，接着就变成了日全食。既，尽，指日全食。㉑楚悼王薨：事在楚悼王二十一年（公元前三八一年）。㉒起走之王尸而伏之：吴起跑到楚悼王的遗体旁边趴了下来。走，逃跑。之，往。㉓因射刺起，并中王尸：梁玉绳曰：“《吕氏春秋》言起‘拔矢而走，伏尸插矢。’谓拔人所射之矢插王尸也，与此小异。”王叔岷曰：“《刘子·贵速篇》：‘昔吴起相楚，贵族攻之。起欲讨仇，而插矢王尸。’本《吕氏春秋》也。”㉔肃王：名臧，悼王之子，公元前三八〇至前三七〇年在位。㉕令尹：楚官名，位同其他国家之丞相。㉖坐起夷宗者七十余家：坐，因，因事遭罪。夷宗，灭族。夷，平、灭。〖按〗以上吴起变法强楚及其死于楚事，见《韩非子·和氏》与《战国策·秦策三》之蔡泽语。吴起临死设谋为自己复仇事，《战国策》不载，《韩非子》但谓吴起被“枝解”，而略见于《吕氏春秋·贵卒》。郭嵩焘曰：“如此则亦楚大变矣，《楚世家》顾不一载，何也?”㉗齐伐燕：此“齐”指田姓之齐，时为齐侯剡四年（公元前三八〇年）、燕简公三十五年。㉘桑丘：燕邑名，在今河北保定市徐水区西南。㉙魏、韩、赵伐齐：为救燕也。其时为魏武侯十六年（公元前三八〇年）、韩文侯七年、赵敬侯七年。㉚赵袭卫：卫国的都城为濮阳，在今河南濮阳西南。㉛齐康公薨：姜氏的齐国前后历六百六十多年至此彻底灭亡。㉜齐桓公亦薨：此据《史记》旧说，今历史家定此年为齐侯剡六年（公元前三七八年），齐桓公尚未上台。此田氏齐国的桓公名“午”。㉝子威王因齐立：此亦旧说，田齐桓公的儿子齐威王上台尚在此二十二年之后。㉞狄：也作“翟”，泛指我国古代北部的少数民族。㉟浍：河水名，源出今山西翼城东北浍山下，西经曲沃、侯马入新绛，注入汾河。这一带地区当时属魏。㊱灵丘：齐邑名，在今山东高唐南。㊲晋孝公薨二句：司马光这里是依据《史记》的说法，《史记》说“烈公”之下有“孝公”“静公”两代。而《史记》之《六国年表》《郑世家》中尚有“韩姬弑其君悼公”云云，而“孝公”“静公”“悼公”“桓公”四人的关系为何，也众说不一。㊳兹方：楚邑名，应距四川扞关不远。㊴子思：孔丘之孙，孔鲤之子，名伋，字子思，为鲁穆公师，著有《中庸》。㊵言苟变于卫侯：向卫侯推荐苟变。卫侯，卫慎公，怀公之子，公元前四一四至前三七三年在位。㊶将五百乘：统领五百辆兵车，以言其有大将之才。㊷赋于民：向百姓征税。㊸食人二鸡子：吃了人家两个鸡蛋。鸡子，鸡蛋。㊹官人：用人为官。㊺杞梓：两种珍贵木材。㊻连抱：合抱，极言其大。㊼良工：好的木匠。㊽战国之世：各国混战的年代。㊾爪牙之士：以喻勇猛之将。㊿干城之将：国家城池的捍卫者。干城，犹言“捍城”。(651)不可使闻于邻国：卫侯的话说得太露怯了，让人笑话，让人瞧不起。(652)谨受教：犹言将牢记您的教导。〖按〗以上子思荐人的故事见《孔丛子·居卫》。(653)言计非是：计划做一件事情而说得不对。见《孔丛子·抗志》。(654)和者如出一口：都异口同声说好。和，随声响应。(655)以吾观卫：我看卫国的这种表现。(656)所谓“君不君，臣不臣”者也：这可正是当年孔子所说的那种为君的不像君、为臣的不像臣啊。〖按〗《论语·颜渊》:"齐景公问政于孔子,孔子对曰:'君君、臣臣、父父、子子。'公曰:'善哉,信如君不君、臣不臣、父不父、子不子,虽有粟,吾得而食诸?'"⑹公丘懿子:姓公丘,名懿子。⑹何乃若是:哪有你说的那么坏。⑹自臧:自以为是。臧,善。⑹众谋不进:大家就不再提意见了。进,提出。⑹事是而臧之:你的主意出得好,你自己卖弄欣赏。⑹犹却众谋:尚且妨碍大家发表意见。却,退、妨碍。⑹和非:对错误的言论也随声附和,交口称赞。⑹长恶:助长错误;助长邪恶。⑹夫:发语词。⑹暗莫甚焉:这是昏庸到了极点的君主。⑹不度理之所在二句:不管对还是不对,总是一股脑地拍马逢迎。⑹谄莫甚焉:这是谄媚到了顶点的佞臣。⑹民不与:老百姓不会与他们合作。与,交往、合作。⑹若此不已:如果这样长此下去。不已,不结束、不改变。⑹国无类:国家将要被毁得一点不剩。无类,无余,指灭国、灭族。〖按〗以上子思论卫国之政治局面见《孔丛子·抗志》。⑹日非:一天比一天衰败。⑹有由然焉:有原因造成了这种样子。⑹卿大夫:卿是诸侯国的主要决策官员,职同将、相。大夫有上中下之分,上大夫仅低于卿。⑹矫其非:纠正您的缺点错误。矫,纠正。⑹士庶人:士人和老百姓。士是有知识、有才干,虽无爵禄但有一定社会地位的人。庶人就是平民百姓。⑹自贤:自以为高明。⑹同声贤之:异口同声地跟着夸奖他们好。⑹顺而有福:由于顺了上司的心意而获得奖赏。⑹逆而有祸:由于顶撞了上司而受到惩处报复。⑹善安从生:一切善政善事还怎么能够产生。⑹《诗》:通常所说的《诗经》。⑹具曰"予圣"二句:大家都说"我最高明",实际上都是一群连乌鸦雌雄都分不清的糊涂蛋。两句见《诗经·小雅·正月》,是讽刺西周末年政治黑暗的诗。具,这里同"俱",意为全、都。予,我,自指。⑹抑亦似君之君臣乎:这两句诗大概就是说你们君臣的这种样子吧。抑,大概、或者。〖按〗以上子思议论卫国之君臣关系见《孔丛子·抗志》。⑹鲁穆公:元公之子,名显,又名不衍,公元前四〇七至前三七七年在

【原文】

烈王[692]

元年(丙午,公元前三七五年)

日有食之。

韩灭郑,因徙都之[693]。

赵敬侯薨,子成侯种[694]立。

三年(戊申,公元前三七三年)

燕败齐师[695]于林狐[696]。

鲁伐齐,入阳关[697]。

魏伐齐,至博陵[698]。

位。⑥⑧⑥共公：也作恭公，公元前三七六至前三五五年在位。〖按〗鲁国最后几代的世系，各家说法多有不同。⑥⑧⑦哀侯立：杨宽《战国史·战国大事年表》系韩哀侯立于公元前三七六年，在位两年。⑥⑧⑧王崩：周安王死。⑥⑧⑨烈王喜：名喜，“烈”字是谥。公元前三七五至前三六九年在位。⑥⑨⓪共废晋靖公为家人：一起将早已成为傀儡的晋国最后一位诸侯的爵号废止，使其成了平民百姓。晋国从西周初年建国，历六百七十来年后彻底灭亡。家人，平民百姓。⑥⑨①分其地：将其仅有的一点领地也予以瓜分。〖按〗关于晋国最后的几代诸侯世系，各家说法不同，请参考韩兆琦《史记笺证》之《晋世家》。

【校记】

［5］阳狐：原误作“阳孤”。据章钰校，乙十一行本作“阳狐”，当是，今据改。〖按〗《史记·六国年表》中秦表、魏表皆载安王元年（公元前四〇一年），秦伐魏，“至阳狐”，《史记·魏世家》载魏文侯二十四年（公元前四二二年），秦伐魏，“至阳狐”。又《史记》之《六国年表·齐表》《田敬仲完世家》皆云齐宣公四十三年（公元前四一三年）有“围阳狐”之役。可见阳狐为魏地重邑，史文所载，皆作“阳狐”，无作“阳孤”者。张守节《史记正义·魏世家》引《括地志》云：“阳狐郭在魏州元城县东北三十里也。”［6］决：据章钰校，乙十一行本作“抉”。［7］韩救鲁：三字原无。据章钰校，十二行本、乙十一行本、孔天胤本皆有此三字，张敦仁《通鉴刊本识误》、张瑛《通鉴校勘记》同，今据补。［8］齐田和：据章钰校，十二行本、乙十一行本皆无“齐”字。［9］魏公：原无此二字。据章钰校，十二行本、乙十一行本、孔天胤本皆有此二字，今据补。［10］出：原无此字。据章钰校，乙十一行本、孔天胤本皆有此字，张瑛《通鉴校勘记》同，今据补。

【语译】

烈王

元年（丙午，公元前三七五年）

有日食发生。

韩国灭掉了郑国，韩哀侯把都城从阳翟迁到新郑。

赵国的国君敬侯赵章逝世，他的儿子赵成侯赵种即位。

三年（戊申，公元前三七三年）

燕国的军队在林狐打败了齐国的军队。

鲁国派军队攻打齐国，进入齐国的阳关。

魏国派军队攻打齐国，军队抵达博陵。

燕僖公[699]薨，子桓公[700]立。

宋休公[701]薨，子辟公[702]立。

卫慎公薨，子声公训[703]立。

四年（己酉，公元前三七二年）

赵伐卫[704]，取都鄙[705]七十三。

魏败赵师于北蔺[706]。

五年（庚戌，公元前三七一年）

魏伐楚[707]，取鲁阳[708]。

韩严遂弑哀侯[709]，国人立其子懿侯[710]。初，哀侯以韩廆[711]为相，而爱严遂，二人甚相害[712]也。严遂令人刺韩廆于朝，廆走[713]哀侯。哀侯抱之，人刺韩廆，兼及哀侯[714]。

魏武侯薨，不立太子[715]。子䓨与公中缓争立[716]，国内乱。

六年（辛亥，公元前三七〇年）

齐威王来朝[717]。是时周室微弱，诸侯莫朝，而齐独朝之，天下以此益贤[718]威王。

赵伐齐[719]，至鄄[720]。

魏败赵师于怀[721]。

齐威王[722]召即墨大夫[723]，语之曰："自子之居即墨[724]也，毁言日至[725]。然吾使人视即墨，田野辟[726]，人民给[727]，官无事[728]，东方以宁[729]。是子不事吾左右[730]以求助[731]也。"封之万家[732]。召阿[733]大夫，语之曰："自子守阿，誉言日至。吾使人视阿，田野不辟，人民贫馁[734]。昔日赵攻鄄，子不救[735]；卫取薛陵，子不知[736]。是子厚币事吾左右[737]以求誉也。"是日，烹阿大夫及左右尝誉者[738]。于是群臣耸惧[739]，莫敢饰诈[740]，务尽其情[741]，齐国大治，强于天下[742]。

楚肃王薨，无子，立其弟良夫，是为宣王[743]。

宋辟公薨，子剔成[744]立。

燕僖公逝世，他的儿子燕桓公即位。

宋休公去世，他的儿子宋辟公即位。

卫慎公卫颓去世，他的儿子卫训即位，是为卫声公。

四年（己酉，公元前三七二年）

赵国出兵攻打卫国，夺取了卫国都城附近的七十三个村镇。

魏国在北蔺大败赵国的军队。

五年（庚戌，公元前三七一年）

魏国出兵讨伐楚国，占领了楚国的鲁阳。

韩哀侯的宠臣严遂误杀了韩哀侯，韩国的贵族拥立哀侯的儿子韩若山做了国君，就是韩懿侯。当初，韩哀侯任用韩廆为宰相，同时又宠幸严遂，韩廆与严遂二人结怨很深。严遂派人在朝廷之上刺杀韩廆，韩廆跑到韩哀侯的身后。韩哀侯为了保护他，一把将他抱住，刺客在将宝剑刺入韩廆身体的同时，也刺死了韩哀侯。

魏武侯去世，生前没有确立继承人。在他死后，他的儿子魏䓨与公中缓争夺王位，导致国家发生内乱。

六年（辛亥，公元前三七〇年）

齐威王田因齐到周王室所在地洛阳朝拜天子。那时，周王朝的势力已经很衰弱了，诸侯谁也不去朝见他，只有齐威王前去朝见，所以当时天下的人都认为齐威王是个贤明的君主，对他越来越尊重。

赵国攻打齐国，军队抵达齐国的鄄城。

魏国的军队在怀邑打败了赵国的军队。

齐威王把即墨的大夫找来，对他说："自从你去管理即墨，我每天都听到有人说你的坏话。但是，我派人暗中到即墨去考察，发现即墨的荒地都已经开垦出来，种上了庄稼，人民生活富足，官员勤于政务，没有积压不办的事情，齐国的东部地区得以平安无事。所以每天有人在我面前说你的坏话，是因为你没有巴结、贿赂我身边那些人，让他们帮助你提高声誉。"于是就将一万户封给即墨大夫作为食邑。齐威王又将阿邑的大夫找来，对他说："自从你去镇守阿邑，每天都有人在我面前称赞你。我派人悄悄地到阿邑去视察，发现阿邑的田野荒芜，人民生活贫困，食不果腹。昔日赵国攻打鄄邑，你坐视不救；卫国侵占薛陵，你假装不知道。所以每天有人在我面前称赞你，是因为你用重金收买我身边的人以求取声誉。"当天，齐威王就把阿大夫和自己身边那些曾经说过阿大夫好话的人全都用大锅给煮死了。从此以后，齐国的大小官员全都心怀戒惧，没有人再敢弄虚作假欺骗朝廷，都老老实实地做事，齐国因此社会稳定、国力强盛，超过了其他的诸侯国。

楚肃王芈臧去世，由于他没有儿子，就由他的弟弟芈良夫做了继承人，是为楚宣王。

宋辟公去世，他的儿子宋剔成即位。

七年（壬子，公元前三六九年）

日有食之。

王崩[745]，弟扁立，是为显王[746]。

魏大夫王错[747]出奔韩。公孙颀[748]谓韩懿侯曰："魏乱[749]，可取也。"懿侯乃与赵成侯合兵伐魏，战于浊泽[750]，大破之，遂围魏[751]。成侯曰："杀䓨，立公中缓，割地而退，我二国之利也。"懿侯曰："不可。杀魏君[752]，暴也；割地而退，贪也。不如两分之[753]。魏分为两，不强于宋、卫[754]，则我终无魏患[755]矣。"赵人不听。懿侯不悦，以其兵夜去。赵成侯亦去。䓨遂杀公中缓而立，是为惠王[756]。

太史公曰[757]："魏惠王所以身不死、国不分者，二国之谋不和也。若从一家之谋，魏必分矣，故曰：'君终无適子[758]，其国可破也[759]。'"

【段旨】

以上为第六段，记述了周烈王在位七年间的各国重要史事，主要写了齐威王即位初期的一些英明举措和魏武侯死后因事先未立接班人而发生的国内战乱。这两项都是很好的历史教训。

【注释】

[692]烈王：名喜，"烈"字是谥，公元前三七五至前三六九年在位。[693]韩灭郑二句：郑国的亡国之君为郑康公，名乙阳，公元前三九五至前三七五年在位。郑自西周宣王时建国，历四百三十余年，至此灭亡。韩国的都城最早在平阳（今山西临汾西南），韩武子时迁都宜阳（今河南宜阳西），韩景侯时又迁都阳翟（今河南禹州），今韩哀侯灭郑又迁于郑国都城新郑（今河南新郑）。[694]成侯种：名种，"成"字是谥，公元前三七四至前三五〇年在位。[695]燕败齐师：时为燕简公四十二年（公元前三七三年）、田氏之齐桓公二年。[696]林狐：齐邑名，方位不详。[697]阳关：齐邑名，在今山东泰安南。[698]博陵：齐县名，在今山东博平。[699]燕僖公：此依《史记》旧说，今历史家多以为当作"简公"，公元前四一四至

七年（壬子，公元前三六九年）

发生日食。

周烈王去世，他的弟弟姬扁继承了王位，就是周显王。

魏国的大夫王错逃到韩国避难。公孙颀对韩懿侯说："魏国正陷入内乱，可以趁机夺取它。"韩懿侯听从公孙颀的建议，就联合了赵成侯攻打魏国，在浊泽与魏军发生激战，大败魏军，趁势包围了魏国的都城安邑。赵成侯对韩懿侯说："杀死魏罃，立公中缓为魏国的国君，只要他肯答应割让土地给我们就撤兵，这样做对我们两国都是有好处的。"韩懿侯说："不能那么做。杀掉魏君，我们就会落个残暴的坏名声；如果非让魏国割让土地后我们才退兵，就会显得我们贪得无厌。不如把魏国一分为二，让魏罃、公中缓都为诸侯。魏国分成了两个以后，它的势力就连宋国、卫国这样的小国也比不上，魏国从此再也不会对我们构成威胁。"赵成侯不听韩懿侯的意见。韩懿侯很不高兴，就率领军队连夜撤回韩国去了。赵成侯见韩国已经撤军，自己也只好撤军回国。魏罃趁机杀死了公中缓，自己做了魏国的国君，就是魏惠王。

> 太史公司马迁说："魏惠王魏罃所以没有被杀，魏国没有被一分为二，是因为韩国和赵国两家的意见不一致。如果听从了任何一家的意见，魏国都将被分割，所以说：'国君死了，如果生前没有确立合法的继承人，这个国家很可能被别国灭掉。'"

前三七三年在位。⑩桓公：据杨宽《战国史·战国大事年表》，桓公在位之年为公元前三七二至前三六二年。⑪宋休公：悼公之子，名田，公元前三九五至前三七三年在位。⑫辟公：名辟兵，公元前三七二至前三七〇年在位。⑬声公训：名训，"声"字是谥。公元前三七二至前三六二年在位。⑭赵伐卫：时为赵成侯三年（公元前三七二年）、卫声公元年。⑮都鄙：大小不同的城邑。都，原指有宗庙的城。鄙，边邑。⑯北蔺：赵邑名，在今山西离石西。⑰魏伐楚：时为魏武侯二十五年（公元前三七一年）、楚肃王十年。⑱鲁阳：楚邑名，在今河南鲁山县西。⑲严遂弑哀侯：司马光系此事于此年，乃依据《史记·六国年表》，而杨宽《战国史·战国大事年表》则系之于周烈王二年（公元前三七四年）。而且此事与韩烈侯三年（公元前三九七年）之聂政、侠累是一件事还是两件事，各家亦看法不一，详情可参见韩兆琦《史记笺证》之《韩世家》。今只好随文而释。⑩懿侯：据杨宽《战国史·战国大事年表》，其在位年限是公元前三七四至前三六三年。⑪韩廆：也写作韩傀，有说是哀侯之叔。⑫相害：相互憎恨。⑬走：逃向。⑭兼及哀侯：在韩廆被杀时，哀侯也连带被杀。⑮不立太子：指其生前未立太子。⑯子罃与公中缓争立：罃，又作

婴，武侯之子，即日后之魏惠王。公中缓，亦武侯之子。二人于武侯死后争立，内战连延两年之久。⑰齐威王来朝：齐威王来洛阳朝见周天子。〖按〗《史记》之《六国年表》《魏世家》《田敬仲完世家》谱列魏国与田齐君主世系的年代错误极多，司马光大体依据《史记》，而有些地方又有不同，但也同样错误。司马迁系齐威王即位于周安王二十四年（公元前三七八年），而今历史家皆系齐威王即位于周显王十三年（公元前三五六年），乃在此后的十四年。又，《史记》之《周本纪》《田敬仲完世家》根本没有齐威王往朝周某王的记载，只是在《鲁仲连邹阳列传》中鲁仲连在驳斥辛垣衍尊秦为帝的谬论时说及此事，盖小说家之言。今司马光公然系于此年，乃与其大声疾呼维护封建等级制的思想相一致。他在前面说过："非有桀、纣之暴，汤、武之仁，人归之，天命之，君臣之分，当守节伏死而已矣。"与此公然把齐威王树为样板是同一个道理。⑱益贤：越来越认为好；越来越尊重。⑲赵伐齐：时当赵成侯五年（公元前三七〇年）、田齐之桓公五年。⑳鄄：齐县名，在今山东鄄城北。㉑魏败赵师于怀：魏惠王打败了赵国的武装干涉。怀，魏县名，在今河南武陟西南。㉒齐威王：名因齐，田齐桓公之子，公元前三五六至前三二〇年在位。㉓即墨大夫：即墨城的行政长官。即墨，齐邑名，在今山东平度东南。㉔居即墨：任即墨的行政长官。㉕毁言日至：有关你的坏话，天天向我的耳朵里吹。毁言，诽谤性的传言。㉖田野辟：田野开垦得好，耕种得好。辟，开辟。㉗人民给：百姓们的生活富足。给，充裕。㉘官无事：政府清闲，无事可管。〖按〗《史记》于此作"官无留事"，即政府没有积压不办的事情。"留"字似不应少。㉙东方以宁：齐国的东部地区得以安宁。东方，即指即墨一带，因其地处齐国东部，故云。㉚不事吾左右：不贿赂、不买通我身边的人。㉛求助：求他人帮着炒卖，以提高声誉。㉜封之万家：封之为万户侯，赐给他有万家居民的领地。㉝阿：齐邑名，与即墨同为齐国的"五都"之一，在今山东阳谷东北。㉞贫馁：贫穷挨饿。馁，饥饿。㉟赵攻鄄二句：鄄是阿都的所属县，在阿之西南，相距不远，故齐王责其不救。㊱卫取薛陵二句：薛陵在阿县西北，也是阿都的所属之县。薛陵被人所占而阿大夫坐视不管，故齐王责之。不知，不过问。㊲厚币事吾左右：用大量礼品收买我身边的人。币，礼品、财物。㊳烹阿大夫及左右尝誉者：烹，用开水煮死。徐孚远曰："威王烹阿大夫，封即墨大夫，则居其官者务尽其职。"薛季宣曰："齐威之霸不在阿、即墨之断，而在毁誉者之刑。"㊴耸惧：惊惧。耸，震惊。㊵饰诈：虚伪欺诈。饰，掩盖真实情况。㊶务尽其情：一切都如实报告。情，真实情况。㊷齐国大治二句：以上故事见《史记·田敬仲完世家》。㊸宣王：名良夫，公元前三六九至前三四〇年在位。㊹剔成：公元前三六九至前三二九年在位。㊺王崩：周烈王死。㊻显王：名扁，公元前三六八至前三二一年在位。㊼王错：魏大夫，本公子罃一党。其出奔韩之原因不详。㊽公孙颀：魏国的叛徒。《史记》说他"自宋入赵，自赵入韩"。㊾魏乱：指公子罃与公中缓争立，魏国发生内战。㊿浊泽：魏邑名，在今山西运城西南。(751)围魏：包围了魏都安邑。(752)杀魏君：时公子罃已即位为君。(753)两分之：把魏国分成两个，让公子罃、公中缓都为诸侯。(754)不强于宋、卫：宋、卫此时都已成为大国之附庸，行将灭亡。⑮终无魏患：魏国从此再也不会对我们构成威胁。⑯是为惠王：公子䓨初即位时称公，后来始改号称王，公元前三六九至前三一九年在位。⑰太史公曰：这段文字是《史记·魏世家》篇后的论赞，也就是司马迁对魏国史事所发表的议论。⑱君终无適子：老国君去世时，合法的继承人尚未确立。適，通"嫡"，正妻所生之子，也可以指虽非嫡子，但已被老国君正式确定为接班人，如赵襄子之类。⑲其国可破也：这个国家可以被摧毁。因为这时老国君的众多儿子会为争夺继位权而展开内战，周边国家也正好趁机出兵支持某一方而进行分裂颠覆活动。

【研析】

本卷记述了从周威烈王二十三年（公元前四〇三年）起至周烈王七年（公元前三六九年）共三十五年的战国初期的各国大事。司马光在这三十五年中主要写了以下几件事情：

其一，周威烈王册封赵、魏、韩三家大夫为诸侯。在今天看来这原是一件水到渠成的事情：晋国的诸侯早已成为傀儡，名存实亡；三家大夫早已称孤道寡，俨然是强大的一国之君，有周天子的册封固然更好，没有周天子的加封也丝毫无碍于战国历史的发展进程。司马光在这长长的一段议论中指责周威烈王"非三晋之坏礼，乃天子自坏之也"，简直是企图挡车的螳螂。在这段长长的言论中，司马光为封建等级制度唱赞歌，说什么"'天尊地卑，乾坤定矣。卑高以陈，贵贱位矣。'言君臣之位，犹天地之不可易也"，说什么"非有桀、纣之暴，汤、武之仁，人归之，天命之，君臣之分，当守节伏死而已矣"，简直是一副封建卫道者的声腔。这是必须扬弃的封建糟粕。不仅如此，在后面他还叙述了齐威王朝见周天子的事情，并且说"是时周室微弱，诸侯莫朝，而齐独朝之，天下以此益贤威王"。这件事情《史记》的《六国年表》《周本纪》《田敬仲完世家》都不载，只见于《鲁仲连邹阳列传》的驳斥辛垣衍劝赵尊秦为帝的说辞中。这类说客的言辞原不足信，而司马光一定要将其郑重地书之于史，无非是因为这则故事正好与他前面所鼓吹的等级制教条相合拍。

其二，司马光对智伯势力极强而被三家所灭的历史教训给予了强调，他结合智伯之父不辨贤愚地立智伯为后，与赵襄子之父能排除嫡庶之分的成见而断然立襄子为后做了对比性描述。在议论中强调了德与才的区别，并将其推导至极致，说"凡取人之术，苟不得圣人、君子而与之，与其得小人，不若得愚人"。说理很充分，是很好的历史经验。但其中仿佛也带有某些含沙射影攻击王安石的成分。

其三，本卷写魏文侯的为君之道与其对发展壮大魏国的历史贡献相当精彩，其中写道"魏文侯以卜子夏、田子方为师，每过段干木之庐必式，四方贤士多归之"云云，这些话都来自《史记·魏世家》。卜子夏、田子方都是儒家人物，是否真对魏国的强大起过作用不得其详，但司马迁对统治者的礼贤下士的确是异常歌颂。但我觉得司马迁的歌颂礼贤下士与司马光的尊儒倾向似乎还有相当的区别。司马光对魏文侯的任用乐羊、吴起颇为赞赏，而对吴起后来在武侯时代被排挤离魏言外无限惋惜。本卷还接着叙述了吴起后来在楚国变法以及最后被楚国贵族叛变分子所杀的事实，全部引用了《史记·孙子吴起列传》的文字。

其四，本卷叙述子思与卫侯相互对答的几个小故事，生动活泼，富有思辨性。其中叙述豫让刺赵襄子与聂政刺侠累的故事，都取材于《史记》。但司马迁写《刺客列传》是为了赞扬聂政的“士为知己者死”和豫让的义不为“二心”，这是可以理解的。司马光也照样予以转录，似乎无大必要。

卷第二　周纪二

起昭阳赤奋若（癸丑，公元前三六八年），尽上章困敦（庚子，公元前三二一年），凡四十八年。

【题解】

本卷写了周显王元年（公元前三六八年）至周显王四十八年前后共四十八年间的各国大事。其一，写了秦孝公任用商鞅实行变法，使秦国的国力大大增强，并给魏国以沉重打击。其二，写了齐威王发展壮大齐国，在桂陵、马陵两次重创魏军，使魏国从此一蹶不振，由战国初期的最强国一下子降成了二等小国。其三，写了苏秦在东方进行的合纵活动，较具体地记载了苏秦依次游说六国的情形。这段叙事是误采了《史记》旧说，完全不合事实。其四，写了张仪在秦国的政治活动，主要是对魏国又打又拉、软硬兼施，使魏国的处境更加艰难。此外还提到了韩昭侯利用申不害改革政治，使韩国的政治一度颇显清明等。

【原文】

显王①

元年（癸丑，公元前三六八年）

齐伐魏②，取观津③[1]。

赵④侵齐，取长城⑤。

三年（乙卯，公元前三六六年）

魏、韩会于宅阳⑥。

秦败魏师、韩师于洛阳⑦。

四年（丙辰，公元前三六五年）

魏伐宋⑧。

五年（丁巳，公元前三六四年）

秦献公⑨败三晋⑩之师于石门⑪，斩首六万。王赐以黼黻之服⑫。

【语译】

显王

元年（癸丑，公元前三六八年）

齐国出兵讨伐魏国，占领了魏国的观津。

赵国进犯齐国，占领了齐国所修长城的西端。

三年（乙卯，公元前三六六年）

魏惠王和韩懿侯在宅阳举行会谈。

秦国的军队在洛阳一带打败了魏国和韩国的联军。

四年（丙辰，公元前三六五年）

魏国出兵攻打宋国。

五年（丁巳，公元前三六四年）

秦献公在石门附近打败了韩、魏、赵三国联军，杀死了六万多人。周显王姬扁把绣有黑白相间、如斧形花纹和如弫形花纹的礼服赏赐给秦献公。

七年（己未，公元前三六二年）

魏败韩师、赵师于浍[13]。

秦、魏战于少梁[14]，魏师败绩[15]，获魏公孙痤[16]。

卫声公[17]薨，子成侯速[18]立。

燕桓公[19]薨，子文公[20]立。

秦献公薨，子孝公[21]立。孝公生二十一年矣。是时河、山以东[22]，强国六[23]，淮、泗之间[24]，小国十余[25]。楚、魏与秦接界。魏筑长城[26]，自郑滨洛以北，有上郡[27]。楚自汉中[28]，南有巴、黔中[29]。皆以夷翟遇秦[30]，摈斥之[31]，不得与中国之会盟[32]。于是孝公发愤，布德修政，欲以强秦[33]。

八年（庚申，公元前三六一年）

孝公下令国中曰：“昔我穆公[34]，自岐、雍之间[35]修德行武，东平晋乱[36]，以河为界[37]，西霸戎翟[38]，广地[39]千里。天子致伯[40]，诸侯毕贺[41]，为后世开业甚光美。会[42]往者厉、躁、简公、出子之不宁[43]，国家内忧，未遑外事[44]。三晋[45]攻夺我先君河西地[46]，丑莫大焉。献公即位，镇抚边境[47]，徙治栎阳[48]，且欲东伐，复[49]穆公之故地，修[50]穆公之政令。寡人思念先君之意[51]，常痛于心[52]。宾客[53]群臣有能出奇计强秦者，吾且尊官[54]，与之分土[55]。”于是卫公孙鞅[56]闻是令下，乃西入秦[57]。

公孙鞅者，卫之庶孙[58]也，好刑名之学[59]，事魏相公叔痤[60]。痤知其贤，未及进[61]，会病。魏惠王[62]往问之，曰：“公叔病如有不可讳[63]，将奈社稷何[64]？”公叔曰：“痤之中庶子[65]卫鞅，年虽少，有奇才，愿君举国而听之[66]。”王嘿然[67]。公叔曰：“君即[68]不听用鞅，必杀之，无令出境[69]。”王许诺而去。公叔召鞅谢[70]曰：“吾先君而后臣，故先为君谋[71]，

七年（己未，公元前三六二年）

魏军在浍水一带打败了韩国和赵国的联合部队。

秦国的军队与魏国的军队在少梁作战，魏军遭受惨败，秦军俘虏了魏国的将领公孙痤。

卫声公去世，他的儿子卫速即位，就是卫成侯。

燕桓公去世，他的儿子燕文公即位。

秦献公去世，他的儿子嬴渠梁即位，就是秦孝公。秦孝公时年二十一岁。当时，黄河和华山以东的强大国家有燕、齐、楚、赵、魏、韩六个国家，在淮水、泗水流域还有十多个小国。楚国、魏国与秦国接壤。魏国为了防御秦国的侵犯，修筑的长城从郑县开始，沿洛河北上一直到达上郡。楚国的汉中郡与秦国接壤，拥有南到巴、黔中的广大领土。他们都把秦国与野蛮的夷狄民族同等看待，全都排斥秦国，不让秦国参与中原各诸侯国的会盟。秦孝公即位以后决心发愤图强，广施恩德，修明政治，一心想使秦国强大起来。

八年（庚申，公元前三六一年）

秦孝公在国内发布命令说：“从前，我们的国君秦穆公在岐山、雍县一带发展起来，那时，由于推行德政、讲究武功，秦国逐渐强盛起来。向东平定了晋国的内乱，秦国的领土向东一直延伸到与晋国交界的黄河岸边；向西称霸于西戎，开拓了方圆千里的土地。就连周天子也不得不承认秦国的霸主地位，其他诸侯国也都派使者前来祝贺，秦穆公为后世所开辟的基业非常光大美好。可惜后来遇上秦厉公、躁公、简公、出子等不肖国君，造成秦国几十年内乱不断，不得安宁，因此无暇顾及向外发展。于是，三晋侵占了我们先人黄河以西的大片土地，耻辱没有比这再大的了。秦献公即位以来，加强了边防建设，又把都城向东迁到栎阳，准备东征，收复穆公时的失地，恢复施行穆公时的政治法令。每当想起先君壮大秦国、称霸诸侯的心意，我的内心总是因为愿望没有实现而感到非常的痛苦。你们这些宾客、群臣，有谁能有奇谋妙计使秦国强大起来，我就赏给他高官、赐给他封地。”卫国的公孙鞅得知这个消息以后，就离开自己的祖国，向西来到秦国。

公孙鞅是卫国公室的后裔，笃信申不害的循名责实、明法审刑的政治主张，他曾在魏国国相公叔痤手下任职。公叔痤知道他很有才能，只是还没有来得及向魏惠王举荐就病倒了。魏惠王亲自到相府中探望公叔痤，见公叔痤病势沉重，魏惠王就问他说：“万一你的病好不了，国家该怎么办呢？”公叔痤说：“有一个人叫作公孙鞅，现在我的手下担任中庶子，虽然很年轻，却有非凡的才能，我希望您把治理国家的大权交给他，一切都听他的。”魏惠王听了以后没有说话。公叔痤见魏惠王不肯答应，就又说：“您如果不能采纳我的意见重用公孙鞅，那就一定要把他杀掉，千万不要让他离开魏国到别的国家去。”魏惠王答应了公叔痤的请求就回宫去了。公叔痤把公孙鞅叫到跟前，向他表示歉意说：“我必须先考虑国家的利益，所以我向国君推荐了你，

后以告子[72]。子必速行[73]矣。”鞅曰：“君不能用子之言任臣，又安能用子之言杀臣乎？”卒不去[74]。王出，谓左右曰：“公叔病甚。悲乎！欲令寡人以国听卫鞅也，既[75]又劝寡人杀之，岂不悖[76]哉？”卫鞅既至秦，因嬖臣景监[77]以求见孝公，说以富国强兵之术。公大悦，与议国事。

十年（壬戌，公元前三五九年）

卫鞅欲变法，秦人不悦。卫鞅言于秦孝公曰：“夫民不可与虑始，而可与乐成[78]。论至德者[79]，不和于俗[80]；成大功者，不谋于众[81]。是以圣人苟可以强国[82]，不法其故[83]。”甘龙[84]曰：“不然。缘法而治[85]者，吏习[86]而民安之[87]。”卫鞅曰：“常人[88]安于故俗，学者溺于所闻[89]。以此两者[90]居官守法[91]可也，非所与论于法之外[92]也。智者作法[93]，愚者制焉[94]；贤者更礼[95]，不肖者拘焉[96]。”公曰：“善。”以卫鞅为左庶长[97]，卒定变法之令[98]。令民为什伍[99]，而相收司、连坐[100]。告奸者[101]与斩敌首同赏[102]，不告奸者与降敌同罚[103]。有军功者，各以率受上爵[104]。为私斗[105]者，各以轻重被刑大小[106]。僇力本业[107]，耕织致粟帛多者，复其身[108]；事末利[109]及怠而贫[110]者，举以为收孥[111]。宗室非有军功论，不得为属籍[112]。明尊卑、爵秩、等级[113]，各以差次名田宅、臣妾、衣服[114]。有功者显荣，无功者虽富无所芬华[115]。

令既具未布[116]，恐民之不信[117]，乃立三丈之木于国都市南门[118]。募[119]民有能徙置北门者，予十金[120]。民怪之，莫敢徙。复曰：“能徙者，予五十金。”有一人徙之，辄予五十金[121]。乃下令[122]。

而国君不肯重用你，我又劝他杀掉你，现在我把事情的真相都告诉了你。你必须赶快逃离魏国。”公孙鞅说：“国君既然不肯采纳你的建议重用我，又怎么会听从你的话杀掉我呢？”终于没有离开魏国。魏惠王从公叔痤的府中出来以后，就对他身边的人说：“公叔痤病得太重了。真让人伤心啊！他竟然想让我把治理国家的大权交给公孙鞅，随后又劝我杀掉公孙鞅，这岂不是病糊涂了吗？”卫鞅来到秦国，通过秦孝公所宠幸的宦官景监的引见得以见到秦孝公，他用富国强兵的办法游说秦孝公。秦孝公听了卫鞅的话以后，非常高兴，就与他商讨起治理国家的大事来。

十年（壬戌，公元前三五九年）

卫鞅既然得到秦孝公的信任，就想要在秦国大刀阔斧地进行改革，可那些有权有势的秦国贵族都很不高兴。卫鞅对秦孝公说：“和普通的人是不能谋划开创事业的，只能和他们一起享受成功。有高深见解的人，不会去追求与世俗势力相合；能够成就不朽功业的人，也不会向众人去讨教。所以圣人处理事情，只要能够富国强兵，就不必去遵循那些旧有的条条框框。”甘龙反驳他说：“你说的不是那么回事。依照传统的规章制度治理国家，官员们熟悉，老百姓也习惯这一套。”卫鞅说：“一般的人习惯于旧的习俗，书呆子们往往迷信书本上的条文。让这两种人占据官位，不求有功而但求无过地照章办事是可以的，却不能与他们商讨规章制度以外有关变法的事情。聪明的人是创立新法的，愚昧的人只能受旧法的约束；贤明的人可以改革旧礼制，无德无才的人只会谨小慎微地恭敬奉行。”秦孝公说：“说得好。”于是任命卫鞅为左庶长，并颁布了实行变法的命令。卫鞅变法的内容是：让百姓五家为伍、十家为什地组织起来，互相监督揭发，一家有犯法，其他家如果不检举揭发，就要和犯罪的人受到同样的处罚。揭发检举别人与在战场上杀敌立功一样，会受到同样的奖赏；而知情不报与投降敌人一样，也要受到同样的处罚。建立军功的，根据功劳的大小，按照赏罚条例论功行赏。为个人私事而争斗，也将根据情节轻重给以不同程度的处罚。努力从事农业生产，种出的粮食多、织出的布帛多的人，国家就免除他的劳役和赋税；从事工商业以谋求利润的和因为懒惰而导致贫穷的，就将其全家没收为官府的奴婢。国君的族人如果没有军功，就不能列入享受特权的宗室名册中。尊卑、爵秩、等级，都有明确的规定，所拥有的田宅、臣妾以及衣服的样式上，也都明确地显示出等级差别。总而言之，有功于国的就显赫荣耀，无功的即使很富有，也没有政治地位和光彩。

法令已经制定出来即将颁布之前，卫鞅怕人民不相信新法能够执行，为了取信于民，就在都城栎阳市场的南门竖立了一根三丈高的大木。张贴告示说：如果有人能把这根大木移放到北门，就赏给他十金。人民对这张告示都感到很奇怪，觉得不可信，所以没有人敢去搬动它。于是，又张贴了一张告示说：“谁能把这根大木移放到北门，就赏给谁五十金。”果真有人把这根木头从南门移放到了北门，卫鞅立即赏给他五十金。人们觉得卫鞅说话算话，卫鞅这才颁布变法命令。

令行期年[123]，秦民之国都[124]言新令[125]之不便者以千数。于是[126]太子[127]犯法，卫鞅曰："法之不行，自上犯之[128]。太子，君嗣也[129]，不可施刑。"刑其傅公子虔，黥其师公孙贾[130]。明日，秦人皆趋令[131]。行之十年[132]，秦国道不拾遗，山无盗贼，民勇于公战，怯于私斗，乡邑大治[133]。秦民初言令不便者，有来言令便。卫鞅曰："此皆乱法之民也。"尽迁之于边[134]，其后民莫敢议令。

臣光曰："夫信者，人君之大宝也。国保于民[135]，民保于信[136]。非信无以使民[137]，非民无以守国。是故古之王者不欺四海[138]，霸者不欺四邻[139]。善为国者[140]，不欺其民；善为家者，不欺其亲。不善者[141]反之，欺其邻国，欺其百姓，甚者，欺其兄弟，欺其父子。上不信下，下不信上，上下离心，以至于败。所利[142]不能药其所伤[143]，所获不能补其所亡[144]，岂不哀哉！昔齐桓公不背曹沫之盟[145]，晋文公不贪伐原之利[146]，魏文侯不弃虞人之期[147]，秦孝公不废徙木之赏[148]。此四君者，道非粹白[149]，而商君尤称刻薄[150]。又处战攻之世[151]，天下趋于诈力[152]，犹且不敢忘信以畜其民[153]，况为四海治平之政[154]者哉！"

韩懿侯薨，子昭侯[155]立。

【段旨】

以上为第一段，记述了周显王元年（公元前三六八年）至周显王十年之间的各国大事，其中主要写了秦孝公即位后任用商鞅实行变法的过程。

新法实行了一年，秦国中有上千人来到都城向秦孝公反映新法的种种弊端。而此时太子也触犯了新法，卫鞅说：“新法之所以不能顺利推行，就是因为上层的人带头触犯它。太子是国君的继承人、未来的君主，他犯法不能处罚。”于是处罚太子的老师：割去了公子虔的鼻子，在公孙贾的脸上刺了字。第二天，秦人都老老实实按照新法办事，没有人敢轻易触犯法律。新法实行了十年，秦国已经是面貌一新：道路上丢失的东西也没有人去捡，山野之中也没有盗贼，人民都勇于为国家的利益英勇作战，而不敢为了个人的私利去争斗，从乡村到城镇，社会秩序良好。当初对新法横加指责的人又都跑来述说新法的好处。卫鞅说：“这些人都是扰乱新法的小人。”于是把他们全都迁徙到遥远的边境地区，从此以后再也没有人敢议论国家的政治法令。

司马光说：“信用，是国君治理国家的最大法宝。国家的强弱安危决定于民心向背，而民心的向背又决定于统治者是否讲信义。统治者没有信义，就不能使人民为国家效力，没有人民愿意为国家效力，也就不能保有国家。所以古时候称王的人不欺骗天下，称霸的人不欺骗他四周的邻国。善于治理国家的君主，不欺骗他的百姓；善于治家的人，不欺骗他的亲属。不会治理国家的人则完全相反，欺骗他的邻国，欺骗他的百姓，更有甚者，欺骗他的兄弟，欺骗他的父亲和儿子。在上位的不相信他的下属，下属不相信他的长上，上下离心离德，终于导致失败。所得到的利益不足以弥补所付出的牺牲，所得到的收获不够弥补他的损失，难道不是很可悲吗！过去齐桓公不违背与曹沫订立的盟约，晋文公不贪图原国的土地，魏文侯不因有事而违弃与苑囿虞人打猎的约会，秦孝公不吝惜对搬迁大木人的奖赏。这四个国君，道德虽然不够纯洁高尚，而商鞅更是被人称为是冷酷无情的人物。又是处在一个战乱频仍的时代，整个时代风气就是专用欺诈、不讲道德、不讲诚信，即使如此尚且不敢忘记用诚信来对待他的人民，何况是治理一个统一的太平无事的国家呢！”

韩懿侯去世，他的儿子韩昭侯即位。

【注释】

①显王：名扁，烈王之弟，公元前三六八至前三二一年在位。②齐伐魏：时当田齐桓公七年（公元前三六八年）、魏惠王二年。③观津：应作“观”，“津”字误衍。观是魏县名，在今河南清丰南。④赵：时当赵成侯七年（公元前三六八年）。⑤取长城：此指攻占了齐长城的西端。杨宽《战国史·战国大事年表》于此作“赵伐齐，攻到长城”。

齐国长城的西端在今山东平阴东北。⑥魏、韩会于宅阳：魏惠王与韩懿侯会于宅阳。宅阳，韩县名，在今河南荥阳西南。⑦洛阳：洛水之北，约当韩国的旧都宜阳一带。当时的宜阳在今河南宜阳西。河流的北侧称阳。⑧魏伐宋：时当魏惠王五年（公元前三六五年）、宋剔成君五年。宋国都城原在商丘（今河南商丘城南），至战国时期迁到彭城，即今江苏徐州。⑨秦献公：名连，又名师隰，秦灵公之子，公元前三八四至前三六二年在位。⑩三晋：指赵、魏、韩三国。⑪石门：山名，亦山路名，在今山西运城西南，又名石门山、石门道。⑫黼黻之服：古代帝王、诸侯所穿的高级礼服。黼是黑白相间的如斧形的花纹，黻是黑青相间的如亞形的花纹。⑬魏败韩师、赵师于浍：时为魏惠王八年（公元前三六二年）、韩昭侯元年、赵成侯十三年。这是三晋之间公开进行战争的开始。杨宽《战国史·战国大事年表》曰："魏战胜赵、韩联军于浍北，擒赵将乐祚，取皮牢，又攻取列人、肥。"浍，河水名，源出今山西翼城东北浍山下，西流经曲沃、侯马、新绛，注入汾水。⑭少梁：魏邑名，在今陕西韩城南。⑮败绩：溃败；惨败。⑯公孙痤：魏将名。⑰卫声公：名训，公元前三七二至前三六二年在位。⑱成侯速：名速，"成"字是谥。公元前三六一至前三三三年在位。⑲燕桓公：燕僖公之子。公元前三七二至前三六二年在位。⑳文公：公元前三六一至前三三三年在位。㉑孝公：名渠梁，公元前三六一至前三三八年在位。㉒河、山以东：黄河、华山以东的整个地区，也就是除秦国而外的东方诸国之所在。河、山指黄河、华山。黄河流经今陕西、山西交界，是当时秦国与晋的分界线。华山在今陕西华阴南，也是秦国与东方国家的分界线。㉓强国六：指燕、齐、赵、魏、韩、楚六国。㉔淮、泗之间：淮河、泗水流域。约当今山东之西南部、江苏之西北部、安徽之东北部、河南之东部一带地区。㉕小国十余：通常所说的"泗上十二诸侯"，杨宽《战国史》认为应是邹、鲁、郳、莒、宋、卫、滕、薛、费、任、郯、邳十二国。㉖魏筑长城：魏国在今陕西东部地区由南向北建筑长城。㉗自郑滨洛以北二句：从郑县（今陕西渭南市华州区）开始，沿洛水北行，直抵上郡。滨，沿着。洛，指陕西境内的洛水，自陕西之西北部流向东南，在大荔县东入黄河。上郡，秦郡名，大体包括今延安、延长、榆林、甘泉、志丹等大片地区，郡治肤施（今榆林东南）。㉘楚自汉中：楚国的汉中郡与秦国为邻。楚国的汉中郡约当今湖北房县、十堰市郧阳区以及陕西东南角一带地区。㉙巴、黔中：楚国占有地区名。所谓"巴"是指今重庆之东部及湖北西部一带地区，当时楚国曾在此设有巫郡。黔中是指今湖南西部与贵州东部一带地区，当时楚国在此设有黔中郡。㉚皆以夷翟遇秦：各诸侯国都把秦国与野蛮的夷狄民族同等对待。古时中原地区称东方部族为夷，称北方部族为狄。也常用"夷狄"来泛称周边的各少数民族。翟，通"狄"。遇，对待。㉛摈斥之：都排斥秦国。㉜不得与中国之会盟：不让秦国参加中原地区诸侯的盟会。与，参加。中国，指中原地区的各诸侯国。㉝布德修政二句：秦孝公欲变法图强。㉞穆公：名任好，公元前六五九至前六二一年在位。是春秋时期最有作为的君主之一。㉟自岐、雍之间：在岐山、雍县一带发展起来。岐指岐山，在今陕西岐山县东北。雍是秦县名，在今陕西宝鸡市凤翔区南。㊱东平晋乱：晋国自献公死后，国内长时间内乱不止。秦穆公先是送晋惠公入晋为君，晋惠公背信弃义，与秦为敌，不得人心。惠公死后，秦穆公又送重耳入晋，是为文公，晋国自此始告稳定。㊲以河为界：秦国的疆界向东达到了与晋国交界的黄河边。㊳西霸戎翟：秦穆公平定晋乱，名望与势力大增，想东出灭郑，以争霸中原，结果被晋军破之于崤山。从此东出的道路被堵塞，于是改向西方发展，开拓了广大的西部少数民族地区，历史家赞之为称霸西戎。翟，同“狄”。㊴广地：开辟地盘。㊵天子致伯：周天子送给秦穆公“霸主”的称号。伯，方伯，一方的诸侯之长，也就是通常所说的“霸主”。㊶毕贺：都来祝贺。㊷会：遇；赶上。㊸厉、躁、简公、出子之不宁：厉指秦厉公，悼公之子，公元前四七六至前四四三年在位。躁指秦躁公，厉公之子，公元前四四二至前四二九年在位。简公是怀公之子，公元前四一四至前四〇〇年在位。出子是惠公之子，公元前三八六至前三八五年在位。其实秦国在厉公、躁公时期尚无不宁。乃躁公死后，其弟怀公即位，怀公四年（公元前四二五年）被大臣所杀，立怀公之孙灵公。灵公死后，大臣立灵公之叔简公。简公死后惠公立，惠公死后出子立，出子二年（公元前三八五年）被大臣所杀，改立灵公之子献公。献公即位后，秦国的政局始告稳定。㊹未遑外事：无暇顾及向外发展。未遑，无暇、顾不上。㊺三晋：韩、赵、魏三国，这里主要指魏国。㊻河西地：指陕西东部的邻近黄河地区。㊼镇抚边境：此处指加强边防建设。镇抚，镇守、安抚。㊽徙治栎阳：将秦国都城东迁到栎阳。栎阳在今西安阎良区。事在秦献公二年（公元前三八三年）。㊾复：收复。㊿修：循；重新实行。51先君之意：壮大秦国、称霸诸侯的心思。52常痛于心：因愿望还未实现而常感到痛苦。53宾客：指游宦于秦国而尚未获得官爵的人。54尊官：提高他们的官爵。55与之分土：赐给他们封地。56卫公孙鞅：卫国的贵族子弟公孙鞅，也称卫鞅，因后来在秦国立功，赐封地于商、於，号称商君，故历史上又称商鞅。57乃西入秦：《史记·秦本纪》系之于秦孝公元年（公元前三六一年）。58庶孙：非正妻所生的子孙。59刑名之学：指法家学说，因法家主张循名责实，明法审刑，故称之为“刑名之学”。60公叔痤：也写作“公叔座”。61未及进：尚未来得及向魏王推荐。62魏惠王：名䓨，武侯之子，公元前三六九至前三一九年在位。63不可讳：婉指人的死。讳，忌讳、避讳。64将奈社稷何：我们的国家该怎么办呢。意思是该让何人来掌管国家大事。奈何，怎么办。65中庶子：官名，掌管卿、大夫家族的事务。66举国而听之：把整个国家的大权都交给他，一切都听他的。67嘿然：没有说话。嘿，同“默”。68即：如果；倘若。69无令出境：不要让他到别的国家去。如果此人被别的国家所用，将对我国有大害。70谢：告；表示歉意。71先为君谋：指令其杀你。72后以告子：令其速逃。73子必速行：速行，赶紧逃走。凌稚隆《史记评林》引王元之曰：“凡为社稷之臣，计安危之事者，在任贤去不肖而已。且鞅果贤也，可固请用之；果不肖也，可固请杀之。用则为国之宝，杀则去国之蠹，乌有始请用，中请杀，而终使逃者得为忠乎？由是知‘先君后臣’之说，诚无稽之言也。”⑭卒不去：到底还是没有走。卒，终、到底。⑮既：过后；后来。⑯悖：荒谬；糊涂。⑰因嬖臣景监：通过秦孝公宠幸的太监引见。因，通过、借助。嬖臣，男宠。景监，姓景，名监。也可以说是姓景的太监。⑱民不可与虑始二句：虑始，谋划开始。乐成，享受成果。《管子·法法》：“民未尝可与虑始，而可与乐成功。”〖按〗这些地方都明显地表现了法家学派轻视人民群众，把群众看成群氓的思想。⑲论至德者：讲究最高道德的人。论，讲究。至德，最高的道德。⑳不和于俗：不追求与世俗势力相合。㉑不谋于众：不向众人讨教。㉒苟可以强国：只要可以达到富国强兵。苟，只要。㉓不法其故：不遵行那些旧有的条条框框。㉔甘龙：秦国的近臣。《史记索隐》曰：“甘氏，出春秋时甘昭公王子带后。”㉕缘法而治：按照传统的规章制度治理国家。缘，沿、遵循。㉖吏习：官吏们熟悉。习，熟悉、习惯。㉗民安之：百姓们习惯这一套。安，熟悉、不以为怪。㉘常人：一般的人。㉙学者溺于所闻：犹言“书呆子们总是迷信书本的条文”。溺，沉醉、拘泥。㉚此两者：有人以为指“常人”与“学者”，其实不对。司马光此文依据《史记·商君列传》。《史记》原文甘龙所说的话是“圣人不易民而教，智者不变法而治。因民而教，不劳而成功；缘法而治者，吏习而民安之”。故而商鞅驳斥甘龙的“两者”是指“因民而教”和“缘法而治”两条。今《资治通鉴》原文只让甘龙说了“缘法而治者，吏习而民安之”一条，故而商鞅再说“此两者”就使人不知所云了。㉛居官守法：不求有功而但求无过地照章办事，做官混日子。㉜非所与论于法之外：和这种人没法谈论规章制度以外的东西，指变法而言。㉝智者作法：聪明人是制定法令的。作，制定。㉞愚者制焉：愚蠢的人就只知道受制遵行。㉟贤者更礼：贤者可以更改礼仪。㊱不肖者拘焉：没有出息的人就只会谨小慎微地恭敬奉行。拘，谨小慎微。㊲以卫鞅为左庶长：左庶长，秦爵位名，为第十等。秦爵共二十等，自下而上为：一、公士；二、上造；三、簪袅；四、不更；五、大夫；六、官大夫；七、公大夫；八、公乘；九、五大夫；十、左庶长；十一、右庶长；十二、左更；十三、中更；十四、右更；十五、少上造；十六、大上造；十七、驷车庶长；十八、大庶长；十九、关内侯；二十、彻侯。梁玉绳曰：“以鞅为左庶长在变法后，当孝公五年；此在变法前，则是孝公三年矣，恐非。”㊳卒定变法之令：自“卫鞅欲变法”至“卒定变法之令”一段，见《商君书·更法第一》。据《秦本纪》，商鞅说孝公变法在孝公三年（公元前三五九年）。杨宽曰：“《秦策一》：‘商君治秦，法令至行……孝公行之十八年，疾且不起。’……孝公二十四年卒，上推十八年，适为孝公六年，然则鞅于孝公六年为左庶长，下令变法亦端在六年。殆孝公三年鞅虽议变法，以甘龙、杜挚之非难，实未尝行欤？”㊴令民为什伍：把居民五家为一“伍”，十家为一“什”地编制起来。⑩⓪相收司、连坐：收司指相互监督、相互窥伺。连坐，一家犯罪，同什伍的其他各家如不告发，就与犯罪者一同受罚。⑩①告奸者：检举揭发犯禁者。奸，犯法。⑩②与斩敌首同赏：《史记索隐》曰：“告奸一人，则得爵一级，故云‘与斩敌首同赏’也。”⑩③与降敌同罚：《史记索隐》曰："按律：降敌者诛其身、没其家，今匿奸者与之同罪也。"⑭各以率受上爵：都按照规定给以加官晋爵。率，标准、规定。上爵，提升爵级。⑮私斗：为私事打架斗殴。⑯各以轻重被刑大小：按其情节轻重给予不同程度的惩罚。被，加、给予。⑰僇力本业：指努力从事农业。僇力，努力。本业，指农业。⑱复其身：免除其自身的劳役负担。复，免除。⑲事末利：从事手工业、商业以谋利润。⑩怠而贫：因懒惰而穷困。⑪举以为收孥：一律把他们没为奴隶。举，尽、全部。收孥，收为奴隶。孥，此处同"奴"。《史记会注考证》引中井积德曰："以为孥者，指末利怠贫者当身而言，以为奴役也，非指其妻子。"〖按〗中井说是。《史记索隐》所谓"收录其妻子，没为官奴婢"者，殆非。⑫宗室非有军功论二句：文意生涩。意谓国君的族人凡是没有因军功而得到论叙的人，一律不把他们列入享受特权的名册。论，论叙、评定。属籍，享受特权的亲属名册。⑬明尊卑、爵秩、等级：指严格分清尊卑上下的等级界限。爵秩，爵禄的等级。〖按〗此句和下面两句的断句、理解，自古众说纷纭。⑭各以差次名田宅句：犹言各自按照自己的等级占有不同数目的田宅、奴隶与穿戴不同的服饰。差次，差别次序，即指等级。名，以自己名义占有。⑮芬华：犹言荣华，贵盛显耀的意思。⑯既具未布：已经准备好了尚未公布。⑰恐民之不信：担心百姓怀疑自己说话不算数。⑱国都市南门：秦都栎阳市场的南门。古代都邑中的市场有固定区域，外有围墙，四面有门。⑲募：悬赏令人办事。⑳予十金：《史记正义》引臣瓒曰："秦以一溢为一金。"〖按〗溢，同"镒"。一镒为二十四两，或曰二十两。㉑辄予五十金：立刻给了他五十金。辄，就、立即。〖按〗《韩非子·内储说》云："吴起为魏武侯西河之守……乃倚一车辕于北门之外，而令之曰：'有能徙此南门之外者，赐之上田上宅。'人莫之徙也。及有徙之者，还，赐之如令。"《吕氏春秋·慎小》所载略同。此又移之商君名下。㉒乃下令：这才颁布了变法命令。㉓令行期年：变法实行了一周年。㉔之国都：到京城来向朝廷告状。之，往。㉕新令：指商鞅新定不久的法令。㉖于是：这时。㉗太子：名驷，即日后的秦惠文王，公元前三三七至前三一一年在位。㉘自上犯之：由于上层人带头犯法。自，由于。㉙君嗣也：国君的继承者、接班人。㉚刑其傅公子虔二句：傅、师，都是官名，即太傅、太师等，其职责为辅导、教育太子。㉛趋令：按命令办事。趋，归依，这里即指服从。㉜行之十年：中井积德曰："据《秦纪》，'十年'当作'七年'，是变法七岁，当孝公即位之十年，以鞅为大良造也。"〖按〗孝公十年为公元前三五二年。㉝乡邑大治：指整个国家大治。乡，乡村。邑，城镇。㉞尽迁之于边：把他们全部迁移到边境地区。㉟国保于民：国家的强弱安危决定于黎民百姓的人心所向。㊱民保于信：黎民百姓是否拥护统治者决定于统治者是否讲信义。㊲非信无以使民：统治者没有信用，就不能支使调动黎民百姓。㊳四海：犹言万邦、普天下。㊴四邻：周边的国家。㊵善为国者：善于治理国家的人。㊶不善者：不会治理国家的人。㊷所利：所得到的利益。㊸药其所伤：弥补其为获得那点利益所付出的牺牲。药，治疗、弥补。㊹补其所亡：填补其损失。亡，损失。⑭⑤齐桓公不背曹沫之盟：齐桓公是春秋时代的齐国国君，有名的“春秋五霸”的第一霸主，公元前六八五至前六四三年在位。曹沫是春秋时期鲁庄公的将领，他在与齐国的战斗中多次失败，丧失了不少土地。后来在鲁庄公与齐桓公会盟时，曹沫持匕首劫持齐桓公，逼着齐桓公将占去的土地归还了鲁国。事后齐桓公生气地想要反悔，管仲劝解齐桓公不要丧失信义，齐桓公同意了，因而深得各国诸侯的拥戴。事见《史记·刺客列传》。⑭⑥晋文公不贪伐原之利：晋文公是春秋时期晋国国君，公元前六三六至前六二八年在位，是继齐桓公之后的又一位更强大的霸主。因其帮助周襄王平定了周国的内乱，故而周襄王赐给了晋国一些领地，其中包括温县。但是温县人不愿归属晋国，故而晋文公发兵围温，但一连三天没有攻下，晋文公下令撤兵。这时有间谍从城里出来，说温人马上就要投降了，晋军应该再坚持一下。晋文公认为自己已经下令撤兵，不能再反悔丧失信义，于是断然撤退。温人见晋文公守信，遂归顺晋国。事见《左传·僖公二十五年》。⑭⑦魏文侯不弃虞人之期：魏文侯与管理山林的虞人商定好，今天要去打猎。后来魏文侯忘记了此事，而且天也下起雨来。魏文侯举行宴会，玩得很高兴。后来他忽然想起了与虞人的约定，于是立即罢宴，冒雨出行。故事详见本书的上一卷。虞人，管理

【原文】

十一年（癸亥，公元前三五八年）

秦败韩师⑮⑥于西山⑮⑦。

十二年（甲子，公元前三五七年）

魏、赵会于鄗⑮⑧[2]。

十三年（乙丑，公元前三五六年）

赵、燕会于阿⑮⑨。

赵、齐、宋会于平陆⑯⓪。

十四年（丙寅，公元前三五五年）

齐威王、魏惠王会田于郊⑯①。惠王曰：“齐亦有宝乎？”威王曰：“无有。”惠王曰：“寡人国虽小，尚有径寸⑯②之珠，照车前后各十二乘⑯③者十枚。岂以齐大国⑯④而无宝乎？”威王曰：“寡人之所以为宝⑯⑤者，与王异⑯⑥。吾臣有檀子⑯⑦者，使守南城⑯⑧，则楚人不敢为寇⑯⑨，泗上十二诸侯⑰⓪皆来朝⑰①。吾臣有盼子⑰②者，使守高唐⑰③，则赵人不敢东渔于河⑰④。吾吏有黔夫⑰⑤者，

山林禽兽的小官。期，约会。⑱秦孝公不废徙木之赏：此事实乃商鞅所为，司马光将其移于秦孝公，以与前面的三国诸侯相配，略嫌牵强。⑲道非粹白：道德虽然不够纯粹洁白。意谓这些君主并非圣人，甚至还有些挟天子以令诸侯等被儒门所批评的严重问题。⑳商君尤称刻薄：司马迁在《史记·商君列传》里曾说商鞅“其天资刻薄人也”，说他“及得用，刑公子虔，欺赵将卬，不师赵良之言，亦足发明商君之少恩矣”，说他“卒受恶名于秦，有以也夫”，观点甚是偏颇。今司马光又拣起了这一条。㉑战攻之世：指战国时代。㉒趋于诈力：整个时代风气就是专用欺诈，不讲道德，不讲诚信。趋，即今之所谓“时髦”“专门讲究”。㉓以畜其民：以诚信对待他的百姓。畜，养、对待。㉔为四海治平之政：管理一个统一的太平无事的国家。㉕昭侯：公元前三六二至前三三三年在位。

【校记】

［1］观津："津"字因《史记》原文而误。梁玉绳《史记志疑》："津字误，当衍。齐表云'伐魏取观'，《魏世家》云'齐败我观'，《田完世家》云'献观以和'，《纪年》云'齐田寿帅师围观，观降'，俱不言观津是也。"

【语译】

十一年（癸亥，公元前三五八年）

秦军在西山打败了韩国的军队。

十二年（甲子，公元前三五七年）

魏国和赵国的高层领导人在鄗邑举行会谈。

十三年（乙丑，公元前三五六年）

赵国和燕国在赵国的阿城举行会谈。

赵国、齐国、宋国在齐国的平陆举行会谈。

十四年（丙寅，公元前三五五年）

齐威王、魏惠王在两国的边界会面并一同打猎。魏惠王问齐威王："齐国有宝物吗?"齐威王回答说："没有。"魏惠王说："我的国家虽然很小，还有直径一寸大、能够照亮车前车后各十二辆车子的珍珠十颗。难道像齐国这样的大国会没有宝物吗?"齐威王说："我把什么当作宝物，与大王您的看法是不一样的。我的臣子当中有一个叫作檀子的人，我派他去守卫南城，南边的楚国再也不敢前来进犯齐国，泗水流域的十二个诸侯国全都到齐国来朝见。我的臣子当中还有一个叫作盼子的，我派他去守卫高唐，赵国人从此不敢向东边的黄河中捕鱼。我的官吏当中又有一个叫作黔夫的，

使守徐州[176]，则燕人祭北门，赵人祭西门[177]，徙而从者[178]七千余家。吾臣有种首[179]者，使备盗贼，则道不拾遗。此四臣者，将照千里，岂特十二乘哉[180]！”惠王有惭色[181]。

秦孝公、魏惠王会于杜平[182]。

鲁共公薨，子康公毛[183]立。

十五年（丁卯，公元前三五四年）

秦败魏师于元里[184]，斩首七千级[185]，取少梁[186]。

魏惠王伐赵，围邯郸[187]。楚王使景舍救赵[188]。

十六年（戊辰，公元前三五三年）

齐威王使田忌[189]救赵。

初，孙膑与庞涓俱学兵法[190]。庞涓仕魏[191]为将军，自以能不及孙膑，乃召之，至则以法[192]断其两足而黥之[193]，欲使终身废弃。齐使者至魏[194]，孙膑以刑徒阴见[195]，说齐使者。齐使者窃载与之齐[196]。田忌善而客待之[197]，进于威王。威王问兵法，遂以为师[198]。

于是威王谋救赵，以孙膑为将[199]。辞以刑余之人不可，乃以田忌为将，而孙子为师[200]，居辎车[201]中，坐为计谋[202]。田忌欲引兵之赵[203]，孙子曰："夫解杂乱纷纠者不控拳[204]，救斗者不搏撠[205]，批亢捣虚[206]，形格势禁[207]，则自为解耳[208]。今梁、赵相攻[209]，轻兵锐卒[210]必竭于外[211]，老弱疲于内[212]。子不若引兵疾走魏都[213]，据其街路[214]，冲其方虚[215]。彼必释赵以自救[216]，是我一举解赵之围，而收弊于魏[217]也。"田忌从之。十月，邯郸降魏[218]。魏师还[219]，与齐战于桂陵，魏师大败[220]。

韩伐东周[221]，取陵观、廪丘[222]。

楚昭奚恤[223]为相，江乙[224]言于楚王[225]曰："人有爱其狗者，狗尝

我派他去守卫徐州，燕国人遥望着徐州的北门祭祀，祈祷齐国不要出兵攻打他们，多多赐福给他们，赵国人对着徐州的西门祭祀，祈祷齐国不要侵犯赵国，同时赐给他们幸福，燕、赵之人举家迁徙到徐州投奔黔夫的就有七千多家。我的臣子当中有一个人叫作种首，我派他去维护社会治安、防备盗贼，结果社会安定，路不拾遗。这四个臣子，他们的光芒能够照亮千里之外，岂止是照亮十二辆车子呢！”魏惠王听了以后感到很惭愧。

秦孝公、魏惠王在魏国的杜平相会。

鲁共公姬奋去世，他的儿子康公姬毛即位。

十五年（丁卯，公元前三五四年）

秦国的军队在魏国的元里邑打败了魏军，斩杀魏军七千多人，占领了魏国的少梁。

魏惠王率军攻打赵国，包围了邯郸。楚王派景舍率军救援赵国。

十六年（戊辰，公元前三五三年）

齐威王派名将田忌率军救赵。

当初，齐国的孙膑与魏国的庞涓同师学习兵法。后来庞涓在魏国出任为将军，他认为自己的才能比不过孙膑，就把孙膑邀请到魏国来，孙膑到了魏国以后，庞涓寻机诬陷孙膑有罪，砍掉了孙膑的双脚，又在孙膑的脸上刺了字，想让他终身成为废人。恰巧齐国的使者出使魏国，孙膑以罪犯的身份秘密地会见齐国的使者，说服了齐国使者。齐国使者同意把孙膑藏在自己的车中悄悄地载回齐国。田忌很赏识孙膑，就用对待上等宾客的礼节对待他，并把他推荐给齐威王。齐威王亲自向他求教行兵打仗之事，又任命他为齐国的军师。

齐威王准备发兵救赵，想让孙膑担任齐军的统帅。孙膑推辞说自己是受了刑罚的人，不适宜担任大将，齐威王于是任命田忌为大将，任命孙膑为军师，让他坐在有篷盖的车子当中，为田忌出谋划策。田忌想率领齐军直接赶往赵国去攻打魏军，孙膑说：“要解开乱成一团的丝就不能用拳头去乱砸，制止斗殴的人就不能自己也参加进去帮助打，而是要避开对方的主力去攻击他空虚的地方，使互相争斗的主动者在形势上受到阻遏和限制，那么就会自动地解除对对方的包围。现在魏国进攻赵国，魏国必定把全国的精锐部队都派去攻赵，留在国内的都是些老弱病残。您不如率领大军直奔魏国的都城大梁，占据它的主要交通要道，攻打魏国防守空虚的地方。进犯赵国的魏军必定会撤离赵国，回来救援都城大梁，这样，我们一次行动达到了两个目的：既援救了赵国，解除了魏国对赵国邯郸的包围，又使魏国疲于奔命，遭受重大损失。”田忌听从了孙膑的意见。十月，邯郸向魏军投降。魏军从邯郸撤军回救大梁，在桂陵与齐军相遇，双方展开激战，齐军将魏军打得大败。

韩国派军队攻打东周君，占领了东周君的陵观、廪丘。

楚国的昭奚恤受命担任了楚国的宰相，江乙对楚宣王说：“有一个人很爱他的

溺井㉖，其邻人见，欲入言之㉗，狗当门而噬之㉘。今昭奚恤常恶臣之见㉙，亦犹是也㉚。且人有好扬人之善者㉛，王曰'此君子也'，近之㉜；好扬人之恶者，王曰'此小人也'，远之㉝。然则且有㉞子弑其父、臣弑其主者，而王终已不知㉟也。何者㊱？以王好闻人之美，而恶闻人之恶也。"王曰："善，寡人愿两闻之㊲。"

十七年（己巳，公元前三五二年）

秦大良造卫鞅[3]伐魏㊳。

诸侯围魏襄陵㊴。

十八年（庚午，公元前三五一年）

秦卫鞅围魏固阳㊵，降之。

魏人归赵邯郸㊶，与赵盟漳水㊷上。

韩昭侯㊸以申不害㊹为相。申不害者，郑之贱臣㊺也，学黄老刑名㊻，以干㊼昭侯，昭侯用为相。内修政教㊽，外应㊾诸侯，十五年㊿。终申子之身，国治兵强(251)。

申子尝请仕其从兄(252)，昭侯不许，申子有怨色。昭侯曰："所为学于子(253)者，欲以治国也。今将听子之谒(254)而废子之术(255)乎，已其行子之术(256)而废子之请(257)乎？子尝教寡人修功劳(258)、视次第(259)，今有所私求(260)，我将奚听乎(261)？"申子乃辟舍(262)请罪，曰："君真其人也(263)！"

昭侯有弊袴，命藏之(264)。侍者曰："君亦不仁者矣，不赐左右而藏之。"昭侯曰："吾闻明主爱一嚬一笑(265)，嚬有为嚬，笑有为笑(266)。今袴岂特嚬笑哉(267)！吾必待有功者(268)。"

十九年（辛未，公元前三五〇年）

秦商鞅筑冀阙宫庭于咸阳(269)，徙都之(270)。令民父子、兄弟同室内息者为禁(271)。并诸小乡聚，集为一县(272)，县置令、丞(273)，凡三十一县(274)。废井田，开阡陌(275)。平斗、桶、权、衡、丈、尺(276)。

秦、魏遇于彤(277)。

狗，他的狗曾经往井里撒尿，被邻居看见了，就想去告诉狗的主人，而那条狗却堵在门口咬他，不让他进门。如今昭奚恤仇恨我看见他所做的坏事，就像那条狗恨那个邻居一样。而且，有人在您面前称赞别人的优点，您就说'这人是个君子'，就去亲近他；有人在您面前议论别人的缺点，您就说'这是个小人'，就疏远他。然而现在有做儿子的杀死了父亲，为臣子的杀死了国君的人在，大王却始终不知道。这是因为什么呢？是因为大王喜欢听别人讲他人的优点，而厌恶听别人讲他人的缺点啊。"楚宣王说："说得好，以后我愿意既听别人的优点，也听别人的缺点。"

十七年（己巳，公元前三五二年）

秦国的大良造卫鞅率领秦军攻打魏国。

各路诸侯出兵包围了魏国的襄陵。

十八年（庚午，公元前三五一年）

秦国的卫鞅率军包围了魏国的固阳，迫使固阳向秦军投降。

魏国把此前占领的邯郸归还给赵国，并与赵国在漳水岸边缔结了和平友好盟约。

韩昭侯任命申不害为韩国的宰相。申不害曾经在郑国担任过低级小官吏，他喜好研究黄老之学和法家学说，他向韩昭侯请求给他一个官做，韩昭侯就任命他当了韩国的宰相。申不害担任宰相以后，在国内修明政治教化，对外积极开展外交活动，执政共十五年。一直到申不害去世，韩国都政治稳定，国富兵强。

申不害曾经请求让他的堂兄出来做官，韩昭侯没有答应，申不害便流露出怨恨的神色。韩昭侯说："我向你请教的目的是治理好国家。我是答应了你的请求而破坏了你为我制定的原则呢，还是坚定地执行你为我制定的原则而拒绝你的请求呢？你曾经教导我要根据功劳的大小给予不同的奖赏，根据能力的强弱授予不同的官职，如今你却为了私情而向我提出请求，我将听从你的哪种意见呢？"申不害听了韩昭侯的话以后，慌忙离开座位向韩昭侯请罪，说："您真是我理想之中的好国君啊！"

韩昭侯有一条破裤子，他让侍从将它收藏起来。侍从说："大王您也太吝啬了，不把它赏赐给您的左右侍从，反而将它收藏起来。"韩昭侯说："我听说贤明的君主很珍惜自己的一个皱眉一次微笑，皱眉要达到一定的目的才皱眉，微笑也是要为达到某种目的才微笑。如今这条旧裤子又岂是一个皱眉一次微笑所能比呢！我必须等到有人为国家立了大功的时候，才把裤子赏给有功的人。"

十九年（辛未，公元前三五〇年）

秦国商鞅在咸阳修筑宫殿，又在宫门的两旁修建起高大的双阙。随后，秦国将都城从栎阳迁到了咸阳，又下令禁止父子、兄弟同宿一室。又将诸多小村落合并成县，每个县中设置了县令、县丞等长官，全国一共设置了三十一个县。废除井田制，铲除作为井田疆界的田间小道，重新设置"阡陌"和"封疆"。统一了斗、桶、权、衡、丈、尺。

秦孝公与魏惠王在秦国的彤邑举行会晤。

赵成侯薨，公子緤[278]与太子[279]争立。緤败，奔韩[280]。

二十一年（癸酉，公元前三四八年）

秦商鞅更为赋税法[281]，行之。

二十二年（甲戌，公元前三四七年）

赵公子范[282]袭邯郸，不胜而死。

二十三年（乙亥，公元前三四六年）

齐杀其大夫牟[283]。

鲁康公薨，子景公偃[284]立。

卫更贬号曰侯[285]，服属三晋[286]。

二十五年（丁丑，公元前三四四年）

诸侯会于京师[287]。

二十六年（戊寅，公元前三四三年）

王致伯于秦[288]，诸侯皆贺秦。秦孝公使公子少官[289]帅师会诸侯于逢泽以朝王[290]。

二十八年（庚辰，公元前三四一年）

魏庞涓伐韩[291]，韩请救于齐[292]。齐威王召大臣而谋曰："蚤救孰与晚救[293]？"成侯[294]曰："不如勿救。"田忌曰："弗救则韩且折而入于魏[295]，不如蚤救之。"孙膑曰："夫韩、魏之兵未弊[296]而救之，是吾代韩受魏之兵[297]，顾反听命于韩也[298]。且魏有破国之志[299]，韩见亡[300]，必东面而诉于齐[301]矣。吾因深结韩之亲[302]，而晚承魏之弊[303]，则可受重利而得尊名[304]也。"王曰："善。"乃阴许韩[305]使而遣之。韩因恃齐[306]，五战不胜，而东委国于齐[307]。

齐因[308]起兵，使田忌、田婴、田盼将之[309]，孙子为师[310]，以救韩，直走魏都[311]。庞涓闻之[312]，去韩而归[313]。魏人大发兵，以太子申为将[314]，以御[315]齐师。孙子谓田忌曰："彼三晋[316]之兵，素悍勇而轻齐，齐号为怯[317]。善战者因其势而利导之[318]。《兵法》[319]：'百里而趣利[320]者，蹶上将[321]；五十里而趣利者，军半至[322]。'"乃使齐军入魏地为十万灶[323]，

赵成侯赵种去世，公子緤与太子争夺侯位。公子緤失败以后，逃到了韩国。

二十一年（癸酉，公元前三四八年）

秦国商鞅推行新的征税办法。

二十二年（甲戌，公元前三四七年）

赵国的公子范偷袭邯郸，不能取胜，被杀死。

二十三年（乙亥，公元前三四六年）

齐国杀死了大夫牟。

鲁康公去世，他的儿子偃即位，就是鲁景公。

卫国的国君自行降低称号，不再称“公”，改称“侯”，卫国成为魏、韩、赵三国的附庸国。

二十五年（丁丑，公元前三四四年）

诸侯在周王朝的都城洛阳聚会。

二十六年（戊寅，公元前三四三年）

周显王给秦孝公送去诸侯霸主的称号，诸侯都来向秦国道贺。秦孝公派公子少官率领军队到魏国的逢泽与诸侯相会，并随同魏惠王前往京师洛阳朝见周显王。

二十八年（庚辰，公元前三四一年）

魏国的庞涓率领魏军攻打韩国，韩国派人向齐国求救。齐威王把大臣们召集起来商议说：“早救韩国与晚救韩国，哪个对我们齐国更有利呢？”成侯邹忌说：“不如不去救韩。”田忌说：“我们不去救韩，韩国就会投降魏国，不如早点去救韩国。”孙膑说：“韩国与魏国打仗，韩国还没有到支持不住的程度，我们如果此时出兵，就等于代替韩国与魏国打仗，我们反而要听从韩国的命令。况且，魏国抱定了要灭亡韩国的决心，韩国眼看自己就要灭亡，一定会跑到东方来向齐国求救。到那时我们就趁机和韩国缔结友好，还要等待魏国的兵力被韩国消耗得差不多的时候再出兵攻打魏国。如此的话，我们不仅使自己少受损失，获取重大利益，而且还能够获得救助弱小、抗击强国的好名声。”齐威王说：“这个办法好。”于是暗中答应救助韩国却没有对外公开这个消息。韩国因为有了齐国支援的承诺而放心大胆地与魏国展开激战，结果五战五败，最后只好把自己交给齐国，表示一切听从齐国指挥。

齐国这时才决定发兵救韩。齐威王派田忌、田婴、田盼分别担任统军的将领，任命孙膑为军师，前去救援韩国。齐军直扑魏国的都城大梁。魏军统帅庞涓得到消息以后，赶紧从韩国撤军回救。魏国国内也征调了大量的军队，派太子申为大将来抗击齐军。孙膑对田忌说：“韩、赵、魏三国一向以彪悍勇猛著称，而且看不起齐国，认为齐国人胆怯。善于用兵打仗的人要能利用这种形势，顺着敌人的思路引导敌人朝有利于自己的方向发展。《孙子兵法》上说：‘以一天急行军一百里的速度去追逐利益的军队，必定损失上将领；以一天行军五十里的速度去追逐利益的军队，只有一半人能够到达目的地’。”于是下令军队进入魏国境内以后，建造供十万人用餐的炉灶，

明日为五万灶，又明日为二万灶。庞涓行三日[324]，大喜曰："我固知齐军怯，入吾地三日，士卒亡者[325]过半矣。"乃弃其步军，与其轻锐倍日并行[326]逐之。孙子度其行[327]，暮当至马陵[328]。马陵道狭而旁多阻隘[329]，可伏兵。乃斫大树白[330]而书之曰："庞涓死此树下。"于是令齐师善射者万弩夹道而伏，期[331]日暮，见火举而俱发。庞涓果夜到斫木下，见白书，以火烛之[332]，读未毕，万弩俱发，魏师大乱相失[333]。庞涓自知智穷[334]兵败，乃自刭[335]，曰："遂成竖子之名[336]！"齐因乘胜大破魏师，虏太子申[337]。

成侯邹忌恶[338]田忌，使人操十金[339]卜于市[340]，曰："我田忌之人也[341]。我为将，三战三胜[342]，欲行大事[343]，可乎？"卜者出[344]，因使人执之[345]。田忌不能自明[346]，率其徒[347]攻临淄[348]，求[349]成侯。不克[350]，出奔楚[351]。

二十九年（辛巳，公元前三四〇年）

卫鞅言于秦孝公曰："秦之与魏，譬若人有腹心之疾[352]。非魏并秦，秦即并魏。何者？魏居岭厄[353]之西，都安邑[354]，与秦界河[355]，而独擅山东之利[356]。利则西侵秦[357]，病则东收地[358]。今以君之贤圣，国赖以盛。而魏往年大破于齐[359]，诸侯畔[360]之，可因此时伐魏。魏不支秦，必东徙[361]。然后秦据河、山之固[362]，东乡[363]以制诸侯，此帝王之业[364]也。"公从之，使卫鞅将兵伐魏。

魏使公子卬[365]将而御之[366]。军既相距[367]，卫鞅遗公子卬书[368]曰："吾始与公子欢[369]，今俱为两国将，不忍相攻。可与公子面相见盟[370]，乐饮而罢兵[371]，以安秦、魏之民[372]。"公子卬以为然，乃相与会。盟已[373]饮，而卫鞅伏甲士袭虏[374]公子卬，因[375]攻魏师，大破之。魏惠王恐，使使献河西之地于秦以和[376]。因去安邑，徙都大梁[377]。乃叹曰："吾恨不用

第二天建供五万人用餐的炉灶，第三天建供二万人用餐的炉灶。庞涓率领魏军尾追齐军，得到齐军三天之内减灶八万个的消息，非常高兴地说："我本来就知道齐军胆怯，他们进入我国境内只有三天，士卒就逃跑了一大半。"于是甩下步兵，只带领精锐骑兵，昼夜兼程追赶齐军。孙膑根据魏军的行军速度，估计魏军在天黑的时候能够到达马陵。马陵道路狭窄，两旁地势险要，可以设置伏兵。于是命人把一棵大树砍掉一块树皮，露出里面的白色，上面写上："庞涓死在此树之下。"然后从齐军当中挑选出一万名善射的弓箭手埋伏在道路的两旁，与他们约定晚上看见火光就万箭齐发。庞涓果然在当天夜里来到这棵大树之下，他看见树干上被砍去树皮的地方写有字迹，就点燃火把上前照看，还没有看完，只见万箭齐发，魏军骑兵一见大势不好，全都四散而逃。庞涓知道失败已成定局，再也没有办法挽回了，就长叹一声说："竟然成就了孙膑这小子的美名!"说完就拔剑自刎了。齐军乘胜追杀，将魏军打得大败，活捉了魏太子申。

成侯邹忌憎恶田忌，就派人带着十金到集市上求人占卜，说："我是田忌的贴身侍从。田忌说，他作为大将领兵打仗，三次出征三次打了大胜仗，他想成就大事，请占卜一下，能否成功?"等那个请求占卜的人走了之后，邹忌就派人把算卦的抓起来讯问，算卦人便把田忌占卜能否成就大事的事情供了出来。田忌没有办法澄清自己，情急之下，就率领他的手下攻打临淄，想捉住成侯邹忌澄清事实。然而无法取胜，只得逃离齐国，跑到楚国避难。

二十九年（辛巳，公元前三四〇年）

卫鞅对秦孝公说："秦国与魏国势不两立，相互之间都是对方的心腹之患。不是魏国吞并了秦国，就是秦国灭掉了魏国。为什么这么说呢？魏国处在险要的山岭之西，都城设在安邑，与秦国以黄河为界，却独自享有崤山以东的各种利益。看到伐秦有利时，就向西侵犯秦国，感到攻秦不利时就向东扩展自己的地盘。如今，秦国因为有您这样圣明的君主，国家逐渐强盛起来。而魏国近年来却被齐国打得大败，诸侯也都背叛了它，我们可以趁这个机会讨伐魏国。魏国新败之后，肯定抵挡不住秦国的进攻，必定会把都城向东迁移。到那时，秦国就可以占据黄河、崤山的险要，向东控制东方各诸侯国，统一天下，成就帝王的事业。"秦孝公听从了卫鞅的意见，派卫鞅率领秦军攻打魏国。

魏国派公子卬率军抵御秦军。秦军和魏军相对摆开了阵势，卫鞅派人送给魏公子卬一封书信，信上说："当初我们是好朋友，现在却成了两个敌对国家的将领，我不忍心攻打你。想和你当面结盟，然后举杯畅饮之后各自班师，使秦、魏两国人民都得到安宁。"公子卬信以为真，就来和卫鞅进行谈判。盟约已经签好，正在饮酒的时候，卫鞅事先埋伏下的甲士突然出击，将公子卬生擒活捉了，秦军趁机对魏军发动进攻，魏军被打得大败。魏惠王非常害怕，赶紧派遣使者把黄河以西的土地进献给秦国，以换取和平。并且离开安邑，将都城迁往大梁。魏惠王叹口气说："我真后

公叔之言[378]。”

秦封卫鞅商、於十五邑[379]，号曰商君[380]。

齐、赵伐魏。

楚宣王薨，子威王商[381]立。

三十一年（癸未，公元前三三八年）

秦孝公薨，子惠文王[382]立。公子虔之徒告商君欲反，发吏捕之。商君亡之魏[383]，魏人不受[384]，复内之秦[385]。商君乃与其徒之商、於[386]，发兵北击郑[387]。秦人攻商君，杀之，车裂以徇[388]，尽灭其家。

初，商君相秦，用法严酷，尝临渭论囚[389]，渭水尽赤。为相十年[390]，人多怨之。

赵良[391]见商君，商君问曰：“子观我治秦，孰与五羖大夫贤[392]？”赵良曰：“千人之诺诺[393]，不如一士之谔谔[394]。仆[395]请终日正言而无诛[396]，可乎？”商君曰：“诺。”赵良曰：“五羖大夫，荆之鄙人[397]也。穆公举之牛口之下[398]，而加之百姓之上[399]，秦国莫敢望[400]焉。相秦六七年[401]，而东伐郑[402]，三置晋君[403]，一救荆祸[404]。其为相也，劳不坐乘[405]，暑不张盖[406]。行于国中[407]，不从车乘[408]，不操干戈[409]。五羖大夫死，秦国男女流涕，童子不歌谣[410]，舂者不相杵[411]。今君之见[412]也，因嬖人景监以为主[413]。其从政也[414]，凌轹公族[415]，残伤百姓。公子虔杜门[416]不出已八年矣。君又杀祝欢[417]而黥公孙贾[418]。《诗》曰：‘得人者兴，失人者崩[419]。’此数者，非所以得人[420]也。君之出也，后车载甲[421]。多力而骈胁[422]者为骖乘[423]，持矛而操闟戟[424]者，旁车而趋[425]。此一物不具，君固不出[426]。《书》曰：‘恃德者昌，恃力者亡[427]。’此数者，非恃德也[428]。君之危若朝露[429]，而尚贪商、於之富，宠秦国之政[430]，畜百姓之怨[431]。秦王一旦捐宾客[432]而不立朝，秦国之所以收君者，岂其微哉[433]！”商君弗从。居五月而难作[434]。

悔当初没有听从公叔痤的话，将卫鞅杀死在魏国。”

秦孝公把商、於的十五座城邑分封给卫鞅。从此以后，卫鞅被人称作商君。

齐国、赵国联合攻打魏国。

楚宣王去世，他的儿子熊商即位，就是楚威王。

三十一年（癸未，公元前三三八年）

秦孝公去世，他的儿子嬴驷即位，就是秦惠文王。他的师傅公子虔等人诬告商鞅谋反，秦惠文王于是下令让军队去逮捕商鞅。商鞅先逃到魏国，魏国不肯接纳他，又把他押送回秦国。商鞅和他的手下逃回他的封地商、於，并想发兵向北攻打郑地。秦国的军队进攻商鞅，把他杀死以后，又施以车裂之刑，并把他的家人全部杀死。

当初，商鞅担任秦国丞相的时候，施用刑罚特别苛刻严酷，他曾经到渭水岸边审理案件、处决犯人，由于被处决的犯人太多，鲜血把渭水都给染红了。他当了十年宰相，与好多人结下了仇怨。

商鞅的好友赵良前来拜访他，商鞅问他：“你看我治理秦国，和五羖大夫百里奚比起来，谁更有才能？”赵良回答说：“有一千个人随声附和，不如有一个人直言敢谏。我希望今天能够从早到晚地对您说真话而不受惩罚，行吗？”商鞅说：“行。”赵良说：“五羖大夫百里奚只是楚国郊野的一个乡下人。秦穆公把他从一个喂牛的奴隶提拔起来，做了位居万人之上的大官，秦国没有人敢对此加以非毁。他担任秦国的丞相六七年，使秦国向东打败了郑国，就连晋国的三任国君都是由秦国扶植起来的；在这期间，还在城濮之战中帮助晋国制止了楚国的向北扩张。他在担任丞相的时候，即使再累，车上也不设置座位；天气再热，车上也不安遮阳伞。在国内视察，从来不带车辆护从，不用士兵警卫。五羖大夫百里奚去世以后，秦国不论男女老幼全都伤心痛哭，小孩子们都不再歌唱，就连舂米的人在舂米的时候也因为哀伤而不再喊号子。而您在开始求见秦君的时候，就走秦君宠臣景监的关系。在您执政期间，欺凌皇亲贵戚，残害百姓。公子虔被您处以割鼻之刑以后闭门不出已经八年了。您又杀死祝欢，用黥刑处罚了公孙贾。《诗经》上说：‘得民心者兴旺，失掉民心就要灭亡。’而您所干的这些事情，都是不得民心的做法。您在出行的时候，后面跟随的车子上站满了武士。身体雄健的勇士在您的左右护卫，手持长矛、握长戟的兵士跟随在您车子的两旁向前奔跑。这些警卫措施有一样不具备，您就不敢出门。《尚书》上说：‘依靠德来治理人民的就能够长久，依靠武力来维持统治的很快就会灭亡。’您的上述做法就不是依靠德高而受人拥护的表现。您的富贵就像早晨的露水，很快就会消失，可您却贪图商、於的富庶，以把持秦国的政权为荣耀，不断积蓄百姓对您的怨恨。假如秦孝公突然有一天离开了人世，秦国中想要将您绳之以法的罪名，难道会少吗！”商鞅听不进赵良的话。过了五个月，商鞅果然就大难临头了。

【段旨】

以上为第二段，写周显王十一年（公元前三五八年）至周显王三十一年二十一年间的各国大事，主要篇幅写了商鞅在秦国继续变法，使秦国国力强盛，但商鞅却被贵族杀害，以及齐国在桂陵、马陵两次打败魏国，使魏国从此国力衰弱，而齐国则一跃而成为东方最强国的历程。

【注释】

⑯秦败韩师：时当秦孝公四年（公元前三五八年）、韩昭侯五年。⑰西山：韩国西部的山，指今河南宜阳、鲁山一带的群山。⑱魏、赵会于鄗：时当魏惠王十三年（公元前三五七年）、赵成侯十八年。鄗，赵邑名，在今河北柏乡北。〖按〗魏惠王从其在位的第九年起，也称梁惠王，因魏国都城于惠王九年已东迁到大梁（今河南开封）。⑲赵、燕会于阿：时当赵成侯十九年（公元前三五六年）、燕文公三年。阿，赵邑名，在今河北保定东北。⑯赵、齐、宋会于平陆：时当赵成侯十九年（公元前三五六年）、齐威王元年、宋剔成君十四年。平陆，齐邑名，在今山东汶上北。⑯会田于郊：谓二王在魏国城郊会面并一道打猎。⑯径寸：直径一寸，极言其宝珠之大。⑯照车前后各十二乘：将前边、后边的各十二辆车都照得通明。⑯岂以齐大国：难道像齐国这样的大国。⑯所以为宝：把什么当作宝物。⑯与王异：和大王您的看法不同。⑯檀子：姓檀，史失其名，“子”是古代对男子的敬称，犹今所谓“先生”。⑯南城：齐县名，在今山东费县西南。胡三省所谓“城在齐之南境，故曰南城”者，似非。⑯楚人不敢为寇：楚人不敢进犯齐国，因齐之南城有檀子镇守，故也。⑰泗上十二诸侯：泗水流域的十二个小国诸侯。泗水源于今山东泗水县东，西流经今曲阜，南折入江苏，汇入淮水。《史记索隐》曰：“邾、莒、宋、鲁之比。”胡三省曰：“宋、鲁、邹、滕、薛、郳等国。”杨宽《战国史》曰：“当指宋、卫、鲁、邹、滕、薛、郳、莒、费、郯、任、邳等十二国。”⑰皆来朝：都来朝拜齐国，因他们临近南城，受檀子之感化与威慑。⑰盼子：姓田，名盼，齐威王时的名将。⑰高唐：齐县名。在今山东高唐东北，地处于齐国的西北边境。⑰东渔于河：到赵国东境的黄河里打鱼。当时的黄河自今河南西部流来，经今濮阳东北，流经德州入河北，在今沧州东之黄骅入海。黄河在战国时期是齐国与赵国的分界线。⑰黔夫：姓黔，名夫。⑰徐州：齐县名。有说在今山东滕州南，即古代的薛县，此说与本文的意思不合；也有人说即今河北大城，似又过偏西北，当时齐国的势力不可能达到此地。相其文意，此“徐州”大体应在今山东之西北部或河北之东南部一带，只有这一带能同时威胁到燕、赵两国。⑰燕人祭北门二句：谓燕人遥望徐州之北门、赵人遥望徐州之西门祭祀，以祈求齐国不要由此出兵打他们。《史记集解》曰：“齐之北门、西门也。言燕、赵之人畏见侵伐，故祭以求福。”⑰徙而从者：指燕、赵之人搬迁到徐州投奔黔夫。⑰种首：姓种，名首。⑱岂特十二乘哉：岂止是能照亮十二辆车

呢。岂特，岂止。⑱有惭色：因本欲向人炫耀，结果丢了面子。〖按〗以上齐威王与魏惠王论宝事，见《韩诗外传》卷十，除齐威王作“齐宣王”外，其他文字与此全同。又，与此类似的情节，亦见于《说苑·臣术》，文字与此出入较大。茅坤曰：“览威王之论宝，其识远矣，所以能伯。”⑱杜平：魏河西邑名，在今陕西澄城东南。⑱康公毛：康公名毛，公元前三五四至前三四六年在位。《史记·六国年表》作公元前三五二至前三四四年在位。⑱元里：魏邑名，在今陕西澄城东南。⑱七千级：七千个人头。因秦国的制度是杀一个敌兵的人头，就升一级爵位，故后世遂习惯称人头叫首级。⑱少梁：魏邑名，在今陕西韩城南。⑱邯郸：赵国都城，即今河北邯郸。⑱楚王使景舍救赵：时当楚宣王十六年（公元前三五四年）。景舍，楚将名。⑱田忌：齐国名将，齐王的同族。⑲俱学兵法：同师而学兵法。后世小说家有曰孙膑与庞涓俱学兵法于鬼谷子，不知何据。⑲仕魏：在魏国做官。仕，任职。⑲以法：强加罪名，处以刑罚。⑲断其两足而黥之：既断其两脚，又在其脸上刺字。古代称断其两脚为刖刑，在脸上刺字曰黥刑。⑲至魏：到达魏国的国都大梁。⑲阴见：暗中求见。⑲之齐：抵达齐国的都城临淄。⑲客待之：待之以宾客之礼。⑲以为师：尊之若师。⑲以孙膑为将：想任孙膑为统帅。⑳孙子为师：孙膑为军师。⑳辎车：有篷盖的车，区别于当时的一般兵车。《汉书·张良传》师古注：“辎车，衣车也。”意即有篷幔的车子。⑳坐为计谋：王念孙曰：“《文选·报任少卿书》注引此，‘坐’作‘主’，于义为长。”王说可参考。⑳引兵之赵：直扑邯郸，与赵军合击魏军。⑳解杂乱纷纠者不控拳：《史记索隐》曰：“谓解杂乱纷纠者当善以手解之，不可控卷以击之。”杂乱纷纠，如乱丝、乱麻之类。卷，通“拳”。控拳，引拳相击，指乱砸。⑳救斗者不搏撠：《史记索隐》曰：“救斗者当善为解之，无以手助相搏撠，则其怒益炽矣。”凌稚隆引余有丁曰：“撠义当为击，非矛戟也。”救斗，制止打架。救，止。撠，以手指叉人。⑳批亢捣虚：中井积德曰：“亢，吭（喉咙）也。批亢，击其要处也。击亢冲虚，并喻走大梁之便。”谈允厚曰：“批之为言‘撇’也，谓撇而避亢满之处，捣其虚空无备之所。”即今之所谓“避实就虚”。泷川资言曰：“若解亢为咽喉，则不与‘虚’字对，谈说为长。”⑳形格势禁：《史记索隐》曰：“事形相格，而势自禁。”〖按〗“形格势禁”相对为文，“格”“禁”二字同义，都是停止、结束的意思。⑳自为解耳：打架的双方自然就分开、停止了。⑳梁、赵相攻：梁即指魏。㉑轻兵锐卒：指精锐部队。轻，指行动迅疾。㉑竭于外：兵力耗尽于国外。竭，衰竭、耗尽。㉑老弱疲于内：指国内空虚。㉑疾走魏都：奔袭魏国的国都大梁，即今河南开封。魏国原都安邑（今山西夏县西北），于惠王九年（公元前三六一年）迁都于大梁。㉑据其街路：占据它的交通要道。街路，交通要道。㉑冲其方虚：打击它的空虚之处。方虚，正好空虚的地方。方，刚好。㉑释赵以自救：放弃邯郸，回救大梁。㉑收弊于魏：收拾魏国这个疲敝之敌。㉑邯郸降魏：实际是邯郸一度被魏军攻陷，并非赵国向魏国投降。㉑魏师还：魏军由邯郸撤退，回救大梁。㉒与齐战于桂陵二句：桂陵，魏县名，在今河南长垣西北，魏军于此遭遇齐军伏击。〖按〗银雀山出土之《孙膑兵法》首章为“禽庞涓”，即叙齐军围魏救赵，击齐军“于桂陵，而禽庞涓”事。毛泽东说：“攻魏救赵，因败魏兵，千古高手。”王阁森、唐致卿《齐国史》曰：“桂陵之战使魏国的霸业初次受挫，在这次战役中，魏国损兵折将，受到沉重打击。但魏文侯、魏武侯两代建立的强大国势不是一次战争就可以根本削弱的；况且，齐威王即位不久，齐国经济、军事实力远不如魏国雄厚，齐国要争当霸主，必将与魏国展开进一步的激烈争夺。”㉑东周：此指东周君。东周君是在周天子仅有的一小片地盘上新分裂出来的小封君之一，其都城在巩县（今河南巩义西南）。另一个西周君的都城则在王城（今洛阳之王城公园一带）。其所以出现这种局面是赵国与韩国插手干预的结果。周考王（公元前四四〇至前四二六年在位）时，封其弟揭于王城，是为河南桓公，由此形成“西周君”。至桓公之孙惠公又自封其少子班于巩县，称为“东周君”，而周天子则从此变成没有一寸土地、没有一兵一卒的寄人篱下的光杆司令。东周君与西周君的名字与在位年限，史均无明载。㉒陵观、廪丘：均为东周君属下的邑名，方位不详，应距巩县不远。㉓昭奚恤：与楚王同姓的大贵族，宣王时为令尹，职同他国的宰相。春秋时代各国的宰相都是平时任宰相，有战事即为军事统帅。㉔江乙：也称“江一”，楚臣。㉕楚王：楚宣王，公元前三六九至前三四〇年在位。㉖溺井：向其主人吃水的井中撒尿。㉗欲入言之：想与其主人说此狗向井中撒尿的事。㉘狗当门而噬之：狗堵着门口咬他，不让他进去。噬，咬。㉙恶臣之见：不愿让我见您。恶，厌恶、憎恨。㉚亦犹是也：也就像这条狗挡着门口咬人一样。㉛且人有好扬人之善者：当您见到有人爱称赞别人的优点。㉜近之：随即与之亲近。㉝远之：随即与之疏远。㉞然则且有：然而这里有个。㉟终已不知：始终不能察觉。㊱何者：为什么成了这种样子呢。㊲两闻之：两方面的话都听。〖按〗以上江乙说楚宣王的故事见《战国策·楚策一》。㊳秦大良造卫鞅伐魏：时当秦孝公十年（公元前三五二年）、魏惠王十八年。大良造，商鞅的封爵名，此乃以爵号称人。大良造亦称“大上造”，是秦爵二十级中的第十六级，相当于别国的宰相。据杨宽《战国史·战国大事年表》，此次为“秦进围魏的安邑，安邑降秦”。㊴诸侯围魏襄陵：襄陵是魏邑名，在今河南睢县西。据杨宽《战国史·战国大事年表》，围魏襄陵者为齐、宋、卫之联军，结果被魏、韩联军打败。㊵固阳：魏邑名，故城即今内蒙古固阳。㊶归赵邯郸：将桂陵之败前一度占领的邯郸又归还赵国。㊷漳水：赵国境内的河水名，由山西和顺北流来，经河北之临漳南，东北流入黄河。临漳一带的漳水大体是魏国与赵国的分界线。㊸韩昭侯：名武，懿侯之子，公元前三六二至前三三三年在位。㊹申不害：战国中期的法家人物，在他任韩国宰相的时期，韩国的政治最称清明。事迹见《史记·老子韩非列传》。㊺郑之贱臣：曾在被韩所灭的旧郑国当过低级官吏。㊻黄老刑名：指法家学说。因法家与老子学说有相通之处，故与黄老连称。“黄老之学”形成于战国后期而兴盛于秦汉之际，是一种将老子思想与商鞅、韩非学说熔为一炉的权谋学问，其标本人物就是张良与经过后人梳妆的范蠡。㊼干：求见。㊽内修政教：在国内实行良好的政治、教化。修，实行。㊾应：对付。意即以合适、得力的手段对付。㊿十五年：申不害于韩昭侯十二年（公元前三五一年）为宰相，至韩昭侯二十六年死，其间正好十五年。㉕①国治兵强：国家安定，武力强盛。《史记·老子韩非列传》说："终申子之身，国治兵强，无侵韩者。"㉕②请仕其从兄：请韩昭侯任用他的堂兄为吏。从兄，堂兄。㉕③所为学于子：我之所以要向你学习法术。㉕④听子之谒：答应你走后门的请求。谒，请求。㉕⑤废子之术：破坏你的思想学说。㉕⑥已其行子之术：还是坚定地实行你的政策法令。㉕⑦废子之请：拒绝你走后门的请求。㉕⑧修功劳：按功劳的大小给予不同的奖赏。㉕⑨视次第：按其能力大小而授予不同的官职。㉖⓪有所私求：不讲原则、纯粹出于私心的请求。㉖①我将奚听乎：我到底该听你的哪一方面呢。奚，何、哪。㉖②辟舍：表示自己不够宰相的资格，请求搬出相府。辟，通"避"。㉖③真其人也：真是彻底实行我思想学说的那种人。〖按〗以上故事见《韩非子·外储说左上》与《战国策·韩策一》。㉖④命藏之：嘱咐人好好把它收藏起来。㉖⑤爱一嚬一笑：喜怒不能表现出来。爱，吝惜，不轻易表现。嚬，同"颦"，皱眉，不高兴的样子。笑，指喜悦、高兴。㉖⑥嚬有为嚬二句：嚬要有所为而嚬，笑要有所为而笑，都不能是无缘无故的。㉖⑦今袴岂特嚬笑哉：把一条旧裤送给人，其表现喜怒爱憎的作用又岂止是一嚬一笑所能比拟的呢。㉖⑧必待有功者：必须等到有人为国家立了大功时，我才把这条旧裤送给他。㉖⑨筑冀阙宫庭于咸阳：在咸阳建造城阙宫室。冀阙，宫廷正门前的双阙。《史记索隐》曰："冀阙，即魏阙也。冀，记也，出列教令，当记于此门阙。"泷川资言曰："'冀''魏'通，大也。"庭，通"廷"。㉗⓪徙都之：秦国自灵公时由雍徙都泾阳；献公时又由泾阳徙都于栎阳；至孝公十二年（公元前三五〇年）乃由栎阳迁都于咸阳。根据近年来刘庆柱、陈国英等有关咸阳的考古文章，秦都咸阳在今咸阳东十余公里处。有学者推测，秦之咸阳东西约十二里，南北约十五里。㉗①同室内息者为禁：禁止父子兄弟同住一间屋是为了鼓励分家、增殖，同时也是为了整顿风纪。息，此处指住宿。㉗②并诸小乡聚二句：将许多小的乡邑合并为一个县。集，归并。乡、聚都是当时的基层居民编制名。乡，略同于今之乡。杨宽曰："聚为小村落，邑乃较大村落。"㉗③县置令、丞：在每个县里设置县令、县丞等长官。县令是一个县的主要长官，县丞是县令的副手。㉗④凡三十一县：《史记·秦本纪》作"四十一县"，《史记·六国年表》作"三十县"，各处说法不一。㉗⑤废井田二句：开，指拆除、废除，是废除旧的，另设新的。阡陌，兼为地界用的田间小路，南北向的曰阡，东西向的曰陌。杨宽曰："'开阡陌封疆'，就是废除井田制，把原来'百步为亩'的'阡陌'和每一顷田的'封疆'统统破除，开拓为二百四十步为一亩，重新设置'阡陌'和'封疆'。"㉗⑥平斗、桶、权、衡、丈、尺：平是统一、划一。斗、桶皆量器，六斗为一桶。桶与"斛"同。权、衡即指秤。权，秤锤。衡，秤杆。泷川资言曰："同律度量衡，是民政之始，商君亦有见于此。"杨宽曰："商鞅初步变法有效后，徙都咸阳而作进一步之改革，盖欲摆脱旧贵族传统之束缚，进一步扩大改革之成果，并谋求向东开拓。所谓'大筑冀阙，营如鲁、卫矣'，即仿效东方各国都城之结构规模，并有所改革。其最特殊之设施，即咸阳作为全国之政治、经济之中心，设有官署与寺，而仍将宗庙以及祭祀鬼神之神祠保留在旧都雍而未迁至咸阳……普遍推行统一之县制，乃商鞅变法中重要之政治改革。不但全国可由此统一，统治可由此加强，法令可贯彻，吏治可清明，农业生产亦可发展。”㉗㉗秦、魏遇于彤：秦孝公与魏惠王在彤邑举行会晤。彤，秦邑名，在今陕西渭南市华州区西南。㉗㉘公子緤：赵成侯之少子，太子之弟。㉗㉙太子：名语，即日后的赵肃侯，公元前三四九至前三二六年在位。㉘⓪緤败二句：此次公子緤之乱即韩国所挑动。㉘①更为赋税法：实行新的征税办法。据《汉书·食货志》：“（商君）除井田，民得买卖。”㉘②赵公子范：赵武侯之子，肃侯之弟。㉘③大夫牟：齐国大夫，名牟。《史记·六国年表》作“大夫牟辛”。㉘④景公偃：鲁景公名偃，公元前三四三至前三一五年在位。㉘⑤贬号曰侯：卫国初受封时为侯，其后世晋爵为公，现因弱小难以独立，故又自己降爵称侯。㉘⑥服属三晋：实际是成了魏国附庸。㉘⑦诸侯会于京师：据杨宽《战国史·战国大事年表》，这一年魏惠王始正式改“公”称“王”，诸小国向其祝贺，魏惠王于是率领他们一道到洛阳朝见了周天子。㉘⑧王致伯于秦：周天子给秦孝公送来诸侯霸主的称号。伯，方伯，一方的诸侯之长，即所谓“霸主”。㉘⑨公子少官：孝公之子，太子之弟。㉙⓪会诸侯于逢泽以朝王：此依《史记》误说。据钱穆、杨宽等人考证，此与上年所述“诸侯会于京师”是一回事。就是魏惠王在逢泽（今河南开封东）宣告称王，诸小国到逢泽向其祝贺，秦孝公也派了使者前往参加，会后又跟着魏惠王到洛阳朝见了周天子。这时各国势力最强大的还是魏国，其次是齐国，秦国暂时还没到统率诸国的地步。㉙①魏庞涓伐韩：时当魏惠王二十九年（公元前三四一年）、韩昭侯二十二年。㉙②韩请救于齐：时当齐威王十六年（公元前三四一年）。㉙③蚤救孰与晚救：早救好还是晚救好。蚤，通“早”。㉙④成侯：指邹忌，齐威王的相国。因给威王提建议有功，被封为成侯。㉙⑤入于魏：指向魏国投降。㉙⑥未弊：未受消耗；未被削弱。㉙⑦代韩受魏之兵：让我们去替韩国打仗。㉙⑧顾反听命于韩也：这不等于让我们反而去听韩国的招呼了吗。顾反，意即“反而”。㉙⑨魏有破国之志：魏国一心想要灭掉韩国。㉚⓪韩见亡：韩国看到自己就要灭亡。㉚①必东面而诉于齐：必然会跑到东方来向我们齐国求救。东面，向东。诉，告状、求救。㉚②吾因深结韩之亲：我们就趁机和韩国结好联盟。㉚③晚承魏之弊：但我们不能过早地出兵，要先让魏国与韩国打一阵子。等到魏国被韩国消耗得疲惫不堪时，我们再出兵收拾它。㉚④可受重利而得尊名：可获得重大利益并获得光辉胜利的美名。㉚⑤乃阴许韩：暗中答应援助韩国而不公开声张。㉚⑥韩因恃齐：韩国因为依仗有齐国支持便与魏国强硬起来。㉚⑦委国于齐：把自己交给齐国，一切听齐国指挥。㉚⑧因：于是。㉚⑨使田忌、田婴、田盼将之：齐国以三田为统帅。田婴，孟尝君之父，齐威王少子，被封为靖郭君。田盼，又称盼子，齐王的同族。㉛⓪为师：为军师。㉛①直走魏都：直扑魏国的都城大梁。㉛②庞涓闻之：前文桂陵之战已谓“禽庞涓”矣，今何得又曰“庞涓闻之”？杨宽对此推测说：“桂陵之战，魏之国力损失不大，此后魏又以韩师击败齐、宋、卫之师于襄陵。齐不得已请楚将景舍向魏求和。同时魏又迫使赵在漳水之上结盟，然后将邯郸归还赵国。

或者此时齐将庞涓释放，庞涓再度为魏将。犹如春秋时秦将孟明视为晋军所俘，旋被释放回秦，仍为秦将。”⑬去韩而归：谓撤离对韩国都城的包围，移军至魏国东境以阻击齐军。⑭以太子申为将：以太子申为最高统帅。太子申，魏惠王的太子，名申。⑮御：迎；抵抗。⑯三晋：此处即指魏军，因魏与韩、赵皆分晋而建国，故时人多称魏为“三晋”或“晋”。⑰齐号为怯：齐兵向来有怯懦的名声。⑱因其势而利导之：顺着他的思路进一步地误导他。⑲《兵法》：此指《孙子兵法》。⑳百里而趣利：奔赴百里之外去追求胜利。趣，通“趋”，奔赴。㉑蹶上将：损失上将，极言这种战争的有害无利。蹶，曹操注：“犹挫也。”《史记索隐》引刘氏曰：“犹毙也。”㉒军半至：军队人数只有一半能到达，极言其减员之多。〖按〗今本《孙子·军争》作：“百里而争利，则擒三将军，劲者先，疲者后，其法十一而至；五十里而争利，则蹶上将军，其法半至。”㉓为十万灶：做出一种为十万人做饭吃的样子。㉔庞涓行三日：尾追齐军，并逐日清点他们的炉灶。㉕亡者：逃跑的人。㉖倍日并行：犹言“昼夜兼程”，一日变作两日用，两日之路并为一日行。㉗度其行：估计魏国追兵的行程。㉘马陵：古地名，有说在今河南范县西南，有说在今河南濮阳北，二说所指的方位大致相近。近来忽有人说在山东郯城，荒远不足取。㉙道狭而旁多阻隘：道路狭窄且又崎岖难行。㉚斫大树白：在大树干上砍出一片白地。斫，砍削。㉛期：约定。㉜以火烛之：点起火来照看。烛，照。㉝相失：彼此乱奔乱跑，谁也找不到谁。㉞智穷：再也想不出别的办法。㉟乃自刭：梁玉绳曰：“《齐策》言‘禽’，此言‘自刭’，恐皆非实。《年表》《世家》俱云‘杀庞涓’，盖弩射杀之也。”㊱遂成竖子之名：犹言“今天可成就了你这个小子的名声！”怅恨不平之语。遂成，成就。中井积德曰：“涓之语盖言‘吾今日自杀者，欲因此遂成就膑之名声耳！’是临死之夸言矣。《左传》齐侯曰：‘是好勇，去之以为之名！’语意与此相肖。”其说亦通。邓以瓒曰：“减灶已奇，斫大树白书益奇，期举火更复奇，摹写处甚工。至‘读未毕’，‘遂成竖子之名’，情境跃如，可惊可叹。”㊲虏太子申：《战国策》之《魏策二》与《宋卫策》载有太子申出兵前与出兵过宋时的两个小故事，前者为企图阻止太子申将兵出行，后者为预言太子申将败。因太子申非本文主要人物，故不录。杨宽曰：“《孙子吴起列传》所描写已小说化，当以《孙膑兵法·陈忌问垒》篇所述为是。”王阁森、唐致卿《齐国史》曰：“马陵之战是齐魏争霸过程中的决定性战争，这次战争使魏国丧失十万军队，军事实力严重削弱。魏惠王恃强骄傲，只尚武功，只重称霸，失去了其先辈尊贤礼士的精神，拒商鞅、孙膑等人才于国门之外，不谋政治革新，因而在齐、秦、赵三面夹击下丧失了霸主地位。”㊳恶：讨厌；憎恨。㊴十金：“金”是战国以至秦汉时期的货币单位，一镒为一金。㊵卜于市：到市场上去找人占卜，以测吉凶。市，市场，众人聚集之处。㊶我田忌之人也：诈称自己是田忌的党羽，以栽赃陷害田忌。㊷我为将二句：做出一种为田忌占卜的样子。我，指田忌。㊸欲行大事：指要杀君篡位。㊹卜者出：等邹忌所派的人走后。㊺使人执之：派人去把占卜的术士抓了起来。㊻不能自明：无法为自己辩解。㊼徒：

党羽；部下。㉞⑧临淄：齐国都城，在今山东淄博市临淄区北。㉞⑨求：寻找；捉拿。㉟⓪不克：未能办到。㉟①出奔楚：〖按〗这段邹忌害田忌的故事见《史记·田敬仲完世家》。梁玉绳曰："《策》于威王时载'邹忌、田忌不相说'一章，有'田忌遂走'之语，史公谬以为据，因撰出袭攻临淄事。《索隐》谓'齐都临淄'，当依《孟尝君传》作'袭齐边邑'，而不知忌未尝袭齐耳。《国策》战马陵后，有'田忌为齐将'一章，言孙膑劝忌无解兵入齐，可正齐君而走成侯，忌不听。以是观之，忌亦贤矣，奈何反以袭齐诬之耶？"钱穆亦以为"袭齐之事或无"。㉟②腹心之疾：以喻两国紧相靠近，成势不两立之形。㉟③岭厄：山岭险要之地，指今山西南部之中条山。㉟④都安邑：魏之旧都安邑在今夏县西北。〖按〗司马光此段乃据《史记·商君列传》。据史公文义，此时魏国尚都安邑，其实非也，魏于惠王九年亦即秦孝公元年（公元前三六一年）已迁都大梁。㉟⑤界河：以黄河为界。㉟⑥独擅山东之利：独擅，独自占有。山东，此指崤山（在今河南灵宝东南）以东，通常用以泛指东方六国之地，此处似指今之河南、山西一带地区。㉟⑦利则西侵秦：看到伐秦有利时就向秦国进攻。㉟⑧病则东收地：感到攻秦不利时，就转头向东方攻取地盘。病，不利。㉟⑨大破于齐：指在马陵之战中魏国惨败。㊱⓪畔：同"叛"。㊱①东徙：向东方搬家，指迁都。㊱②秦据河、山之固：秦国占据黄河与崤山的天险。㊱③东乡：面朝东方。乡，通"向"。㊱④帝王之业：统一天下、称帝称王的事业。㊱⑤公子卬：魏惠王的儿子，时为魏国大将。㊱⑥将而御之：统兵迎敌。御，抵抗。㊱⑦相距：对峙。距，通"拒"，对抗。㊱⑧遗公子卬书：给公子卬写了一封信。遗，给、致。㊱⑨吾始与公子欢：当初我们都是好朋友，指商鞅当年在魏国时事。欢，友好、相得。㊲⓪面相见盟：当面结盟。㊲①乐饮而罢兵：高高兴兴地痛饮一顿后各自收兵。㊲②以安秦、魏之民：让秦、魏两国的百姓不再有流血牺牲的痛苦。㊲③盟已：订完盟约。已，完成、过后。㊲④袭虏：突然袭击，将其俘虏。〖按〗以上商鞅袭虏公子卬事采《吕氏春秋·无义》，事在秦孝公二十二年（公元前三四〇年）。㊲⑤因：随后；紧跟着。㊲⑥献河西之地于秦以和：梁玉绳曰："秦惠文王八年，魏入河西地于秦，孝公时安得至西河之外乎？"泷川资言曰："史将言其功，故并及后事。"㊲⑦因去安邑二句：据《史记·魏世家》，魏国迁都于大梁（今河南开封）在魏惠王三十年（公元前三四〇年）、秦孝公二十二年，与此处记载相合，然今研究战国史者皆依《竹书纪年》系魏国迁都于秦孝公元年（公元前三六一年），则与商鞅之功无关矣。杨宽曰："误以魏迁大梁在鞅诈取魏公子卬之后。此卫鞅说孝公语，疑亦出后人增饰。"㊲⑧恨不用公叔之言：后悔当初没有听公叔痤的话，将商鞅杀死在魏国。㊲⑨商、於十五邑：商、於一带的十五座城邑，约当今河南之西峡以及今陕西之商洛市商州区一带。商，古邑名，故城在今陕西丹凤之古城村，位于老君河东岸的台地上，南临丹水。旧城南北长约一点五公里，东西宽约一公里。於，古邑名，在今河南西峡东。杨宽曰："《商君列传·索隐》与《正义》皆以为卫鞅所封之於、商为两邑，商在商州商洛县，於在邓州内乡县东七里。其说不确。於在今河南西峡县东，距商洛县二百五十里以上，卫鞅不能有如此大之封地。

且此时西峡县东之於，尚是楚境。《纪年》谓秦封卫鞅于邬，改名曰商。陈逢衡《竹书纪年集证》云：'於读为乌，当即邬也。旧址名邬，今改名曰商，故谓之於商。'其说甚确。……所谓十五邑，仅十五个小乡邑而已。"可供参考。㊳㊿号曰商君：当时的各诸侯国君主例皆称"王"，而诸侯国内的封建领主则例皆称"君"，如"孟尝君""信陵君"等，"商君"亦然。⑶⑻① 威王商：名商，公元前三三九至前三二九年在位。⑶⑻② 惠文王：名驷，公元前三三七至前三一一年在位。开始称"公"，至十四年（公元前三二四年）始改号称王。⑶⑻③ 亡之魏：逃到了魏国。亡，逃。之，往。⑶⑻④ 魏人不受：因魏人恨其欺骗袭虏公子卬，并攻破魏师。⑶⑻⑤ 复内之秦：又把他押送回了秦国。内，古"纳"字，送入。⑶⑻⑥ 之商、於：回到了他私人的封地。⑶⑻⑦ 北击郑：北攻郑县。郑县故城在今陕西渭南市华州区南，西周时期郑国的都城。⑶⑻⑧ 车裂以徇：五马分尸后，将其尸体展览示众。⑶⑻⑨ 尝临渭论囚：在渭水河边处决囚犯。渭，渭水，自甘肃流来，经咸阳城南，东流入黄河。论，定罪、判刑，这里指处决。⑶⑼⓪ 为相十年：胡三省以为自"更赋税法"至被杀，共计十年。而王念孙《读书杂志》、马非百《秦集史》皆以为应作"十八年"。⑶⑼① 赵良：一个带有儒家色彩的极其迂腐的说客。⑶⑼② 孰与五羖大夫贤：我与五羖大夫相比谁更有本事。五羖大夫指百里奚，秦穆公时代的贤臣。因他是秦穆公用五张黑羊皮换来的，故被称为五羖大夫。羖，黑羊皮。事详《史记·秦本纪》。⑶⑼③ 诺诺：今之所谓"唯唯诺诺"，奉承、顺从的样子。⑶⑼④ 谔谔：直言争辩的样子。《史记·赵世家》："简子曰：'大夫无罪。吾闻千羊之皮，不如一狐之腋。诸大夫朝，徒闻唯唯，不闻周舍之鄂鄂。'"盖古有此语，而赵良称之。⑶⑼⑤ 仆：古人用以谦称自己。⑶⑼⑥ 无诛：请你不要杀我。⑶⑼⑦ 荆之鄙人：楚国的一个下贱的人。梁玉绳曰："百里奚，虞人，非荆人。"〖按〗《史记正义》有所谓"百里奚，南阳宛人，属楚，故云荆"，今南阳城西尚有"百里奚故里"。鄙人，野人、乡下人。⑶⑼⑧ 举之牛口之下：谓将其从一个喂牛的奴隶提拔起来。⑶⑼⑨ 加之百姓之上：让他做一个治理万民的大官。⑷⓪⓪ 莫敢望：没有人敢对此加以非毁。望，怨愤。〖按〗关于百里奚入秦为相的经过，各处说法不一：梁玉绳的说法是根据《史记·秦本纪》；《韩诗外传》《论衡》并云，秦大夫禽息荐百里奚于穆公；《吕氏春秋·慎人》云，公孙枝以五羊皮买之而献诸穆公。今赵良又有所谓"被褐食牛"，以及穆公"举之牛口之下"云云，与齐桓公之得宁戚相似，不知史公根据何书。马非百曰："百里奚，名视，字孟明，一字子明。以其曾卖身为奴隶，故人咸称之曰百里奚。"奚，意为古代奴隶的一种。⑷⓪① 相秦六七年：梁玉绳曰："奚之为相，未知的（确）在秦穆何年，然以伐郑、楚，三置晋君言之，则首尾已二十年，何云'六七年'也。"⑷⓪② 东伐郑：指穆公三十年（公元前六三〇年）秦助晋伐郑事。秦与郑订立盟约，并派兵屯驻郑国。这是秦国第一次把势力伸向东方内地。事见《左传·僖公三十年》与《史记·郑世家》。郑，西周晚期建立的诸侯国名，始封时国都在今陕西渭南市华州区东。西周灭亡前夕先行东迁，都于新郑（今河南新郑）。⑷⓪③ 三置晋君：晋国自献公死后（公元前六五一年），国内篡乱动荡十几年。在此期间，秦国于公元前六五〇年，帮助惠公（名

夷吾）即位；公元前六三七年，惠公死，其子怀公立；秦人不喜怀公，于是秦穆公又送重耳入晋，结果怀公被杀，重耳即位，是为文公。〖按〗怀公之立，非秦意也，此云“三置”，与事理不合。㊵④一救荆祸：〖按〗此说不详。钱大昕曰：“秦穆公之时，楚未有祸，秦亦无救楚事。赵良所云救荆祸者，即指城濮之役也……谓宋有荆祸而秦救之，非谓荆有祸也。”（《三史拾遗》）张大可曰：“解除了一次楚国造成的祸害，即指秦国助晋破楚于城濮而言。”㊵⑤劳不坐乘：即使再累，也不在车上坐着。即只乘“立车”，而不坐“安车”，以言其谦恭自卑。胡三省曰：“古者车立乘，惟安车则坐乘耳。”〖按〗今始皇陵“铜车马坑”出土之一号车即“立车”，又名“高车”“戎车”；二号车即“安车”。㊵⑥暑不张盖：即使天气再热，也从不在车上张伞。盖，车上所树的大伞，以遮太阳。㊵⑦行于国中：立车行于首都城内。㊵⑧不从车乘：没有别的车辆护从。㊵⑨不操干戈：不用士兵警卫。㊶⑩童子不歌谣：连小孩都不再唱儿歌。㊶⑪舂者不相杵：舂，捣米。相杵，哼唱以佐助用力，犹抬木者之“杭育，杭育”然。相，助。杵，捣米用的工具。以上二句极言秦国百姓自动为百里奚之死止乐致哀。㊶⑫今君之见：您今天求见秦孝公。㊶⑬因嬖人景监以为主：先投靠景监，让景监当介绍人。嬖人，帝王的男宠。主，《孟子》赵岐注：“主，谓舍于其家，以之为主人也。”盖即投奔其门下，并倚其荐己于君。《孟子·万章上》：“观近臣以其所为主（接纳些什么人），观远臣以其所主（投靠什么人）。”㊶⑭其从政也：您掌握政权、治理国家的情形。㊶⑮凌轹公族：践踏皇亲国戚。凌轹，践踏倾轧。公族，君主的族人。㊶⑯杜门：塞门；闭门。公子虔被处劓刑割鼻，故羞愧愤怒而不出门。㊶⑰杀祝欢：其事不详。祝欢，泷川资言曰：“盖亦太子师傅。”㊶⑱黥公孙贾：在公孙贾的脸上刺字。㊶⑲《诗》曰二句：〖按〗《诗经》无此文，泷川资言以为是“逸诗”。牛鸿恩曰：“‘诗’当读为‘志’，泛指古书。此等大量见于《左传·襄公二十五年》杜注：‘志，古书。’”㊷⑳非

【原文】

三十二年（甲申，公元前三三七年）

韩申不害卒。

三十三年（乙酉，公元前三三六年）

宋太丘社亡[435]。

邹人孟轲[436]见魏惠王。王曰：“叟[437]不远千里而来，亦有以利吾国乎[438]？”孟子曰：“君何必曰利，仁义而已矣[439]。君曰‘何以利吾国’[440]，大夫曰‘何以利吾家’[441]，士庶人[442]曰‘何以利吾身’，上下交征利[443]，而国危矣。未有仁而遗其亲者[444]也，未有义而后其君者[445]也。”王曰：“善。”[446]

所以得人：不是得人心的做法。㉑后车载甲：甲指铠甲、兵杖之类，载于后车，随时准备应急。㉒骈胁：泷川资言曰："肋骨相比如一骨也。晋文公骈胁，见《左传》。此言肌肉丰满，不复见肋骨之条痕也。"中井积德曰："'骈胁'者多力之相，故以为言，非实择骈胁人也。"㉓骖乘：同"参乘"。即《左传》中之所谓"车右"，与国君或主将同乘一车，立于车之右侧以充当警卫者。㉔闟戟：短矛。㉕旁车而趋：夹护着（商君所乘的）车子一路小跑。旁，通"傍"，紧靠着。㉖此一物不具二句：这些警卫措施有一点不周全，你就不出门。此，这些。不具，不齐备。凌稚隆引唐顺之曰："出盛车从，明与五羖大夫行于国中相反。"㉗恃德者昌二句：今《尚书》无此文，或者亦如牛鸿恩所说之有如"志曰"，盖泛指"古书"也。㉘非恃德也：不是靠着德高而受人拥戴的表现。㉙危若朝露：胡三省曰："朝露易晞，言不久也。"㉚宠秦国之政：以把持秦国政权为荣耀。㉛畜百姓之怨：让百姓们对您的怨恨一天天增长。㉜捐宾客：抛下宾客不管，隐指秦孝公死。〖按〗秦孝公当时未称"王"，赵良称之"秦王"，作史者失辞。㉝所以收君者二句：所用来逮捕你的罪名还会少吗。收，捕。㉞居五月而难作：过了五个月，灾祸果然发生了。居，这里即指过。作，爆发。

【校记】

［2］魏、赵会于鄗："赵"原作"韩"。据章钰校，十二行本、乙十一行本、孔天胤本皆作"赵"，张敦仁《通鉴刊本识误》同。〖按〗《史记·六国年表》《史记·魏世家》，魏惠王十四年（公元前三五六年）"与赵会鄗"。（胡注："鄗县属中山郡，此时为赵地。"）今从诸本改。［3］秦大良造卫鞅："卫鞅"二字原无。胡注："大良造之下当有"卫鞅"二字，意谓传写《通鉴》者逸之。"据章钰校，十二行本、乙十一行本、孔天胤本正有"卫鞅"二字，张瑛《通鉴校勘记》同。今从诸本补。

【语译】

三十二年（甲申，公元前三三七年）

韩国申不害去世。

三十三年（乙酉，公元前三三六年）

宋国太丘邑的社树忽然失踪了。

邹国人孟轲晋见魏惠王。魏惠王说："您老人家不远千里来到魏国，有什么好处带给我们魏国吗?"孟子说："大王您为什么总把好处挂在嘴边呢，我所追求的只是仁义而已。如果大王说'用什么办法可以给我的国家带来好处'，大夫说用'什么办法可以给我家带来好处'，百姓说'用什么办法可以给我个人带来好处'，从上到下都追逐一己的私利，国家就危险了。从来没有充满仁爱之心的人会忘掉他的亲人，也从来没有讲求义的人会怠慢他的君主。"魏惠王说："是这样的。"

初，孟子师子思[447]，尝问："牧民[448]之道何先？"子思曰："先利之[449]。"孟子曰："君子所以教民者，亦仁义而已矣，何必利？"子思曰："仁义固所以利之也[450]。上不仁，则下不得其所[451]；上不义，则下乐为诈[452]也。此为不利大矣[453]。故《易》曰：'利者，义之和也[454]。'又曰：'利用安身，以崇德也[455]。'此皆利之大者也[456]。"

臣光曰："子思、孟子之言，一也[457]。夫唯仁者为知仁义之为利[458]，不仁者不知也。故孟子对梁王直以仁义而不及利者，所与言之人异[459]故也。"

三十四年（丙戌，公元前三三五年）

秦伐韩[460]，拔宜阳[461]。

三十五年（丁亥，公元前三三四年）

齐王、魏王会于徐州以相王[462]。

韩昭侯作高门[463]，屈宜臼[464]曰："君必不出此门[465]。何也？不时[466]。吾所谓时者，非时日也[467]。夫人固有利、不利时[468]。往者君尝利矣[469]，不作高门[470]。前年[471]秦拔宜阳，今年旱，君不以此时恤民之急[472]，而顾益奢[473]，此所谓时诎举赢[474]者也，故曰不时。"

越王无彊伐齐[475]，齐王使人说之以"伐齐不如伐楚之利"[476]。越王遂伐楚，楚人大败之[477]，乘胜尽取吴故地[478]，东至于浙江[479]。越以此散。诸公族[480]争立，或为王，或为君，滨于海上，朝服于楚[481]。

三十六年（戊子，公元前三三三年）

楚王伐齐[482]，围徐州[483]。

韩高门成，昭侯薨，子宣惠王[484]立。

初，洛阳人苏秦[485]说秦王以兼天下之术[486]，秦王不用其言。苏秦乃去，说燕文公[487]曰："燕之所以不犯寇[488]、被甲兵[489]者，以赵之为蔽

当初，孟子拜子思为老师，他曾经向子思请教说："治理百姓首先应该做的是什么？"子思告诉他说："要先给百姓带来利益。"孟子说："道德高尚的人教育百姓，也应该是用仁义而已，何必要强调利益呢？"子思回答说："仁义本身就是给百姓谋取利益。在上位的没有仁爱之心，百姓就会流离失所；在上位的多行不义，百姓喜欢弄虚作假，社会就不会安定。这对百姓来说就是最大的不利。所以《易》上说：'你给他们带来利益，他们就会对你讲义气。'又说：'有了利益，才能使生活安定，生活安定才能培养崇高的品德。'这里讲的正是最大的利。"

司马光说："子思讲利和孟子不讲利，主旨是相同的。只有具有仁爱之心的人才真正懂得仁义就是最大的利益，而缺乏仁爱之心的人是不知道的。孟子只对梁惠王讲说仁义而不说利益，是因为谈话的对象不同的缘故啊。"

三十四年（丙戌，公元前三三五年）

秦国的军队侵略韩国，占领了韩国的宜阳。

三十五年（丁亥，公元前三三四年）

齐王、魏王在徐州会晤，相互承认对方称王。

韩昭侯在都城建造了一座豪华高大的门楼，楚国大夫屈宜臼说："韩昭侯一定不能在这座城门下通过。为什么呢？因为这座门楼修建得不是时候。我所说的不是时候，不是指日期、时辰不对。人生在世，每个人都有顺利的时候，也有不顺利的时候。以前，韩昭侯在顺利的时候不修建豪华的大门。前年，秦国侵夺了宜阳，今年韩国又遇上大旱，粮食歉收，国君不在这个时候做些抚恤百姓的事情，反而去做更加奢侈的事情。这就是所谓当世道艰难之际，反而好大喜功、铺张奢侈啊。所以说这个大门修建得不是时候。"

越国国君无彊率军攻打齐国，齐王派使者去游说越王说"越国攻打齐国不如攻打楚国对越国有利"。越王听信齐国，放弃攻打齐国，转而去攻打楚国，结果被楚国打得大败。楚国乘胜夺取了故吴国的全部领土，使楚国的疆域一直扩展到浙江。越国由此走向衰亡。公族内部互相争斗，有的称王，有的称君，各自率领着一些部落，流散在沿海一带，分别臣服于楚国。

三十六年（戊子，公元前三三三年）

楚王率军攻打齐国，包围了徐州。

韩昭侯修建的豪华高大的门楼竣工了。韩昭侯去世，他的儿子宣惠王即位。

当初，洛阳人苏秦到秦国游说秦惠文王，他提出要秦国兼并天下、统一全国的政治主张，但遭到了秦王的拒绝。苏秦离开秦国，又去游说燕文公，他对燕文公说："燕国之所以没有受到侵略、没有被卷入战争，是因为南面有赵国作为燕国的屏障。

其南[490]也。且秦之攻燕也，战于千里之外[491]；赵之攻燕也，战于百里之内[492]。夫不忧百里之患，而重千里之外[493]，计无过于此[494]者。愿大王与赵从亲[495]，天下为一[496]，则燕国必无患矣。”

文公从之，资[497]苏秦车马，以说赵肃侯[498]，曰：“当今之时，山东之建国[499]莫强于赵。秦之所害[500]，亦莫如赵。然而秦不敢举兵伐赵者，畏韩、魏之议其后[501]也。秦之攻韩、魏也，无有名山大川之限[502]，稍蚕食之，傅国都而止[503]。韩、魏不能支秦[504]，必入臣于秦[505]。秦无韩、魏之规[506]，则祸中于赵[507]矣。臣以天下地图案之[508]，诸侯之地，五倍于秦，料度[509]诸侯之卒，十倍于秦。六国为一[510]，并力西乡[511]而攻秦，秦必破矣。夫衡人[512]者，皆欲割诸侯之地以与秦，秦成[513]，则其身富荣[514]，国被秦患[515]而不与其忧[516]。是以衡人日夜务以秦权[517]恐愒[518]诸侯，以求割地，故愿大王熟计之也。窃为大王计[519]，莫如一[520]韩、魏、齐、楚、燕、赵为从亲，以畔秦[521]，令天下之将相会于洹水[522]之上，通质[523]结盟，约曰：‘秦攻一国，五国各出锐师，或桡秦[524]，或救之。有不如约者，五国共伐之。’诸侯从亲以摈秦[525]，秦甲[526]必不敢出于函谷[527]以害山东矣。”肃侯大说[528]，厚待苏秦，尊宠赐赉之[529]，以约于诸侯[530]。

会[531]秦使犀首伐魏[532]，大败其师四万余人，禽将龙贾[533]，取雕阴[534]，且欲东兵[535]。苏秦恐秦兵至赵[536]而败从约[537]，念莫可使用于秦者[538]，乃激怒张仪[539]入之于秦[540]。

张仪者，魏人，与苏秦俱事鬼谷先生[541]，学纵横之术，苏秦自以为不及也。仪游诸侯无所遇[542]，困于楚[543]。苏秦故召而辱之[544]。仪恐[545]，念诸侯独秦能苦赵[546]，遂入秦。苏秦阴遣其舍人[547]赍金币资仪[548]，仪得见秦王[549]。

再说，如果秦国攻打燕国，那么战场在离秦国一千里以外；而赵国要攻打燕国，则只需行军一百里就够了。作为燕国，不担心近在百里之内的赵国，却担心远在千里之外的秦国，策略的失误没有比这更大的了。我希望大王您能够与赵国合纵相亲，并与其他诸侯也订立合纵联盟，燕国就一定不会有什么灾祸了。”

燕文公采纳了苏秦的建议，于是资助苏秦车马，派他去赵国游说赵肃侯。苏秦到了赵国见到赵肃侯，说：“当今这个时代，在崤山以东的诸侯国中，没有哪一个能比赵国更强大的了，秦国最痛恨的也只有赵国。然而，秦国不敢发兵攻打赵国的原因，是害怕自己在前方与赵国作战，而韩、魏两国在背后算计它。秦国攻打韩国和魏国，中间没有高山大川可以阻断，可以像蚕食桑叶一样一点一点地吞食两国，一直到逼近它们的国都为止。韩、魏两国抵挡不住秦国的进攻，一定会向秦国俯首称臣。秦国与赵国之间没有了韩、魏的阻隔，下一个攻击的目标必定选中赵国。我根据天下的地图来分析，东方六国所占有的土地加起来是秦国领土的五倍，六国的兵力联合起来也是秦国兵力的十倍左右。如果六个诸侯国团结一致，集中所有的兵力向西攻打秦国，一定能够将秦国打败。主张连横的人都想让诸侯把土地割让给秦国，秦国的计划如果获得成功，这些主张连横的人就能享受荣华富贵，而诸侯国遭受秦国欺凌的灾祸，他却一点也不承担。主张连横的人天天用秦国的武力、权势来威胁恐吓诸侯，以达到割让土地给秦国的目的，希望大王您要认真地考虑考虑。我私下里为您考虑，不如使韩、魏、齐、楚、燕、赵六国结为合纵联盟来对抗秦国，让各国的将相都到洹水之上，互相交换人质，缔结盟约，协议上写明：‘秦国侵略其中的一个国家，其他五个国家都要派出各自的精锐部队，或者是牵制秦国的兵力，或是去援救被攻打的城邑。如果有哪个国家不遵守这个约定，其他五国就联合去讨伐它。’诸侯国缔结了合纵盟约以对抗秦国，秦国的军队必定不敢再出函谷关来欺凌东方六国了。”赵肃侯听了苏秦的话以后，非常高兴，就以优厚的礼遇招待他，同时给他封官晋爵，又赏赐了许多金银珍宝，派他到其他诸侯国去联络缔结合纵盟约之事。

正巧此时秦国派大将犀首率领秦军攻打魏国，魏国的四万大军被打得全军覆没，魏将龙贾被秦军擒获，魏地雕阴被秦军占领。秦军声称还要继续向东推进。苏秦害怕秦军攻入赵国破坏了自己合纵联盟的计划，考虑不出一个可以派往秦国并被秦国所重用的人，于是就用激将法激发起张仪立志在秦国干一番事业的雄心，所以张仪进入了秦国。

张仪原是魏国人，和苏秦一起跟随鬼谷先生学习纵横捭阖的政治谋略，苏秦自己觉得没有张仪学得好。张仪到东方各个诸侯国去游说，却没有得到任何人的赏识，而且在楚国受到屈辱。苏秦把他找来，故意当面侮辱了一番。张仪感到万分羞愤，心想只有秦国能够打击赵国，为自己泄愤，于是便来到秦国。苏秦悄悄地派自己的亲信到秦国，赠送张仪许多金钱作为活动经费，张仪才得以见到秦惠王。

秦王说之，以为客卿[550]。舍人辞去[551]，曰："苏君忧[552]秦伐赵败从约，以为非君莫能得秦柄[553]，故激怒君，使臣阴奉给君资[554]，尽苏君之计谋也[555]。"张仪曰："嗟乎！此吾在术中而不悟[556]，吾不及苏君明矣。为吾谢[557]苏君。苏君之时[558]，仪何敢言[559]！"

于是苏秦说韩宣惠王[560]曰："韩地方九百余里[561]，带甲[562]数十万，天下之强弓、劲弩[563]、利剑，皆从韩出。韩卒超足而射[564]，百发不暇止[565]。以韩卒之勇，被坚甲，跖劲弩[566]，带利剑，一人当百，不足言也[567]。大王事秦[568]，秦必求宜阳、成皋[569]。今兹效之[570]，明年复求割地。与则无地以给之[571]，不与则弃前功[572]，受后祸[573]。且大王之地有尽，而秦求无已[574]。以有尽之地，逆无已之求[575]，此所谓市怨结祸[576]者也，不战而地已削矣[577]。鄙谚[578]曰：'宁为鸡口，无为牛后[579]。'夫以大王之贤，挟[580]强韩之兵，而有牛后之名，臣窃为大王羞之。"韩王从其言[581]。

苏秦说魏王[582]曰："大王之地方千里，地名虽小[583]，然而田舍庐庑之数[584]，曾无所刍牧[585]。人民之众，车马之多，日夜行不绝，輷輷殷殷[586]，若有三军之众。臣窃量[587]大王之国不下楚[588]。今窃闻大王之卒，武士[589]二十万，苍头[590]二十万，奋击[591]二十万，厮徒[592]十万，车六百乘[593]，骑[594]五千匹。乃听于群臣之说，而欲臣事秦[595]，愿大王熟察之[4]。故敝邑赵王[596]使臣效愚计[597]，奉明约[598]，在大王之诏诏之[599]。"魏王听之[600]。

苏秦说齐王[601]曰："齐四塞之国[602]，地方二千余里，带甲数十万，粟如丘山。三军[603]之良，五家之兵[604]，进如锋矢，战如雷霆，解如风雨[605]。即有军役[606]，未尝倍泰山[607]、绝清河[608]、涉渤海[609]者也。临淄之中七万户，臣窃度之，不下户三男子[610]。不待发于远县，而临淄之卒固已二十一万矣。临淄甚富而实[611]，其民无不斗鸡、走狗、六博[612]、阘鞠[613]。

秦惠王很赏识张仪，就任用他为客卿。苏秦的亲信在向张仪辞行的时候对张仪说：“苏秦担心秦国攻打赵国破坏了他南北合纵联盟的计划，他认为只有先生才有能力掌握秦国的政权，阻止秦国攻打赵国，所以才故意激怒先生。先生走了以后，就悄悄地派我带着金钱以供给先生的一切需要，这些都是苏秦的计谋。”张仪听了以后说：“唉！我完全在苏秦的算计当中，一点也没有觉察到，我不如苏秦，这是明摆着的事实。你替我转告苏秦，他在东方当政的时候，我敢说什么呢！”

苏秦来到韩国，他劝说韩宣惠王说：“韩国的疆域方圆九百多里，身披铠甲的精锐士卒有十多万，天下所使用的最强劲的弓箭、最锐利的刀剑都是韩国制造的。韩国的士卒拉弓射箭，可以连续射一百发，而且百发百中，中间都不带停顿的。以韩国战士的勇敢，如果披上坚固的铠甲，带上强弓硬弩，佩带着锋利的宝剑，在战场上与秦军作战，一个战胜一百个，肯定不在话下。如果大王对秦国委曲求全，唯命是从，秦国必定会向韩国要求割让宜阳、成皋。您今年给它，明年秦国还会向您要求割地。到那时，您想给它，却已无地可给，不给，则以前给的也一笔勾销，最终仍然无法免除祸患。再说，大王您的土地有限，而秦国的贪欲却没有穷尽。用有限的土地去应付无穷的贪欲，这就叫作花钱买怨恨招灾祸啊，没有经过抵抗，土地就被割让光了。俗话说：‘宁为鸡口，无为牛后。’就凭大王您的贤明，手中掌握着韩国强大的军队，竟然落得充当牛屁股的臭名声，就连我都替您感到羞愧。”韩宣惠王听从了苏秦合纵联盟、抗御秦国的主张。

苏秦来到魏国，对魏襄王说：“大王您的领土方圆一千里，听起来虽然不大，可是田间布满村庄房舍，密集得就连放牧牛马的地方都没有。人口众多，车马成群，日夜不停地走动，轰轰隆隆的声音，就像是千军万马在行动。我估计大王您的国力不在楚国之下。我私下里听说，魏国的军队当中，经过选拔的精锐步兵有二十万，用青巾包头作为标志的军队有二十万，勇于冲锋陷阵、敢于进行殊死决战的军队有二十万，后勤部队有十万，战车有六百乘，战马有五千匹。有如此强大的军队，竟然听信大臣的意见，将像臣仆一样地侍奉秦国，请大王仔细地考虑这个问题。所以我们赵王派我到魏国来进献一些我个人的意见，愿与魏国订立合纵抗秦的盟约，希望大王您做出决定。”魏王同意了苏秦的建议。

苏秦又来到齐国，对齐威王说：“齐国是一个四面都有天然屏障、易守难攻的国家，方圆二千多里，武装部队几十万人，粮食堆积如山。由中央直接指挥的上、中、下三军装备精良，训练有素，再加上经过严格训练的五都的常备兵力，前进时就像锋利的箭锐不可当，作战神速如同迅雷不及掩耳，退兵时像风雨一样迅疾。即使有战事，也从来没有敌军能够越过泰山、渡过清河、游过渤海的。仅都城临淄城中就有七万户，我私下里估算，每户至少有三名成年男子。不用到临淄以外的郡县去征调兵力，只临淄的士卒就已经有二十一万人了。临淄又特别富庶殷实，这里的百姓

临淄之涂，车毂击[614]，人肩摩[615]，连衽成帷[616]，挥汗成雨。夫韩、魏之所以重畏秦[617]者，为与秦接境壤也[618]。兵出而相当[619]，不十日[620]而战胜存亡之机决矣[621]。韩、魏战而胜秦[622]，则兵半折[623]，四境不守[624]。战而不胜，则国已危亡随其后[625]。是故[626]韩、魏之所以重与秦战[627]，而轻为之臣[628]也。今秦之攻齐则不然，倍韩、魏之地[629]，过卫阳晋之道[630]，经乎亢父之险[631]。车不得方轨[632]，骑不得比行[633]。百人守险，千人不敢过也。秦虽欲深入则狼顾[634]，恐韩、魏之议其后[635]也。是故恫疑、虚喝[636]、骄矜而不敢进[637]。则秦之不能害齐，亦明矣。夫[638]不深料秦之无奈齐何[639]，而欲西面而事之[640]，是群臣之计过也。今无臣事秦之名，而有强国之实[641]，臣是故愿大王少留意计之[642]。”齐王许之[643]。

乃西南说楚威王[644]曰：“楚，天下之强国也，地方六千余里，带甲[645]百万，车千乘，骑万匹，粟支十年[646]：此霸王之资也。秦之所害[647]，莫如楚。楚强则秦弱，秦强则楚弱，其势不两立。故为大王计，莫如从亲以孤秦[648]。臣请令山东之国，奉四时之献[649]，以承大王之明诏[650]。委社稷[651]，奉宗庙[652]，练士厉兵[653]，在大王之所用之[654]。故从亲则诸侯割地以事楚[655]，衡合[656]则楚割地以事秦。此两策者相去远矣，大王何居[657]焉?”楚王亦许之[658]。于是苏秦为从约长[659],并相六国[660]。北报赵，车骑辎重[661]拟于王者[662]。

齐威王薨，子宣王辟彊立[663]。知成侯卖田忌[664]，乃召而复之[665]。

燕文公薨，子易王[666]立。

卫成侯薨，子平侯[667]立。

没有人不沉湎于斗鸡、走狗、下棋、踢球。临淄人口众多，道路上车碰车，人挤人，如果每个人都把衣襟拉起来就成了帏帐，挥一下汗水就像下了一场雨。韩国、魏国之所以特别惧怕秦国，就是因为它们两国与秦国接壤。只要韩、魏两国一出兵与秦国交战，用不了十天，胜败存亡就可以见分晓。即使韩、魏两国战胜了秦国，自己的军队也损失了一半，剩下的军队连四周边境也不能固守。如果不能战胜秦国，那么紧接其后的就是国家灭亡。这就是韩国、魏国把与秦国作战看得很重，而把向秦国称臣看得很随便的原因。如果秦国攻打齐国就不同了，秦国必须跨越韩、魏两国，穿过卫国的阳晋，还要通过亢父这块险要之地。这里的道路狭窄，不能两车并行、两马并驰。齐国用一百个人守住险阻，秦国即使有一千个人也不敢通过。秦国就是想冒险深入齐国，也会犹豫不决，难以下定决心，因为它害怕韩、魏两国抄它的后路，所以它对齐国只是虚张声势、大声恐吓，而不敢轻易采取行动。从这里可以明显地看出秦国对齐国的无可奈何。不能正确地分析出秦国对齐国已是无可奈何这一事实，却想要去讨好秦国，向秦国称臣，这是齐国大臣谋划的错误。现在有一种办法可以让齐国不必向秦国俯首称臣，又能使齐国具有强大国家的体面，就是东方六国实行合纵抗秦，我希望您稍微用点心思思考一下这个问题。”齐威王赞同苏秦关于诸侯合纵抗秦的主张。

苏秦最后又向西南来到楚国，他对楚威王说：“楚国是当今天下最强大的国家，楚国有方圆六千里的领土，精锐部队一百万人，战车一千乘，战马一万匹，积蓄的粮食够吃十年：这些都是成就霸王之业的资本。秦国所害怕的只有楚国。楚国强大了秦国就受到削弱，反过来，秦国强大了楚国就受到削弱，这种情势决定了秦、楚两国绝不可能和平共存。所以从大王的立场考虑，最好的办法就是和其他诸侯国结成南北合纵联盟来孤立秦国。我会让崤山以东的齐、韩、赵、魏、燕五国，一年四季向楚国贡献礼物，恭恭敬敬地听从您的吩咐。我会让他们把国家交给您指挥，把宗庙托付给您管理，并训练好各自的军队，随时听候大王您的调遣。如果楚国与崤山以东五个诸侯国结成合纵抗秦联盟，诸侯国就会割让土地给楚国；要是楚国与秦国结成连横之约，楚国就得把土地割让给秦国。这两种策略相差太远了，大王您选择哪一种呢？”楚威王也同意与山东诸侯国结成合纵联盟，共同抗击秦国。于是齐、楚、燕、赵、魏、韩共同推举苏秦为合纵联盟的盟约长，同时担任六国的宰相。苏秦从楚国向北返回赵国，向赵肃侯汇报出使各国的情况。一路之上，侍从前呼后拥，车上所载辎重如山，气派如同诸侯王一样。

齐威王去世，他的儿子辟彊即位，就是齐宣王。齐宣王知道田忌是遭到邹忌诬陷才逃到楚国避难的，便派人把田忌请回来，并恢复了他的官职。

燕文公去世，他的儿子易王即位。

卫成侯去世，他的儿子平侯即位。

【段旨】

以上为第三段，写周显王三十二年（公元前三三七年）至周显王三十六年五年间的各国大事，主要写了苏秦游说东方六国组成合纵联盟的故事。

【注释】

㊺太丘社亡：宋国太丘邑的社树忽然失踪。太丘，在今河南永城西北，当时属宋。吕祖谦《大事记》云："古者立社，植木以表之，因谓其木为社。……所谓'太丘社亡'者，震风凌雨，此社之树摧陨散落，不见踪迹。"杨宽曰："宋设太丘社于国都彭城之泗水旁，故太丘社沦亡，鼎没于泗水彭城下，此与沛郡之太丘县无涉。"可供参考。㊻邹人孟轲：邹是西周以来的小国名，最初都于邾（在今山东曲阜附近），后来迁于邹（今山东邹县东南）。战国时期被楚国所灭。孟轲（公元前三七二至前二八九年），字子舆，鲁国贵族孟孙氏的后代。是继孔子之后的又一位儒学大师，被后人称为"亚圣"。㊼叟：老翁；老人家。㊽亦有以利吾国乎：将对我们国家有什么利益吗。㊾仁义而已矣：讲好仁义就一切都齐了。㊿君曰"何以利吾国"：如果您一带头讲"何以利吾国"。441大夫曰"何以利吾家"：那么您手下的大夫们就要纷纷起来问"何以利吾家"。家是大夫们受诸侯分封的有土地、有爵位甚至有军队的实体，与现代由父母、兄弟、子女所组成的生活单位有质的不同。442士庶人：士阶层与平民百姓。士阶层是介于平民与官僚贵族之间的有一定社会地位而没有爵位俸禄的人。443交征利：彼此争相获取利益。征，博取。444未有仁而遗其亲者：从来没有讲仁的人而遗弃他的双亲的。445未有义而后其君者：从来没有讲义的人会忘掉他的君主。后，怠慢、忘掉。446王曰句：以上数句见《孟子·梁惠王上》。447师子思：拜子思为师。子思是孔子之孙，名伋。相传《中庸》即此人所作。448牧民：为官治民。把治民比作放牧牛羊，足见其封建性之大。449先利之：先让他们享受到利益。450仁义固所以利之也：仁义本来就是让他们享受利益的。固，本来。451不得其所：没有安身求活的地方。452乐为诈：喜欢弄虚作假。453此为不利大矣：这才是最大的不利。454利者二句："利"是"义"的对应面。你一做对他们有利的事，他们就会对你讲起义来。和，此唱彼和之和。455利用安身二句：讲利可以让人们生活安定，这才有提高道德水准的条件。用，以、可以。456此皆利之大者也：这才是最大的利。457子思、孟子之言二句：子思讲利与孟子不讲利，两个人的宗旨都是一样的。458知仁义之为利：明白讲仁义是为了对国对民有利。459所与言之人异：所谈话的对象不同。言外之意是：孟子是讲仁义的大贤，故对之讲"利"不妨事；魏惠王是急功近利的不义之徒，必须痛斥他的言利。460秦伐韩：时当秦惠文王三年（公元前三三五年）、韩昭侯二十八年。461拔宜阳：宜阳是韩邑名，曾是韩国的都城，故城在今河南宜阳西。〖按〗秦拔宜阳在秦武王三年（公元前三〇八年），非此时事。梁玉绳以为"拔"字应作"攻"，其说是也。462齐王、

魏王会于徐州句：齐威王与魏惠王会晤于徐州，彼此承认对方的改号称王。徐州，齐邑名，在今山东滕州南。相王，互相承认对方为王。〖按〗魏国、齐国的改号称王都从本年开始。㊸作高门：在韩国都城建造一座豪华的门楼。㊹屈宜臼：楚国大夫。《说苑·权谋》作“屈宜咎”。㊺必不出此门：必定不能在这座门楼下通过，意即等不到门楼建成他就得死。㊻不时：不合时宜；不是时候。㊼非时日也：我所说的“不时”，不是阴阳家所说的吉利不吉利的“时日”。㊽人固有利、不利时：日常所说的吉利不吉利，那是每个人都会遇到的。㊾往者君尝利矣：过去我们君主的确有过大兴土木的好时机。㊿不作高门：但他并未建造这座豪华的门楼。471前年：上一年；去年。472恤民之急：抓紧时间做一些百姓心急的事情。恤，体怜。473顾益奢：反而做一些更加奢侈的事。474时诎举赢：当世道艰难之际，而好大喜功、铺张奢侈。诎，匮乏、拮据。举，兴办。赢，繁多。475越王无疆伐齐：无彊是越王的名号。《史记·越王勾践世家》以为无彊是越王勾践的六世孙。杨宽则以为无彊是勾践的八世孙，在位三十七年（公元前三四二至前三〇六年）。依《资治通鉴》此文，无彊伐齐之年为齐威王二十三年（公元前三三四年），杨宽则认为应在齐宣王（公元前三一九至前三〇一年在位）时。476说之以“伐齐不如伐楚之利”：据《史记·越王勾践世家》，齐王派使者劝说无彊，打败齐国显不出越王的本事，“大不能王，小不能霸”。如果转而伐楚，则“图王不王，其敝可以霸”。说辞洋洋洒洒，不亚于张仪、苏秦之宏辩。结果越王无彊被齐人所哄，遂转而伐楚。据《史记》，此时楚国在位者为楚威王。杨宽则以为此时之楚国应为楚怀王（公元前三二八至前二九九年在位）。477楚人大败之：《史记·越王勾践世家》作“大败越，杀王无彊”，而《史记》的《楚世家》《六国年表》皆不载杀无彊事。478吴故地：当初越王勾践打败吴王夫差，所占有的全部吴国地盘。约当今之江苏全省与浙江之北部地区，以及山东省之东南部。479浙江：今浙江省之钱塘江，当初越的都城在今浙江绍兴。480公族：王室的族人。481滨于海上二句：黄以周曰：“盖谓自此避居浙江会稽，会稽本近海也。或者因此谓是时会稽已失，滨在台州临海地。考之《楚世家》，顷襄王十八年，楚人有以弱弓说王者，曰‘王北游于燕之辽东，而南登于越之会稽’，是越之会稽至楚顷襄王时犹未失也。其失会稽在秦并楚之后。故《秦纪》云：‘定楚江南地，降越君，置会稽郡’也。王无彊虽败，而浙东为越故土仍未失。《世家》云‘楚取吴故地至浙江’，斯言本不误也。”杨宽曰：“（楚）怀王自十九年开始谋灭越，至二十三年完成，前后正五年。可知《韩非子》所载‘王使邵滑于越，五年而能亡越’属实……楚灭越之后，保留越君系统在会稽，使服朝于楚而便于统治越族。”482楚王伐齐：时当楚威王七年（公元前三三三年）、齐威王二十四年。483围徐州：围齐邑今山东滕州南之徐州。据《史记·齐太公世家》：“齐孟尝君父田婴欺楚，楚威王伐齐，败之于徐州。”484宣惠王：公元前三三二至前三一二年在位。485苏秦：《史记·苏秦列传》称苏秦与张仪同从鬼谷子学纵横术，并先说齐、楚、燕、赵、魏、韩六国合纵摈秦，佩六国相印云云，其说皆误。苏秦的活动乃在张仪之后二十多年。参见韩兆琦《史记笺证》。⑱说秦王以兼天下之术：《史记·苏秦列传》详记此事，然皆后人误说，苏秦从未入秦游说。⑱燕文公：公元前三六一至前三三三年在位。此时苏秦尚未出世，苏秦入燕所说者乃燕昭王。⑱犯寇：遭到侵犯。犯，遭受。寇，侵略、侵犯。⑱被甲兵：受到敌国的武力攻击。⑲赵之为蔽其南：赵国在燕国的南面挡住了向北方入侵的军队。蔽，屏障。⑲战于千里之外：秦国要想伐燕就得跑到千里以外来作战。中间隔着今天的山西。⑲战于百里之内：即近得很。当时的赵国与燕国相连，大体以今河北大城、任丘、徐水一线为两国分界。⑲不忧百里之患二句：不认真防备赵国而注意防备秦国。⑲计无过于此：最大的策略失误莫过于此。⑲从亲：结盟相亲。从，同“纵”，合纵联盟。⑲天下为一：指东方诸国联合起来，结成统一战线。⑲资：赞助；提供。⑲以说赵肃侯：时为赵肃侯十七年（公元前三三三年）。⑲山东之建国：崤山以东的各诸侯国。有说“建”字当作“战”。可参考。⑳所害：所惧怕。⑳议其后：在背后打它的主意；从背后对它发起攻击。⑳无有名山大川之限：疆土相邻，无山川之阻隔。限，阻、阻隔。⑳稍蚕食之二句：像蚕吃桑叶一样，一直吃到它们的国都为止。稍，渐渐。傅，贴近。⑳支秦：抵抗强秦。⑳入臣于秦：向秦国归顺称臣。⑳秦无韩、魏之规：秦国与赵国之间一旦没有了韩、魏两国的阻隔。“规”字应作“隔”，《战国策·赵策二》作“隔”。⑳祸中于赵：大祸立刻就降临到了赵国头上。中，此处犹言“及”，临到。⑳以天下地图案之：翻看天下地图。案，检查、察看。⑳料度：估计。度，揣量、估计。㉑六国为一：赵、魏、韩、楚、燕、齐六国联合起来，同心协力。㉑西乡：向西。乡，通“向”。㉑衡人：鼓吹连横政策的人，如张仪等。衡，通“横”。连横是与秦国联合攻击其他国家。㉑秦成：秦国的计划实现，指逐个消灭了东方诸国。㉑其身富荣：这些衡人都可以受到秦国的封官晋爵。㉑国被秦患：当这些与秦国讲和的国家遭受灾难时。㉑不与其忧：这些唱言连横的人谁也不与国家分担忧患。㉑秦权：秦国的武力权势。㉑恐愒：恐吓。愒，此处同“喝”。㉑窃为大王计：我为大王出主意。窃，谦辞，谦指自己的意见。㉒一：联合；统一。㉒从亲二句：联合起来共同对付秦国。畔，通“叛”。《赵策二》“畔秦”作“傧秦”，“傧”通“摈”。较此为优。㉒洹水：河水名，在今河南淇河北，当时属赵。㉒通质：交换人质。古时两国结盟，为了取信于对方，常派君主的子弟去对方那里做人质。㉒桡秦：牵扯秦国的兵力。桡，曲、牵扯。㉒摈秦：排挤秦国；抗击秦国。㉒秦甲：秦兵。㉒函谷：函谷关，在今河南灵宝东北，是当时秦国东边的门户。㉒说：同“悦”。㉒尊宠赐赉之：尊宠指封官晋爵，赐赉指赏赐金银珍宝。㉓以约于诸侯：令其出去游说、联合各国诸侯。㉓会：恰逢；正赶上。㉓犀首伐魏：事在秦惠文王八年（公元前三三〇年）、魏惠王后元五年。犀首是官名，此指公孙衍，当时著名的纵横家，现时为秦国效力，统兵伐魏。㉓龙贾：魏将。㉓雕阴：魏邑名，在今陕西华阴东。㉓东兵：继续引兵东进。㉓至赵：一直打到赵国边境。当时赵国的西境在今山西境内，其太原郡的辖县可到今山西西侧的黄河边。㉓败从约：破坏他在东方搞六国联盟的计划。败，毁坏。㊳念莫可使用于秦者：想不出一个可以派到秦国并能被秦国重用的人。㊴激怒张仪：激发起张仪立志要在秦国干一番事业的雄心。㊵入之于秦：打发张仪去了秦国。㊶俱事鬼谷先生：此依《史记》误说，苏秦从无与张仪同门学术事。参见韩兆琦《史记笺证》之相关篇目。鬼谷先生相传为战国时隐士，居于鬼谷，遂以地名相称。关于鬼谷其地，《史记集解》引徐广曰："颍川阳城（今河南登封东南）有鬼谷。"《史记索隐》曰："扶风池阳（今陕西泾阳西北）、颍川阳城并有鬼谷墟。"〖按〗《史记》云苏秦"东事师于齐，而习之于鬼谷先生"，而以上有关鬼谷的说法皆不在齐地，而齐国又无所谓"鬼谷"，此不可解。牛鸿恩曰："鬼谷子即使有其人，苏秦、张仪事以为师之说亦不可信。"㊷游诸侯无所遇：走遍东方各诸侯国遇不上一个赏识并任用他的人。㊸困于楚：指在楚国被其令尹诬为偷璧，差点儿被打死。详见《史记·张仪列传》。㊹故召而辱之：故意把他叫来，当面侮辱他。㊺恐：《史记》于此作"怒"，较此为长。㊻念诸侯独秦能苦赵：想了一遍各个国家，觉得只有秦国能让赵国吃苦头。苦，使之遭难。㊼阴遣其舍人：派了一个亲信暗中跟着张仪。阴，暗中。舍人，寄居官僚贵族门下而为之效力的一种半宾客、半仆役的人。㊽赍金币资仪：带着许多钱财供张仪使用。赍，携带。资，助、供其使用。㊾仪得见秦王：张仪就是靠着苏秦的这种资助才得以见到了秦王。㊿客卿：他国人在此国服务，尚无固定官职而充当高级参谋顾问的人。551辞去：告辞，将离开秦国。552忧：担心；害怕。553得秦柄：掌握秦国大权。柄，权柄。554阴奉给君资：暗中提供您的一切需要。555尽苏君之计谋也：我的这些所作所为，都是苏秦的安排。556吾在术中而不悟：我今天所做的这一切都在苏秦的计划之中，而我却一点也不知道。557谢：告；告诉。558苏君之时：谓苏秦在东方当政，推行其合纵抗秦计划之时。559仪何敢言：我还敢说什么呢。意即要成全苏秦之作为，自己要劝说秦王不向东方发动战争。〖按〗以上情节详见《史记·张仪列传》。凌稚隆曰："《战国策》并不载楚相辱张仪及苏秦激之入秦事。"泷川资言引《吕览·报更篇》云："张仪，魏氏余子也，将西游于秦，过东周。昭文君谓之曰：'闻客之秦，寡人之国小，不足以留客。虽然，游岂必遇哉？客或不遇，请为寡人而一归也，国虽小，请与客共之。'张仪还走，北向再拜。张仪行，昭文君送而资之。张仪所德于天下者，无若昭文君。"唐兰曰："说苏秦挂六国相印后才激怒贫困的张仪使他入秦，一直到苏秦死后张仪才连横，这显然是战国末年把范雎改名为张禄入秦为相的故事误传为张仪而写成小说家言，而司马迁误信为真了。"（《战国纵横家书》附）钱穆曰："吕氏宾客尚不知有苏秦激张仪入秦之说也，考《战国策》及韩非、吕不韦书，仪之政敌乃犀首、惠施，非苏秦。仪入秦而犀首去，仪来魏而惠施去，皆与史公记仪、秦合纵连衡事不符。"（《先秦诸子系年考辨》）560韩宣惠王：昭侯之子，公元前三三二至前三一二年在位。561地方九百余里：有九百里见方之领土。562带甲：身披铠甲的士兵，以喻精兵。563劲弩：能远射、连射的有机械装置的强弓。564超足而射：《史记索隐》曰："谓超腾用势，盖起足踏之而射也。"《史记正义》曰："超足，齐足也。夫欲放弩，皆坐，举足踏弩，两手引揍机，然始发之。"565百发不暇止：

连续射出一百支箭而中间不停。566 跖劲弩：脚踏连发之强弩。567 不足言也：犹言“那是往少处说”，指韩卒的“一人当百”。568 大王事秦：如果您求着与秦国交好。569 秦必求宜阳、成皋：秦国一定要求您把宜阳、成皋割给它。宜阳是韩国西部的重镇，曾为韩国都城，在今河南宜阳西。成皋是韩国的军事重地，遗址在今河南荥阳西北之大伾山上。570 今兹效之：如果您今天给了他。效，交纳、献出。571 无地以给之：没有地再继续给它。给，连续提供。572 弃前功：白白花费了以前的力气。573 受后祸：他一变脸，还是要来打你。574 秦求无已：秦国的要求没有止境。575 以有尽之地二句：逆，迎，这里是“对待”“应付”的意思。《艺文类聚》卷二十五引此文作“应”。576 市怨结祸：自找倒霉。市，买，这里的意思即“自找”。577 不战而地已削矣：不用打仗，你们韩国就完蛋啦。凌稚隆引余有丁曰：“论衡害可谓彻尽，苏明允《六国论》全出于此。”〖按〗《战国策·魏策三》中孙臣谓安釐王有所谓“以地事秦譬犹抱薪而救火也，薪不尽则火不止。今王之地有尽，而秦之求无穷，是薪火之说也”。《史记·魏世家》中苏代谓安釐王亦有所谓“以地事秦譬犹抱薪救火，薪不尽，火不灭”。苏洵《六国论》曰：“今日割五城，明日割十城，然后得一夕之安寝；起视四境，而秦兵又至矣。然则诸侯之地有限，暴秦之欲无厌，奉之弥繁，侵之愈急，故不战而强弱胜负已判矣。”578 鄙谚：俗话；谚语。579 宁为鸡口二句：《史记正义》曰：“鸡口虽小，犹进食；牛后虽大，乃出粪也。”580 挟：夹带；拥有。581 韩王从其言：以上苏秦说韩宣惠王，见《史记·苏秦列传》，此说辞乃后人所假托。牛鸿恩曰：“此段说辞虽为伪托，而仍保有史实烙印，非凭空拟撰也。”582 魏王：指魏襄王，公元前三一八至前二九六年在位。583 地名虽小：你的国土听起来虽然不大。名，名义上、表面看来。584 田舍庐庑之数：人口众多，住得非常密集。庐，田间屋。庑，廊下周室。这里即泛指居民屋舍。数，促、密集。585 无所刍牧：胡三省注：“刍，刈草也；牧，放牧也。言魏居民蕃庶，无刈刍放牧之地也。”586 輷輷殷殷：极言车声之多与车声之大。輷輷、殷殷，皆车行声。587 窃量：私下衡量。588 不下楚：谓其国力不弱于楚。589 武士：经过选拔的精锐步兵。590 苍头：《史记索隐》曰：“谓以青巾裹头，以异于众。”〖按〗《史记·项羽本纪》亦有所谓“异军苍头特起”。591 奋击：指敢于冲锋陷阵、不怕死的士兵。592 厮徒：《史记索隐》曰：“谓厮养之卒。厮，养马之贱者，今起之为卒。”王骏图曰：“即今军营中火夫、长夫之类，非必养马之贱人，忽起之为卒也。”中井积德曰：“魏之军制，当时有武士、苍头、厮徒、奋击之别。武士，即我邦‘武士’；苍头，盖贱卒，我邦‘足轻’也；厮徒，役夫，供杂役者，我邦‘人夫’也；奋击，盖选其精锐，以先锋陷阵。”593 六百乘：指六百辆。乘，古称一车四马曰一乘。594 骑：骑兵。595 臣事秦：像臣仆一样地侍奉秦国。596 敝邑赵王：当时苏秦是以赵王的意思游说东方各国，故而自己以赵国的臣子自居。敝邑，谦指本国。597 效愚计：敬献一些我个人的看法。效，进献。598 奉明约：谦言赵国将遵从魏王的约束。599 在大王之诏诏之：指“一切全听您的吩咐”。有说二“诏”字应削其一。600 魏王听之：以上苏秦以合纵说魏王，详见《战国策·魏策一》与《史记·苏秦列传》。缪文远曰：“此章所言与当时情势绝不相符……乃策士依托之拟作。”凌稚隆引邓以瓒曰：“合从惟韩、魏稍不为利，盖二国近秦，不事秦则受兵最速，故苏秦于二国但以割地为不利、称臣为耻，盖亦词穷。”凌稚隆引杨慎曰：“说魏襄王，其意大概与说韩王之词同，盖韩、魏一体也。其要亦在乎事秦之割地以效实，故‘兵未用而国已亏’，与‘不战而地已削’之语正同。中间明衡人及群臣皆不忠，而‘公’‘私’‘内’‘外’之言尤为明白。”⑥⓪① 齐王：《史记》误书为齐宣王，实则此时为齐威王二十四年（公元前三三三年）。⑥⓪② 四塞之国：四周都有天然屏障，易守难攻之国。四塞，指齐国南有泰山，东有琅邪，西有清河，北有渤海。塞，四面有险阻。⑥⓪③ 三军：泛指齐国军队。早在春秋时代，大国有三军，即中军、上军、下军也。⑥⓪④ 五家之兵：牛鸿恩曰：“齐国不设郡而设都，凡五都。都之长官曰‘大夫’，如‘即墨大夫’‘阿大夫’是也。五都皆驻有常备军队，称‘五都之兵’。‘大夫’之领地称‘家’，故‘五都之兵’亦称‘五家之兵’。”盖亦即齐国之兵。齐之五都指临淄、即墨、阿、莒、平陆。⑥⓪⑤ 解如风雨：极言其退兵之快。泷川资言曰：“雷霆喻其威力，风雨喻其速捷。”⑥⓪⑥ 军役：战争、徭役，这里指外敌入侵的战争。⑥⓪⑦ 倍泰山：指南方的敌人翻越泰山来打齐国。⑥⓪⑧ 绝清河：指西方的敌人渡过清河来打齐国。清河是水名，据《汉书·地理志》，源于今河南内黄南，附近诸山泉汇流，经沉淀浊流变为清流，故称清河。战国时流经今河北馆陶、清河县一带，至山东平原县附近东注黄河（当时黄河在今河北黄骅入海），成为齐、赵两国间一巨川，屡见于《战国策》：齐“西有清河”（《齐策一》），赵“东有清河”（《赵策二》）。武帝元封以后，馆陶以下河水屡次北决，清河下游为诸决河截割淆乱，故道遂废。⑥⓪⑨ 涉渤海：指北方的敌人渡过渤海来打齐国。何建章曰：“虽有战事，敌人从未越过泰山，横跨清河，游渡渤海。”⑥①⓪ 不下户三男子：每户不会少于三个成年男人。⑥①① 富而实：富足而殷实。⑥①② 六博：古代的一种棋戏，六黑六白，两人对投以较胜负。⑥①③ 阘鞠：踢球，其球以皮为面，内实以毛。⑥①④ 车毂击：来往车子的车轴相互碰撞，极言行路上车辆之多。⑥①⑤ 人肩摩：来往的行人膀子碰膀子，亦言行人之多。⑥①⑥ 连衽成帷：每个人都拉起衣襟，就将成为一道长长的帐幔。帷，帐子。《说文》：“在旁曰帷，在上曰幕。”⑥①⑦ 重畏秦：特别惧怕秦国。⑥①⑧ 与秦接境壤也：此处“也”字有误，《战国策·齐策一》与《史记·苏秦列传》皆作“与秦接境壤界”。即边界相接，国境相连。⑥①⑨ 兵出而相当：指两国一旦出兵对战。⑥②⓪ 不十日：用不了十天。⑥②① 战胜存亡之机决矣：双方的生死存亡就决定了。“战胜”应作“胜败”。机，关键。⑥②② 韩、魏战而胜秦：即使韩、魏打败了秦国。⑥②③ 则兵半折：他们的兵力也得损耗一半。折，损失。⑥②④ 四境不守：没有兵力再守卫四境。⑥②⑤ 国已危亡随其后：整个国家已经陷于危急之中。⑥②⑥ 是故：这就是……的原因。⑥②⑦ 重与秦战：不愿意轻易地与秦国开战。重，不轻易。⑥②⑧ 轻为之臣：不把对秦称臣看作是严重的事情。轻，不重视、不难于。⑥②⑨ 倍韩、魏之地：越过韩、魏两国的领地。倍，同“背”，跨越。⑥③⓪ 过卫阳晋之道：还要跨越卫国的阳晋地区。阳晋，卫县名，在今山东郓城西。⑥③① 经乎亢父之险：还要经过亢父的险要通道。亢父，齐县名，在今山东济宁南。⑥③② 方轨：两辆车并行。⑥③③ 比行：并排而行。⑥③④ 狼顾：恐惧而回头张望的样子。《史记正义》曰："狼性怯，走常还顾。"⑮议其后：在背后打他的主意。议，谋划。⑯恫疑、虚喝：自己恐惧疑虑，不敢进兵，但又虚张声势，做出一种要进击齐国的样子。恫疑，恐惧疑虑。虚喝，虚声喝骂，为自己壮胆。⑰骄矜而不敢进：表面做出一种不可一世的姿态，其实不敢对齐国用兵。〖按〗《战国策》作"高跃而不敢进"，与此大意相同。⑱夫：发语词。⑲无奈齐何：对齐国无可奈何。⑳欲西面而事之：还要面朝西地想去臣服于它。㉑今无臣事秦之名二句：现在有一种办法可以让您不必去臣事秦国，而又能使您具有大国的体面。即指东方诸国实行合纵。㉒少留意计之：稍微地用点心思考虑一下。少，意思同"稍"，这里是客气的说法。㉓齐王许之：齐王答应了苏秦合纵抗秦的计划。〖按〗以上苏秦以合纵说齐宣王，见《战国策·齐策一》与《史记·苏秦列传》。而《史记·田敬仲完世家》与《史记·六国年表》均不载，缪文远、杨宽等皆断其为后人所依托。㉔楚威王：此时为楚威王七年（公元前三三三年）。㉕带甲：披甲，即指精锐士兵。㉖粟支十年：储备的粮食足够十年之用。支，够用。㉗所害：所忌惮；所畏惧。㉘孤秦：使秦国孤立。㉙奉四时之献：一年四季向您进贡礼品。㉚承大王之明诏：恭恭敬敬地听从您的招呼。诏，命令。㉛委社稷：把他们的国家交给您指挥。社稷，这里即指国家。㉜奉宗庙：把它们的朝廷政权都交给您管理。宗庙，国家君主的祖庙，通常也用以代指国家政权。"奉宗庙"与"委社稷"意思相同。㉝练士厉兵：训练士卒，修治武器。厉，通"砺"，打磨。兵，武器。㉞在大王之所用之：任凭大王指挥调遣。在，这里的意思同"唯"。㉟从亲则诸侯割地以事楚：只要东方诸侯搞联合，那您楚国就是老大，是首领。故意给楚王戴高帽的说法。㊱衡合：连横策略一旦实现。合，完成。㊲何居：在合纵与连横两种策略中您选择哪一条。㊳楚王亦许之：以上苏秦以合纵说楚威王事，见《战国策·楚策一》与《史记·苏秦列传》，《史记·楚世家》及《史记·六国年表》均不载。缪

【原文】

三十七年（己丑，公元前三三二年）

秦惠王使犀首欺齐、魏[668]，与共伐赵[669]，以败从约。赵肃侯让苏秦[670]。苏秦恐，请使燕，必报齐[671]。苏秦去赵[672]，而从约皆解。赵人决河水[673]以灌齐、魏之师，齐、魏之师乃去。

魏以阴晋[674]为和于秦[675]，实华阴[676]。

齐王伐燕[677]，取十城，已而复归之[678]。

三十九年（辛卯，公元前三三〇年）

秦伐魏，围焦、曲沃[679]。魏入少梁、河西地于秦[680]。

文远曰:“一、此章言‘夫以楚之强与大王之贤，天下莫能当也，今乃欲西面而事秦。’〖按〗上年（显二十五年）魏、齐相王，楚威王闻之，怒，此年（显二十六年）遂伐齐，败之于徐州。齐势力方强，而楚威王一战败之，足见楚势正盛，何得有‘欲西面而事秦’之说？二、此章言‘从合则楚王，横成则秦帝’。〖按〗以秦、楚作为争霸之双方，通战国无此形势。……显王三十六年时，秦既尚未称王，何来‘横成则秦帝’之说？……三、据帛书所载，苏秦活动时间当齐湣王时。齐湣王时齐、楚之交不善，苏秦在齐甚久而与楚关系甚疏，凡《楚策》所载苏秦之事，大致均不可信。”⑹从约长：东方合纵联盟的秘书长；合纵联盟的盟主。⑹并相六国：同时担任六个国家的宰相。⑹车骑辎重：跟随的侍从与各国所赠的器物珍宝。辎重，指拉在车上的器物珍宝。⑹拟于王者：和一个国家的首脑差不多。⑹齐威王薨二句：此依《史记》误说。实则“齐威王薨，子宣王辟彊立”，乃在十三年后的公元前三二〇年。此年乃齐威王二十四年（公元前三三三年）。齐宣王名辟彊，公元前三一九至前三〇一年在位。有人认为齐宣王应名辟疆。⑹成侯卖田忌：“卖”在这里是“诬陷”的意思。成侯邹忌诬陷田忌谋反的事情见前文显王二十八年（公元前三四一年）。⑹召而复之：齐威王又将田忌从国外叫回来，恢复其原来的官位与爵禄。⑹易王：燕文公的太子，公元前三三二至前三二一年在位。⑹平侯：卫成侯之子，公元前三三二至前三二五年在位。

【校记】

［4］愿大王熟察之：此六字原无。据章钰校，乙十一行本、孔天胤本皆有此六字，张敦仁《通鉴刊本识误》、张瑛《通鉴校勘记》同。今从章钰校及《史记·苏秦列传》《战国策·魏策一》及《通鉴纪事本末》等补。

【语译】

三十七年（己丑，公元前三三二年）

秦惠王派犀首用欺诈的手段唆使齐国、魏国和秦国一起攻打赵国，以破坏东方六国的合纵联盟。赵肃侯因为齐、魏违背盟约而责备苏秦。苏秦心里恐惧，于是请求出使燕国，一定要报齐国破坏合纵联盟这个仇。苏秦离开赵国以后，六国的合纵同盟也就瓦解了。赵国人决开黄河，让黄河水淹齐军、魏军，齐军、魏军撤退回国。

魏国将阴晋割让给秦国求和，阴晋，就是后来所说的华阴县。

齐威王率军攻打燕国，夺取了十个邑，不久，齐国又将侵占的十个邑归还了燕国。

三十九年（辛卯，公元前三三〇年）

秦国攻打魏国，包围了魏国的焦、曲沃。魏国把少梁、黄河以西的大片领土割让给秦国。

四十年（壬辰，公元前三二九年）

秦伐魏，度河[681]取汾阴、皮氏[682]，拔焦[683]。

楚威王薨，子怀王槐[684]立。

宋公剔成[685]之弟偃袭攻剔成。剔成奔齐，偃[686]自立为君。

四十一年（癸巳，公元前三二八年）

秦公子华[687]、张仪帅师围魏蒲阳[688]，取之。张仪言于秦王，请以蒲阳复与魏，而使公子繇[689]质于魏[690]。仪因说魏王曰："秦之遇[691]魏甚厚，魏不可以无礼于秦。"魏因尽入上郡十五县[692]以谢焉。张仪归而相秦[693]。

四十二年（甲午，公元前三二七年）

秦县义渠[694]，以其君为臣[695]。

秦归焦、曲沃于魏[696]。

四十三年（乙未，公元前三二六年）

赵肃侯薨，子武灵王[697]立。置博闻师[698]三人，左右司过[699]三人，先问[700]先君贵臣肥义[701]，加其秩[702]。

四十四年（丙申，公元前三二五年）

夏，四月，戊午[703]，秦初称王[704]。

卫平侯薨，子嗣君[705]立。卫有胥靡[706]亡之魏[707]，因为魏王之后[708]治病。嗣君闻之，请以五十金买之[709]。五反[710]，魏不与，乃以左氏易之[711]。左右谏曰："夫以一都买一胥靡，可乎？"嗣君曰："非子所知也。夫治无小，乱无大[712]。法不立，诛不必[713]，虽有十左氏，无益也[714]；法立，诛必[715]，失十左氏[716]，无害也。"魏王闻之曰："人主之欲[717]，不听之不祥[718]。"因载而往[719]，徒献之[720]。

四十五年（丁酉，公元前三二四年）

秦张仪帅师伐魏，取陕[721]。

苏秦通于燕文公之夫人。易王知之，苏秦恐，乃说易王曰："臣居

四十年（壬辰，公元前三二九年）

秦国攻打魏国，秦军渡过黄河，夺取了魏国的汾阴、皮氏，攻陷了焦邑。

楚威王去世，他的儿子芈槐即位，就是楚怀王。

宋君剔成的弟弟宋偃突然发动政变，攻打宋剔成。剔成逃到齐国，宋偃自立为宋君。

四十一年（癸巳，公元前三二八年）

秦国的公子华和张仪率领秦军攻打魏国，包围了蒲阳，不久，蒲阳陷落。张仪劝说秦惠文王把蒲阳归还魏国，并让公子繇到魏国去做人质。张仪趁机对魏王说："秦王对待魏国情谊深厚，魏国可不能做出什么对秦国无礼的事情。"魏国于是把上郡所管辖的十五个县全部割让给秦国以表示感谢。张仪回到秦国，被秦惠文王任命为宰相。

四十二年（甲午，公元前三二七年）

秦国把义渠设为秦的一个县，义渠国国君向秦国称臣。

秦国把侵占魏国的焦、曲沃归还魏国。

四十三年（乙未，公元前三二六年）

赵肃侯去世，他的儿子赵雍即位，就是赵武灵王。赵武灵王设置博闻师以备参谋顾问，以知识见闻广博的三个人充任，又设置了负责督察人君过失、直言敢谏的左、右司过，编制为三人。他即位以后首先慰问了他父亲赵肃侯所倚重的大臣肥义，提升了他的品级，增加了他的俸禄。

四十四年（丙申，公元前三二五年）

夏季，四月初四戊午，秦惠公开始改号称王。

卫平侯去世，他的儿子嗣君即位。卫国有一个囚犯逃到了魏国，因为这个逃犯精通医术，所以被请去给魏惠王的王后治病。卫嗣君知道以后，就派人用五十金去赎。使者往返交涉了五次，魏国都不肯放人，卫嗣君就又用左氏这座城邑去与魏国交换。卫嗣君身边的人劝阻说："用一个都邑去换一个逃犯，值得吗？"卫嗣君说："这不是你所能知道的。一个国家治理得好，再小也是强大的；治理得不好，再大也是弱小的。法律如果没有建立，刑罚如果不能执行，即使有十个左氏邑也没有什么用处；如果法律健全，该处罚的得到了处罚，就是丢掉十个左氏邑也没有什么关系。"魏惠王听到这个消息说："人主想要的东西，你不满足他就会给你带来灾祸。"于是就用车把那个逃犯送回卫国，而且什么也没有要。

四十五年（丁酉，公元前三二四年）

秦国的宰相张仪率领秦军攻打魏国，夺取了陕城。

苏秦跟燕文公的夫人私通。燕易王发觉了，苏秦十分恐惧，就对燕易王说："我住

燕，不能使燕重[722]，而在齐则燕重[723]。”易王许之。乃伪得罪于燕，而奔齐[724]，齐宣王以为客卿[725]。苏秦说齐王高宫室[726]、大苑囿[727]，以明得意[728]，欲以敝齐而为燕[729]。

四十六年（戊戌，公元前三二三年）

秦张仪及齐、楚之相会齧桑[730]。

韩、燕皆称王[731]，赵武灵王独不肯，曰：“无其实，敢处[732]其名乎？”令国人谓己曰君[733]。

四十七年（己亥，公元前三二二年）

秦张仪自齧桑还而免相。相魏[734]，欲令魏先事秦[735]而诸侯效之[736]。魏王不听。秦王伐魏，取曲沃、平周[737]，复阴厚[738]张仪益甚。

四十八年（庚子，公元前三二一年）

王崩，子慎靓王[739]定立。

燕易王薨，子哙[740]立。

齐王封田婴于薛[741]，号曰靖郭君[742]。靖郭君言于齐王曰：“五官之计[743]，不可不日听而数览[744]也。”王从之。已而厌之，悉以委靖郭君[745]。靖郭君由是得专齐之权。

靖郭君欲城薛[746]，客谓靖郭君曰：“君不闻海大鱼乎？网不能止[747]，钩不能牵[748]，荡而失水[749]，则蝼蚁制焉[750]。今夫齐，亦君之水也。君长有齐[751]，奚以薛为[752]？苟为失齐[753]，虽隆薛之城到于天[754]，庸足恃乎[755]！”乃不果城[756]。

靖郭君有子四十人，其贱妾之子曰文。文通傥[757]饶智略[758]，说靖郭君以散财养士。靖郭君使文主家待宾客，宾客争誉其美，皆请靖郭君以文为嗣[759]。靖郭君卒，文嗣为薛公[760]，号曰孟尝君。孟尝君招致诸侯游士[761]及有罪亡人[762]，皆舍业[763]厚遇之，存救[764]其亲戚。食客常数千

在燕国不能提高燕国在诸侯国中的地位、加强燕国的力量，到齐国去，却能够提高燕国的地位。”燕易王同意了。于是苏秦就假装在燕国获罪，而逃到齐国，齐宣王任命他为客卿。苏秦引导齐宣王兴建高大的宫殿，扩大打猎的苑囿，以使齐王感到万事如意。苏秦想以这种劳民伤财的办法来削弱齐国，达到使燕国不再受齐国侵略的目的。

四十六年（戊戌，公元前三二三年）

秦国的宰相张仪与齐国的宰相、楚国的宰相在齧桑举行会议。

韩国的国君、燕国的国君都改称王，只有赵武灵王不肯称王，他说：“没有王的实际，怎么敢用王的称号呢?”让国内的人称呼自己为君。

四十七年（己亥，公元前三二二年）

秦国的宰相张仪从齧桑回到秦国，被免去宰相的职务。张仪来到魏国做了魏国的宰相，他想让魏国带头向秦国称臣，其他的诸侯国就会效法魏国也向秦国称臣。魏惠王不肯听从。于是秦惠文王亲自统率秦军攻打魏国，再次占领了曲沃、平周，秦惠文王私下里更加厚待张仪。

四十八年（庚子，公元前三二一年）

周显王姬扁去世，他的儿子姬定即位，就是周慎靓王。

燕易王去世，他的儿子姬哙即位。

齐威王把薛邑封给自己的小儿子田婴，号称靖郭君。靖郭君向齐威王建议说：“对于大行、大司田、大司马、大司理、大谏这五位官员，大王您应该坚持每天听取他们的意见，阅览他们的奏章。”齐威王采纳了他的建议。可是过了不久，齐威王就厌烦了，于是把此项工作全部委托给靖郭君田婴处理。田婴借着这个机会，逐渐独揽了齐国的大权。

靖郭君田婴想要在他的封地薛邑修建城堡，他府中的一个门客对他说：“您难道没有听说过大海里大鱼的故事吗? 这条鱼大得用渔网捉不住，用鱼钩钓不上来，但一旦离开了大海，就连小蚂蚁都能把它制服。今天的齐国就是您的大海。您如果能够长期地掌握齐国的政权，要薛邑还有什么用呢? 如果没有了齐国，您即使把薛邑的城墙修建得像天那么高，又有什么用呢!”田婴于是放弃了修建薛邑城堡的计划。

靖郭君有四十个儿子，出身最低贱的一个小妾所生的儿子叫作田文。田文为人通达事理，卓尔不群而又足智多谋。他劝说靖郭君要舍得拿出钱财，广泛结交天下的英雄豪杰。靖郭君就派田文负责在家接待宾客，那些宾客都争着在靖郭君面前夸赞田文的美德，请求靖郭君把田文确定为继承人。靖郭君田婴去世以后，田文继承了靖郭君的事业，号称孟尝君。孟尝君把在各诸侯间进行游说的谋臣策士和那些因为犯罪而逃亡的人都招引到自己的门下，为了招待他们，就是花尽家产也在所不惜，还经常去抚恤慰问他们的亲属。孟尝君的食客有好几千人，而且每个食客都觉得孟

人，各自以为孟尝君亲己。由是孟尝君之名重天下。

臣光曰："君子之养士，以为民也。《易》曰：'圣人养贤，以及万民[765]。'夫贤者，其德足以敦化正俗[766]，其才足以顿纲振纪[767]，其明[768]足以烛微虑远[769]，其强[770]足以结仁固义[771]。大则利天下，小则利一国。是以君子丰禄以富之[772]，隆爵[773]以尊之。养一人而及万人[774]者，养贤之道也。今孟尝君之养士也，不恤智愚[775]，不择臧否[776]。盗其君之禄，以立私党、张虚誉[777]。上以侮[778]其君，下以蠹[779]其民，是奸人之雄也，乌足尚[780]哉！《书》曰：'受为天下逋逃主、萃渊薮[781]。'此之谓也[782]。"

孟尝君聘于楚[783]，楚王遗之象床[784]。登徒直送之[785]，不欲行[786]，谓孟尝君门人公孙戌[787]曰："象床之直[788]千金，苟伤之毫发，则卖妻子不足偿[789]也。足下[790]能使仆无行[791]者，有先人之宝剑，愿献之。"公孙戌许诺。入见孟尝君曰："小国所以皆致相印于君[792]者，以君能振达[793]贫穷，存亡继绝[794]，故莫不悦君之义，慕君之廉也。今始至楚而受象床[795]，则未至之国，将何以待君[796]哉？"孟尝君曰："善。"遂不受。公孙戌趋去[797]，未至中闺[798]，孟尝君召而反之[799]，曰："子何足之高，志之扬[800]也？"公孙戌以实对。孟尝君乃书门版[801]曰："有能扬文之名[802]，止文之过[803]，私得宝于外者，疾入谏[804]。"

臣光曰："孟尝君可谓能用谏[805]矣。苟[806]其言之善也，虽怀诈谖之心[807]，犹将用之[808]，况尽忠无私以事其上乎[809]？《诗》云：'采葑采菲，无以下体[810]。'孟尝君有焉[811]。"

韩宣惠王欲两用公仲、公叔为政[812]，问于缪留[813]，对曰："不可。

尝君对自己最好。因此，孟尝君在天下享有盛名。

司马光说：“道德高尚的人结交天下的英雄豪杰，目的是为了国家百姓。《易经》上说：‘圣明的君主招揽有才德的人去治理国家，使人人都能得到好处。’这里所说的贤者，指的是那些品德完全可以使风化淳厚，才能可以整顿纲纪，聪明足以观察入微、考虑长远，毅力能坚守仁义之道、永不变节。这些人治理国家，就能够使全天下受益，至少也能使一国受益。所以圣明的君主都增加俸禄使他们富裕，提高他们的爵位使他们尊贵。奉养一个人而能惠及上万的人，这才是培养贤人的目的。而今孟尝君的养士方法却是：不管他是聪明智慧还是愚蠢笨拙，不挑选是好还是不好。盗用国君的财富，培植自己的私党，夸大自己的声誉。对上蒙蔽一国之君，对下愚弄本国百姓，这是坏人中最为突出的，哪里值得表彰呢！《尚书》上说：‘商纣王是天下逃犯的窝主，是一切罪恶的渊薮。’孟尝君就是这样的人啊。”

孟尝君曾经到楚国进行访问，楚怀王赠送给他一张象牙床。楚王派登徒直护送象牙床，登徒不愿意去，他对孟尝君的门客公孙戌说：“这张象牙床价值千金，如果路上有一点损坏，我就是卖掉妻子儿女也赔偿不起。您如果能有办法不让我去护送，我这里有祖先留传下来的一把宝剑，我愿意把它送给您作为酬谢。”公孙戌答应为登徒想办法。公孙戌去见孟尝君说：“那些小国家愿意把相印送给您，是因为您能够体恤贫穷，能够决定它们的生死存亡，所以都仰慕您的高义，敬重您的廉洁。如今您刚到楚国就接受楚王赠送的象牙床这样贵重的礼物，那么您再去别的国家，它们将用什么来赠送您呢？”孟尝君说：“你提醒得好。”于是婉言谢绝了楚王的赠予。公孙戌看见事情办成了，就急匆匆地离去，还没有走到中门，就被孟尝君叫了回来。孟尝君问他说：“你今天为什么这么神气十足、趾高气扬？”公孙戌就把受剑的事情说了。孟尝君就在布告栏中写了一份通告说：“有谁能够为我田文传播美好的名声，有谁能阻止我田文犯错误，即使他在外边接受了别人的贿赂，我都请他赶快来给我提意见。”

司马光说：“孟尝君可以称得上是善于纳谏的了。如果提意见的人所说是正确的，即使他心怀奸诈、动机不纯，孟尝君还是会采纳他的意见，更何况是对其主上一片忠心的人所提的意见呢？《诗经》上说：‘采摘蔓菁的叶子，采摘萝卜的叶子，不要把它们的根须拔出来。’孟尝君就有这样的美德。”

韩宣惠王想同时重用具有不同政见的公仲、公叔两个人，他向缪留征求意见，

晋用六卿[814]而国分[815]，齐简公[816]用陈成子及阚止[817]而见杀[818]，魏用犀首、张仪[819]而西河之外亡[820]。今君两用之，其多力者[821]内树党[822]，其寡力者借外权[823]。群臣有[824]内树党以骄主[825]，有外为交以削地[826]，君之国危矣。”

【段旨】

以上为第四段，写周显王三十七年（公元前三三二年）至周显王四十八年共十二年间的各国大事，主要写了张仪帮助秦国实行连横策略，使秦国大肆攻击削弱魏国的情形，同时也写了孟尝君在齐国的一些活动。

【注释】

⑥⑧使犀首欺齐、魏：犀首即公孙衍，原是魏人，现在秦国当权，为秦国统兵。欺，骗，这里实指唆使。⑥⑨与共伐赵：此年确实有齐、魏联合伐赵事。⑦⓪让苏秦："让"的意思是责备，责备苏秦搞的合纵联盟有问题，齐、魏两国竟然违背盟约侵犯赵国。〖按〗此皆依《史记》误说，其实苏秦的出世还在二十年以后。苏秦没有见过赵肃侯。⑦①请使燕二句：请求出使燕国，一定要报齐国破坏合纵联盟的这个仇。⑦②去赵：离开赵国。⑦③决河水：决黄河，向东南方向放水，当时黄河流经赵国的东南侧，对岸正是齐、魏两国的地盘。⑦④阴晋：魏邑名，在今陕西华阴东。⑦⑤为和于秦：向秦国求和。⑦⑥实华阴：就是后来所说的华阴县。实，是、是为。⑦⑦齐王伐燕：时为齐威王二十五年（公元前三三二年）、燕易王元年。据《史记·苏秦列传》旧说，此次乃齐乘燕文公丧事而伐燕。⑦⑧已而复归之：据《史记·苏秦列传》，此时苏秦已从燕国到达齐国，是在苏秦的劝说下，齐王将侵占的十邑又归还了燕国。实则此时尚无苏秦其人。⑦⑨焦、曲沃：魏之二邑名，焦的故地在今河南三门峡西，曲沃故城在今河南三门峡市陕州区西南。⑧⓪魏入少梁、河西地于秦：魏国将少梁与附近的黄河以西地区献给了秦国。少梁，在今陕西韩城南，前此已被秦国所攻占。河西，指原属魏国的今陕西大荔、渭南华州区以及北至韩城的黄河以西地区。⑧①度河：渡过黄河，进入今山西境内。度，通"渡"。⑧②汾阴、皮氏：魏之二邑名，汾阴故城在今山西万荣西南，皮氏故城在今山西河津西。⑧③拔焦：去年已开始围困，今乃攻拔之。⑧④怀王槐：名槐，"怀"字是谥，公元前三二八至前二九六年在位。⑧⑤宋公剔成：宋国的君主名剔成，公元前三六九至前三二九年在位。因宋国在西周是公爵，故称其诸侯曰"宋公"。⑧⑥偃：即历史所说的宋君偃，公元前三二八至前二八六年在位。⑧⑦公子华：秦惠文王之子，名华。⑧⑧蒲阳：魏邑名，在今山西隰县。⑧⑨公子繇：惠文王之子，一名通，也称通国。⑨⓪质于魏：此时秦是大国、强国，魏国已江河日下，危

缪留回答说："不能这样做。当初晋国由于重用六卿而导致晋国被瓜分，齐简公同时重用了陈成子和阚止，最后竟然落个被杀死的下场，魏国任用犀首、张仪两人为相，结果魏国黄河以西的领土全部丧失。如果现在您也同时重用两个人，那么两人之中势力大的一方就会在国内广树党羽，而势力弱的一方就会借助外部的势力对您施加压力。结党营私的要专擅国政，结交外援的主张割让土地，这样的话，您的国家就危险了。"

机重重，而秦国反将攻占的城池归还，又派惠王之子到魏国当人质，目的就是拉拢魏国，破坏魏国与东方别国的联盟。这就是张仪在进行他的连横策略。㊉㊀遇：对待。㊉㊁尽入上郡十五县：把上郡所辖的十五个县全部献给了秦国。上郡约当今陕西之东北部和与之邻近的内蒙古南部一带地区。㊉㊂归而相秦：回来当秦国宰相。㊉㊃县义渠：将义渠设为秦国之县。义渠原是少数民族义渠人建立的小国，占据在今陕西西北部和与之邻近的甘肃东北部一带地区。其都城义渠在今甘肃庆阳西南。㊉㊄以其君为臣：义渠人的君主称作义渠戎王，被秦国打败，交出地盘，向秦国称臣。〖按〗关于秦国吞并义渠的过程十分生动，详见马非百《秦集史》。㊉㊅秦归焦、曲沃于魏：仍是贯彻张仪的连横计划。㊉㊆武灵王：名雍，公元前三二五至前二九九年在位，是战国时期最有作为的君主之一。㊉㊇博闻师：知识见闻广博，以备参谋顾问的老师。㊉㊈司过：专管指出君主的过失，提醒其及时改正。后代有左拾遗、右补阙之官，与此相同。⑦⓪问：慰问。⑦①肥义：姓肥，名义。赵肃侯时代的老臣。⑦②加其秩：提高他的官爵俸禄。⑦③四月，戊午：阴历四月初四。⑦④秦初称王：秦惠公在这一天改号称王。以前十三年之称"秦惠文王"，乃后人以习惯称呼称之。⑦⑤嗣君：卫平侯之子，因卫国现已成为魏国附庸，故降而称"君"，与其他诸侯国内的封君称"君"相同，公元前三二四至前二八三年在位。⑦⑥胥靡：苦役犯。⑦⑦亡之魏：逃亡到了魏国。⑦⑧魏王之后：魏惠王的王后。⑦⑨请以五十金买之：要用五十金将这个苦役犯买回卫国。金，货币单位，一金相当于二十两或二十四两。用这么多钱买回一个犯人，其代价是很高的。⑦⑩五反：往返交涉了五次。⑦⑪以左氏易之：就用左氏这座城邑与魏国交换。左氏，卫邑名，在今山东曹县西北。易，交换。⑦⑫治无小二句：一个国家治理得好，再小也是个好国；一个国家治理得不好，再大也是个坏国。⑦⑬法不立二句：如果这个国家没有法令，犯法的人可以不受到惩罚。⑦⑭虽有十左氏二句：这个国家地盘尽管再大，那也没有用处。⑦⑮法立二句：如果这个国家的法令健全，犯法的人一定要受到惩处。⑦⑯失十左氏：即使再缺少十个左氏城。⑦⑰人主之欲：这是人家君主的愿望。⑦⑱不祥：不吉利；不好。⑦⑲因载而往：于是就给卫国送了回去。⑦⑳徒献之：白白地送给了卫国，听其惩处。〖按〗以上故事见《战国策·宋卫策》。⑦㉑陕：魏县名，在今河南三门峡西。⑦㉒不能使燕重：不能提高燕国的地位、加强燕国的力量。⑦㉓而在齐则燕重：如果我

在齐国活动，就能够提高燕国的地位、加强燕国的力量。㉔乃伪得罪于燕二句：伪，假装。奔，逃向。〖按〗这以下的苏秦活动已近于历史真实，只是年代提前了。苏秦主要的贡献就是为了燕国的利益到齐国进行间谍活动。㉕客卿：他国人居此国效力，但尚未任以具体官职而为高级参谋顾问的人员。㉖高宫室：把宫室修得高高的。㉗大苑囿：把猎场修得大大的。目的就是要消耗齐国的人力物力，并造成齐王与其臣民的矛盾。苑囿指古代帝王、贵族的园林猎场，大者可达数县之地。㉘以明得意：以表现齐王的心满意足。㉙以敝齐而为燕：为燕国消耗齐国。敝，消耗、疲敝。㉚齧桑：魏邑名，在今江苏沛县西南。㉛韩、燕皆称王：时当韩宣惠王十年（公元前三二三年）、燕易王十年。二国国君从此年开始称王，以前之所谓某某王者，皆后人所追称。㉜处：居；占用。㉝谓己曰君：自甘居小，把自己看成如同其他国家内部的一个小封君，如同商君、孟尝君等等。㉞相魏：张仪在秦国免相，到魏国任宰相，纯粹是耍阴谋，以欺骗愚弄东方各国。㉟令魏先事秦：让魏国带头先与秦国联合，向秦称臣。㊱而诸侯效之：以吸引其他国家效法。㊲平周：魏县名，在今山西介休西。㊳阴厚：暗中厚待。㊴慎靓王：名定，公元前三二〇至前三一五年在位。㊵子哙：燕易王之子，名哙，公元前三二〇至前三一二年在位。㊶封田婴于薛：时当齐威王三十六年（公元前三二一年）。田婴是齐威王的少子。薛是齐邑名，在今山东滕州南。㊷靖郭君：其地有郭水，因以为封号名。㊸五官之计：五位大臣对国家大事的看法。据《管子·小匡》，齐有大行、大司田、大司马、大司理、大谏，当即齐之五官。㊹日听而数览：天天听取他们的意见，时时看他们的奏章。数，频频、屡屡。㊺悉以委靖郭君：全部都交由靖郭君代听代看。㊻城薛：在其领地薛邑筑城，为保护其私利做打算。㊼网不能止：网没法把它捞上来，因为它太大了。止，留、拘捕。㊽钩不能牵：钓钩也拉它不动。㊾荡而失水：一旦离开了水。荡，大水失去的样子。㊿蝼蚁制焉：连小小的蚂蚁、蝼蛄也能欺侮它。制，裁制、控制。751君长有齐：您如果能长久地在齐国执政。752奚以薛为：何必看重薛邑；要薛邑有什么用。奚，何。753苟为失齐：如果您一旦不被齐王所信任重用。苟，如果。754虽隆薛之城到于天：即使您把薛邑的城墙修得像天那么高。隆，加高。755庸足恃乎：对您又有什么用呢。庸，岂、难道。足，可。恃，倚靠。756不果城：不再修城。果，完成。757通傥：豁达、洒脱。傥，卓然不群的样子。758饶智略：足智多谋。759为嗣：做接班人、继承人。760薛公：薛邑的封君。761游士：游学游说之士。762亡人：隐姓埋名的逃亡者。763舍业：花尽家财在所不惜。764存救：慰问、救济。765圣人养贤二句：出自《周易·颐卦·彖辞》。圣人，指一国之君。以及万民，让人人都能得到好处。766敦化正俗：使风化敦厚，使民俗淳正。767顿纲振纪：整顿纲纪。顿、振，都是发扬、振作的意思。纲、纪，指人际关系与为人处世的准则。768其明：指人的观察力、洞察力。769烛微虑远：观察得细致，考虑得久远。微，细小。770其强：指人的毅力、原则性。771结仁固义：坚守仁义之道，永远不变节。772丰禄以富之：指不惜多花钱财以招纳贤人。丰禄，丰厚的俸禄。773隆爵：

高高的爵位。⑺养一人而及万人：养一个贤才就能使成千上万的人得到好处。⑺不恤智愚：不管聪明还是笨拙。恤，考虑。⑺不择臧否：不管善良或不善良。臧，善。否，不善。⑺张虚誉：夸大自己的虚假名誉。张，夸大。⑺侮：欺；蒙蔽。⑺蠹：蚕食；割剥。⑺乌足尚：有什么值得表彰、推崇。乌，何。尚，崇尚。⑺受为天下逋逃主、萃渊薮：出自古文《尚书·武成》。意思是殷纣王是招降纳叛的大本营，是一切罪恶的渊薮。受是殷纣王的名字。逋逃主，窝藏包庇逃犯的主人。萃渊薮，鱼类、兽类的汇聚之处。此话也见于《左传·昭公七年》。⑺此之谓也：孟尝君就属于这种人。⑺聘于楚：到楚进行礼节性访问。⑺象床：象牙做的床，极言其名贵。⑺登徒直送之：命登徒直护送。登徒直，姓登徒，名直。也有将登徒理解为官名，直理解为当值的，意即由值班的登徒护送。⑺不欲行：登徒不想去送这张象牙床。⑺公孙戌：姓公孙，名戌。⑺直：同“值”，价值。⑺不足偿：赔偿不起。⑺足下：敬称对方，与“阁下”意思相同。⑺能使仆无行：假如能让我不去干这趟差事，指不去送象牙床。⑺皆致相印于君：都请您去他们国家当宰相。⑺振达：同“救济”。⑺存亡继绝：使将亡之国得以存活，使将绝之祭祀得以继续。⑺受象床：接受象牙床的馈赠。⑺何以待君：再如何接待您。意即谁还接待得起呢。⑺趋去：恭敬地退去。趋，小步疾走，这是古代臣子在君长跟前的一种走路姿势。⑺未至中闺：还没有走到中门。中闺，中门。⑺召而反之：把他叫了回来。⑻足之高二句：犹如今之所谓“趾高气扬”，一种得意满足的样子。⑻书门版：在大门上写道，相当于现在的出布告。⑻扬文之名：能为我田文扬名。文，孟尝君自称己名，以表示谦虚。⑻止文之过：能制止我田文犯错误。⑻疾入谏：赶紧进来提意见。⑻用谏：接受意见。⑻苟：只要是。⑻虽怀诈谖之心：尽管他的动机不太好。⑻犹将用之：尚且能够采纳。⑻况尽忠无私以事其上乎：更何况那些大公无私的良臣所提出的意见呢。⑻采葑采菲二句：以上两句诗见于《诗经·谷风》，意思是采野菜时不要把它的根须都拔出来。以比喻听意见要听其合理的部分，不要求全责备、吹毛求疵。葑，蔓菁。菲，萝卜。下体，指植物根茎。⑻孟尝君有焉：孟尝君就有这种精神。⑻两用公仲、公叔为政：想同时任用具有不同政见的公仲与公叔分掌国家大权。两用，同时并用。公仲即韩朋，亦作公仲朋。公叔即公叔伯婴。为政，执政。⑻缪留：韩臣。⑻六卿：指六大权臣的范氏、中行氏、智氏、韩氏、魏氏、赵氏。⑻国分：指先是将晋地晋权分成六份，又火并成四份，最后又被分割成三份，各自独立建国。⑻齐简公：姜氏齐国后期的君主，公元前四八四至前四八一年在位。⑻陈成子及阚止：田成子即齐国后期的权臣田常，姜氏政权的最大把持者。阚止，字子我，田常的反对派。⑻见杀：阚止欲发动政变杀田常，结果被田常所杀，齐简公也连带被杀。详见《史记·齐太公世家》《史记·田敬仲完世家》。⑻魏用犀首张仪：犀首原在魏国主张合纵策略，张仪为秦国当间谍到魏国进行连横，两人矛盾激烈。⑻西河之外亡：由于有张仪在魏国为内应，秦国又在外面发动攻击，故魏国被秦国所削弱。魏向秦献出西河事已见前文。⑻多力者：权大的一方。⑻内树党：在国内广树党羽。㉓借外权：借着外国势力对国内施加压力。㉔有：有的人。㉕骄主：党羽多、势力大了，就对君主傲慢专横。㉖外为交以削地：借着国外势力，逼着国家给别国割地。

【研析】

本卷比较清晰地叙述了商鞅变法的过程与其实际功效，材料主要来自《史记》的《秦本纪》与《商君列传》。但司马光与司马迁的感情略有不同，尽管司马迁在纷纭复杂的战国时期之秦国的资料中把“臭名昭著”的商鞅提出来，写为列传，明确地记载了商鞅变法的功效，使后人能够清晰无误、顺顺当当地肯定商鞅，表现了司马迁勇敢的求实精神。但比较遗憾的是，他在《商君列传》的“太史公曰”中仍是发表了“商君，其天资刻薄人也。迹其欲干孝公以帝王术，挟持浮说，非其质矣。且所因由嬖臣，及得用，刑公子虔，欺魏将卬，不师赵良之言，亦足发明商君之少恩矣”云云一大套，表明了他对商鞅在情感态度上的厌恶。司马光反对王安石变法，照理说他也应对商鞅持厌恶态度才对，但事实相反，他不仅没有斥责商鞅，相反还表扬了秦孝公的“不废徙木之赏”，而“不废徙木之赏”分明是商鞅的一种手段。这说明司马光也不总是“保守”，有时还是很清醒的。

齐威王与魏惠王的论“宝”一节非常生动，由小见大地突出了齐威王的英明干练。作品较详细地展现了孙膑在桂陵与马陵两次大破庞涓，一般人只注意了孙膑用兵之奇，而军事学家们则更注意到了此次齐国光辉胜利背后的列国形势的变化。吴如嵩《中国军事通史·战国军事史》曰：“孙膑处于战国时代，能根据魏国军队和将帅的心态及地形情况，运筹演谋，掌握主动，调动敌人，将其全歼，的确不愧为古代杰出的军事家。……值得一提的是，在削弱魏国的过程中，齐得其名而秦得其实，最大的赢家是秦国。齐国利用魏与韩、赵的矛盾，战胜了强大的魏国，夺取了中原霸主的地位，但获得实利不多。秦国运用外交手段，转移矛盾的焦点，将魏侯推上王位，挑起、激化魏国与其他大国，尤其是同齐国的矛盾，使自己得以免遭魏祸，置身于冲突的旋涡之外，冷眼旁观，伺机而动。等到齐大败魏军，魏已成强弩之末，秦国再动用强大的军事力量，夺占魏河西之地。尔后，秦又利用魏、楚的矛盾，出兵助魏攻楚，然后乘魏师老兵疲之际，又以大兵伐魏相威慑，得到了魏上郡的大片土地。秦国夺占河西和上郡，不但开拓了疆土，而且为以后的兼并战争开创了十分有利的战略形势，在大国争雄的多极斗争中，秦国的策略的确是棋高一着。”这段提点很深刻。

《苏秦列传》与《张仪列传》都是《史记》中长达万言的鸿篇巨制，司马光重视苏秦，将他先后游说七国诸侯的言辞，删繁就简，但都一个不漏地写了七遍。这完全是误用了司马迁的观点。杨宽在《战国纵横家书·马王堆帛书〈战国纵横家书〉

的史料价值》中说："苏秦和张仪，是战国后期纵横家所推崇的人物，他们的游说辞常被作为学习模仿的榜样。特别是到战国末年，由秦国来完成统一的趋势已经形成，东方六国常常图谋合纵抵抗秦国，挽救自己的灭亡，因而纵横家的活动盛极一时，苏秦的游说辞就广泛流行。……正因为苏秦和张仪是纵横家学习模仿的榜样，他们的游说辞是练习游说用的主要的脚本，其中就有许多假托他们编造出来的，不但夸张虚构，而且年代错乱，矛盾百出。……《战国策》中，既有比较原始的苏秦资料，也有出于后人伪造虚构的东西，可说真伪参半，而《史记·苏秦列传》所辑录的，几乎全是后人杜撰的长篇游说辞。因为司马迁误信这些游说辞为真，误认为苏秦是和张仪同时对立的人物，反而把有关苏秦的原始资料抛弃了，或者把这些资料中的'苏秦'改成'苏代'或'苏厉'。……事实上，和张仪主要敌对的人物是公孙衍和陈轸。当张仪在秦国当权的时候，苏秦只不过是个年轻的游说者。苏秦的年辈要比张仪晚得多。张仪死在公元前三一〇年，苏秦要晚死二十五年左右。苏秦是在齐国因'阴与燕谋齐'的'反间'罪而被车裂处死的，其时当在公元前二八五年燕将乐毅开始大举攻齐的时候。……苏秦的主要活动是在齐湣王统治齐国的时期，他和孟尝君田文、奉阳君李兑、穰侯魏冉、韩珉、周最等人同时参加合纵连横的活动。……苏秦始终是燕昭王的亲信，为谋求燕国的强大，出谋划策，奔走于齐、赵、魏等国之间，目标在于使齐、赵两国关系恶化，防止齐国进攻燕国，并发动合纵攻秦，以便燕昭王成就振兴燕国的'大事'。"关于张仪的问题留待下卷再一道说。

司马光对孟尝君善于接受意见是肯定的，而对其为人所盛称的"养士"则给予了尖锐批评，不点名地说他是"奸人之雄"，这与司马迁在《史记》中写"四公子"列传的用意也大体相同。司马迁所深情歌颂的是信陵君，平原君见识不高，但在关键时刻能与赵国共存亡。最差的是孟尝君与春申君，一个是引敌入侵，一个是图谋篡位。正如明代王世贞所说："三公之好士也，以自张也，信陵之好士也，以存魏也，乌乎同!"(《史记评林》引)

卷第三　周纪三

起重光赤奋若（辛丑，公元前三二〇年），尽昭阳大渊献（癸亥，公元前二九八年），凡二十三年。

【题解】

本卷写了上起周慎靓王元年（公元前三二〇年）下至周赧王十七年（公元前二九八年）共二十三年的各国大事，其中最重要的是秦惠文王用司马错之谋南取巴、蜀，用张仪之谋破楚取汉中，随后秦武王又靠甘茂之力破韩占据了三川地区的重镇宜阳，从此秦国不仅有了坚强的右翼，而且有了东出的桥头堡，为日后的大破东方诸国奠定了坚实的基础。接着秦昭王在穰侯与宣太后的帮助下消灭异党、夺得政权，随即对楚、韩、魏猛烈攻击，致使韩国处于投降状态，楚、魏也进一步走向衰落，为下一卷的秦军大规模破楚、破魏做了准备。此外，本卷还详细地写了张仪在秦惠文王时依次游说东方六国，威胁并诱使东方诸国与秦国连横；写了燕国的子之之乱与齐宣王乘机破燕，齐国最后被燕国军民所驱逐，以及燕昭王的发愤图强，振兴燕国；写了赵武灵王的胡服骑射，破林胡、灭中山，一跃而成为东方抗秦的主要力量。

【原文】

慎靓王①

元年（辛丑，公元前三二〇年）

卫更贬号曰君②。

二年（壬寅，公元前三一九年）

秦伐韩③，取鄢④。

魏惠王薨，子襄王立⑤。孟子入见而出，语人⑥曰："望⑦之不似人君⑧，就之⑨而不见所畏⑩焉。卒然⑪问曰：'天下恶乎定⑫？'吾对曰：'定于一⑬。''孰能一之⑭？'对曰：'不嗜⑮杀人者能一之。''孰能与之⑯？'对曰：'天下莫不与⑰也。王知夫⑱苗乎？七、八月⑲之间旱，则苗槁⑳矣。天油然作云㉑，沛然㉒下雨，则苗浡然兴之㉓矣。其如是㉔，孰能御之㉕。'"

【语译】

慎靓王

元年（辛丑，公元前三二〇年）

卫国卫成侯再次贬低自己的爵号，不再称“侯”而称“君”。

二年（壬寅，公元前三一九年）

秦国攻打韩国，夺取了鄢陵邑。

魏惠王去世，他的儿子魏襄王即位。孟子入朝见过魏襄王出来以后对人说：“这位国君看上去就不像国君的样子，靠近他时也感觉不到他的威严，无法让人产生敬意。他突然问我：‘如何才能使天下安定？’我回答说：‘天下统一了，就安定了。’他又问：‘谁能使天下统一？’我回答说：‘不嗜好杀人的人能够统一。’他又问：‘有谁愿意归附他？’我回答：‘天下没有人不愿意归附。大王知道禾苗吧？七、八月间，天气干旱少雨，禾苗全部枯萎了。突然，天空乌云密布，大雨倾盆而下，禾苗立刻就充满了生机。如果哪个国君也像这及时雨一样，有谁能够阻挡他统一天下呢。’”

三年（癸卯，公元前三一八年）

楚、赵、魏、韩、燕同伐秦[26]，攻函谷关[27]。秦人出兵逆[28]之，五国之师皆败走。

宋初称王[29]。

四年（甲辰，公元前三一七年）

秦败韩师于脩鱼[30]，斩首八万级，虏其将鲺、申差[31]于浊泽[32]，诸侯振恐[33]。

齐大夫与苏秦争宠，使人刺秦，杀之[34]。

张仪说魏襄王曰："梁地[35]方不至千里，卒不过三十万。地四平[36]，无名山大川之限[37]。卒戍楚、韩、齐、赵之境[38]，守亭、障者不过十万[39]。梁之地势，固战场也[40]。夫诸侯之约从，盟于洹水之上[41]，结为兄弟以相坚[42]也。今亲兄弟、同父母，尚有争钱财相杀伤，而欲恃反覆苏秦之余谋[43]，其不可成亦明矣。大王不事秦，秦下兵攻河外[44]，据卷、衍、酸枣[45]，劫卫，取阳晋[46]，则赵不南[47]；赵不南，则梁不北[48]；梁不北，则从道绝[49]；从道绝，则大王之国欲毋危，不可得也！故愿大王审定计议[50]，且赐骸骨[51]。"魏王乃倍[52]从约，而因[53]仪以请成于秦[54]。张仪归[55]，复相秦。

鲁景公薨，子平公旅[56]立。

五年（乙巳，公元前三一六年）

巴、蜀[57]相攻击，俱告急于秦[58]。秦惠王欲伐蜀，以为道险狭[59]难至，而韩又来侵，犹豫未能决。司马错[60]请伐蜀，张仪曰："不如伐韩。"王曰："请闻其说[61]。"仪曰："亲魏善楚，下兵三川[62]，攻新城、宜阳[63]，以临二周之郊[64]。据九鼎[65]，按图籍[66]，挟天子以令于天下[67]，天下莫敢不听，此王业[68]也。臣闻'争名者于朝[69]，争利者于市[70]'，今三川、周室[71]，天下之朝、市[72]也，而王不争焉，顾[73]争于戎翟[74]，

三年（癸卯，公元前三一八年）

楚国、赵国、魏国、韩国、燕国共同讨伐秦国，攻打函谷关。秦军出关迎战，五国联军立即溃不成军，四散而逃了。

宋君偃开始称王。

四年（甲辰，公元前三一七年）

秦国在韩国的脩鱼大败韩军，斩首八万人，又在浊泽俘虏了韩国大将鲠和申差，东方诸国都感到震惊和恐惧。

齐国大夫与苏秦争宠，派人杀死了苏秦。

张仪游说魏襄王说："魏国的领土方圆不足一千里，士兵不超过三十万。土地平旷，没有高山大川等天然险阻。仅有的三十万兵力还要分别驻守在与楚国、韩国、齐国、赵国接壤的四周边境，真正用来固守防地的只不过十来万人。魏国的地理形势决定了魏国本来就是一个战场。各诸侯国曾经缔结了合纵抗秦的协约，并在洹水之上举行了结盟仪式，发誓要像亲兄弟一样互相支持，共同坚守。但事实上就连亲兄弟与父母之间为争夺钱财还互相残杀，更何况是诸侯之间呢？想要依靠反复无常的苏秦所谋划的合纵来对抗秦国，其结果必然失败是不言自明的了。大王您如果不肯臣服秦国，秦国发兵攻打魏国黄河以南地区，占据卷邑、衍邑、酸枣邑，然后控制卫国，夺取阳晋，这样就割断了赵国南下的通道；赵国再也不能向南救援魏国，魏国也不能向北与赵国、燕国联络，这样一来，合纵联盟就被拦腰切断，到那时，大王您的国家再想要得到安宁是不可能的了！所以我希望大王您仔细地考虑考虑利害关系，拿定主意，还请您批准我辞职的请求。"魏襄王听信张仪的花言巧语，于是背弃了合纵抗秦联盟，并通过张仪请求与秦国讲和。张仪回到秦国，因为游说魏国有功，所以再一次担任秦国的宰相。

鲁景公姬偃去世，他的儿子姬旅做了国君，就是鲁平公。

五年（乙巳，公元前三一六年）

巴国与蜀国发生战争，两个国家都来向秦国求救。秦惠王想要趁机征服蜀国，但是因为去蜀国的道路险恶难行，加上韩国又来侵犯秦国边境，所以犹豫不决。这时司马错请求攻伐蜀国，张仪说："攻打蜀国不如攻打韩国。"秦惠王说："请说说你的理由。"张仪说："我们应该和魏国、楚国搞好关系，然后集中兵力对付韩国。首先攻打三川，再攻下新城、宜阳，其后就可以把兵力直接部署在东、西二周的交通要道处。迫使周天子交出象征权力的九鼎和天下地图、户籍，东、西二周就完全掌握在我们手中了。然后挟持周天子，以天子的名义号令天下，天下谁敢不听从，这是一统天下、称帝称王的事业啊。我听说'要争名就到朝廷上去争，那里是获取大名大位的地方；要争利就到市场上去争，那里是赚大钱的地方'，如今的三川和周王室就是天下的一个大朝廷和大市场，大王您不到那里去争夺，反而要到荒蛮的戎狄那

去王业远矣[75]。”

司马错曰：“不然。臣闻‘欲富国者，务广其地[76]；欲强兵者，务富其民；欲王者[77]，务博其德[78]’。三资者备[79]，而王随之[80]矣。今王地小民贫，故臣愿先从事于易[81]。夫蜀，西僻之国，而戎翟之长[82]也，有桀、纣之乱[83]。以秦攻之，譬如使豺狼逐群羊。得其地，足以广国；取其财，足以富民缮兵[84]；不伤众[85]，而彼已服焉。拔一国[86]而天下不以为暴，利尽四海[87]而天下不以为贪，是我一举而名实附[88]也，而又有禁暴止乱之名[89]。今攻韩，劫天子，恶名也，而未必利也，又有不义之名[90]。而攻天下所不欲[91]，危矣。臣请论其故：周，天下之宗室[92]也。齐，韩之与国也[93]。周自知失九鼎，韩自知亡三川，将二国并力合谋，以因[94]乎齐、赵而求解乎楚、魏[95]。以鼎与楚，以地与魏，王弗能止[96]也。此臣之所谓危也。不如伐蜀完[97]。”

王从错计，起兵伐蜀，十月取之[98]，贬蜀王，更号为侯[99]，而使陈庄相蜀[100]。蜀既属秦，秦以益强富厚，轻诸侯[101]。

苏秦既死[102]，秦弟代、厉[103]亦以游说显于诸侯。燕相子之[104]与苏代婚[105]，欲得燕权。苏代使于齐而还[106]，燕王哙问曰：“齐王其霸乎？”对曰：“不能。”王曰：“何故？”对曰：“不信其臣。”于是燕王专任子之。鹿毛寿[107]谓燕王曰：“人之谓尧贤者，以其能让天下[108]也。今王以国让子之，是王与尧同名[109]也。”燕王因属国[110]于子之，子之大重。或曰[111]：“禹荐益，而以启人为吏[112]。及老[113]，而以启为不足任天下[114]，传之于益。启与交党[115]攻益，夺之。天下谓禹名传天下于益，而实令启自取之[116]。今王言[117]属国于子之，而吏无非太子人者，是名属子之而实太子

里去争夺，恐怕是离成就王者的大业太远了吧。”

司马错说：“不对。我听说‘想要使国家富强的人必定把扩充领土作为当务之急，想要使兵力强盛的人一定会千方百计让人民生活富足，想要统一天下成就王者事业的人必定会把推广德政放在首位’。这三个方面的条件都具备了，统一天下的大业也就自然而然地实现了。如今大王您的领土狭小，百姓生活贫困，所以我想让您从最容易的事情做起。至于说蜀国，虽说地处偏远的西南，是蛮族的首领，但它的国君有着夏桀、商纣那样的暴行。用我们秦国的军队去攻打它，就像是让豺狼般的猛兽去追赶群羊一样轻而易举。得到蜀国的土地，扩大了秦国的疆域；得到蜀国的财富，可以用来改善人民的生活和修治武器装备；我们不必付出巨大牺牲，蜀国就屈服了。我们灭掉一个小小的蜀国，天下的人不会认为我们残暴，我们得到了巴、蜀的最大利益，而天下的人不会认为我们贪得无厌，还获得了禁暴止乱的好名声，这正是一举而名利双收。如果攻打韩国，劫持周天子，就会落下恶声，却未必能得到实际的好处，又有了一个不义的坏名声。再去攻打一个大家都不愿意看到它被攻打被灭亡的东、西二周，我看秦国就危险了。请让我陈述其中的原因：东、西二周，虽然是一个很小的国家，却是各诸侯共同尊奉的宗主国。齐国，是韩国的同盟国。周预料到自己会失去象征政权的九个鼎，韩国预料到自己将会失去三川，周、韩两国就会同心协力谋划对付秦国，并通过齐国、赵国从中斡旋而得到楚国、魏国的支援。周将九鼎送给楚国，韩国将地割给魏国，大王您是没有办法禁止的。这就是我所说的秦国就危险了的道理。所以说攻打韩国不如攻打蜀国更有利。”

秦惠王听从了司马错的意见，率军攻打蜀国。当年十月就占领了蜀国，把蜀君的“王”号贬低为“侯”，并委派陈庄担任蜀相。蜀地并入秦国的版图，秦国因此更加强大，物质财富也更加丰厚，于是便不再把东方各诸侯放在眼里。

苏秦死了以后，他的两个弟弟苏代、苏厉也以游说而受到各诸侯国的尊重。燕国的宰相子之与苏代结为姻亲，目的是想要夺取燕国的政权。苏代出使齐国回到燕国以后，燕王姬哙问苏代说：“齐王有没有成为霸主的可能？”苏代说：“没有这种可能。”燕王又问：“是什么缘故啊？”苏代暗示他说：“齐王不信任他的大臣。”于是燕王让子之独揽燕国的大权。一个叫作鹿毛寿的人对燕王说：“人们都称赞尧是一个贤明的君主，就是因为他能够把天下禅让给贤人。现在您把燕国的权力交给子之，那么您就会和尧一样享有让贤、禅天下的美名了。”燕王听信鹿毛寿的话，就把国政全部交给子之，子之一下子执掌了燕国的大权。又有人对燕王姬哙说：“大禹虽然将益定为自己的接班人，却将自己儿子夏启的属下安插在各级部门。等到大禹年事已高，就以夏启不能担负起治理天下的重任为由传位给益。夏启和他的党羽攻打益，最后夺取了政权。天下人都说，大禹名义上把政权传给益，而实际上是让夏启再把政权夺回来。如今大王您表面上把权力交给子之，而那些官吏没有一个不是太子姬平的人，

用事[118]也。”王因收印绶，自三百石吏已上，而效之子之[119]。子之南面行王事[120]，而哙老，不听政，顾为臣[121]，国事皆决于子之。

六年（丙午，公元前三一五年）

王崩[122]，子赧王延[123]立。

【段旨】

以上为第一段，写周慎靓王元年（公元前三二〇年）至周慎靓王六年间的各国大事，主要写了张仪在秦国继续推行连横政策，进一步削弱魏国，又与司马错联手为秦国灭掉巴、蜀两小国，使秦国空前壮大，为日后的灭楚准备了条件，并写了燕相子之在其党羽的帮助下阴谋篡取了燕国政权的过程。

【注释】

①慎靓王：周显王之子，名定，公元前三二〇至前三一五年在位。②卫更贬号曰君：卫君前于周显王二十三年（公元前三四六年），“已贬号为侯”，今更“贬号曰君”。盖已成为魏国附庸，领土日小故也。③秦伐韩：时当魏惠王十六年（公元前三一九年）、韩宣惠王十四年。④鄢：鄢陵，在今河南鄢陵西北。⑤魏惠王薨二句：杨宽《战国史》系此事于慎靓王二年（公元前三一九年），魏襄王元年（公元前三一八年）为慎靓王三年。魏襄王名嗣，公元前三一八至前二九六年在位。〖按〗《史记》系魏国诸侯之年错误甚多，不可依据。⑥语人：对人说。⑦望：远远望去。⑧不似人君：不像个君主的样子。⑨就之：待至靠近他时。⑩不见所畏：感觉不到有什么可以让人敬畏的地方。⑪卒然：突然。卒，同“猝”。⑫恶乎定：如何才能安定。恶，也写作“乌”，如何。⑬定于一：天下统一了才能安定。⑭孰能一之：谁能统一天下呢。⑮嗜：喜好。⑯孰能与之：谁能归服于他呢。与，结交、归服。⑰莫不与：没有人不归服他。⑱夫：彼；那些。语中助词。⑲七、八月：此指周历。周历的七月、八月相当于夏历的五月、六月，正是禾苗生长的季节。⑳槁：枯干。㉑油然作云：突然阴云密布。油然，云气浓重的样子。作，兴起。㉒沛然：雨量盛足的样子。㉓浡然兴之：一下子就蓬蓬勃勃地长起来了。兴，生长。㉔其如是：如果哪个君主也能像这及时雨一样。是，此，指雨。㉕孰能御之：谁能阻挡他统一天下呢。御，阻挡。〖按〗以上孟子对魏襄王事，见《孟子·梁惠王上》。㉖楚、赵、魏、韩、燕同伐秦：时当楚怀王十一年（公元前三一八年）、赵武灵王八年、魏襄王元年、韩宣惠王十五年、燕王哙三年。此役的组织者为魏国的执政犀首，即公孙衍。司马迁误说苏秦组织六国抗秦，

这是名义上把权力交给子之，而实际上是太子姬平在掌权。”燕王于是把享受三百石以上俸禄官吏的印绶都收回来交给子之，让子之自己选拔任用官吏。于是子之面南而坐，行使国王的职权，而燕王哙因为年老，不再过问国家的政事，自己反而成了子之的臣僚，燕国的一切政事全都由子之决定。

六年（丙午，公元前三一五年）

周慎靓王姬定驾崩，他的儿子姬延继承了王位，就是周赧王。

就是依据了这些事件的影子而误加在苏秦身上。㉗函谷关：秦国东面的关塞名，在今河南灵宝东北。㉘逆：迎；迎战。㉙宋初称王：此时的宋君名偃，公元前三二八至前二八六年在位。㉚脩鱼：韩邑名，在今河南原阳西南。㉛鲠、申差：韩国的二将，名鲠者史失其姓。㉜浊泽：韩邑名，在今河南长葛西北。㉝振恐：震惊恐惧。振，通“震”。㉞使人刺秦二句：此依《史记》误说，实际情况是苏秦在齐国做间谍被发觉，被齐国车裂，但这是三十年以后的事。㉟梁地：指魏地，魏国的地盘。因魏国这时的国都在大梁，故人们也多称魏国为梁国。㊱地四平：四面的地势平坦，各国来攻都极容易。㊲限：阻隔。㊳卒戍楚、韩、齐、赵之境：魏的四面与楚、韩、齐、赵为邻，都要派兵把守。㊴守亭、障者不过十万：日常镇守四方边防工事的兵力顶多不过十万。亭、障，指边防工事。亭用以瞭望；障是据守的城堡。㊵固战场也：即俗所谓“四战之地”，四面都要应付。㊶盟于洹水之上：指东方合纵诸国的执政者在洹水结盟。依《史记》《资治通鉴》旧说，组织此事者为苏秦，其实是魏国犀首。洹水流经今河南安阳市、县到内黄北入卫河，这一带地区当时属赵。洹水之盟确有其事，但不是结盟抗秦。缪文远曰：“洹水之上为东方诸侯会聚之地，魏攻下赵都邯郸，齐、楚救赵，击败魏国，魏被迫与赵修好，与赵王会于洹水之上。此所云，即据此事拟构而成。”㊷相坚：巩固相互间的联盟。㊸欲恃反覆苏秦之余谋：将反复无常之苏秦所用过的那套东西视为可靠。余谋，剩下来的谋略，表示贬义。缪文远曰：“苏秦年辈较张仪为晚，张仪死时，苏秦事迹尚不甚著，此所言，与史实不合。”㊹下兵攻河外：秦兵东出攻取魏国的黄河以南地区。西方的地势高，故称秦兵东出曰西下。又，古代称今河南境内的黄河以北地区为“河内”，称黄河以南地区为“河外”。此指当时黄河以南的今郑州、延津、濮阳等一带属于魏国的地区。㊺据卷、衍、酸枣：首先占据卷、衍、酸枣。卷在今河南原阳西，衍在今郑州北，酸枣在今河南原阳东北、延津西南。三者皆魏县名。由于后来黄河改道，上述诸县现在都已到了黄河之北。㊻劫卫二句：控制卫国，夺取其阳晋。已经成为魏国附庸的卫国在今河南濮阳西南。阳晋是卫县名，在今山东郓城西。㊼赵不南：当秦兵一旦占据卷、衍、阳晋诸地后，则魏与赵国的联系就被斩断了，赵兵就再也不能南下救魏。㊽梁不北：魏国就无法再与北面的赵国、燕国联络。㊾从道绝：南北的合纵

联盟被拦腰斩断。㊿审定计议：仔细考虑好何去何从。审，仔细。51且赐骸骨：而且我还求您放过我这把老骨头，让我离开魏国。赐骸骨是请求退休、请求离开的客气语。当时张仪正在魏国给秦国当奸细，见过去一段时间无任何进展，故而今天做出了这样的姿态。52倍：通“背”，背叛。53因：通过；借着。54请成于秦：请求跟秦国媾和。成，媾和。55归：指回到秦国。56平公旅：平公名旅，公元前三一六至前二九七年在位。57巴、蜀：都是今四川境内的古代小国名。巴国的都城江安，在今重庆市区东北；蜀国的都城即今成都。58俱告急于秦：《史记正义》引《华阳国志》云：“昔蜀王封其弟于汉中，号曰苴侯，因命之邑曰葭萌。苴侯与巴王为好，巴与蜀为仇。故蜀王怒，伐苴。苴奔巴，求救于秦。秦遣张仪从子午道伐蜀。蜀王自葭萌御之，败绩，走至武阳，为秦军所害。秦遂灭蜀，因取苴与巴焉。”〖按〗巴国都江州，在今重庆市区东北部。59险狭：崎岖狭窄。60司马错：秦国名将，司马迁的祖先。61请闻其说：请让我听听您的理由。62三川：指有黄河、伊水、洛水三条河流经过的地方，即今河南西部的黄河以南地区，这一带当时是韩国的管辖区。63新城、宜阳：韩之二县名。新城在今河南伊川县西南。宜阳在今河南宜阳西，韩国前期曾建都于此。64临二周之郊：占据东周、西周两个小国的交通咽喉。〖按〗这时的周天子已完全成为光杆司令，他手下的两个贵族，一个控制着王城（今洛阳），称“西周君”，一个控制着巩县，称“东周君”。郊，冲要之地。65据九鼎：掌握周天子的传国之宝。相传在夏禹时曾收九州之金铸为九鼎，从此遂成为历代的传国之宝。事详《左传·宣公三年》《战国策·周策》《史记·周本纪》。66按图籍：周天子所保存的各诸侯国的地理形势图。鲍彪有所谓“土地之图，人民金谷之籍”，分别言之，说法亦好。67挟天子以令于天下：控制住周天子，用他的名义向天下各国发号施令。68王业：一统天下，称帝称王的事业。69争名者于朝：要争名就得到朝廷上去争，这才能争到大名大位。70争利者于市：要争利就得到市场上去争，那才是赚大钱的地方。71周室：此处指周天子与东、西二周君。72天下之朝、市：各国所瞩目、所必争的地方。73顾：反；反而。74戎翟：此处代指巴蜀。75去王业远矣：这不是建立王业之所急。76务广其地：要让他的领土越来越宽广。77欲王者：想建立王业的人。78务博其德：要使自己的德业日益兴盛。79三资者备：三项条件具备。三资即前所谓“地”“民”“德”。80王随之：王业也就随之而来。81先从事于易：锺惺曰：“一‘易’字甚醒，此仪之所以伏也。伐蜀一事，《史》不为错立传，于《张仪传》见之，嘉仪之能为国以从错，且伐蜀后，秦以富强轻天下，为仪连衡地耳。”82戎翟之长：当地少数民族之大者。83有桀、纣之乱：有夏桀、殷纣一样的昏暴之行。桀、纣的昏暴情形见《史记》之《夏本纪》《殷本纪》。84缮兵：修治武器装备。缮，治。85不伤众：不必付出重大牺牲。86拔一国：灭掉一个小国。87利尽四海：极言灭蜀所获得的利益之大。〖按〗此处“四海”二字《史记》作“西海”，意谓灭蜀所得之利可直达蜀国以西的尽头。较“四海”为长。其实蜀国以西是什么情景，当时中原地区的人并不知道，此盖以“四方尽头皆有海”而想象之。88名实附：既得美名，又获实利。

《史记索隐》曰："名谓传其德也，实谓得土地财宝。"⑧⑨而又有禁暴止乱之名：禁暴止乱，指结束巴蜀之间的战争。〖按〗黄式三曰："'而又'一句当在'是我'句上。"〖按〗两句倒过来后甚顺，应从之。⑨⓪又有不义之名：指攻韩而言。鲍彪曰："韩无罪而伐之，不义也。"⑨①攻天下所不欲：周天子尽管早成傀儡，但他毕竟还有各国宗主的名分，各国皆不欲看到周国被攻。⑨②天下之宗室：天下共同尊崇的圣地。胡三省曰："周室为天下所宗，故谓之宗室。"宗，尊崇。⑨③齐二句：缪文远引钟凤年语以为应作"齐、赵，韩、周之与国也"。下文之"齐、赵"二字即承此语而生。与国，同盟国。⑨④因：借助；通过。⑨⑤求解乎楚、魏：求楚、魏帮着解围。求解，求第三方帮着解围。⑨⑥王弗能止：秦王将无法阻止这种形势的变化。⑨⑦不如伐蜀完：完，完善、安全。鲍彪曰："不虞伤败。"李光晋引陆深曰："司马错之策不特忠于秦，且商略事势又多格言，不类战国诸人。"又引张洲曰："司马错、张仪各逞雄辩，各有所据，然终不若错之理正词顺。"又引杨循吉曰："孔明之先定滇南诸夷而后谋伐魏，即此意。"⑨⑧十月取之：秦从此设蜀地为郡。⑨⑨贬蜀王二句：令原来的蜀王仍治其民，只降之为侯而已。⑩⓪使陈庄相蜀：令陈庄为蜀侯之相。陈庄是秦将名。⑩①秦以益强富厚二句：以上张仪与司马错论辩与秦灭巴、蜀事，见《战国策·秦策一》与《史记·苏秦列传》。诸祖耿引张琦曰："秦取巴蜀，则据楚之上游，张仪所云'方船积粟，浮江而下，不十日而距扞关'者也。拔鄢郢，烧夷陵，必至之势，楚亡于此矣。"吴如嵩曰："秦灭巴蜀具有重大的战备意义，不但开拓了大片疆土，增加了人力资源，加强了经济实力，更重要的是为秦国迂回楚国的侧翼，对楚实施两面钳击创造了条件。"⑩②苏秦既死：关于苏秦的死，《史记·苏秦列传》云："齐大夫多与苏秦争宠者，而使人刺苏秦，不死，殊而走。齐王使人求贼，不得。苏秦且死，乃谓齐王曰：'臣即死，车裂臣以徇于市，曰苏秦为燕作乱于齐，如此则臣之贼必得矣。'于是如其言，而杀苏秦者果自出，齐王因而诛之。"杨宽《战国史》以为此说不确。苏秦之死盖因其间谍行为被齐发觉。事见下文，并参见韩兆琦《史记笺证·苏秦列传》。苏秦之死亦不在燕哙王在位时。⑩③秦弟代、厉：依《史记·苏秦列传》，苏代、苏厉为苏秦之弟，而苏秦被称为"季子"，其行辈非长兄明矣。故今之历史家皆不取《史记》说，而以苏代、苏厉为苏秦之兄，其游说活动在苏秦之前。此时苏秦尚未出世。⑩④燕相子之：燕王哙之相，名子之。⑩⑤与苏代婚：与苏代结为姻亲。⑩⑥苏代使于齐而还：《史记》作"苏代为齐使于燕"。《史记索隐》曰："《战国策》曰：'子之使苏代侍质子于齐，齐使代报燕。'"⑩⑦鹿毛寿：人名，燕相子之的党羽。⑩⑧让天下：指尧临终传位于舜事，见《史记·五帝本纪》。⑩⑨同名：同有让贤、禅天下之名。⑪⓪属国：将国家政权交给别人。属，同"嘱"，托给。⑪①或曰：有人说。〖按〗此"或"也肯定是燕相子之的党羽。⑪②禹荐益二句：大禹虽然把贤臣伯益定为了接班人，但将其子启的党羽安插在各个权力部门。⑪③及老：等到他退休时。老，退休、退居二线。⑪④不足任天下：不能担当国家首脑之任。⑪⑤交党：犹言朋党、党徒。交，亲交、关系紧密的人。⑪⑥实令启自取之：实际上是让其子启再把权位夺回来。⑪⑦今王言：现在大王您表面上说。⑪⑧用事：掌权。⑪⑨王因收印绶三句：于是燕王哙便把俸禄在三百石以上之官吏的印绶通通收回来交给了子之（令其自行任命）。印绶，官印与系印的丝带。效，呈、交给。⑫⓪南面行王事：指正式接管了燕国政权。南面，面南坐在王位上。行，执行、主管。⑫①哙老三句：燕王哙从王位上退下来，不主持政务，反而成了臣子。顾，反而。⑫②王崩：周慎靓王死。⑫③赧王延：名延，"赧"字是谥，公元前三一四至前二五六年在位。

【原文】

赧王⑫④上

元年（丁未，公元前三一四年）

秦人侵义渠⑫⑤，得二十五城。

魏人叛秦。秦人伐魏，取曲沃⑫⑥而归其人⑫⑦。又败韩于岸门⑫⑧，韩太子仓入质于秦⑫⑨以和。

燕子之为王三年⑬⓪，国内大乱。将军市被⑬①与太子平谋攻子之。齐王⑬②令人谓燕太子[1]曰："寡人闻太子将饬君臣之义⑬③，明父子之位⑬④。寡人之国⑬⑤虽小[2]，唯太子所以令之⑬⑥。"太子因要党聚众⑬⑦，使市被攻子之，不克。市被反攻太子，构难⑬⑧数月，死者数万人，百姓恫恐⑬⑨。齐王令章子⑭⓪将五都之兵⑭①，因北地之众⑭②，以伐燕。燕士卒不战，城门不闭⑭③。齐人取子之醢之⑭④，遂杀燕王哙⑭⑤。

齐王问孟子曰："或谓⑭⑥寡人勿取燕⑭⑦，或谓寡人取之。以万乘之国伐万乘之国⑭⑧，五旬而举之⑭⑨，人力不至于此⑮⓪。不取必有天殃⑮①，取之何如？"孟子对曰："取之而燕民悦，则取之。古之人有行之者，武王是也⑮②。取之而燕民不悦，则勿取。古之人有行之者，文王是也⑮③。以万乘之国伐万乘之国，箪食壶浆⑮④以迎王师⑮⑤，岂有他哉？避水火⑮⑥也。如水益深，如火益热⑮⑦，亦运而已矣⑮⑧。"

【语译】

赧王上

元年（丁未，公元前三一四年）

秦国的军队攻打义渠，攻克了二十五座城邑。

魏国背叛了秦国。秦国发兵攻打魏国，占领了曲沃，而将曲沃的居民全部逐出，使他们仍旧归于魏国。秦国的军队又在韩国的岸门打败了韩国的军队，韩国只好把太子韩仓送到秦国去做人质，以求讲和。

燕国相子之在燕国执政三年，把燕国搞得一团糟。燕国一个高级军官叫作市被，与燕太子姬平合谋攻打子之。齐宣王派人来对燕太子姬平说："我听说太子要整顿燕国的纲纪，恢复燕国固有的君臣名分，明确儿子继承父亲之位的原则。我非常支持你，齐国虽小，将完全听命于你。"燕太子于是邀集自己的党羽，组织起民众，派市被率领着去攻打子之，没有攻克。市被反过来攻打太子，造成燕国的内乱持续了好几个月，死了数万人，百姓陷入一片恐慌当中。齐宣王见燕国内乱不止，就派章子为统帅，率领齐国的主力和北部地区的守备部队大举进犯燕国。燕国的军队毫不抵抗，连城门都没有关闭。齐国的军队长驱直入，直抵燕国的都城，活捉了子之，把子之剁成了肉酱，混乱之中把燕王姬哙也杀掉了。

齐宣王问孟子："有人劝我不要吞并燕国，有人又劝我吞并燕国。我以一个拥有万乘兵车的大国攻伐另一个拥有万乘兵车的大国，只用了五十天就把它给占领了，光靠人的力量是做不到的，一定是出于天意。如果我违背了天意，不占有燕国，恐怕就要遭到上天的惩罚。我要永久地占领燕国，你觉得怎么样？"孟子回答说："您占领了燕国以后，如果燕国的老百姓很高兴被占领，那您就可以占领。古代有人这样做过，那就是周武王。如果您占领燕国以后，燕国的百姓不高兴被您占领，那您就不要占领。古代也有人这样做过，那就是周文王。现在您以一个拥有万乘兵车的大国去攻打另一个拥有万乘兵车的大国，而那里的老百姓却用筐盛着干粮、用壶盛着水夹道欢迎为实行仁义而除暴安良、解救受难者的军队，难道还有别的原因吗？是欢迎您把他们从水深火热之中拯救出来呀。如果您占领了燕国以后，百姓所遭受的灾难比过去还要深重，情形就不同了，百姓就会转而去欢迎别人。"

诸侯将谋救燕[159]。齐王谓孟子曰："诸侯多谋伐寡人者，何以待之[160]？"对曰："臣闻七十里为政于天下[161]者，汤[162]是也。未闻以千里[163]畏人者也。《书》[164]曰：'徯我后，后来其苏[165]。'今燕虐其民，王往而征之。民以为将拯己于水火之中也，箪食壶浆以迎王师。若杀其父兄，系累[166]其子弟，毁其宗庙，迁其重器[167]，如之何其可也[168]！天下固畏齐之强[169]也，今又倍地[170]而不行仁政，是动天下之兵[171]也。王速出令[172]，反其旄倪[173]，止其重器[174]，谋于燕众[175]，置君而后去之[176]，则犹可及止[177]也。"齐王不听，已而[178]燕人叛齐[179][3]。王曰："吾甚惭于孟子。"

陈贾[180]曰："王无患[181]焉。"乃见孟子，曰："周公[182]何人[183]也？"曰："古圣人[184]也。"陈贾曰："周公使管叔[185]监商[186]，管叔以商畔[187]也。周公知其将畔而使之与[188]？"曰："不知也。"陈贾曰："然则[189]圣人亦有过与[190]？"曰："周公，弟也；管叔，兄也，周公之过，不亦宜乎[191]？且古之君子[192]，过则改之；今之君子，过则顺之[193]。古之君子，其过也，如日月之食[194]，民皆见之；及其更[195]也，民皆仰之[196]。今之君子，岂徒顺之[197]，又从为之辞[198]。"

是岁，齐宣王薨[199]，子湣王地[200]立。

【段旨】

以上为第二段，写周赧王元年（公元前三一四年）一年内的各国大事，主要写了燕国因"禅让"闹剧造成内乱，齐国趁机入侵，大肆掠夺，最后被燕国逐回的过程。

其他诸侯正在商讨援救燕国。齐宣王问孟子："许多诸侯都在谋划攻打我们齐国，我该怎样对待他们呢？"孟子回答说："我听说有人凭借方圆仅有七十里的一小块国土最后统一了天下，商汤就是一个例子。而从没有听说拥有方圆一千里国土的大国反而会惧怕别人。《书经》上说：'等待我们的君主，君主来了我们就有活路了。'如今燕国的统治者虐待他的百姓，大王您前来征讨燕国。燕国的百姓认为您能将他们从水深火热之中拯救出来，所以才用筐盛着干粮、用壶盛着酒水夹道欢迎您的军队。如果您杀死了他们的父母兄弟，捆绑了他们的子弟，毁坏了他们的宗庙，搬走了他们国家的宝器，这怎么可以呢！天下的人本来就畏惧齐国的强大，如今又兼并了燕国，使齐国的版图扩大了一倍，而您如果不行仁政，那就是在挑动天下各国兴兵讨伐齐国了。大王您应该赶紧下达命令，让人把俘虏的老人、孩子送回去，把准备搬运的燕国的传国宝器都给放下，再好好地听取一下燕国人的意见，为他们选立一个新国君，然后赶紧把军队撤出燕国，还来得及阻止各国兴兵攻打齐国。"齐宣王不肯听从孟子的话。不久，燕国人群起反抗齐国占领燕国。齐宣王说："后悔当初没有听从孟子的劝告，我真没有脸面再见到他。"

陈贾说："大王您不要把这件事放在心上。"陈贾去见孟子，他问孟子："周公是一个怎么样的人呢？"孟子回答说："周公是古代的圣人。"陈贾说："周公曾经委派他的哥哥管叔去监督商王朝的遗民首领武庚，后来管叔竟然和武庚联合起来反叛周王朝。周公是不是预先知道管叔会勾结武庚背叛，才派他去监督武庚的呢？"孟子说："周公预先没有预料到管叔会背叛。"陈贾说："这样看来，圣人也是会犯错误的了？"孟子说："周公是弟弟，管叔是哥哥，弟弟没有料到哥哥会发动叛乱，难道不是可以理解的吗？再说，古代的君子，有了过错就改正；而现在的君子，犯了错不敢承认，还将错就错。古代的君子所犯的错误，就像是天上的太阳、月亮发生日食、月食一样，百姓都能看得见；等到他改正了错误，百姓也都会看得见。现在的君子，不仅是将错就错，还要寻找种种借口来为自己的错误进行辩解。"

这一年，齐宣王去世，他的儿子田地继承了王位，就是齐湣王。

【注释】

⑫④ 赧王：名延，公元前三一四至前二五六年在位。⑫⑤ 秦人侵义渠：义渠原是少数民族建立的小国名，占据的区域在今陕西之西北部和与之邻近的甘肃东北部地区。在惠文王前十一年（公元前三二七年），义渠君已向秦国称臣，秦国已在义渠设县（今甘肃庆阳西南）。在四年前犀首发动五国攻秦时，义渠人又乘机败秦军于李伯（方位不详），故秦又起兵伐义渠。事见《史记·张仪列传》。⑫⑥ 曲沃：魏邑名，在今河南三门峡市陕州区西

南。⑫⑦归其人：谓秦军只占有曲沃其地，而将曲沃之民逐归魏国。⑫⑧岸门：韩邑名，在今河南许昌北。⑫⑨入质于秦：到秦国当人质。⑬⓪子之为王三年：当燕王哙七年（公元前三一四年）、周赧王元年、齐宣王六年。⑬①市被：姓市，名被，燕国之忠于燕王公室者。⑬②齐王：《史记》误说为齐湣王，实则应是齐宣王。齐宣王是齐威王子，名辟彊，公元前三一九至前三〇一年在位。⑬③饬君臣之义：整顿燕国已经乱了套的关系。饬，整顿。义，宜也，关系之所宜。⑬④明父子之位：要把被燕王哙与子之弄乱了的燕王与太子的关系重新确立起来，意即要夺回自己的王位继承权。⑬⑤寡人之国：即谓齐国。⑬⑥唯太子所以令之：一切愿听你的指挥。⑬⑦要党聚众：号召组织。要，同“邀”，招集。⑬⑧构难：造成对攻；形成战乱。⑬⑨恫恐：恐惧。⑭⓪章子：匡章，齐国将军。阎若璩曰：“人名下系以‘子’字者，当时有此称。田盼为盼子，田婴为婴子，田文为文子，秦魏冉称冉子，匡章称章子，亦是。”⑭①将五都之兵：统领齐国大军。《史记索隐》曰：“五都即齐也。〖按〗临淄，是五都之一也。”〖按〗齐国的“都”相当于他国的“郡”。齐国的五都是指临淄、平陆、高唐、即墨和莒。五都之兵在对外作战时，常被用作军队的主力。⑭②北地之众：指齐国北部的靠近燕国地区的兵力。《史记索隐》曰：“北地，即齐之北边也。”⑭③燕士卒不战二句：因燕国军民讨厌燕国君臣自己造成的这种战乱，而将齐军视为仁义之师，将拯燕国军民于水火故也。⑭④醢之：将其剁成肉酱，煮成肉粥。⑭⑤遂杀燕王哙：《韩非子·说疑》：“燕君子哙，邵公奭之后也。地方数千里，持戟数十万，不安子女之乐，不听钟石之声，内不湮污池台榭，外不罼弋田猎，又亲操耒耨以修畎亩。子哙之苦身以忧民如此其甚也，虽古之所谓圣王明君者，其勤身而忧世不甚于此矣。然而子哙身死国亡，夺于子之，而天下笑之，此其何故也，不明乎所以任臣也。”鲍彪曰：“王哙，七国之愚主也。惑苏代之浅说，贪尧之名，恶禹之实，自令身死国破，盖无足算。齐湣所以请太子者近于兴灭继绝矣，而天下不以其言信其心，盖名实者，天下之公器也，岂可以虚称矫举而得哉？故齐湣之胜适足以动天下之兵而速临淄之败也。”⑭⑥或谓：有人劝我。⑭⑦勿取燕：不要趁机吞并燕国。⑭⑧以万乘之国伐万乘之国：指齐国趁燕国之乱占据燕国。⑭⑨五旬而举之：只用了五十天就将其占领。⑮⓪人力不至于此：言外之意是这是老天爷的旨意。⑮①必有天殃：必然要受到老天爷的惩罚，因为上天怪我不按它的意愿行事。⑮②武王是也：指周武王灭商后，商民都欢迎周武王，拥护周武王。⑮③文王是也：早在文王的时代周国就有灭商的能力，只是民意还不到火候，所以文王一直不动手，把这件事留给了武王。⑮④箪食壶浆：用筐盛着饭，用壶盛着水，以迎接、慰劳王师。⑮⑤王师：为实行仁义而除暴安良、解救受难者的军队。⑮⑥避水火：使黎民百姓脱离水火。⑮⑦如水益深二句：如果一支入侵军队没能使民众脱离水火，反而使他们所遭受的水更深、火更热了。⑮⑧亦运而已矣：那百姓们只好离开它了。运，转移、离开。〖按〗以上孟子对齐宣王语，见《孟子·梁惠王下》。⑮⑨将谋救燕：准备帮着燕国驱逐齐国在燕国的占领军。⑯⓪何以待之：我们应如何对待。待，对付。⑯①七十里为政于天下：凭着七十里见方的一小块国土发展起来，最后统一了天下。⑯②汤：商汤，商朝的开国帝王。事迹见《史记·殷本纪》。⑯③千里：这里指千里见方的大国，即齐国。⑯④《书》：今所谓《尚书》或《书经》。⑯⑤徯我后二句：盼望我们救命的国君快点来吧，他一来我们就能活命了。徯，盼望、等待。后，君主。其，将，表示推断的语词。苏，复活。〖按〗以上二句见《尚书·仲虺之诰》。⑯⑥系累：捆绑。⑯⑦迁其重器：将燕国的钟鼎珍宝大批地掠夺到齐国。⑯⑧如之何其可也：这怎么可以呢。⑯⑨固畏齐之强：本来就怕齐国强大了不干好事，侵略别国。固，本来。⑰⓪倍地：指齐国吞并燕国后土地扩大一倍。⑰①动天下之兵：招来各国联合讨伐齐国。⑰②出令：下命令。⑰③反其旄倪：把俘虏的老人、小孩都放回去。反，放回。旄，通"耄"，古称老人。倪，同"儿"，小孩。⑰④止其重器：把准备搬运的燕国的国家宝器都给放下。⑰⑤谋于燕众：好好听取一下燕国上下的意见。⑰⑥置君而后去之：给燕国选立一个好的君主，而后就赶紧撤出占领军。去之，撤离燕国。⑰⑦犹可及止：还来得及让各国停止对齐国动兵。⑰⑧已而：过后；后来。⑰⑨燕人叛齐：指燕国人群起反抗齐国占领军。⑱⓪陈贾：齐宣王之臣。⑱①无患：不必忧虑；不必担心。⑱②周公：名旦，武王之弟，协助武王灭殷后，被封于鲁。但因朝廷需要周公在朝辅佐，故派周公之子伯禽赴曲阜就封，而在周国另给了周公一块封邑。因这块封邑在周（今陕西岐山县南），故称之为周公。详见《史记·鲁周公世家》。⑱③何人：何如人，怎么样的一个人。⑱④圣人：是一种秉天命降临，既道德至高，又英明绝顶的人，古代儒家认为尧、舜、禹、汤、文王、武王、周公、孔子就是这种人。⑱⑤管叔：名鲜，武王之弟，周公之兄。⑱⑥监商：武王灭商后，封纣的儿子武庚为诸侯，仍居于朝歌，以管理商朝遗民，而派了自己的三个弟弟管叔、蔡叔、霍叔驻扎在朝歌四周以监督武庚的国家。监，监督。⑱⑦管叔以商畔：武王死后，成王年幼，周公代成王行使政权。管叔因怀疑周公而勾结武庚反叛朝廷，最后被周公讨平。过程详见《史记·周本纪》《史记·鲁周公世家》《史记·管蔡世家》。畔，通"叛"。⑱⑧周公知其将畔而使之与：周公是明明知道管叔日后会勾结武庚作乱，还故意派他去的吗。⑱⑨然则：这么说来。⑲⓪圣人亦有过与：圣人也有犯错误的时候吗。与，同"欤"，反问语气词。⑲①不亦宜乎：不是可以理解的吗。意思是一个人怎么可以轻易怀疑自己的父兄呢。⑲②君子：这里指有身份的人、掌权的人。⑲③过则顺之：有了错误不承认，还要继续错下去。⑲④日月之食：日食、月食。⑲⑤更：改；纠正错误。⑲⑥民皆仰之：百姓们也都看得见。仰，像看日食、月食一样，看得清清楚楚。⑲⑦岂徒顺之：岂止是不承认，坚持错误而已。⑲⑧又从为之辞：还要文过饰非，找出许多理由来为自己的错误作辩护。〖按〗以上孟子对陈贾语见《孟子·公孙丑下》。⑲⑨齐宣王薨：此依《史记》误说，其实此年乃齐宣王六年（公元前三一四年）。齐宣王死，其子湣王即位还在十三年之后。⑳⓪湣王地：名地，"湣"字是谥，公元前三〇〇至前二八四年在位。

【校记】

[1]谓燕太子：原无“燕”字。据章钰校，“谓”下，十二行本、乙十一行本、孔天胤本皆有“燕”字，张敦仁《通鉴刊本识误》同。〖按〗《资治通鉴》笔法，当有“燕”字，今据补。[2]寡人之国虽小：原无“虽小”二字。据章钰校，“国”下，十二行本、

【原文】

二年（戊申，公元前三一三年）

秦右更疾[201]伐赵[202]，拔蔺[203]，虏其将庄豹[204]。

秦王欲伐齐，患齐、楚之从亲[205]，乃使张仪至楚，说楚王[206]曰：“大王诚能听臣，闭关绝约于齐[207]，臣请献商、於[208]之地六百里，使秦女[209]得为大王箕帚之妾[210]。秦、楚嫁女娶妇[211]，长为兄弟之国。”楚王说而许之。群臣皆贺，陈轸[212]独吊[213]。王怒曰：“寡人不兴师而得六百里地，何吊也？”对曰：“不然。以臣观之，商、於之地不可得，而齐、秦合[214]；齐、秦合，则患必至矣。”王曰：“有说乎？”对曰：“夫秦之所以重楚[215]者，以其有齐[216]也。今闭关绝约于齐，则楚孤。秦奚贪夫孤国[217]，而与之商、於之地六百里？张仪至秦，必负王[218]。是王北绝齐交，西生患于秦[219]也，两国之兵必俱至。为王计者，不若阴合[220]而阳绝于齐[221]，使人随张仪[222]。苟与吾地，绝齐未晚也。”王曰：“愿陈子闭口毋复言，以待寡人得地[223]。”

乃以相印授张仪[224]，厚赐之，遂闭关绝约于齐，使一将军随张仪

乙十一行本、孔天胤本皆有“虽小”二字，张瑛《通鉴校勘记》同。〖按〗《史记·燕召公世家》：“寡人之国小，不足以为先后，虽然，则唯太子所以令之。”今据诸本补。[3]燕人叛齐：原无“齐”字。据章钰校，“叛”下，十二行本、乙十一行本、孔天胤本皆有“齐”字。〖按〗吕祖谦《大事记·解题》卷四引《资治通鉴》作“燕人叛齐”。又，胡注云：“相帅叛齐矣。”今据诸本及《大事记·解题》、胡注补。

【语译】

二年（戊申，公元前三一三年）

在秦国担任右更职务、名字叫作疾的，率领秦军攻打赵国，攻占了蔺邑，并俘虏了蔺邑守将庄豹。

秦王想要攻打齐国，又担心齐国和楚国的合纵联盟，于是派张仪到楚国去游说楚怀王说：“大王您如果能听从我的建议，关闭北部方城的关塞，与齐国断绝友好关系，我请求秦王将商、於所辖的六百里土地献给您，让秦王的女儿充当您的姬妾。秦国和楚国王族之间世世代代结为姻亲，永远保持兄弟般的友好关系。”楚怀王听了以后很高兴，答应了张仪的条件。楚国的大臣都来向楚怀王道贺，只有陈轸一个人像楚国发生了什么不幸的事情一样，向楚怀王表示哀悼和慰问。楚怀王非常生气地说：“我不用兴师动众就得到了秦国商、於的六百里土地，大家都感到高兴，而你却愁眉苦脸，像发生不幸的事情一样，这是为什么呢？”陈轸回答说：“我觉得事情不会这样简单。据我的观察分析，秦国商、於的六百里土地楚国不仅得不到，齐国因为我们与它断绝友好关系，还会与秦国联合起来；齐国与秦国联合了，楚国恐怕就要灾难临头了。”楚怀王说：“有这种可能吗？”陈轸说：“秦国之所以一向重视楚国，就是因为楚国有齐国这样一个强大盟国作为外援。如果现在我们断绝了与齐国的友好关系，楚国就彻底孤立了。到那时，秦国凭什么会爱惜一个孤立无援的国家，而心甘情愿地把商、於的六百里土地送给楚国呢？张仪回到秦国必定背弃与您的约定。如此的话，您在北边断绝了与齐国的友好关系，得罪了齐国，在西边又从秦国找来麻烦，齐国、秦国必定联合起来对付楚国。为大王您考虑，最好的办法是暗中和齐国联合，表面上与齐国绝交，然后派人跟随张仪到秦国去。如果秦国真的把商、於六百里土地割让给我们，到那时再与齐国真正断绝关系也不晚。”楚怀王说：“我希望你闭上嘴，不要再说了，你就等着看我从秦国那里得到六百里土地吧。”

楚怀王于是把楚国的宰相之印授予张仪，任命他兼任楚国的宰相，还送给他许多贵重的礼物，同时宣布与齐国断绝友好关系，然后派一位将军作为使者跟随张仪

至秦。张仪详堕车[225]，不朝[226]三月。楚王闻之曰："仪以[227]寡人绝齐未甚邪[228]？"乃使勇士宋遗[229]借宋之符，北骂齐王[230]。齐王大怒，折节以事秦[231]。齐、秦之交合[232]，张仪乃朝，见楚使者曰："子何不受地[233]？从某至某，广袤[234]六里。"使者怒，还报楚王。楚王大怒，欲发兵而攻秦。陈轸曰："轸可发口[235]言乎？攻之不如因赂之以一名都[236]，与之并力而攻齐，是[237]我亡地于秦，取偿于齐[238]也。今王已绝于齐，而责欺于秦[239]，是吾合齐、秦之交[240]，而来天下之兵[241]也，国必大伤矣。"楚王不听，使屈匄[242]帅师伐秦。秦亦发兵，使庶长章[243]击之。

三年（己酉，公元前三一二年）

春，秦师及楚战于丹阳[244]，楚师大败。斩甲士[245]八万，虏屈匄及列侯、执珪[246]七十余人，遂取汉中郡[247]。楚王悉发国内兵，以复袭秦[248]，战于蓝田[249]，楚师大败。韩、魏闻楚之困，南袭楚，至邓[250]。楚人闻之，乃引兵归，割两城以请平于秦[251]。

燕人共立太子平，是为昭王[252]。昭王于破燕之后即位[4]，吊死问孤[253]，与百姓同甘苦，卑身厚币，以招贤者[254]。谓郭隗[255]曰："齐因孤之国乱，而袭破燕，孤极知燕小力少，不足以报[256]。然诚得贤士与共国[257]，以雪先王之耻[258]，孤之愿也。先生视可者[259]，得身事之[260]。"郭隗曰："古之人君有以千金使涓人[261]求[262]千里马者，马已死，买其首五百金而返。君大怒，涓人曰：'死马且买之，况生者乎？马今至矣[263]。'不期年[264]，千里之马至者三[265]。今王必欲致士[266]，先从隗始[267]，况贤于隗者，岂远千里哉[268]！"于是昭王为隗改筑宫[269]而师事之[270]，于是士争趣燕[271]。乐毅[272]自魏往[273]，剧辛[274]自赵往。昭王以乐毅为亚卿[275]，任以国政。

去秦国接收土地。使者跟随张仪到了秦国，张仪假装从车上摔下来，然后就在家中闭门养伤，一连三个月没有上朝。楚怀王听说以后说："难道张仪认为我与齐国断交不够彻底吗？"就又派了一个叫作宋遗的勇士假借宋国的符节向北来到齐国辱骂齐湣王。齐湣王大怒，于是改变了一向与秦国敌对的立场，与秦国结成联盟。等到齐国与秦国结盟后，张仪才入朝拜见秦惠文王，他看见楚国的使者，就问："你怎么还不去接收土地？从某地到某地，东西长六里，南北长六里。"楚国的使者很生气，就回楚国向楚怀王汇报去了。楚怀王甚是气愤，就想发兵攻打秦国。陈轸说："我现在能说话了吗？依我看，攻打秦国不如借此机会把一个大城邑送给秦国，以此破坏秦国与齐国的联盟，然后再与秦国联合起来攻打齐国。这样的话，我们楚国虽然在秦国那里损失了土地，却可以在齐国那里得到补偿。如今您已经与齐国绝交，又因为受到欺骗而指责秦国，这就等于我们把齐国、秦国撮合起来，招引天下诸侯都来攻打我们，楚国必定会遭受巨大损失。"楚怀王仍然听不进去，他派屈匄率领楚国的军队去攻打秦国。秦国也派庶长魏章率兵迎击楚军。

三年（己酉，公元前三一二年）

春天，秦国和楚国在丹阳打了一仗，楚军大败。秦军消灭楚军八万，俘虏了楚军统帅屈匄以及高级将领和贵族七十多人，又趁势占领了汉中郡。楚怀王调集了全国的军队，在蓝田与秦军展开决战，楚军再次被打败。韩国、魏国得知楚国被秦军所困的消息以后，也调动军队向南来袭击楚国，军队已经抵达邓邑。楚国见大势不好，只得撤回军队，又向秦国割让两座城邑求和。

燕国人拥立太子姬平为国君，就是燕昭王。燕昭王即位于燕国国破家亡之际，因此他励精图治，吊唁死者，抚恤失去亲人的孤儿寡妇，与全国的百姓同甘共苦，用谦逊的态度、优厚的待遇为国家招揽贤才。他对郭隗说："齐国趁着我们燕国内乱之机攻占了我们国家，我心里非常清楚，燕国与齐国比起来国小力弱，目前没有能力向齐国报仇。但是我确实希望能得到贤能之士，我将与他共同治理燕国。向齐国报杀父之仇、雪亡国之耻，是我最大的愿望。先生如果发现这样的人才，我一定会亲自侍奉他。"郭隗说："古代曾经有一个国君，他派一个随从带着一千金去购买千里马。那个随从真的找到了一匹千里马，但千里马已经死了，他就花了五百金把死马的头给买回来了。国君看见买回来的是一个马头，非常生气。那个随从说：'死了的千里马还要把它买回来，何况是活着的千里马呢？千里马马上就会送上门来。'果然，不到一年的时间，就得到了三匹千里马。现在大王您一心想要招揽人才，那就先从优待我郭隗开始，那些比我郭隗贤能的人，看见我都被您重用了，难道他们还会畏惧路远而不到燕国来吗！"燕昭王于是为郭隗另盖了一座房子，把他当作老师一样来侍候。于是那些有才能的人都争先恐后地奔向燕国。乐毅从魏国来，剧辛从赵国来。燕昭王任命乐毅为亚卿，把国家的政事都交给他处理。

韩宣惠王薨，子襄王仓[276]立。

四年（庚戌，公元前三一一年）

蜀相杀蜀侯[277]。

秦惠王使人告楚怀王，请以武关[278]之外易黔中地[279]。楚王曰："不愿易地，愿得张仪[280]而献黔中地。"张仪闻之，请行。王曰："楚将甘心于子[281]，奈何行[282]？"张仪曰："秦强楚弱，大王在，楚不宜敢取臣[283]。且臣善其嬖臣靳尚[284]，靳尚得事[285]幸姬郑袖。袖之言，王无不听者[286]。"遂往。

楚王囚将杀之。靳尚谓郑袖曰："秦王甚爱张仪，将以上庸六县[287]及美女赎之。王重地尊秦[288]，秦女必贵，而夫人斥[289]矣。"于是郑袖日夜泣于楚王曰："臣各为其主耳，今杀张仪，秦必大怒。妾请子母俱迁江南，毋为秦所鱼肉也[290]。"王乃赦张仪，而厚礼之[291]。

张仪因说楚王曰："夫为从者[292]，无以异于驱群羊而攻猛虎，不格[293]明矣。今王不事秦，秦劫韩驱梁[294]而攻楚，则楚危矣。秦西有巴、蜀，治船积粟[295]，浮岷江而下[296]，一日行五百余里，不至十日而拒扞关[297]。扞关惊[298]，则从境以东[299]尽城守[300]矣，黔中、巫郡[301]非王之有。秦举甲[302]出武关，则北地绝[303]。秦兵之攻楚也，危难在三月之内[304]；而楚待诸侯之救，在半岁之外[305]。夫待弱国之救，忘强秦之祸，此臣所为大王患[306]也。大王诚能听臣，臣请令秦、楚长为兄弟之国，无相攻伐。"楚王已得张仪，而重出黔中地[307]，乃许之[308]。

张仪遂之韩，说韩王[309]曰："韩地险恶山居[310]，五谷所生，非菽而麦[311]。国无二岁之食，见卒[312]不过二十万。秦被甲百余万，山东之士被甲蒙胄[313]以会战。秦人捐甲徒裼[314]以趋敌[315]，左挈人头[316]，右挟生虏[317]。

韩宣惠王去世，他的儿子韩仓继承了王位，就是韩襄王。

四年（庚戌，公元前三一一年）

蜀相陈庄杀死了蜀侯。

秦惠王派使者告诉楚怀王，秦国想要用武关以外的土地换取楚国的黔中地区。楚怀王说："我不愿意交换土地。如果能得到张仪，我愿意把黔中地区白送给秦国。"张仪得知消息以后，主动要求到楚国去。秦惠王说："楚怀王一定要亲手杀死你才甘心，你怎么还要送上门去？"张仪说："秦国强大，楚国弱小，有大王您在，估计楚国不敢把我怎么样。再说，我和楚怀王的宠臣靳尚私交很深，靳尚有机会侍奉楚王最宠爱的小老婆郑袖。郑袖说什么，楚怀王没有不听从的。"于是，张仪动身来到了楚国。

楚怀王派人把张仪囚禁起来，准备要杀死他。靳尚对郑袖说："秦王特别倚重张仪，他准备用上雍的六个县和秦国的美女来赎回张仪。楚怀王既看重土地，又对秦国心存敬畏，所以秦国的美女必定受到楚王的宠幸，而夫人您就要被楚王疏远了。"郑袖便日夜在楚怀王面前哭泣，说："张仪过去欺骗大王，也不过是各为其主，现在您杀了张仪，秦王必定非常愤怒而派兵攻打楚国。我请求大王您允许我和孩子及早搬到江南去，免得遭受秦人的杀戮。"楚怀王听信宠姬郑袖的话，不仅把张仪释放了，还把他当作贵宾一样对待。

张仪趁机游说楚怀王说："楚国与韩、魏等国实行南北合纵来对抗秦国，这与驱赶着羊群去进攻凶猛的老虎没什么两样，羊群不能战胜老虎这是明摆着的。如今大王您不顺从秦国，秦国就会挟持韩国、胁迫魏国一起攻打楚国，到那时楚国就危险了。秦国西边有巴、蜀，而且正在打造船只，储备粮草，如果沿着岷江顺流而下，一天就能航行五百多里，用不了十天就可以到达扞关。扞关如果一吃紧，那么从扞关往东的整个楚国境内到处都将筑城防守，惶惶不可终日了。黔中、巫郡恐怕就不再归楚国所有。秦国如果率兵攻占武关，楚国北部地区与长江流域的南部地区将被秦国所分割，南北就要失去联络。秦国攻打楚国，只要三个月就能决定楚国的存亡；而楚国等到盟国军队到来，起码要半年的时间。寄希望于弱国的救兵，而忘掉了强大秦国可能带给楚国的巨大灾祸，这正是我替您感到担忧的地方。大王您如果能够听从我的意见，我能够让秦、楚两国永远结为兄弟般的友好邻邦，从此不再互相攻伐。"楚怀王已经得到张仪，但又不愿献出黔中的土地给秦国，于是就同意与秦国建立联盟。

张仪于是又来到韩国，游说韩襄王说："韩国的自然环境恶劣，又有很多的山区，所种植的粮食，不是豆类就是小麦。国家的粮食储备不足两年的用度，现有的兵力不超过二十万人。秦国的正规部队就有上百万人之多，东方六国的军队在作战时，战士都要穿上铠甲，戴上头盔。而秦国的士兵在战场上却是不穿铠甲，光着上身，奋不顾身地扑向敌人，他们左手提着敌人的首级，右胳膊下挟持着俘虏。

夫战孟贲、乌获之士[318]，以攻不服之弱国，无异垂[319]千钧[320]之重于鸟卵之上，必无幸[321]矣。大王不事秦，秦下甲据宜阳[322]，塞成皋[323]，则王之国分[324]矣。鸿台之宫、桑林之苑[325]非王之有也。为大王计，莫如事秦以攻楚，以转祸而悦秦[326]，计无便于此者[327]。”韩王许之。

张仪归报，秦王封以六邑[328]，号武信君[329]。复使东说齐王[330]曰：“从人[331]说大王者，必曰：‘齐蔽于三晋[332]，地广民众，兵强士勇，虽有百秦，将无奈齐何。’大王贤其说[333]，而不计其实。今秦、楚嫁女娶妇[334]，为昆弟[335]之国；韩献宜阳[336]；梁效河外[337]；赵王入朝[338]，割河间以事秦[339]。大王不事秦，秦驱韩、梁攻齐之南地[340]，悉赵兵度清河、指博关[341]，临淄、即墨[342]非王之有也。国一日见攻[343]，虽欲事秦，不可得也。”齐王许张仪[344]。

张仪去，西说赵王[345]曰：“大王收率[346]天下以摈秦[347]，秦兵不敢出函谷关十五年[348]。大王之威，行于山东[349]。敝邑恐惧[350]，缮甲厉兵[351]，力田[352]积粟，愁居慑处[353]，不敢动摇，唯大王有意督过之也[354]。今以大王之力[355]，举巴、蜀[356]，并汉中[357]，包两周[358]，守白马之津[359]。秦虽僻远，然而心忿含怒[360]之日久矣。今秦有敝甲凋兵军于渑池[361]，愿渡河、逾漳、据番吾[362]，会邯郸之下，愿以甲子合战，正殷纣之事[363]，谨使使臣先闻左右[364]。今楚与秦为昆弟之国，而韩、梁称东藩之臣[365]，齐献鱼盐之地[366]，此断赵之右肩[367]也。夫断右肩而与人斗，失其党而孤居[368]，求欲毋危，得乎[369]？今秦发三将军：其一军塞午道[370]，告齐使度清河[371]，军于邯郸之东；一军军成皋[372]，驱韩、梁军于河外[373]；一军军于渑池[374]。约四国[375]为一，以攻赵。赵服，必四分其地。臣窃为大王计，莫如与

驱使着像孟贲、乌获这样的勇猛之士，去攻打不肯服输的弱小国家，这无异于用千斤重的物体砸在鸟卵上，鸟卵必破无疑，绝不会有幸免的可能。大王您不归附秦国，秦国的军队如果占据了赵国的宜阳，封锁了韩国经由成皋的南北道路，韩国就会被分割成南北两块了。到那时，鸿台的宫殿、桑林的苑囿就不再属于大王您所有了。替您自己考虑，最好是归顺秦国，与秦国联合起来攻打楚国。这样的话，既把灾祸转嫁到楚国头上，又能使秦国感到高兴，所有的计策没有比这更好的了。”韩王同意与秦国建立联盟。

张仪回到秦国，把自己的工作向秦王作了汇报，秦惠王把六座城邑分封给张仪，封他为武信君。张仪又到齐国游说齐宣王，他说：“主张合纵的人一定会对您说：‘齐国以韩、赵、魏三国作为屏障，地域辽阔，人口众多，兵力强盛，士卒勇敢，即使有一百个秦国，又能将齐国怎么样呢。’大王您赞成他们的意见，却忘记了考察他们所说的是不是符合实际。如今秦国和楚国已经互为姻亲，结成了兄弟般的友好国家；韩国把宜阳献给了秦国；魏国也把黄河以外的土地奉献给了秦国；赵王还亲自到秦国的都城咸阳去拜见秦王，并把河间地区割让给秦国以表示对秦国的友好。只有大王您不肯归顺秦国。秦国将要率领韩国、魏国的军队一起攻打齐国的南部地区，再命令赵国出动全国的兵力，渡过清河，直扑齐国的博关，那时，临淄、即墨就不再属于大王您所有了。等到齐国遭到攻击的那一天，再想要侍奉秦国，恐怕就不可能了。”齐宣王也答应与秦国建立联盟。

张仪离开齐国，又向西来到赵国，对赵武灵王说：“大王您联合东方六国，带头抗击秦国，秦国的军队已经有十五年不敢逾越函谷关。您的威望震慑了山东诸国。我们秦国也对赵国感到惧怕，只得修缮铠甲，磨砺兵器，努力耕作，聚积粮食，整日里忧愁苦闷，提心吊胆，不敢轻举妄动，唯恐大王您故意寻找秦国的过失而对秦国进行惩罚。如今托大王您的福，秦国已经攻占了巴、蜀，吞并了汉中，夺取了两周，扼守住了白马津渡口。秦国虽然处在僻远的西方，但对赵国的怨恨与愤怒早已到了忍无可忍的程度。如今秦国的残兵败将已经驻扎在渑池，正在盼望着渡过黄河，越过漳水而据守番吾，会师于赵国的都城邯郸城下，准备在甲子那一天与赵国展开决战，重演周武王讨伐商纣王的历史，秦王派我先来把这个消息告诉您。现在秦国和楚国已经结为兄弟邻邦，而韩国、魏国也向秦国俯首，自称是为秦国东部做屏障的臣属国，齐国已经把盛产鱼盐的土地进献给秦国，这就如同斩断了赵国的右臂。以一个被斩断右臂的国家而与强大的秦国决战，失去了同盟国的支援，仅凭孤军作战，要想不被打败，那还可能吗？现在秦国已经分兵三路向赵国进发：其中一路将控制齐、赵之间的交通要道，并让齐国出兵渡过清河西进击赵，将军队驻扎在邯郸的东部；一路驻军成皋，迫使韩、魏两国的军队分别驻扎在黄河以南和渑池。约定四个国家一起攻打赵国。赵国被打败以后，四个国家共同瓜分赵国的领土。我替大

秦王面相约，而口相结[376]，常为兄弟之国也。”赵王许之[377]。

张仪乃北之燕，说燕王[378]曰：“今赵王已入朝，效河间以事秦[379]。大王不事秦，秦下甲云中、九原[380]，驱赵而攻燕，则易水、长城[381]非大王之有也。且今时齐、赵之于秦，犹郡县[382]也，不敢妄举师以攻伐[383]。今王事秦，长无齐、赵之患矣。”燕王请献常山之尾五城[384]以和。

张仪归报，未至咸阳[385]，秦惠王薨，子武王[386]立。武王自为太子时，不说[387]张仪，及即位，群臣多毁短[388]之。诸侯闻仪与秦王有隙[389]，皆畔衡[390]，复合从。

五年（辛亥，公元前三一〇年）

张仪说秦武王曰：“为王计[391]者，东方有变[392]，然后王可以多割得地[393]也。臣闻齐王甚憎臣，臣之所在，齐必伐之。臣愿乞其不肖之身[394]以之梁[395]，齐必伐梁。齐、梁交兵而不能相去[396]，王以其间[397]伐韩，入三川[398]，挟天子，案图籍[399]：此王业[400]也。”王许之。

齐王果伐梁，梁王恐[401]。张仪曰：“王勿患也，请令齐罢兵[402]。”乃使其舍人[403]之楚，借使[404]谓齐王[405]曰[5]：“甚矣，王之托仪于秦也[406]！”齐王曰：“何故？”楚使者曰：“张仪之去秦[407]也，固与秦王谋矣[408]，欲齐、梁相攻，而令秦取三川也。今王果伐梁，是王内罢国，而外伐与国[409]，而信仪于秦王[410]也。”齐王乃解兵还[411]。张仪相魏一岁卒[412]。

仪与苏秦皆以纵横之术游诸侯，致位富贵，天下争慕效之。又有魏人公孙衍者，号曰犀首，亦以谈说显名。其余苏代、苏厉[413]、周最、楼缓[414]之徒，纷纭[415]遍于天下，务以辩诈相高[416]，不可胜纪[417]，而仪、秦、衍最著。

王您考虑，不如与秦王当面缔结友好条约，然后歃血为盟，永远作为友好的兄弟国家。”赵武灵王只好答应。

张仪又向北来到燕国，游说燕昭王说：“如今赵国的国君已经到秦国的都城咸阳朝拜过秦王，并把河间地区献给了秦国。大王您不侍奉秦国，秦国就会发兵攻打云中、九原，还将迫使赵国攻打燕国，到那时，易水、长城就不再属于燕国所有了。况且如今的齐国、赵国对于秦国来说就如同秦国境内的郡县，没有秦王的命令，他们就不敢轻举妄动攻打燕国。如果大王您归顺秦国，就将永远没有齐国、赵国侵犯的灾祸了。”燕王请求将常山东部的五座城邑奉献给秦国以求和。

张仪准备回到秦国向秦惠王汇报，还没有来得及到达都城咸阳，秦惠王就去世了，秦惠王的儿子秦武王做了国君。秦武王从做太子的时候就不喜欢张仪，等到他当了国君，秦国中的许多大臣都在武王面前说张仪的坏话。东方那些诸侯听说张仪与秦国的新君有矛盾，于是都背叛了与秦国的连横，并再次建立起合纵抗秦联盟。

五年（辛亥，公元前三一〇年）

张仪为了寻求脱身之计，就劝秦武王说：“为了秦国的利益，必须使东方六国之间互相征战，大王您才能从他们那里得到更多的土地。我听说齐国的国君最怨恨我张仪，我在哪个国家，齐国就一定会攻打哪个国家。我请求大王您允许我这个没出息的人到魏国的都城大梁去，齐国一定会攻打魏国。齐国一旦与魏国打得难解难分，大王您就趁机攻打韩国，占领三川，要挟周天子，搜集天下的地图、户籍册：这可是您统一天下的大事业。”秦武王同意了张仪的请求。

张仪于是来到魏国，齐宣王果然发兵攻打魏国，魏襄王感到很恐慌。张仪对魏襄王说：“大王您不用担心，请看我让齐国撤兵。”于是张仪派自己的随从先到楚国去，然后以楚国使者的名义来到齐国，对齐宣王说：“您为了加强秦王对张仪的信任，做事也太卖力了！”齐宣王问：“你怎么会有这种想法？”楚国的使者说：“张仪离开秦国到魏国去，那是张仪与秦王谋划好了的，目的就是要使齐国和魏国打起来，秦国好趁机攻占韩国的三川啊。如今大王您果然中了他们的计策，攻打魏国。您这样做，对内消耗了自己的国力，对外又落了个攻打同盟国的恶名，等于在给张仪佐证，使秦王相信张仪的话的确可信。”齐宣王一听，觉得有道理，就从魏国撤兵了。张仪取得了魏王的信任而担任了魏国的宰相，一年后病死在魏国。

张仪和苏秦分别以连横合纵之说游说各个诸侯，以此获得了高官和厚禄，所以当时天下的人都很羡慕他们，并纷纷效法他们。魏国有一个人叫作公孙衍，号犀首，也是因为游说而享有盛名。此外还有苏代、苏厉、周最、楼缓一类人，活动遍及天下，他们几乎都是以辩才和诈骗之术互争高下，由于人数太多，其活动及言论都多得没法记载，而张仪、苏秦、公孙衍是其中最为杰出的代表。

孟子论之曰:“或谓[418]:‘公孙衍、张仪岂不大丈夫哉[419]?一怒而诸侯惧[420],安居而天下熄[421]。’孟子曰:‘是恶足[422]为大丈夫哉!君子立天下之正位[423],行天下之正道[424]。得志则与民由之[425],不得志则独行其道[426]。富贵不能淫[427],贫贱不能移[428],威武不能诎[429],是之谓大丈夫[430]。’”

扬子[431]《法言》[432]曰:“或问:‘仪、秦学乎鬼谷术[433],而习乎纵横言,安中国者各十余年[434],是夫[435]?’曰:‘诈人[436]也,圣人恶诸[437]。’曰:‘孔子读,而仪、秦行[438],何如也[439]?’曰:‘甚矣,凤鸣而鸷翰也[440]!’‘然则子贡不为欤[441]?’曰:‘乱而不解,子贡耻诸[442];说而不富贵,仪、秦耻诸[443]。’或曰:‘仪、秦其才矣乎[444],迹不蹈已[445]?’曰:‘昔在任人,帝而难之[446],不以才乎[447]?才乎才,非吾徒之才[448]也。’”

秦王使甘茂[449]诛蜀相庄[450]。

秦王、魏王会于临晋[451]。

赵武灵王纳吴广之女孟姚[452],有宠,是为惠后[453],生子何[454]。

【段旨】

以上为第三段,写周赧王二年(公元前三一三年)至周赧王五年共四年间的各国大事,主要写了张仪愚弄楚怀王,使秦军大破楚国,以及张仪依次游说东方六国诸侯,实现其连横策略的过程。

孟子评论说："有人说：'公孙衍、张仪难道不是男子汉大丈夫吗？他们一旦发起怒来，各国诸侯就会感到恐惧，他们一旦安静下来，天下就太平无事。'孟子说：'这些人哪里够得上男子汉大丈夫呢！道德高尚的人总是站在天下最光明正大的位置上，总想把天下引上最光明正大的道路。在他得志掌权的时候，就带领人民一起遵循先王之道，在不得志的时候，独自一人也要坚持走先王之道。你就是给他高官厚禄也不能使他改变，即使他处于生活极度贫困、地位非常卑微的情况下也要坚持自己的志向，威武相逼不能使他屈服，这才称得上是大丈夫。'"

扬雄在《法言》中说："有人问：'张仪、苏秦跟随鬼谷子学习纵横之术，他们各自都使中国维持了十多年的和平，是这样的吗？'回答说：'这完全是欺人之谈，圣人对这种人最深恶痛绝了。'问：'能像孔子那样读书好学，而像张仪、苏秦那样做事行不行呢？'回答说：'你说得太过分了，这就如同听起来像凤鸟的鸣叫而看起来却长着一副猛禽的翅膀一样令人可怕可憎！''子贡不是也干过游说的事吗？'回答说：'子贡把天下混乱而不能制止当作耻辱，所以才去游说；而张仪、苏秦把从事游说而不能获得富贵当作耻辱。'有人问：'张仪、苏秦的才能不是出类拔萃吗，难道他们的路子我们就不能走？'回答说：'在识别人、任用人的问题上，就连古代的尧、舜这样的圣人都感到困难，也曾经错用过鲧、蚩尤这样的人，不就是因为这些人有很好的才干吗？而他们那种才干，不是我们所讲、所要求的那种才干。'"

秦王派甘茂杀死了蜀相陈庄。

秦武王、魏襄王在秦国的临晋举行会谈。

赵武灵王娶了吴广的女儿孟姚，孟姚很受赵武灵王的宠爱，她就是惠后，她为赵武灵王生了一个儿子，叫作赵何。

【注释】

㉑ 右更疾：樗里疾，其爵位为右更。右更是秦爵二十级中的第十四级。樗里疾姓樗里，名疾，秦国的名臣，人称"智囊"。事迹见《史记·樗里子甘茂列传》。㉒ 伐赵：时当秦惠文王后元十二年（公元前三一三年）、赵武灵王十三年。㉓ 蔺：赵邑名，又称"北蔺"，在今山西吕梁市离石区西。㉔ 庄豹：《史记·六国年表》称"虏将赵庄"，《史记·秦本纪》谓"虏赵将庄"，《史记·樗里子甘茂列传》作"壮豹"，各处说法不一。㉕ 从亲：有合纵联盟的关系。㉖ 楚王：时为楚怀王十六年（公元前三一三年）。㉗ 闭关绝约于齐：高诱注："关，楚北方城之塞也，绝齐欢合之交也。"㉘ 商、於：秦国的地区

名，约当今陕西之商州、丹凤、商南县一带。《史记索隐》引刘氏曰："商即今之商州，有古商城，其西二百余里有古於城。"㉚⁹ 秦女：秦王之女。⑳ 为大王箕帚之妾：谦指嫁于楚王为夫人。箕帚之妾，打扫清洁的使女。㉑ 秦、楚嫁女娶妇：自己的太子、公子娶对方之女；自己之女嫁给对方的太子、公子。㉒ 陈轸：当时著名的纵横家，此时在楚国。㉓ 吊：吊慰，对其所遭遇的事情表示同情、慰问。㉔ 齐、秦合：齐与秦国反而联合起来。㉕ 重楚：看重楚国；尊重楚国。实际指不敢进犯楚国。㉖ 有齐：与齐国有联盟关系。㉗ 秦奚贪夫孤国：秦国为什么要厚待一个孤立无援的楚国呢。奚，为何。"贪"字，《史记·楚世家》《战国策·秦策》皆作"重"，意即看重、优待。孤国，孤立无援的楚国。㉘ 必负王：一定会背叛你。负，辜负、背叛。㉙ 西生患于秦：在西方又从秦国找来麻烦。㉚ 阴合：暗中与齐国建立联盟。㉛ 阳绝于齐：表面上与齐国绝交，而暗中实际不绝。㉜ 随张仪：指随张仪到秦国。㉝ 以待寡人得地：你就等着看我从秦国得到土地吧。㉞ 乃以相印授张仪：以此表示对张仪的信任与看重。鲍彪曰："轸之策此可谓明矣，而怀王不听，愚而好自用者也，其死秦宜哉！"徐孚远曰："张仪诈而楚王贪，故陈轸为两可之辞。若楚果绝齐，虽得商、於，未为福也。"㉟ 详堕车：假装不小心从车上掉了下来。详，同"佯"，假装。㊱ 不朝：不上朝；不理政事。㊲ 以：因；莫非是因为。㊳ 绝齐未甚邪：与齐绝交绝得还不彻底吗。邪，通"耶"，反问语气词。㊴ 宋遗：勇士之名。㊵ 借宋之符二句：胡三省曰："既'闭关绝约'，则齐、楚之信使不通，故使宋遗借宋符以至齐。"符，两国间相互往来的通行证。宋，当时已经很弱的诸侯国名，原都睢阳（今河南商丘南），后迁至彭城（今江苏徐州）。宋自春秋时代就经常依附楚国。㊶ 折节以事秦：《史记·楚世家》作"折楚符而合于秦"，"符""节"义同，意即毁弃了齐、楚两国结盟的信物，掉头来与秦国联合了。事秦，侍候秦国，意即与秦国交好。㊷ 齐、秦之交合：等到齐国与秦国结盟后。㊸ 子何不受地：您为何还不去接受割地。子，古代敬称对方。㊹ 广袤：广指宽，袤指长。㊺ 发口：开口；开口讲话。凌稚隆曰："应上'闭口'。"㊻ 不如因赂之以一名都：还不如再割给它一座都城。邓以瓒曰："轸意非真欲赂秦，只是极言攻秦之非计，观'不如反'及'尚'字可见。"㊼ 是：如此；这样一来。㊽ 取偿于齐：把丢失给秦国的土地从齐国那里夺回来。㊾ 责欺于秦：指责秦国对我们的欺骗。㊿ 合齐、秦之交：使齐、秦两国联合起来。(241) 来天下之兵：招引天下各国都来打我们。(242) 屈匄：楚将名。屈氏是楚国王族的同姓。(243) 庶长章：魏章。庶长是秦爵二十级的第十级至第十八级，位同于卿。魏章与张仪是同在秦国执政的搭档。(244) 丹阳：楚之地区名，约当今河南西峡县西，因其地处丹水之北，故称"丹阳"。(245) 甲士：披甲之士，犹言精兵。(246) 列侯、执珪：列侯是公爵以下的有土封君，西周初的分封是公、侯、伯、子、男五等，到汉初分封时只有王与侯两等。执珪是楚国的最高爵位名。(247) 汉中郡：楚郡名，约当今湖北西北部的房县、十堰市郧阳区与陕西东南部的旬阳、安康等一带地区。(248) 复袭秦：再次袭击秦国。(249) 蓝田：秦县名，在今陕西蓝田西，西安东南。(250) 邓：楚邑名，在今河南漯河市召陵区。㉛请平于秦：向秦国谈判求和。平，也称“成”，谈判讲和。〖按〗以上张仪愚弄楚怀王并败楚蓝田、夺楚汉中事，见《战国策·秦策二》与《史记》之《楚世家》《张仪列传》《屈原贾生列传》。当以《秦策》所述较为原始，《张仪列传》与《屈原贾生列传》则颇多民间传说。㉜燕人共立太子平二句：此依《史记·燕召公世家》旧说，今历史学家均依《史记·赵世家》“武灵王闻燕乱，召公子职于韩，立为燕王，使乐池送之”的记载，认为燕昭王应为公子职。杨宽曰：“近年燕下都与山东益都、临朐等地出土有‘郾王职’款之兵器，‘职’或作‘戠’，足以证明乐池送立之公子职确实立为燕昭王。山东益都等地出土之‘郾王职’款兵器，当是燕昭王破齐时所遗留。”㉝吊死问孤：吊唁死者，抚慰其孤儿。㉞卑身厚币二句：此谓用恭敬的态度和丰厚的礼物招揽贤才。卑身，放下架子。厚币，厚礼。币，礼品，古时多用璧、马、帛等物。㉟郭隗：此时在燕的游说之士。㊱不足以报：没有能力报仇。不足，不能。㊲诚得贤士与共国：如果真能得到一些贤德之人来共同治理国家。诚，果真。共国，共同治理此国。㊳以雪先王之耻：指燕王哙被齐所杀事。㊴视可者：帮我物色一些可以胜任此事者。㊵得身事之：我将亲身为之服务。事，侍候。㊶涓人：为帝王掌管清洁洒扫的人。涓，清洁。㊷求：寻找；访求。㊸马今至矣：真正的千里马立刻就有人送上门来。今，即将。㊹不期年：未满一年。期，周年。㊺至者三：连续收到了三匹。㊻必欲致士：如果真的要招揽贤才。㊼先从隗始：先从优待我郭隗做起。㊽岂远千里哉：难道他们还会因为路远而不来吗。㊾改筑宫：另盖了一栋新房子。古代平民的房子也可以称宫。㊿师事之：把郭隗当作师长一样来侍候。事，侍候。〖按〗郭隗亦投机分子，纵横家一流，首先为自己捞上一把，但其道理自是卓荦，故昭王从之。(271)争趣燕：争先恐后地奔向燕国。趣，奔向、奔往。(272)乐毅：当时杰出的军事家，此前在赵国供职。《史记》有《乐毅列传》。(273)自魏往：乐毅原在赵国为官，为离开赵国，他先到了魏国，而后才到达燕国。(274)剧辛：本赵人，后为燕将，被赵所擒而自杀。今历史家考证剧辛为战国末期人，不可能与乐毅同时到达燕国，这里的文字也是错误地抄用了《史记》。杨宽曰：“昭王即位招贤而尊郭隗为师，当是事实，但是所说乐毅与邹衍、剧辛都因此入燕，燕因而得以破齐，是后来游士出身的纵横家为游士张目而虚构伪托的。剧辛为燕将在战国末年，邹衍和剧辛为同僚，都不可能在燕昭王即位时入燕。乐毅入燕在赵武灵王因内乱而饿死之后，已在燕昭王十七年以后。”(275)亚卿：仅次于上卿的最高级官职。鲍彪曰：“燕昭、郭隗皆三代人也。欲为国雪耻，君臣问对无他言，专欲得贤士而事之，此‘无竞惟人’之谊也，欲无兴得乎哉？”邵宝曰：“隗贤欤？礼之诚是也，使其未贤，能毋累于明哉？且后隗而至者，礼之能如隗乎？不能如隗，是广其途而自塞之也。声之动物尚矣，以虚鼓与者，未有能得实应者也，其固然哉。”(276)襄王仓：名仓，公元前三一一至前二九六年在位。(277)蜀相杀蜀侯：据前文慎靓王五年（公元前三一六年），此蜀相为秦将陈庄，此蜀侯即原来的蜀王，意即监督蜀侯的陈庄今乃将原蜀王杀死。(278)武关：在今陕西丹凤东南，商南县西北，当时属秦，即前文所说的“商、於”地区。㉗⑨易黔中地：交换楚国的黔中地区。黔中，楚郡名，约当今湖南西部和与之相连的今贵州东部地区。易，交换。㉘⓪愿得张仪：《史记·屈原贾生列传》作“愿得张仪而甘心焉”，杀了他以解心头之恨。㉘①甘心于子：杀了你才甘心。㉘②奈何行：你怎么能去呢。㉘③不宜敢取臣：估计他不敢对我怎么样。不宜，不应、不敢。取臣，杀我。㉘④善其嬖臣靳尚：与楚王的宠臣靳尚交好。嬖臣，宠臣，通常指男宠。靳尚，楚王的宠臣与谗臣，其事又见于《史记·屈原贾生列传》。㉘⑤得事：有机会侍候，意即能得其欣赏、信任。㉘⑥无不听者：说什么听什么，无所不从。㉘⑦上庸六县：上庸及其周围的六个县，上庸县在今湖北西北角的竹溪县东南，原曾属楚。现已被秦国所占。㉘⑧王重地尊秦：贪于得地，又惧怕而想讨好秦国。㉘⑨斥：疏远；遗弃。凌稚隆引焦竑曰：“陈平愚阏氏而解白登之围，盖本诸此。”〖按〗陈平说匈奴阏氏以解刘邦之围事，见《史记·陈丞相世家》。㉙⓪妾请子母俱迁江南二句：妾是古代女子对自己的谦称，意即仆婢。子母，以言自己带着自己所生的儿子。迁江南，意即趁早离开楚国都城远一点。鱼肉，比喻被人宰割，《史记·项羽本纪》有所谓“人方为刀俎，我为鱼肉”。〖按〗此郑袖语与《史记·晋世家》之骊姬语声口相肖，骊姬云：“妾愿子母辟之他国，若（或）早自杀，毋徒使母子为太子所鱼肉也。”㉙①乃赦张仪二句：以上楚王囚张仪、放张仪事，见《战国策·楚策二》，亦见于《史记·屈原贾生列传》。缪文远曰：“《楚策二》谓张仪将献秦王爱女于楚，《楚策三》则言张仪将为楚王北求郑、周之美女；《楚策二》谓张仪展转求郑袖为之说项，《楚策三》则言南后、郑袖献金于张仪。张仪究为求人抑系被求？郑袖、南后是一人抑为二人？张仪所欲献之楚王者，究为秦女抑为郑、周之女？张仪之策究为脱身之术抑为骗金之计？凡此种种，俱在不可知之数。盖此二《策》俱为策士练习游说而作，事实之可信与否固在所不计也。”㉙②为从者：鼓吹并组织合纵联盟的人。㉙③不格：不能抵抗。格，拦阻、抗拒。㉙④劫韩驱梁：胁持韩国，驱使魏国。㉙⑤治船积粟：打造船只，储存粮食。㉙⑥浮岷江而下：秦国的战船从成都出发，沿岷江顺流而下。岷江，发源于今四川北部的岷山，南流经成都、乐山市，至宜宾汇入长江。㉙⑦距扞关：抵达扞关。距，通“距”，抵达。扞关，关塞名，在今重庆市奉节附近，当时属楚。㉙⑧扞关惊：扞关的守军吃惊、告急。㉙⑨从境以东：指扞关以东的整个楚国境内。㉚⓪尽城守：到处都将筑城防守，惶惶不可终日了。㉚①黔中、巫郡：楚之二郡名，黔中郡约当今之湖南西部与贵州东部，巫郡约当今之湖北西部与重庆市东部的长江两岸地区。㉚②举甲：起兵；发兵。㉚③北地绝：指楚国的北部地区与其长江流域的南部地区将被秦军所分割。绝，断绝，失去联络。㉚④危难在三月之内：因秦与楚相邻且地处上游故也。〖按〗由此益见当初司马错之建议伐蜀之谋卓矣。㉚⑤半岁之外：半年之后。㉚⑥为大王患：替楚王您担忧。患，忧虑。㉚⑦重出黔中地：舍不得把黔中郡割给秦国。楚怀王原说不必秦国再拿别的地方来交换黔中郡，只要秦国交出张仪，楚国就把黔中郡给它。如今张仪已来到楚国，楚怀王就不想再把黔中郡送给秦国了。重出，舍不得拿出。㉚⑧乃许之：于是答应与秦国建立联盟。⑳⑼ 韩王：时当韩襄王元年（公元前三一一年）。⑶⑽ 险恶山居：胡三省注："韩有宜阳、成皋，南尽鲁阳，皆山险之地。" 山居，居住在山上。⑶⑾ 非菽而麦：不是菽就是麦。菽，豆类。而，犹"则"。⑶⑿ 见卒：现有士兵。⑶⒀ 被甲蒙胄：非得穿上铁甲、戴上头盔才敢与敌人战斗，以言其怯懦。被，通"披"，穿。蒙，盖，这里即指"戴"。胄，头盔。⑶⒁ 捐甲徒裼：甩掉盔甲，脱去上衣，露出身体冲向敌阵，极言其勇敢不怕死。徒裼，袒露，脱去上衣露出身体。〖按〗今始皇墓之兵马俑即不戴头盔，博物馆之说明即用本文以为说。⑶⒂ 趋敌：扑向敌人。⑶⒃ 左挈人头：左手提着敌兵的首级。挈，提。⑶⒄ 右挟生虏：右胳膊下夹着一个活的俘虏。挟，夹着。⑶⒅ 战孟贲、乌获之士：驱孟贲、乌获一类的勇士使之战。孟贲、乌获皆古代勇士之名。⑶⒆ 垂：落；落下。⑶⒇ 千钧：以喻极大的重量。一钧相当于三十斤。㉑ 无幸：无法幸免。邓以瓒曰："语甚壮，有气，亦有色象、有风度。" 吴见思曰："说韩、秦不敌处，字句奇俊浓郁。" ㉒ 据宜阳：占据宜阳。宜阳是韩国西部的重镇，在今河南宜阳西。㉓ 塞成皋：堵塞住韩国经由成皋的南北通道。韩国的都城在今河南新郑，韩国有一部分领土在今山西东南部的上党地区，中间由一条狭窄的通道相连接。这条通道就只有东起今之古荥镇，西至成皋的几十里之宽。㉔ 王之国分：韩国将由此被分割为南、北两块。〖按〗后来秦将白起取上党，并大破赵兵四十万于长平，就是先切断了这条通道的结果。㉕ 鸿台之宫二句：都是韩国的宫苑名，在韩国都城新郑城内。㉖ 转祸而悦秦：改被秦攻之祸为让秦国喜欢。㉗ 计无便于此者：以上张仪说韩王连横事，见《战国策·韩策一》与《史记·张仪列传》。缪文远曰："《张仪传》系此于赧王四年（即秦惠文王十四年、韩襄王元年，公元前三一一年），《通鉴》以下，诸家并从之。《策》言韩王'请比郡县，筑帝宫，祠春秋，称东藩，效宜阳'，俱非事实，此《策》依托。"〖按〗缪氏所引韩王"请比郡县，筑帝宫，祠春秋"云云，在《战国策》的此文之末，司马迁对此删去不录，似亦看到了其矛盾处。即所录之主体部分亦多有不合情理者，故缪氏称其为"依托"，盖是。㉘ 六邑：六个县城。㉙ 武信君：封号名，战国、秦汉时代号为"武信君"者甚多，武而讲信，名之美者。㉚ 齐王：时为齐宣王九年（公元前三一一年）。㉛ 从人：鼓吹并组织合纵抗秦的人，《史记》《资治通鉴》指苏秦，实为犀首等人。㉜ 蔽于三晋：躲避在赵、魏、韩三国的后面。蔽，屏蔽，以三国为齐之障蔽。㉝ 贤其说：以其说为好。㉞ 嫁女娶妇：言相互通亲。㉟ 昆弟：兄弟。㊱ 韩献宜阳：此说非实，秦将甘茂伐取韩宜阳在秦武王三年（公元前三〇八年），非韩献也，详见《史记·樗里子甘茂列传》。梁玉绳曰："秦取宜阳之时，仪死四年矣。" ㊲ 梁效河外：效，献、交出。胡三省曰："秦盖以河东为'河外'，梁则以河西为'河外'，张仪以秦言之也。" 缪文远曰："魏襄王十三年，秦取曲沃、平周，则河外入秦，亦由攻取，非魏'效'地。"〖按〗此"河外"乃对"河内"而言，指今河南西部的黄河以南地区。㊳ 赵王入朝：赵王到渑池朝见秦王。渑池，县名，在今河南渑池县西，原属韩，后来属秦。〖按〗"赵朝渑池"即《史记·廉颇蔺相如列传》所写之渑池会，事在赵惠文王二十年（公元前二七九年）、秦昭王二十八年，是三十年以后的事。㉝割河间以事秦：河间谓河、漳之间地，在今河北献县东南。梁玉绳曰："（赵）朝渑池时，无割河间事，且渑池之会，仪死三十年矣。"牛鸿恩曰："'效河间以事秦'事不详，据帛书二十五章文及注，前二四九至前二四四年之间，燕'以河间十城封秦相文信侯'，不知是否此辞作者弄错了。"㉞南地：南部地区。㉟悉赵兵度清河、指博关：悉，尽，此指令其全部出动。度，通"渡"。清河，上游称"洹水"，流经今河南安阳北，东北流经今河北东南部，至今山东德州南汇入黄河，当时齐、赵之边界大体即在此清河一线。博关，也称博陵，齐国西部县名，在今山东聊城市茌平区西，聊城东北。㊱临淄、即墨：这里用以代指整个齐国。临淄是齐国的都城，即墨是齐国东部的重镇，在今山东平度东南。㊲国一日见攻：等到齐国受到攻击的那一天。一日，即今所谓"一旦"。㊳齐王许张仪：以上张仪说齐王连横事，见《战国策·齐策一》，文末尚有"献鱼盐之地三百里于秦"，《史记·田敬仲完世家》完全不载此事。缪文远曰："其时齐宣王破燕未久，齐国势方盛，何得张仪一说而即'献鱼盐之地三百里于秦'？此策亦为依托。"司马迁盖已发现其不合情理，故舍弃了某些字句，但从主体上他还认为是真的，故录入《史记·张仪传》。㊴赵王：时当赵武灵王十五年（公元前三一一年）。㊵收率：召集、率领。㊶摈秦：抗秦。摈，排挤、抵抗。㊷秦兵不敢出函谷关句：缪文远曰："此策士妄谈，秦惠王时无此事。"〖按〗《史记·魏公子列传》亦有"诸侯以公子贤，多客，不敢加兵谋魏十余年"云云，皆此类虚言。㊸行于山东：指对整个东方诸国发号施令。山东，此指崤山（在今河南灵宝东南）以东，泛称东方诸国。㊹敝邑恐惧：我们秦国很害怕。这是退一步说，故意给赵国戴高帽。㊺缮甲厉兵：修治铠甲，打磨兵器。㊻力田：努力发展农业。㊼愁居慑处：忧愁苦闷，战战兢兢地生活着。㊽唯大王有意督过之也：中井积德曰："'唯'下疑脱'恐'字。"〖按〗中井说是，唯恐，即"惟恐"，生怕。督过，二字连读，意即责备。以上仍是退一步说，故意给赵王戴高帽。㊾今以大王之力：泷川资言曰："犹曰'赖大王神灵'。"〖按〗此句调侃，主语为"秦"，意即"我们托您的福"，并一直下贯"举巴蜀，并汉中"云云。《战国策》作"今秦以大王之力"。㊿举巴、蜀：取得巴、蜀，即慎靓王五年（公元前三一六年）司马错等为秦取巴蜀事。357并汉中：即赧王三年（公元前三一二年）秦破楚夺得楚之汉中事。358包两周：梁玉绳曰："此不过大言之尔，'收取两周'非惠王。"〖按〗秦灭西周在昭王五十一年（公元前二五六年），灭东周在庄襄王元年（公元前二四九年），时张仪已死六十一年。包，也是吞并的意思。359守白马之津：秦兵已经控制到东方诸国的中心地带。白马津，当时的黄河渡口名，在今河南滑县东北，当时属卫。360心忿含怒：凌稚隆引杨慎曰："遣秦为纵者赵王也，赵王为宗盟之主，故言秦王之积怒含忿于赵。"361敝甲凋兵军于渑池：胡三省曰："'敝甲凋兵'，谦其词；言'军于渑池'，则张其势以临赵矣。"362渡河、逾漳、据番吾：胡三省曰："言欲自渑池北渡河，又自此东逾漳水而进据番吾，此亦张声势以临赵也。"渡河，渡过黄河。逾漳，越过漳水。黄河、漳水都在赵国的南侧。据番吾，占据番吾。番吾，赵邑名，在今河北磁县境内，当时的赵都邯郸城南。㊳愿以甲子合战二句：秦国将像当年周武王于甲子日讨伐殷纣一样地讨伐赵国。周武王甲子日于牧野大破殷纣事，见《尚书·牧誓》与《史记·周本纪》。正，即“正法”“正典刑”之“正”，治其罪。㊴先闻左右：先来将此事通知你一声。闻，使之闻，即告知。左右，谦辞，意思与“执事”“阁下”等相同，即指对方，你。㊵韩、梁称东藩之臣：韩、魏自称它们是为秦国东侧做屏障的臣属之国。藩，藩篱、屏障。缪文远曰：“据《秦本纪》，‘韩王入朝，魏委国听命’在秦昭襄五十四年（公元前二五五年），时张仪已死五十五年。又据《秦始皇本纪》，韩称臣于秦在始皇十三年（公元前二三四年），去张仪之卒已七十五年。”㊶齐献鱼盐之地：胡三省曰：“此时齐未尝献地于秦，张仪驾说以恐动赵耳。”缪文远曰：“据《孟子·梁惠王上》所载，齐宣王问齐桓、晋文之事于孟子，又欲‘辟土地，朝秦、楚，莅中国而抚四夷’，何来献地于秦之事?”〖按〗以上诸家之意皆谓此文不出于张仪，乃后人所编造。㊷断赵之右肩：斩断赵国东部的外援。㊸孤居：孤立。㊹求欲毋危二句：想要太平无事，那可能吗。㊺塞午道：控制齐、赵之间的交通要道。塞，堵，这里即指占据。午道，郑玄云：“‘一纵一横谓之午’，谓交道也。”即四通八达之道。据《史记·楚世家》之《正义》，“（午道）在博州西境”，博州故城在今山东聊城西，即当时的赵、齐之间。㊻使度清河：让齐军西渡清河击赵。清河，古河水名，流经今河北之馆陶、清河等县，东北流入古黄河。㊼军成皋：驻扎在成皋。成皋古城在今河南荥阳西北之大伾山上。㊽军于河外：驻扎在黄河以南。《史记正义》曰：“谓郑、滑州，北临河。”〖按〗当时的古黄河流经赵国东南侧，离赵国都城亦不甚远。㊾渑池：县名，在今河南渑池县西。㊿四国：即上面点到的楚、魏、韩、齐。㊿面相约二句：当面结约定盟。㊿赵王许之：以上张仪说赵王连横事，见《战国策·赵策二》。缪文远曰：“《策》《史》所载苏、张纵横之辞俱不可信，而此《策》之不合事实者尤多。”凌稚隆引杨慎曰：“说赵王之词又与说齐、楚者异矣，盖遣秦为纵者赵王也。赵王为宗盟之主，故言秦王之‘积忿含怒于赵’，而以‘合兵请战’之词胁之于前，又以‘面相见相结’之计怵之于后，故赵王惧而割地谢过也。”锺惺曰：“教六国攻秦者难于弱，苏秦之于韩是也；教六国事秦者难于强，张仪之于赵武灵王是也。……观仪之说赵，又与他国不同，抑扬吞吐，线索机锋甚妙甚苦，所谓‘恫疑虚喝骄矜’六字，俱于此见之。”郭嵩焘曰：“张仪说赵王挟制尤力者，以苏秦之合纵始于赵也，此亦针锋两两相对处。”吴见思曰：“竟是一篇战书，合天下之纵者在赵，散天下之纵者亦在赵，故于此加意焉。”〖按〗杨慎以下诸家皆就文章而论，至于史实，皆子虚乌有。㊲燕王：时当燕昭王元年（公元前三一一年）。㊳赵王已入朝二句：已见前文说齐王语，皆非张仪时事。㊴云中、九原：皆赵郡名，云中郡的郡治在今内蒙古呼和浩特西南，托克托东北。九原郡的郡治在今内蒙古包头西。㊵易水、长城：当时的燕国之所辖。易水流经今河北易县南，东流汇入寇水（约当今之大清河）。长城，此指燕国南侧的长城，自今河北易县东南行，经保定市徐水区、雄县至大城南，是燕与赵之分界。泷川资言曰："张仪说楚王曰'黔中、巫郡非王有'，说韩王曰'鸿台之宫、桑林之苑非王有'，说齐王曰'临淄、即墨非王之有也'，说燕王曰'易水、长城非大王之有也'，皆以威喝之，以势制之。仪之术，止于此。"㊳㊷ 犹郡县：犹如秦国境内的郡县。牛鸿恩曰："此只能是战国末期的情形。"㊳㊸ 不敢妄举师以攻伐：它们本来都想伐赵，只因没有秦国的命令，所以它们才不敢对赵国动兵。㊳㊹ 请献常山之尾五城：《正义佚文》："谓常山之东五城，今易州界。"胡三省曰："常山，即北岳恒山也……其尾则燕之西南界。"〖按〗以上张仪说燕王与秦连横事，见《战国策·燕策一》。缪文远曰："仪、秦以纵横说各国之辞俱非事实。"杨宽曰："《张仪列传》所记张仪游说楚、韩、齐、赵、燕等国君王之辞……皆张仪不及见之事。"梁玉绳《史记志疑》已指出："史载仪说列国，皆本于《策》，多不可信。"㊳㊺ 未至咸阳：还未来得及到达秦国都城。秦之咸阳故城在今陕西咸阳东北。㊳㊻ 武王：名荡，公元前三一〇至前三〇七年在位。㊳㊼ 不说：不喜欢。㊳㊽ 毁短：诽谤人；说人坏话。㊳㊾ 有隙：有矛盾；有过节。㊴⓪ 畔衡：背叛连横。畔，通"叛"，背离。㊴① 为王计：为大王的事业考虑。㊴② 东方有变：一定要让东方诸国相互打起来。有变，有战事。㊴③ 多割得地：多从东方之国割取土地。㊴④ 乞其不肖之身：请放我出行。不肖之身，犹言"轻贱之躯"。不肖，胡三省曰："谦言无所肖似也。"即所谓"不才""没出息"。㊴⑤ 之梁：到魏国去。㊴⑥ 不能相去：即今所谓"打得不可开交"。胡三省曰："言兵交不解，各欲去而不能也。"㊴⑦ 以其间：趁此机会。间，空隙、时机。㊴⑧ 三川：韩国地区名，约当今河南之登封、伊川、宜阳等一带地区，因其地有黄河、伊水、洛水，故称"三川"。后来秦国在这一带设三川郡。㊴⑨ 挟天子二句：已见于前文张仪与司马错之论辩。泷川资言曰："于当时为大计，故仪屡言之。"㊵⓪ 王业：统一天下的大事业。㊵① 梁王恐：此时为魏襄王五年（公元前三一四年）。㊵② 请令齐罢兵：请允许我让齐国退兵。㊵③ 舍人：亲信的佣人。舍人是一种半宾客、半仆役的角色。㊵④ 借使：以楚国使者的名义出使齐国。㊵⑤ 齐王：时当齐宣王十年（公元前三一〇年）。㊵⑥ 甚矣二句：倒装句，意即"王之托仪于秦亦甚矣"，您为了加强秦王对张仪的信任，做事可真够卖力气的。托仪于秦，巩固张仪在秦国的地位。托，寄托、安置。㊵⑦ 去秦：离开秦国的时候。㊵⑧ 固与秦王谋矣：早就与秦王商量好了。㊵⑨ 内罢国二句：对内说是消耗了齐国自己，对外说是讨伐了同盟国。罢国，消耗自己的国家。与国，同盟国。㊶⓪ 信仪于秦王：给秦王证明了张仪的话的确可信。郭嵩焘曰："张仪言之于秦，冯喜复述之于齐，累累数十言，一字不易，而不厌其烦，《战国策》多此等文法，后人不能效也。"吴见思曰："重说一遍，以秘计而明出之，又是一样色泽，故不嫌其复。"㊶① 齐王乃解兵还：〖按〗以上文字见《战国策·齐策二》。缪文远曰："《魏策一》载'张仪以秦相魏，齐、楚怒而欲攻魏'，雍沮为之说齐、楚云云，与此章略同。此章及《魏策》之文皆策士造作拟托之语，而史公不察，将其误取入《仪传》中耳。"鲍彪评此文云："彪谓此计之必售，策之必行者也。仪之所谋，时有妾妇之所羞，市人之所不为者，若誉南后以取金，欺商于以卖楚，皆可鄙也，唯此为文无害。仪亦明年死矣，宜其言之善与。”㊷412相魏一岁卒：梁玉绳曰：“仪特自秦入魏耳，未必复相魏也。盖因楚昭鱼有‘恐仪相魏’之语而误。”马非百曰：“张仪在惠王一代，对于秦国统一运动，所贡献者实不止一端。……初为秦相魏，破坏魏、齐同盟，使魏去齐而昵秦；后又相楚，破坏楚、齐同盟，使楚去……齐而昵秦。……李斯所谓‘散六国之从，使之西面而事秦’者，此二事殆其最彰明较著者矣。张仪外交之主要核心厥为弱楚，而弱楚之谋之得以成功，又由于巴、蜀、汉中之兼并。……盖此南进政策之得以顺利进行，实苏秦之合纵运动有以无意中助成之也。而张仪之善于利用时势，亦诚不可及哉！”（《秦集史》）杨宽曰：“纵横家的缺点是，他们重视依靠外力，不是像法家那样从改革政治、经济和谋求富国强兵入手；还过分夸大计谋策略的作用，把它看作国家强盛的主要关键。张仪在秦国推行连横策略是获得成功的，达到了对外兼并土地的目的，使得秦惠王能够东‘拔三川之地，西并巴蜀，北收上郡，南取汉中’，‘散六国之从（纵），使之西面事秦’（《史记·李斯列传》记载李斯语）。这是因为他用‘外连衡而斗诸侯’（贾谊《过秦论》）的策略，配合了当时秦国耕战政策的推行。”（《战国史》）413苏代、苏厉：司马光依司马迁《史记》旧说，以为苏代、苏厉为苏秦之弟，今历史家皆不依旧说，以为苏秦的年龄最小，故称曰“季子”，苏秦的游说活动在张仪之后二十多年。见韩兆琦《史记笺证》。414周最、楼缓：都是战国时期的纵横家。周最是周国的宗室，其游说活动见《战国策》之《东周策》与《西周策》。楼缓是赵人，先曾为赵武灵王之相，后又为秦相，主张连横，事迹见《战国策》之《赵策》与《秦策》，以及《史记·平原君虞卿列传》等。415纷纭：活动及言论都多而杂乱的样子。416相高：竞相攀高，都想压倒对方。417不可胜纪：其活动与言论都多得没法记载。纪，通“记”。418或谓：有人说。据《孟子》，此人为“景春”，也是当时的纵横家。419岂不大丈夫哉：难道不是大丈夫吗。大丈夫，好汉子、有作为的男人。420一怒而诸侯惧：一旦发起怒来，各国诸侯都害怕。421安居而天下熄：他们一旦安静下来，天下就太平无事。熄，停止，这里指停止战乱纷争。422是恶足：这些人哪里称得上。是，此、这些。恶足，哪里称得上。恶，也写作“乌”，如何。423立天下之正位：要立就立在天下最光明正大的位置上，指以“仁义”“礼乐”治天下。424行天下之正道：要把天下引上最光明正大的道路。425得志则与民由之：得志掌权的时候就领着黎民百姓一起循着先王之道走。由，循、遵照。426独行其道：独自坚持走这条道路。427淫：放纵；胡来。428移：改变；改变操守。429威武不能诎：不被强大的压力所折服。诎，弯曲。430是之谓大丈夫：〖按〗以上孟子论“大丈夫”见《孟子·滕文公下》。431扬子：杨雄（或作“扬雄”），字子云，西汉末期成都人，当时著名的儒生与辞赋家，著有《法言》《太玄》以及《长杨赋》《羽猎赋》等等。《汉书》有《扬雄传》。432《法言》：扬雄模仿《论语》写的一部论人论学的书。法言，可作为人生法则的言论。《法言》是用自问自答的形式写作的一些类似语录的文字，在形式上也是学习《论语》。433鬼谷术：鬼谷子的学术。〖按〗此亦袭用《史记》旧说，其实苏秦与张仪相差二十多年，并无从师于鬼谷子之事。㊹安中国者各十余年：此亦用《史记》旧说。《史记》之《苏秦列传》《张仪列传》以为苏秦在张仪之前，是苏秦先倡导东方合纵十多年后，苏秦死，张仪才出世倡导连横。其实与张仪同时倡导合纵的是犀首，即公孙衍。㊺是夫：是这样的吗。㊻诈人：奸猾诈伪之人。㊼圣人恶诸：圣人是讨厌这种人的。㊽孔子读二句：能像孔子那样读书好学，再有张仪、苏秦那样的办事才干。㊾何如也：行不行呢。也，同“耶”，反问语气词。㊿甚矣二句：这比会像凤凰鸣叫的鹰雕还要可怕可憎。鸷翰，猛禽的翅膀，这里即指坏鸟、坏人。因为能像凤凰叫则更加迷人，能迷人的坏人则能干出一般坏人干不成的坏事。[441]然则子贡不为欤：照你这么说子贡难道也不能让人学习了。子贡是孔子的弟子，以善于说话闻名。而且在《史记·仲尼弟子列传》中司马迁还写了一大段子贡为救鲁国而四出游说的故事，结果子贡一出，遂造成了“存鲁、乱齐、破吴、强晋、霸越”等一大串国家的重大变动。历代学者都以为这段故事不可信，而司马迁则津津乐道。[442]乱而不解二句：子贡是以天下有乱而自己不能平息为耻的。也就是说子贡出去游说是为了平息各国的战乱，如果平息不了，那就是自己无能，没能尽到责任。[443]说而不富贵二句：张仪、苏秦是以自己没能获得功名富贵为耻。也就是说苏秦、张仪的游说活动都是为了自己的名利，至于结果如何他们是不关心的。《战国策·秦策一》写苏秦第一次游说失败后叹息说：“嗟乎，贫贱则父母不子，富贵则亲戚畏惧。人生世上，势位富厚盖可忽乎哉?”就是这种灵魂的自我写照。[444]仪、秦

【原文】

六年（壬子，公元前三〇九年）

秦初置丞相[455]，以樗里疾[456]为右丞相。

七年（癸丑，公元前三〇八年）

秦、魏会于应[457]。

秦王使甘茂[458]约魏以伐韩[459]，而令向寿辅行[460]。甘茂至魏[6]，令向寿还[461]，谓王曰：“魏听臣矣，然愿王勿伐[462]。”王迎甘茂于息壤[463]，而问其故。对曰：“宜阳大县，其实郡也[464]。今王倍数险[465]，行千里攻之，难。鲁人[466]有与曾参[467]同姓名者杀人，人告其母，其母织自若[468]也。及三人告之[469]，其母投杼下机，逾墙而走[470]。臣之贤不若曾参，王之信臣，又不如其母[471]，疑臣者非特三人[472]。臣恐大王之投杼也[473]。魏文侯[474]令乐羊将而攻中山[475]，三年而拔之[476]。反而论功[477]，文侯示之谤书

其才矣乎：张仪、苏秦的才能不是很高吗。㊹⑤迹不蹈已：难道他的路子我们就不能走。蹈，践、遵循。㊹⑥昔在任人二句：在识别人、任用人这个问题上，连大圣人尧、舜都感到困难，因为他们也曾错用过鲧、蚩尤等人。㊹⑦不以才乎：不就是因为坏人也可能有很好的才干吗。㊹⑧非吾徒之才：不是我们所讲、所要求的那种才。〖按〗以上扬雄的这段话，见《法言・渊骞》。㊹⑨甘茂：秦国名将，事迹见《史记・樗里子甘茂列传》。㊺⓪诛蜀相庄：因为蜀相陈庄自作主张地杀了蜀侯，事见本书卷三赧王四年。㊺①秦王、魏王会于临晋：时当秦武王元年（公元前三一〇年）、魏襄王九年。临晋，秦邑名，在今陕西大荔东。㊺②纳吴广之女孟姚：收吴广之女孟姚为妃。纳，收。吴广，赵武灵王的近臣，其女名孟姚，也叫娃嬴。事见《史记・赵世家》。㊺③惠后："惠"字是谥。㊺④生子何：因其生子曰"何"，故遂正位为王后。所谓"何"即日后的赵惠文王，公元前二九八至前二六六年在位。

【校记】

［4］于破燕之后即位："即位"二字原无。据章钰校，"后"下，十二行本、乙十一行本、孔天胤本皆有"即位"二字，张敦仁《通鉴刊本识误》同。今据诸本及《史记・燕召公世家》《通鉴总类》卷一补。［5］借使谓齐王曰："谓"，原作"请"，盖涉上文"请令齐罢兵"句而讹。今从《四部丛刊》影宋本（即章钰"乙十一行本"）及《通鉴纪事本末》卷一下改。

【语译】

六年（壬子，公元前三〇九年）

秦国开始将"相"改称为"丞相"，秦武王任命樗里疾为右丞相。

七年（癸丑，公元前三〇八年）

秦武王和魏襄王在魏国的应县会晤。

秦武王派甘茂去联合魏国一同攻打韩国，派向寿做甘茂的副手。甘茂到魏国完成使命后，派向寿先回去对秦武王说："魏国已经同意联合出兵攻打韩国，但希望大王不要攻打韩国。"秦武王将甘茂召回息壤，问他为什么不同意攻打韩国。甘茂回答说："韩国的宜阳，名义上是个县，而实际上却不亚于一个郡。大王要攻打它，需要跨越重重险阻，还要长途跋涉上千里，要想取得成功恐怕是很难的。鲁国有一个和曾参同姓名的人杀死了人，有人把这个消息告诉了曾参的母亲，他的母亲不相信曾参会杀人，于是照常织她的布。等到第三个人来告诉她曾参杀了人的时候，曾参的母亲扔下织布梭子，立即翻墙逃跑了。我的才德比不上曾参，大王对我的信任，又比不上曾参母亲对曾参的信任，怀疑我的人不止三个。我担心大王听信传言，也像曾参母亲那样扔掉梭子越墙逃跑。魏文侯曾经任命乐羊率军攻打中山国，攻打了三年才把中山攻下来。等到乐羊班师回来论功行赏的时候，魏文侯却拿出了一筐子毁

一箧[478]。乐羊再拜稽首[479]曰：'此非臣之功，君之力也[480]。'今臣羁旅[481]之臣也，樗里子、公孙奭[482]挟韩而议之[483]，王必听之，是王欺魏王[484]而臣受公仲侈之怨[485]也。"王曰："寡人弗听也，请与子盟[486]。"乃盟于息壤。秋，甘茂、庶长封[487]帅师伐宜阳。

八年（甲寅，公元前三〇七年）

甘茂攻宜阳，五月而不拔。樗里子、公孙奭果争[488]之。秦王召甘茂，欲罢兵。甘茂曰："息壤在彼[489]。"王曰："有之。"因大悉起兵[490]，以佐甘茂，斩首六万，遂拔宜阳[491]。韩公仲侈入谢[492]于秦，以请平[493]。

秦武王好以力戏[494]，力士任鄙、乌获、孟说[495]皆至大官[496]。八月，王与孟说举鼎，绝脉而薨[497]，族孟说[498]。

武王无子，异母弟稷[499]为质于燕。国人逆而立之[500]，是为昭襄王。昭襄王母芈八子[501]，楚女也，实宣太后[502]。

赵武灵王北略[503]中山[504]之地，至房子[505]，遂至代[506]。北至无穷[507]，西至河[508]，登黄华[509]之上。与肥义[510]谋胡服骑射[511]以教百姓，曰："愚者所笑，贤者察焉[512]。虽驱世以笑我[513]，胡地[514]、中山，吾必有之。"遂胡服。

国人皆不欲，公子成[515]称疾不朝。王使人请之[516]曰："家听于亲，国听于君[517]。今寡人作教易服[518]，而公叔不服[519]，吾恐天下议己[520]也。制国有常[521]，利民为本；从政有经[522]，令行为上[523]。明德[524]先论于贱[525]，而从政[526]先信于贵[527]。故愿慕公叔之义[528]，以成胡服之功也。"公子成再拜稽首曰："臣闻中国[529]者，圣贤之所教[530]也，礼乐之所用[531]也，远方之所观赴[532]也，蛮夷之所则效[533]也。今王舍此而袭远方之服[534]，变古之道，逆人之心[535]，臣愿王孰图[536]之也。"

谤乐羊子的信件给他看。乐羊五体投地地趴在地上对魏文侯拜了又拜，说：‘攻下中山国，这不是我的功劳，这是大王您的功劳啊。’而我在秦国只是一个流落寄居的人，樗里疾、公孙奭抓住伐韩的机会，必定在大王面前诋毁我，而大王也必定会听信他们而反悔，到那时就等于是大王欺骗了魏王，而我也会遭到韩国宰相公仲侈的怨恨。”秦王说：“我绝不会听信谗言，可以对天盟誓。”于是就在息壤祭告天地，立下誓言。秋天，甘茂、庶长封率领秦军攻打韩国的宜阳。

八年（甲寅，公元前三〇七年）

秦国甘茂率领秦军攻打宜阳，攻了五个月也没有攻下来。樗里疾、公孙奭果然站出来，对攻打宜阳提出种种非议。于是秦武王召回甘茂，想要撤回军队。甘茂提醒秦王说：“息壤的盟誓还在吧。”秦王说：“还在。”秦王于是又调集了大批军队支援甘茂，甘茂终于在消灭了韩国的六万军队以后攻下了宜阳。韩国的宰相公仲侈亲自到秦国请罪，请求与秦国缔结和约。

秦武王喜欢跟别人比赛看谁的力气大，任鄙、乌获、孟说等人都因为力气大受到秦武王的喜爱而做了高官。八月，秦武王与孟说比赛举鼎，秦武王用力过猛，导致血管破裂而死，孟说因此获罪，被灭族。

秦武王没有儿子，与他同父异母的弟弟嬴稷当时正在燕国做人质。秦国的贵族把嬴稷接回来做了秦国的国君，就是秦昭襄王。秦昭襄王的母亲芈八子，楚国人，就是历史上所说的宣太后。

赵武灵王向北准备征服中山国，他率军经过房子，然后抵达代地。又继续北上进抵无穷，从这里向西到达黄河，登上黄华山。他与肥义商议，想让赵国的百姓改穿胡人的服装练习骑马射箭，他说：“愚蠢的人必定会嘲笑我的这个举措，而贤明的人就要认真思考一下。其实就是举世之人都嘲笑我，我也不在乎。总之，胡地、中山，我一定要把它们划入赵国的版图。”于是准备下令赵国的百姓改穿胡服，练习骑马射箭。

赵国的贵族都反对赵武灵王胡服骑射的改革措施，公子成假托有病不到朝廷参加议事。赵武灵王派人去请他，说：“家中的事情应当听从父母的，国家的事情就应当听从国君的。如今我决定让全国之人改穿胡服，而叔父不肯服从，我担心天下的人会因此而议论我对于抗命的人不坚决惩治。治理国家有一定的常规，要以有利于人民作为根本；政治也有一定的常法，要使法令得以执行最为重要。提倡道德要先从下层的百姓做起，推行政策、法规，就要让贵人率先遵从。所以我希望叔父您能以大义为重，带头穿胡服，以使这项改革获得成功。”公子成听了这个解释以后，拜了又拜，仍然坚持说：“我听说中原地区，遵从的是圣人贤人的教育，是最讲究礼乐的地方，也是远方外邦经常来学习观摩的地方，更是蛮夷地区最羡慕、最想效法的地方。大王您却抛弃了中原的一切，而去效法夷狄，按照他们的样子穿衣服，改变中原自古以来的穿衣习惯，违背民意，我还是希望您再认真地考虑考虑吧。”

使者以报，王自往请之，曰："吾国东有齐、中山[537]，北有燕、东胡[538]，西有楼烦、秦、韩之边[539]。今无骑射之备[540]，则何以守之哉？先时[541]，中山负齐之强兵[542]，侵暴[543]吾地，系累[544]吾民，引水围鄗[545]。微社稷之神灵[546]，则鄗几于不守[547]也。先君丑之[548]，故寡人变服骑射，欲以备四境之难[549]，报中山之怨[550]。而叔顺中国之俗[551]，恶[552]变服之名，以忘鄗事之丑，非寡人之所望[553]也。"公子成听命，乃赐胡服，明日服而朝。于是始出胡服令，而招骑射焉[554]。

九年（乙卯，公元前三〇六年）

秦昭王使向寿平宜阳[555]，而使樗里子、甘茂伐魏[556]。甘茂言于王，以武遂[557]复归之韩。向寿、公孙奭争[558]之，不能得[559]，由此怨谗甘茂[560]。茂惧，辍伐魏蒲阪[561]，亡去[562]。樗里子与魏讲[563]而罢兵。甘茂奔齐[564]。

赵王[565]略中山地[566]，至宁葭[567]，西略胡地[568]，至榆中[569]。林胡王献马[570]。归[571]，使楼缓之秦[572]，仇液[573]之韩，王贲[574]之楚，富丁[575]之魏，赵爵[576]之齐，代相赵固主胡[577]，致其兵[578]。

楚王与齐、韩合从。

十年（丙辰，公元前三〇五年）

彗星见[579]。

赵王伐中山，取丹丘[580]、爽阳[581]、鸿之塞[582]，又取鄗[583]、石邑[584]、封龙[585]、东垣[586]。中山献四邑以和[587]。

秦宣太后异父弟曰穰侯魏冉[588]，同父弟[589]曰华阳君芈戎[590]，王之同母弟[591]曰高陵君、泾阳君[592]。魏冉最贤[593]，自惠王、武王时，任职用事[594]。武王薨，诸弟争立[595]，唯魏冉力能立昭王[596]。昭王即位，以魏冉为将军，卫咸阳[597]。是岁，庶长壮[598]及大臣、诸公子谋作乱[599]，魏冉诛之[600]。及惠文后[601]皆不得良死[602]。悼武王后[603]出居于魏[604]，王兄弟不善者[605]，魏冉皆灭之。王少，宣太后自治事[606]，任魏冉为政[607]，威震秦国。

使者将公子成的话报告给了赵武灵王，赵武灵王亲自登门劝说公子成，他说：“我们赵国东部有齐国、中山国，北部有燕国、东胡，西部与楼烦、秦国、韩国接壤。如果我们赵国没有强大的骑兵以备不测，我们如何守卫国家呢？前些时候，中山国依仗齐国的支持，经常来侵夺我国的土地，掳掠我国的人民，还决开黄河之水淹灌我们的鄗城。如果不是上天的保佑，鄗城几乎就保不住了。我们的先君以此为奇耻大辱，所以我才要改穿胡人的服装，让本国的人民练习骑马射箭，就是为了防备四周边境随时可能发生的灾难，报过去中山国对我国侵犯、掳掠的仇怨。而您却坚决维护中原固有的习俗，憎恶改变服装的号令，而忘记了中山国用河水冲灌鄗城的耻辱，这可不是我所希望看到的。”公子成被赵武灵王说服以后，表示听从命令，改穿胡服，赵武灵王于是赏赐给公子成一套胡服。第二天，公子成就穿上胡服参加早朝。赵武灵王这才在国内颁布改穿胡服的命令，同时招募骑马射箭的士兵。

九年（乙卯，公元前三〇六年）

秦昭王派向寿去安抚宜阳，派樗里疾、甘茂率军去攻打魏国。甘茂向秦昭王建议，把武遂归还给韩国。向寿、公孙奭表示反对，但他们的意见并没有被秦昭王采纳，因此二人对甘茂十分怨恨，便在秦昭王面前说他的坏话。甘茂很恐惧，就停止对魏国蒲阪的进攻，逃亡到国外去了。樗里疾与魏国讲和，将军队撤回秦国。甘茂逃到齐国避难。

赵武灵王率军向中山国拓取地盘，抵达宁葭，然后又向西开拓疆土，到达胡地，进抵榆中。林胡王向赵武灵王进献马匹表示归附。赵武灵王率军回到都城邯郸，不久便派楼缓出使秦国，派仇液出使韩国，派王贲出使楚国，派富丁出使魏国，派赵爵出使齐国，派代相赵固主管与胡人的联络并将胡地的军队收归自己掌握。

楚怀王、齐宣王、韩襄王订立合纵联盟。

十年（丙辰，公元前三〇五年）

彗星出现。

赵武灵王率军攻打中山国，夺取了丹丘、爽阳、鸿之塞，又夺取了鄗县、石邑、封龙、东垣。中山国又把另外四座城邑献给赵国以求和。

秦国宣太后异父同母兄弟穰侯魏冉、同父异母兄弟华阳君芈戎，秦昭王的同父同母弟高陵君、泾阳君，这四个人当中，属魏冉最有才能，从秦惠王、秦武王时四个人就已经掌权。秦武王去世以后，由于没有子嗣，几个兄弟互相争夺王位，只有穰侯魏冉力主拥立秦昭王。秦昭王即位以后，任命魏冉为将军，守卫都城咸阳。这一年，庶长嬴壮和一些大臣、王子阴谋政变，魏冉及时粉碎了他们的阴谋，并将作乱的人全部杀死。就连秦武王的生母惠文后也没能逃脱一死。秦武王的王后悼武王后则被送回她魏国的娘家，秦昭王的诸多兄弟，凡是与秦昭王作对的，魏冉都把他们消灭了。秦昭王当时年幼，宣太后就主持国政，宣太后把大权交给魏冉，魏冉的权势震动了秦国。

【段旨】

以上为第四段，写周赧王六年（公元前三〇九年）至周赧王十年共五年间的各国大事，主要写了秦武王的令甘茂取韩宜阳，武王入洛阳举鼎压腿而死后，秦昭王上台执政，以及赵武灵王胡服骑射，壮大赵国的宏伟壮举。

【注释】

㊿初置丞相：原来就称作“相”，现在始改称“丞相”，且设为左右二人。㊿樗里疾：名疾，秦惠文王的异母弟，因其居住之处名曰“樗里”，故俗谓之“樗里子”。事迹见《史记·樗里子甘茂列传》。㊿秦、魏会于应：秦武王与魏襄王在应县会晤。应，魏县名，故城在今河南宝丰南。㊿甘茂：时为秦国名臣，事迹见《史记·樗里子甘茂列传》。㊿约魏以伐韩：联合魏国，让它跟着秦国一道伐韩。〖按〗时当魏襄王十一年（公元前三〇八年）、韩襄王四年。㊿令向寿辅行：让向寿跟着甘茂一道去，为之充当副使。向寿，秦昭王母宣太后娘家的亲戚，时在秦国已颇受信任。中井积德曰：“甘茂与向寿不相善，然率之而行者，恐其在中作谗构也。”泷川资言曰：“武王亦欲使向寿监视甘茂。”㊿甘茂至魏二句：谓出使任务完成后，甘茂令向寿先还秦禀报。㊿然愿王勿伐：尽管魏国已经答应帮着我们伐韩，但我还是认为这仗我们不要打了。㊿王迎甘茂于息壤：武王将甘茂召回至息壤。息壤的方位不详，从用“迎”字看，当在咸阳之东。诸祖耿引程恩泽、顾遁园语谓“息壤”即“地长”，盖即地面自行突起也，汉代之临淮徐县、无盐，唐代之江陵都有过这种现象。顾颉刚《息壤考》曰：“原来在渭河峡谷里黄土层间，常有地下水位增高和地下水流增大的现象。……使得土地突然隆起。息，是长大的意思。土壤会自己高胀起来，所以秦国人称它为‘息壤’。”㊿其实郡也：宜阳名义上虽然是个县，但其城池之大实则不亚一座郡城。杜佑曰：“春秋时列国相灭，多以其地为县，则县大而郡小。故赵鞅曰：‘上大夫受县，下大夫受郡。’至于战国，则郡大而县小矣。故甘茂曰：‘宜阳大县，其实郡也。’”㊿倍数险：秦兵要跨越许多险要之处。倍，同“背”，跨越。数险，如函谷、崤山等处是也。㊿鲁人：曲阜一带的人。鲁是西周以来的诸侯国名，都城即今山东曲阜。至秦武王时代鲁国已积贫积弱，行将灭亡。㊿曾参：孔子的弟子，以孝闻名。事迹详见《史记·仲尼弟子列传》。㊿织自若：依然如故地织布不止，因为她根本不相信其子会杀人。㊿及三人告之：等到第三个人再跑来向她报告此事。㊿投杼下机二句：极言其慌张、恐惧之状。投杼，扔下梭子。杼，织机上的梭子，用以穿纬线。逾墙，越墙。走，逃跑。言外之意是连亲生的母亲也信以为真了。㊿不如其母：不如曾参之母对曾参的信任。㊿疑臣者非特三人：疑臣，在君主面前散布怀疑我的言论，亦即攻击、诽谤。非特，不止。㊿臣恐大王之投杼也：我是怕您听信传言，也像曾参之母那样被吓得投杼逾墙而走。李光缙引胡时化曰：“譬喻是古人文章一大机栝，始于‘元首’‘股

肱’之歌，溢于‘舟楫’‘盐梅’之命，波澜于《诗》之比体，下及孟、荀、庄、列，文章奇特处亦多譬喻，而《战国》此策，尤其善用者也。”㊹魏文侯：名斯，战国初期魏国国君，公元前四四五至前三九六年在位。㊺令乐羊将而攻中山：派乐羊子统兵攻取中山国。乐羊，魏国名将，事迹又叙于《史记·乐毅列传》。中山，战国前期鲜虞人建立的诸侯国名，都城在顾（今河北定州）。㊻三年而拔之：魏攻中山在文侯三十八年（公元前四〇八年），灭中山在文侯四十年。㊼反而论功：凯旋回来评定功勋时。㊽示之谤书一箧：拿出来一箱子诽谤乐羊子的奏章给乐羊子看。箧，竹箱。㊾稽首：最虔诚的跪拜礼，五体投地地趴伏在地上。㊿此非臣之功二句：指全仗着您的坚信不疑，不为群臣所惑。〖按〗以上故事见《战国策·秦策二》。481羁旅：寄居客中，即今所谓“旅客”。甘茂原为楚人，仕于秦，故自称“羁旅”。482樗里子、公孙奭：皆秦国的心腹亲近大臣。公孙奭，《战国策》也作“公孙郝”“公孙赫”，与向寿同为秦王所亲幸。有人说即“公孙衍”者，误。483挟韩而议之：抓着伐韩的事情对我进行诋毁。挟，持。484王欺魏王：您哄骗了魏王为秦国出兵。欺，骗，说好了的事情又反悔。485臣受公仲侈之怨：我要遭到韩国群臣的痛恨。公仲侈，韩国宰相。梁玉绳曰：“即《国策》韩之‘公仲朋’也。”〖按〗“侈”为“倗”字之讹。《战国纵横家书》作“倗”。泷川资言曰：“负约，故曰‘欺魏王’；为伐韩之计，故曰‘受公仲侈之怨’。”486请与子盟：当着神灵明誓，立下一个契约。子，敬称对方。487庶长封：秦国的大庶长，名封。庶长位同于卿。488争：提出相反意见，即反对伐韩。489息壤在彼：王骏图曰：“言息壤之盟，犹在彼也。”凌约言曰：“只‘息壤在彼’一句，秦王之疑顿释矣，笔力万钧。”490因大悉起兵：“大”“悉”二字重叠使用，可以增加气势，但字法略生，故有疑“大”字衍，《战国策》作“因悉起兵”。491遂拔宜阳：事见《战国策》之《秦策二》《赵策一》《楚策三》《韩策一》《东周策》。当久久攻城不下时，甘茂曾有所谓“明日鼓之而不可下，因以宜阳之郭为墓”，其艰难可想而知。吴如嵩《战国军事史》曰：秦国攻占宜阳，完全控制崤山、函谷关天险，使其在东下三晋，直取中原的战备方向上占有进可攻、退可守的有利地位，这是一个重大胜利。492入谢：入秦求和。谢，请罪。493请平：与秦国协议罢兵。平，讲和、结约。〖按〗以上甘茂为秦伐韩拔宜阳事，见《战国策·秦策二》。缪文远曰：“此章言甘茂预见宜阳难拔，迭用譬喻以说秦王，与秦王盟于息壤，卒竟全功。旨在言甘茂不仅习于军事，亦长于智计也。”牛鸿恩曰：“受命攻宜阳的甘茂，估计到自己在主客观方面的不利条件，担心会因反对派的谗毁而失败。为此，他首先设法得到武王的保证，与之盟于息壤，从而排除了障碍，终于攻下宜阳。君臣定盟，是中国历史上少有的现象，这在秦汉以后，是不可想象的。同时也说明，善识人才，任人专一，是事情成功的必要条件。甘茂引用‘曾参杀人’的故事说明他的处境，贴切自然，形象生动。”494好以力戏：好与人比赛看谁力大。杨宽曰：“‘戏’是指角力……《国语·晋语九》记赵简子的戎右少室周要和大力士牛谈‘戏’，韦注：‘戏，角力也。’”495任鄙、乌获、孟说：都是秦武王身边的大力士。相传乌获能举千钧，孟说能手拔牛角，水行不避蛟龙，陆行不避豺狼，发怒吐气，声音动天。泷川资言曰："乌获，见于《商君书》《孟子》，先于秦武。盖称力士为'乌获'，犹称相马者为'伯乐'，称治疾者为'扁鹊'。秦武力士，必别有姓名。"孟说，有说即"孟贲"者，似误。孟说是齐人，孟贲是卫人。㊾皆至大官：谓以力大受秦武王喜爱，故至大官。〖按〗任鄙是秦国有名的地方官，似不止以力大进升。㊿王与孟说举鼎二句：《史记·樗里子甘茂列传》作"武王竟至周，而卒于周"，未云因何而死；《秦本纪》则谓"王与孟说举鼎，绝膑。八月，武王死"。而又未云在何处举鼎。两者参照，盖即攻取宜阳后，入洛阳之路通，遂入举周鼎，因绝膑死。凌稚隆曰："武王卒于周，以终前'窥周室死不恨'之语。"498族孟说：因其不谏止武王举鼎。499异母弟稷：也名则，即日后的秦昭王，也称昭襄王，公元前三〇六至前二五一年在位。500国人逆而立之：实际上是秦昭王的母亲芈八子与秦昭王的舅舅穰侯魏冉在其中起了关键作用。当时秦国王室反对秦昭王袭位的人很多，都被穰侯与芈八子所杀。详情见《史记·秦本纪》与《史记·穰侯列传》。501芈八子：姓芈，八子是王宫后妃的封号名。《汉书·外戚传序》称王后之下"有美人、良人、八子、七子、长使、少使"等名号，"八子"的级别略同于千石。502实宣太后：这就是历史上所称的"宣太后"。实，是、是为。503略：开拓；攻取。504中山：战国前期鲜虞人建立的小国名，都城在顾，即今河北定州。505房子：赵邑名，在今河北高邑西南。506代：地区名，在今河北之西北部，其首府代县在今河北蔚县东北。507无穷：胡三省以为是地区名，"自代北出塞外，大漠数千里，故曰'无穷'"。梁玉绳《史记志疑》以为应是"无终"。无终即今天津市蓟州区。508河：黄河，此指山西、陕西、内蒙古交界一带的黄河。509黄华：亦三省交界的山名，详情不详。510肥义：赵国的老臣。511胡服骑射：穿北方少数民族的服装，而且练习骑马射箭，变过去中原地区的车战为马战。512愚者所笑二句：凡是顽固人所讥笑的事情，贤明的人就要认真思考一下。愚，这里指顽固。察，仔细思考。513虽驱世以笑我：即使是让普天下的人都讥笑我、反对我。驱世，意即"举世"。514胡地：指当时北方少数民族所占据的、今内蒙古河套和与之邻近的山西西北部与陕西东北部一带地区。515公子成：赵肃侯之弟，武灵王之叔。516请之：请安，并对之说理。517家听于亲二句：家庭中的事情听父母的，国家的事情听君主的。518作教易服：做出决定，实行胡服。教，命令。易，改变。519不服：不改变服装，实即抗命。520恐天下议己：议论我对于抗命的人不坚决惩治。521常：常规；常法。522经：常，也是指常规、常法。523令行为上：保证命令得以实行是第一位的。524明德：提倡伦理道德。明，教育、提倡。525先论于贱：先从平民做起。526从政：施行政策、规章。从，施行。527先信于贵：先从贵人做起。信，必，不打折扣地执行。胡三省注《资治通鉴》之以上四句曰："德欲其下及，故先论于贱。卑贱者感其德，则德广所及可知矣。法行自贵近始，故先信于贵。贵近者奉法，则法之必行可知矣。"528愿慕公叔之义：希望叔父您能以大义为重。愿，希望。慕，仰仗。泷川资言引关修曰："曰'叔'曰'公叔'，语有轻重耳。"〖按〗称"叔"，表示亲切；称“公叔”，表示郑重、严肃。㉙中国：中原地区，与四裔之少数民族相对而言。㉚圣贤之所教：是受过圣人教育的地方。㉛礼乐之所用：是实行礼乐治国的地区。㉜远方之所观赴：是四周少数民族所闻风前来投奔的地方。㉝则效：学习、效法；以之为榜样。㉞袭远方之服：穿戴少数民族的衣帽。袭，穿。㉟逆人之心：违背人们的心愿。逆，争持、对抗。㊱孰图：仔细考虑。孰，同“熟”。㊲东有齐、中山：〖按〗齐国在赵国之东南方，中山在赵都邯郸之北方，今曰“东有齐、中山”，方位不准。㊳燕、东胡：燕国在今河北东北部与辽宁西南部，都城即今北京市。东胡在今内蒙古东南部和与之邻近的辽宁西部。㊴西有楼烦、秦、韩之边：今山西中部地区当时亦属赵国，其地西北挨近楼烦，其西与秦国接壤，其南部挨近韩之上党郡。楼烦是战国后期的少数民族名，活动在今山西西北部和与之邻近的内蒙古南部、陕西东北部一带地区。㊵今无骑射之备：如果没有强大的骑兵以备不测。今，倘若。㊶先时：前些时候。㊷中山负齐之强兵：中山国仰仗强大齐国对它的支持。负，背靠、仗恃。当时中山与齐国相亲。㊸侵暴：侵略、施暴。㊹系累：捆绑；掳掠。㊺鄗：赵县名，在今河北柏乡北。㊻微社稷之神灵：如果没有我们国家的神灵的保佑。微，没有。㊼鄗几于不守：鄗县差点失守。几，几乎。〖按〗此所谓中山伐赵围鄗城事，各处均不载，细情不详。㊽先君丑之：我们的先君以此为奇耻大辱。㊾四境之难：四周各面的来敌之攻。㊿中山之怨：中山负齐围鄗之怨仇。551顺中国之俗：安于旧有的陈规陋俗。552恶：讨厌；不愿听、不愿做。553非寡人之所望：这可不是我所希望看到的。554于是始出胡服令二句：招骑射，招募骑马射箭之士。〖按〗以上赵武灵王胡服骑射事，见《战国策·赵策二》与《史记·赵世家》。沈长云等曰：“见于文献记载的胡服内容，主要有以金珰饰首，前插貂尾为贵职的大冠；以韦为之，以羔毛络缝的搭耳帽；以黄皮制成的皂靴；具带黄金师比。这些服饰集中体现了北方少数民族游牧文化，似乎与便骑射不大。”“赵武灵王实施胡服改革，其目的之一方面是为了教化赵国百姓与胡人，《赵世家》所说‘吾将胡服骑射以教百姓’，《淮南子》所说‘赵武灵王具带鵕鸃而朝，赵国化之’，都是对这一目的的具体表述；而另一方面便是为了招募胡人骑兵，直接用于赵国的对外战争，也就是《赵世家》所记‘遂胡服，招骑射’，‘代相赵固主胡，致其兵’，‘西遇楼王而致其兵’。”“实行胡服骑射改革，并身穿胡服进行教化，这对胡人是最友好的表示，很快缩短了赵人、胡人心理上的胡汉差异，改变了他们思想中的华优胡劣的成见，胡人开始从感情上亲近赵人。胡服令下达后，林胡王献马、楼烦王致其兵，二族归顺赵国，武灵王设置楼烦县。此二族为游牧民族，其马精良善驰，其兵凶悍善战。二族的归顺一方面使赵国的骑兵力量大大增强，同时也使赵国的疆域北达阴山南麓，西北到河套以北，对强秦构成了严重威胁。”555平宜阳：平定、安抚甘茂新取之宜阳。平，平定、安抚。556伐魏：此时为秦昭王元年（公元前三〇六年）、魏襄王十三年。557武遂：本韩县，在今山西垣曲东南，此时已被秦军占领。558争：反对。559不能得：未能成功，意即秦王最终还是同意了甘茂的意见。560怨谗甘茂：怨恨并在秦王面前说甘茂的坏话。561 辍伐魏蒲阪：停止对魏邑蒲阪的攻击。辍，止。蒲阪，在今山西永济西。562 亡去：逃向国外。563 讲：讲和。564 甘茂奔齐：据《战国策》与《史记·樗里子甘茂列传》，甘茂在奔齐途中，遇苏代正为齐出使秦国，甘茂遂以贫女向富女借光纺绩的故事请苏代为之向秦王说情，让秦王放自己的家人也离开秦国。565 赵王：时当赵武灵王二十年（公元前三〇六年）。566 略中山地：向中山国拓取地盘。567 宁葭：赵县名，在今河北石家庄西北。568 西略胡地：在西面向胡人拓取地盘。〖按〗此所谓"胡"即指林胡，当时居住在今内蒙古鄂尔多斯市一带，即通常所谓河套地区。569 榆中：古地区名，大体相当于今之西北起内蒙古杭锦旗，东南至陕西神木的内蒙古南部与陕西东北角地区。570 林胡王献马：林胡王向赵武灵王归附，愿受其管辖。林胡，古部族名，匈奴族的一支，战国时期居住在今山西、陕西、内蒙古三省区交界地区。571 归：回到都城邯郸。572 使楼缓之秦：派楼缓出使秦国。楼缓，赵国的亲秦派，曾为赵武灵王之相。后又入秦为昭王之相。573 仇液：也作"仇郝""仇赫""机郝"，乃一人而异写，曾为宋国丞相。574 王贲：赵臣。575 富丁：赵臣。576 赵爵：赵臣。以上五人分别出使五国，大力开展外交活动。577 代相赵固主胡：代国早从赵襄子时代就成了赵国的国中之国，代王是赵王的同族。代相赵固也是赵王的同姓，显然是他在掌握代国的实权。主胡，主管与胡人的联络。主，管、分管。此所谓"胡"仍指林胡。578 致其兵：掌管其兵；调动其兵。致，收其归己掌握。579 彗星见：古人认为彗星出现是不祥之兆，故特别将其写入历史。见，通"现"。580 丹丘：中山国的县名，在今河北曲阳西北。581 爽阳：《史记·赵世家》作"华阳"，在今河北曲阳西北。582 鸿之塞：太行山的山口名，《史记·赵世家》作"鸱之塞"，《史记正义》认为应作"鸿上塞"，在今河北顺平西北的太行山上。583 鄗：中山县名，在今河北柏乡北。584 石邑：中山县名，在今河北石家庄西南，也称"石城"。585 封龙：中山邑名，在今河北元氏西北。586 东垣：中山邑名，在今河北石家庄东北。587 献四邑以和：又献

【原文】

十一年（丁巳，公元前三〇四年）

秦王、楚王[608]盟于黄棘[609]。秦复与楚上庸[610]。

十二年（戊午，公元前三〇三年）

彗星见。

秦取魏蒲阪、晋阳、封陵[611]，又取韩武遂[612]。

齐、韩、魏以楚负其从亲[613]，合兵伐楚。楚王使太子横[614]为质于秦，以请救。秦客卿通[615]将兵救楚，三国引兵去。

出了四个县，向赵国求和。此四县的名称不详。588 穰侯魏冉：秦昭王之舅，封地穰，即今河南邓州，原属楚，此时已属秦。589 同父弟：以示其为同父，非同母。590 华阳君芈戎：芈戎的封地在华阳，今河南新密东南。〖按〗华阳君又称“新城君”“叶阳君”，则其封地不止一处。591 同母弟：此指最亲近的同胞兄弟，既同母，又同父。592 高陵君、泾阳君：据《史记索隐》，高陵君名“悝”，泾阳君名“市”。593 最贤：此指最能干，本事最大。与今之称道德者不同。594 用事：主事；掌权。595 诸弟争立：视下文，先取得王位者为公子壮，后又起而挤夺之者即昭王。596 唯魏冉力能立昭王：徐孚远曰：“宣太后为八子时，魏冉已用事，能援立昭王，是冉以才进，非缘戚属也。”597 咸阳：秦国都城，在今咸阳东北。598 庶长壮：名壮，为庶长之职。〖按〗此庶长壮为惠文王之子，武王之弟。在武王死后，抢先即位，号曰“季君”。599 谋作乱：从秦昭王的立场说自然是“作乱”，其实大家都是平等地夺取王位。600 魏冉诛之：谓魏冉诛季君，并诛拥立季君者。601 惠文后：惠文王之妻，武王之母。602 不得良死：盖因惠文后亦主张立季君，故魏冉除掉季君后，又逼惠文后自杀。603 悼武王后：秦武王的王后，也是支持立季君者。“悼”字是谥，表现了时人对秦武王后的同情。604 出居于魏：因秦武王后原是魏女，故逐其回国。《史记索隐》曰：“逐武王后出之魏，亦事势然也。”605 兄弟不善者：实即凡与昭王作对的人。606 自治事：自己掌权，治理国家。柯维骐曰：“汉唐以来，女主临朝专制，自芈太后始也。”607 为政：掌握国家大权，意即任丞相之职。

【校记】

［6］甘茂至魏：“至魏”二字原无。据章钰校，十二行本、乙十一行本、孔天胤本皆有此二字，张敦仁《通鉴刊本识误》、张瑛《通鉴校勘记》同。今据诸本及《通鉴纪事本末》卷一下补。

【语译】

十一年（丁巳，公元前三〇四年）

秦昭王、楚怀王在楚国的黄棘建立联盟。秦国把所侵占的上庸归还楚国。

十二年（戊午，公元前三〇三年）

彗星出现。

秦国攻取了魏国的蒲阪、晋阳、封陵，又攻克了韩国的武遂。

齐国、韩国、魏国因为楚国背叛了合纵联盟，于是联合起来攻打楚国。楚国把太子芈横送到秦国做人质，请求秦国派兵救援。秦国派客卿通率领秦军救援楚国，齐、韩、魏一见秦国出兵，就赶紧撤军了。

十三年（己未，公元前三〇二年）

秦王、魏王[616]、韩太子婴[617]会于临晋[618]，韩太子至咸阳[619]而归，秦复与魏蒲阪[620]。

秦大夫有私与楚太子斗者，太子杀之，亡归[621]。

十四年（庚申，公元前三〇一年）

日有食之，既[622]。

秦人取韩穰[623]。

蜀守煇[624]叛秦，秦司马错往诛之[625]。

秦庶长奂[626]会韩、魏、齐兵[627]伐楚，败其师于重丘[628]，杀其将唐昧[629]，遂取重丘。

赵王伐中山，中山君奔齐[630]。

十五年（辛酉，公元前三〇〇年）

秦泾阳君为质于齐[631]。

秦华阳君[632]伐楚，大破楚师，斩首三万，杀其将景缺[633]，取楚襄城[634]。楚王恐，使太子[635]为质于齐，以请平[636]。

秦樗里疾卒，以赵人楼缓为丞相[637]。

赵武灵王爱少子何[638]，欲及其生而立之[639]。

十六年（壬戌，公元前二九九年）

五月戊申[640]，大朝东宫[641]，传国于何。王庙见[642]礼毕，出临朝[643]，大夫悉为臣[644]，肥义为相国，并傅王[645]。武灵王自号主父[646]。主父欲使子治国[647]，身[648]胡服，将[649]士大夫西北略胡地[650]，将自云中、九原[651]南袭咸阳[652]。于是诈自为使者[653]入秦，欲以观秦地形及秦王之为人。秦王不知，已而怪其状甚伟，非人臣之度[654]，使人逐之[655]，主父行已脱关[656]矣。审问[657]之，乃主父也[658]，秦人大惊。

齐王、魏王会于韩[659]。

秦人伐楚，取八城[660]。秦王遗楚王书曰："始寡人与王约为兄弟，盟于黄棘[661]，太子入质[662]，至欢也[663]。太子陵杀寡人之重臣[664]，不谢而亡

十三年（己未，公元前三〇二年）

秦昭王、魏襄王、韩太子婴在秦国的临晋会晤，韩太子到咸阳朝拜秦昭王之后回国，秦国把去年攻占的蒲阪归还魏国。

秦国一个大夫私下里与做人质的楚国太子芈横斗殴，楚太子杀死了那个大夫，逃回了楚国。

十四年（庚申，公元前三〇一年）

发生日全食。

秦国的军队夺取了韩国的穰邑。

秦国派去镇守蜀地的将军煇背叛了秦国，秦国司马错率军前去讨伐，平定了叛乱。

秦国庶长嬴奂联合韩国、魏国、齐国的军队共同讨伐楚国，在楚国重丘将楚军打得大败，杀死了楚国的大将唐昧，占领了重丘。

赵武灵王率军攻打中山国，中山国君逃亡到了齐国。

十五年（辛酉，公元前三〇〇年）

秦国的泾阳君到齐国充当人质。

秦国派华阳君芈戎率领秦军攻打楚国，把楚军打得大败，消灭楚军三万，杀死了楚军将领景缺，攻占了襄城。楚怀王非常害怕，只好把太子芈横送到齐国去做人质，请求与齐国讲和。

秦国的樗里疾去世，秦昭王任命赵国人楼缓为丞相。

赵武灵王喜爱幼子赵何，想在自己活着的时候就立赵何为国君。

十六年（壬戌，公元前二九九年）

五月戊申这天，赵武灵王举行盛大的典礼，把国君的宝座传给了幼子赵何，就是赵惠文王。赵惠文王到祖庙祭拜过祖宗灵位之后，就开始坐殿会见群臣、主持朝政，所有赵国群臣都是他的臣属，肥义既是赵国的相国，又同时兼任国君的老师。赵武灵王退位以后，自称“主父”。主父让赵惠文王在国内处理日常的国家事务，自己则穿上胡服，率领着军队和士大夫向西北去夺取胡人的土地，为赵国开拓疆土，计划从云中、九原出兵向南袭击秦国的都城咸阳。为了摸清情况，他把自己装扮成赵国使者的模样进入秦国，观察秦国的地形和秦昭王的为人。秦昭王当时不知道面前的使者就是赵武灵王，之后又很奇怪，觉得他气宇轩昂，不像一般人臣的气度，于是派人前去追赶，而此时赵武灵王早已出了秦国的函谷关，回到赵国了。秦王经过仔细追查，才知道原来是赵武灵王本人，秦国人为此大为震惊。

齐湣王和魏襄王在韩国进行会晤。

秦国的军队再次攻打楚国，夺取了八座城邑。秦昭王寄信给楚怀王说：“开始的时候，我和大王在黄棘盟誓，要结为兄弟般的友好国家，您答应把太子送到秦国做人质，当时我们两国都很高兴。楚太子芈横杀死了我的重要臣子，不向秦国道

去[665]。寡人诚不胜怒[666]，使兵侵君王之边[667]。今闻君王乃令太子质于齐以求平[668]。寡人与楚接境，婚姻相亲，而今秦、楚不欢，则无以令诸侯[669]。寡人愿与君王会武关[670]，面相约，结盟而去，寡人之愿也。"

楚王患之：欲往，恐见欺[671]；欲不往，恐秦益怒。昭睢[672]曰："毋行[673]，而发兵自守耳。秦，虎狼也，有并诸侯之心，不可信也。"怀王之子子兰[674][7]劝王行。王乃入秦。

秦王令一将军诈为王[675]，伏兵武关。楚王至则闭关，劫之与俱西[676]。至咸阳，朝章台[677]，如藩臣礼[678]，要以割巫、黔中郡[679]。楚王欲盟[680]，秦王欲先得地。楚王怒曰："秦诈我，而又强要我以地。"因不复许[681]。秦人留之。

楚大臣患之，乃相与谋曰："吾王在秦，不得还，要以割地，而太子为质于齐。齐、秦合谋，则楚无国矣[682]。"欲立王子之在国者[683]。昭睢曰："王与太子俱困于诸侯，今又倍王命[684]，而立其庶子[685]，不宜。"乃诈赴于齐[686]。齐湣王召群臣谋之，或曰："不若留[687]太子，以求楚之淮北[688]。"齐相[689]曰："不可。郢中立王[690]，是吾抱空质[691]，而行不义于天下也。"其人[692]曰："不然。郢中立王，因与其新王市[693]曰：'予我下东国[694]，吾为王杀太子[695]；不然，将与三国共立之[696]。'"齐王卒用其相计，而归楚太子。楚人立之[697]。

秦王闻孟尝君之贤，使泾阳君为质于齐以请[698]。孟尝君来入秦，秦王以为丞相。

十七年（癸亥，公元前二九八年）

或谓秦王曰："孟尝君相秦，必先齐而后秦[699]，秦其危哉[700]！"

歉就私自逃回楚国。我确实为此而怒不可遏，所以才发兵进犯楚国的边境。如今听说大王您把太子送到齐国做人质，跟齐国和解。我的秦国和您的楚国国土相接，又是有姻亲关系的国家，如果秦国和楚国不能和好，就不能号令其他国家。现在我希望在武关与您见面，我们将面对面进行会谈，然后订立友好盟约，这是我的愿望。”

楚怀王感到很忧虑：想去与秦王相会，借此化解两国之间的怨恨，又怕被秦国欺骗；不去赴约，又怕秦昭王更加恼羞成怒，将给楚国带来更大的灾难。昭睢劝阻楚怀王说：“大王不要去，只要派军队坚守边界就行了。秦国是一个虎狼一样的国家，有吞并各诸侯国的野心，秦王的话是不能相信的。”楚怀王的儿子子兰却坚持要楚怀王去赴约。楚怀王这才同意到秦国与秦昭王相会。

秦昭王命令一个将军冒充他，又在武关设好伏兵。楚怀王一进入武关，秦军立即将城门关闭，劫持了楚怀王向西而去。押解到都城咸阳后，又强迫楚怀王到秦国的章台宫朝见秦王，让他像属国臣子一样行朝见礼，还逼迫他把巫郡和黔中郡割让给秦国。楚怀王要求先与秦国谈判结盟，秦王却把先得到土地作为条件。楚怀王愤怒地说：“你们用骗术把我骗到秦国来，又强迫我割让土地。”因此坚决不同意。秦国就把楚怀王扣留起来，不放他回楚国。

楚国国内的大臣都很担心，他们互相商量说：“我们的国王被秦国扣留，不能回国，秦国威胁说，必须割让土地给秦国才肯放国君回来，现在太子又在齐国充当人质。如果秦、齐两国联合起来算计楚国，恐怕楚国必定灭亡无疑了。”于是就想拥立另外一个在楚国境内的王子做国君。昭睢说：“大王与太子都被困在国外，现在再违背楚王的意愿，另立别的王子为楚王，恐怕不合适。”于是就假称楚怀王已死在秦国，去向齐国报信。齐湣王召集大臣商量如何处理这件事，有人说：“不如把楚国太子扣留，然后向楚国索取淮河以北的土地。”齐国的宰相田婴说：“不能这样做。如果楚国另立别的王子做楚君，我们只把持着一个没有任何用处的人质，还要落一个乘人之危、不仁不义的恶名。”主张扣留楚国太子的那个人说：“不一定。如果楚国另立别的王子为国王，我们就可以跟新国王做一笔交易，我们对他说：‘如果你把淮河以北的土地割给齐国，我们就把太子杀掉；如果不答应，我们就联合韩国、魏国共同立太子为楚王。’”最后，齐湣王还是听从了相国的意见，把楚国的太子送回楚国。楚国人立太子芈横为楚王，就是楚顷襄王。

秦昭王听说齐国的孟尝君很贤明，就派泾阳君到齐国做人质，交换孟尝君到秦国去。孟尝君到了秦国以后，秦昭王任命他担任秦国的丞相。

十七年（癸亥，公元前二九八年）

有人对秦昭王说：“任用孟尝君担任秦国的丞相，他在处理政务的时候，一定是先把齐国的利益放在首位，然后才考虑秦国的利益，这对于秦国来说就太危险了！”

秦王乃以楼缓为相⑳，因孟尝君，欲杀之。孟尝君使人求解⑳于秦王幸姬⑳。姬曰："愿得君狐白裘⑳。"孟尝君有狐白裘，已献之秦王，无以应姬求⑳。客有善为狗盗⑳者，入秦藏⑳中，盗狐白裘以献姬。姬乃为之言于王而遣之⑳。王后悔⑳，使追之。孟尝君至关⑳，关法，鸡鸣而出客⑳。时尚蚤⑳，追者将至，客有善为鸡鸣⑳者，野鸡⑳闻之皆鸣，孟尝君乃得脱归⑳。

楚人告于秦曰："赖社稷神灵，国有王矣⑳。"秦王怒，发兵出武关击楚，斩首五万，取十六城⑳。

赵王封其弟胜[8]为平原君⑳。平原君好士，食客尝⑳数千人。有公孙龙⑳者，善为"坚白同异"之辩⑳，平原君客之⑳。孔穿⑳自鲁适赵⑳，与公孙龙论"臧三耳⑳"，龙甚辩析⑳。子高弗应⑳，俄⑳而辞出。明日，复见平原君，平原君曰："畴昔⑳公孙之言，信辩⑳也，先生以为何如？"对曰："然。几能令'臧三耳'矣⑳。虽然，实难⑳。仆愿得又问于君⑳：今谓'三耳'甚难，而实非也⑳；谓'两耳'甚易，而实是也⑳。不知君将从易而是者乎⑳，其亦从难而非者乎⑳？"平原君无以应。明日，谓公孙龙曰："公无复与孔子高辩事⑳也。其人理胜于辞⑳，公辞胜于理⑳，终必受诎⑳。"

齐邹衍⑳过赵[9]，平原君使与公孙龙论"白马非马"之说⑳。邹子⑳曰："不可。夫辩者⑳，别殊类，使不相害⑳；序异端，使不相乱⑳。抒意通指⑳，明其所谓⑳，使人与知焉⑳，不务相迷也⑳。故胜者不失其

秦昭王于是重新任命楼缓为秦相，而罢免了孟尝君，又把孟尝君囚禁起来，准备杀死他。孟尝君派人去向秦王所宠爱的妃子求救。那个妃子说："我可以帮这个忙，但我很想得到孟尝君的那件白色的狐狸皮袍。"孟尝君确实有过一件白色的狐狸皮袍，但早已经献给了秦昭王，再也拿不出第二件袍子给那个妃子了。孟尝君的门客中有一个特别擅长偷窃，于是就潜入秦国的府库当中，把那件献给秦昭王的白色狐狸皮袍偷出来，献给了秦王的妃子。那个妃子得到狐狸皮袍之后，就在秦昭王面前替孟尝君说好话，秦昭王就把孟尝君释放了。孟尝君走了以后，秦昭王又有些反悔，赶紧派人去追赶。孟尝君此时已经逃到了函谷关，按照秦国关卡的规定，每天清晨必须等到鸡叫才能开关放人出入。孟尝君到达函谷关的时候，离鸡叫的时间还早呢，而后边的追兵眼看就要赶到，在这紧急关头，门客中又有一个人善于学鸡叫，他一叫，旷野里的鸡就都跟着叫起来，守关的人一听鸡叫了，以为天亮了，就把门打开。孟尝君因为这些门客的帮助，才得以逃回齐国。

楚国派人到秦国告诉秦昭王说："托赖上天的保佑，我们楚国已经有新国王了。"秦昭王听后，一怒之下，立即发兵出武关攻打楚国，此次共消灭楚军五万人，占领了十六座城邑。

赵惠文王封他的弟弟赵胜为平原君。平原君喜好结交贤士，他门下的食客经常多达数千人。其中有一个门客叫作公孙龙，他在逻辑学方面很有造诣，并以"白马非马""坚白论"等理论而闻名当时，平原君接纳他做了自己的门客。孔穿从鲁国来到赵国，他与公孙龙在"一个奴隶有三只耳朵"的问题上进行了激烈的辩论，公孙龙口才便捷，分析细致入微。孔穿无言以对，只待了一会儿工夫就告退了。第二天，他来见平原君，平原君说："昨天公孙龙的话很有说服力，先生您觉得怎么样?"孔穿回答说："确实如此。他的话几乎真能让奴隶生出三只耳朵来了。虽然如此，但这种理论很难令人信服。所以我今天想就这个问题向您请教：如果认为奴隶能长出三只耳朵，要让人相信很难，而且也不是事实；如果说奴隶只长两只耳朵，别人很容易相信，而且事实也确是如此。我不知道大王您是赞成'奴隶长两只耳朵'这既容易明白而又真实的话呢，还是赞成'奴隶有三只耳朵'这既令人费解而实际又不存在的话呢?"平原君无法回答孔穿提出的问题。次日，平原君对公孙龙说："先生不要再与孔穿进行辩论了。孔穿这个人道理胜过他的言辞，而先生您却是言辞胜过道理，我担心您最终会被他驳得理屈词穷。"

齐国的邹衍经过赵国，平原君让公孙龙和他辩论"白马非马"。邹衍说："不行。辩论的目的，应该是为了区分不同的概念，使它们彼此不相混淆；辩论双方表达不同的见解，是为了使道理更加清楚，正确与错误不相紊乱。抒发真实的情意，表达真正的宗旨，公开所要陈述的道理，是为了使人更加明白，而不是想方设法让人迷惑不解。所以辩论胜利的一方能够坚持自己的观点，辩论失败的一方也会从中得到

所守⑫，不胜者得其所求⑬。若是⑭，故辩可为也⑮。及至⑯烦文以相假⑰，饰辞以相惇⑱，巧譬以相移⑲，引人使不得及其意⑳，如此害大道㉑。夫缴纷争言[10]，而竞后息㉒，不能无害君子㉓，衍不为也。”座皆称善㉔。公孙龙由是遂诎㉕。

【段旨】

以上为第五段，写周赧王十一年（公元前三〇四年）至周赧王十七年共七年间的各国大事。主要写了秦昭王上台后在穰侯等人辅佐下对韩、魏、楚国的大力征伐，而其中写秦国与楚国斗争的文字明显居多。同时写了这时的韩国已近于向秦国投降，楚、魏也日趋衰落，只有赵国在武灵王胡服骑射后，由于他灭了中山，又取得了对北方胡族的胜利，从而国势增强，成了敢与秦国抗衡的中坚力量。

【注释】

⑩⑧秦王、楚王：时当秦昭王三年（公元前三〇四年）、楚怀王二十五年。⑩⑨黄棘：楚邑名，在今河南新野东北。⑩⑩复与楚上庸：秦国又把上庸还给了楚国，目的是拉拢楚国与秦联合。秦军取楚上庸在楚怀王十七年（公元前三一二年），秦军取楚汉中时。上庸，在今湖北竹溪县东南。⑪蒲阪、晋阳、封陵：皆魏邑名。蒲阪在今山西永济西；晋阳又作阳晋，在今山西永济市虞乡镇西；封陵即今山西风陵渡。⑫武遂：韩邑名，在今山西垣曲东南之黄河边上，秦军攻取宜阳时曾占领武遂，后归还于韩，今又取之。⑬负其从亲：楚怀王二十三年（公元前三〇六年）与齐、韩结为联盟，今又叛之。⑭太子横：即日后之楚顷襄王。⑮客卿通：他国之人在此国任高级参谋，享受“卿”的待遇，叫客卿。通，客卿之名。⑯秦王、魏王：时当秦昭王五年（公元前三〇二年）、魏襄王十七年。⑰韩太子婴：韩襄王的太子，名婴。⑱临晋：秦邑名，在今陕西大荔东。⑲韩太子至咸阳：到咸阳朝拜秦昭王，表示韩国对秦国的格外臣服。⑳复与魏蒲阪：结盟后进一步拉拢魏国。㉑亡归：逃回楚国。当时楚太子横在秦国当人质。㉒日有食之二句：开始是日半食，过一会儿变成了日全食。㉓穰：韩邑名，在今河南邓州。㉔蜀守煇：秦国的蜀郡郡守名煇。㉕往诛之：前往将其讨平。诛，讨、讨伐。㉖庶长奂：秦国的庶长，名奂。㉗会韩、魏、齐兵：据杨宽《战国史·战国大事年表》，此役之会秦庶长奂共同破楚者为齐将匡章、魏将公孙喜、韩将暴鸢。㉘重丘：楚邑名，在今河南遂平西南、泌阳东北。㉙唐昧：楚将名，也写作“唐蔑”。杨宽《战国史》曰：“是年秦庶长奂伐楚，斩首二万而取得重丘，同年齐、韩、魏三国联军大破楚于垂沙，杀楚将唐昧，《史记》误混

他所希望得到的东西。如果能做到这样，辩论才是有意义的。至于用富丽的文辞强加于人，编造谎言以促使对方上当受骗，用巧妙的比喻来动摇对方的意志，从而使别人无法把握他究竟想要说什么，这样做就伤害了真理。互相争论，纠缠不清，一直到面红耳赤方才罢休。这种争论对君子而言不能不说是一种伤害，所以我是不会参加的。”在座的人都赞成邹衍说得好。公孙龙从此认输，不再辩论。

为一事。”⑹ 中山君奔齐：中山国的都城被攻陷，其国君逃到齐国，至此中山国实际已经灭亡，只是尚未彻底扫平而已。故留待“惠文王三年”始书“赵灭中山”。所谓“中山君”有说为“中山桓公”。㉛ 泾阳君为质于齐：为拉拢齐国、孤立楚国。泾阳君即秦昭王之胞弟公子市。㉜ 华阳君：宣太后之同父弟，原楚人，名芈戎。㉝ 景缺：楚将名，楚王的同族。㉞ 襄城：楚邑名，在今河南襄城。㉟ 太子：上文所说的太子横，日后的楚顷襄王。㊱ 请平：请求讲和。㊲ 楼缓为丞相：楼缓原为赵武灵王的丞相，当年是否入秦，历史学者有不同看法。㊳ 少子何：日后的赵惠文王，名何，即前文所讲的孟姚所生。㊴ 欲及其生而立之：想趁自己活着时就立他为赵王。少子何之母非王后，按次序轮不上立何为君，故武灵王用此手段。㊵ 五月戊申：据方诗铭、方小芬编《中国史历日和中西历日对照表》，公元前二九九年的阴历五月无“戊申”日，最邻近五月的“戊申”日是四月二十五。㊶ 东宫：邯郸城内之东宫，赵王祖先之所居，宗庙在焉。有解释为太子宫者，疑非。㊷ 王庙见：新即位的赵王在太庙里拜见祖宗灵位。㊸ 临朝：坐殿会见群臣。㊹ 大夫悉为臣：所有赵国群臣一律归新即位的赵王统领。此亦赵武灵王所特意安排，唯恐有人不服少子何。大夫，指诸侯国的群臣。自西周建国以来，周天子的执政大臣称卿，诸侯国的执政大臣称大夫。个别有大功受周天子特别加封的诸侯国大臣亦可称卿，如管仲等是也。㊺ 肥义为相国二句：肥义既为惠文王之相，又同时任太傅之职。傅，此处用作动词，意即训导、扶助。相国的职务与丞相相同，但位尊而权专。丞相一般为二人，相国则只有一人。㊻ 自号主父：顾炎武曰：“《左传》：齐景公有疾，立太子州蒲为君会诸侯伐郑；《史记》：赵武灵王传国于子惠文王，自称主父，此内禅之始。”㊼ 治国：处理日常的国家事务。㊽ 身：自己，指赵武灵王。㊾ 将：统领。㊿ 西北略胡地：向西北方的胡人地区攻取地盘。(651) 云中、九原：赵之二郡名，云中郡的郡治在今内蒙古呼和浩特西南，托克托东北；九原郡的郡治在今包头西。(652) 南袭咸阳：向南袭击秦国的都城。(653) 诈自为使者：自己假装作一个赵国的使者。(654) 非人臣之度：不是一般臣子所有的气度。(655) 使人逐之：待至赵国使者都离秦回国，始令人追之。逐，追赶。(656) 脱关：出了秦国东境的函谷关（今河南灵宝东北）。(657) 审问：仔细查问思考。审，仔细。(658) 乃主父也：史珥《四史

剿说》曰："主父斯时气吞西陲，固一世之雄也，视晋明帝绕视王敦营垒，奚啻百倍；子长摹写英风，至今凛然，未可以其变生衽席而抹煞之。"⑥59 齐王、魏王会于韩：齐湣王与魏襄王在韩国都城新郑会晤，谋划次年伐秦。齐湣王名地，宣王之子，公元前三〇〇至前二八四年在位。⑥60 秦人伐楚二句：具体何城，史无明载。⑥61 盟于黄棘：见本书卷三周赧王十一年。⑥62 太子入质：楚太子横入秦为质。⑥63 至欢也：那是多么令人欢快的事呀。⑥64 陵杀寡人之重臣：即本书卷三赧王十三年之"秦大夫有私与楚太子斗者，太子杀之"。今乃说之为"重臣"，是外交辞令之需要。⑥65 不谢而亡去：没有道歉就逃走了。亡，逃。⑥66 诚不胜怒：实在是忍不住气愤。⑥67 侵君王之边：指赧王十四年（公元前三〇一年）之败楚于重丘，赧王十五年又败楚于襄城。⑥68 令太子质于齐以求平：即赧王十五年（公元前三〇〇年）楚败于襄城之后事。⑥69 秦、楚不欢二句：如果秦、楚的关系不好，那就没法再对别的国家发号施令。⑥70 武关：秦国与楚国之间的关塞名，在今陕西丹凤东南。⑥71 见欺：被骗；上秦人的当。⑥72 昭睢：楚臣，楚王之同姓。⑥73 毋行：不要前去。⑥74 子兰：怀王之子，顷襄王之弟。⑥75 诈为王：假装成秦昭王。⑥76 劫之与俱西：劫持着楚怀王和他一道向西（来到了咸阳）。⑥77 朝章台：在章台朝见秦昭王。章台，秦国的行宫名，在渭水以南。不在朝廷，而在行宫接见外国之君是不礼貌的表现。⑥78 如藩臣礼：像是诸侯朝见天子的礼节一样。藩臣，为天子起拱卫、屏障作用的臣子。⑥79 要以割巫、黔中郡：要挟楚国割让巫与黔中二郡。巫郡约当今之重庆市东部与湖北之西部地区；黔中郡约当今湖南西部与贵州东部一带地区。要，要挟。⑥80 欲盟：要求先谈判结盟。⑥81 因不复许：〖按〗楚怀王为人贪婪，且又昏庸无主见，但能不屈于强权，犹有可称道处。⑥82 则楚无国矣：指必灭无疑。⑥83 欲立王子之在国者：想另立一个现在国内的王子为君。⑥84 倍王命：违背怀王之命。⑥85 庶子：本指非正妻所生的儿子，这里即指太子以外的其他王子。⑥86 诈赴于齐：假说楚怀王病故，请太子横回国即位。赴，通"讣"，报丧。⑥87 留：扣押，使之作为人质。⑥88 求楚之淮北：要求楚国将其淮水以北的地盘割给齐国。楚之淮北约当今之江苏北部和与之邻近山东、安徽一带地区。⑥89 齐相：田婴，封号"薛公"，孟尝君田文之父。⑥90 郢中立王：楚国如果另立一个人为王。郢，楚国的都城，即今湖北江陵西北之纪南城。这里用以代指楚国。⑥91 抱空质：白把持着一个没有用处的人质。⑥92 其人：主张"留太子以求楚淮北之地"的人。⑥93 与其新王市：向楚国的新王讨价还价。市，做交易。⑥94 下东国：楚国的东方边远地区，即指淮北。《史记正义》曰："楚之下国最在东，故云下东国，即楚淮北。"⑥95 吾为王杀太子：我替你除掉这个身在国外的敌对势力。⑥96 将与三国共立之：将与赵、韩、魏三国立太子横为楚王，与你争夺楚国。⑥97 楚人立之：楚人所立者即历史上所称之楚顷襄王，公元前二九八至前二六三年在位。⑥98 使泾阳君为质于齐以请：目的是拉拢齐国与秦国交好，以利于秦国攻击韩、赵、魏、楚中的任何一国。⑥99 先齐而后秦：指偏向齐国，不以秦国的利益为重。⑦00 秦其危哉：那样秦国就危险啦。其，将，表示推断的语气词。⑦01 乃以楼缓为相：本书卷三周赧王十五年已云“以赵人楼缓为丞相”，只隔一年，又云“乃以楼缓为相”，楼缓为相到底是在哪一年？杨宽《战国史·战国大事年表》曰：“（周赧王十七年）赵派楼缓入秦为相，派仇郝入宋为相。”⑰② 求解：求救。⑰③ 幸姬：受宠爱的妃子。⑰④ 狐白裘：《史记·孟尝君列传》曰：“孟尝君有一狐白裘，直千金，天下无双。”⑰⑤ 无以应姬求：再没有别的裘可以满足这个幸姬的要求。无以，没有别的可用。应，满足。⑰⑥ 狗盗：小偷。因如狗般入人居室，故称。⑰⑦ 秦藏：秦宫里的仓库。⑰⑧ 遣之：准其离开，意即释放了孟尝君。⑰⑨ 后悔：过后又反悔了。⑱⓪ 关：指函谷关，在今河南灵宝东北，是当时秦国东部的门户。⑪ 鸡鸣而出客：一定要等鸡叫才放人出入。⑫ 蚤：通“早”。⑬ 善为鸡鸣：善于学鸡叫。⑭ 野鸡：四方村落里的鸡。⑮ 孟尝君乃得脱归：以上故事见《史记·孟尝君列传》。⑯ 国有王矣：楚国已有新国王啦。楚国所以这样做不是想故意激怒秦昭王，是想告诉秦国扣留怀王做人质的计划已落空，想使秦国放回怀王。⑰ 取十六城：《史记·楚世家》作“取析十五城”。《史记集解》引徐广曰：“既取析，又并取左右十五城也。”⑱ 平原君：赵胜，因其封地在平原，故号平原君。事迹见《史记·平原君虞卿列传》。⑲ 尝：通“常”，经常。⑳ 公孙龙：当时著名的逻辑学家，以倡说“白马非马”、创“离坚白”学说而知名。《汉书·艺文志》列之于名家。㉑“坚白同异”之辩：见《公孙龙子》。他说对于一块坚硬的白石头，“白”是眼睛看出来的，“坚硬”是手指摸出来的，“坚硬”与“白色”不可同时得知。㉒ 客之：接纳并使之住了下来。㉓ 孔穿：字子高，孔子的六世孙。㉔ 自鲁适赵：从曲阜来到邯郸。适，至。㉕ 臧三耳：一个奴隶有三只耳朵。〖按〗此事众说纷纭，《孔丛子·公孙龙》与此同，《吕氏春秋·淫辞》作“藏三牙”。有说“臧”指“臧获”，意即奴隶；有说“臧”同“藏”。有说“耳”指耳朵；有说“耳”是语气词。结合前后文，似乎是应该解释为“一个奴隶有三只耳朵”。㉖ 龙甚辩析：公孙龙将其分辨得细致入微。㉗ 弗应：对他的发问不做回答。㉘ 俄：过了一会儿。㉙ 畴昔：过去，这里即指昨天。㉚ 信辩：的确是雄辩。信，的确。㉛ 几能令“臧三耳”矣：几乎是让他说成一个奴隶真有三只耳朵了。几，几乎、差点儿。㉜ 虽然二句：尽管他如此雄辩，但要真让人相信一个奴隶有三只耳朵，那还是很难的。㉝ 仆愿得又问于君：词语生涩，大意是我还想再问问您。㉞ 今谓“三耳”甚难二句：他非要说一个奴隶有三只耳朵，这是不是很费劲而事实上又是错误的呢。㉟ 谓“两耳”甚易二句：如果说一个奴隶有两只耳朵，则说起来很容易而又符合实际。㊱ 不知君将从易而是者乎：不知您是喜欢听那种说起来容易又符合事实的话呢。从，赞成、喜欢。㊲ 其亦从难而非者乎：还是喜欢那种说起来费劲而事实上又是错误的话呢。其亦，还是。㊳ 辩事：辩论问题。㊴ 理胜于辞：更注重于讲道理。㊵ 辞胜于理：更注重于夸夸其谈、装腔作势，借以吓人。㊶ 终必受诎：辩论下去你最后一定将落得理屈词穷。诎，言语钝拙。〖按〗以上故事见《吕氏春秋·淫辞》。㊷ 邹衍：战国后期的阴阳学家，其有关天人感应的言论对秦汉时代的影响极为恶劣，其有关地理方面的想象颇为宏阔，详情见《史记·孟子荀卿列传》。㊸“白马非马”

之说：公孙龙的重要论题之一，他认为“白马”与“马”是两个不同的概念，“马”是指这种形体的一种动物，是不论颜色的；“白”是指马的颜色，“白马”只是若干种颜色马中的一种，不等于全部的“马”。讲的是一种逻辑学上的问题。详情见《史记集解》所引刘向的《别录》。㊹邹子：指邹衍。“子”字如同今之所谓“先生”。㊺夫辩者：辩论的宗旨。夫，发语词。㊻别殊类二句：是为了区分不同的概念、不同的性质，使它们不再含混、不相混淆视听。㊼序异端二句：把那些异端邪说的本质揭露出来，使它们不再让人眼花缭乱；表达不同的见解，使它们彼此不相淆乱。㊽抒意通指：抒发真实的情意，传达真正的宗旨。㊾明其所谓：指明他们是要说什么。㊿使人与知焉：是要让人明白。与知，全部了解。与，通“举”，全。751不务相迷也：不是要把人的思想搅浑。752胜者不失其所守：辩论获胜的一方不会改变原来的观点。所守，所持。753不胜者得其所求：辩论失败的一方也能学到他们想学的东西。754若是：如能做到这样。755故辩可为也：辩论才是有意义的。756及至：如果要是闹成。757烦文以相假：用一些富丽的辞藻来吓唬人。相假，相加，强加于人。758饰辞以相惇：编造谎言以促使人上当受骗。惇，促使。759巧譬以相移：用巧妙的比喻来动摇对方的意志。760使不得及其意：目的就是让人家无法弄清它究竟要说什么。761如此害大道：这样的做法是对“大道”有损害的。762缴纷争言二句：繁言碎语，只想争个最后的胜利。竞后息，只想争个最后闭嘴，意即对方已先被驳倒。763不能无害君子：这样的辩论是对君子有害的。764座皆称善：在座的人们都称赞邹衍说得好。765由是遂诎：从此遂认输，不再辩论了。

【校记】

［7］怀王之子子兰：“子兰”原作“兰”。据章钰校，“子”下，十二行本、乙十一行本、孔天胤本皆有“子”字。〖按〗《史记·楚世家》：“怀王子子兰劝王行。”今从诸本及《史记》、《通鉴纪事本末》卷一下改。［8］封其弟胜：“胜”字原无。据章钰校，“弟”下，十二行本、乙十一行本皆有“胜”字，今据补。［9］齐邹衍过赵：“齐”字原无。据章钰校，“邹”上，十二行本、乙十一行本皆有“齐”字，张敦仁《通鉴刊本识误》同，今据补。［10］缴纷争言：“纷”原作“纫”。据章钰校，十二行本、乙十一行本、孔天胤本“纫”皆作“纷”，熊罗宿《胡刻资治通鉴校字记》同，今从诸本及《史记索隐》改。

【研析】

本卷的主要篇幅是写秦国在惠文王与武王时代为发展壮大所做的贡献。在南取巴、蜀的过程中司马错的作用是卓越的，从此秦有了坚强的右翼，占据了长江的上游，为日后的破楚准备了条件。诸祖耿《战国策集注汇考》引张琦曰：“秦取巴蜀，则据楚之上游，张仪所云‘方船积粟，浮江而下，不十日而距扞关’者也。拔鄢郢，烧夷陵，必至之势，楚亡于此矣。”吴如嵩曰：“秦灭巴蜀具有重大的战备意义，不但开拓了大片疆土，增加了人力资源，加强了经济实力，更重要的是为秦国迂回楚国的侧翼，对楚实施两面钳击创造了条件。”马非百曰：“秦人自惠王后九年定巴蜀后……至始皇初立，前后才七十年，秦地已由巴、蜀、汉中，越宛有郢。楚威日蹙，势日迫，秦又置东郡以压迫之。于是楚乃不得不由陈而迁于更东之寿春。而秦遂无复南顾之忧，乃得以专心致志于北方各国之各个击破，盖皆经营巴蜀以制服楚国之明效也。司马错云：‘得蜀则得楚，楚亡而天下并矣。’错之功亦大矣哉！”（《秦集史》）

在秦国破楚，夺取楚国汉中的过程中张仪的活动是不可磨灭的。他知己知彼，瓦解齐楚联盟，玩弄楚怀王于股掌之上，帮着秦国很容易地夺得了楚国的汉中郡与黔中地区。对于夺取汉中的意义，马非百曰：“景春曰：‘公孙衍、张仪，岂不诚大丈夫哉！一怒而诸侯惧，安居而天下息。’公孙衍且勿论，若张仪在惠王一代，对于秦国统一运动所贡献者，实不止一端。……初为秦相魏，破坏魏、齐同盟，使魏去齐而昵秦。后又相楚，破坏楚、齐同盟，使楚去齐而昵秦。……李斯所谓‘散六国之从，使之西面而事秦’者，此二事殆其最彰明较著者矣。……张仪外交政策之主要核心，厥为弱楚。而弱楚之谋之得以成功，又由于巴、蜀、汉中之兼并。……盖此南进政策之得以顺利进行，实苏秦之合纵运动有以无意中助成之也。而张仪之善于利用时势，亦诚不可及哉！”（《秦集史》）

关于苏秦与张仪的合纵、连横活动，司马光主要是依据了司马迁《史记》之《苏秦列传》《张仪列传》的旧说，很多材料是不可信的，详见韩兆琦《史记笺证》的有关章节。对于苏秦、张仪的为人，自古以来的评价都不甚高。司马光在本文中特别引用孟轲、扬雄的言论对之进行了否定，并说苏秦、张仪这种人越是本事大，给社会造成的危害也就越大。其实平心而论，张仪并不是“反复无常”的人，他对秦国忠心耿耿，丝毫没有三心二意。张仪结局的悲哀，是由于秦国君主的改变，也就是通常所说的“一朝天子一朝臣”，张仪自身并无过错。杨宽曰：“纵横家的缺点是，他们重视依靠外力，不是像法家那样从事改革政治、经济和谋求富国强兵入手，还过分夸大计谋策略的作用，把它看作国家强盛的关键。张仪在秦国推行连横策略是获得成功的，达到了对外兼并土地的目的，使得秦惠王能够‘东拔三川之地，西并巴蜀，北收上郡，南取汉中’，‘散六国之从（纵），使之西面事秦’（《史记·李斯列传》记载李斯语），这是因为他用‘外连衡而斗诸侯’（贾谊《过秦论》）的策略，配合了当时秦国耕战政策的推行。”（《战国史》）苏秦的一生是为燕国在齐国从事间谍活动，他欺骗别的国家是为了燕国的利益。从其自身的立场来讲，本来也是极其坚定、极其分明的。牛鸿恩说：“纵横家的名声不好，这应当作具体分析。张仪多施用欺诈手段，但他的一系列活动对秦国的发展做出了不容否定的贡献。而且他始终是效忠秦国的连横派，找不到他对秦国‘诈伪反覆’的例证。苏秦既然是高级间谍，也就必然倾危谲诈。但从燕国的立场说，他是一个忠臣。‘苏秦不信于天下，而为燕尾生’

（邹阳《狱中上梁王书》）；‘苏秦以百诞成一诚’（刘安《淮南子·说林》）。有人说苏、张是‘态（慝）臣’，说‘用态臣者亡’（《荀子·臣道》），那是站在齐、楚的立场上说话。”（《论战国策的人物描写》）

关于《史记》与《资治通鉴》所以在苏秦、张仪的史事上有这么多的错误的原因，牛鸿恩说：“李斯《谏逐客书》可能是造作苏、张纵横说辞的契机。‘惠王用张仪之计，遂散六国之纵，使之西向事秦，功施到今’，李斯是最早把张仪和‘散六国之纵’联系在一起的。但他只是说秦用‘张仪之计’，并没有说张仪去遍说六国。可是拟作者却可以由此受到启发：既然张仪‘散六国之纵’，则应当先有‘合纵六国’者在，于是便拉来合纵五国摈秦，名声正在上扬的苏秦，并在拟作说辞很盛行的情况下造作了苏、张纵横的游说辞。既然‘惠王用张仪’，那么苏秦合纵也就必然在燕文公、赵肃侯时代了。考察这些说辞中说到的事实，如苏秦说燕‘秦赵五战，秦再胜而赵三胜’，张仪说齐‘今赵之于秦也’‘战于河漳之上’‘战于番吾之下’‘邯郸仅存’云云，可证明它们的拟作时代确实在《谏逐客书》（公元前二三七年）的产生之后。”（《苏秦事迹之真伪》）

关于秦武王的为人与甘茂取韩宜阳的历史壮举，本文主要是依据了《史记》之《秦本纪》与《樗里子甘茂列传》，但《史记》原文的描写较此更为充分、更为生动。马非百评秦武王说：“武王在位仅四年，而其在秦国统一运动上所建立之伟绩，厥有二端。其一为丞相制度之创立，其二为宜阳之再次攻拔。……宜阳一地，不仅关系韩国之存亡，而且宜阳果一旦入于秦人掌握之中，则山东各国亦将尽受其威胁。……宜阳之役，魏与秦实有联盟关系。加以秦用冯章之谋，以汉中欺楚，使其严守中立。韩失楚援，秦得魏助，宜阳之卒为秦所攻拔，固其所也。……于是韩王不得已，乃使公仲侈赴秦求和，武王竟借与韩言和之便，亲至于周，实现其‘车通三川，进窥周室’之初愿。使非以有力好戏之故，以致绝膑而死，其前途实未可量也。”（《秦集史》）关于甘茂取宜阳的这段叙事，缪文远说：“此章言甘茂预见宜阳难拔，迭用譬喻以说秦王，与秦王盟于息壤，卒竟全功。旨在言甘茂不仅习于军事，亦长于智计也。”牛鸿恩说：“受命攻宜阳的甘茂，估计到自己在主客观方面的不利条件，担心会因反对派的谗毁而失败。为此，他首先设法得到武王的保证，与之盟于息壤，从而排除了障碍，终于攻下宜阳。君臣定盟，是中国历史上少有的现象，这在秦汉以后，是不可想象的。同时也说明，善识人才，任人专一，是事情成功的必要条件。甘茂引用‘曾参杀人’的故事说明他的处境，贴切自然，形象生动。”

燕王哙与阴谋家子之所串演的“禅让”闹剧，自古被传为笑柄，被说成是蠢猪被阴谋家所玩弄的滑稽故事。但是问题的真相究竟如何，限于材料有限，无法进行深入评论。至于近些年有人将之解释成想在燕国进行“改革”，但我们找不到这样的迹象，尤其从事件的客观效果看，似乎更找不出任何进步之处。这件事导致了齐国的军事入侵，并为日后的燕昭王发愤与乐毅率五国之军伐齐，埋下了伏笔。与此相关的故事在《史记》中相当生动，在《资治通鉴》中也写得较细，本卷只是开了个头，相关的其他后续事件见下卷。

赵武灵王是战国时期一位光彩照人的历史人物，他的胡服骑射，他的破林胡、灭中山，他的志吞强秦的英雄气概都给人留下了深刻印象。遗憾的是在处理接班人的问题上出现错误，以致自己被活活饿死，与春秋时代的齐桓公大致相同。这些也要到下一卷里去说了。

卷第四　周纪四

起阏逢困敦（甲子，公元前二九七年），尽著雍困敦（戊子，公元前二七三年），凡二十五年。

【题解】

本卷写了上自周赧王十八年（公元前二九七年）下至周赧王四十二年共二十五年间的各国大事。这段时间的总形势是秦国在穰侯为相、白起为将的紧密配合下，对韩、魏、楚大举进攻，致使三国日益衰落，甚至楚国都城都被秦军攻克，只好东迁到了河南的陈县。但作者叙事的重点，其一是赵武灵王灭中山、开拓河套地区的壮举，于晚年在安排两个儿子的事情上出问题，从而使自己陷入悲剧结局；其二是燕昭王礼贤下士、发愤图强，终至联合秦、赵、韩、魏共同伐齐，几将齐国彻底颠覆，以及田单巧用奇计大破燕军于即墨，并进而重建齐国的过程；其三是赵国名臣廉颇、蔺相如的一些感人故事；其四是作者比较详细地移录了春申君黄歇的劝秦王联楚伐韩书，文章是不错的，但史实经不起推敲，作者也断非春申君其人。

【原文】

赧王中

十八年（甲子，公元前二九七年）

楚怀王亡归[①]，秦人觉之，遮楚道[②]，怀王从间道[③]走赵。赵主父在代[④]，赵人不敢受[⑤]。怀王将走魏，秦人追及之，以归[⑥]。

鲁平公薨，子缗公贾[⑦]立。

十九年（乙丑，公元前二九六年）

楚怀王发病，薨于秦，秦人归其丧[⑧]。楚人皆怜之，如悲亲戚。诸侯由是不直秦[⑨]。

齐、韩、魏、赵、宋同击秦[⑩]，至盐氏[⑪]而还。秦与韩武遂[⑫]与魏封陵[⑬]以和。

赵主父行新地[⑭]，遂出代[⑮]，西遇楼烦王[⑯]于西河[⑰]，而致其兵[⑱]。

【语译】

赧王中

十八年（甲子，公元前二九七年）

楚怀王想从秦国逃回楚国，被秦国发现，就派人封锁了楚怀王回楚国的各个路口，楚怀王就从小路逃到了赵国。赵主父当时正在代地，赵国人不敢接纳他。楚怀王又想逃往魏国，这时秦国人已经追上了他，又将他带回秦国。

鲁平公去世，他的儿子缗公贾即位。

十九年（乙丑，公元前二九六年）

楚怀王发病，死在秦国，秦国同意将楚怀王的遗体运回楚国安葬。楚国人对楚怀王最后死在秦国感到很哀痛，就像痛失了自己的亲人一样。其他诸侯也认为秦国做事没道理。

齐国、韩国、魏国、赵国、宋国联合起来攻打秦国，五国联军打到盐氏邑撤军。秦国将所侵占的韩国的武遂、魏国的封陵分别归还给韩、魏，从而达成和议。

赵主父要到新夺取的中山去巡视，于是离开代地。当他向西走到西河时与楼烦王相遇，又收编了楼烦王一部分军队。

魏襄王薨，子昭王[19]立。

韩襄王薨，子釐王咎[20]立。

二十年（丙寅，公元前二九五年）

秦尉错[21]伐魏襄城[22]。

赵主父与齐、燕[23]共灭中山[24]，迁其王于肤施[25]。归，行赏，大赦，置酒，酺[26]五日。

赵主父封其长子章[27]于代，号曰安阳君[28]。安阳君素侈[29]，心不服其弟。主父使田不礼[30]相[31]之。李兑[32]谓肥义曰："公子章强壮而志骄，党众而欲[33]大。田不礼忍杀[34]而骄。二人相得[35]，必有阴谋。夫小人有欲，轻虑浅谋[36]，徒[37]见其利，不顾其害，难[38]必不久矣。子任重而势大，乱之所始而祸之所集[39]也。子何不称疾毋出[40]，而传政于公子成[41]，毋为祸梯[42]，不亦可乎？"肥义曰："昔者主父以王属义[43]也，曰：'毋变而度，毋易而虑[44]，坚守一心，以殁而世[45]。'义再拜受命而籍之[46]。今畏不礼之难，而忘吾籍[47]，变孰大焉[48]！谚曰[49]：'死者复生，生者不愧[50]。'吾欲全吾言[51]，安得全吾身乎！子则有赐[52]而忠我矣。虽然[53]，吾言已在前矣，终不敢失。"李兑曰："诺，子勉之[54]矣！吾见子已今年耳[55]。"涕泣而出。

李兑数见[56]公子成以备田不礼[57]。肥义谓信期[58]曰："公子章与田不礼声善而实恶[59]，内得主[60]而外为暴，矫令以擅一旦之命[61]，不难为[62]也。今吾忧之，夜而忘寐，饥而忘食。盗出入不可以不备[63]。自今以来[64]，有召王者[65]，必见吾面[66]。我将以身先之[67]，无故而后王可入[68]也。"信期曰："善。"

主父使惠文王朝群臣，而自从旁窥之[69]。见其长子傫然[70]也，反北面为臣，诎于其弟[71]，心怜之，于是乃欲分赵，而王公子章于代[72]。计未决而辍[73]。主父及王游沙丘[74]，异宫[75]，公子章、田不礼以其徒[76]作乱，诈以主父令召王。肥义先入，杀之。高信即与王战[77]。公子成与李

魏襄王死，他的儿子昭王即位。

韩襄王死，他的儿子釐王咎即位。

二十年（丙寅，公元前二九五年）

秦国尉司马错率军攻打魏国的襄城。

赵主父和齐国、燕国共同灭掉了中山国，将中山王迁逐到赵国的肤施。赵主父得胜归来，论功行赏，大赦囚犯，摆设酒宴，允许全国上下饮酒庆祝五天。

赵主父将代地分封给他的大儿子赵章，赵章号称安阳君。安阳君一向骄横、奢侈，对其弟弟赵何被立为赵王很不服气。赵主父派田不礼做赵章的相。李兑对肥义说："公子章身体强壮而心志高傲，党羽众多，野心又大。田不礼为人残忍好杀，而且生性高傲。他们二人彼此投合，一定会有阴谋。一般来说，品行低劣却又野心勃勃的人，往往处事轻率而又谋划不周，看问题只看见有利的方面，而看不见有害的一面，他们谋乱恐怕不会很久了。您的责任重而权势大，他们如果叛乱必定先拿您开刀，您将是一切灾祸的聚集点。您何不趁早假托有病，闭门不出，把政务转交给公子成去处理，不要使自己成为灾祸的必经之路，不是也可以吗？"肥义说："主父在把赵王托付给我的时候说：'不要改变你的立场，不要改变你的主张，要坚持到底，永不变心，一直到你离开人世。'我向主父拜了又拜，接受了主父交给我的使命，并且把它记录下来。如今却因为惧怕田不礼发难，而忘记了自己的承诺，没有任何背叛比这更严重的了！谚语中有这样的话：'如果让托付过我的人再活过来，我面对他也毫不感到惭愧。'我要遵守我的承诺，哪里还顾得上保全自身呢！先生您能对我直言相告，就是您对我的忠心了。尽管如此，我已经有言在先，我永远不能违背我的承诺。"李兑听完以后无奈地说："好吧，您就按照自己的意愿努力去做吧！我能见到您也就是这一年了。"说完，便痛哭流涕地离开了。

李兑多次求见公子成，告诫他要防备田不礼等人作乱。肥义对信期说："公子章和田不礼表面上话说得很好听，而实际上内心很险恶，在内得到主父的宠信，在外却任意残暴，如果哪一天假托主父的命令而得逞一时，他们可是什么事情都干得出来。现在我因为忧虑这件事，夜里顾不上睡觉，饿了顾不上吃饭。像公子章这样的人出入于主父周围时，我们不能不有所防备啊。从今以后，如果有人传主父之命让赵王去做什么事情，你一定要先来告诉我。我会自己先去探明情况，如果平安无事再让赵王去。"信期说："好吧。"

主父让赵惠文王接见群臣，而自己在旁边观看。他看见自己的长子公子章一副颓丧的样子，身为长子反而要北面称臣，屈从于弟弟，心中很可怜他，于是就想把代郡从赵国分出来，让公子章去做代王。这一考虑还没有最后决定就又搁置下来。主父和赵惠文王一起到沙丘巡视，二人分住在不同的行宫中，公子章和田不礼率领他们的属下趁机作乱，他们假称主父的命令召见赵惠文王。肥义先于赵惠文王进入公子章的住处，被公子章杀害。高信为保护赵惠文王而与公子章之徒作战。公子成

兑自国至[78]，乃起四邑之兵[79]入距难[80]，杀公子章及田不礼，灭其党。公子成为相，号安平君[81]，李兑为司寇[82]。是时惠文王少，成、兑专政。

公子章之败也，往走主父[83]，主父开之[84]。成、兑因围主父宫[85][1]。公子章死，成、兑谋曰："以章故[86]，围主父，即解兵[87]，吾属夷矣[88]。"乃遂围之[89]，令宫中人后出者夷[90]。宫中人悉出。主父欲出不得，又不得食，探雀鷇[91]而食之。三月余，饿死沙丘宫。主父定死[92]，乃发丧赴诸侯[93]。

主父初以长子章为太子，后得吴娃[94]，爱之，为不出[95]者数岁，生子何，乃废太子章而立之。吴娃死，爱弛[96]，怜故太子，欲两王之[97]，犹豫未决，故乱起。

秦楼缓免相，魏冉代之[98]。

二十一年（丁卯，公元前二九四年）

秦败魏师[99]于解[100]。

二十二年（戊辰，公元前二九三年）

韩公孙喜[101]、魏人伐秦。穰侯荐左更白起[102]于秦王，以代向寿将兵，败魏师、韩师于伊阙[103]，斩首二十四万级[104]，虏公孙喜，拔五城。秦王以白起为国尉[105]。

秦王遗[106]楚王书曰："楚倍[107]秦，秦且[108]率诸侯伐楚，愿王之饬士卒[109]，得一乐战[110]。"楚王患之，乃复与秦和亲。

二十三年（己巳，公元前二九二年）

楚襄王迎妇于秦。

臣光曰："甚哉秦之无道也，杀其父[111]，而劫其子[112]；楚之不竞[113]也，忍其父[114]，而婚其仇[115]！乌呼[116]，楚之君诚得其道[117]，臣诚得其人[118]，秦虽强，乌得陵之哉[119]！善乎荀卿论之曰[120]：'夫道[121]，善用之[122]，则百里之地[123]可以独立；不善用之，则楚六千里[124]而为

和李兑闻讯后从都城邯郸赶来，立即调动沙丘四周各县的兵马进入沙丘平定叛乱，杀死了公子章和田不礼，歼灭了他们的党羽。事情平定以后，公子成任丞相，号安平君，李兑任司寇。当时赵惠文王还很小，赵国由公子成和李兑主持朝政。

当公子章叛乱失败后，逃到主父所住的行宫，主父打开宫门收留了公子章。公子成和李兑因此而包围了主父的行宫。公子章被杀死以后，公子成和李兑商议说："虽然我们是因为公子章叛乱的原因才包围了主父的行宫，如果我们因为公子章已死而撤除对主父行宫的包围，那么我们这些人恐怕都得遭到灭族之祸。"于是决定将主父的行宫就这样一直包围下去，并下令宫中的人谁出来迟了就灭谁的族。宫中的人全都争先恐后地跑了出来。主父想出又出不来，想吃又没有食物，饿得把鸟窝里刚孵化出来的幼鸟都吃了。坚持了三个多月，主父最终被饿死在沙丘的行宫之中。公子成等确信主父已死无疑，这才向各诸侯报丧。

最初，主父曾经立长子公子章为太子。后来又纳吴广之女孟姚入宫，主父对孟姚非常宠爱，曾经因为她而好几年不上朝理政，孟姚生了赵何，主父就将太子章废掉而立赵何为太子。后来孟姚死了，主父对赵何的宠爱也就逐渐减退，又因为可怜原来的太子章，就想让两个儿子都当王，但又犹豫不决，所以引发了叛乱。

秦国楼缓被免除了丞相，由魏冉替代他为丞相。

二十一年（丁卯，公元前二九四年）

秦军在魏国的解县打败了魏军。

二十二年（戊辰，公元前二九三年）

韩国公孙喜、魏人率领韩、魏两国联军讨伐秦国。秦国穰侯魏冉向秦王举荐担任左更职务的白起，代替向寿统兵。白起在伊阙大败魏军、韩军，斩杀了二十四万人，俘虏了韩将公孙喜，占领了五座城邑。秦昭王任命白起为国尉。

秦昭王写信给楚顷襄王说："楚国背叛了秦国，秦国将要率领诸侯联军征伐楚国，希望你整顿好你的军队，跟我们痛痛快快地打一仗。"楚顷襄王接到信后很担忧，只好又与秦国联姻以示友好。

二十三年（己巳，公元前二九二年）

楚襄王从秦国将夫人迎娶回楚国。

司马光评论说："秦国的不讲道理真是太过分了，杀死了人家的父亲，又以战争威胁人家的儿子；楚国不敢与秦国抗争，竟然坐视其父被杀而无动于衷，反而与仇敌联姻媾和！唉，楚顷襄王如果有一点做人的骨气，群臣当中再真有几位能任大事的良臣，秦国即使再强大，又怎么敢欺凌它呢！荀卿对这件事有段评论说得好：'治理国家的方法，如果运用得好，那么即使只有一百里大的地盘也可以独立存在；不善于治理国家，即使像楚国那样拥有纵横六千里的领土，

仇人役[125]。'故人主不务得道[126]而广有其势[127]，是其所以危也[128]。"

秦魏冉谢病免，以客卿烛寿[129]为丞相。

二十四年（庚午，公元前二九一年）

秦伐韩，拔宛[130]。

秦烛寿免。魏冉复为丞相，封于穰与陶[131]，谓之穰侯。又封公子市[132]于宛、公子悝[133]于邓[134]。

二十五年（辛未，公元前二九〇年）

魏入河东[135]地四百里、韩入武遂[136]地二百里于秦。

魏芒卯[137]始以诈见重[138]。

二十六年（壬申，公元前二八九年）

秦大良造[139]白起、客卿错[140]伐魏，至轵[141]，取城大小六十一。

【段旨】

以上为第一段，写上起周赧王十八年（公元前二九七年）下至周赧王二十六年共九年间的各国大事。主要写了楚怀王因受骗被秦国扣留，死于秦，而楚顷襄王畏秦，仍与秦联盟通婚；还写了赵武灵王选继承人时因在两个儿子之间反复动摇，导致政变，自己惨遭饿死；同时也写了秦昭王在穰侯、白起的佐助下，大举进攻楚、魏、韩三国，为秦国大量攻取地盘的事情。

【注释】

①亡归：逃回楚国。楚怀王于前年（公元前二九九年）被秦人押留，至今已是第三个年头。②遮楚道：封锁了楚怀王回楚国的各个路口。③间道：小路。④赵主父在代：赵主父即赵武灵王。代是赵郡名，郡治即今河北蔚县东北的代王城。⑤不敢受：不敢接纳他的逃亡。⑥以归：将其带回秦国。⑦缗公贾：名贾，"缗"字是谥，公元前二九五至前二七三年在位。⑧归其丧：将其灵柩送回楚国。⑨不直秦：认为秦国做事无理。⑩齐、韩、魏、赵、宋同击秦：时当齐湣王五年（公元前二九六年）、韩襄王十六年、魏襄王二十三年、赵惠文王三年、宋君偃三十三年。〖按〗据杨宽《战国史·战国

也要被杀父的仇敌所奴役。’所以作为一国之君，不注重探究治国、做人的根本而只图享有大国君主的威势，这就是他们衰危的原因啊。”

秦国丞相魏冉因为有病被免去官职，秦昭王任命客卿烛寿为丞相。

二十四年（庚午，公元前二九一年）

秦国攻打韩国，侵占了韩国的宛城。

秦昭王免去烛寿的丞相职务。魏冉再次担任丞相，秦王将穰、陶分封给魏冉做封邑，称他为穰侯。又将宛分封给公子市，将邓分封给公子悝。

二十五年（辛未，公元前二九〇年）

魏国把黄河以东四百里方圆的土地割让给秦国，韩国将武遂一带二百里方圆的土地割让给秦国。

魏将芒卯因为诡计多端而受到魏襄王重用。

二十六年（壬申，公元前二八九年）

秦国大良造白起与客卿司马错率军攻打魏国，一直打到轵城，占领了魏国大小六十一座城邑。

大事年表》，此次诸侯联合伐秦只有齐、韩、魏三国，无赵国、宋国。⑪ 盐氏：今山西运城，当时为秦军所占。〖按〗据杨宽《战国史·战国大事年表》，此次三国联军攻入了秦国的函谷关。⑫ 武遂：原属韩，在今山西垣曲东南和黄河边上，周赧王十二年（公元前三〇三年）被秦国占领。⑬ 封陵：魏邑名，即今山西风陵渡，周赧王十二年（公元前三〇三年）被秦国占领。⑭ 行新地：视察赵国新近取得的地盘，即中山国。⑮ 出代：从代郡西出。代郡属赵国，地当今河北西北部与山西东北部，郡治即今河北蔚县东北的代王城。⑯ 楼烦王：当时居住在今山西西北部和与之邻近的内蒙古南部地区的少数民族首领。⑰ 西河：此指今山西、陕西、内蒙古三省区交界一带的黄河。⑱ 致其兵：收编了楼烦王的一部分军队。⑲ 昭王：名遬，公元前二九五至前二七七年在位。⑳ 釐王咎：名咎，“釐”字是谥，公元前二九五至前二七三年在位。㉑ 尉错：指秦国的军事长官司马错。尉，此指国尉，国家的最高军事长官，《史记·秦始皇本纪》记秦始皇曾以此职任尉缭。㉒ 襄城：魏邑名，在今河南襄城西。㉓ 与齐、燕：时当齐湣王六年（公元前二九五年）、燕昭王十七年。㉔ 共灭中山：杨宽《战国史·战国大事年表》系此事于周赧王十九年（公元前二九六年），时当赵惠文王三年。历史家多取其说。且中山国实际于三年之前已被灭，其王已逃到齐国。㉕ 肤施：赵县名，在今陕西榆林东南。㉖ 酺：聚会饮酒。战国以及秦、汉时期往往禁止官民聚会畅饮，故遇有重大喜庆须政府特别下令允

许。㉗长子章：赵武灵王的长子，名章，按传统规矩，长子章是太子，理应继任赵王。只因武灵王宠爱孟姚，又爱屋及乌地立孟姚所生的少子何为赵王，故造成长子章日后的作乱。㉘安阳君：诸侯国内的有土封君，如孟尝君、平原君等皆然。㉙素侈：向来骄奢、放纵。㉚田不礼：赵臣。㉛相：佐，这里即参谋辅导之官。㉜李兑：赵臣，后为司寇、赵相，受封为奉阳君。㉝欲：欲望；野心。㉞忍杀：忍心于杀戮；残忍好杀。即俗谓"杀人不眨眼"。㉟相得：彼此投合。㊱轻虑浅谋：考虑粗疏，轻举妄动。㊲徒：只；仅仅。㊳难：灾祸，这里即指叛乱。㊴乱之所始而祸之所集：叛乱集团第一个要拿您开刀，您是一切灾难的集中点。㊵称疾毋出：推说有病，闭门不出。㊶传政于公子成：把相国的职务交给公子成。㊷毋为祸梯：不要让自己成为灾难的必经之路。祸梯，通常称作"祸阶"，灾祸之所经由。㊸以王属义：把赵王托付给我。属，托付。㊹毋变而度二句：两句的意思大体相同，意即不要改变你的立场，不要改变你的思想。而，通"尔"，你。易，变。㊺以殁而世：至死不变。殁，死。㊻籍之：把它写了下来。㊼忘吾籍：忘掉我当年受命的记录。㊽变孰大焉：没有别的叛变比这个更严重的了。㊾谚曰：俗话说。谚，谚语、俗话。㊿死者复生二句：即使让已经去世的、向我托付过此事的人再活过来，我面对他也能丝毫不惭愧。(51)全吾言：全部兑现我当初的诺言。(52)有赐：有恩德。(53)虽然：即使如此；但是。(54)勉之：好自为之，您就努力干吧。勉，努力。(55)吾见子已今年耳：我能见到您也就是这一年了。已，止。(56)数见：多次求见。数，屡。(57)以备田不礼：将防备田不礼作乱的事情告诫公子成。(58)信期：即下文之所谓"高信"，赵惠文王身边的卫士长。(59)声善而实恶：话说得好听，而心肠险恶。(60)内得主：在内能得到主父的宠信。(61)矫令以擅一旦之命：语略不顺，意即假托主父的命令而逞强一时。矫，假托。擅，专、逞。(62)不难为：不怕做，意即他们是干得出来的。(63)盗出入不可以不备：当这些人出入在主父周围时，我们不能不防备。(64)自今以来：从今以后。(65)有召王者：谁来传主父之命，说要叫赵王去做何事。(66)必见吾面：一定让他先来见我。(67)以身先之：我先自己前去。(68)无故而后王可入：等探明的确没有问题再让赵王前去。(69)窥之：偷看，这里即指从旁边观看。(70)傫然：颓丧的样子。(71)诎于其弟：向其弟曲身行君臣之礼。诎，曲身。(72)王公子章于代：把赵国的代郡分出来，立公子章为代王。(73)计未决而辍：主意没有拿定又停了下来。辍，中途停止。(74)沙丘：赵国的离宫名，在今河北平乡东北。(75)异宫：分住在不同院落。(76)以其徒：率领他们的党羽。(77)与王战：为保卫赵王与叛乱分子开战。与王，为王。(78)自国至：自国都邯郸率兵前来。国，国都。(79)起四邑之兵：调集沙丘周围各县的兵马。起，征调。(80)入距难：进入沙丘宫平定叛乱。距，通"拒"，抵抗，这里即指平定。(81)号安平君：因公子成能平乱安国，故以为名，并将其所封之县改名曰安平县。(82)司寇：古朝官名，掌管刑狱、纠察与缉捕盗贼等事。(83)往走主父：逃到主父所住的宫院。(84)主父开之：主父开门让他进去，并将他保护起来。(85)成、兑因围主父宫：公子成与李兑于是便把主父所住的行宫包围起来。因，于是。(86)以章故：

由于公子章叛乱的原因。⑧⑦ 即解兵：如果因为公子章已死而我们撤兵。⑧⑧ 吾属夷矣：我们这些人就要全部被灭门啦。夷，杀光、灭族。因为以兵包围主父的罪过太大，主父不可能饶过他们。⑧⑨ 遂围之：就这么一直围下去。遂，一直不变。⑨⓪ 后出者夷：谁要出来晚了，就将谁家灭门。⑨① 探雀鷇：掏鸟窝里刚孵化出来的乳鸟。⑨② 定死：确定已死无疑。⑨③ 赴诸侯：向各国诸侯发出讣告。赴，通“讣”，报丧。⑨④ 吴娃：吴广之女孟姚，赵惠文王之母。⑨⑤ 不出：不上朝；不理政事。⑨⑥ 爱弛：对少子何的爱心减退。⑨⑦ 欲两王之：想让两个儿子都当王，即少子何为赵王，太子章为代王。⑨⑧ 魏冉代之：马非百《秦集史》曰：“魏冉为秦相凡五次：昭王七年，樗里疾卒，魏冉为相。至八年，孟尝君田文来相秦，冉乃去官，计在位凡一年，此第一次也。昭王十二年，楼缓免，穰侯魏冉为相。十五年，谢病免，计在位凡四年，此第二次也。十六年，丞相寿烛免，复相冉，乃封冉于穰，复封陶，号曰穰侯。封四岁，为秦将攻魏，乃去官，计在位凡四年，此第三次也。十九年，魏冉复相秦，六岁而免，计在位凡六年，此第四次也。昭王三十二年，穰侯为相国，将兵伐魏，自此至四十一年，范雎为相，乃去官，计在位凡十年，此第五次也。五次合计，冉在相位凡二十五年，盖秦相之在位最久者，未有过于冉者也。”⑨⑨ 秦败魏师：时当秦昭王十三年（公元前二九四年）、魏昭王二年。⑩⓪ 解：魏县名，在今山西临猗西南。⑩① 公孙喜：韩国将领，韩王的同族。⑩② 左更白起：秦将白起为左更之爵。左更为秦爵二十级的第十二级，相当于卿。白起是郿县（今陕西眉县东）人，战国时期的秦国名将。事迹详见《史记·白起王翦列传》。⑩③ 伊阙：韩国地名，在今河南洛阳南，因伊水流经两山之间，两山对立如门，故称伊阙，也称龙门。⑩④ 二十四万级：二十四万个人头。因秦法规定，凡斩敌首一个赐爵一级，故称人头曰“首级”。⑩⑤ 国尉：相当于后来之“太尉”，国家的最高军事长官，与丞相、御史大夫合称“三公”。⑩⑥ 遗：给；致。⑩⑦ 倍：通“背”，背叛。⑩⑧ 且：将要；正准备。⑩⑨ 饬士卒：准备好军队。饬，调集、训练。⑪⓪ 得一乐战：痛痛快快地打一仗。⑪① 杀其父：指骗楚怀王入秦而囚之，使之死于秦国。⑪② 劫其子：指以战争威胁楚顷襄王。⑪③ 不竞：不强，这里指软骨头、没出息。⑪④ 忍其父：坐视其父被杀而无动于衷。忍，无动于衷。⑪⑤ 婚其仇：与其仇人联姻通婚。⑪⑥ 乌呼：同“呜呼”，叹息声。⑪⑦ 诚得其道：真有一点做人的骨气。⑪⑧ 诚得其人：真有几个能任大事的良臣。⑪⑨ 乌得陵之哉：怎么能够把楚国欺侮成这种样子呢。乌，何、岂能。陵，侵陵、欺侮。⑫⓪ 善乎荀卿论之曰：荀卿对这件事有段评论说得好哇。善乎，倒装句的谓语提前。⑫① 道：治国、治民、为人、处事的根本原则。⑫② 善用之：把握得好；运用得好。⑫③ 百里之地：极言其国家的地盘之小。⑫④ 六千里：纵横六千里，极言其国家之大、领土之广。⑫⑤ 为仇人役：为杀父的仇人做奴才。役，奴仆。〖按〗以上数语见《荀子·仲尼》。⑫⑥ 不务得道：不注重弄清治国、做人的根本。⑫⑦ 广有其势：白白地有着一个大国的样子。⑫⑧ 是其所以危也：这就是他们衰危的原因。⑫⑨ 客卿烛寿：客卿是别国人在此国为高级参谋而享受卿级待遇者。烛寿，《史记·穰侯列传》作“寿烛”，履历不详。⑬⓪ 宛：

县名，即今河南南阳，是楚、韩两国多次拉锯的地方，此时被秦国所占。⑬①穰与陶：穰，即今河南邓州。陶，也称定陶，在今山东菏泽市定陶区西北，当时都已属秦。⑬②公子市：即泾阳君，秦昭王的同母弟，因最初的封地在泾阳，故号泾阳君。⑬③公子悝：即高陵君，也是秦昭王的同母弟。因最初的封地在高陵，故号高陵君。⑬④邓：县名，即今河南漯河市召陵区。⑬⑤河东：黄河以东，今山西西南部的邻近黄河一带地区。⑬⑥武遂：今山西垣曲东南的邻近黄河一带地区。这一带秦国已经两次攻得，又两次归还给了韩国。从此遂彻底归秦。⑬⑦芒卯：魏将，也写作“孟卯”。⑬⑧以诈见重：因诡诈多端而被魏王重用。凌稚隆曰：“按《魏策》，芒卯诈以鄗事赵，令闭关绝秦，秦赵大恶。赵王恐魏乘秦之怒，

【原文】

二十七年（癸酉，公元前二八八年）

冬，十月，秦王称西帝[142]，遣使立齐王为东帝[143]，欲约与共伐赵[144]。苏代[145]自燕来[146]，齐王曰：“秦使魏冉致帝[147]，子以为何如？”对曰：“愿王受之而勿称[148]也。秦称之，天下安之[149]，王乃称之[150]，无后也[151]；秦称之，天下恶之[152]，王因勿称[153]，以收天下[154]，此大资[155]也。且伐赵孰与伐桀宋利[156]？今王不如释帝[157]以收天下之望[158]，发兵以伐桀宋。宋举[159]则楚、赵、梁、卫[160]皆惧矣。是我以名尊秦，而令天下憎之，所谓以卑为尊[161]也。”齐王从之，称帝二日，而复归之[162]。

十二月，吕礼自齐入秦[163]。秦王亦去帝，复称王[164]。

秦攻赵，拔杜阳[165]。

二十八年（甲戌，公元前二八七年）

秦攻魏[2]，拔新垣、曲阳[166]。

二十九年（乙亥，公元前二八六年）

秦司马错击魏河内[167]，魏献安邑[168]以和，秦出其人归之魏[169]。

秦败韩师于夏山[170]。

割五城以合于魏而支秦。”〖按〗凌说见《魏策三》，此外芒卯又联秦攻齐，得齐地二十二县；又有劝赵王割地于秦，借秦力以获得在赵为将事，尤见其狡诈倾危。⑬⑨大良造：秦爵二十级的第十六级，亦称大上造。⑭⓪客卿错：司马错，此时又为秦客卿。⑭①轵：魏邑名，在今河南济源东南。

【校记】

［1］宫：原无此字。据章钰校，十二行本、乙十一行本、孔天胤本皆有此字，张敦仁《通鉴刊本识误》、张瑛《通鉴校勘记》同，今据补。

【语译】

二十七年（癸酉，公元前二八八年）

冬季，十月，秦国昭襄王宣称自己为“西帝”，又派宰相魏冉为使者，到齐国劝说齐湣王称“东帝”，想与齐国联盟，共同攻打赵国。恰好苏代此时从燕国来到齐国，齐湣王对苏代说：“秦王派魏冉来送帝号给我，让我称‘东帝’，先生认为怎么样？”苏代回答说：“我希望大王您先把帝号接受下来，但不要急于向外界宣布。如果秦国称帝后天下相安无事，没有人起来反对，那时您再称帝也不算晚；如果秦王称帝后，天下的人都很憎恶他，声讨他，您就趁机放弃称帝，以此来博取各国君臣的好感，这也是一笔绝好的政治资本呀。再说，攻打赵国与攻打那个荒淫暴虐、无道如夏桀的宋康王比起来，哪一个对您更有利呢？如今，您不如放弃称帝，以此换取天下人的赞美，树立起齐国的威望，同时发兵讨伐宋国。宋国被征服以后，楚国、赵国、魏国、卫国都会畏惧齐国。这样做在名义上是尊重秦国，而实际上是让全天下的人都憎恨秦国，这就是所说的用谦虚自抑而使自己获得尊严的办法。”齐湣王听从了苏代的意见，只称帝两天，就取消帝号仍旧称王。

十二月，吕礼从齐国返回秦国。秦昭王见齐湣王不称帝，于是也取消了帝号而称王。

秦国攻打赵国，攻占了赵国的杜阳。

二十八年（甲戌，公元前二八七年）

秦国攻打魏国，占领了魏国的新垣和曲阳。

二十九年（乙亥，公元前二八六年）

秦国司马错率军攻打魏国黄河以北地区，魏国将安邑割让给秦国以求和，秦国兵不血刃占有了安邑，并将安邑城内的百姓全部驱逐出城，让他们回到魏国去。

秦国的军队在夏山一带打败了韩国的军队。

宋有雀生𪆇[171]于城之陬[172]。史占之[173]，曰："吉。小而生巨[174]，必霸天下[175]。"宋康王[176]喜，起兵灭滕，伐薛[177]。东败齐，取五城[178]；南败楚，取地三百里[179]；西败魏军，与齐、魏为敌国[180]。乃愈自信其霸，欲霸之亟成[181]，故射天笞地[182]，斩社稷而焚灭之[183]，以示威服鬼神[184]。为长夜之饮于室中[185]，室中人呼万岁，则堂上[186]之人应之，堂下[187]之人又应之，门外之人又应之，以至于国中[188]，无敢不呼万岁者。天下之人谓之"桀宋[189]"。齐湣王起兵伐之，民散，城不守。宋王奔魏，死于温[190]。

三十年（丙子，公元前二八五年）

秦王会楚王于宛[191]，会赵王于中阳[192]。

秦蒙武[193]击齐，拔九城。

齐湣王既灭宋而骄，乃南侵楚，西侵三晋[194]，欲并二周[195]，为天子。狐咺[196]正议[197]，斫[198]之檀衢[199]；陈举[200]直言，杀之东闾[201]。

燕昭王日夜抚循其人[202]，益以富实[203]，乃与乐毅[204]谋伐齐。乐毅曰："齐，霸国之余业[205]也，地大人众，未易独攻[206]也。王必欲伐之，莫如约赵及楚、魏[207]。"于是使乐毅约赵，别使使者连楚、魏，且令赵啗秦以伐齐之利[208]。诸侯害[209]齐王之骄暴，皆争合谋与燕伐齐。

三十一年（丁丑，公元前二八四年）

燕王悉起兵，以乐毅为上将军[210]。秦尉斯离[211]帅师与三晋之师会之。赵王以相国印授乐毅[212]，乐毅并将秦、魏、韩、赵之兵[213]以伐齐。齐湣王悉国中之众以拒之，战于济西[214]，齐师大败。乐毅还秦、韩之师[215]，分魏师以略宋地[216]，部赵师以收河间[217]，身率燕师，长驱逐北[218]。

宋国都城城墙的拐角处发现麻雀窝里孵化出一只猛禽的雏鸟。史官用占卜来推断祸福吉凶，说:“这是吉祥的兆头。小麻雀能孵化出大猛禽，预示着宋国将会由弱变强，必将称霸天下。”宋康王听了以后非常高兴，于是发兵先灭掉了滕国，又攻打薛国。向东挑战齐国，攻占了齐国的五个城邑；又向南打败了楚国，占领了楚国三百平方里的土地；又向西打败了魏国，此时宋国的势力差不多与齐国、魏国一样强大。宋康王更加相信自己能够成为一世霸主，为了尽快实现称霸的野心，他将牛皮袋装满血，用弓箭射它，象征着射天，又做了地神，然后用长鞭抽打它，表示敲打大地，还斩断土神、谷神的牌位，并将其焚烧得干干净净，表示连鬼神也被他征服。然后就在宫中整夜地饮酒作乐，宫中侍从高呼“万岁”，堂上的大臣们随声响应，堂下的人接着齐声附和，宫门以外的人又齐声附和宫里的人，一直到整个京城之中没有谁敢不高呼“万岁”。因此天下人都把宋康王称为像夏桀一样的宋君。齐湣王趁机发兵讨伐宋国，大军一到，宋国的军民就四散而逃，都城陷落。宋康王逃奔魏国，最后死在魏国的温邑。

三十年（丙子，公元前二八五年）

秦昭王在宛城会见楚国顷襄王，又在中阳会见赵惠文王。

秦国大将蒙武率军攻打齐国，连续攻占了九座城池。

齐湣王自从灭掉了宋国以后就骄傲起来，认为自己很了不起，于是开始向四周扩张，先是向南侵犯楚国，又向西侵略赵、魏、韩三国，还想吞并东周、西周，自己做天子。他的大臣狐咺直言批评了他，他就在檀衢将狐咺杀死；陈举又当面批评了他，他又在东闾把陈举杀死了。

燕昭王日夜勤于政务，慰问伤病，抚恤孤寡，使燕国一天天富裕强大起来，于是，燕昭王与大将乐毅商量讨伐齐国。乐毅说:“齐国是曾经出过像齐桓公这样霸主的国家，地广人多，单靠我们一个燕国很难取得成功。大王您如果一定要攻打齐国，不如联合赵国、楚国、魏国同时出兵攻齐。”于是，燕昭王便派乐毅出使赵国，另外派使者分别出使楚国和魏国，又让赵国以伐齐的好处去劝说秦国。各诸侯因为憎恶齐湣王的骄横残暴，都争相商议跟随燕国一起去讨伐齐国。

三十一年（丁丑，公元前二八四年）

燕王征调了全国的兵力，任命乐毅为上将军领兵伐齐。秦国的国尉斯离率领秦国的军队，赵、韩、魏三国也派出军队，都来与燕国的军队会合。赵惠文王将赵国的相印授予乐毅，任命他为赵国的宰相。乐毅统领秦、魏、韩、赵、燕五国联军讨伐齐国。齐湣王也调动全国的兵力来抵抗五国的进攻，双方在济水之西展开激战，齐军被打得大败。乐毅打发秦国、韩国的军队回国，让魏国的军队去攻取新被齐国占领的宋国土地，又安排赵国的军队去收复清河与黄河之间被齐国侵占的地盘，自己则率领燕军长驱直入，追杀齐国的败军。

剧辛[219]曰："齐大而燕小，赖诸侯之助，以破其军，宜及时攻取其边城以自益[220]，此长久之利也。今过而不攻[221]，以深入为名，无损于齐[222]，无益于燕[223]，而结深怨[224]，后必悔之。"乐毅曰："齐王伐功矜能[225]，谋不逮下[226]，废黜贤良，信任谄谀[227]，政令戾虐[228]，百姓怨怼[229]。今军皆破亡，若因而乘之[230]，其民必叛，祸乱内作[231]，则齐可图[232]也。若不遂[233]乘之，待彼[234]悔前之非，改过恤下[235]，而抚其民，则难虑[236]也。"遂进军深入。

齐人果大乱失度[237]，湣王出走[238]。乐毅入临淄[239]，取宝物、祭器[240]，输之于燕[241]。燕王亲至济上[242]劳军，行赏飨士[243]，封乐毅为昌国君[244]，遂使留徇齐城之未下者[245]。

齐王出亡之卫[246]，卫君辟宫舍之[247]，称臣而共具[248]。齐王不逊[249]，卫人侵之[250]。齐王去，奔邹、鲁[251]，有骄色[252]。邹、鲁弗内[253]，遂走莒[254]。

楚使淖齿[255]将兵救齐，因为齐相[256]。淖齿欲与燕分齐地[257]，乃执[258]湣王而数之[259]，曰："千乘、博昌[260]之间，方数百里，雨血沾衣[261]，王知之乎？"曰："知之。""嬴、博[262]之间，地坼及泉[263]，王知之乎？"曰："知之。""有人当阙[264]而哭者，求之不得[265]，去则闻其声[266]，王知之乎？"曰："知之。"淖齿曰："天雨血沾衣者，天以告也[267]；地坼及泉者，地以告也；有人当阙而哭者，人以告也。天、地、人皆告矣，而王不知诫[268]焉，何得无诛[269]！"遂弑王于鼓里[270]。

荀子论之曰[271]："国者，天下之利势也[272]。得道以持之[273]，则大安也，大荣[274]也，积美之源[275]也；不得道以持之，则大危也，大累[276]也，有之不如无之[277]，及其綦也[278]，索为匹夫，不可得也[279]。齐

剧辛劝阻乐毅说:“齐国大，燕国小，依靠了诸国联军的帮助，我们才有幸打败了齐国，目前应该乘胜夺取齐国边境的城邑以扩大燕国的疆土，这才是国家长久利益之所在。如今却把沿途经过的城镇关隘绕开不攻，只是一味地深入追击敌人以获取好的名声，这种战略对齐国构不成致命的重大损失，对燕国也没有任何好处，反而会与齐国结下深深的仇怨，将来一定会后悔的。”乐毅说:“齐湣王好大喜功，喜欢夸耀自己的功劳和才能，处理政务向来都是一意孤行，从来不与大臣商量；贤德而有才能的人都被他罢黜了，而那些奸佞之人却得到他的信任；对百姓实行残暴的统治，百姓对他充满了怨恨。现在齐国的军队已经被打得溃不成军，我们乘胜追击，齐国的百姓必定众叛亲离，齐国内部就会发生内乱，到那时就可以一举征服齐国。如果现在不乘胜深入，等到有一天齐湣王对以前的胡作非为感到后悔而改过自新，体恤、安抚他的百姓，那时再想征服齐国就难了。”于是，乐毅率军快速深入。

齐国果然人心惶惶，乱成一团，齐湣王也弃国出逃了。乐毅率军进入齐国的都城临淄，将所掠取的珍珠财宝以及齐国祭祀时用的各种礼器，源源不断地运回燕国。燕昭王亲自到济水之上慰问军队，颁发奖赏，犒劳将士，还封乐毅为昌国君，并派他继续留在齐国攻取那些尚在坚守、尚未归降的城邑。

齐湣王逃亡到了卫国，卫国国君让出自己的宫室给齐湣王住，还向他俯首称臣，供给他饮食器具。而齐湣王却对卫君傲慢无礼，卫国官员见他如此，也都对他反唇相讥。齐湣王离去，逃奔邹国、鲁国，但他依然是一副傲慢的样子。邹国、鲁国也不接纳他，只好逃往莒。

楚国派淖齿率军救援齐国，于是出任齐国的宰相。淖齿想和燕国共同瓜分齐国，就将齐湣王抓了起来，一条一条地列举他的罪状，说:“从千乘到博昌，方圆数百里之内，天降血雨，把衣服都染红了，大王你知道吗?”齐湣王回答说:“知道。”“从嬴县到博县之间，大地塌陷，泉水涌出，你知道吗?”齐湣王说:“知道。”“只听见有人在齐国王宫大门口痛哭，派人去找又见不到人影，一离开就又听到哭声，大王你知道吗?”齐湣王回答说:“知道。”淖齿说:“天降血雨染红衣服，是上天在警告你；大地塌陷，泉水涌出，是大地在警告你；有人在宫门前痛哭，是人在警告你。天、地、人都警告你了，而你却不知道悔改，就你这样的人怎么能不受到讨伐呢!”于是，就在鼓里这个地方将齐湣王处死了。

荀子评论说:“国家政权是控制整个国家利益、具有最高权威的工具。如果让懂得治理国家根本原则的人来掌握它，国家就会很安全，就能得到最大限度的富强和繁荣，因此它是一切美好事物产生的基础；如果让不懂得治理国家根本原则的人来掌握它，就会使国家面临着很大的危险，给国家带来最大的灾难，与其掌握这个政权还不如不掌握，等到大难临头的时候，就是想做一个普通的

湣、宋献是也[280]。

“故用国[281]者义立而王[282]，信立而霸[283]，权谋立而亡[284]。

“挈国以呼礼义[285]，而无以害之[286]。行一不义、杀一无罪而得天下，仁者不为也[287]。擽然扶持心国[288]，且若是其固也[289]。之所与为之者之人，则举义士也[290]；之所以为布陈[291]于国家刑法者，则举义法[292]也。主之所极然[293]，帅群臣而首向之者[294]，则举义志也[295]。如是，则下仰上以义[296]矣，是綦定[297]也。綦定[3]而国定，国定而天下定。故曰：以国济义[298]，一日而白[299]，汤、武是也[300]。是所谓义立而王也。

“德虽未至[301]也，义虽未济[302]也，然而天下之理略奏[303]矣，刑赏已诺[304]，信于天下[305]矣，臣下晓然皆知[306]其可要[307]也。政令已陈[308]，虽睹利败[309]，不欺其民[310]；约结[311]已定，虽睹利败，不欺其与[312]。如是[313]，则兵劲[314]城固，敌国畏之。国一綦明[315]，与国信之，虽在僻陋[316]之国，威动天下，五伯[317]是也。是所谓信立而霸也。

“挈国以呼功利[318]，不务张[319]其义、齐[320]其信，唯利之求[321]。内则不惮诈其民[322]，而求小利焉；外则不惮诈其与[323]，而求大利焉。内不修正其所以有[324]，然常欲人之有[325]。如是，则臣下百姓莫不以诈心待其上矣。上诈其下，下诈其上，则是上下析[326]也。如是，则敌国轻之，与国疑之，权谋日行，而国不免危削[327]，綦之而亡[328]，齐湣、薛公是也[329]。

“故用强齐[330]，非以修礼义[331]也，非以本政教[332]也，非以一天下[333]也，绵绵[334]常以结引驰外为务[335]。故强[336]，南足以破楚，西足以诎秦[337]，北足以败燕，中足以举宋[338]。及以[339]燕、赵[340]起而攻之，

老百姓也是不能的了。齐湣王、宋献公就是例证。

“所以作为一个执掌国家政权的国君，如果合乎道义，就能够称王于天下，如果恪守诚信，就可以称霸于诸侯，如果光靠玩弄权术，就必定要灭亡。

“治理国家就应该提倡礼义，而不要用违背礼义的事情去损害它。如果只要做一件不义的事情、杀害一个无辜的人就可以得到天下，仁德的人也不会去做。仁德的君主一定会像磐石那样坚定地用礼义来约束自己的思想和治理国家。和他一起治理国家的人，也一定都是能够遵守当时道德准则和国家制度的义士；他所制定和颁布的章程、法律，也必定是符合礼义的章程、法律。总而言之，君主率领群臣所积极追求的目标必定都是符合礼义的。这样的话，在下位的群臣和百姓都仰慕君主的体行仁义，这样国家的基础就巩固了。基础巩固，国家就安定；国家安定，天下就稳定。所以说：举国上下都实行仁义，很快名声就昭著于天下，商汤王、周武王就是这样的人。这就是所说的以道义治理国家就能称王于天下的例证。

“道德虽然还没有达到最完善的程度，礼义也还没有完全具备，然而治理国家的道理大致包含在其中，刑罚、奖赏、令行禁止的和积极提倡的都能取信于天下，臣子们也都清清楚楚知道应该遵守国家法令。国家政令一经颁布，虽然发现有对国君不利的地方，也要按照执行而不失信于百姓；与诸侯国之间缔结了盟约，即使发现有不利的地方，也应遵守而不失信于同盟国。这样一来，国家兵力强盛、防御坚固，敌对的国家就会畏惧你而不敢轻易地前来侵犯。国内政治清明，对外遵守与盟国的协约，就会得到同盟国的信任，如此，即使你是一个处在偏僻地方的小国，同样可以威震天下，五位霸主就是最好的例证。这就是所说的信义一旦建立，就可以称霸天下。

“治理国家只提倡功利，不致力于倡导礼义、讲究信誉，而又唯利是图。为了获取一点小小的利益，对内不把欺诈黎民百姓当作一回事；为了获得较大的利益，对外不惜欺诈同盟国。在内对自己所拥有的不知道好好治理，却常常想要得到别人拥有的东西。这样的话，则他的臣下和百姓就没有哪一个不以欺诈的心理来对待他们的君主了。在上位的欺诈在下位的，在下位的欺骗在上位的，就会上下离心离德。如此，那些敌对的国家就会看不起他，同盟国就会不信任他，阴谋诡计日益盛行，国家就不可避免地面临危险和削弱，到了一定程度就要灭亡，齐湣王、薛公就是这样的例证。

“齐湣王、薛公掌握着强大齐国的政权，却不用它来整治礼义、提高道德，不用根本的政治教化全国上下，不以仁义礼乐的王道为统一天下的目标，而醉心于奔走在诸侯之间，谈合纵连横，拉帮结派。所以，虽然在它的力量强大到向南足以攻破楚国，向西足以使秦国屈服，向北完全可以打败燕国，在中原足可以一举灭掉宋国。但是，当燕、赵等国家联合起来攻打齐国的时候，

若振槁然㉞①，而身死国亡，为天下大戮㉞②，后世言恶则必稽焉㉞③。是无他故焉，唯其不由礼义而由权谋也。三者㉞④，明主之所谨择㉞⑤也，仁人之所务白㉞⑥也。善择者制人㉞⑦，不善择者人制之㉞⑧。”

乐毅闻画邑㉞⑨[4]人王蠋㉟⓪贤，令军中环画邑三十里无入㉟①，使人请蠋，蠋谢㉟②不往。燕人曰：“不来，吾且屠画邑㉟③。”蠋曰：“忠臣不事二君，烈女不更二夫㉟④。齐王不用吾谏，故退而耕于野[5]，国破君亡，吾不能存㉟⑤，而又欲劫之以兵㉟⑥。吾与其不义而生㉟⑦，不若死。”遂经其颈于树枝㉟⑧，自奋绝脰㉟⑨而死。

燕师乘胜长驱，齐城皆望风奔溃。乐毅修整㊱⓪燕军，禁止侵掠。求㊱①齐之逸民㊱②，显而礼之㊱③。宽其赋敛，除其暴令，修其旧政㊱④。齐民喜悦。乃遣左军㊱⑤渡胶东、东莱㊱⑥；前军㊱⑦循泰山以东至海㊱⑧，略琅邪㊱⑨；右军㊲⓪循河、济㊲①，屯阿、鄄㊲②以连魏师㊲③；后军㊲④旁北海㊲⑤以抚千乘㊲⑥；中军㊲⑦据临淄而镇齐都㊲⑧。祀桓公、管仲于郊㊲⑨，表贤者之闾㊳⓪，封㊳①王蠋之墓。齐人食邑于燕㊳②者二十余君，有爵位于蓟㊳③者百有余人。六月之间，下齐七十余城㊳④，皆为郡县㊳⑤。

秦王、魏王、韩王㊳⑥会于京师㊳⑦。

【段旨】

以上为第二段，写周赧王二十七年（公元前二八八年）至周赧王三十一年共五年间的各国大事，主要写了齐湣王灭宋，以及燕昭王任用乐毅，联合赵、秦、魏、韩四国共同伐齐，大破齐国，齐湣王兵败被杀的过程。

就像摧枯拉朽一样，身死国灭，成为天下的奇耻大辱，后世的人一谈到残暴的君主就都以齐湣王为借鉴。这不是因为别的原因，只是因为他治理国家不用礼义而用权谋啊。礼义、信义、权谋这三种治国之术，圣明的君主应该慎重选择，仁德的人也务必要弄明白。选择对了就能征服人、统治人，选择得不好就要被别人征服，被别人统治。”

乐毅听说画邑人王蠋很贤能，便下令军中说画邑四周三十里以内不得进入，还派人请王蠋出来做官，王蠋表示拒绝。燕国人说：“不来，就把画邑城摧毁，把城里的人杀光。”王蠋说：“忠臣不同时侍奉两位君主，烈女不改嫁第二个丈夫。齐王因为不听用我的谏言，故而退隐山林，耕种于田野，国家灭亡了，君主死了，我不能使国家复兴，而又被燕军以生死相威胁。与其不义地活着，还不如为义而死。”于是就在树枝上自缢而死。

燕国军队乘胜长驱直入，齐国守城的军队全都望风而逃。乐毅整顿军队，下令军中严禁烧杀抢掠。又四处访求齐国在野的贤人，给他们高官厚禄，使他们显贵，并以优礼相待。减轻人民的赋税，废除齐湣王时的暴政，恢复过去齐桓公、齐威王时期的政策法令。齐国的百姓都非常高兴。于是，乐毅派遣左路军渡过黄河进入胶东、东莱地区；派先头部队顺着泰山北侧向东一直到达东海边，平定琅邪一带；派右路军沿着齐国西侧黄河、济河剿灭残敌，进驻阿城、鄄城，与平定宋地的魏军相联络；派后路部队沿着齐国北部的海边东行，以控制千乘一带地区；中军则占据临淄以镇抚齐国都城与四郊。在临淄郊外大规模举行祭祀齐桓公、管仲的活动，对齐国的贤士，在他们居住的闾巷立表予以表彰，隆重埋葬王蠋。被燕国赐以封地的齐国人有二十多个，在燕都蓟县享有不同爵位的齐国人有一百多个。六个月的时间，就占领了齐国七十多座城邑，这些城邑都成了燕国的郡县。

秦昭王、魏昭王、韩釐王在周天子的都城洛阳举行会晤。

【注释】

⑭ 秦王称西帝：时当秦昭王十九年（公元前二八八年）。〖按〗依儒家的传统说法，只有远古时代那些道德极其崇高，不以兵革取天下的天子才能称为“帝”，如黄帝、颛顼、尧、舜等是也。自从夏禹开始家天下，德业不如以前，从此以后的天子只能称为“王”，如夏、商、周三代的天子就都是这样的。所以在西周以至春秋时期，只有周天子称“王”，各诸侯国只能称“公”；至战国中期，周天子已经成为傀儡，各诸侯国皆相继

称“王”，于是齐、秦两个大国不愿与诸国并列，遂有此同时称“帝”之举。⑬立齐王为东帝：立齐湣王为东方之帝，这也是穰侯魏冉拉拢齐国的一种手段。时当齐湣王十三年(公元前二八八年)。《史记》记齐、魏诸侯的系年错误极多，不可为据。⑭欲约与共伐赵：时当赵惠文王十一年(公元前二八八年)。⑮苏代：此依《史记》旧说，《战国策·齐策四》作“苏秦”。应作“苏秦”，原因详参韩兆琦《史记笺证》之《苏秦列传》。⑯自燕来：苏秦自燕入齐，是为了给燕昭王当间谍，以报当年齐侵燕之仇。⑰致帝：给我送来帝号，意即要尊我为东帝。致，送某物、某名于人。⑱受之而勿称：接受他们的这份“好意”，也就是表面上答应，但实际上不做任何举动。⑲天下安之：指各国可以接受，没有强烈的反对声浪。⑳王乃称之：到那时您再称帝。㉑无后也：这也不晚。㉒天下恶之：各国都讨厌他、反对他。恶，讨厌、憎恨。㉓王因勿称：于是您就见势收场，不称帝了。㉔以收天下：以博取各国君臣的好感。㉕大资：绝好的资本。㉖伐赵孰与伐桀宋利：伐赵与伐宋哪个对我们有利。孰与……利，与……哪个更好。桀宋，即指宋国。因当时的宋王偃残暴无道，故各国称之“桀宋”。当时宋国都城即今徐州。㉗释帝：放弃帝号不要。㉘天下之望：普天下的赞美声。望，名望、美誉。㉙宋举：宋国一旦被攻取。㉚楚、赵、梁、卫：时当楚顷襄王十一年(公元前二八八年)、赵惠文王十一年、魏昭王八年，卫国的君主众说不一。㉛以卑为尊：貌似卑怯，实际却换得了更多的尊崇。〖按〗《老子》有所谓“贵以贱为本，高以下为基”，以及“将欲歙之，必固张之；将欲取之，必固与之”云云，都是说这种意思。㉜复归之：又回到原来的称王。㉝吕礼自齐入秦：吕礼原是秦臣，也是到齐国来当间谍。由于他的阴谋未能得逞，遂返回秦国。㉞秦王亦去帝二句：此与吕礼回秦后的劝说很有关系。㉟杜阳：应依《史记·赵世家》作“梗阳”，赵邑名，在今山西太原西南清徐。㊱新垣、曲阳：都是魏邑名。新垣在今山西垣曲东南；曲阳在今河南济源。㊲河内：地区名，战国时代指今河南西北部的黄河以北地区，与对岸的黄河以南地区称作“河外”相对应。㊳安邑：魏国的旧都，在今山西夏县西北。㊴秦出其人归之魏：秦国把安邑的魏国人赶出，让他们回到魏国去。意即秦国只占领地盘，不要居民。㊵夏山：韩邑名，方位不详。㊶鷭：也作“鹯”，一种猛禽。㊷城之陬：城墙的某个角落。㊸史占之：史官占卜之后说。史是君主左右主管祭祀、观星、卜筮、记事等职务的人。占卜即今所谓算卦，是用龟甲、蓍草等以占卜吉凶。㊹小而生巨：小动物生了一只大动物，指雀生鹯而言。㊺必霸天下：一定会成为天下的霸主。《战国策·宋卫策》高诱注曰：“康王无道，不敢正对，故云‘必霸天下’。”㊻宋康王：宋君偃。㊼灭滕二句：滕、薛都是泗水流域的小国名，滕国在今山东滕州城西，薛在滕州东南。㊽取五城：具体不详。〖按〗宋是一个将近灭亡的小国，何能取齐之五城，盖传说之夸大不足信。梁玉绳《史记志疑》以为是“误以齐取宋城为宋取齐地”。㊾取地三百里：夸张不足信。梁玉绳亦以为荒诞。㊿为敌国：为势力相当之国。敌，相等、势均力敌。⑱欲霸之亟成：盼着尽快地成为霸主。亟，速。⑱射天笞地：箭射天神，鞭打地神。《史记·宋微子世家》说宋君偃“盛血以革囊，县而射之，命曰‘射天’”。郭嵩焘曰：“案《殷本纪》，武乙亦有射天事，此当为传闻附会之误。”笞，以皮鞭或棍棒打人。⑱③ 斩社稷而焚灭之：把供奉为社稷的树木伐倒烧掉。⑱④ 以示威服鬼神：以显示他的威风连鬼神都害怕。崔适曰：“此事亦见《吕氏春秋》。然《殷本纪》：‘帝武乙为偶人，谓之天神，与之博，令人为行。天神不胜，乃僇辱之。为革囊盛血，仰而射之，命曰“射天”。’与此言相似，疑是一事，传者误分为二事尔。”杨宽曰：“考之史策，君偃并无败齐、楚、魏等国之事。射天，淫于酒、妇人等，无非诬蔑之辞。……古书中所述宋王偃之荒唐行为，几乎与商纣之传说全同，全出于后人之误为牵合。详顾颉刚《宋王偃的绍述先德》（见《语丝》第六期及《古史辨》第二册）。”⑱⑤ 室中：内室之中。⑱⑥ 堂上：室前的厅堂之上。⑱⑦ 堂下：厅堂下的院落之中。⑱⑧ 国中：整个京城之中。⑱⑨ 桀宋：同夏桀一样残暴的宋君。桀是夏朝的末代之君，其残暴情景见《史记》之《夏本纪》《殷本纪》。⑲⓪ 死于温：温是魏邑名，在今河南温县西南。宋王偃在位的年数有说是四十七年，有说是四十三年。宋国自西周初期建国，历七百多年至此灭亡。⑲① 宛：楚县名，即今河南南阳。⑲② 中阳：赵县名，在今山西中阳东。⑲③ 蒙武：梁玉绳《史记志疑》以为应作“蒙骜”，蒙骜乃蒙武之父，详见《史记·蒙恬列传》。⑲④ 三晋：指赵、魏、韩三国。⑲⑤ 二周：指都于巩县的东周君与都于王城的西周君。⑲⑥ 狐咺：齐国的直臣。⑲⑦ 正议：正直地议论朝政。⑲⑧ 斫：砍；斩。⑲⑨ 檀衢：齐国临淄的街道名。⑳⓪ 陈举：齐国的直臣。⑳① 东闾：齐国临淄的里巷名。有说檀衢与东闾皆当时齐国的行刑之处。⑳② 抚循其人：关怀抚恤他的臣民。抚循，关怀、抚慰。⑳③ 富实：百姓的生活越来越富裕殷实。⑳④ 乐毅：先在赵国为臣，赵武灵王死后来到燕国，为燕昭王的大将。事迹详见《史记·乐毅列传》。⑳⑤ 霸国之余业：是曾经出过霸主的国家。齐国从春秋以来就是东方大国，齐桓公更一跃而成为第一代诸侯霸主。篡夺姜氏后的田氏齐国到齐威王时打败强极一时的魏国，上升为战国时代最强的国家，接着齐宣王、齐湣王一直都很强大。故乐毅称其“霸国之余业”。余业，犹言“余绪”。⑳⑥ 未易独攻：单靠我们一个燕国难以取胜。⑳⑦ 约赵及楚、魏：联合赵国与楚国、魏国。⑳⑧ 且令赵啗秦以伐齐之利：而且让赵国再拿伐齐的好处去劝说秦国。啗秦，引诱秦国。⑳⑨ 害：憎恨；以之为病。㉑⓪ 上将军：犹今所谓最高统帅。㉑① 尉斯离：秦国的国尉，名斯离。国尉是秦国的军事统帅。㉑② 赵王以相国印授乐毅：指任乐毅为赵国丞相。〖按〗此次伐齐之役实际乃以赵国为核心。㉑③ 并将秦、魏、韩、赵之兵：〖按〗据《史记》，此次伐齐之五国，为燕、赵、韩、魏、楚；梁玉绳《史记志疑》以为是秦、楚、燕、赵、韩、魏六国。今历史家皆考据为燕、赵、秦、魏、韩，与《资治通鉴》同，没有楚国。㉑④ 济西：济水之西。当时的济水从河南荥阳一带流来，经定陶东北折，至今山东博兴东北入渤海。所谓济西，即今山东之禹城、聊城、阳谷等与赵国邻近的黄河以东地区。㉑⑤ 还秦、韩之师：打发秦、韩两国的军队回国。㉑⑥ 分魏师以略宋地：让魏国军队去收拾新被齐国占领的宋国地盘。㉑⑦ 部赵师以收河间：派赵国军队去收复清河与黄河之间被齐国占据的地盘。部，布置、分派。河间，两河之间，指清河与黄河之间的今山东高唐、山东临清等一带地区。㉘身率燕师二句：亲自率领燕国军队长驱直入地攻入齐国本土。身，亲自。长驱，意即径直攻入。逐北，追击败逃之敌。〖按〗以上乐毅的这番军事部署，为先秦、汉代记载之所无。据《史记》，济西破齐后，秦、赵、魏、韩皆以为教训齐国的目的已经达到，遂皆撤军回国，只有燕国必欲灭齐而后快，故孤军直入齐国。㉙剧辛：燕国末期的将领，司马光将其安排为与乐毅对话，乃依《史记》之误。今之历史家多以为非。㉚自益：拓宽边境，扩大自己的地盘。㉛过而不攻：指把已经占据的地盘抛在身后，不加以巩固，只顾一心往前打。㉜无损于齐：对齐国构不成致命的严重损失。㉝无益于燕：使燕国得不到真正的好处。㉞结深怨：白白地加深齐国对燕国的仇恨。㉟伐功矜能：夸耀自己的功劳和才能。㊱谋不逮下：不征求下层的意见。逮，及。㊲谄谀：以悦耳之言迎合讨好上级。㊳戾虐：悖谬；残暴。㊴怨怼：怨恨。怼，也是怨的意思。㊵因而乘之：趁其崩溃而对之猛烈进攻。乘，趁机。㊶祸乱内作：其内部将有政变发生。㊷齐可图：齐国将被我所灭。图，谋取、吞并。㊸遂：就；趁势。㊹待彼：等到齐国的统治者。㊺改过恤下：改正错误，体恤下情。㊻难虑：难以再考虑灭齐之事。㊼失度：犹今所谓"乱套"。㊽出走：逃出了国。㊾临淄：齐国的都城，在今山东淄博市临淄区北。㊿祭器：祭祀天地宗庙时所陈设、使用的各种礼器。241输之于燕：掠夺运送到燕都蓟县。输，运送。242济上：济水之滨。243飨士：犒赏燕国士兵。飨，用酒食招待人。244昌国君：既取昌盛燕国之名，又以昌国县为乐毅的封地。昌国是齐县名，在今山东淄博东北。245留徇齐城之未下者：留在齐国，继续攻取那些尚在坚守、尚未归顺燕国的城邑。徇，巡视，寻找有不降者而攻取之。246之卫：来到卫国。当时已经成为魏国附庸的卫国，都城在今河南濮阳西南。其国君究竟如何称谓诸说不一。247辟宫舍之：让出自己的王宫招待齐王住宿。辟，通"避"。248共具：同"供具"，意即设酒宴招待。共，同"供"。具，饮食器具，这里即指酒食、筵席。249不逊：无礼；态度傲慢。250侵之：指以语言斥责之，具体情节不详。251齐王去二句：齐湣王离开卫国，转道奔往邹、鲁。邹、鲁都是泗水流域的小国名，邹在今山东邹县东南，鲁即今山东曲阜。252有骄色：据《史记·鲁仲连邹阳列传》：齐湣王之鲁，其从人谓鲁人曰："子将何以待吾君？"鲁人曰："吾将以十太牢待子之君。"其从人曰："子安取礼而来待吾君？彼吾君者，天子也。天子巡狩，诸侯辟舍，纳管籥，摄衽抱机，视膳于堂下。天子已食，乃退而听朝也。"结果鲁人未让其进城。又欲之薛，假途于邹。时值邹君死，湣王欲入吊。其从人谓邹之孤曰："天子吊，主人必将倍殡棺，设北面于南方，然后天子南面吊也。"结果邹人闭门不纳。253弗内：不让他进城。内，通"纳"，进入。〖按〗齐湣王当兵败国破之时，不东逃即墨或南逃莒县，而迎着燕军前来的方向西奔入濮阳，南奔向邹鲁，究竟意欲何为？此皆荒诞不可信。司马光写此事乃依据《史记·鲁仲连邹阳列传》中斥责辛垣衍语。鲁仲连的人格自然可敬，而后人附会的故事岂能当作信史！254莒：齐国南部的大县名，为齐国的五都之一，即今山东莒县。㉕淖齿：奉命救齐的楚将名。㉖因为齐相：于是任齐湣王之相。㉗分齐地：中分齐地，皆在齐地称王。㉘执：拘捕。㉙数之：列举其罪状而谴责之。㉖⓪千乘、博昌：皆齐县名。千乘在今山东高青东北；博昌在博兴西南。㉖①雨血沾衣：天降红雨，打湿了人们的衣衫，人们不解，惊以为天降血。㉖②嬴、博：齐之二县名，嬴县故城在今山东莱芜西北，博县故城在今山东泰安东南。㉖③地坼及泉：地裂成沟，下见泉水。坼，裂。㉖④当阙：对着齐国王宫的大门。阙，宫门两侧的高台，这里即指宫门。㉖⑤求之不得：到宫门前寻找，看不见人。求，寻找。㉖⑥去则闻其声：寻找者一离开，立刻就又听见有人哭。去，离开。㉖⑦天以告也：这是老天爷在警告你。㉖⑧不知诫：不提高警惕；不引为教训。㉖⑨何得无诛：怎么能不受到讨伐。诛，讨代。㉗⓪弑王于鼓里：鼓里，莒县城里的里巷名。〖按〗以上淖齿弑齐湣王事，见《战国策·齐策六》。而旧注又有所谓"淖齿弑湣王而擢其筋，悬于庙梁，宿昔而死"之语。今淄博市临淄区之淄河村南有"四王墓"，相传为齐威王、齐宣王、齐湣王、齐襄王之墓。四墓自西而东并列，绵延相连，封土高大，状若山丘。此地齐王陵寝极多，故有"齐陵"之称。㉗①荀子论之曰：以下所引荀子语，见《荀子·王霸》。㉗②国者二句：国家政权，是控制整个国家的利益、具有最高权威的部门。〖按〗《荀子》原文于此作"国者，天下之利用也；人主者，天下之利势也"。㉗③得道以持之：让得道的人来掌握它。道，指带有儒家色彩的治理国家的根本原则。持，掌握。㉗④大荣：最大限度的富强繁荣。㉗⑤积美之源：是一切美好事物产生的基础。㉗⑥大累：大累赘；大灾难。㉗⑦有之不如无之：与其掌这个权，还不如不掌。㉗⑧及其綦也：到了顶点。綦，极。㉗⑨索为匹夫二句：再想当一个普通百姓都不可能。索，求、想要。匹夫，普通百姓。㉘⓪齐湣、宋献是也：齐湣王、宋献公都是这种人。宋献，即宋王偃，前此被齐湣王所灭，死于温者。"献"字是谥。㉘①用国：掌握国家大权。㉘②义立而王：合道义的掌权者就可以称王于天下。义，宜也，合乎道义、合乎人心。㉘③信立而霸：言而有信的当权者就可以成为诸侯霸主。㉘④权谋立而亡：光靠耍权谋、玩手段的当权者必定灭亡。㉘⑤挈国以呼礼义：率领整个国家以呼唤礼义。挈，拉扯、率领。呼，呼唤、提倡。㉘⑥无以害之：办什么事情都不要违背礼义。㉘⑦行一不义二句：语出《孟子·公孙丑下》。"行一不义，杀一无罪"，极言其罪之小；"得天下"，极言其所得之大。㉘⑧擽然扶持心国：坚定地以仁义充满其心，治理其国。擽然，坚定、踏实的样子。㉘⑨若是其固也：是如此坚定不移。㉙⓪之所与为之者之人二句：和他一起治理国家的人，全都是礼义之士。所与，所结交、所交往。举，皆、全部。㉙①布陈：充满、贯彻。㉙②举义法：都是符合礼义的章程、法度。㉙③主之所极然：君主所特别肯定的事情。㉙④帅群臣而首向之者：率领文武百官所奔赴的方向。㉙⑤举义志也：都是符合礼义的目标。志，想法、目标。㉙⑥下仰上以义：百姓群臣都仰慕君主的体行仁义。㉙⑦綦定：国家的基础巩固。㉙⑧以国济义：举国上下都实行仁义。㉙⑨一日而白：一天之间就显赫于天下。白，显赫、昭著。㉚⓪汤、武是也：商汤、周武王就是这样的人。㉚①未至：未达；没有达到应有的高度。㉚②未济：

未成；没有完全具备。㉝ 天下之理略奏：治理天下的条理大致具备。奏，具备。㉞ 刑赏已诺：该受罚的、该受赏的，该停止的、该立办的。㉟ 信于天下：整个国家都知道你说的话一定算数。㊱ 晓然皆知：都清楚地知道。晓然，清楚明白的样子。㊲ 可要：可以建约，这里意即可以信赖。要，意思同“约”。㊳ 已陈：一旦颁布施行。㊴ 虽睹利败：尽管看到了其中的问题。败，缺点、问题。㊵ 不欺其民：不失信于民，意即该怎样还是怎样。㊶ 约结：与别国缔结的盟约。㊷ 不欺其与：不失信于盟国。与，盟国。㊸ 如是：这样一来。㊹ 兵劲：兵强。㊺ 国一綦明：国家上下一致，基层信任上层。綦，同“基”，基础、基层。㊻ 僻陋：偏僻、简陋。㊼ 五伯：即“五霸”，通常指齐桓公、晋文公、楚庄王、吴王阖闾、越王勾践。伯，通“霸”，诸侯霸主。㊽ 挈国以呼功利：率领国家上下追逐功利。功利，功名利禄。㊾ 张：扩大；发扬。㊿ 齐：划一；严格讲究。㉑ 唯利之求：唯利是图。㉒ 不惮诈其民：不把欺诈其黎民百姓当作一回事。不惮，不怕，不把……当成一回事。㉓ 诈其与：欺骗他的盟国。㉔ 修正其所以有：把自己国家现有的土地财物管理好。修正，治理、管理。以，通“已”。㉕ 然常欲人之有：但却总想把别人所有的东西夺过来。然，但。㉖ 上下析：上下之间分崩离析。析，分离、离心离德。㉗ 危削：危险、削弱。㉘ 綦之而亡：发展到极点就要灭亡。綦，通“极”。㉙ 齐湣、薛公是也：齐湣王、孟尝君就是这种人。薛公，孟尝君田文的封号名。孟尝君以养客闻名，但一心图谋私利，甚至不惜勾结外敌以攻打自己的国家。事见《史记·孟尝君列传》。㉚ 故用强齐：他们所用的壮大齐国的手段。㉛ 非以修礼义：不是靠着修行礼义，提高道德。㉜ 非以本政教：不是用根本的政治教化全国上下。本政，以仁义礼乐为本的政治。㉝ 非以一天下：不是以仁义礼乐的王道为统一天下的目标。一，统一。㉞ 绵绵：经常一贯地。㉟ 以结引驰外为务：指总是醉心于合纵、连横，在诸侯间拉一伙、打一伙。结引，同“结靷”，意即乘车奔走于诸侯之间，谈判结盟。㊱ 强：在其强大的时候。㊲ 诎秦：让秦国屈服。诎，屈服。㊳ 举宋：拔取宋国。㊴ 及以：及至；等到。㊵ 燕、赵：指燕、赵、秦、魏、韩五国。㊶ 若振槁然：像摇动树干，其枯叶纷纷落下一样。㊷ 天下大戮：天下所少有的奇耻大辱。戮，辱。㊸ 后世言恶则必稽焉：后代人谈起历史教训都必然要考察到齐湣王的典故上来。稽，考察。㊹ 三者：指“义立而王”“信立而霸”“权谋立而亡”三项历史法则。㊺ 谨择：慎重地选择。㊻ 务白：务必弄清楚。㊼ 善择者制人：选择对了就能征服人、统治人。㊽ 不善择者人制之：选择得不好就要被人征服、受人统治。㊾ 画邑：齐国乡邑名，在今山东淄博市临淄区西北。㊿ 王蠋：本齐臣，因谏齐王不听，退居乡里。㉑ 无入：不得进入。㉒ 谢：推辞；拒绝。㉓ 吾且屠画邑：我将把画邑的居民全部杀光。屠，指毁其城而杀其民。㉔ 不更二夫：不改嫁第二个丈夫。更，改。㉕ 不能存：不能使国与君得以保存。㉖ 劫之以兵：以生死相威胁。兵，兵器。㉗ 不义而生：不能正直、自由地活着。358 经其颈于树枝：在树杈上上吊。经，以丝绦、绳索勒脖子。359 自奋绝脰：自己跳动，勒断喉管。脰，脖子。360 修整：约束；整顿。361 求：访求；寻找。362 逸民：有才德而隐居不仕的人。363 显而礼之：提高他们的官爵地位，对之以优礼相待。364 修其旧政：让其实行过去齐桓公、齐威王时的政策法令。365 左军：指燕国的东路军。366 渡胶东、东莱：渡河进入胶东、东莱地区。胶东指今山东胶河以东的胶州、平度、莱阳等地；东莱指今山东烟台、威海等滨海地区。367 前军：正面的前锋部队，亦即燕国的南路军。368 循泰山以东至海：沿着泰山北侧东行，一直到海边。〖按〗这大体就是沿着当时齐国长城的走向，西起平阴，沿泰山北侧东行，而后东南折，直到今诸城东南海边的古琅邪台。循，顺、沿着。369 略琅邪：拓定琅邪一带地区。琅邪在今山东诸城之东南、胶南之西南、日照之东北，此地曾一度是越王勾践的都城。370 右军：燕国的西路军。371 循河、济：沿着齐国西侧的黄河、济水扫荡残敌，拓定地盘。当时的黄河自河南濮阳、南乐流来，经河北大名、山东之高唐、平原、德州，东北流至河北沧州东北入海。当时的济水自河南流来，经山东的定陶、巨野、东平，东北流经济南，再东北流至博兴东北入海。这两条河所经由的今山东西部地区是当时齐国的西部边界或临近边界之地。372 屯阿、鄄：驻兵于阿、鄄二城。屯，驻守。阿、鄄都是齐国的属县。阿，也称"东阿"，县治即今山东阳谷东北的阿城镇；鄄县故城在今山东鄄城北。373 连魏师：与正在平定宋国地面的魏国军队相联络。当时宋国的地盘在今河南商丘与江苏的徐州一带，正与燕军所驻的阿、鄄相邻近。374 后军：燕国的北路军。375 旁北海：沿着齐国北部的海边运动。旁，同"傍"，沿着。376 抚千乘：拓定千乘一带地区。抚，镇抚、恩威并施地予以平定。千乘是齐县名，在今山东高青东北。377 中军：燕军的大本营。378 镇齐都：镇抚齐国的京城与其四郊。379 祀桓公、管仲于郊：在郊外大规模地对齐桓公与管仲进行祭祀。桓公，名小白，公元前六八五至前六四三年在位，是春秋时代最有作为的齐国君主，著名的"春秋五霸"之一。管仲名夷吾，字仲，齐桓公的得力辅佐者，事迹见《史记·管晏列传》。380 表贤者之闾：对齐国的贤士，在其所住的里巷立表予以彰显。表，为彰显某人某事所竖的立柱，与后代的挂匾略同。381 封：加土。382 食邑于燕：被燕国赐以封地，在燕国称号曰君的齐国人。383 有爵位于蓟：在燕都蓟县享有不同爵位的齐国人。384 下齐七十余城：攻下了齐国城邑七十余座。〖按〗说齐国国土之大常用"七十余城"以称之，自战国至秦汉皆然。385 皆为郡县：都使之成为燕国的郡县。386 秦王、魏王、韩王：秦昭王、魏昭王、韩釐王。387 会于京师：在周天子的都城洛阳举行会晤。〖按〗据《史记》之《六国年表》《魏世家》《韩世家》，均书为"会西周"；而《史记·秦本纪》则书为"与魏王会宜阳，与韩王会新城"，具体细节不详。京师当指西周之王城，即今河南洛阳。

【校记】

［2］魏：原作“赵”，盖涉上文而误。据章钰校，十二行本、乙十一行本、孔天胤本皆作“魏”，张敦仁《通鉴刊本识误》同，今据改。〖按〗《史记·魏世家》《史记·六国年表》：魏昭王九年（周赧王二十八年，公元前二八七年），“秦拔我新垣、曲阳之城”。［3］綦定：包括前一句中的“纂定也”，二“綦”字原作“基”。据章钰校，乙十一

【原文】

三十二年（戊寅，公元前二八三年）

秦、赵会于穰[388][6]。秦拔魏安城[389]，兵至大梁而还。

齐淖齿之乱[390]，湣王子法章[391]变姓名为莒太史敫[392]家佣[393]。太史敫女奇法章状貌[394]，以为非常人[395]，怜而常窃衣食之[396]，因与私通。

王孙贾[397]从湣王[398]，失王之处[399]，其母曰：“汝朝出而晚来[400]，则吾倚门而望；汝暮出而不还，则吾倚闾而望[401]。汝今事王[402]，王走[403]，汝不知其处，汝尚何归焉[404]？”王孙贾乃入市中[405]呼曰：“淖齿乱齐国，杀湣王，欲与我诛之者袒右[406]！”市人从者四百人，与攻淖齿，杀之。于是齐亡臣[407]相与[408]求湣王子，欲立之[409]。法章惧其诛己，久之，乃敢自言[410]，遂立以为齐王[411]。保莒城[412]以拒燕，布告国中曰：“王已立在莒矣[413]。”

赵王得楚和氏璧[414]，秦昭王欲之[415]，请易以十五城[416]。赵王欲勿与，畏秦强；欲与之，恐见欺[417]。以问蔺相如[418]，对曰：“秦以城求璧，而[419]王不许，曲在我[420]矣；我与之璧，而秦不与我城，则曲在秦。均之二策[421]，宁许以负秦[422]。臣愿奉璧[423]而往，使秦城不入[424]，臣请完璧

行本二“基”字均作“綦”，今从乙十一行本及《荀子·王霸》改。[4] 画邑：“画”原作“昼”。据章钰校，乙十一行本、孔天胤本皆作“画”。胡三省注云：“《通鉴》以画邑为昼邑，以孟子去齐宿于昼为据也，若以《孟子》为据，则‘昼’读如字。”今从乙十一行本及《史记·田单列传》改，下均同。[5] 齐王不用吾谏，故退而耕于野：此十二字原无。据章钰校，十二行本、乙十一行本、孔天胤本皆有此十二字，张敦仁《通鉴刊本识误》、张瑛《通鉴校勘记》同，今从诸本及《史记·田单列传》补。

【语译】

三十二年（戊寅，公元前二八三年）

秦昭王与赵惠文王在楚国的穰县举行会晤。秦国的军队攻占了魏国的安城，秦军逼近魏国都城大梁之后撤军回国。

齐湣王被楚国淖齿杀死以后，齐湣王的儿子法章被迫隐姓埋名，逃到莒地做了太史敫的家奴。太史敫的女儿发现法章相貌奇特，认为他不是普通人，心里又很喜欢他，就常常从家里偷偷地拿些衣服、食物给他，并逐渐有了儿女私情。

王孙贾跟随齐湣王一起出逃，后来失散，王孙贾不知道齐湣王逃到哪里去了，他母亲责备他说：“你早晨出去，一旦回来晚了，我就会靠在大门口等候你；你晚上出去了很久还不回来，我就会站在胡同口等你。现在你侍奉国王，国王逃走了，你却不知道国王逃到哪里去了，你还有何脸面回家？”于是，王孙贾就跑到人多的地方大声地呼喊：“淖齿扰乱了齐国，杀死了齐湣王，谁想和我一起去除掉他，就脱下你们的衣服，露出你们的右胳膊！”响应他的有四百多人，大家跟随着王孙贾去攻打淖齿，把淖齿杀死。于是齐国那些逃亡在外的大臣也都回到齐国，齐国上上下下到处寻找齐湣王的儿子法章，想要拥立他做齐国的国君。法章害怕自己中了圈套被杀，所以不敢站出来表明自己的身份，过了很久，看到王孙贾等人确实是真心实意地要立自己为国君，这才承认自己就是齐湣王的儿子法章，于是众人立法章为齐君，就是齐襄王。齐襄王坚守莒城抵抗燕军，并诏告齐国人说：“齐国的新国王已经在莒城即位了。”

赵惠文王得到了楚国的和氏璧，秦昭王非常想要得到这块璧，他用十五座城来与赵国交换和氏璧。赵惠文王本来不想把和氏璧给秦国，但又害怕秦国的强大；想用和氏璧来换取十五座城，又担心被秦国欺骗。他拿这个问题向蔺相如请教，蔺相如回答说：“秦国用十五座城来换取和氏璧，大王如果不答应，理亏的是我们赵国；如果我们把和氏璧给秦国，秦国不把十五座城给赵国，理亏的是秦国。衡量这两种做法，我认为宁可答应秦国，让秦国背负理亏的罪名。我愿意护送和氏璧到秦国去，假如秦国不肯把十五座城割让给赵国，我保证把完好无损的和氏璧送回赵国。”赵惠

而归之[425]。”赵王遣之。相如至秦，秦王无意偿赵城。相如乃以诈绐秦王，复取璧[426]，遣从者怀之[427]，间行归赵[428]，而以身待命于秦[429]。秦王以为贤而弗诛，礼而归之[430]。赵王以相如为上大夫[431]。

卫嗣君薨，子怀君[432]立。嗣君好察微隐[433]，县令有发褥而席弊[434]者，嗣君闻之，乃赐之席[435]。令大惊，以君为神。又使人过关市[436]，赂之以金[437]，既而召关市[438]，问：“有客过，与汝金，汝回遣之[439]？”关市大恐。又爱泄姬[440]，重如耳[441]，而恐其因爱重以壅己[442]也，乃贵薄疑[443][7]以敌如耳[444]，尊魏妃[445]以偶泄姬[446]，曰：“以是相参也[447]。”

荀子论之曰[448]：“成侯[449]、嗣君，聚敛计数[450]之君也，未及取民[451]也。子产[452]，取民者也，未及为政[453]也。管仲[454]，为政者也，未及修礼[455]也。故修礼者王[456]，为政者强[457]，取民者安[458]，聚敛者亡[459]。”

三十三年（己卯，公元前二八二年）

秦伐赵[460]，拔两城[461]。

三十四年（庚辰，公元前二八一年）

秦伐赵，拔石城[462]。

秦穰侯复为丞相[463]。

楚欲与齐、韩共伐秦[464]，因欲图周[465]。王使东周武公[466]谓楚令尹昭子[467]曰：“周不可图也。”昭子曰：“乃图周，则无之[468]。虽然[469]，何不可图[470]？”武公曰：“西周之地，绝长补短[471]，不过百里，名为天下共主[472]。裂其地不足以肥国[473]，得其众不足以劲兵[474]。虽然，攻之者名为弑君[475]。然而犹有欲攻之者，见祭器在焉故也[476]。夫虎肉臊而兵利身[477]，

文王于是派蔺相如带着和氏璧出使秦国。蔺相如到了秦国，秦昭王拿到和氏璧以后，果然无意用十五座城换取和氏璧。蔺相如就用假说和氏璧有瑕，请为秦王指出来的方法骗回和氏璧，然后派随从怀揣和氏璧，偷偷地从小路回到赵国，而自己却留在秦国等候秦昭王的处置。秦昭王认为蔺相如是一个贤能的人，不仅没有处罚他，还有礼貌地让他返回赵国。赵惠文王封蔺相如为上大夫。

卫嗣君死，他的儿子即位，就是卫怀君。卫嗣君喜好刺探别人的隐私，有一个县令由于廉洁，生活很清苦，掀起他的褥子就露出下面铺着的破席子，这件事被卫嗣君知道了，他就赐给这个县令一张席子。县令非常吃惊，以为国君是个神人。卫嗣君又派人到边关的市场去买东西，并向管理关市的官员行贿。过后，他把管理关市的官员找来，问道："是不是有人到关市向你行贿，并要求你将所接受的贿赂送还原主?"那个关市官员被吓得魂不附体。卫嗣君宠爱一个姓泄的姬妾，同时又重用如耳，但担心泄姬与如耳二人因为自己的宠爱和重用而使自己受到蒙蔽，于是就提升薄疑的职位以与如耳相抗衡，又尊崇魏妃以抵制泄姬，并说："对他们双方的话要参照听用。"

荀子评论说："卫成侯、卫嗣君都是搜刮百姓、锱铢必较的君主，因此他们没有得到百姓的拥护。郑国的贤相子产，虽然得到百姓的拥护，但他没有建立起一套合适的政策法令。管仲虽然建立起一套合适的政策法令，但没有用礼乐治理国家。用礼乐治理国家的就能够成就王业，能够制定并推行一套好的政策法令的就能够使国家强盛而称霸一时，能够获得百姓拥护的就能使国家政权稳固，而只知道聚敛财富的就必定要灭亡。"

三十三年（己卯，公元前二八二年）

秦国攻打赵国，占领了两座城邑。

三十四年（庚辰，公元前二八一年）

秦国侵犯赵国，占领了石城。

秦穰侯魏冉再次当上了秦国的丞相。

楚国想要与齐国、韩国共同讨伐秦国，并顺便灭掉当时的周天子与东、西两周君。周赧王知道消息后，就派东周武公去游说楚国的令尹昭子，东周武公对楚国令尹昭子说："灭掉周王室是不行的。"昭子说："只要我想灭掉周国，那就没有灭不了的。虽然如此，但我还是想知道周王室为什么不可以灭掉?"东周武公说："西周的领地，截长补短，也不过只有百里方圆大的一点地方，但名义上却是天下共同尊奉的君主。你瓜分了它的领土，不能使楚国的领土增加多少；得到了它的人民，也不能使楚国的兵力更加强大。但是，你灭掉了它，就背上一个弑君的罪名。即使这样，仍然有人想要攻打它，原因就是看到周天子还拥有那些让人动心的祭器。老虎的肉又腥又臊，

人犹攻之[478]。若使泽中之麋蒙虎之皮[479]，人之攻之也必万倍矣。裂楚之地[480]，足以肥国；诎楚之名[481]，足以尊主[482][8]。今子欲诛残天下之共主，居三代之传器[483]。器南[484]，则兵至矣[485]。”于是楚计辍不行[486]。

三十五年（辛巳，公元前二八〇年）

秦白起败赵军，斩首二万，取代光狼城[487]。又使司马错发陇西兵[488]，因蜀攻楚黔中[489]，拔之。楚献汉北[490]及上庸[491]地。

三十六年（壬午，公元前二七九年）

秦白起伐楚，取鄢、邓、西陵[492]。

秦王使使者告赵王，愿为好会[493]于河外渑池[494]。赵王欲毋行[495]，廉颇、蔺相如[496]计曰：“王不行，示赵弱且怯也。”赵王遂行，相如从。廉颇送至境，与王诀[497]曰：“王行，度道里会遇之礼毕，还，不过三十日[498]。三十日不还，则请立太子以绝秦望[499]。”王许之[500]。

会于渑池。王与赵王饮，酒酣[501]，秦王请赵王鼓瑟[502]，赵王鼓之。蔺相如复请秦王击缶[503]，秦王不肯。相如曰：“五步之内，臣请得以颈血溅大王[504]矣。”左右欲刃[505]相如，相如张目叱[506]之，左右皆靡[507]。王不怿[508]，为一击缶[509]。罢酒[510]，秦终不能有加于赵[511]。赵人亦盛为之备[512]，秦不敢动。赵王归国，以蔺相如为上卿[513]，位在廉颇之右[514]。

廉颇曰：“我为赵将，有攻城野战之功。蔺相如素贱人[515]，徒以口舌而位居我上，吾羞，不忍为之下。”宣言[516]曰：“我见相如，必辱之。”相如闻之，不肯与会[517]。每朝，常称病，不欲争列[518]。出而望见，辄[519]引车避匿。其舍人[520]皆以为耻。相如曰：“子视廉将军孰与秦

而且老虎还有锋利的爪牙可以伤人，人为了要它的皮还是要捕杀它。如果荒原上的麋鹿也都长有老虎那样的皮，恐怕捕杀麋鹿的人比捕杀老虎的人要多得多。瓜分楚国的土地，能够扩张自己的领土；打败强大楚国的美名，能使本国国君得到尊荣。今天你想要诛杀天下共同尊奉的周天子，独占夏、商、周三代的传国宝器。恐怕周国的宝器一旦南迁楚国，各国讨伐楚国的大军也就紧随其后了。"昭子听后，便放弃了灭周的打算。

三十五年（辛巳，公元前二八〇年）

秦国大将白起率军打败了赵国的军队，斩杀二万人，攻占了赵国的代地、光狼城。又派司马错征调陇西一带的兵员，借助蜀地的人力、物力攻占了楚国的黔中郡。楚国将汉水以北的土地以及上庸之地献给秦国以求和。

三十六年（壬午，公元前二七九年）

秦国白起攻伐楚国，侵占了楚国的鄢、邓、西陵。

秦昭王派使者告诉赵惠文王，希望与赵惠文王在黄河以南的渑池友好会见。赵惠文王想不去，廉颇、蔺相如劝说赵王："大王如果不去，就是向秦国显示我们赵国的弱小和胆怯。"赵惠文王不得已只好起行，由蔺相如陪同前往。廉颇护送赵惠文王来到边界，在与赵惠文王告别的时候说："大王这次前往渑池，估计来回路上所用的时间和与秦王会见的时间，总共不会超过三十天。如果过了三十天大王还不回来，我请求大王允许立太子为赵王，以断绝秦国用大王来要挟赵国的念头。"赵惠文王同意了廉颇的请求。

赵惠文王与秦昭王在渑池相会。秦昭王与赵惠文王饮酒，喝到最畅快的时候，秦昭王邀请赵惠文王鼓瑟，赵惠文王只好用瑟为秦昭王弹奏了一曲。蔺相如也请秦昭王用秦国的乐器缶为赵王演奏一次，秦昭王不肯。蔺相如说："五步之内，我脖子上的血就可溅到大王的身上。"秦昭王左右的人想要杀死相如，相如瞪大双眼怒声呵斥，秦昭王左右的人被吓得纷纷倒退。秦昭王虽然很不高兴，但还是为赵王敲击了一下缶。这次会见一直到宴会结束，秦国始终不能凌驾于赵国之上。赵国国内也充分做好了应对突发事件的准备，因此，秦国没敢对赵国采取什么行动。赵惠文王回到国内，加封蔺相如为上卿，职位在廉颇之上。

廉颇说："我身为赵国的大将，有攻城略地的功劳。蔺相如出身卑贱，只不过是动了动嘴皮子就职位在我之上，我为此感到耻辱，我实在不甘心地位在他之下。"于是扬言说："我见到蔺相如，一定要当面羞辱他一番。"这话传到了蔺相如的耳朵里，从此便不愿与廉颇碰面。每次大臣们朝见国王的时候，蔺相如都推说自己有病而不去，为的是避免和廉颇因为位次的先后高低而产生冲突。即使外出在路上远远地望见廉颇，也马上掉转车子避开廉颇，不与他碰面。跟随相如的幕僚都觉得是一种耻辱。蔺相如问他们："廉将军与秦王相比，你们认为谁更厉害呢?"幕僚们都说："廉

王[521]？”曰：“不若[522]。”相如曰：“夫以秦王之威，而相如廷叱之[523]，辱其群臣[524]。相如虽驽[525]，独畏廉将军哉？顾吾念之[526]，强秦所以不敢加兵于赵者，徒以吾两人在也[527]。今两虎共斗，其势不俱生。吾所以为此者，先国家之急，而后私仇也[528]。”廉颇闻之，肉袒负荆[529]至门谢罪，遂为刎颈之交[530]。

初，燕人攻安平[531]，临淄市掾田单[532]在安平[533]，使其宗人皆以铁笼傅车辖[534]。及城溃[535]，人争门而出，皆以辖折车败[536]，为燕所擒。独田单宗人[537]以铁笼得免[538]，遂奔即墨[539]。是时，齐地皆属燕，独莒[540]、即墨未下[541]。乐毅乃并右军、前军以围莒，左军、后军围即墨。即墨大夫[542]出战而死。即墨人曰：“安平之战，田单宗人以铁笼得全，是多智习兵[543]。”因共立以为将，以拒燕。

乐毅围二邑，期年[544]不克，乃令解围，各去城九里而为垒[545]，令曰：“城中民，出者勿获[546]，困者赈[547]之，使即旧业[548]，以镇新民[549]。”三年而犹未下，或谗[550]之于燕昭王曰：“乐毅智谋过人，伐齐，呼吸之间[551]克七十余城。今不下者两城耳，非其力不能拔[552]。所以三年不攻[553]者，欲久仗兵威以服齐人[554]，南面而王[555]耳。今齐人已服，所以未发[556]者，以其妻子在燕故也。且齐多美女，又将忘其妻子。愿王图[557]之。”昭王于是置酒大会[558]，引言者[559]而让[560]之曰：“先王举国以礼贤者[561]，非贪土地以遗子孙也[562]。遭所传德薄[563]，不能堪命[564]，国人不顺[565]。齐为无道，乘孤国之乱以害先王[566]。寡人统位[567]，痛之入骨，故广延[568]群臣，外招宾客，以求报仇。其有成功者[569]，尚欲与之同共燕国[570]。今乐君亲为寡人破齐，夷其宗庙[571]，报塞先仇[572]。齐国固[573]乐君所有，非燕之所得也[574]。乐君若能有齐[575]，与燕并为列国[576]，结欢同好，以抗诸侯之难[577]，燕国之福，寡人之愿也。汝何敢言若此[578]！”

将军不如秦王厉害。”蔺相如说：“以秦王那样的威风，我都敢在秦廷当众呵斥他，羞辱他的群臣。我蔺相如即使再无能，难道还惧怕廉将军吗？我所考虑的是，强大的秦国之所以不敢大规模地进犯赵国，只是因为顾虑赵国有我们两个人存在。假如我和廉将军互相争斗起来，就如同二虎相争一样，必定两败俱伤。我现在之所以这样避让廉将军，就是首先考虑国家的利益，而把个人的私怨放在后边啊。”廉颇听到蔺相如这番话以后，顿然醒悟，他袒露着上身，亲自背负着荆条到蔺相如的门前请罪，从此以后和蔺相如成了生死相托的朋友。

当初，燕国的军队攻打齐国安平的时候，当时担任临淄市掾的田单正逃难来到安平，他让他的族人用铁箍将车轴头包住。当安平城被攻陷的时候，人们急于逃命，车辆拥挤，互相碰撞，许多人都因为车轴头被撞坏导致车辆翻覆而成为燕国军队的俘虏。只有田单和他族人因为事先用铁箍包好了车轴头而幸免于难，逃到了即墨。此时，齐国已经全部被燕国占领，只剩下莒、即墨两座孤城没有被攻下。乐毅调集了他的右军和前军包围了莒，用他的左军和后军包围了即墨。守卫即墨的大夫已经阵亡。即墨人说：“安平那场战役，田单的族人因为用铁箍包住车轴头而得以保全，说明田单是一个足智多谋而又懂得军事的人。”于是共同推举田单担任即墨的守将，来抵抗燕国的军队。

乐毅包围了莒和即墨两座城邑，整整围攻了一年也没有攻克，于是下令燕军解除对两邑的包围，在离城九里的地方构筑营垒，下令说：“城中的百姓，有出城的不要抓捕他们，对于生活有困难的要救济他们，他们原来干什么，就让他们还干什么，以此来招纳齐国人归降。”这样僵持了三年仍然没能占领这两座城，有人开始在燕昭王面前诋毁乐毅说：“乐毅的聪明才智远远超过一般人，他开始伐齐的时候，只用了很短的时间就占领了齐国七十余座城邑。现在只剩两座城邑没有攻克，不是他的能力不行而攻不下来。然而三年攻打不下的原因，是他想要利用燕国的兵威使齐国人归顺他，他想要在齐国占地称王罢了。如今齐国人已经归顺他了，他之所以还没有采取行动，是因为他的妻子儿女还在燕国。再说齐国的美女很多，过不了多久，他就会连妻子儿女也忘记了。希望大王您赶紧考虑如何对付他吧。”于是，燕昭王大摆酒席招待群臣，又把那个说乐毅坏话的人找来，当众责备他说：“先王把治理国家的大权让给贤能的人，说明先王并不想把国家据为私有，只想遗留给儿孙。只是先王遇到的是一个德才欠缺、不能胜任先王重托的人，燕国的百姓不顺从他的统治而发生内乱。齐国不守道义，趁我燕国内乱谋害了先王。我即位以来对齐国恨之入骨，所以才在国内广泛地延揽贤臣，对外招徕宾客，目的就是要为先王报仇。那些报仇有功的人，我还想和他共同享有燕国。现在，乐毅亲自率军为我灭掉了齐国，铲平了齐国的宗庙，报了齐国杀害先王的仇怨。齐国本来就应该属于乐毅所有，而不是燕国所想要的。乐毅如果能够拥有齐国，与燕国同样成为诸侯国，与燕国睦邻友好，以抵抗其他诸侯国的侵犯，那是燕国的福分，也是我的愿望。你怎么敢如此说乐毅的坏话！”

乃斩之。赐乐毅妻以后服[579]，赐其子以公子之服[580]，辂车乘马[581]，后属百两[582]，遣国相奉[583]而致之乐毅。立乐毅为齐王，乐毅惶恐不受，拜书[584]，以死自誓[585]。由是齐人服其义，诸侯畏其信[586]，莫敢复有谋[587]者。

顷之，昭王薨，惠王立[588]。惠王自为太子时，尝不快[589]于乐毅。田单闻之，乃纵反间[590]于燕，宣言曰："齐王已死，城之不拔[591]者二耳。乐毅与燕新王有隙[592]，畏诛而不敢归。以伐齐为名，实欲连兵[593]，南面王齐，齐人未附，故且缓攻即墨，以待其事[594]。齐人所惧，唯恐他将之来，即墨残矣[595]。"燕王固已疑[596]乐毅，得齐反间，乃使骑劫代将[597]，而召乐毅[598]。乐毅知王不善[599]代之，遂奔赵。燕将士由是愤惋不和[600]。

田单令城中人，食必祭其先祖于庭[601]。飞鸟皆翔舞而下城中[602]，燕人怪之。田单因宣言曰："当有神师下教我。"有一卒曰："臣可以为师乎？"因反走[603]，田单起，引还，坐东乡[604]，师事之[605]。卒曰："臣欺君[606]。"田单曰："子勿言也。"因师之，每出约束，必称神师[607]。乃宣言曰："吾唯惧燕军之劓所得齐卒[608]，置之前行[609]，即墨败矣[610]。"燕人闻之，如其言[611]。城中见降者尽劓，皆怒，坚守，唯恐见得[612]。单又纵反间言："吾惧燕人掘吾城外冢墓，可为寒心[613]。"燕军尽掘冢墓，烧死人。齐人从城上望见，皆涕泣，其欲出战，怒自十倍[614]。

田单知士卒之可用，乃身操版锸[615]，与士卒分功[616]，妻妾编于行伍之间，尽散饮食飨士[617]，令甲卒皆伏，使老、弱、女子乘城[618]，遣使约降于燕。燕军皆呼万岁。田单又收民金，得千镒[619]，令即墨富豪遗燕将[620]，曰："即降[621]，愿无虏掠吾族家[622]。"燕将大喜，许之。燕军益懈[623]。

于是便将那个进谗言的人处死了。又把王后的衣服赏赐给乐毅的妻子，把王子的衣服赏赐给乐毅的儿子，还准备了一辆驾着四匹马、只有王侯才能乘坐的大车和一百辆扈从的车队，派燕国的国相亲自送给乐毅。封乐毅为齐王，乐毅因惶恐而不敢接受，他亲自给燕王写信，表示誓死效忠燕国而不敢接受齐王的封赏。齐国人钦佩他的义气，各诸侯敬畏他的诚信，没有人敢再算计他。

不久，燕昭王去世，燕惠王即位。燕惠王做太子的时候，就不喜欢乐毅。田单知道了这个消息以后，就派人到燕国去行使反间计，四处散布流言说："齐湣王已经死了，齐国的城邑只剩两座没被占领。乐毅与燕国的新国王有矛盾，害怕被新王杀害而不敢回到燕国。借着讨伐齐国的名义，实际上是想与齐国即墨、莒城的守军联合，然后在齐国南面称王。只是因为齐国人还没有归附，所以暂缓攻击即墨，以等待齐国人心悦诚服。目前齐国人所害怕的是燕国派别的将领来，那样的话即墨就守不住了。"燕惠王本来就怀疑乐毅，又中了齐国人的反间计，竟然派骑劫到齐国接替乐毅带兵，而召乐毅回国。乐毅知道燕惠王因为不喜欢自己才派人接替，于是就投奔赵国去了。燕国的将士也因为燕惠王的昏聩和乐毅有功却无辜被废而愤愤不平。

田单让即墨城中所有的人，在吃饭的时候一定要在庭院当中祭祀祖先。空中的飞鸟全都飞来落在城中啄食，燕国的军士见了感到很奇怪。田单趁机宣扬说："应当有神人下凡当我的师傅，教我们怎样打退燕军。"有一个小卒冒失地说："我可以当您的师傅吗?"说完转身就向外走，田单站起身，把那个士兵拉了回来，让他面向东坐着，自己就像侍奉神师那样侍奉他。那个小卒说："我在骗您。"田单说："你不要把这件事说破。"于是就用对待神师的礼节来对待那个小兵，每次发号施令，必定说是神师的主意。于是传言说："我最害怕的是燕国的军队把俘虏去的齐国人都割掉鼻子，在与我们作战时让这些人站在两军阵前，那样的话即墨就要被打败了。"燕国人听说以后，就按照齐国人所说的削去了齐国俘虏的鼻子，将他们放在两军阵前。即墨城中的人看见那些投降的人都被割掉了鼻子，都非常愤怒，决心坚守到底，唯恐被燕军捉去。田单又施反间计说："我就怕燕国人把我们城外的祖坟给挖了，如果那样的话就更让人伤心害怕。"燕国的军人于是将城外的坟墓全部挖开，将死尸也给烧掉了。齐国人从城墙上看见，全都痛哭流涕，怒火中烧，斗志昂扬，都愿意马上出城与燕军决战。

田单看到士气已经被激发起来，可以作战了，便亲自手拿筑墙用的夹板、挖壕用的铁锹，和士卒一起修筑工事，并把自己的妻妾子女都编到队伍当中，把家产食物都散发给士卒以犒赏他们，然后下令，让精锐部队埋伏起来，让那些老弱和妇女登上城墙防守，又派人到燕军当中请求投降。燕军听说即墨人准备投降，都高兴得山呼万岁。田单又在民间搜集了千镒的金子，让即墨城中的富豪去送给燕军，说："即墨投降以后，希望能够保全我们族人的财产。"燕国将领非常高兴，马上答应了富豪的要求。燕军的斗志越来越松懈。

田单乃收城中，得牛千余，为绛缯衣[624]，画以五采龙文，束兵刃于其角，而灌脂束苇于其尾。烧其端，凿城数十穴，夜纵牛，壮士五千随其后。牛尾热，怒而奔燕军。燕军大惊，视牛皆龙文，所触尽死伤。而城中鼓噪[625]从之，老弱皆击铜器为声，声动天地。燕军大骇，败走。齐人杀骑劫，追亡逐北[626]，所过城邑皆叛燕，复为齐[627]。田单兵日益多，乘胜[628]，燕日败亡，走至河上[629]，而齐七十余城皆复焉[630]。乃迎襄王[631]于莒，入临淄[632]，封田单为安平君[633]。

齐王以太史敫之女为后，生太子建[634]。太史敫曰："女不取媒[635]，因自嫁，非吾种[636]也，污吾世[637]。"终身不见君王后[638]，君王后亦不以不见故失人子之礼。

赵王封乐毅于观津[639]，尊宠之，以警动于燕、齐[640]。燕惠王乃使人让[641]乐毅，且谢之[642]曰："将军过听[643]，以与寡人有隙，遂捐燕归赵。将军自为计[644]则可矣，而亦何以报先王之所以遇将军之意乎[645]？"乐毅报书[646]曰："昔伍子胥说听于阖闾[647]，而吴远迹至郢[648]。夫差弗是也[649]，赐之鸱夷而浮之江[650]。吴王不寤[651]先论[652]之可以立功，故沈子胥[653]而不悔。子胥不蚤见[654]主之不同量[655]，是以至于入江[656]而不化[657]。夫免身立功[658]，以明先王之迹[659]，臣之上计[660]也。离毁辱之诽谤[661]，堕先王之名[662]，臣之所大恐[663]也。临不测之罪[664]，以幸为利[665]，义之所不敢出也[666]。臣闻古之君子，交绝不出恶声[667]，忠臣去国，不洁其名[668]。臣虽不佞，数奉教于君子矣[669]。唯君王之留意焉[670]。"于是燕王复以乐毅子闲为昌国君[671]。而乐毅往来复通燕[672]，卒于赵[673]，号曰望诸君[674]。

田单相齐，过淄水[675]，有老人涉淄而寒，出水不能行。田单解其裘

于是，田单把城中的牛都征集起来，有一千余头。他用红色的丝织品把这些牛装扮起来，又在上面绘上五颜六色的龙形花纹，牛角上绑上锋利的兵刃，在牛的尾巴上捆上灌了油脂的芦苇。然后把芦苇点燃，事先在城墙上凿出数十个窟窿，趁着夜色把牛放出去，牛阵后边跟随着五千个壮士。当牛的尾巴被烧得疼痛起来的时候，牛就像发疯似的向燕国的军营冲去。燕国的军队惊慌失措，看见牛都长着龙纹，狂奔而来，所到之处，碰着就死。而即墨城中的精锐部队呐喊着冲杀出来，城上的老弱也都敲击铜器战鼓呼喊助威，声势惊天动地。燕军被吓得心胆俱裂，四散奔逃。齐国人杀死了燕将骑劫，乘胜追杀败军，所到之处，被燕军所占领的城邑又都背叛了燕国，回归齐国。田单的兵力一天天强大起来，乘胜追击，而燕国的军队却一天天败亡，一直逃到黄河边上，齐国丧失的七十余座城邑全部收复。于是到莒地迎接齐襄王，齐襄王回到国都临淄，封田单为安平君。

齐襄王封太史敫的女儿为王后，王后生太子建。王后的父亲太史敫说："女儿没有通过媒人，自己做主嫁人，就不再是我们太史家的人，她侮辱了我们家的门风。"于是决心在有生之年不与王后见面，而王后并没有因为父亲不与自己见面，就不遵守女儿对待父亲的礼数。

赵惠文王把观津封给乐毅，并给了他很高的地位和荣耀，此事震惊了燕国和齐国。燕惠王派人到赵国来，一面责备乐毅，一面又向他表示歉意说："将军误听了传言，以为和我有过矛盾，就抛弃了燕国而投奔赵国。将军为自己打算是可以的，但对于先王对将军的知遇之恩又如何报答呢？"乐毅给燕惠王回信说："过去伍子胥说服了吴王阖闾，而使吴国的军队侵入楚国，一直到达楚国的都城郢。阖闾的儿子夫差即位以后，不再听从伍子胥的意见，他把伍子胥杀死后装入皮口袋沉入江中。夫差不明白伍子胥生前劝谏他的话可以使他建功立业，所以他对把伍子胥杀死后沉入江中的做法一点也不后悔。伍子胥没有早点看出夫差的气量与先王阖闾不同，而自己还像对待先王阖闾那样忠心耿耿，一直到被杀死沉入江中也不改变初衷。既使自身幸免于难而又能为燕国保全建立的功业，以此证明先王的知人善任、英明伟大，这是我最大的意愿。遭受侮辱、毁谤而被杀，损坏了先王知人善任的名声，是我最感到恐惧、最不愿意看到的事。面对不可预测的罪名，以侥幸的举动为个人谋求私利，这是我绝对不会去做的。我听说古代的君子，与人绝交也不说有损对方名誉的话，忠臣即使被迫离开自己的国家，也绝不为了表明自己的清白无辜而说国君的坏话。我虽然是个没有什么才德的人，却多次聆听过君子的教诲。希望大王您对此有所明察。"于是燕惠王封乐毅的儿子乐闲为昌国君。乐毅又可以往来于燕、赵之间，最后死于赵国，赵国人称他为"望诸君"。

田单当了齐国的宰相。一次他经过淄水，看见一位老人正在渡过淄水，天气严寒，老人出水后被冻得不能行走。田单赶紧脱下自己的皮袍给老人穿上，齐襄王法

而衣之⑥⑦⑥，襄王恶⑥⑦⑦之曰："田单之施于人⑥⑦⑧，将欲以[9]取我国乎？不早图⑥⑦⑨，恐后之变也。"左右顾无人⑥⑧⓪，岩下⑥⑧①有贯珠⑥⑧②者，襄王呼而问之曰："汝闻吾言乎？"对曰："闻之。"王曰："汝以为何如？"对曰："王不如因以为己善⑥⑧③。王嘉单之善⑥⑧④，下令曰：'寡人忧民之饥⑥⑧⑤也，单收而食之⑥⑧⑥；寡人忧民之寒也，单解裘而衣之；寡人忧劳⑥⑧⑦百姓，而单亦忧。称寡人之意⑥⑧⑧。'单有是善⑥⑧⑨而王嘉之，单之善，亦王之善也。"王曰："善。"乃赐单牛酒。后数日，贯珠者复见王曰："王朝日⑥⑨⓪宜召田单而揖之于庭⑥⑨①，口劳之⑥⑨②。"乃布令求⑥⑨③百姓之饥寒者，收谷之⑥⑨④。乃使人听于闾里⑥⑨⑤，闻大夫⑥⑨⑥之相与语⑥⑨⑦者曰："田单之爱人，嗟⑥⑨⑧，乃王之教也⑥⑨⑨！"

田单任貂勃于王⑦⓪⓪。王有所幸臣九人，欲伤安平君，相与语于王曰："燕之伐齐之时，楚王使将军⑦⓪①将万人而佐齐。今国已定，而社稷⑦⓪②已安矣，何不使使者谢于楚王？"王曰："左右孰可？"九人之属曰："貂勃可。"貂勃使楚，楚王受而觞之⑦⓪③，数月不反。九人之属相与语于王⑦⓪④[10]曰："夫一人之身⑦⓪⑤，而牵留万乘⑦⓪⑥者，岂不以据势⑦⓪⑦也哉！且安平君之与王也，君臣无异⑦⓪⑧，而上下无别。且其志欲为不善⑦⓪⑨，内抚百姓⑦①⓪，外怀戎翟⑦①①，礼天下之贤士，其志欲有为也⑦①②，愿王之察之[11]。"异日，王曰："召相单而来⑦①③。"田单免冠、徒跣、肉袒⑦①④而进，退而请死罪⑦①⑤。五日而王曰："子无罪于寡人。子为子之臣礼⑦①⑥，吾为吾之王礼⑦①⑦而已矣。"

貂勃从楚来，王赐之酒。酒酣⑦①⑧，王曰："召相单而来。"貂勃避席稽首⑦①⑨，曰："王上者孰与周文王⑦②⓪？"王曰："吾不若也。"貂勃曰："然，臣固知王不若也。下者孰与齐桓公⑦②①？"王曰："吾不若也。"貂勃曰："然，臣固知王不若也。然则周文王得吕尚⑦②②以为太公⑦②③，齐桓公得管夷吾⑦②④以为仲父⑦②⑤。今王得安平君而独曰'单'⑦②⑥，安得此亡国之言乎⑦②⑦！且自天地之辟⑦②⑧，民人之始⑦②⑨，为人臣之功⑦③⓪者，谁有厚于

章知道以后很不高兴地说：“田单这样笼络人心，是要夺取我的江山吗？如果我不早点除掉他，等他先下手就晚了。”说完，他往周围看了看，发现没有别人，只有殿堂下一个穿珍珠的匠人。齐襄王把匠人叫过来问他说：“你听到我说的话了吗？”匠人回答说：“听到了。”齐襄王说：“你觉得怎么样？”匠人回答：“大王不如借此把田单的善行变成自己的善行。您可以公开夸奖田单的这些善行，您下令说：‘我担心百姓挨饿，田单就收容他们并给他们饭吃；我惦念百姓天寒受冻，田单就脱下自己的衣服给他们穿；我关心百姓的疾苦，而田单也关心百姓的疾苦。他的所作所为完全符合我的心意。’田单有这样的善行而大王称赞他，田单的善行，也就变成大王的善行了。”齐襄王说：“你说得很好。”于是齐襄王赏赐给田单牛和酒。过了几天，那个穿珍珠的匠人又去拜见齐襄王，献计说：“大王在上朝的时候，应该在大庭广众之下召见田单并向他作揖致敬，亲口表扬他。”齐王同时发布命令征集民间的饥寒者，并将他们收留起来。过后，齐襄王再派人到街头巷尾去探听，听到人们在交谈中说：“田单爱护百姓，原来是齐王让他这样做的呀！”

田单向齐襄王推荐貂勃。齐襄王所宠幸的九个人想暗害田单，他们串通一气对齐襄王说：“当初燕国攻伐齐国的时候，楚王派淖齿将军率领万人来帮助齐国。现在国家已经安定了，为什么不派遣使者到楚国向楚王表示感谢呢？”齐襄王问：“我身边的人谁去合适呢？”这九个人都说：“貂勃可以。”于是齐襄王便派遣貂勃出使楚国。貂勃到了楚国，楚顷襄王摆设酒宴款待他，貂勃在楚国逗留了好几个月也没有回国。那九个人又串通一气对齐襄王说：“貂勃一个普通的人，却能被拥有万乘兵车的楚国国君所挽留，还不是因为他依仗着国内田单的势力吗！况且，安平君和大王您相比，君臣之间没什么区别。而且他怀有野心，想要夺取王位，所以他才对内收买民心，对外勾结异族，又以礼聘请天下贤能之士，他就是想要篡位夺权，希望大王能够明察。”有一天，齐襄王说：“叫丞相田单前来。”田单摘掉了帽子，光着脚，袒露着上身，诚惶诚恐地来到齐襄王面前谢罪，叩见之后又自称犯有死罪，请求处理。五天后，齐襄王对田单说：“你对于我来说并没有罪，只不过是你要表现你做臣子的礼节，我摆我做国君的谱罢了。”

貂勃从楚国回来，齐襄王赏赐他喝酒。酒饮得正尽兴的时候，齐襄王说：“把宰相田单叫来。”貂勃赶紧离开座席向齐王施礼说：“大王您与周文王相比感觉如何？”齐襄王说：“我比不上周文王。”貂勃说：“您说得对，我也认为大王比不上周文王。近者和齐桓公相比，您觉得如何呢？”齐襄王说：“我比不上齐桓公。”貂勃说：“确实如此，我本来也认为大王比不上齐桓公。然而，周文王得到吕尚就尊他为太公，齐桓公得到管仲就尊他为仲父。如今大王得到安平君，却直呼他的名字‘单’，为什么会说出这种亡国的言论呢！况且自从开天辟地以来，作为一个臣子为国家所建立的

安平君者哉[731]？王不能守王之社稷，燕人兴师而袭齐，王走而之城阳之山中[732]，安平君以惴惴[733]即墨三里之城，五里之郭[734]，敝卒[735]七千人，禽其司马[736]，而反千里之齐[737]，安平君之功也。当是之时，舍城阳而自王[738]，天下莫之能止[739]。然而计之于道，归之于义[740]，以为不可[741]，故栈道木阁[742]而迎王与后于城阳山中，王乃得反[743]，子临百姓[744]。今国已定，民已安矣，王乃曰'单'，婴儿之计不为此[745]也。王亟杀[746]此九子者以谢[747]安平君，不然，国其[748]危矣!"乃杀九子而逐其家[749]，益封[750]安平君以夜邑[751]万户。

田单将攻狄[752]，往见鲁仲连[753]。鲁仲连曰："将军攻狄，不能下也。"田单曰："臣以即墨破亡余卒，破万乘之燕[754]，复齐之墟[755]。今攻狄而不下，何也[756]？"上车弗谢而去[757]。遂攻狄，三月不克。齐小儿谣曰："大冠若箕[758]，修剑拄颐[759]，攻狄不能下，垒枯骨成丘[760]。"田单乃惧，问鲁仲连曰："先生谓单不能下狄，请闻其说[761]。"鲁仲连曰："将军之在即墨，坐则织蒉[762]，立则仗锸[763]，为士卒倡曰[764]'无可往矣[765]，宗庙亡矣，今日尚矣[766]，归于何党矣[767]！'当此之时，将军有死之心[768]，士卒无生之气[769]，闻君言[770]，莫不挥泣奋臂而欲战，此所以破燕也[771]。当今将军东有夜邑之奉[772]，西有淄上之娱[773]，黄金横带[774]，而骋乎淄、渑之间[775]，有生之乐，无死之心，所以不胜也。"田单曰："单之有心[776]，先生志之矣[777]。"明日，乃厉气循城[778]，立于矢石之所[779]，援枹鼓之[780]，狄人乃下[781]。

初[782]，齐湣王既灭宋[783]，欲去[784]孟尝君。孟尝君奔魏，魏昭王以为相，与诸侯共伐破齐[785]。湣王死，襄王复国，而孟尝君中立为诸侯[786]，无所属[787]。襄王新立，畏孟尝君，与之连和。孟尝君卒，诸子争立，而齐、魏共灭薛[788]，孟尝君绝嗣[789]。

功勋，有哪一个能超过安平君呢？大王您自己不能守卫国家社稷，当燕国的军队侵犯齐国的时候，您逃到城阳的深山之中躲藏起来。安平君凭借着已经岌岌可危、只有三五里见方的小小即墨城，率领着七千残兵，斩杀了燕国的统帅，收复了齐国一千里的国土，这都是安平君的功劳啊。在那个时候，如果安平君不拥戴大王您而是他自己做了齐王，天下没有谁能够阻止。然而安平君想的是道义，行的也是道义，认为做事不能违背道义，所以他在崎岖难行的山中修筑起栈道桥梁，从城阳的深山中将大王和王后迎接出来，大王才得以回到国都，居高临下地成了群臣、万民的君父。现在国家已经恢复，百姓已经安定，大王您就直呼安平君的名字'单'，就是小孩子也不会这样去做。我建议大王赶紧杀掉那九个向您进谗言的小人，向安平君道歉，不然的话，国家就危险了！"齐襄王杀死了那九个人，并把他们的家属驱逐出京城，又将夜邑的一万户加封给安平君。

田单将要攻击狄部落，就去拜访鲁仲连。鲁仲连说："将军攻打狄人，我估计你攻不下来。"田单说："我率领着即墨城的残兵败卒，打败了拥有万辆兵车的燕国，在一片废墟上重建了齐国。现在却不能攻下狄，这怎么可能呢？"说完之后也不告辞，就上车离开了鲁仲连的住所。田单没有考虑鲁仲连的意见便向狄展开攻势，不料，连续攻打了三个月竟然攻不下来。齐国的儿童在大街上唱起了童谣说："大帽子像簸箕，佩剑长得拄着了下巴，狄人攻不下，防御工事前的枯骨堆成了山。"田单为此深感忧虑，就再次去拜访鲁仲连说："先生曾经预料到我攻不下狄，如今果然如此，想听听这是什么缘故。"鲁仲连说："将军在即墨的时候，坐着的时候就和士兵一起编草筐，站着的时候就拿着挖土的工具和士兵一起劳动，你向士兵们唱起'我们再也没有地方可逃了，国家快要灭亡了，我们被惊吓得失去灵魂了，我们还能到哪里去呢！'在那个时候，将军抱有必死之心，士卒无生还之望，他们听了你的歌声，无不流涕奋臂，想要与燕军决一死战，这是打败燕国的原因。如今将军你在东边有夜邑的奉养，在西边国都临淄有身为齐相的欢娱，腰横黄金带，跨着高头骏马驰骋于淄水、渑水之间，只有生的欢乐，没有死的决心，所以你打不败狄人。"田单说："我有必死之心，请先生记住我的话。"第二天，他便亲自巡视狄人的城防情况，激励士卒，鼓舞斗志，并冒着狄人的弓箭，站在最前线，亲自擂鼓指挥攻城，狄城于是被攻破。

当初，齐湣王灭掉宋国以后，就想要除掉孟尝君。孟尝君于是逃到了魏国，魏昭王封他做了魏国的宰相，并与其他诸侯国一起出兵讨伐齐国。齐湣王死后，齐襄王即位，孟尝君回到他的封地薛，不隶属于任何诸侯国。齐襄王由于刚刚即位，他惧怕孟尝君，便与他联合。后来孟尝君去世以后，他的几个儿子互相争夺继承权，结果，齐、魏联合，共同灭掉了薛，孟尝君的子孙全部被杀死，因而断绝了继承人。

【段旨】

以上为第三段，写周赧王三十二年（公元前二八三年）至周赧王三十六年共五年间的各国大事。主要写了齐国军民反抗燕军占领，齐国名将田单在即墨巧用奇计大破燕军，收复失地，重建齐国，以及田单为齐国丞相后的一些事情。此外也写了赵国名臣廉颇、蔺相如的一些感人故事，燕将乐毅被罢官后的一些晚年经历。

【注释】

㊳88 秦、赵会于穰："赵"当作"楚"，秦昭王与楚顷襄王在穰县会晤，时当秦昭王二十四年（公元前二八三年）、楚顷襄王十六年。穰县在今河南邓州，当时属楚。389 安城：魏邑名，在今河南原阳西南。390 淖齿之乱：当楚将淖齿杀害齐湣王的时候。391 法章：指日后的齐襄王。392 太史敫：姓太史，名敫。393 佣：仆人。394 奇法章状貌：对法章的状貌感到奇特。395 非常人：不是一个普通人。常，平常、普通。396 常窃衣食之：常常暗中给他穿的、吃的。窃，私下、暗中。衣，给他衣穿。食，给他饭吃。397 王孙贾：姓王孙，名贾，齐王的远房同族，现为齐王侍从。398 从湣王：跟随齐王一道逃出。399 失王之处：跟人跟丢了；不知齐王到什么地方去了。400 晚来：一旦回家晚了。401 倚闾而望：到里巷口的里门去张望，等你回来。闾，古代里巷的门。402 事王：服侍齐王。403 王走：齐王走失了。404 汝尚何归焉：你还有什么脸面回家。405 市中：市场；众人聚集的地方。406 袒右：脱衣露出右臂，古人宣誓表决心常用类似姿态。407 亡臣：逃亡或藏匿起来的齐国诸臣。408 相与：彼此联合起来。409 求湣王子二句：想寻找齐湣王的儿子，立之为王。求，寻找。410 自言：自己承认。411 齐王：指日后的齐襄王，公元前二八三至前二六五年在位。412 保莒城：依傍莒城坚守。413 王已立在莒矣：新的齐王已经在莒县即位啦。这是号召整个齐国军民复国抗燕的旗帜，故须大力张扬。414 和氏璧：由楚人和氏所得的玉璞中理出的玉璧。《韩非子·和氏》云："楚人和氏得玉璞楚山中，奉而献之厉王。厉王使玉人相之，玉人曰：'石也。'王以和为诳，而刖其左足。及厉王薨，武王即位，和又奉其璞而献之武王。武王使玉人相之，又曰：'石也。'王又以和为诳，而刖其右足。武王薨，文王即位，和乃抱其璞而哭于楚山之下，三日三夜，泣尽而继之以血。王闻之，使人问其故，曰：'天下之刖者多矣，子奚哭之悲也?'和曰：'吾非悲刖也，悲夫宝玉而题之以"石"，贞士而名之以"诳"，此吾所以悲也。'王乃使玉人理其璞而得宝焉，遂命曰'和氏之璧'。"415 欲之：想得到它。416 请易以十五城：想用十五座城来和赵国交换。易，交换。417 见欺：受欺骗。418 蔺相如：时为宦者令缪贤家臣，被缪贤推荐至赵王跟前。419 而：若。420 曲在我：理屈在我们一方。曲，理屈。421 均之二策：衡量二者的得失。均，比较、衡量。422 宁许以负秦：〖按〗《史记·廉颇蔺相如列传》于此作"宁许以负秦曲"，较此为长。意即我们宁可答应，叫秦国把理亏的"包袱"背起来。负，背、承担。姚苎田曰："诸大臣但计利害，相如提出'曲''直'来，

此便得养勇根本，两言而决，真为善谋。”㊸奉璧：捧璧。用“奉”字表示虔敬。㊹使秦城不入：假如得不到秦国的十五座城。使，假如。㊺完璧而归之：完好无损地将和氏璧带回赵国。姚苎田曰：“料得破，把得定，行得彻，说得快，大奇，大奇。”㊻以诈给秦王二句：相如假说璧有瑕，请指给秦王看，将璧骗回手。㊼怀之：揣在怀里。㊽间行归赵：抄小路悄悄返回赵国。㊾待命于秦：留在秦国听候秦王处置。㊿礼而归之：有礼貌地让蔺相如返回赵国。《史记·廉颇蔺相如列传》作“卒廷见相如，毕礼而归之”。431上大夫：爵位名，是大夫中的最高一级，次于卿。432怀君：史失其名，在位年限诸说不一，有说是公元前二八三至前二五三年在位。433好察微隐：好探察人家的隐私。微隐，隐秘之事。434发褥而席弊：掀开自己的褥子，发现下面铺的席子破了。发，打开、掀开。435赐之席：送给他一张新席子。436过关市：到边关的市场去买东西。过，这里是即到的意思。关市，边关上的市场。437赂之以金：此指贿赂管理关市的官员。438召关市：把管理关市的官员叫来。439回遣之：把他给你的金子退还给他。440泄姬：姓泄的宠妃。441重如耳：宠用如耳。重，宠用。如耳，姓如，名耳，原魏人，现仕于卫。442壅己：蒙蔽自己，使为君者听不到外面的真话。443薄疑：卫嗣君的另一个宠臣。444敌如耳：与如耳的地位、权势相同。敌，相等、相抗衡。445魏妃：来自魏国的宠妃。446偶泄姬：与泄姬的地位、权势相同。偶，对等、并立。447以是相参也：对他们双方的话参照听用。〖按〗以上三故事，见《韩非子·内储说》。448荀子论之曰：以下荀子论卫成侯、卫嗣君事，见《荀子·王制》。449成侯：嗣君之祖父，在位的具体年限诸说不一。450聚敛计数：斤斤计较地搜刮民财。聚敛，搜刮。计数，指通常所说的斤斤计较，少一点也不行。451未及取民：不能做到争取民心。民，这里即指民心。452子产：春秋后期郑国的宰相，著名的法家人物。453未及为政：没能建立起一套合适的政策法令。《礼记》上说子产像一位慈母，光知道疼爱子女，但不懂得教育他们如何做人。454管仲：春秋中期的齐国宰相，佐助齐桓公成为第一任诸侯霸主。455未及修礼：没能以礼乐治国，达到儒家所鼓吹的王道境界。456修礼者王：能实行礼乐治国的可以统一天下。457为政者强：能制定并推行一套好的政策法令的，就可以强大，称霸一时。458取民者安：能受民拥护者就可以获得安定。459聚敛者亡：只知搜刮民财者一定灭亡。460秦伐赵：时当秦昭王二十五年（公元前二八二年）、赵惠文王十七年。461两城：据杨宽《战国史·战国大事年表》，此次被秦所攻占者为蔺、祁二县，都在今山西境内。462石城：赵邑名，胡三省以为：“此石城即汉西河之离石县城。”有说在今河北石家庄西南者，似非，当时秦军尚不可能到达此地。463复为丞相：据马非百考证，这是穰侯第五次任秦国丞相。464楚欲与齐、韩共伐秦：时当楚顷襄王十八年（公元前二八一年）、齐襄王三年、韩釐王十五年。465因欲图周：趁机灭掉周天子与东、西两周君。466东周武公：现时在位的东周君，在位年限不详。467令尹昭子：姓昭，名鱼，也称昭奚恤，时为令尹，犹如北方国家的丞相。468乃图周二句：只要我打周国的主意，就没有什么灭不了的。469虽然：尽管如此，但是……470何不可图：怎么就不能灭它。471绝长补短：指总的计算起来。472名为天下共主：但它名义上却是天下诸侯所共同拥戴的君主。〖按〗此句应移到下文的“虽然”二字下，语气始顺。㊼③不足以肥国：不能给你原来的国家增加多少土地。肥，增大。㊼④不足以劲兵：不能让你原来的国家增强多少兵力。劲，增强。㊼⑤名为弑君：你就要被加上一个弑君作乱的恶名。㊼⑥见祭器在焉故也：他是看到周天子有些让人动心的祭器。祭器，祭祀天地鬼神所用的礼器，还有夏禹所铸的九鼎等等，这些被历代视为传国之宝。㊼⑦虎肉臊而兵利身：虎肉既不好吃，而爪牙又极厉害。兵利身，其爪牙像兵器一样可以防身。㊼⑧人犹攻之：人们为了获取虎皮还是要攻击捕捉它。㊼⑨若使泽中之麋蒙虎之皮：如果让麋鹿也长上一身老虎的皮毛。意思是肉又好吃，皮又好看，而又没有老虎那么凶猛。麋，一种麋鹿之类的动物。㊽⓪裂楚之地：灭楚而瓜分其地。㊽①诎楚之名：打垮楚国，黜其威名。㊽②足以尊主：使本国诸侯之名得以尊贵。㊽③居三代之传器：想占有夏、商、周以来的传国宝器。居，占有。传器，传国之宝器，指九鼎。㊽④器南：周国的祭器一旦南迁楚国。㊽⑤则兵至矣：各国讨伐楚国的大军也就紧跟着来了。㊽⑥计辍不行：想灭周国的计划废止不行。辍，止。㊽⑦取代光狼城：《史记》之《六国年表》《赵世家》《白起王翦列传》皆言此年白起“取光狼城”，而不言取“代”，而光狼城又不属代郡，故疑此句之“代”字为衍文。代，赵郡名，郡治在今河北蔚县东北。光狼城，赵邑名，在今山西高平西。㊽⑧发陇西兵：调发陇西一带的丁勇、兵员。陇西，秦郡名，郡治狄道，即今甘肃临洮。当初这一带地区为戎族占领，后被秦国攻取。㊽⑨因蜀攻楚黔中：借助于蜀郡的地形与人力物力，攻取了楚国的黔中郡，约当今湖南西部与贵州东部地区。㊾⓪汉北：汉水北岸之地。包括宛（今河南南阳）、叶（今河南叶县）等地。㊾①上庸：在今湖北竹溪东南。㊾②鄢、邓、西陵：皆楚之都邑名。鄢在今湖北宜城境内，邓即今河南漯河市召陵区，西陵故城在今湖北宜昌西北。㊾③好会：友好的会见。㊾④河外渑池：黄河以南的渑池。春秋、战国以至汉代，人们通常称今河南的黄河以北叫“河内”，称黄河以南叫“河外”。渑池的县治在今河南渑池县西，原属韩，此时已为秦国所有。今渑池城西之一华里处仍有所谓“会盟台”。㊾⑤欲毋行：因害怕秦国想不去。㊾⑥廉颇、蔺相如：赵国的大臣，时廉颇为大将军，蔺相如为大夫。㊾⑦诀：别；告别。㊾⑧度道里会遇之礼毕三句：估计会面以及往来路途所用的时间，不会超过三十天。㊾⑨三十日不还二句：〖按〗于此足见廉颇的大将风范，深谋远虑，忠于赵国。有此一举，则秦国扣留赵王为人质以要挟赵国的阴谋遂不得行。请立太子，即立太子为赵王。姚苎田曰：“相如二事皆争胜于口舌之间，而于相如传中特将‘立太子，以绝秦望’一议属之廉颇，则廉将军之为社稷臣，加于相如一等明矣。”⑤⓪⓪王许之：史珥曰：“唯赵氏君臣坦白无猜，乃能如此。”⑤⓪①酒酣：喝酒喝到兴头上。⑤⓪②请赵王鼓瑟：两国首脑会晤，而请对方鼓瑟，有侮辱性质。⑤⓪③缶：盛水的盆罐之类，秦人鼓之以为拍节。李斯《谏逐客书》云：“扣瓮击缶而呼乌乌，快耳目者，真秦声也。”杨恽《报孙会宗书》云：“家本秦也，能为秦声……仰天击缶，而呼乌乌。”⑤⓪④五步之内二句：“要和大王您同归于尽”的婉转说法，《史记·平原君虞卿列传》中毛遂有所谓“今五步之内，王不得恃楚国之众”，与此意同。⑤⓪⑤刃：

刀刃，即指杀。506 叱：怒声呵斥。507 左右皆靡：左右皆纷纷后退。靡，草类随风倒伏的样子。508 不怿：不乐。509 为一击缶：极写秦王无可奈何之状。510 罢酒：直到酒筵结束。511 终不能有加于赵：始终不能在什么地方凌驾于赵国之上。512 赵人亦盛为之备：指前文所写廉颇"盛设兵"于后，且有"三十日不还，则请立太子"之约定等等。陈子龙曰："相如以赵有备，故以气陵秦；秦王亦知赵尚强，故因善相如也。"513 上卿：国家大臣的最高爵位。514 右：这里即指上位。先秦时期究竟以左为上，还是以右为上，各国各时期并不一致，如《史记·魏公子列传》写魏公子迎侯嬴时即有所谓"虚左"之语。515 蔺相如素贱人：指其为宦者令缪贤舍人。素，平素、往日。516 宣言：扬言。517 不肯与会：不愿与之碰面。518 争列：争位置行列之高低。519 辄：就；随即。520 舍人：身边的亲信用人。舍人是一种半宾客、半仆役的亲信用人。521 孰与秦王：与秦王比哪个更厉害。522 不若：不如；比不上。523 廷叱之：当着众人对其厉声痛斥，指完璧归赵与渑池会而言。524 辱其群臣：不把秦之群臣放在眼下，当左右欲刃相如时，相如又张目叱之。525 相如虽驽：我蔺相如即使再差。驽，劣马，这里以比人的材质拙劣。526 顾吾念之：我所考虑的是。顾，但、而，转折语词。527 强秦所以不敢加兵于赵者二句：郭嵩焘曰："战国人才以蔺相如为首，其让廉颇可谓远矣，庶几与闻君子之道者也。"李景星曰："太史公以廉蔺合传，即本斯旨。"528 先国家之急二句：梁启超曰："太史公述相如事，字字飞跃纸上，吾重赞之，其蛇足也。顾吾读之而怦怦然刻于余心者，一言焉，则相如所谓先国家之急而后私仇也。呜呼，此其所以豪杰欤！此其所以圣贤欤！彼亡国之时代，曷尝无人才？其奈皆先私仇而后国家之急也。往车屡折，来轸方遒，悲夫！"529 肉袒负荆：袒露肩背，背着荆条，意为承认错误，愿受责罚。530 刎颈之交：能以生死相托的朋友。531 安平：齐邑名，在今山东淄博东北。532 临淄市掾田单：临淄城贸易市场的管理人员田单。市掾，管理市场的小吏。掾，小吏的统称。田单，齐王的远房同族。533 在安平：正逃难逃到安平。534 以铁笼傅车轊：给车轴头包上铁箍。傅，包、裹。铁笼，铁帽、铁箍。轊，车轴头。535 城溃：指安平城被燕军攻破。536 轊折车败：由于撞断车轴而导致翻车。537 宗人：同一家族的人。538 以铁笼得免：叶玉麟曰："就一小事先写，已见其智略。"539 即墨：齐国东部的重要都邑，在今山东平度东南。《山东风物志》云："即墨故城在今山东平度的古岘公社大朱毛一带，俗名朱毛城。又因西汉胶东国康王刘寄都此，故也称康王城。故城分内外两城，东西约十里，南北约五里，现存城垣千余米，基宽四十米，全为夯土版筑，十分坚固。……直到东汉时期，才逐渐废弃。"540 莒：即今山东莒县，当时为齐国南部的重要都邑。〖按〗莒邑故城在今山东莒县城区，规模宏大，为今莒县城之六倍。《水经注·沭水》称："其城三重，并悉崇峻，惟南开一门，内城方十二里，郭周四十许里。"今外城西北角"城子口"一带尚有残垣，东西各长二百米，高三米；东南角与西南角之间也有断续的残垣，高者八九米。541 未下：未被攻下。542 即墨大夫：即墨城的行政长官。543 是多智习兵：由此可见田单多智谋、懂军事。544 期年：一周年。545 为垒：扎下营盘，修筑工事。546 勿获：不要抓捕他们。547 赈：救济。548使即旧业：他们原来干什么，就让他们还干什么。即，就。549以镇新民：以招纳新来的归降者。镇，安抚，这里即指吸引、招纳。550谗：说人坏话。551呼吸之间：极言其所用时间之短。552非其力不能拔：并不是他没有力量攻下这两座城邑。553不攻：不对这两座城发起猛烈进攻。554以服齐人：使齐人自动归服。555南面而王：在齐国占地称王。南面，南向而坐以接受群臣朝拜。556未发：未采取行动。557图：思考；谋划。558大会：指大会群臣。559引言者：将说这话的人叫上大殿。引，拉、带上来。560让：斥责；责备。561先王举国以礼贤者：当年我的父亲能把整个国家让给贤人。先王，指昭王之父燕王哙。贤者，指阴谋家丞相子之。562非贪土地以遗子孙也：表明先王不是一个将国家据为私有，只想传给自己子孙的人。563遭所传德薄：碰巧他所传的不是一个真正有高尚道德的人。遭，逢、正碰上。564不能堪命：没能胜任先王对他的托付。堪，胜任。565国人不顺：全国上下都不服从。566以害先王：指将燕王哙害死。567统位：即位为燕王。568广延：广泛招纳。569其有成功者：如果遇有建立大功的人。其，表示推断的语词。570尚欲与之同共燕国：连我这燕国的本土，还准备拿出来与之共享。571夷其宗庙：铲平了齐国的宗庙。夷，铲平。572报塞先仇：报了先王的大仇。塞，填平，即不再有遗憾。573固：本来。574非燕之所得也：不是我们燕国所想要的。575有齐：占有齐国；在齐国称王。576并为列国：成为并立的诸侯国。577以抗诸侯之难：共同抵抗其他国家对我们的进攻。难，侵犯。578何敢言若此：怎么竟敢这样说，指进谗者说乐毅想在齐国独自称王等等。579后服：王后的服饰。580公子之服：国王儿子的服饰。581辂车乘马：帝王乘坐的车驾与拉此车的四匹马。乘，原指一车四马，这里即指四匹马。582后属百两：跟在辂车后面的扈从车驾还有一百辆。两，同“辆”。583奉：捧；带着。用“奉”是敬辞。584拜书：写回信，给送信人叩头，托其呈给燕王。《史记》之《廉颇蔺相如列传》《刺客列传》都有“拜送书于廷”之语，可供参考。585以死自誓：宁死不能接受燕王之所赐。586畏其信：敬畏乐毅的信义。587莫敢复有谋：再没人敢打乐毅的坏主意。588惠王立：惠王是昭王之子，公元前二七八至前二七二年在位。589尝不快：总是不喜欢。尝，通“常”。590纵反间：施行反间计。所谓“反间”是用假情报迷惑敌人，以引起敌人内部的互相猜疑、互相斗争。《孙子兵法》：“反间者，因其敌间而用之。”杜牧注：“敌有间来窥我，我必先知之，或厚赂以诱之，反为我用；或佯为不觉，示以伪情而纵之，则敌人之间反为我用也。”591不拔：未被攻下。592有隙：有矛盾；有过节。593连兵：谓与齐国即墨、莒城的守军联合。594以待其事：以等待齐人心悦诚服。595齐人所惧三句：此用《史记·田单列传》旧文，此处应重出“他将之来”四字，否则语气不完整。然这种当重出而未重出的句式，《史记》中多见。参看韩兆琦《史记笺证》。残，破、被攻下。596固已疑：本来就怀疑。597乃使骑劫代将：骑劫是燕将名，姓骑，名劫。代将，代替乐毅统兵。史珥曰：“反间之妙，惟去昌国一着，余则多是浅术。”598召乐毅：召乐毅回国。599不善：不喜欢自己。600燕将士由是愤惋不和：因同情乐毅有功而无辜被废。愤惋，愤慨、惋惜。601祭其先祖于庭：在院中祭祖，目的是用供食吸引飞鸟。庭，院落。⑥⑩②下城中：飞落在即墨城里。⑥⑩③因反走：说完话后随即转身向外走。此处写小卒向其将军开玩笑而又惴恐不安的神情甚细。⑥⑩④引还二句：谓田单将此小卒一把拉回，令其东向而坐。乡，通“向”。先秦两汉时的习惯，除官府、朝堂仍以南向为尊外，在一般场合皆以东向座为上位。⑥⑩⑤师事之：像侍奉神师一样地侍奉他。⑥⑩⑥臣欺君：我是在骗您。欺，哄骗。⑥⑩⑦每出约束二句：约束，指章程、条令之类。胡三省曰：“田单恐众心未一，故假神以令其众。”茅坤曰：“田单将兵，起自卒伍，故必为计以自神，与陈涉、吴广之意同。”苏轼曰：“田单使人食必祭，以致乌鸢；又设为神师，皆近儿戏，无益于事。盖先以疑似置人心中，则夜见火牛龙文足以骇动，取一时之胜，此其本意也。”⑥⑩⑧劓所得齐卒：把俘虏去的齐兵都削去鼻子。劓，割鼻。⑥⑩⑨置之前行：在与我们作战时，将这些被削鼻子的齐兵放在前列。前行，前排。⑥①⓪即墨败矣：“即墨败矣”句上应增“若此”二字。⑥①①如其言：就按照田单散布的话，削去了齐国俘虏的鼻子。⑥①②唯恐见得：唯恐被燕人所俘，故拼死作战。⑥①③可为寒心：可使我们害怕，丧失战斗力。⑥①④其欲出战二句：徐孚远曰：“乐毅攻两城，数年不下，欲以德怀齐人；骑劫代将，悉更乐毅所为，故施虐于齐，而田单以为资也。”⑥①⑤身操版锸：亲自拿着修筑城墙的工具。版，筑墙时用版夹土，以杵捣之。锸，有如今之铁锨。⑥①⑥与士卒分功：和士兵一样，分领同样的劳务。功，通“工”，工程、劳务。⑥①⑦妻妾编于行伍之间二句：行伍，军队的编制，这里即指军队。尽散饮食，把自己家里的饮食都拿出来分给士兵们吃。飨，犒赏。〖按〗《史记·平原君虞卿列传》中李同教平原君有所谓“今君诚能令夫人以下编于士卒之间，分功而作，家之所有尽散以飨士，士方其危苦之际，易德也”云云，现田单所为正与之同。⑥①⑧乘城：登城。乘，登上。“令甲卒皆伏，使老、弱、女子乘城”者，盖以此麻痹敌人。⑥①⑨镒：一镒为二十四两，或曰二十两。⑥②⓪令即墨富豪遗燕将：遗，送给。〖按〗通敌之事令“富豪”为之，笔者文心甚细。⑥②①即降：如果投降之后。即，倘若。⑥②②愿无虏掠吾族家：希望你们不要抢夺我们家族的人丁与财产。族家，意同家族。⑥②③益懈：越来越松懈。⑥②④为绛缯衣：用红色丝织品给牛披挂起来。绛缯，红色丝绸。⑥②⑤鼓噪：众声呐喊。⑥②⑥追亡逐北：乘胜追击败兵。亡，逃跑。北，其义同“背”，即“败”。⑥②⑦皆叛燕二句：脱离燕军，回归齐国。⑥②⑧乘胜：乘胜追击，乘胜扩大战果。⑥②⑨走至河上：谓齐军一直追击到黄河边上。走，逃跑。河上，黄河边上，当时的黄河自河南西部流来，至濮阳北行，经今山东平原、德州，至今河北沧州东北之黄骅入海。今沧州、黄骅一带当时为齐国与燕国的分界线。⑥③⓪齐七十余城皆复焉：说齐国有“七十余城”，盖自战国至西汉初一直如此，“七十余城”即指整个齐国。〖按〗以上燕惠王罢乐毅，改用骑劫，以及田单用火牛阵大破燕军，收复失地，重建齐国事，今本《战国策》不载，只见《史记·田单列传》。⑥③①襄王：即前文所说的落难王子法章，公元前二八三至前二六五年在位。〖按〗齐湣王十七年（公元前二八四年）乐毅攻破临淄，齐湣王逃到莒县，被淖齿所杀。不久，齐之群臣诛淖齿，立湣王子法章为齐王，即所谓襄王，坚守莒县，继续抗燕，至今已历五年。⑥③②入临淄：事在齐襄王五年（公元前二七九年）。⑥③③封田单为安平君：《史记索隐》曰："以单初起安平，故以为号。"〖按〗田单之所以被封为安平君，乃因为田单的首次显露头角是在安平。又，田单墓在今山东淄博市临淄区之皇城营村东南，墓高八米，东西近三十米，略呈方形。墓前有民国七年（公元一九一八年）立的"齐相田单之墓"石碑，今已不存。一九七二年农耕时曾于其墓东侧地下一米左右发现石椁，疑是田单墓室，遂覆盖候考。㉞太子建：即日后的齐王建，齐国的亡国之君。㉟不取媒：不通过媒人。取，用。㊱非吾种：不是我们家的血统，亦即"不是我们家的人"。㊲污吾世：侮辱了我们家的门风。世，世系、传统。㊳君王后：即太史敫之女，此人在齐王建时代操纵齐国政治数十年，详见《史记·田敬仲完世家》。㊴观津：赵邑名，在今河北武邑东。㊵以警动于燕、齐：以警告、震慑燕、齐两国。警动，警告、威慑。㊶让：谴责。㊷谢之：表示歉意。㊸过听：错听，犹今之所谓"误解"。㊹自为计：为个人打算。㊺亦何以报先王句：遇，对待、待承。袁黄曰："数句内写悔、怨、恐三意，惠王之心事如见。"凌稚隆引杨慎曰："乐毅报君书善矣，惠王书亦自委曲恳至，足以饰前非而动众志。"㊻报书：即回信。㊼伍子胥说听于阖闾：伍子胥是春秋末期楚国人，其父兄被楚平王所杀，伍子胥逃入吴国，佐吴王阖闾大破强楚，称霸一时。阖闾死，夫差立，子胥因为劝夫差灭越，劝阻夫差耀武中原，结果被夫差所杀。说听，主张被采纳。阖闾，名光，公元前五一四至前四九六年在位，是春秋末期最有作为的君主之一。㊽吴远迹至郢：吴国的足迹远达郢都，指吴王阖闾九年（公元前五〇六年），吴军破楚入郢事。郢是楚国国都，即今湖北江陵西北之纪南城。㊾夫差弗是也：夫差不认可伍子胥的主张。夫差是吴王阖闾之子，公元前四九五至前四七三年在位。初即位时，曾大破越国，后来转向北方进兵，与齐、晋争胜，结果被重新崛起的越国所袭，夫差自杀。弗是，不以（伍子胥的意见）为对。㊿赐之鸱夷而浮之江：指将伍子胥杀害后装入皮口袋，扔在江里。鸱夷，皮口袋。〖按〗以上吴王阖闾用伍子胥之谋破楚入郢，吴王夫差不仅不听伍子胥之谋，反而将其杀害事，皆详见于《左传》与《史记》之《吴太伯世家》《伍子胥列传》《越王勾践世家》。651不寤：不醒悟；不明白。652先论：指伍子胥生前的见解，即力主灭越与反对耀兵中原与齐、晋争衡事。653沈子胥：将伍子胥投入水中。沈，同"沉"。654不蚤见：不能及早地看清。蚤，同"早"。655主之不同量：指吴王阖闾与吴王夫差二人的才德、度量大不相同。656入江：被杀死投入江心。657不化：不变；不改其初衷。如坚持认为越为吴的心腹之患等。658免身立功：既能使自身不受灾祸，又能为燕国建立大功。659明先王之迹：证明先王的伟大、能知人。迹，心迹、心意，指信任乐毅事。660上计：上策，犹今所谓"最高理想"。661离毁辱之诽谤：遭受诬陷而被杀。离，通"罹"，陷入、遭受。662堕先王之名：让先王落一个"错用人"的名声。堕，通"隳"，败坏。663大恐：最可怕、最不希望出现的事情。三句意谓当时如果奉诏回燕，蒙罪被杀，则是既"离毁辱之诽谤"，又"堕先王之名"。664临不测之罪：面对着无法预料的大罪，即指现时的处境而言。665以幸为利：以侥幸的举动为个人谋求私利，指燕惠王所担心的"赵用乐毅乘燕之敝以伐燕"。666义之所不敢出也：指"这是我绝对不会做的”。义，用如“义不帝秦”“义无反顾”之“义”。不敢，不能、不会。其所以用“不敢”，是表示自谦。出，行、采取。㊿667古之君子二句：古时候两个人的友情决裂后，彼此不说对方的坏话。668忠臣去国二句：一个忠臣遭贬斥，被流放出京城后，不对人洗白自己的冤屈，不归咎于君上。《史记索隐》曰：“不自洁其名，云己无罪。”669臣虽不佞二句：不佞，不才、没出息。古人用以谦称自己。数，多次、屡屡。奉教于君子，接受君子的教诲。司马迁《报任安书》有所谓“仆虽罢驽，亦尝侧闻长者遗风矣”，与此意思相同。670唯君王之留意焉：唯，表示祈请的语气词。〖按〗以上乐毅报燕惠王书之全文，见《战国策·燕策二》与《史记·乐毅列传》。凌稚隆引楼昉曰：“此书可以见燕昭王、乐毅君臣相与之际，略似蜀昭烈、诸葛武侯。书词明白，洞见肺腑。”金圣叹曰：“善读此文者，必能知其为诸葛《出师》之蓝本也。其起首、结尾，比《出师》更自胜无数倍。”671以乐毅子闲为昌国君：让其子乐闲袭用其父的称号。乐闲的事迹见《史记·乐毅列传》所附述。672往来复通燕：又和燕王通好，往来于燕、赵两国之间。673卒于赵：乐毅墓在今邯郸城东十公里的大乐堡村北，整个墓园占地三十余亩，两千年来历代都有重修。现存清代雍正十一年（公元一七三三年）所立的石碑一通，上书“战国望诸君乐毅之墓”。唐代韩愈、柳宗元都留有祭文。674望诸君：胡三省以为“望诸”是齐国的薮泽名，因为乐毅是自齐奔赵，故赵人以此称之。675淄水：齐国河水名，源于泰山北麓，经临淄城东，北流入渤海。676衣之：给老人穿上。677恶：讨厌；憎恨；不高兴。678施于人：给人东西，笼络人心。679不早图：不及早打主意，意即想立刻收拾他。680左右顾无人：看了看身边无人。681岩下：殿下。682贯珠：穿珠成串。贯，穿。683因以为己善：把他的这种做法变成您自己的长处。684王嘉单之善：您可以公开表扬田单的这些好处。嘉，称赞、表扬。685忧民之饥：担心有人挨饿。686单收而食之：田单就把挨饿的收容起来，给他们饭吃。687忧劳：关心；挂念。688称寡人之意：合我的心。称，恰合。689是善：这样的好处。690王朝日：大王上朝的时候。691揖之于庭：在大庭上向他作揖致敬。692口劳之：亲口向他表示慰勉。693求：征集；招纳。694收谷之：收容起来，给他们饭吃。谷，养。695闾里：犹言里巷、胡同。闾是里巷的门。这里代指民间、基层。696大夫：原指国家的中层官吏，这里是指社会上有身份、有一定地位的士绅。697相与语：彼此交谈。698嗟：赞叹声。699乃王之教也：乃是听从齐王的教导。700任貂勃于王：保举貂勃在齐王跟前为官。任，保举。貂勃，姓貂，名勃。701使将军：即淖齿。702社稷：社稷坛，君主祭祀谷神、土神的坛台，通常用以代指国家。703受而觞之：接受了他的出使，为之举行酒会。觞，古代酒杯，这里即指敬酒。704相与语于王：串通起来对齐王说。705一人之身：以一个普通臣子的身份。706牵留万乘：被万乘楚国的楚王所挽留。牵，挽。707据势：依仗着田单的权势。708君臣无异：看不出君臣的差别，极言田单的倨傲。709欲为不善：图谋篡位。710内抚百姓：对内收买民心。抚，抚恤、关心爱护。711外怀戎翟：对外勾结异族。怀，对之施恩，使之感戴。712欲有为也：想要干见不得人的事，指阴谋篡位。713召相单而来：叫丞相田单前来。〖按〗对一个有身份的人直呼其名是很不礼貌的行为。714免冠、徒跣、肉袒：不戴帽子、光着双脚、袒露着臂膀见人，这是向人请罪的样子。⑮退而请死罪：叩见之后又自言其罪该死，请求处置。⑯子为子之臣礼：你要表现出你作为臣子的礼节。⑰吾为吾之王礼：我要表现出作为齐王的礼节。⑱酒酣：饮酒饮到高兴的时刻。⑲避席稽首：离开自己的座席，行最虔敬的大礼，这是一种极其严肃、庄重的表现。稽首，磕头至地而不即刻抬起，这是最恭敬的跪拜礼。⑳王上者孰与周文王：您上与周文王相比，自己感觉如何。周文王被儒家称为“圣人”。㉑齐桓公：春秋时代的诸侯霸主，公元前六八五至前六四三年在位。㉒吕尚：也称姜尚、姜子牙，西周的开国功臣。㉓以为太公：恭敬地称他为“姜太公”。据《史记·齐太公世家》，周文王在渭水之滨遇到姜尚时，高兴地说：“吾太公望子久矣。”故称“太公望”。㉔管夷吾：名夷吾，字仲，齐桓公的得力大臣。事迹见《史记·管晏列传》。㉕以为仲父：齐桓公称管仲为“仲父”，将其尊为父辈。杨倞曰：“仲者，夷吾之字；父者，事之如父。”㉖今王得安平君而独曰“单”：您今天有一位安平君，您竟然呼其名曰“田单”。㉗安得此亡国之言乎：您怎么能说出这种亡国之言呢。因为这对国家大臣太不尊重了。㉘自天地之辟：自从开天辟地以来。㉙民人之始：自从有人类以来。㉚为人臣之功：作为一个臣子所能建立的功勋。㉛谁有厚于安平君者哉：谁的功勋还能超过安平君呢。㉜王走而之城阳之山中：您逃到莒县的山里躲起来，指齐襄王当初躲在太史敫家中，为人灌园之时。城阳，即指莒县，汉代有城阳国，其都城即莒县。㉝惴惴：单薄、危险的样子。㉞郭：外城。㉟敝卒：疲惫不堪、士气与装备都很差的士兵。㊱禽其司马：擒杀了骑劫。鲍彪注：“司马，主兵之官，谓骑劫。”㊲反千里之齐：使地广千里的齐国得以恢复、重建。㊳舍城阳而自王：指安平君当时如果不再找逃到莒县山中的您，而他自己独自称王。㊴天下莫之能止：谁也阻止不了他。㊵计之于道二句：但安平君在当时想的是道义，行的也是道义。㊶以为不可：认为自己不能称王。㊷栈道木阁：在崎岖难行的山中架桥修路。栈道，指傍山修成的凌空小道。木阁，即阁道，横跨山涧、山沟的凌空通道。㊸王乃得反：您这才回到了京城。㊹子临百姓：您这才居高临下地成了群臣、万民的君父。㊺婴儿之计不为此：小孩子也说不出这样的话来。㊻亟杀：赶紧杀掉。亟，速。㊼谢：安慰；道歉。㊽其：将，表示推断的语词。㊾逐其家：将他们的家属驱逐出京城。㊿益封：加封；增加封地。751夜邑：齐县名，即今山东莱州。〖按〗以上貂勃为田单说话的故事，见《战国策·齐策六》，文字与此大体相同，《史记·田单列传》不载。752狄：当时居住在齐国边境的少数民族名，故城在今山东高清西北。753鲁仲连：齐国的一位具有侠客气质的游士，事迹详见《史记·鲁仲连邹阳列传》。754万乘之燕：具有万辆兵车的燕国。战国时代常以“万乘”称国家之强大。755复齐之墟：在一片废墟上重建齐国。756何也：怎么可能呢。757弗谢而去：不告别、不打招呼就走了。极言其不高兴、不服气的样子。758大冠若箕：帽子大得像簸箕。759修剑拄颐：佩剑长得剑柄拄了下巴。二句形容田单的官大、排场。760垒枯骨成丘：防御工事前的枯骨堆积如小山。垒，指狄城的防御工事。枯骨，指齐军攻狄所死的士兵之多。761请闻其说：请您讲讲其中的道理。762织蒉：编筐。蒉，盛物的筐。⑯仗锸：手持铁锹。二句极言田单一刻不停，与士兵同甘苦、勤劳动。⑯为士卒倡曰：你给士兵们唱道。倡，同“唱”。⑯无可往矣：我们再也无处可逃啦。⑯今日尚矣：应依《说苑·指武》作“魂魄丧矣”。意即在这国破家亡之际，我们悲愤得神思恍惚，好像魂魄已经离去。⑯归于何党矣：我们还能向哪里去呢。只能与敌人拼到底，死里求生。何党，何所、何处。⑯有死之心：不怕牺牲，可以付出一死。⑯无生之气：根本就没想再活下去，都抱着必死的决心。⑰闻君言：听到您的歌声。⑰此所以破燕也：这就是您当时能够破燕的原因。⑰夜邑之奉：领地夜县的收入。奉，同“俸”，俸禄、收入。⑰淄上之娱：指安平封地上的可愉悦之物。田单原来的封地安平离淄水不远。⑰黄金横带：以黄金修饰腰带，以喻其富贵得意之态。⑰骋乎淄、渑之间：坐着车子在淄水、渑水一带奔驰游荡。淄水流经临淄城东，渑水是时水的上游，发源于广饶之冶岭山，在临淄西北不远。⑰单之有心：我田单现在有了决死之心。⑰先生志之矣：先生这回您就看着吧。志，记，这里即指看。⑰厉气循城：沿着城下绕行一周，以鼓励攻城士兵的斗志。厉，同“励”，勉励。循，通“巡”，巡行。⑰立于矢石之所：站在敌兵矢石投射得到的地方。《吕氏春秋·贵直》作“立于矢、石之所及”，《韩非子·难二》也作“立于矢、石之所及”，有“及”字更为晓畅。⑱援枹鼓之：手执鼓槌，擂鼓以助士气。援，执。枹，鼓槌。⑱狄人乃下：狄城遂被攻破。〖按〗以上田单破狄事，见《战国策·齐策六》，文字大体相同。⑱初：历史家写历史使用的追述语，用以领起下面所追述的以前事。⑱既灭宋：在灭宋以后，事在齐湣王十五年（公元前二八六年）。⑱欲去：想驱逐。⑱与诸侯共伐破齐：指孟尝君率领魏国参加了乐毅统率的五国联军。⑱中立为诸侯：指以他所有的薛邑独立，也成为“泗上诸侯”中的一个。⑱无所属：不属哪个大国诸侯所管。⑱齐、魏共灭薛：时当齐襄王五年（公元前二七九年）、魏昭王十七年。⑱绝嗣：断绝了继承人。

【校记】

［6］秦、赵会于穰：“赵”当作“楚”。〖按〗《史记·秦本纪》：（昭王二十四年）“与楚王会鄢，又会穰。”又《史记·楚世家》：（顷襄王十六年）“其秋，复与秦王会穰。”《史记·六国年表》于秦不讹，然讹“楚顷襄王十六年”为“赵惠文王十六年”。《资治通鉴》遂据此误书“秦、赵会于穰”。［7］贵薄疑：“贵”原讹作“责”，今据《四部丛刊》影宋本（乙十一行本）改。［8］主：原作“王”。据章钰校，十二行本、乙十一行本、孔天胤本皆作“主”，张瑛《通鉴校勘记》同。今从诸本及《史记·楚世家》改。［9］将欲以：原无“欲”字。据章钰校，十二行本、乙十一行本、孔天胤本皆有此字。今从诸本及《战国策·齐策》补。［10］相与语于王：“于王”二字原无。据章钰校，十二行本、乙十一行本、孔天胤本皆有此二字，张瑛《通鉴校勘记》同。今从诸本及《战国策·齐策》补。［11］欲有为也，愿王之察之：原作“欲有为，愿王察之”。据章钰校，十二行本、乙十一行本、孔天胤本“为”下皆有“也”字，“王”下皆有“之”字。今从诸本及《战国策·齐策》补。

【原文】

三十七年（癸未，公元前二七八年）

秦大良造白起伐楚，拔郢[790]，烧夷陵[791]。楚襄王兵散，遂不复战，东北徙都于陈[792]。秦以郢为南郡[793]，封白起为武安君[794]。

三十八年（甲申，公元前二七七年）

秦武安君定巫、黔中[795]，初置黔中郡[796]。

魏昭王薨，子安釐王[797]立。

三十九年（乙酉，公元前二七六年）

秦武安君伐魏，拔两城。

楚王收东地[798]兵，得十余万，复西取江南十五邑[799]。

魏安釐王封其弟无忌[800]为信陵君。

四十年（丙戌，公元前二七五年）

秦相国穰侯伐魏[801]。韩暴鸢[802]救魏，穰侯大破之，斩首四万。暴鸢走开封[803]。魏纳[804]八城以和。穰侯复伐魏，走芒卯[805]，入北宅[806]，遂围大梁[12]。魏人割温以和[807]。

四十一年（丁亥，公元前二七四年）

魏复与齐合从[808]。秦穰侯伐魏，拔四城[809]，斩首四万。

鲁湣公薨，子顷公雠[810]立。

四十二年（戊子，公元前二七三年）

赵人、魏人[811]伐韩华阳[812]，韩人告急于秦，秦王[813]弗救。韩相国谓陈筮[814]曰："事急矣，愿公虽病，为一宿之行[815]。"陈筮如秦，见穰侯。穰侯曰："事急乎[816]？故使公来。"陈筮曰："未急也。"穰侯怒曰："何也？"陈筮曰："彼韩急，则将变而他从[817]；以未急，故复来[818]耳。"穰侯曰："请发兵矣[819]。"乃与武安君[820]及客卿胡阳[821]救韩。八日而至，败魏军于华阳之下[822]，走芒卯[823]，虏三将，斩首十三万。武安君又与赵将贾偃战，沈其卒二万人于河[824]。魏段干子[825]请割南阳[826]予秦以和。

【语译】

三十七年（癸未，公元前二七八年）

秦国大良造白起率军攻打楚国，攻克了楚国的都城郢，焚烧了楚国先王陵寝所在地夷陵。楚襄王的军队溃不成军，不敢再与秦军交战，楚国被迫把都城迁徙到了东北方向的陈。秦国把楚国的郢都设置为南郡，封白起为武安君。

三十八年（甲申，公元前二七七年）

秦国武安君白起率军平定了楚国的巫郡、黔中等地，秦将其地设置为黔中郡。

魏昭王去世，他的儿子圉即位，就是魏安釐王。

三十九年（乙酉，公元前二七六年）

秦国武安君白起率军攻打魏国，夺取了魏国的两座城邑。

楚顷襄王召集东部淮、汝等地的军队，共聚集起十余万人，向西收复了长江以南被秦国侵占的十五座城邑。

魏安釐王封他弟弟魏公子无忌为信陵君。

四十年（丙戌，公元前二七五年）

秦相国穰侯魏冉率秦军攻打魏国。韩国将领暴鸢率韩国的军队前来救援魏国，穰侯魏冉所率秦军将暴鸢的军队打得大败，斩杀了四万人。暴鸢逃进了魏国的开封。魏国向秦国割让八座城邑以求和。不久，魏冉再次攻打魏国，打跑了魏将芒卯，占领了魏国的北宅，围困了大梁。魏国被迫将温地割让给秦国以求和。

四十一年（丁亥，公元前二七四年）

魏国又与齐国订立合纵联盟，以抵抗秦国的侵犯。秦穰侯又来攻打魏国，占领了四座城邑，杀死了四万人。

鲁湣公去世，他的儿子姬雠即位，就是鲁顷公。

四十二年（戊子，公元前二七三年）

赵国、魏国联合攻打韩国的华阳，韩国向秦国告急求救，秦昭王不肯发兵救韩。韩国相国对陈筮说:“事情已经很紧急了，您虽然有病在身，但我还得请您到秦国走一趟。”陈筮到了秦国就去拜见穰侯。穰侯说:“情势大概非常紧急吧？所以韩国才派您到秦国来。”陈筮说:“形势并不像您想象的那样紧急。”穰侯听了非常恼怒，说:“怎么还说不紧急呢？”陈筮说:“如果真的情势紧急，韩国恐怕早就投降赵国、魏国了；就是因为还没到非常紧急的程度，所以我才到秦国求救。”穰侯说:“我们秦国马上发兵去救韩国。”于是穰侯和武安君白起、客卿胡阳一起率军救韩。只用了八天的时间，就赶到了韩国的华阳，在华阳山下打败了魏国的军队，赶跑了芒卯，俘虏了三员将领，斩杀了十三万人。武安君白起又和赵国将领贾偃所率赵军交战，将贾偃的军队赶入黄河，淹死的就达二万人。魏国的段干子请求将南阳割让给秦国以求和。

苏代谓魏王曰[827]:“欲玺[828]者,段干子也;欲地[829]者,秦也。今王使欲地者制玺[830],欲玺者制地[831],魏地尽矣[832]。夫以地事秦[833],犹抱薪救火[834],薪不尽,火不灭[835]。”王曰:“是则然也[836]。虽然,事始已行,不可更矣[837]。”对曰:“夫博之所以贵枭[838]者,便则食,不便则止。今何王之用智不如用枭也[839]?”魏王不听,卒以南阳为和[840],实修武[841]。

韩釐王薨,子桓惠王[842]立。

韩、魏既服于秦,秦王将使武安君与韩、魏伐楚。未行,而楚使者黄歇[843]至。闻之,畏秦乘胜一举而灭楚也,乃上书曰[844]:“臣闻物至则反[845],冬夏是也[846];致至则危[847],累棋[848]是也。今大国之地,遍天下有其二垂[849],此从生民以来[850],万乘之地,未尝有也[851]。先王三世[852]不忘接地于齐[853],以绝从亲之要[854]。今王使盛桥[855]守事于韩[856],盛桥以其地入秦[857]。是王不用甲[858],不信威[859],而得百里之地[860],王可谓能矣。王又举甲而攻魏,杜大梁之门[861],举河内[862],拔燕、酸枣、虚、桃,入邢[863]。魏之兵[864]云翔而不敢救[865],王之功亦多矣。王休甲息众,二年而后复之[866],又并蒲、衍、首垣[867]以临仁、平丘[868],黄、济阳婴城[869]而魏氏服。王又割濮磨之北[870],注齐、秦之要[871],绝楚、赵之脊[872]。天下五合六聚[873]而不敢救,王之威亦单矣[874]。王若能保功守威[875],绌攻取之心[876],而肥仁义之地[877],使无后患,三王不足四,五伯不足六[878]也。王若负[879]人徒之众,仗兵革之强,乘毁魏[880]之威,而欲以力[881]臣天下之主,臣恐其有后患也。《诗》曰:‘靡不有初,鲜克有终[882]。’《易》曰:‘狐涉水,濡其尾[883]。’此言始之易,终之难也。昔吴之信越[884]也,从而伐齐[885],

苏代对魏安釐王说："想要得到秦国爵赏的是段干子，想要得到魏国土地的是秦国。让想得到魏国土地的秦国掌管着授予爵赏的大权，让想得到秦国爵赏的段干子掌握了支配魏国土地的大权，那么魏国的土地很快就会被割让得干干净净。用割让土地的办法来讨好秦国，就如同是抱着柴草去救火，柴草烧不尽，火就不会熄灭一样。"魏安釐王说："你说的是这么回事。虽然如此，过去事情已经这么办了，就不能再改变了。"苏代回答说："玩牌的人都很重视画有'枭'的那张牌，因为处在有利的情况下'枭'就可以吃掉对方，处在不利的情况下'枭'就可以按兵不动。如今大王您在运用智谋方面怎么还不如玩牌灵活呢?"魏安釐王不听苏代的劝告，最终还是将南阳割让给了秦国，并加强修武县的防卫。

韩釐王去世，他的儿子即位，就是桓惠王。

韩、魏两国既然已经屈从于秦国，秦王准备派武安君白起联合韩、魏两国的军队去攻打楚国。还没有出发，楚国的使者春申君黄歇已经来到秦国。他听到秦国准备率韩、魏攻打楚国的消息，害怕秦国乘着征服韩、魏的有利形势一鼓作气将楚国灭掉，于是就给秦昭王写了一封信，信上说："我听说事情发展到极点就要走向它的反面，冬去夏来就是这样；堆积东西到一定的高度，就要倒塌，垒棋子就是这样。如今秦国的土地，已经从最西边发展到了最北边，这是自从有了人类以来，任何一个拥有万乘兵车的大国所从来没有过的。秦国从秦孝公开始，历经秦惠文王、秦武王，三代先王都梦寐以求地想把秦国的土地向东方拓展，以使东部边境与齐国的边境连接起来，从而将东方六国的合纵联盟拦腰斩断。如今大王您将盛桥派往韩国以监督韩国的动向，盛桥为秦国取得了韩国的大片土地。大王您无须动用武力，不必展示威力，就轻而易举地得到了方圆百里的土地，大王真是才能卓越啊。您又发兵攻打魏国，封锁了魏国都城大梁的交通要道，侵占了河南东北部黄河以北的河内地区，夺取了燕、酸枣、虚、桃人等地。楚国、魏国的军队急得像天上的云被风刮得团团打转，却不敢去救，大王您的功劳也算是够多够显赫的了。于是您让军队停战休整，两年以后，再度出兵，又吞并了魏国的蒲、衍、首垣，进一步威胁仁、平丘，包围黄、济阳而迫使魏国臣服于秦国。大王又占领了濮磨以北的大片土地，将兵力投放在齐国与秦国的中分地带，打断了楚、赵之间连接的脊梁。东方诸国虽然多次联盟、合兵却不敢前去救援，大王的威风可算是发挥得淋漓尽致啦。如果您能保持现有的成功，守住您现有的威势，再克制一下攻伐夺取的心志，广行仁义之举，使国家没有后顾之忧，就不难使自己成为三王之后的第四王，五霸之后的第六霸。如果大王仗恃兵多将广，兵器锐利，借着摧毁魏国的威力，想凭借武力使天下各路诸侯臣服于秦国，我恐怕您将会后患无穷了。《诗经》上说：'任何人做事都会有一个好的开头，但很少有人能善始善终。'《周易》上说：'狐狸游水过河，水漫过它的尾巴，说明它没有后劲，所以最终也难以渡过河去。'说的都是开始容易，却很难做到有始有终啊。过去，

既胜齐人于艾陵[886]，还为越王禽于三江之浦[887]。智氏之信韩、魏[888]也，从而伐赵[889]，攻晋阳[890]城，胜有日矣[891]，韩、魏叛之[892]，杀智伯瑶于凿台[893]之下。今王妒楚之不毁[894]，而忘毁楚之强韩、魏也，臣为王虑而不取也。夫楚国，援也[895]；邻国[896]，敌也。今王信韩、魏之善王[897]，此正吴之信越也[898]，臣恐韩、魏卑辞除患[899]，而实欲欺大国也。何则？王无重世[900]之德[901]于韩、魏，而有累世之怨焉。夫韩、魏父子兄弟接踵[902]而死于秦者[13]，将十世矣，故韩、魏之不亡，秦社稷之忧也[903]。今王资之[904]与攻楚，不亦过乎？且攻楚将恶出兵[905]？王将借路[906]于仇雠[907]之韩、魏乎？兵出之日，而王忧其不反[908]也。王若不借路于仇雠之韩、魏，必攻随水右壤[909]，此皆广川、大水、山林、溪谷，不食之地[910]。是王有毁楚之名，而无得地之实[911]也。且王攻楚之日，四国[912]必悉起兵而应王[913]。秦、楚之兵构而不离[914]，魏氏将出而攻留、方与、铚、湖陵、砀、萧、相[915]，故宋必尽[916]。齐人南面攻楚[917]，泗上必举[918]。此皆平原四达，膏腴之地[919]。如此，则天下之国莫强于齐、魏[920]矣。臣为王虑，莫若善楚。秦、楚合而为一，以临韩[921]，韩必敛手[922]而朝。王施以东山之险[923]，带以曲河之利[924]，韩必为关内之侯[925]。若是[926]而王以十万戍郑[927]，梁氏寒心[928]，许、鄢陵婴城[929]，而上蔡、召陵不往来[930]也。如此而[14]魏亦关内侯[931]矣。王壹善楚[932][15]，而关内两万乘之主[933]，注地于齐[934]，齐右壤[935]可拱手而取也。王之地一经两海[936]，要约天下[937]，是燕、赵无齐、楚，齐、楚无燕、赵[938]也。然后危动燕、赵，直摇齐、楚。此四国者，不待痛而服[939]矣。”王从之，止武安君[940]而谢韩、魏[941]，使黄歇归，约亲于楚[942]。

吴王夫差在打败越国后，相信越王是真心臣服于吴国，让越国出兵一起去攻打齐国，并在艾陵大败齐国，然而却在三江岸边被越军所困而自杀。智伯相信韩、魏两家不会背叛，就让韩、魏跟随自己去攻打赵氏，包围了晋阳城，眼看胜利指日可待，不料韩、魏背叛了智伯，与赵氏联合起来，将智伯杀死在凿台之下，灭掉了智氏。如今大王嫉恨楚国的强大，还没有被灭掉，却忘记灭掉楚国则会使韩国、魏国强大起来，我为大王考虑，灭掉楚国的做法是不可取的。因为楚国是秦国的同盟国；而韩、魏才是秦国真正的敌人。您如果相信韩国、魏国与秦国友好，这正如同吴王夫差之相信越王勾践，我担心韩、魏两国把话说得谦卑动听，说是要帮助您扫除障碍，实际上是想欺骗秦国。为什么这样说呢？因为秦对于韩、魏两国世世代代都没有恩德，却世世代代都积有怨恨。韩、魏两国人民的父子兄弟一个接一个地死在秦国人之手已经将近十代了，所以，韩、魏两个国家不灭亡，就永远是秦国的隐患。如今大王供应军备给韩、魏，想与他们一起攻打楚国，岂不是大错吗？况且攻打楚国，秦国从哪里出兵？大王难道要向世仇的韩、魏借道吗？恐怕当秦军出兵经过韩、魏的时候，大王就会担忧秦军一去不复返了。大王如果不向韩、魏借道，就必然攻打楚国西部随水以西一带地区，而那一地区不是水道就是大河，不是密林就是溪谷，都是不能耕种的地方。即使大王占领了也只是得到了一个战胜楚国的虚名，而得不到实际的利益。再说，大王攻打楚国的时候，赵、齐、魏、韩四国必定会征调全国的兵力响应。但秦、楚两国交战之时，魏国必定出兵攻占留、方与、铚、湖陵、砀、萧、相，这些原属宋国的土地必定全部被魏国所占有。此时齐国也必定向南出兵攻打楚国，楚国泗水流域一定会被齐国所占有。这些地方都是肥沃的平原，交通便利。被齐、魏两国占领以后，天下就没有哪个国家再比齐、魏强大了。我替大王考虑，最好和楚国交好，秦、楚两国联合起来统一行动，进逼韩国，韩国必定向秦国俯首称臣。到那时，秦国依据东山之险，又拥有黄河之利，韩国已是名存实亡，韩王只不过相当于秦国所封的一个关内侯而已。这样的话，大王再派十万大军驻守新郑，魏国必定心惊胆战，许邑、鄢陵闭城固守，而上蔡、召陵与魏国的联系也随即被断绝。这样一来，魏王也就如同秦国境内所分封的关内侯了。大王您一旦与楚国交好，就将两个具有万乘兵车的大国韩、魏的国王变成了秦国的关内侯，而使秦国的领土与东边的齐国相连接，这样一来齐国西部的土地可以毫不费力地被秦国所占有。到那时，大王您的领土就会从西海一直延伸到东海，从而号令天下，使燕、赵两国从此失去了齐、楚两国的援助，而齐、楚两国也不能得到燕、赵两国的支援。然后您再对燕、赵加以威慑，对齐、楚施加压力。燕、赵、齐、楚四国不等您出兵就会自然臣服于秦。”秦昭王听从了黄歇的劝告，制止武安侯白起出兵，同时谢绝了韩、魏的助秦伐楚，让黄歇返回楚国，与楚国结成友好关系。

【段旨】

以上为第四段，写周赧王三十七年（公元前二七八年）至周赧王四十二年共六年间的各国大事。主要写：秦对楚国、魏国、韩国的猛烈攻击，使楚国的郢都失守，楚王只好将都城东迁到河南陈县；韩、魏联军被秦军大破于华阳，损兵十三万，河内地区大片划归于秦。又详尽地移录了春申君黄歇劝秦王联楚伐韩的长篇书信，这篇文章经历史学家们考证，认为绝不可能出自春申君之手，乃是司马迁错安在了春申君头上。

【注释】

⑲⓪拔郢：攻下了楚国的都城郢，时为秦昭王二十九年（公元前二七八年）、楚顷襄王二十一年。楚都郢即今湖北江陵西北之纪南城。〖按〗秦军破郢，迫使楚国东迁，此为战国时期一大事件，表明秦国已空前强大，楚国已经没有再与秦国抗衡的力量。楚国诗人屈原曾为此写过《哀郢》，文中有所谓“皇天之不纯命兮，何百姓之震愆！民离散而相失兮，方仲春而东迁”，焦首蹙额之情，可以想见。⑲①夷陵：楚邑名，在今湖北宜昌东南，楚国先王陵墓之所在地。⑲②陈：当年陈国的都城，陈被楚灭后，成为楚国之县，即今河南周口市淮阳区。⑲③南郡：秦灭楚后所设的郡名，郡治即楚之都城郢，后世遂称之为南郡。⑲④武安君：白起的封号，取其克敌安国之意。〖按〗战国与秦汉时期号为“武安君”的人甚多，如苏秦、李牧等皆是。⑲⑤巫、黔中：楚之二郡名，巫郡在今重庆市东部之长江两岸和与之邻近的湖北一带地区，黔中郡在今湖南西部和与之邻近的贵州东部一带地区。⑲⑥黔中郡：秦郡名，郡治临沅，即今湖南常德。⑲⑦安釐王：名圉，昭王之子，公元前二七六至前二四三年在位。釐，也写作“僖”。⑲⑧东地：楚国的东部地区，指今河南东部、安徽北部等一带地区。⑲⑨江南十五邑：杨宽《战国史·战国大事年表》称“楚收复黔中十五邑，重新建郡抗秦”。⑳⓪无忌：魏昭之子，安釐王之弟，被封为信陵君，司马迁则亲切地称之“魏公子”。事迹详见《史记·魏公子列传》。⑳①穰侯伐魏：时当秦昭王三十二年（公元前二七五年）、魏安釐王二年。⑳②暴鸢：姓暴，名鸢，韩国将领。⑳③走开封：败逃到开封。开封是魏邑名，在今河南开封南。⑳④纳：交出。⑳⑤走芒卯：打跑了魏将芒卯。⑳⑥北宅：也称“宅阳”，魏邑名，在今河南荥阳西南。《史记·穰侯列传》于此作“入北宅，遂围大梁”。此“遂围大梁”四字不可无。大梁是魏国都城，即今河南开封。⑳⑦魏人割温以和：温是魏县名，在今河南温县西南。杨宽《战国史·战国大事年表》以为本年只有“魏人割温以和”一事，并非还有一次“纳八城以和”。⑳⑧魏复与齐合从：时当魏安釐王三年（公元前二七四年）、齐襄王十年。⑳⑨拔四城：拔取魏之蔡邑、中阳等四城。⑳⑩顷公雠：名雠，据《史记·六国年表》，公元前二七二至前二四九年在位，被楚所灭。此处所叙之在位年限较《史记》早一年。⑳⑪赵人、魏人：时当赵惠

文王二十六年（公元前二七三年）、魏安釐王四年。⑫ 华阳：韩县名，在韩国都城新郑西北。⑬ 秦王：时当秦昭王三十四年（公元前二七三年）。⑭ 陈筮：也作“陈筌”，《战国策》作“田苓”。陈直曰：“陈筮必为齐人而仕韩者。”⑮ 愿公虽病二句：虽然劳累，好在路还不甚远，请你去一趟。一宿，在路上过一次夜。或谓“一宿”即“一舍”，指三十里。⑯ 事急乎：事态大概相当紧急了吧。⑰ 变而他从：改换门庭，投靠别的国家。⑱ 故复来：所以还来求你们秦国。⑲ 请发兵矣：请允许我们立即发兵。⑳ 武安君：指秦国大将白起。㉑ 胡阳：也作“胡伤”，时为秦将。㉒ 败魏军于华阳之下：此“魏军”应作“赵、魏军”。华阳，以上陈筮为韩求救于穰侯事，见《战国策·韩策三》。杨宽《战国史·战国大事年表》称此役为“赵、魏联合攻韩到华阳，秦派白起、胡阳救韩，大胜于华阳，打跑魏将孟卯，攻取卷、蔡阳等城。又战败赵将贾偃，秦又围攻魏的大梁”。缪文远曰：“此与《韩策二·楚围雍氏五月章》文同，盖仿张翠事而拟作者。”〖按〗张翠为雍氏之围而求救于甘茂事，用语与陈筮相同，史公作《史记·樗里子甘茂列传》竟未采入，而于此采入了陈筮事，去取态度盖与缪氏说异。又，陈筮、张翠的这种说辞，与《左传》中之展喜犒齐师、吕甥说秦穆公释惠公略相仿佛。凌稚隆曰：“陈筮‘将变而他从’之语，所以激穰侯不敢不救也，故能八日而兵至。”㉓ 走芒卯：《战国策》与《史记》叙华阳之战与“走芒卯”“围大梁”云云，各处歧异，《资治通鉴》叙事也前后重复。赧王四十年（公元前二七三年）已有“走芒卯”，赧王四十二年又有“走芒卯”，究竟是一次，还是两次？㉔ 沈其卒二万人于河：将赵卒二万人抛入黄河淹死。㉕ 段干子：据《战国策·魏策三》，此人姓段干，名崇，魏臣中的亲秦派。㉖ 南阳：地区名，约当今河南济源、武陟一带，当时属魏。因其地处黄河之北、太行山之南，故称南阳。泷川资言曰：“段干子欲得秦封，故请魏割地。”㉗ 苏代谓魏王曰：《战国策》“苏代”作“孙臣”。王叔岷曰：“《春秋后语》《通鉴》并作‘苏代’，本《世家》也。”㉘ 欲玺：想要得到秦国的爵赏。㉙ 欲地：想得到魏国的地盘。㉚ 使欲地者制玺：让想得魏之土地者掌管着给魏国奸细的授玺之权。㉛ 欲玺者制地：让想获秦国爵赏的奸细掌管着支配魏国的土地之权。㉜ 魏地尽矣：这样下去，魏国的土地很快就让他们剥取光了。㉝ 以地事秦：用割让土地的办法讨好秦国。㉞ 犹抱薪救火：如同抱着柴火往火上扔。㉟ 薪不尽二句：非把柴火彻底烧光才算完事。锺惺曰：“六国割地赂秦之害，人能言之，莫透于‘欲玺者制地，欲地者制玺’二语。”〖按〗苏洵《六国论》即推演此旨以讽宋之屈膝事辽。㊱ 是则然也：事情的道理当然是这样的。㊲ 事始已行二句：过去就已经这么办了，没法再改。㊳ 贵枭：玩牌之所以喜欢“混儿”、要“大、小王”。《史记正义》曰：“博头有刻为枭鸟形者，掷得枭者，合则食其子，若不便，则为余行也。”〖按〗“枭”颇如今扑克牌中的“大王”“小王”与麻将牌里的“混儿”，可以当大牌吃人，也可以不吃。关于古代的博具，马王堆汉墓曾出土过。㊴ 何王之用智不如用枭也：您为什么决定国家大事还不如玩牌灵活。〖按〗以上苏代为魏王拆穿段干子阴谋事，见《战国策·魏策三》与《史记·魏世家》。缪文远以为“所言以地事秦犹抱薪救火之喻，见事甚明而说理甚切”。⑧40 卒以南阳为和：最终还是割给秦国南阳，向秦国求和。⑧41 实修武：加强修武县的防卫。修武，魏县名，在“南阳”的东侧。⑧42 桓惠王：韩釐王之子，公元前二七二至前二三九年在位。⑧43 黄歇：即春申君，楚顷襄王之弟，其生平事迹及有关考证，见韩兆琦《史记笺证》。⑧44 乃上书曰：此书文字原见《战国策·秦策四》，但今本开头的所谓“顷襄王二十年”，以及“楚人黄歇说昭王曰”云云，旧本《国策》皆无，今本《战国策》这段文字的开头几行乃后人据《春秋后语》补入。而《春秋后语》是孔衍综合《国策》《史记》编成的一部“战国《国语》”。所以换句话说，实际是人们用《史记·春申君列传》的文字给《战国策》的这段文字加了一个开头。《战国策》旧本只有“说秦王”的这段文字，而并未说讲这段话的是谁，也没说听这段话的是哪个“秦王”（见鲍本《国策》、黄丕烈《战国策札记》、何建章《战国策注释》）。自从司马迁把它落实为春申君说秦昭王，于是后代的许多书也就跟着这么写了。司马光修《资治通鉴》，发现此中有问题，故而改系此事于楚顷襄王二十六年（秦昭王三十四年，公元前二七三年），但与说辞中所涉及的事实还有许多不合。现代《战国策》与战国史的研究者们根据书中所叙事实，系此事于秦王政十二年（楚幽王三年，公元前二三五年）。而上书者亦断非黄歇，因黄歇已死于秦王政九年（公元前二三八年）。⑧45 物至则反：亦即通常所说的“物极必反”，事物发展到顶点就要向其反面转化。⑧46 冬夏是也：寒冷到顶点就要逐渐变热，炎热到顶点就要逐渐变凉。⑧47 致至则危：堆积东西，到一定高度就要倒下来。⑧48 累棋：把棋子向上摞。颜师古《汉书·酷吏传》注：“致，谓积累之也。”《汉书·外戚传》注：“致，谓累也。”鲍彪《战国策》注：“致，言取物置之物上。”棋，棋子。⑧49 遍天下有其二垂：二垂犹言二极，两个方向的尽头。胡三省曰：“秦国之地，有天下西、北之二垂也。”〖按〗胡氏说是，《史记正义》所谓“极东西”者非。⑧50 从生民以来：自从有人类以来。⑧51 万乘之地二句：任何一个统一天下的帝王也没有这么宽广的地盘。万乘，万辆兵车，此指统一天下的帝王之国。⑧52 先王三世：《战国策》于此作“文王、庄王、王之身”。文王指孝文王，始皇之祖父，公元前二五〇年在位。庄王即庄襄王，始皇之父，公元前二四九至前二四七年在位。王之身即日后之秦始皇，公元前二四六年继位为秦王，公元前二二一年统一六国称皇帝。⑧53 不忘接地于齐：梦寐以求地想把秦国的国境向东扩展，直到与齐国的边境连接起来。⑧54 绝从亲之要：吞并韩、魏，地接齐国，则是将东方六国的合纵联盟拦腰斩断。要，通“腰”。牛鸿恩曰：“王政五年（公元前二四二年），蒙骜取魏酸枣等二十城，初置东郡，故曰‘绝从亲之要’。”泷川资言曰：“言累世常欲取韩魏，接地于齐，以绝山东纵亲之约。要，约也。”意思虽亦可通，但前说简便现成。⑧55 盛桥：也作“成桥”“盛蟜”，秦王政之弟，被封为长安君。⑧56 守事于韩：派驻韩国以监督之。《史记索隐》曰：“亦如楚使召滑相赵然也。”中井积德曰：“守，谓坐而促之，《孟尝君传》‘守而责之十年’是也。”⑧57 盛桥以其地入秦：具体情节不详。大意谓盛桥即为秦国取得了韩国的大片土地。⑧58 不用甲：不用出兵。⑧59 不信威：

不必展示威力。信，通“伸”。⑻⑹⑽百里之地：百里见方的土地。⑻⑹⑴杜大梁之门：吓得魏国紧闭都城之门，不敢出来援救别的地方。杜，堵塞、断绝。大梁，即今河南开封，当时魏国的国都。⑻⑹⑵举河内：举即攻下。河内指今河南新乡、卫辉、浚县一带，当时属魏。⑻⑹⑶燕、酸枣、虚、桃二句：燕在今河南延津县东北，酸枣在今延津县西南，虚邑在今延津县东，桃在今河南滑县，邢在今河南温县东，皆战国时魏县名。⑻⑹⑷魏之兵：《战国策·秦策》此处作“拔燕、酸枣、桃人，楚、燕之兵云翔不敢校”。则上句“入”或当作“人”，桃人，在今河南长垣西北。“邢”字连下句读，黄丕烈曰：“邢，应作‘荆’。”即指楚国。⑻⑹⑸云翔而不敢救：云翔是迟疑、徘徊的样子。救，通“救”。《史记集解》引徐广曰：“秦始皇五年，取酸枣、燕、虚。”⑻⑹⑹二年而后复之：诸祖耿引金正炜曰：“复之，疑当作‘复出’，《范雎至章》‘多之则害于秦’，亦当作‘多出’。‘之’‘出’篆文相似，易以致误。”“复出”谓兵又东出。⑻⑹⑺并蒲、衍、首垣：吞并了蒲、衍、首垣三个魏国的县。蒲即今河南长垣，衍县在今河南郑州北，首垣县在今长垣东北。⑻⑹⑻以临仁、平丘：进一步威胁仁与平丘二县。仁，缪文远引程恩泽以为“即今归德府宁陵县”，似过于偏南。平丘在今长垣西南。⑻⑹⑼黄、济阳婴城：魏之二县据城而守，不敢外出。黄，也称小黄，在今开封东；济阳在今河南兰考东北。婴城，环城，这里指闭门防守。⑻⑺⑽割濮磨之北：占据了今河南濮阳与山东鄄城等一带地区。濮，濮水，流经今河南濮阳南至山东鄄城东南入巨野泽。磨，历山，在今山东鄄城南。⑻⑺⑴注齐、秦之要：将兵力投放在齐国与秦国的中分地带。注，集中投放，意即加强秦与齐的联络。⑻⑺⑵绝楚、赵之脊：打断了楚、赵连接的脊梁。⑻⑺⑶五合六聚：指东方诸国多次联盟、合兵。⑻⑺⑷王之威亦单矣：您的威风可算是发挥得淋漓尽致啦。单，通“殚”，尽。⑻⑺⑸保功守威：保持现有的成功与威势。⑻⑺⑹绌攻取之心：减少一点没完没了的战争。绌，通“黜”，削减。⑻⑺⑺肥仁义之地：广行仁义之举。肥，增加。鲍彪曰：“肥，犹‘厚’；地，犹‘道’。”⑻⑺⑻三王不足四二句：不难于和“三王”并列，合称“四王”；不难于和“五霸”并列，合称“六霸”。不足，不难、不必费力。⑻⑺⑼负：仗恃。⑻⑻⑽毁魏：摧毁魏国。韩国、魏国此时已差不多成了秦国的附庸。⑻⑻⑴以力：凭着武力。⑻⑻⑵靡不有初二句：语出《诗经·荡》，意谓办事情能善始很容易，但很少能善终。初，开头。鲜，少。⑻⑻⑶狐涉水二句：语出《易·未济·象辞》，《史记正义》曰：“言狐惜其尾，每涉水，举尾不令湿，比至极困，则濡之。”也是很难坚持到底的意思。⑻⑻⑷吴之信越：吴王夫差信任越王勾践。⑻⑻⑸从而伐齐：让越国出兵跟着吴国一道北伐齐国。当时越国曾故意做出这种姿态以迷惑吴国，使吴国放松对越国的警惕。⑻⑻⑹胜齐人于艾陵：据《史记·吴太伯世家》，吴败齐于艾陵在夫差七年（公元前四八九年），而《史记·十二诸侯年表》则系之于夫差十二年。艾陵是齐邑名，在今山东莱芜东北。⑻⑻⑺还为越王禽于三江之浦：〖按〗此夸张言之，据《史记·十二诸侯年表》：夫差十二年（公元前四八四年）败齐；十四年与晋会于黄池，越兵乘机袭吴，吴与越平；十八年，越复伐吴，败之；二十三年，越破吴，吴王自杀，吴灭。自艾陵之役至吴灭，中间尚隔十一年。三江之浦，犹言“三江之滨”。三江指娄江、松江、东江，都离当时的吴国都城（今江苏苏州）不远。⑻⑻智氏之信韩、魏：智伯相信韩、魏两家不会反他。⑻⑼从而伐赵：让两家跟着自己一道攻打赵襄子。⑻⑽晋阳：当时赵氏家族的城邑，赵襄子即被困于晋阳城内。⑻⑾胜有日矣：晋阳城眼看就要攻下。⑻⑿韩、魏叛之：在赵襄子派人游说下，韩、魏两家与赵氏联合起来共同反攻智伯。⑻⒀凿台：台名。址在今山西晋中市榆次区西。⑻⒁妒楚之不毁：忌恨楚国的强大，尚未被削弱。⑻⒂援也：是秦国的同盟国。援，帮手。⑻⒃邻国：指韩、魏。其实楚国也与秦国相邻。⑻⒄善王：和秦国关系好。⑻⒅此正吴之信越也：正和当年的吴王夫差相信越王勾践一样。⑻⒆卑辞除患：他们把话说得谦卑动听，口口声声说是帮着你扫除障碍。⑼⑽重世：与下句“累世”意思相同，都是一连数代，言关系之长远。⑼⑴德：恩情。与下句之“怨”字对举。⑼⑵接踵：一个接一个，极言其密。踵，脚后跟。⑼⑶韩、魏之不亡二句：凌稚隆引董份曰：“慨切激荡，词旨悲惋，不容听者不入也。”邓以瓒曰：“谈兵祸之惨，深切详至，读之令人恻怛悲哀，贾捐之《罢珠崖对》、李华《吊古战场文》所自出。”（〖按〗应曰出自《战国策》的该段原文）⑼⑷资之：帮着他们。资，助。胡三省曰：“谓资以兵也。”⑼⑸将恶出兵：准备从哪条道路出兵。恶，同“乌”，何。⑼⑹借路：通过；经过。⑼⑺仇雠：冤家对头。雠，对头。⑼⑻不反：指不能再经由此路回秦，意即已被人家所消灭。反，同“返”，返回。⑼⑼随水右壤：随水以西，指今河南西南部与湖北西北部地区，当时属楚。随水也称溠水，今称涢水，源于桐柏山，向南流经湖北随县、安陆入汉水。《史记正义》曰：“楚都陈，而随故国在西南，是楚之左壤。”⑼⑽不食之地：泷川资言曰：“谓不可垦耕。”⑼⑾无得地之实：即使占据了这些地盘也没有实际的好处。⑼⑿四国：指齐、赵、韩、魏。⑼⒀必悉起兵而应王：名义上都说是跟着秦国伐楚。⑼⒁构而不离：一旦秦、楚两国打得不可开交。构，指交兵。⑼⒂留、方与、铚、湖陵、砀、萧、相：以上地区战国中期以前属宋，后被齐灭，后又被楚国占领。留县在今江苏沛县东南；方与县在今山东鱼台西；铚县即今安徽宿州西面；湖陵也作“胡陵”，在今山东鱼台东南；砀县在今河南永城东北；萧县在今安徽萧县西北；相县在今安徽濉溪西北。⑼⒃故宋必尽：昔日的宋国地盘将全部被魏国占领。⑼⒄南面攻楚：攻取齐国南侧的楚国之地。⑼⒅泗上必举：泗水流域的鲁国、邹国、滕国、薛国等所谓“泗上十二诸侯”，将被齐国尽数攻取。这些小国原本都是独立的，后来都被楚国占领。⑼⒆膏腴之地：肥沃的土地。⑼⒇莫强于齐、魏：将使齐、魏成为强大无比的国家。⑼㉑以临韩：以兵威胁韩国。⑼㉒敛手：拱手；恭敬、畏惧的样子。⑼㉓施以东山之险：加强东山一带的防御力量。东山，指华山、崤山等秦国东境诸山。⑼㉔带以曲河之利：强化今风陵渡一带那段黄河的有利防务。曲河即今风陵渡一带自北流来而到此向东转弯的那段黄河。⑼㉕韩必为关内之侯：韩国将成为秦国国内的小封君，不再是独立国家。关内侯是秦爵二十级的第十九级，其封君只有封号，而无封地。⑼㉖若是：若此，指上述使韩成为秦之关内侯后。⑼㉗戍郑：派秦兵驻守新郑（今河南新郑，当时韩国的国都）。⑼㉘梁氏寒心：魏国也就紧张起来。梁氏指魏国，因其建都大梁（今河南开封），故也称梁国。㉙许、鄢陵婴城：魏国的许县与鄢陵县也将被吓得闭门守城。许县在今河南许昌东，鄢陵在今河南鄢陵西北。婴城，环城，意即闭门而守城。㉚上蔡、召陵不往来：指楚国北境与魏都大梁的联系也随即断绝。上蔡、召陵都是楚县名，上蔡在今河南上蔡西南，召陵在今河南漯河东北。㉛魏亦关内侯：魏国也就成了秦国的关内侯。㉜壹善楚：一旦与楚国交好。㉝关内两万乘之主：使两个万乘之君成了秦国的关内侯。关内，用如动词。㉞注地于齐：将秦国国界东推至与齐地相连。中井积德曰："注犹接也，谓秦之壤直接之齐也。"㉟齐右壤：齐国的西部地区。㊱一经两海：经，横穿。《史记正义》曰："言横度中国东西也。"〖按〗古说中国四面环海，秦居西方，倘得再占据齐地，则是贯穿东、西两海。㊲要约天下：号令天下，迫使天下各国与秦国结约。泷川资言曰："要约，犹管束也。"㊳燕、赵无齐、楚二句：言东方的合纵诸国彼此断绝联络，无法呼应。㊴不待痛而服：不等攻击而自然臣服。㊵止武安君：中止白起的伐楚之举。㊶谢韩、魏：谢绝韩、魏的助秦伐楚。㊷约亲于楚：与楚国结亲。〖按〗以上"黄歇"上秦王书，见《战国策·秦策四》与《史记·春申君列传》。凌稚隆曰："此书议论千翻百转，其要归只在'莫若善楚'一句。"邓以瓒曰："此即'远交近攻'之论。"陈子龙曰："歇之说虽欲后楚之亡，然为秦取天下之计亦未尝不善，卒之韩、魏先亡，而六国不能自立矣。"史珥曰："剀切明畅，是当时朴直文字，然一气呼应，舒卷自如，正自高老。"有井范平曰："一篇书辞，变化有不可琢磨处，逸荡有不可羁束处，而雄健之气自贯注于其中，是《谏逐客》先鞭。"

【校记】

［12］遂围大梁：此四字原无。据章钰校，十二行本、乙十一行本、孔天胤本皆有此四字，张瑛《通鉴校勘记》同。今从诸本及《史记·穰侯列传》补。［13］者：原无此字。据章钰校，十二行本、乙十一行本、孔天胤本皆有此字。今从诸本及《史记·春申君列传》补。［14］而：原无此字。据章钰校，十二行本、乙十一行本、孔天胤本皆有此字，张敦仁《通鉴刊本识误》同。今从诸本及《史记·春申君列传》补。［15］王壹善楚："王"上原有"大"字。据章钰校，十二行本、乙十一行本、孔天胤本皆无此字。今从诸本及《史记·春申君列传》删。

【研析】

读《资治通鉴》战国时期的叙事，不管作者在本卷突出的重点故事为何，必须有秦国日益强大、东方诸国日益衰败，最后依次被秦国所灭这样一条总的线索。其他国家间的纷争只是这道大洪流中的漩涡与水花。比如，卷二里所写的商鞅变法，这是秦国富强的开始。卷三里所写的张仪提倡连横，这时的秦国已经灭掉巴蜀，从上游进攻楚国，夺取了楚国的汉中与黔中，并夺取了魏国黄河以西之地，进军到了现在的山西境内与河南西部的三门峡。接着秦将甘茂又为秦国夺取了韩国的宜阳，实现了秦武王游历三川、以窥周室的计划。卷四是写穰侯与白起相互配合为秦昭王大举进攻楚、魏、韩三国，魏、韩积贫积弱，楚国则丢掉了国都与西部大片地区，东迁于陈，为下卷的大举破赵做了准备。这是总体形势，我们不要忘记。

本卷接着上卷所写的赵武灵王胡服骑射、振兴赵国，又写了他的灭中山，并大力经营胡人所占的今内蒙古河套地区。赵武灵王的计划是将来要从河套地区南下，直袭秦国的咸阳。赵武灵王是战国时代的一位闪射着奇光异彩的英雄人物，司马迁写《史记》、司马光写《资治通鉴》都对这个人物赋予了极大热情，这绝不是偶然的。尽管赵武灵王在处理两个儿子的问题上做得不好，致使自己陷入悲剧结局，这的确令人惋惜，但他的英雄气概是永远不会磨灭的。沈长云等《赵国史稿》说："赵武灵王是赵国历史上一位名声显赫的君王。他统治赵国时期，进行了胡服骑射改革，出兵灭掉中山，向北方扩地千里，赵国历史进入最辉煌时期。在其功烈余荫下，赵惠文王东伐强齐，西败强秦，赵国成为东方军事实力最为强大的国家。"吴如嵩等《中国军事通史》曰："赵武灵王的军事改革及其攻灭中山、西略胡地的军事行动，使赵国崛起于战国中期，成为列强中一支举足轻重的力量。……赵武灵王将赵国的发展战略方向从南面的中原转到北面的中山、胡地，是基于对赵国积弱的实际情况和赵国周围的战略环境的深入分析与清醒认识而作出的正确决策。……这是一个目标明确、步骤分明、谋略高超的战略迂回计划，反映出赵武灵王作为一个战略家的高瞻远瞩和雄才伟略，这在当时的诸侯国君主中是罕见的。这一战略与秦国司马错提出的南并巴、蜀，以巴、蜀迂回楚国，以楚国迂回中原的战略有异曲同工之妙。……'胡服骑射'从表面上看，是军队装备与作战方式的改变，实际它是封建改革的进一步深化，它涉及政治、军事、文化等各个领域，尤其是对传统观念、习俗的大挑战与革新。……赵武灵王以其恢宏的气度和魄力，能够突破传统观念的束缚，从赵国的实际情况出发，以利国利民为准则，毅然实行'胡服骑射'，学习胡人的服饰装束和军事技术以为己用，这在当时的历史条件下是十分难能可贵的，即使对今天也有很大的启示意义。……从更广阔范围来看，'胡服骑射'是中原农业文化与少数部族游牧文化的一次有益的交流和融合，它打破了中原文化内部循环的封闭状态，为中原文化植入了新的文化因子，有力地促进了中原文化的丰富和发展，也对后世产生了深远的影响。"(《中国军事通史·战国军事史》)

本卷所写的乐毅率五国之师伐齐，与田单巧用奇计大破燕军于即墨，并迅速收复失地，重建齐国，基本是使用《史记》中的《乐毅列传》与《田单列传》的文字，只是在写田单时又加用了《战国策》中貂勃故事与田单破狄两小节。但比较奇怪的是司马光在本卷里大大美化了乐毅，说乐毅破齐后，"修整燕军，禁止侵掠。求齐之逸民，显而礼之。宽其赋敛，除其暴令，修其旧政"，又有"祀桓公、管仲于郊，表贤者之闾，封王蠋之墓。齐人食邑于燕者二十余君，有爵位于蓟者百有余人”，等等。这与乐毅本人在《报燕惠王书》所写的“珠玉财宝车甲珍器尽收入于燕，齐器高于宁台，大吕陈于元英，故鼎反乎磨室，蓟丘之植植于汶篁”云云，完全矛盾。这是由于过分喜爱乐毅从而使用了《春秋后语》的不实之词。乐毅是一向受人敬慕的，但他的受人敬慕不是率军灭齐，而是那篇感人的《报燕惠王书》，在他对待燕惠王的态度上。这方面评论前人不少，如李景星《四史评议》就说“乐毅在战国中另是一流人物，绝不染当时习气”。泷川资言《史记会注考证》说：“六国将相有儒生气象者，唯望诸君一人。其答燕王书理义明正，当世第一文字。诸葛孔明以管乐自比，而其《出师表》实得力于此文尤多。乐书曰：‘恐抵斧质之罪，以伤先帝之明，而又害于足下之义。’诸葛则云：‘受命以来，夙夜忧叹，恐付托不效，以伤先帝之明。’乐书曰：‘先王过举，擢之乎宾客之中，而立之乎群臣之上，而使臣为亚卿。臣自以为奉令承教可以幸无罪矣，故受命而不辞。’诸葛则云：‘先帝不以臣卑鄙，猥自枉屈，三顾臣于草庐之中，由是感激，许先帝以驱驰’。乐书曰：‘免身全功，以明先王之迹者，臣之上计也。’诸葛则云：‘庶竭驽钝，攘奸凶，兴复汉室，还于旧都，此臣所以报先帝而忠陛下之职分也。’彼此对看，必知其风貌气骨有相通者。”叶玉麟引姚鼐曰：“凡十四引‘先王’，与诸葛武侯《前出师表》十三引‘先帝’相同，皆欲因此以感动嗣主耳。”

《史记·廉颇蔺相如列传》的故事，在中国可以说是家喻户晓，本卷摘述了其“完璧归赵”“渑池会”“将相和”三段故事的梗概，有赞赏之情。渑池会确有其事，今河南渑池城西尚有盟台遗址。但说到“完璧归赵”与“渑池会”的具体情节，则颇具民间故事的性质，不合情理与相互抵牾的地方甚多。明代王世贞早就写《蔺相如完璧归赵论》说过：“蔺相如之完璧，人人皆称之，余未敢以为信也。夫秦以十五城之空名，诈赵而胁其璧，是时言取璧者，情也，非欲以窥赵也。赵得其情则弗予，不得其情则予；得其情而畏之则予，得其情而弗畏之则弗予。此两言决耳，奈之何既畏而复挑其怒也？且夫秦欲璧，赵弗予璧，两无所曲直也。入璧而秦弗予城，曲在秦；秦城出而璧归，曲在赵。欲使曲在秦，则莫如弃璧；畏弃璧，则莫如弗予。夫秦王既按图以予城，又设九宾斋而受璧……奈何使舍人怀而逃之，而归直于秦？是时秦意未欲与赵绝耳，令秦王怒而僇相如于市，武安君十万众压邯郸而责璧与信，一胜而相如族，再胜而璧终入秦矣。”今人钱锺书《管锥编》也说：“此亦《史记》中迥出之篇，有声有色，或多本于马迁之增饰渲染，未必信实有征。写相如‘持璧却立倚柱，怒发上冲冠’，是何意态雄且杰！后世小说刻画精能处无以过之。……赵王与秦王会于渑池一节，历世流传，以为美谈，至谱入传奇。使情节果若所写，则樽俎折冲真同儿戏，抑岂人事原如逢场串剧耶？武亿《授堂文钞》卷四《蔺相如渑池之会》深为赵王危之，有曰：‘殆哉，此以其君为试也！’又曰：‘乃匹夫无惧者之所为，适以成之，而后遂喷然叹为奇也。’其论事理甚当，然窃恐为马迁所弄而枉替古人担忧耳。”

黄歇劝秦昭王联楚伐韩的长篇书辞见《战国策》，但《战国策》并未说持此论者为何人，也没有说被说的是哪一代秦王，只有到《史记》的《春申君列传》，司马迁才明确地说是春申君黄歇说秦昭王。但其中所说的事实都相当晚，故而不可能是黄歇说秦昭王。今人牛鸿恩说：“这是一篇为楚说秦王的说辞。无说者姓名。时间约在秦王政十二年（前二三五年）。……文中称文王、庄王（秦王政的祖父、父亲）为‘先王’，又历述秦王政五年、九年的战事，显系说秦王政之辞。秦王政十二年，秦‘发四郡兵助魏击楚’，见《史记·六国年表》，本文所说‘今王之攻楚’当是指此而言。而春申君已于秦王政九年（前二三八年）死去。”文章的确写得很好，但两位大历史家颠倒事实地张冠李戴，的确也误人不浅。

卷第五　周纪五

起屠维赤奋若（己丑，公元前二七二年），尽旃蒙大荒落（乙巳，公元前二五六年），凡十七年。

【题解】

本卷写了周赧王四十三年（公元前二七二年）至周赧王五十九年共十七年的各国大事。其中最重要、最动人心魄的是秦对赵国的长平之战，消灭赵军四十五万人，使赵国从此一蹶不振。接着写了秦军的进围赵都邯郸，与楚、魏两国救赵，东方重新形成联盟，使秦军遭受挫败的过程。围绕这个重大历史事件，许多历史人物的精彩表演给后代留下了叙述不尽的动人传说。诸如白起、赵括、平原君、毛遂、鲁仲连、魏公子、侯嬴、虞卿等等，形象都栩栩如生。除这些主要线索外，还写了长平之战前的赵奢大破秦军于阏与；写了魏人范雎入秦倾倒穰侯，夺得丞相之位，长平之战后又挑动秦王杀害名将白起；写了春申君不顾个人生死，智救楚太子回国；写了吕不韦大施手段，佐助公孙异人取得太子位，为下卷的秦王政出世与吕不韦的掌握秦朝大权埋下伏线。

【原文】

赧王下

四十三年（己丑，公元前二七二年）

楚以左徒[①]黄歇侍太子完[②]为质于秦。

秦置南阳郡[③]。

秦、魏、楚[④]共伐燕[⑤]。

燕惠王薨，子武成王[⑥]立。

四十四年（庚寅，公元前二七一年）

赵蔺相如伐齐[⑦]，至平邑[⑧]。

赵田部吏[⑨]赵奢[⑩]收租税，平原君[⑪]家不肯出。赵奢以法治之，杀平原君用事者九人[⑫]。平原君怒，将杀之。赵奢曰："君于赵为贵公子，今纵[⑬]君家而不奉公[⑭]则法削[⑮]，法削则国弱，国弱则诸侯加兵，

【语译】

周赧王下

四十三年（己丑，公元前二七二年）

楚国任命左徒黄歇做太子芈完的侍从，一同到秦国去做人质。

秦国开始设置南阳郡。

秦国、魏国、楚国共同征伐燕国。

燕惠王去世，他的儿子武成王即位。

四十四年（庚寅，公元前二七一年）

赵国的蔺相如率军攻打齐国，赵军抵达齐国的平邑。

赵国负责征收田赋的官吏赵奢替国家收取租税，平原君赵胜不肯缴纳。赵奢按照国家的法律，处死了平原君家里九个管事的人。平原君非常恼怒，就要杀死赵奢。赵奢说："您在赵国是尊贵的公子，如果您放任您的家人，不奉公守法，国家的法度就要受损害，国家的法度受到损害，国家的力量就要削弱，力量削弱了就要遭到其

是无赵也。君安得有此富乎？以君之贵，奉公如法⑯，则上下平⑰，上下平则国强，国强则赵固，而君为贵戚，岂轻于天下邪⑱？”平原君以为贤，言之于王，王使治国赋⑲。国赋太平，民富而府库实⑳。

四十五年（辛卯，公元前二七〇年）

秦伐赵㉑，围阏与㉒。赵王召廉颇、乐乘㉓而问之，曰：“可救否？”皆曰：“道远险狭㉔，难救。”问赵奢，赵奢对曰：“道远险狭，譬犹两鼠斗于穴中，将勇者胜㉕。”王乃令赵奢将兵救之。去邯郸三十里而止㉖，令军中曰：“有以军事谏者死㉗！”

秦师军武安西㉘，鼓噪勒兵㉙，武安屋瓦尽振。赵军中候㉚有一人言急救武安，赵奢立斩之。坚壁㉛二十八日不行，复益增垒㉜。秦间㉝入赵军，赵奢善食遣之㉞。间以报秦将，秦将大喜曰：“夫去国三十里㉟而军不行，乃增垒，阏与非赵地也㊱。”赵奢既已遣闲㊲，卷甲而趋㊳，二日一夜而至[1]，去阏与五十里而军㊴。军垒成㊵，秦师闻之，悉甲而往㊶。赵军士许历㊷请以军事谏㊸，赵奢进之。许历曰：“秦人不意赵至此，其来气盛，将军必厚集其陈以待之㊹，不然，必败。”赵奢曰：“请受教㊺。”许历请刑㊻，赵奢曰：“胥后令邯郸。”㊼许历复请谏㊽，曰：“先据北山上㊾者胜，后至者败。”赵奢许诺，即发万人趋㊿之。秦师后至，争山不得上(51)。赵奢纵兵击秦师，秦师大败，解阏与而还(52)。赵王封奢为马服君(53)，与廉、蔺同位，以许历为国尉(54)。

穰侯言客卿灶(55)于秦王，使伐齐，取刚、寿(56)，以广其陶邑(57)。

初魏人范雎(58)[2]从中大夫须贾(59)使于齐。齐襄王闻其辩口(60)，私

他诸侯国的侵略，国家就要灭亡。国家灭亡了，您又怎么保有您的富贵呢？凭借您的尊贵地位，如果带头奉公守法，则全国上上下下，各种事情都能得到公平合理的处理，国家就会强大，政权就会稳固，而您身为国君的弟弟，难道还会被天下人轻视吗？”平原君觉得赵奢是个很贤能的人，于是向赵王举荐赵奢，赵王派赵奢负责管理国家的赋税。税收治理得很好，百姓富裕了，国家的府库也很充实。

四十五年（辛卯，公元前二七〇年）

秦军攻打赵国，包围了阏与。赵王把廉颇、乐乘找来，向他们询问，说：“如果派军队去救援阏与能不能成功？”两个人都说：“路途遥远，道路险峻而又狭窄，很难救援。”赵王又问赵奢，赵奢回答说：“虽然路途遥远，道路险峻而又狭窄，但两军相争，就如同两只老鼠在狭小的洞穴中打斗，哪个勇敢，哪个就能够获得胜利。”于是赵王就派赵奢率军去救阏与。赵奢率军在离邯郸三十里的地方扎下营寨，他向军队下令说：“有谁敢向我提出不同意见，我就处死谁！”

秦国的军队驻扎在武安县城的西边，整日里擂鼓呐喊，操练军队，武安城内的房屋都为之震动。赵国军营中有一个负责侦察敌情的军吏建议赶紧去救武安，赵奢立即将他斩首。赵军坚守营垒长达二十八天之久，不仅没有前进的迹象，反而增修防御工事。秦国的间谍混入赵国的军队之中，赵奢用好酒好饭招待他们，然后放他们回去。秦国的间谍回到秦国以后，将赵国军中的情况向秦将做了汇报，秦军将领听了以后非常高兴，说：“赵国的军队离开都城仅三十里远就驻扎下来不再前进，而且还增修工事，看来阏与注定不属于赵国而要为我们秦国所有。”赵奢将秦国的间谍打发走了以后，马上命令军队脱下铠甲卷持起来，轻装急进，两天一夜就赶到了阏与附近，在离阏与五十里的地方安营扎寨，并修筑好防御工事。秦军听到赵军突然而至的消息，马上调动军队前来迎战。赵军中一个叫许历的人请求提出有关军事方面的意见，赵奢允许他进入军帐。许历说：“秦国人没有料到我们会突然来到阏与，所以此次前来迎战我军，气势一定很猛，将军您必须加强防守，不要出战，不然的话一定会打败仗。”赵奢听了许历的话以后说：“我接受你的建议。”许历觉得自己违反了赵奢的军令而请求赵奢按军法处置，赵奢说：“等以后回邯郸再处理。”许历又向赵奢献计说：“谁抢先占据北山的制高点，谁就能取得胜利，后到的就会失败。”赵奢又采纳了他的建议，立即派遣一万人的军队抢先占领了北山。秦国的军队随后赶来，与赵军争夺北山，却无法攻克。此时赵奢命令赵军向秦军发动猛烈的进攻，秦军大败而回。赵奢遂解阏与之围，得胜而回。赵王封赵奢为马服君，官位与廉颇、蔺相如相当，任命许历为国尉。

秦国穰侯魏冉向秦王推荐客卿灶，秦王于是派灶率兵攻打齐国，占领了齐国的刚邑、寿邑，这些城邑都加封给魏冉做了封地。

当初，魏国人范雎曾经跟随中大夫须贾出使齐国。齐襄王见范雎能言善辩，很

赐之金及牛酒。须贾以为睢以国阴事[61]告齐也，归而告其相魏齐[62]。魏齐怒，笞[63]击范睢，折胁[64]折齿[65]。睢佯[66]死，卷以箦[67]，置厕中。使客醉者更溺之[68]，以惩后，令无妄言[69]者。范睢谓守者曰："能出我，我必有厚谢。"守者乃请弃箦中死人[70]，魏齐醉，曰："可矣。"范睢得出。魏齐悔，复召求之[71]。魏人郑安平[72]遂操范睢亡匿[73]，更姓名曰张禄。

秦谒者[74]王稽[75]使于魏，范睢夜见王稽。稽潜载与俱归[76]，荐之于王。王见之于离宫[77]，范睢佯为不知永巷[78]而入其中。王来，而宦者怒逐之[79]曰："王至！"范睢谬曰[80]："秦安得王[81]？秦独有太后、穰侯耳。"王微闻[82]其言，乃屏左右[83]，跽而请[84]曰："先生何以幸教寡人[85]？"对曰唯唯[86]，如是者三[87]。王曰："先生卒不幸教寡人邪[88]？"范睢曰："非敢然也。臣羁旅[89]之臣也，交疏于王，而所愿陈者，皆匡君[90]之事，处人骨肉之间[91]。愿效愚忠，而未知王之心也，此所以王三问而不敢对者也。臣知今日言之于前，明日伏诛于后，然臣不敢避也。且死者，人之所必不免也。苟可以少有补于秦[92]而死，此臣之所大愿也。独恐臣死之后，天下杜口裹足[93]，莫肯乡秦[94]耳。"王跽曰："先生是何言也！今者寡人得见先生，是天以寡人溷先生[95]而存先王之宗庙[96]也。事无大小，上及太后[97]，下至大臣，愿先生悉以教寡人，无疑寡人也。"范睢拜，王亦拜。

范睢曰："以秦国之大，士卒之勇，以治诸侯，譬若走韩卢而博蹇兔[98]也。而闭关十五年，不敢窥兵于山东[99]者，是穰侯为秦谋不忠，而大王之计亦有所失也。"王跽曰："寡人愿闻失计。"然左右多窃听者，范睢未敢言内，先言外事，以观王之俯仰[100]，因进曰："夫穰侯越

赏识他，就私下里赏给他黄金和牛、酒等一些礼物。须贾以为一定是范雎将魏国的秘密泄露给齐国，所以才得到齐王的赏赐，回国后就将此事告诉了魏国的宰相魏齐。魏齐非常恼怒，就严刑拷打范雎，将范雎的肋骨给打折了，牙齿也给打掉了。范雎假装昏死过去，魏齐命人用芦席将他裹起来，丢到厕所里。还让那些喝醉了酒的人轮流往他的身上撒尿，想以此来警告其他人，使他们不敢将国家的机密泄露出去。范雎苏醒过来后对看守他的人说："如果能放我出去，我一定会用重礼报答你。"看守他的人请求魏齐允许他们将范雎的尸体弄出去扔掉，当时魏齐已经喝得大醉，并不清楚范雎是否真的死了，就顺口答应说："可以。"就这样，范雎死里逃生。魏齐酒醒以后感到很后悔，怕范雎没死，重新问讯查找范雎的下落。而此时魏国人郑安平已经携带范雎隐藏起来，并更改姓名为张禄。

秦国负责接待宾客的官吏王稽此时恰巧出使魏国，范雎趁着黑夜求见王稽。王稽见他是个奇才，就将他藏在自己的车中，秘密地载回秦国，并推荐给秦昭王。秦昭王在离宫接见范雎，范雎进入离宫的长巷，却假装不知道是哪里。那些宦官看见秦昭王来了，就大声地驱逐范雎说："秦王就要来了！"范雎故意大声地说："秦国哪里有国王？我只知道秦国有太后和穰侯啊。"秦昭王隐隐约约听到了范雎的话，于是支开左右的侍从，神情庄重地挺直了身子，向范雎求教说："先生你有什么话要对我说吗？"范雎只是哼哈地应着却不说话，反复了多次，范雎都是只应不答。秦昭王说："难道先生终究不肯教导我吗？"范雎说："不是这样的。我范雎只不过是一个流亡到秦国的人，和大王关系疏远，而我所要陈述的，都是有关辅佐国君的事情，所议论的是大王骨肉之间的关系。虽然我很愿意向您效忠，却不知大王您的心思，这就是您反复询问，而我却不敢回答的原因。我很清楚，我今天在您面前陈述完我的看法，明天就可能会被处死，但我不敢回避。再说，死，是谁也不能避免的。假如我的死可以稍微对秦国有点好处，就是死我也心甘情愿。我所担心的是，我死了以后，天下的贤能之士恐怕都会闭紧嘴巴，就此打住，再也不敢到秦国来效力了。"秦昭王再次挺直身子说："先生说的是哪里的话！今天我能见到先生，这是上天有意让我来麻烦先生而使我们秦国的宗庙社稷得以保全。事情不论是大是小，上至太后，下及群臣，只要是有利于国家社稷的，希望先生你都能毫无保留地指教我，而不要对我产生怀疑。"范雎拜谢秦昭王的信任，秦昭王也拜谢范雎。

范雎说："以秦国的强大，士兵作战的勇敢，利用这些有利的条件去抗击诸侯，就好比是用凶猛的猎犬去追赶瘸腿的兔子一样容易。而事实却是：在长达十五年的时间里，秦国关闭了函谷关，不敢抓住机会出兵攻打崤山以东的韩、魏等国，其原因就是穰侯没有恪尽职守，而您在谋划国事方面也有失误呀。"秦昭王又一次挺直了身子说："请你告诉我，在哪些方面有失误。"范雎发现周围有许多人在偷听，就没敢说宫廷内部的事情，而是先分析对外政策的失误，借以观察秦昭王的内心反应，他

韩、魏而攻齐刚、寿，非计也。齐湣王南攻楚⑩，破军杀将，再辟地千里⑩，而齐尺寸之地无得焉者，岂不欲得地哉？形势不能有也⑩。诸侯见齐之罢敝⑩，起兵而伐齐，大破之⑩，齐几于亡。以其伐楚，而肥韩、魏也。今王不如远交而近攻⑩，得寸则王之寸也，得尺亦王之尺也。今夫韩、魏，中国之处⑩，而天下之枢⑩也。王若欲霸⑩[3]，必亲中国⑩，以为天下枢⑩，以威楚、赵⑩。楚强则附赵，赵强则附楚⑩，楚、赵皆附⑩，齐必惧矣。齐附则韩、魏因可虏也⑩。”王曰：“善。”乃以范雎为客卿⑩，与谋兵事。

四十六年（壬辰，公元前二六九年）

秦中更胡伤⑩攻赵阏与，不拔⑩。

四十七年（癸巳，公元前二六八年）

秦王用范雎之谋，使五大夫绾⑩伐魏，拔怀⑩。

四十八年（甲午，公元前二六七年）

秦悼太子质于魏而卒⑩。

四十九年（乙未，公元前二六六年）

秦拔魏邢丘⑩。范雎日益亲，用事⑩，因承闲⑩说王曰：“臣居山东时⑩，闻齐之有孟尝君⑩，不闻有王；闻秦有太后、穰侯，不闻有王。夫擅国之谓王⑩，能利害之谓王⑩，制杀生⑩之谓王。今太后擅行不顾⑩，穰侯出使不报⑩，华阳、泾阳击断无讳⑩，高陵进退不请⑩。四贵备⑩而国不危者，未之有也。为此四贵者下⑩，乃所谓无王也。穰侯使者操王之重⑩，决制于诸侯⑩，剖符于天下⑩，征敌伐国⑩，莫敢不听。战胜攻取⑩，则利归于陶⑩；战败则结怨于百姓，而祸归于社稷。臣又闻之：‘木实繁者，披其枝⑩；披其枝者，伤其心⑩。大其都者，危其国⑩；尊其臣者，卑其主⑩。’淖齿管齐⑩，射王股，擢王筋[4]，悬之于庙梁，

向秦昭王靠近一步，说："穰侯越过韩国、魏国去攻打齐国的刚邑、寿城，这就是一个失误啊。虽然当初齐湣王向南攻打楚国，打败了楚国的军队，杀死了楚国的将领，占领了楚国方圆千里的土地，但最终齐国却一寸土地也没有得到，难道是齐国不愿意得到土地吗？不是，而是形势不允许。当时其他诸侯看见齐国与楚国交战而导致国力枯竭，军队疲困，于是联合发兵攻打齐国，大败齐军，齐国几乎灭亡。而齐国攻打楚国的结果，却是肥了韩国和魏国。如今，大王不如采取远交近攻的策略，得到一寸土地是大王的，得到一尺土地也是大王的。如今的韩国、魏国处于华夏的中心地区，是天下的枢纽。大王如果想要成就霸业，就必须要亲近地处中心的韩、魏，把韩、魏作为控制其他诸侯的关键，以威慑楚国和赵国。楚国强大了，我们就支持赵国削弱楚国，赵国强大了就支持楚国削弱赵国；楚国和赵国都依附秦国，齐国就会感到恐惧。齐国依附秦国，那时韩国和魏国就将被秦国所征服。"秦昭王听了很高兴，说："有道理。"于是任命范睢为客卿，参与谋划秦国的军事。

四十六年（壬辰，公元前二六九年）

秦将胡伤再次率军攻打赵国的阏与，没有攻克。

四十七年（癸巳，公元前二六八年）

秦昭王采纳范睢的意见，派五大夫绾率军攻打魏国，占领了怀邑。

四十八年（甲午，公元前二六七年）

秦国悼太子在魏国充当人质，死在魏国。

四十九年（乙未，公元前二六六年）

秦国攻占了魏国的邢丘。范睢越来越得到秦昭王的信任，逐渐执掌了秦国的大权，于是乘机劝说秦昭王："我在崤山以东的时候，听说齐国有个孟尝君，而不知道齐国有齐王；只知道秦国有太后、穰侯，而不知道有秦王。什么是国王？能够独揽国家政权而不受人牵制就是国王，能给人利也能给人害的是国王，掌握全国生杀予夺大权的是国王。如今太后独断专行，从不考虑大王您的意愿；穰侯出使国外，走前不向您请示，回来不向您汇报；华阳君、泾阳君拿主意、做决断肆无忌惮；高陵君对大臣或提拔或罢黜，都是自作主张，从不征求您的意见。朝中有这样四位特权人物存在，国家要是没有危险，那可是从来没有过的。大王您居于这样的权贵之下，就是我所说的秦国没有国王啊。穰侯派遣使者出使各国，打着大王的旗号，行使的是秦王无上的权威，对各诸侯国发号施令，在天下随意封官赏爵，任意征讨敌国，而没有人敢不听从他的调遣。如果攻战取得胜利，好处就全归穰侯所有；如果打了败仗，得罪了百姓，灾祸就全由国家承担。我还听说：'果树结的果子太多，就会把枝条压断；树枝压断了，就要损害树心。封地的城邑大了，就要危害国家；大臣的权势太大，就会使君主的地位降低。'楚国大将淖齿掌握了齐国政权的时候，竟然用箭射中齐湣王的大腿，抽出齐湣王的筋，将齐湣王倒挂在庙堂的大梁上，

宿昔而死[147]。李兑管赵[148]，囚主父于沙丘，百日而饿死[149]。今臣观四贵之用事，此亦淖齿、李兑之类也。夫三代之所以亡国[150]者，君专授政于臣[151]，纵酒弋猎[152]。其所授者[153]，妒贤疾能，御下蔽上[154]，以成其私，不为主计，而主不觉悟，故失其国。今自有秩[155]以上至诸大吏，下及王左右[156]，无非相国[157]之人者。见王独立于朝[158]，臣窃为王恐，万世之后[159]，有秦国者，非王子孙也。”王以为然，于是废太后[160]，逐穰侯、高陵、华阳、泾阳君于关外[161]，以范雎为丞相[162]，封为应侯[163]。

魏王使须贾聘[164]于秦，应侯敝衣间步[165]而往见之。须贾惊曰：“范叔[166]固无恙乎[167]？”留坐饮食[168]，取一绨袍[169]赠之。遂为须贾御[170]而至相府，曰：“我为君先入通[171]于相君[172]。”须贾怪其久不出，问于门下[173]，门下曰：“无范叔，乡者[174]吾相张君也。”须贾知见欺[175]，乃膝行[176]入谢罪[177]。应侯坐，责让之[178]，且曰：“尔所以得不死者[179]，以绨袍恋恋[180]尚有故人之意耳。”乃大供具[181]，请诸侯宾客。坐须贾于堂下[182]，置莝、豆于前[183]，而马食之[184]。使归告魏王曰：“速斩魏齐头来！不然，且屠大梁[185]。”须贾还，以告魏齐。魏齐奔赵，匿于平原君家[186]。

赵惠文王薨，子孝成王丹[187]立，以平原君为相。

【段旨】

以上为第一段，写周赧王四十三年（公元前二七二年）至周赧王四十九年共七年间的各国大事，主要写了赵国名将赵奢大破秦军于阏与，魏国游士范雎因受迫害入秦，为秦国制定“远交近攻”的方针策略，以及劝说秦昭王收回宣太后与穰侯等人之权，自己取得秦国丞相之位的过程。

一昼夜的时间就把齐湣王折磨死了。李兑掌管赵国的政权，他把赵武灵王囚禁在沙丘，囚禁了一百天，硬是活活饿死了。如今我看秦国四个权贵的所作所为，他们也是淖齿、李兑一流的人物。夏、商、周三代灭亡的原因就是君主把大权交给某个大臣掌管，而自己只管饮酒打猎。他所授予大权的臣子，又往往嫉妒贤能，控制下属群臣，壅蔽蒙骗君上，以满足自己的私利，却从来不为君主考虑，可是这种情况君主又觉察不到，所以就导致国家灭亡。如今秦国从最低级的小官吏一直到朝中的大臣，以及大王的左右侍臣，没有一个不是相国穰侯的人。看见大王您在朝廷中受到孤立，我真为您感到担忧：一旦您有什么不测，恐怕执掌秦国政权的人将不再是大王您的子孙啊。”秦昭王认为范雎分析得很对，于是废掉太后，将穰侯、高陵君、华阳君、泾阳君驱逐出京师，让他们回到自己的封地，任命范雎为丞相，封他为应侯。

魏王派遣须贾出访秦国，应侯范雎穿着破旧的衣裳，从小路徒步来到须贾住的地方求见须贾。须贾见到范雎还活着，而且如此的衣衫褴褛，非常惊讶地问：“范雎你一直挺好的吗?”他留范雎坐下一起进餐，又拿出一领厚绸袍子送给范雎。随后，范雎亲自为须贾赶车，将须贾送到丞相府，对须贾说：“我先进去为您通报丞相。”范雎进去以后好久不见出来，须贾感到很奇怪，就问守门的侍卫，侍卫回答说：“我们这里没有范叔，刚才为您赶车的是我们的丞相，叫张禄。”须贾知道自己受骗了，于是赶紧跪着爬进相府向范雎请罪。范雎坐在上位，对须贾痛加责备说：“今天我所以还留你一条性命，是看在你刚才送我绸袍，对我还有一点念旧的情分上。”于是大摆宴席，请来诸侯宾客。范雎让须贾坐在堂下，在他面前摆上莝、豆等喂马的饲料，让他像马吃草料似的吃那些莝、豆。范雎让他回去转告魏王说：“赶紧把魏齐的人头砍下送来！不然的话，就要捣毁大梁城，杀尽城中的百姓。”须贾回到魏国，将范雎的话告诉了魏齐。魏齐吓得不敢待在魏国，立即逃往赵国，躲藏在平原君的家中。

赵惠文王死了，由他的儿子赵丹即位，就是赵孝成王。赵孝成王任命平原君为丞相。

【注释】

①左徒：楚官名。《史记正义》以为“盖今在左右拾遗之类”。是一种议论国政、传达旨意的官，位次于令尹。②太子完：即后来的楚考烈王。③南阳郡：辖境约当今湖北西北部、河南西南部一带地区，郡治宛县，即今河南南阳。④秦、魏、楚：时当秦昭王三十五年（公元前二七二年）、魏安釐王五年、楚顷襄王二十七年。⑤共伐燕：时当燕惠王七年（公元前二七二年）。⑥武成王：燕惠王之子，公元前二七一至前二五八年在

位。⑦伐齐：时当齐襄王十三年（公元前二七一年）。⑧平邑：齐县名，在今河南南乐东北。⑨田部吏：征收田赋的官吏。⑩赵奢：赵王的同族。《唐书·世袭表》称其为“赵王子”，不知为何代赵王之子。⑪平原君：赵胜，武灵王之子，惠文王之弟，时为赵相，“平原君”是其封号。事迹见《史记·平原君虞卿列传》。⑫杀平原君用事者九人：平原君用事者即平原君家的管事人。郭嵩焘曰：“平原君，赵公子；赵奢，一田部吏耳，何遽杀其用事者九人？此由史公好奇，取诸传闻之词甚言之。”⑬纵：放过；放任不管。⑭不奉公：不照国家的章程办事。⑮法削：法制削弱，不能实行。⑯奉公如法：按国家法律条文办事。如法，依法。⑰上下平：举国上下都心平气和。⑱岂轻于天下邪：您的身份、地位还能被世人所轻吗。史珥曰：“赵奢说平原君，理明词达，段太尉责郭晞全本此。”〖按〗段太尉责郭晞事见柳宗元《段太尉逸事状》。⑲治国赋：主管全国的赋税。⑳府库实：府库充实。㉑秦伐赵：时当秦昭王三十七年（公元前二七〇年）、赵惠文王二十九年。据《史记·秦本纪》，此次攻阏与者为秦将胡阳。㉒阏与：赵邑名，即今山西和顺。㉓乐乘：乐毅的族人，时为赵将。㉔道远险狭：由赵都邯郸出兵，西北行往救阏与，须翻越太行山，故曰“道远险狭”。㉕譬犹两鼠斗于穴中二句：今军事理论有所谓“狭路相逢，将勇者胜”，《孙子兵法》无此语，此语盖源于《史记·廉颇蔺相如列传》之赵奢语。㉖去邯郸三十里而止：赵军刚离开邯郸三十里就停了下来。㉗有以军事谏者死：谁敢对此次行动提不同意见就处死谁。茅坤曰：“不欲人谏者，绝军中哗言也。”㉘秦师军武安西：前来阻击赵奢部队的秦军，驻扎在武安县城西。武安，赵县名，在今河北武安西南，赵都邯郸之西北，在邯郸去阏与的通路上。㉙鼓噪勒兵：指操练军队，三军呐喊，以此向赵人示威。㉚军中候：候，军官名。将军统率之兵分若干“部”，“部”的长官称校尉；“部”下分若干“曲”，“曲”的长官称“候”。又，军中主管刺探敌情的人员亦称作“军候”。㉛坚壁：坚守营垒。坚，加固。㉜复益增垒：越发地增修营壁。垒，壁垒、防御工事。㉝秦间：秦国的间谍。㉞善食遣之：佯作不知，好好招待，打发其回去。此即《孙子兵法》之所谓“反间”，周瑜之利用蒋干误传假情报，亦即此类。㉟去国三十里：刚离开邯郸三十里。国，古人用以称都城。㊱阏与非赵地也：指阏与必将为秦所攻克。㊲遣闲：打发秦国间谍回去。闲，通“间”。㊳卷甲而趋：脱下铠甲卷持着，轻捷地奔袭敌人。“卷甲而趋”见《孙子兵法·军争》。郭嵩焘曰：“所以留军不行而诛杀谏者，其蓄谋在此。”㊴去阏与五十里而军：离着阏与还有五十里扎下营盘。去，距离。军，扎下营盘。㊵军垒成：军阵、壁垒修筑好，即今所谓“防御工事”修筑停当。㊶悉甲而往：全部兵力向赵奢军队扑过来。㊷许历：一个受过耐刑的赵国士兵。《史记索隐》曰：“王粲诗云：‘许历为完士，一言犹败秦。’是言赵奢用其计，遂破秦军也。江遂曰：‘汉令称完而不髡曰耐，是完士未免从军也。’”杨宽曰：“所谓‘完而不髡’即仅去鬓须，不剃其发者。可知许历曾受耐刑而从军者。‘完’原指不加肉刑髡剃而罚服劳役者。”㊸请以军事谏：请求提出有关军事方面的意见。㊹厚集其陈以待之：加强防守，不要出

战。㊺请受教：犹言“愿听从您的吩咐”。请，谦辞。㊻请刑：请求接受惩罚，应前文之“有以军事谏者死”。㊼胥后令邯郸：等待日后从邯郸来的命令，意即暂时不杀。又，“邯郸”二字，梁玉绳《史记志疑》以为应作“欲战”，中井积德以为应作“将战”，连下句读。㊽复请谏：又要求提出建议。㊾先据北山上：先抢占北面的山头。㊿趋：奔赴，指抢占北山。51秦师后至二句：郭嵩焘曰：“秦军久至而不知据此山者，由赵奢留军不行，先示怯，是以秦军易之。直见赵军据此山，乃始与争利，此其所以败也。”52解阏与而还：武国卿、慕中岳曰：“赵奢在阏与之战中，制造了种种假象，严密地隐蔽了奔袭阏与的企图，迷惑了秦军，偃旗息鼓，昼夜急驰，突然逼近敌人，一举解了阏与之围，其中巧妙地示敌以‘佯’，起了很重要的作用。”马非百曰：“阏与战争后，国际间所生影响实甚巨大。信陵君说魏王曰：‘夫越山逾河，绝韩之上党，而攻强赵，则是复阏与之事也，秦必不为也。’当日秦在阏与战争所受创伤之深，盖可想见。又《秦策》言：‘天下之士合从相聚于赵，而欲攻秦。’然则自阏与战争后，赵之邯郸且一跃为合从谋秦之国际政治中心矣。李斯有云：‘秦四世有胜，兵强海内，威行诸侯，独阏与战争为赵所败。’”沈长云等《赵国史稿》曰：“阏与之战后，秦军又发兵进攻几（今河北大名东南），廉颇率领赵军再次大败秦军。秦军进攻东方六国的锋芒又一次受挫。……赵惠文王时期，赵国依靠其强大的国力与廉颇、马服君等著名战将，两次大败秦军，削弱了秦国进攻东方的锐气。‘赵有廉颇、马服，强秦不敢窥兵井陉’（《汉书·傅常郑甘陈段传》）；《战国策·赵策三》说赵国强大，‘四十余年秦不能得其所欲’。”53马服君：《史记正义》曰：“因马服山为号也，虞喜《志林》云：‘马，兵之首也，号曰马服者，言能服马也。’《括地志》云：‘马服山，邯郸县西北十里也。’”杨宽曰：“马服应为封号，而非封地之名。《廉颇列传》之《集解》引张华曰：‘赵奢冢在邯郸界西山上，谓之马服山。’可知马服山因葬赵奢而得名，并非由于赵奢封于此地。”54国尉：〖按〗此“国尉”似略当后世之“都尉”“校尉”，低于“将军”之军官，而与《史记·秦始皇本纪》之任尉缭为“国尉”（略当于太尉）者不同。55客卿灶：客卿名灶，《战国策·秦策》作“造”，史失其姓。客卿是别国人在此国任高级参谋而享受卿级待遇者。56刚、寿：齐之二邑名，刚邑在今山东宁阳东北，寿邑在今山东东平西南。57广其陶邑：扩大穰侯在陶邑的封地。〖按〗据《史记·秦本纪》（昭王十六年），秦将陶邑加封给穰侯作封地。58范雎：当时著名的游说之士，事迹比较单一，见于《史记·范雎蔡泽列传》，基本亦如《资治通鉴》所选录。史籍多作“范睢”。〖按〗据钱大昕《武梁祠堂画像跋尾》考证云：“战国、秦、汉人多以且为名，读子余切。如穰苴、豫且、夏无且、龙且皆是。且旁或加隹，如范雎、唐雎。文殊而音不殊也。”另审之《韩非子·外储说》，言及“范雎”时用“且”字，亦可证。59从中大夫须贾：跟随中大夫须贾一同出使。从，跟随。中大夫，帝王的侍从官员，掌议论。须贾，姓须，名贾。60闻其辩口：听说范雎能说善辩。61国阴事：国家的机密。62告其相魏齐：凌稚隆引穆文熙曰：“按此，则须贾之仇当深于魏齐矣，奈何独报齐乎？”〖按〗《史记·穰侯列传》载有须贾致书穰侯，止秦罢兵攻梁事，其人品、才干均非无足数者，此处其与范雎矛盾之产生必有由。⑥③ 笞：用棍棒或用板子打人。⑥④ 折胁：打断了肋骨。⑥⑤ 折齿：打掉了牙齿。折，击毁。⑥⑥ 佯：假装。⑥⑦ 卷以箦：用席将其卷起来。箦，竹篾或芦苇编织的席。⑥⑧ 更溺之：交替着向范雎身上撒尿。更，轮番、交相。⑥⑨ 妄言：指随意向国外走漏消息。⑦⓪ 守者乃请弃箦中死人：看守者请求将死人扔到外面去。李光缙引黄洪宪曰："守者出雎，其恩较郑安平、王稽更宏矣，后竟不说起，岂雎之忘恩耶？抑太史公之略耶？"⑦① 复召求之：重新问讯，查找范雎的下落。⑦② 郑安平：其人事迹见后文。⑦③ 操范雎亡匿：带着范雎一道潜逃，藏了起来。⑦④ 谒者：帝王身边的侍从官，负责收发传达与赞礼等事。⑦⑤ 王稽：事迹详见后文。⑦⑥ 潜载与俱归：偷偷地将其带回了秦国。⑦⑦ 离宫：京城以外的宫殿，以供帝王游乐、外出之所用者。关于秦昭王接见范雎的这所"离宫"，《史记正义》曰："长安故城本秦离宫，在雍长安北十三里也。"⑦⑧ 永巷：有时是指宫中监狱，也叫"掖庭"，但此处之所谓"永巷"则与监狱无关，乃通向深宫的长巷。⑦⑨ 怒逐之：以为深宫之中，非外人所能进，故逐之使出。⑧⓪ 谬曰：故意地往错处说。⑧① 秦安得王：秦国哪里有国王。凌稚隆引董份曰："动昭王处，唯此言最深，所谓危以激之也。"引凌约言曰："秦王国事之非在尊太后、穰侯，范雎说秦之要在废太后、穰侯，故未见秦王而先设此计以感之，预为进言地耳。"⑧② 微闻：听到了一些范雎的话。⑧③ 屏左右：让身边的人走开。屏，通"摒"，使之退去。⑧④ 跽而请：挺直了身子，跪着请范雎赐教。跽，长跪。顾炎武曰："古人之坐，皆以两膝着席，有所敬，引身而起，则为长跪。"请，谓请其赐教。⑧⑤ 何以幸教寡人：你将以什么样的赐教使我感到荣幸。幸，表示客气的副词。⑧⑥ 唯唯：只应声而不说话的样子。⑧⑦ 如是者三：一连三回都是如此。凌稚隆引王维桢曰："三跽请而不言，以尝试其意耳。"引茅坤曰："雎为欲言不言，且餂昭王之情，于以深入而固要之，可谓破天关乎，而太史公与《战国策》尽能摹写。"⑧⑧ 卒不幸教寡人邪：你终究不加赐教了。卒，到底、终究。⑧⑨ 羁旅：漂泊在外，寄居为客。⑨⓪ 匡君：辅佐帝王。匡，正，扶危使正。⑨① 处人骨肉之间：议论人家骨肉至亲之间的关系。凌稚隆曰："暗伏太后、穰侯。"⑨② 少有补于秦：稍微能对秦国有点好处。少，意思同"稍"。⑨③ 杜口裹足：闭上嘴巴，拴住两脚。杜，堵塞，这里即指紧闭。裹足，谓足如有所裹，不能走路。⑨④ 莫肯乡秦：没有人再肯到秦国来。乡，通"向"。⑨⑤ 天以寡人溷先生：这是老天爷让我给您添麻烦。溷，谦辞，犹如今之所谓"打扰""麻烦"。⑨⑥ 存先王之宗庙：让我们秦国的宗庙社稷得以保全。存，保全。⑨⑦ 上及太后：凌稚隆引凌约言曰："此时昭王之心，惟恐范雎不言，秦国不保，故上及太后，且欲为之甘心，又何有于大臣哉！此其说得行，而相印终归之也。"中井积德曰："昭王素厌苦于太后，故谗间易入，'上及太后'句可观焉。不然，非人子所宜言。"⑨⑧ 走韩卢而博蹇兔：让最迅猛的猎狗追瘸腿的兔子。走，放出，《战国策》径作"放"。韩卢，韩国出产的迅猛的猎狗。蹇，瘸腿。⑨⑨ 闭关十五年二句：钱大昕曰："范雎说秦，在昭王卅六年，是时秦用白起破赵、魏及楚者屡矣，而穰侯方出兵攻纲、寿，安有‘闭关十五年’之事？”牛鸿恩曰：“《战国策》无‘十五年’三字，甚是。此乃史公据后人拟作之张仪说辞而误加。”⑩⓪ 俯仰：低头抬头，以见其对范雎所言的听取与否定。⑩① 齐湣王南攻楚：缪文远曰：“此当指齐湣王十五年（公元前二八六年）齐灭宋，举楚淮北而言。”⑩② 再辟地千里：缪文远曰：“灭宋之役，辟地千里，取楚淮北，是‘再辟地千里’也。”再，两次、两度。辟，开拓。牛鸿恩认为此不应指齐湣王时事，《战国策》作“齐人伐楚”，实乃宣王十九年（公元前三〇一年）齐与韩、魏攻楚也。司马迁误增“湣王”二字，《史记·六国年表》之齐国年世此处亦误。〖按〗杨宽《战国史·战国大事年表》于齐宣王十九年下系之云：“齐派匡章，魏派公孙喜，韩派暴鸢共攻楚方城，杀楚将唐昧，韩、魏取得宛、叶以北地。”⑩③ 形势不能有也：客观形势决定了它不可能占有楚国的领土，因为相隔甚远。⑩④ 罢敝：同“疲敝”。⑩⑤ 起兵而伐齐二句：此即乐毅率领的五国之师共伐齐，事在齐湣王十七年（公元前二八四年）。⑩⑥ 远交而近攻：吴师道曰：“‘远交近攻’，秦卒用此术破诸侯，并天下。”茅坤曰：“秦之伯业，定于‘远交近攻’之一言。”泷川资言引林少颖曰：“秦之所以得天下，不外‘远交近攻’之策。是策出于司马错，成于范雎。秦取六国，谓之‘蚕食’，蚕之食叶，自近及远。”郭嵩焘曰：“范雎‘远交近攻’一语，实为秦并天下之基，而穰侯于是时专属意于齐，是以范雎之言入而穰侯遽罢，亦适会其时之足以相倾也。”⑩⑦ 中国之处：谓其处于华夏诸国的中心。之，此处其义同“是”。⑩⑧ 天下之枢：天下各国的枢纽之处。枢，门轴。胡三省曰：“以门户为喻，门户之阖辟，皆由于枢。”鲍彪曰：“言出入来往所由。”⑩⑨ 王若欲霸：大王您若想称霸。⑪⓪ 亲中国：先与地处各国中心的韩、魏搞好关系。茅坤曰：“始而亲韩、魏者，阳予之以为联属楚、赵之地，因以招齐也。”⑪① 以为天下枢：以韩、魏作为控制其他诸国的关键。王应麟曰：“晋、楚之争霸在郑，秦之争天下在韩、魏，林少颖谓‘六国卒，并于秦，出于范雎远交近攻之策’，取韩、魏以执天下之枢也。”⑪② 以威楚、赵：先使韩、魏亲附后，再向外扩展，使南方之楚、北方之赵亲附秦国。⑪③ 楚强则附赵二句：指视南北的形势而定，先设法收服其较弱的一方。胡三省曰：“强者未易柔服，故先亲附弱者。”附，使之亲附、归附。⑪④ 楚、赵皆附：楚、赵两国一旦都亲附于秦。⑪⑤ 齐附则韩、魏因可虏也：齐国这种远方大国一旦亲附于秦，则秦国即可对邻近的韩、魏实行吞并了。虏，谓虏其王而灭其国。〖按〗观此数句，范雎“远交”之策在于使齐国亲附。而为使齐国亲附，则必须先使楚、赵亲附；为使楚、赵亲附，则必须先使韩、魏亲附。于是所谓“近攻”乃又必须先从“近亲”开始。“近亲”是手段，是权宜之计；“近攻”才是终极目的。吴见思曰：“论事明白，文气俊利，终秦之并天下，计不出此，范雎固秦策士之第一人也。”⑪⑥ 乃以范雎为客卿：客卿是他国人居此国未任正式官职，而为帝王之高级参谋者，因其享受列卿待遇，故称“客卿”，日后李斯仕秦之次第亦复如此。凌稚隆引凌登第曰：“太史公叙范雎见秦王一段始末，光景曲折，至今令人想象，宛然在目，当入画家神品。”〖按〗以上范雎说秦昭王事，见《战国策·秦策》与《史记·范雎蔡泽列传》，原文甚详，此节取其大要。⑪⑦ 中更胡伤：秦将胡伤，时为中更之爵。中更是秦爵二十级的第十三级。⑪⑧ 攻赵阏与二句：此即上年所写“秦伐赵，围阏与”，被赵将赵奢所败事，《史记·六国年表》系于上年，杨宽《战国史·战国大事年表》系于本年，司马光《资治通鉴》则分系于两年。详细辩证见韩兆琦《史记笺证》。⑪⑨ 五大夫绾：秦将许绾，时为五大夫爵。五大夫是秦爵的第九级。⑫⓪ 怀：魏邑名，在今河南武陟西南。⑫① 悼太子质于魏而卒：《史记·秦本纪》：“（昭襄王）四十年，悼太子死魏，归葬芷阳。”⑫② 邢丘：魏邑名，在今河南温县东之平皋故城。⑫③ 用事：掌握秦国权柄。⑫④ 承闲：趁机会。闲，通“间”，间隙。⑫⑤ 居山东时：指其原在魏国。山东，崤山以东，当时习惯以之称东方诸国。⑫⑥ 闻齐之有孟尝君：光听说齐国有孟尝君。〖按〗《战国策》作“闻齐之内有田单”。鲍彪曰：“《史》云‘田文’，非也。文去齐至是已二十余年，不得近舍单，远论文也。”泷川资言曰：“秘阁、枫山、三条本‘田文’作‘田单’，与《策》合。”王念孙曰：“张载注《魏都赋》引《史记》正作‘田单’。”田单是齐国名将，以火牛阵大破燕军，再造齐国，齐襄王封之为安平君。事迹详见《史记·田单列传》。吴师道曰：“举齐事言，不必一时。”盖谓即作“田文”亦通。⑫⑦ 擅国之谓王：能独揽国家的一切威权才能叫一国之王。⑫⑧ 能利害之谓王：能利害，能给人利，也能给人害，即通常之所谓作威作福。牛鸿恩曰：“《战国策》作‘能专利害之为王’，此句应有‘专’字，盖‘擅国’‘专利害’‘制杀生’句式相同也。”⑫⑨ 制杀生：掌握着让人生或死的威权。⑬⓪ 擅行不顾：自己独断专行，从来不管昭王有何想法。⑬① 出使不报：出使前不请示，出使后不汇报。⑬② 击断无讳：随意杀人而无顾忌。击断，鲍彪曰：“谓刑人。”《史记索隐》曰：“无讳，犹无畏也。”⑬③ 进退不请：提拔人、贬斥人，不向昭王请示。进退，泷川资言引横田惟孝曰：“进退人也。”⑬④ 四贵备：一个国家具备四个如此专横的权贵。⑬⑤ 为此四贵者下：屈居于四贵的专权跋扈之下。⑬⑥ 穰侯使者操王之重：穰侯派到其他诸侯国去的使者，打着王的旗号，行使秦王的无上权威。⑬⑦ 决制于诸侯：对各诸侯国发号施令。决制，决断，决定重大问题。⑬⑧ 剖符于天下：缪文远引横田惟孝曰：“言冉之使者分兵符于诸侯，征发其兵，以征伐敌国，而诸侯皆从其令也。”剖，分发。符，指兵符。⑬⑨ 征敌伐国：征伐敌国。⑭⓪ 攻取：指占领地盘。⑭① 利归于陶：好处归穰侯所有。陶是穰侯的封地，在今山东菏泽市定陶区西北。⑭② 木实繁者二句：树木结果太多，树枝就将被压断。木实，树木的果实。披，裂下、折断。⑭③ 披其枝者二句：树枝披下，树心就将受伤。⑭④ 大其都者二句：国内封君的都城过大，就将构成对国家首都的威胁。《左传·隐公元年》有所谓“都城过百雉，国之害也”，即此。国，指国家首都。⑭⑤ 尊其臣者二句：做大臣的如果太尊贵，其帝王也就变得卑贱了。⑭⑥ 淖齿管齐：楚将淖齿掌握齐国大权的时候，事见本书卷四周赧王三十一年。⑭⑦ 射王股四句：指淖齿杀齐湣王事，事已见前。但“射王股”三字乃衍文，应削。《战国策》与《史记》在叙述“淖齿管齐”时，兼带说到了崔杼，故而下句有“射齐庄公”事，见《左传·襄公二十五年》与《史记·齐太公世家》。今上句既削崔杼，则下句

“射王股”三字亦应削去。宿昔，同“夙夕”。早晚，此极言时间之短，很快就死了。⑱李兑管赵：李兑是赵武灵王时的大臣，事已见前。⑲囚主父于沙丘二句：主父即赵武灵王。赵武灵王因对两个儿子立谁为后的问题摇摆不定，从而形成内乱，赵武灵王被李兑等围困饿死事，见本书卷四周赧王二十年。⑳三代之所以亡国：指夏、商、周三朝的末年之所以亡国。㉑君专授政于臣：国君专一地把政权交给某大臣掌管。㉒弋猎：射猎。弋，射。㉓其所授者：接受王命执掌政权的人。㉔御下蔽上：控制下属群臣，壅蔽蒙骗君上。御，驾驭、控制。㉕有秩：乡官名。陈直曰：“《汉书·百官公卿表》叙县制：‘大率十里一亭，亭有长；十亭一乡，乡有三老、有秩、啬夫、游徼，皆秦制也。’盖战国末期秦已有此制度。”此指最低级的官吏。㉖下及王左右：〖按〗“下”字用得无理，应删。《战国策》云：“今邑中自斗食以上，至尉内史，及王左右，有非相国之人者乎？”亦无“下”字。㉗相国：指穰侯。㉘见王独立于朝：《战国策》作“臣今见王独立于庙朝矣”。独立，孤立无援。㉙万世之后：婉言秦王身死之后。泷川资言曰：“秘阁本、枫山、三条本，‘恐’下重‘恐’字，与《策》合。”〖按〗“万世之后”句上应重出“恐”字，然《史记》中多有应重出而不重出者。㉚于是废太后：吴师道曰：“睢相在昭王四十三年，《秦纪》：‘明年太后薨，葬芷阳骊山。九月穰侯出之陶。’是太后初未尝废，穰侯虽免相，而未就国。太后葬后，始出之陶。此辩士增饰，非实之辞。”梁玉绳引《大事记》曰：“《本纪》宣太后之没书‘薨’书‘葬’，初未尝废。魏公子无忌谏魏王亲秦之辞，止曰‘太后母也，而以忧死’，亦未尝言其废。穰侯虽免相，犹以太后之故未就国，及太后既葬之后始出之陶耳。《范雎传》所载特辩士增饰之辞，欲夸范雎之事，而不知甚昭王之恶也。”又引《经史问答》曰：“太后忧死是实，未必显有黜退之举。观穰侯尚得之国于陶，无甚大谴，其所谓‘逐’者如此，则所谓‘废’者亦只夺其权也。是时昭王年长，而宣太后尚事事亲裁，便是不善处嫌疑之际；一旦昭王置之高阁，安得不忧死？故人以为‘废’。”㉛逐穰侯、高陵句：让魏冉、公子悝、芈戎、公子市四人都离开京城，到各自的封地去。关外，函谷关以外。〖按〗魏冉初封穰（今河南邓州），后又加封陶（今山东菏泽市定陶区西北）；芈戎初封华阳（陕西华山之阳），后又加封新城（今河南新密东南）；公子悝与公子市的封地原分别在高陵（今陕西高陵）与泾阳（今陕西泾阳西北），后又分别加封邓（今河南漯河市召陵区）与宛城（今河南南阳），盖后封者都在“关外”。〖按〗杨宽以为“废太后、逐四贵”之事，多有游士夸大，被逐者仅穰侯魏冉与华阳君芈戎二人，穰侯出关之陶在昭王四十二年（公元前二六五年），芈戎出关之国在昭王四十五年。并引李斯《谏逐客书》之所谓“昭王得范雎，废穰侯，逐华阳，强公室，杜私门”云云，以为“所逐者确为华阳，高陵、泾阳则未逐也”。㉜以范雎为丞相：凌稚隆曰：“范雎欲得相位，必倾太后、穰侯，但骨肉之间不能直指，故方未见王时即‘感怒’之，以植其根；及其既见，则欲言不言，反覆宛转，以待其自悟；至王自言‘上及太后，下至大臣’可以直指矣，却又先言外事，以待数年，始及其内，渐渍不骤如此，听者自不觉入于肝鬲矣。睢其深于术哉!”陈子龙曰:“昭王之倾心于范雎者,急在欲谋内事,而外事其次也。然不先立功效以自重,而欲倾国之权贵,岂易拔乎?雎所以须之数年之后也。后世人主有与羁旅之士骤谋大臣,每至于败者,坐国人之未信,根本之未立也。”⑯³封为应侯:应侯的封地应县,在今河南鲁山县东北。杨宽曰:“《韩非子·定法篇》云:‘应侯攻韩八年,成其汝南之封。’……汝南即应,在今河南鲁山县东,秦攻韩,‘北断太行之道’,夺取上党之地,原出范雎之谋,疑范雎即因攻韩得胜之功而封于应。《范雎列传》谓范雎进说昭王废太后、逐四贵而拜相后,即封于应而号为应侯,此亦游士夸饰之辞耳。”〖按〗以上诸事,亦见于《史记·范雎蔡泽列传》。⑯⁴聘:国与国之间礼节性访问。⑯⁵敝衣间步:微服出行。间步,私下步行。泷川资言引刘伯庄曰:“谓独行。”又引卢藏用曰:“从小路也。”⑯⁶范叔:“叔”是范雎的字。⑯⁷固无恙乎:一直就挺好吗。固,本来、原来。⑯⁸留坐饮食:留他坐下,又给他拿出吃的喝的。⑯⁹绨袍:粗丝织品所做的袍子。绨,厚丝织品。吴见思曰:“转折絮语,如亲见之。”锺惺曰:“绝妙小说。”⑰⁰为须贾御:为须贾赶着车。御,赶车。⑰¹通:通报。⑰²相君:对丞相的敬称。⑰³问于门下:向门口的差役打听为何范叔总不出来。⑰⁴乡者:刚才为您赶车的那个人。⑰⁵见欺:受骗。⑰⁶膝行:跪着爬了进去。⑰⁷谢罪:请罪。⑰⁸责让之:斥责他当年的罪行。让,责。⑰⁹尔所以得不死者:我今天所以还能饶你一命。⑱⁰以绨袍恋恋:就因为你还

【原文】

五十年(丙申,公元前二六五年)

秦宣太后薨。九月,穰侯出之陶[188]。

臣光曰:“穰侯援立昭王[189],除其灾害[190],荐白起为将,南取鄢、郢[191],东属地于齐[192],使天下诸侯稽首[193]而事秦。秦益强大[194]者,穰侯之功也。虽其专恣骄贪[195]足以贾祸[196],亦未至尽如范雎之言。若雎者,亦非能为秦忠谋,直欲得穰侯之处,故扼其吭[197]而夺之[198]耳。遂使秦王绝母子之义[199],失舅甥之恩[200]。要之[201],雎真倾危之士[202]哉!”

秦王以子安国君为太子[203]。

秦伐赵[204],取三城。赵王新立[205],太后用事[206],求救于齐[207]。齐人曰:

能给我一件绨袍，还有点想起老朋友的样子。⑱ 大供具：大摆筵席。具，原指盛饭菜的器具，引申为筵席。⑱ 坐须贾于堂下：让须贾坐在台阶前的院子里。⑱ 置莝、豆于前：在他跟前摆上一槽喂牲口的草料。莝，铡碎的草。豆，喂牲口的料。⑱ 马食之：让他像马吃草似的吃那些"莝、豆"。⑱ 且屠大梁：我要杀光你们整个大梁城。且，将。屠，血洗、杀光全城。⑱ 匿于平原君家：躲藏在平原君家。平原君即赵胜，赵惠文王之弟，时为赵相，以养士闻名。事迹详见《史记·平原君虞卿列传》。⑱ 孝成王丹：孝成王名丹，"孝成"二字是谥，公元前二六五至前二四五年在位。

【校记】

［1］二日一夜而至："二"原作"一"。据章钰校，十二行本、乙十一行本皆作"二"。今从十二行本、乙十一行本及《史记·廉颇蔺相如列传》改。［2］范雎：原作"范睢"。今据《韩非子》改作"范雎"。［3］王若欲霸："欲"原作"用"。据章钰校，十二行本、乙十一行本、孔天胤本皆作"欲"，张瑛《通鉴校勘记》同。今从诸本及《史记·范雎蔡泽列传》改。［4］擢王筋："筋"原作"筯"。据章钰校，十二行本、乙十一行本、孔天胤本皆作"筋"，张瑛《通鉴校勘记》同。今从诸本及《史记·范雎蔡泽列传》改。

【语译】

五十年（丙甲，公元前二六五年）

秦国宣太后去世。九月，穰侯魏冉被解除职务，出函谷关，回到封地陶邑。

司马光说："穰侯魏冉拥立秦昭王，为他消灭了所有政敌；又举荐白起为大将，向南夺取了楚国的鄢邑和郢都，向东拓展领土，使秦国的东部边境与齐国相连接，天下所有诸侯都屈服于秦国的威势而向秦国俯首称臣。秦国之所以越来越强大，都是穰侯魏冉的功劳啊。虽然他专断跋扈，骄横贪婪，足以为他招致大祸，但也不至于像范雎所说的那样坏。至于范雎这个人，他并不是完全为秦国尽忠效力，只是想得到穰侯的高位，所以他才扼住穰侯的咽喉死不放手。终于使秦昭王和自己的母亲宣太后断绝了母子之情，和舅父穰侯魏冉断绝了舅甥之恩。总之，范雎确实是一个狠毒危险的人物啊！"

秦昭王立安国君嬴柱为太子。

秦国攻打赵国，占领了赵国的三座城邑。由于刚刚即位的赵孝成王年纪幼小，就由他母亲赵威后代掌朝政，赵威后派人去向齐国求救。齐国答复赵使说："赵国必

“必以长安君[208]为质。”太后不可。齐师不出，大臣强谏[209]。太后明谓左右曰：“复言长安君为质者，老妇必唾其面。”左师触龙[210]愿见太后，太后盛气[211]而胥之入[212]。左师公徐趋而坐[213]，自谢[214]曰：“老臣病足，不得见久矣，窃自恕，而恐太后体之有所苦[215]也，故愿望见太后。”太后曰：“老妇恃辇[216]而行。”曰：“食得毋衰乎[217]？”曰：“恃粥耳。”太后不和之色稍解[218]。左师公[219]曰：“老臣贱息舒祺[220]最少，不肖[221]，而臣衰，窃怜爱之，愿得补黑衣之缺[222]以卫王宫，昧死以闻[223]。”太后曰：“诺。年几何矣？”对曰：“十五岁矣。虽少，愿及未填沟壑[224]而托之[225]。”太后曰：“丈夫亦爱少子乎[226]？”对曰：“甚于妇人[227]。”太后笑曰：“妇人异甚[228]。”对曰：“老臣窃以为媪之爱燕后贤于长安君[229]。”太后曰：“君过矣[230]，不若长安君之甚[231]。”左师公曰：“父母爱其子，则为之计深远[232]。媪之送燕后[233]也，持其踵[234]而泣，念其远[235]也，亦哀之矣。已行，非不思也，祭祀则祝之曰：‘必勿使反[236]！’岂非为之计长久，为子孙相继为王也哉[237]？”太后曰：“然。”左师公曰：“今三世以前，至于赵王之子孙为侯者[238]，其继有在者乎[239]？”曰：“无有。”曰：“此其近者祸及身[240]，远者及其子孙[241]。岂人主之子侯[5]则不善哉[242]？位尊而无功，奉厚[243]而无劳，而挟重器多[244]也。今媪尊长安君之位[245]，而封之以膏腴之地[246]，多与之重器，而不及今令有功于国[247]。一旦山陵崩[248]，长安君何以自托于赵[249]哉？”太后曰：“诺[250]，恣君之所使之[251]。”于是为长安君约车百乘[252]，质于齐。齐师乃出，秦师退[253]。

齐安平君田单将赵师以伐燕[254]，取中阳[255]。又伐韩[256]，取注人[257]。齐襄王薨，子建[258]立。建年少，国事皆决于君王后[259]。

五十一年（丁酉，公元前二六四年）

秦武安君伐韩[260]，拔九城[261]，斩首五万。

须把赵太后的小儿子长安君送到齐国做人质，齐国才肯出兵。”赵太后不答应送长安君到齐国做人质。齐国不肯发兵救赵，赵国的大臣极力劝说太后，太后明确地对左右的人说：“再有劝说我送长安君到齐国做人质的，老妇我就把唾沫唾到他的脸上。”左师触龙请求拜见太后，太后憋着一肚子气等待触龙进来。触龙缓慢地小步疾走到太后面前坐下，很抱歉地对太后说：“我的脚有毛病，很久没有来看望您，我私下里揣度，担心太后的身体有所不适，所以前来看望。”太后说：“我的腿脚也不好，全靠坐车。”触龙说：“太后的饭量没有减少吧？”太后说：“也只是喝点粥罢了。”太后紧绷着的脸稍稍舒缓下来。触龙说：“我儿子当中，舒祺最小，也最没出息，而我年纪大了，内心最疼爱他，希望太后恩典，让舒祺当一个王宫侍卫，保卫王宫。我今天冒着死罪来向您恳求此事。”太后说：“可以。舒祺今年多大了？”触龙回答说：“十五岁了。虽然还小，但我希望在我死之前将他托付给太后。”太后说：“你们男人也疼爱小儿子吗？”触龙说：“比女人更疼爱。”太后笑着说：“还是女人疼爱得厉害。”触龙说：“我觉得太后您疼爱长安君的程度就不如疼爱燕后。”太后说：“你说错了。我疼爱燕后远远比不上我疼爱长安君。”触龙说：“做父母的疼爱子女，就要为子女考虑长远。太后在送燕后出嫁的时候，拉着燕后的脚哭泣，想到她远嫁燕国，很难再见面，也真是够伤心的。燕后出嫁以后，太后您不是不想念她，但在每次祭祀的时候却祈祷说：‘千万别让她回来！’这难道不是为燕后考虑长久，希望她的子孙永远为燕国之主吗？”太后说：“是这么回事。”触龙接着又说：“从三辈以前往上推，一直推到赵国建立的时候，那些被封为侯的王子们的后代，他们的封地、封号还有保留到今天的吗？”太后说：“没有了。”触龙说：“这些受封的王子王孙，近的，受封者本人活着的时候就遭遇灾祸被废除；长远一点的，在第二代或第三代遭到废除。难道国君的子孙一旦封侯，行为就变得不好了吗？不是，是他们地位虽然尊贵，享受的俸禄虽然优厚，却没有为国家建立什么功勋，而拥有很多珍宝造成的呀。如今，太后您把长安君的爵位提得那么高，又把最肥沃的土地封给他，还赏赐他许多财宝，但是却没有让他趁着现在为国家建立功勋。一旦您离开人世，长安君依靠什么在赵国立足呢？”太后说：“我明白了，长安君就随你们安排吧。”于是为长安君准备了一百辆车子，让他带着到齐国去做人质。齐国这才派兵增援赵国，秦军听到齐国出兵的消息以后就撤军回国了。

齐国安平君田单率领赵军攻打燕国，占领了燕国的中阳，又去攻打韩国，占领了注人。

齐襄王田法章去世，他的儿子田建即位。齐王田建年纪很小，齐国的军国大事都由君王后主持。

五十一年（丁酉，公元前二六四年）

秦国武安君白起率领秦军攻打韩国，攻克了九座城邑，消灭韩国五万人。

田单为赵相㉖②。

五十二年[6]**（戊戌，公元前二六三年）**

秦武安君伐韩，取南阳㉖③，攻太行道㉖④，绝之㉖⑤。

楚顷襄王疾病㉖⑥。黄歇㉖⑦言于应侯㉖⑧曰：“今楚王疾恐不起㉖⑨，秦不如归其太子㉗⓪。太子得立，其事秦必重㉗①，而德相国㉗②无穷，是亲与国㉗③而得储万乘㉗④也。不归㉗⑤，则咸阳布衣耳㉗⑥。楚更立君㉗⑦必不事秦㉗⑧，是失与国㉗⑨而绝万乘之和㉘⓪，非计也。”应侯以告王。王曰：“令太子之傅㉘①先往问疾，反而后图之㉘②。”

黄歇与太子谋曰：“秦之留太子，欲以求利㉘③也。今太子力未能有以利秦㉘④也，而阳文君子二人在中㉘⑤。王若卒大命㉘⑥，太子不在㉘⑦，阳文君子必立为后，太子不得奉宗庙㉘⑧矣。不如亡秦㉘⑨，与使者俱出㉙⓪。臣请止，以死当之㉙①。”太子因变服为楚使者御㉙②而出关㉙③，而黄歇守舍㉙④，常为太子谢病㉙⑤。度太子已远㉙⑥，乃自言于王㉙⑦曰：“楚太子已归，出远矣。歇愿赐死。”王怒，欲听之。应侯曰：“歇为人臣，出身以徇其主㉙⑧，太子立，必用歇㉙⑨。不如无罪㉚⓪而归之，以亲楚㉚①。”王从之㉚②。黄歇至楚三月，秋，楚顷襄王[7]薨，考烈王㉚③即位，以黄歇为相，封以淮北地，号曰春申君㉚④。

【段旨】

以上为第二段，写周赧王五十年（公元前二六五年）至周赧王五十二年共三年间的各国大事，主要写了赵国的触龙说赵太后使长安君入齐为质，与楚国的春申君智脱在秦为质的楚太子离秦归楚的事迹。

任命齐国安平君田单为赵国丞相。

五十二年（戊戌，公元前二六三年）

秦国武安君白起率军攻打韩国，占领了韩国的南阳，进攻太行山的山隘，封锁了山道。

楚国顷襄王病重。陪同楚太子芈完在秦国做人质的黄歇对秦国的应侯范雎说："楚王的病恐怕好不了，为了秦国的利益，不如将楚国太子芈完送回楚国。芈完如果能被立为楚王，他必然会厚待秦国，对丞相您也会无限感激，既加深与同盟国的关系，又预先储备了一个未来的万乘之君。如果不允许楚太子芈完回国，太子芈完只不过是住在咸阳城里的一个平民而已。楚国如果另立别人为楚君，必定不再亲附秦国，秦国既失掉了一个同盟国，又断送了与一个万乘大国的友谊，不是好计策。"应侯范雎将这个意见奏告秦昭王。秦昭王说："先派楚太子的师傅回楚国问候楚王，等他回来以后再做决定。"

黄歇和楚太子芈完商议说："秦国羁留您，目的是谋求秦国的利益。如今您没有能力使秦国得到利益，而楚王的弟弟阳文君的两个儿子却在国内。如果楚王驾崩，太子您又不在楚王身边，阳文君的儿子必定被立为楚王，您就不能继承王位了。您不如从秦国逃走，跟随回楚国探听消息的使者一起离开秦国回楚国去。我留下来处理后事，大不了一死。"于是，楚太子芈完乔装成楚国使者的车夫混出函谷关，而黄歇在楚太子的馆舍里留守，他经常以太子有病为借口谢绝宾客的来访。黄歇估计太子芈完已经走得够远，就亲自去向秦王说明事情经过，他说："楚国太子已经走了，估计现在已经回到楚国。希望您赐我一死。"秦昭王听了非常恼怒，想将黄歇处死。应侯范雎劝阻说："黄歇作为臣子，愿意为他的主人牺牲性命，楚太子芈完如果做了楚国的国君，一定会重用黄歇。不如将他无罪释放，让他回到楚国，以此来加强秦国与楚国的联盟。"秦昭王听从了应侯的建议。黄歇回到楚国三个月，也就是当年的秋天，楚顷襄王去世，太子芈完继承了王位，就是楚考烈王。楚考烈王任命黄歇为相国，并将淮河以北的土地分封给他，号称春申君。

【注释】

⑱ 出之陶：出函谷关，前往陶邑封地。⑲ 援立昭王：援立，即拥立，不该其立，而破除万难地扶之使立。秦昭王是秦武王之弟，武王卒后无子，诸弟争立，靠着宣太后和穰侯的力量，打败对手，成了秦昭王。诛杀所及，甚至连武王的母亲、武王的王后也都未得好死。事见本书卷三周赧王五年与《史记·穰侯列传》。⑳ 除其灾害：指诛灭所有反对势力。㉑ 南取鄢、郢：事在秦昭王二十九年（公元前二七八年）、周赧王三十七年。㉒ 东属

地于齐：将秦国的边界线向东推移，直至与东方的齐国相连接。属，连接。⑲³稽首：磕头至地，并要在地上停留一会儿，这是最隆重的叩拜礼。⑲⁴秦益强大：秦国越来越强大。⑲⁵专恣骄贪：专权、任性、骄横、贪婪。⑲⁶贯祸：招祸；引祸到身。⑲⁷扼其吭：掐住他的喉咙。⑲⁸夺之：谓夺其相权。⑲⁹绝母子之义：丧失了正常的母子关系，即前文所说的"废太后"。⑳⁰失舅甥之恩：断绝了舅甥之情，指夺穰侯之权，并使其离开京城。⑳¹要之：总而言之。⑳²睢真倾危之士：范睢真是一个狠毒的危险分子。⑳³秦王以子安国君为太子：安国君名柱，一名式，秦昭王的次子，此时被封为安国君，即日后的孝文王，公元前二五〇年在位。秦昭王原来的太子于周赧王四十八年（公元前二六七年）卒于魏。⑳⁴秦伐赵：时当秦昭王四十二年（公元前二六五年）、赵孝成王元年。⑳⁵赵王新立：此时之赵王即赵孝成王，惠文王之子，公元前二六五至前二四五年在位。⑳⁶太后用事：因赵孝成王年幼，故由其母赵威后代掌朝权。赵威后是赵惠文王的王后。用事，主事。⑳⁷求救于齐：时为齐襄王十九年（公元前二六五年）。⑳⁸长安君：赵威后的少子，孝成王之弟。"长安君"是封号名，取其名美，非以封地相称。⑳⁹强谏：强硬地提出劝谏。㉑⁰左师触龙：姓触，名龙，时任左师之职。左师是帝王的辅导官，与他时之"太师"略同。胡三省注："春秋时宋国之官有左右师，上卿也。赵以触龙为左师，盖冗散之官，以优老臣者也。"㉑¹盛气：憋着一肚子气。㉑²胥之入：等待着进来。胥，等待。㉑³徐趋而坐：缓慢地小步疾走到赵威后跟前坐下。所谓"趋"是小步疾行，是臣子在君父面前使用的一种礼节性的走路姿势。〖按〗此处的"坐"字似应作"至"，赵威后未发话，触龙无由自坐。㉑⁴谢：表示歉意；告罪。㉑⁵窃自恕二句：我自己私下揣度，担心太后的身体会有什么毛病。自恕，自忖、自己思量。中井积德曰："自推其衰，恐太后之衰也。"〖按〗此句"自恕"多有解作"自我宽恕"，没有道理。有所苦，有什么不舒服。㉑⁶恃辇：靠坐车。辇是帝王与王后所乘的车子，其大者用马拉，小者用人挽，还有一种人抬的也叫"辇"。㉑⁷食得毋衰乎：吃东西没有减少吗。得毋，通"得无"，难道没有。㉑⁸稍解：稍稍缓和下来；气头消了一些。㉑⁹左师公：作者对年长触龙的敬称。㉒⁰贱息舒祺：我的小儿子舒祺。贱息，谦指自己的儿子。息，子。㉒¹不肖：不像；不类其父。即通常所说的"没出息""不成材"。㉒²补黑衣之缺：婉言请让其子充当一名王宫的卫士。因当时的王宫卫士身着黑衣，故云"补黑衣之缺"。杨宽曰："为少子求为侍卫国君之郎。郎具有候补官员之性质，国君常从郎官中选拔人才。"㉒³昧死以闻：我大着胆子向您禀明此事。昧死，冒着死的危险，谦辞。㉒⁴及未填沟壑：趁着我还没死。填沟壑是谦言自己的死。古人谦言自己的死曰"填沟壑"，婉称官僚的死曰"捐馆舍"，称帝王之死曰"弃群臣"或"山陵崩"，等等。㉒⁵托之：将他托付于您。㉒⁶丈夫亦爱少子乎：你们男人也喜爱小儿子吗。㉒⁷甚于妇人：比妇人可厉害多了。㉒⁸妇人异甚：还是妇人更厉害。㉒⁹窃以为媪之爱燕后句：我认为您爱您的大女儿胜过小儿子。媪，老太太，此称赵太后。燕后，赵威后之女，嫁与燕王为后者。贤，胜过、强于。㉓⁰君过矣：您弄错了。㉓¹不若长安君之甚：不如爱长安君爱得更深。㉓²计深远：为他做长远考虑。㉓³送燕后：指送燕后出嫁。㉞持其踵：拉着她的脚，盖其女坐在车上，其车欲行，故母亲得“持其踵”。㉟念其远：想到她的远别。㊱必勿使反：千万别让她回来。因为凡是嫁与帝王的女子，除被休弃以外，通常是不能回家的。㊲为子孙相继为王也哉：不就是为了让她生的子孙们世世代代地在燕国为王吗。㊳三世以前二句：《战国策》于此作“今三世以前，至于赵之为赵，赵之子孙侯者”，大意谓，从三辈以前上推到赵国的建立。赵王，赵氏称王。㊴其继有在者乎：那些被封为侯的王子们的后代，他们的封地、封号还有保留到今天的吗。意思为都是隔不了多久就被取消了。㊵近者祸及身：在受封者本人生前即遭祸被废。㊶远者及其子孙：长远一点的，在第二代或第三代遭废除。㊷岂人主之子侯则不善哉：难道是帝王之子一旦封侯，行为就变得不好了吗。㊸奉厚：俸禄过于优厚。奉，通“俸”。㊹挟重器多：占有的宝器过多。重器，这里主要指珍宝。㊺尊长安君之位：把长安君的爵位提得那么高。㊻膏腴之地：肥沃的土地。㊼令有功于国：让他为国家立些功勋。㊽山陵崩：婉称帝王之死，这里指赵太后死。㊾何以自托于赵：何以在赵国自立。㊿诺：是的；说得好。(251)恣君之所使之：任凭你安排他的去向。(252)约车百乘：套了一百辆车。约，拴，即今所谓套。乘，古称一车四马为一乘。(253)秦师退：以上故事见《战国策·赵策四》与《史记·赵世家》。鲍彪曰：“触詟谅毅，皆以从容纳说而取成功，与夫强谏于庭，怒骂于坐，发上冲冠，自待必死者，力少而功倍矣。”锺惺曰：“左师公谏赵太后，出长安君为质，不当在言语上看之，全在举止进退，有关目，有节奏，一段迂态软语，字字闲语，步步闲情，与本事全不相粘，而一字一步不可省，得力处即在于此。又妙在一字一步俱从妇人性情体贴探讨出来，老臣一片为国苦心，诚则生巧，正可与公仲事参看。”金圣叹曰：“此篇，琐笔碎墨，于文中最为小样。然某特神会其自首至尾，寸寸节节，俱是妙避‘长安君’三字。……其间苦甘浅深，一一俱有至理，其文乃都在笔墨之外，政未易于琐碎处尽之也。”缪文远曰：“首从身边事从容引入，以消太后之怒；继言如不及今令长安君有功于国，则长安君将无以自托于赵，太后既爱怜其少子，则不得不使其出质矣。触龙非特善于揣摩太后心理，抑且善于进说，故太后卒从其请也。”(254)田单将赵师以伐燕：田单原是齐国名将，有再造齐国之功，后来因在国内受排挤逃到赵国，具体原因与时间不详。将赵师伐燕，时当赵孝成王元年（公元前二六五年）、燕武成王七年。(255)中阳：当为中人，燕邑名，在今河北唐县西南。(256)又伐韩：时当韩桓惠王八年（公元前二六五年）。(257)注人：即注城，韩邑名，在今河南汝州西北。(258)子建：即齐王建，齐襄王之子，齐国的亡国之君，公元前二六四至前二二一年在位。(259)君王后：即前文所述之太史敫女，齐襄王法章的王后，操纵齐国政权四十多年，直到齐国被秦所灭。(260)武安君伐韩：时当韩桓惠王九年（公元前二六四年）。(261)拔九城：据杨宽《战国史·战国大事年表》，此年“秦派白起攻取韩汾水旁的陉城”。(262)田单为赵相：《史记·赵世家》云：“惠文后卒，田单为相。”细情亦不详。(263)南阳：韩国的地区名，即今河南北部的太行山以南，黄河以北。(264)太行道：指韩国南阳地区与山西接界的翻越太行山的通道，大体是由今河南博爱翻太行山至今山西晋城一带的山道。㉖⑤绝之：指斩断了包括韩国都城新郑在内的黄河以南地区与悬隔在太行山以北的今山西长治一带地区的联络。这句话非常重要，是为后文的韩国丢失上党，以及秦与赵国的长平之战作伏线。㉖⑥疾病：病得很危急。㉖⑦黄歇：楚顷襄王之弟，现时正陪同楚国的太子完在秦国当人质。㉖⑧应侯：指秦国的丞相范雎。㉖⑨恐不起：恐怕不能再痊愈。㉗⓪归其太子：让楚国太子回国，准备继承楚国王位。太子名完，即日后的楚考烈王。㉗①事秦必重：必厚待秦国。重，厚。㉗②德相国：感念相国你的恩德。㉗③亲与国：加深与同盟国的关系。㉗④储万乘：预先准备了一个未来的万乘之君。储，存、预先备下。㉗⑤不归：不让楚国太子回国。㉗⑥则咸阳布衣耳：只不过是咸阳城里的一个平民而已。㉗⑦楚更立君：楚国如果另立一个别的人为君。㉗⑧必不事秦：必然不再亲附秦国。㉗⑨失与国：丢失了一个同盟国。㉘⓪绝万乘之和：断绝了和楚国这样一个万乘之国的友好关系。㉘①太子之傅：即太子少傅、太子太傅等太子的辅导侍从官员。㉘②反而后图之：其他事情等他回来再商量。反，同“返”。图，谋划、商量。㉘③欲以求利：想用您为质，以向楚国讨价还价。㉘④力未能有以利秦：您现在没有能力给秦国提供好处。㉘⑤阳文君子二人在中：而您叔叔现摆着有两个儿子就在楚国宫廷。阳文君，楚顷襄王的兄弟，太子完之叔，其名与事迹不详。在中，在宫中，在楚王身边。㉘⑥卒大命：犹言“尽天年”，即死。卒，尽。大命，生来所秉的年限。㉘⑦太子不在：您如果不在楚王身边。㉘⑧不得奉宗庙：指不能继位为王，因为只有帝王才能主持祭祀皇族的宗庙。㉘⑨亡秦：从秦国逃走。㉙⓪与使者俱出：跟着回楚探听消息的使者一起离开秦国。㉙①臣请止二句：我留下来处理后事，顶多不过一死嘛。止，留，留下来处理善后事宜。〖按〗春申君事迹之尚可信且尤光辉者，仅此而已，盖不亚于“完璧归赵”之蔺相如

【原文】

五十三年（己亥，公元前二六二年）

楚人纳州于秦[305]以平[306]。

武安君伐韩[307]，拔野王[308]。上党路绝[309]，上党守冯亭[310]与其民谋曰：“郑道已绝[311]，秦兵日进[312]，韩不能应[313]，不如以上党归赵[314]。赵受我，秦必攻之。赵被秦兵[315]，必亲韩。韩、赵为一，则可以当秦矣。”乃遣使者告于赵曰：“韩不能守上党，入之秦[316]，其吏民皆安于赵，不乐为秦[317]。有城市邑[318]十七，愿再拜献之大王。”赵王以告平阳君豹[319]，对曰[320]：“圣人甚祸无故之利[321]。”王曰：“人乐吾德[322]，何谓无故？”对曰：

与“鸿门宴”之张良也。㉒为楚使者御：装扮成归楚使者的车夫。御，车夫。㉓出关：指出函谷关（在今河南灵宝东北），当时的楚国都城在陈（今河南周口市淮阳区）。㉔守舍：留守楚太子所住的馆舍。㉕常为太子谢病：常常称说太子有病，不能见秦人。㉖度太子已远：估计楚太子已经走远，秦兵已经无法追赶了。度，忖度、估量。㉗自言于王：自己去向秦王说明了事情经过。㉘出身以徇其主：不怕牺牲自己以拯救他的主人。出身，犹言“献身”。徇，为某种目的而贡献自己的一切。㉙必用歇：必用黄歇为丞相。㉚无罪：不要怪罪。㉛以亲楚：以此来加强秦与楚国的联盟。㉜王从之：〖按〗以上黄歇脱楚太子于秦事，见于《史记·春申君列传》，今本《战国策》不载。春申君当时之所以名满天下，或以此耶？㉝考烈王：名完，公元前二六二至前二三八年在位。㉞封以淮北地二句：淮北地指今江苏之海州及山东之沂州一带地区。《史记·春申君列传》作“赐淮北地十二县”。

【校记】

［5］岂人主之子侯：“侯”原作“孙”。《四部丛刊》影宋本（乙十一行本）及《史记·赵世家》《通鉴纪事本末》作“侯”，今据改。［6］秦武安君伐韩……五十二年：此二十二字符串行脱文。据章钰校，十二行本、乙十一行本、孔天胤本皆有此二十二字，张瑛《通鉴校勘记》同。今从诸本及《通鉴纪事本末》补。［7］楚顷襄王：“楚”字原脱。据章钰校，十二行本、乙十一行本、孔天胤本皆有此字，张敦仁《通鉴刊本识误》同。今从诸本及《通鉴纪事本末》补。

【语译】

五十三年（己亥，公元前二六二年）

楚国将州邑割让给秦国，以求与秦国和好。

秦国武安君白起率军攻打韩国，攻占了野王。韩国上党通往都城新郑的道路被切断，上党郡守冯亭跟属下商议说：“我们通往都城的道路已经被切断，秦军一天天逼近，我们国家已经没有办法前来救援，我看不如将上党献给赵国。赵国如果接收了上党，秦国一定会进攻赵国。赵国受到秦国的攻击，必定和韩国联合。韩、赵结为统一联盟，就可以抵抗秦国了。”于是派使者对赵孝成王说：“韩国已经不能保有上党郡，上党郡迟早会被秦国所占有，上党郡的百姓都愿意归降赵国，而不愿意归降秦国。属于上党郡管辖的有城有市的大邑就有十七个，愿意全部奉献给大王。”赵孝成王将此事告诉平阳君赵豹，平阳君说：“圣人把无缘无故得到的利益看作是最大的灾祸。”赵孝成王说：“上党的人都感念我的仁德，怎么能说是无缘无故呢？”平阳君说：

“秦蚕食韩地㉓，中绝，不令相通㉔，固自以为坐而受上党㉕也。韩氏所以不入于秦者㉖，欲嫁其祸于赵㉗也。秦服其劳㉘，而赵受其利㉙，虽强大，不能得之于弱小㉚，弱小固能㉛得之于强大乎？岂得谓之非无故哉？不如勿受。”王以告平原君㉜，平原君请受之㉝。王乃使平原君往受地㉞。以万户都三㉟封其大守为华阳君，以千户都三封其县令为侯㊱，吏民皆益爵三级㊲。冯亭垂涕不见使者，曰：“吾不忍卖主地而食之㊳也。”

五十五年（辛丑，公元前二六〇年）

秦左庶长王龁㊴攻上党，拔之㊵。上党民走赵㊶。赵廉颇军于长平㊷，以按据㊸上党民。王龁因伐赵，赵军数战㊹不胜，亡一裨将[8]、四尉㊺。赵王与楼昌、虞卿㊻谋，楼昌请发重使为媾㊼。虞卿曰：“今制媾㊽者在秦，秦必欲破王之军㊾矣。虽往请媾，秦将不听㊿。不如发使，以重宝附楚、魏(351)。楚、魏受之(352)，则秦疑天下之合从(353)，媾乃可成(354)也。”王不听，使郑朱媾于秦(355)，秦受之(356)。王谓虞卿曰：“秦内(357)郑朱矣。”对曰：“王必不得媾(358)而军破矣(359)。何则？天下之贺战胜者，皆在秦矣(360)。夫郑朱，贵人也。秦王、应侯必显重之，以示天下(361)。天下见王之媾于秦(362)，必不救王。秦知天下之不救王，则媾不可得成(363)矣。”既而秦果显郑朱(364)而不与赵媾。

秦数败赵兵，廉颇坚壁(365)不出。赵王以颇失亡多，而更怯不战(366)，怒，数让之(367)。应侯又使人行千金于赵(368)，为反间(369)，曰：“秦之所畏，独畏马服君之子(370)赵括为将耳。廉颇易与(371)，且降矣(372)。”赵王遂以赵

“目前秦国正在像蚕吃桑叶一样一点一点地吞食韩国，韩国上党郡通往都城新郑的道路已经被秦军切断，使两地不能互相支援，秦国完全不用再花费力气就可以占有韩国的上党。上党军民之所以不投降秦国而要将上党献给赵国，就是想把眼前的灾祸转嫁给赵国。为夺取上党，秦国已经付出了很大的辛劳，结果让赵国白白捡得便宜，这样的好事，即使是强大的一方，也不能从弱小的一方那里得到，何况我们是弱小的一方，又怎么能从强大的秦国手中白得土地呢？这难道不是无缘无故得到的利益吗？我们不如不接受。”赵孝成王又去征求平原君赵胜的意见，平原君赞成接受上党。赵孝成王就派平原君赵胜前往上党接受土地。赵国将上党郡具有万户人家的城邑三座分封给上党郡守冯亭作为封邑，同时封他为华阳君，封上党郡所属的十七个县令都为侯爵，每人三个千户之都的封地，普通官吏、百姓也都晋升三级。冯亭痛哭流涕，不肯出来会见赵国的使者，他说：“我不忍心做这种将国君的土地献给赵国，而自己却接受赵国封赏的事情。”

五十五年（辛丑，公元前二六〇年）

秦国左庶长王龁率领秦军攻陷上党。上党的百姓都逃往赵国。赵国大将廉颇率赵军驻守在长平，镇抚从上党逃来的韩国难民。王龁借机攻打赵国，赵军与秦军交战多次，却总是不能取胜，还损失了一员裨将、四个校尉。赵孝成王和楼昌、虞卿商议，楼昌主张派出高级使臣去与秦国讲和。虞卿说：“如今的形势是秦国掌握着和谈的主动权，秦国必定下决心要消灭赵国的军队。我们就是派再高级别的使臣前去与秦国谈判，恐怕秦国也不会停止攻打赵国。我们还不如花大本钱派使者去联合楚国和魏国。如果楚国和魏国收下了我们的重礼，那么秦国就会怀疑东方的诸侯国要联合起来对付它了，那时再与秦国讲和才有可能。”赵孝成王不肯听从虞卿的主张，他派大臣郑朱到秦国去求和，秦国答应和郑朱举行谈判。赵孝成王高兴地对虞卿说：“秦国已经和郑朱接触了。”虞卿回答说：“大王您要有心理准备，和谈肯定不会成功，而我们的军队还要遭受重大损失。为什么呢？因为许多诸侯国的使团都到秦国祝贺秦国取得的胜利去了。郑朱是一个高级使者。秦王、应侯必定盛情款待，大张旗鼓地进行宣传，让天下所有的人都知道赵国派郑朱到秦国求和。天下的诸侯看见大王派人去向秦国求和，一定不会再发兵前来救赵。秦国知道没有人救援赵国，也必定不会答应赵国的求和，反而会继续攻打赵国。”事情的发展果然像虞卿预料的那样：秦国盛情款待郑朱，却拒绝与赵国和谈。

秦国在战场上多次打败赵军，赵国的大将廉颇坚守营垒，不肯与秦军交战。赵孝成王见廉颇的军队伤亡很大，又怯敌而不敢出战，非常恼火，多次派人去责备廉颇。秦国应侯范雎又派人带着很多钱财到赵国的都城，实施反间计，散布消息说：“秦国最害怕马服君赵奢的儿子赵括为将。廉颇容易对付，很快就要向秦国投降了。”赵孝成王听信传言，竟然任命赵括为大将，代替廉颇统领赵军。蔺相如劝谏赵孝成

括代颇将[373]。蔺相如曰："王以名使括[374]，若胶柱鼓瑟[375]耳。括徒能[376]读其父书传，不知合变[377]也。"王不听。

初，赵括自少时学兵法，以天下莫能当[378]。尝与其父奢言兵事，奢不能难[379]，然不谓善[380]。括母问其故，奢曰："兵，死地也[381]，而括易言之[382]。使赵不将括则已[383]；若必将之，破赵军[384]者，必括也。"及括将行[385]，其母上书，言括不可使。王曰："何以?"对曰："始妾事其父，时为将[386]，身所奉饭而进食[387]者以十数，所友者[388]以百数。王及宗室所赏赐者，尽以与军吏、士大夫。受命之日，不问家事[389]。今括一旦为将，东乡而朝[390]，军吏无敢仰视之者。王所赐金帛，归藏于家，而日视便利田宅，可买者买之[391]。王以为如其父[392]，父子异心[393]，愿王勿遣[394]。"王曰："母置之[395]，吾已决矣。"母因曰："即如有不称[396]，妾请无随坐[397]。"赵王许之。

秦王闻括已为赵将，乃阴使武安君为上将军[398]，而王龁为裨将[399]。令军中有敢泄武安君将者斩[400]。赵括至军，悉更约束[401]，易置军吏[402]，出兵击秦师。武安君佯败而走[403]，张二奇兵以劫之[404]。赵括乘胜追造秦壁[405]，壁坚拒[406]不得入。奇兵二万五千人绝赵军之后[407]，又五千骑绝赵壁间[408]。赵军分而为二[409]，粮道绝。武安君出轻兵[410]击之，赵战不利，因筑壁坚守[411]，以待救至。

秦王闻赵食道绝，自如河内[412]发[413]民年十五以上悉诣长平[414]，遮绝[415]赵救兵及粮食。齐人、楚人救赵[416]。赵人乏食，请粟于齐，齐王[9]弗许[417]。周子[418]曰："夫赵之于齐、楚，捍蔽[419]也。犹齿之有唇也，唇亡则齿寒[420]。今日亡赵，明日患及齐、楚矣。救赵之务[421]，宜若奉漏

王说："大王您是根据虚名而重用赵括，如同用胶把瑟的弦柱粘住，谁都知道，那将无法调节音调、弹出好音乐的。赵括只知机械地阅读他父亲的兵书，却不懂得根据实际情况应对变化。"赵孝成王不肯听蔺相如的劝告。

当初，赵括在很小的时候就熟读兵书，认为自己天下无敌。他曾经和父亲赵奢谈论兵法，赵奢也难不倒他，但赵奢还是不说他好。赵括的母亲为此询问赵奢，赵奢回答说："用兵打仗是关系众人生死的大问题，而赵括却把它看得那么轻而易举。赵括不被任用为大将也就罢了；如果一定要任他为大将，那么断送赵国军队的，必定是他了。"等到赵括被赵孝成王任命为大将，就要出发的时候，赵括的母亲写信给赵孝成王，说赵括不能担此重任。赵孝成王问她："为什么呢？"赵括的母亲说："我刚嫁给赵奢的时候，赵奢已经是大将了，那时，每天需要我亲自捧着食物当作尊长一样招待的客人就有几十人，作为朋友招待的有几百人。大王和皇亲国戚所赏赐的东西，赵奢全部拿出来分发给手下的人。接到打仗的命令以后，从不过问家事。如今赵括刚一当上大将就摆开了大将的架势，气势凌人地面朝东坐着，接受部下的参拜，那些军吏被吓得不敢抬头看他。大王赏赐的钱物，他全都拿回家中收藏起来，每天打听哪里的土地房屋便宜，就将那里的土地房屋买下来。大王以为他和他的父亲一样，其实他们父子俩的想法完全不一样，我恳请大王不要派他去接替廉颇将军。"赵孝成王说："老人家，这事您就别管了，我的心意已定。"赵括的母亲又说："如果赵括不称职打了败仗，我请求不要受株连。"赵孝成王答应了她的请求。

秦昭王听到赵国已经任命赵括为赵将，接替了廉颇的消息以后，就秘密地任命武安君白起为上将军，改任王龁为副将。下令军中说，敢把白起为上将军的秘密泄露出去，立即斩首。赵括来到军营，把原来廉颇治军的一切章程全部改变，把原来廉颇任用的各级军吏全部撤换，并一改廉颇坚守不战的策略，主动派兵攻打秦军。武安君白起假装失败撤退，而暗中却在两翼布置了伏兵准备袭击赵军。赵括不知自己中计，贸然地率军乘胜追赶秦军，一直追到秦军的营垒前，负责守卫营垒的秦军顽强抵抗，赵括的军队无法攻入。而此时秦军布下的两路伏兵共有二万五千人已经截断了赵军的退路，又有五千骑兵已经攻入赵军的营垒。赵军被分为两处，彼此不能救援，运粮的通道也被秦军堵死。秦国的统帅武安君白起调动轻装部队袭击赵军，赵军作战失利，只好仿效廉颇，加强防御工事、坚守营垒，等待赵军救援。

秦昭王听说赵军的运粮通道已经被切断，便亲自赶往河内，把从河内征调的十五岁以上的男子全部派往长平，以拦截赵国的援军和粮草。齐国、楚国都派出军队援救赵国。赵国缺少粮食，派人向齐国请求救济，遭到齐王建的拒绝。齐国的谋臣周子说："赵国对于齐国和楚国来说，就像是一道屏障。如同牙齿有嘴唇的保护一样，嘴唇没有了，牙齿就会遭受寒冷的侵袭。今天赵国灭亡了，明天灾祸就要降临到齐国、楚国的头上了。救援赵国的紧急程度，就好比捧着一个哗哗漏水的瓮去浇

瓮沃焦釜㊷然。且救赵，高义㊸也；却㊹秦师，显名㊺也。义救亡国，威却强秦。不务为此而爱粟㊻，为国计㊼者，过矣。”齐王弗听㊽。

九月，赵军食绝四十六日，皆内阴相杀食。急来攻秦垒[10]，欲出㊾。为四队㊿，四五复之(431)，不能出。赵括自出锐卒搏战(432)，秦人射杀之(433)。赵师大败，卒四十万人皆降。武安君曰：“秦已拔上党(434)，上党民不乐为秦而归赵(435)。赵卒反覆，非尽杀之，恐为乱。”乃挟诈(436)而尽坑杀之，遗其小者二百四十人归赵。前后斩首虏四十五万人(437)。赵人大震(438)。

【段旨】

以上为第三段，写周赧王五十三年（公元前二六二年）至周赧王五十五年共三年间的各国大事，主要写了秦军断绝太行道，韩之上党已成秦之囊中物，韩之上党降赵，意欲促成赵、韩之联合，结果赵国既不建立东方诸国之联合，又错用赵括为将，致使四十五万赵兵被秦消灭于长平，赵国亦从此走向衰亡事。

【注释】

(305)纳州于秦：将州邑割给秦国。州，也称“州陵”，在今湖北监利。(306)平：讲和。(307)武安君伐韩：时当秦昭王四十五年（公元前二六二年）、韩桓惠王十一年。武安君即秦将白起。(308)野王：韩邑名，即今河南沁阳。(309)上党路绝：韩国的上党郡与韩国黄河以南部分的联系被斩断。上党，韩郡名，郡治即今山西东南部的壶关县。(310)上党守冯亭：韩国上党郡的郡守，名叫冯亭。韩国的上党郡，约当今山西长治地区的西北部与山西之中南部一带地区，共有十七县。(311)郑道已绝：上党通向韩都新郑的道路已被切断。(312)日进：一天天地逼近郡治壶关。(313)不能应：不能抵抗。应，应战。(314)以上党归赵：带着我们的上党郡归降赵国。(315)赵被秦兵：赵国受到秦国军队的攻击时。(316)入之秦：将上党郡抛给了秦国。(317)皆安于赵二句：都乐意归降赵国，不愿意归降秦国。〖按〗韩、赵、魏三国都是由晋国分出，韩国的上党军民愿意归赵而不愿降秦，并不虚假，当然此中也有冯亭的计谋在。(318)有城市邑：有城有市的大邑。《资治通鉴》胡注：“言邑之有城、市者，指言大邑也。”(319)平阳君豹：平阳君赵豹，赵惠文王之弟，赵孝成王之叔，与平原

灭着了火的锅一样，不抓紧就来不及了。再说，救援赵国，是最崇高的道德与仁义；打退秦军又可以使齐国大显威名。简而言之，救赵义不容辞，击退强秦可以树立威信。不把这件事作为当务之急，却吝惜一点粮食，从国家的根本利益考虑，这样做是错误的。”齐孝成王不接受周子的劝告。

到了九月，赵国的军队中已经断绝粮食四十六天了，内部已经在暗中人杀人、人吃人了。于是加紧攻打秦军，企图突出包围。赵括将人马分为四队，轮番向外突围了四五次，仍然冲不出秦军的包围。赵括亲自率领精锐部队再次向秦军发起猛攻，秦军用箭射死了赵括。赵军丧失了主将，军心瓦解，被秦军打得大败，四十万赵军全部投降了秦军。武安君白起说：“我们秦军已经攻下了上党，上党的百姓不愿意归顺秦国而愿意归附赵国。赵国的士卒反复无常，不把他们全部消灭，恐怕会给将来留下祸患。”于是竟然采取欺骗的手段把四十万赵军全部活埋了，只把二百四十名未成年的孩子放回赵国。这次战役，秦军先后消灭了赵国四十五万人。赵国举国惊恐。

君是兄弟行。⑳对曰：平阳君回答说。㉑甚祸无故之利：甚以无缘无故飞来的好处为祸。㉒人乐吾德：人们都感念我的好处。乐，思念、感荷。㉓秦蚕食韩地：秦国多年以来不断侵削韩国地盘。㉔中绝二句：指秦兵攻占野王，将韩国整个地盘分割成了互不连接的南北两块。㉕坐而受上党：不用再花力气就可以坐收上党郡。㉖韩氏所以不入于秦者：此“韩氏”即指冯亭所率领的上党军民。㉗欲嫁其祸于赵：想把眼前的这场灾难转嫁给赵国。㉘秦服其劳：为夺取上党，秦国已经花了很大的力气。㉙赵受其利：结果让赵国白白地捡了便宜。㉚虽强大二句：即使是强大的一方也不可能坐享弱小一方的这种便宜。㉛固能：难道反而能够。固，同“顾”，反、反而。㉜平原君：赵胜，赵豹的兄弟行。事迹见《史记·平原君虞卿列传》。㉝请受之：劝说赵王接受冯亭的投降。㉞往受地：前往上党接受冯亭的投降。㉟万户都三：具有万户人家的都城三座。㊱封其县令为侯：封上党郡所属的十七个县令皆为侯爵，每人三个千户之都的封地。㊲吏民皆益爵三级：普通官吏百姓也都每人晋升三级。泷川资言曰：“以爵定级，诸国未闻，但秦有之，赵亦仿之邪?”陈直曰：“赵国有爵若干级，亦与秦制相同。”〖按〗秦国自商鞅变法后，定封爵为二十级，凡在战场立功或从事农业生产有贡献者，皆授之以爵，故秦国的平民亦有级别。有爵级即有特权，可以受赏，可以折合免罪，还可以转让、出卖。㊳不忍卖主地而食之：不忍心做这种将上党献给了赵国，而自己又接受赵国的封地做食邑的事情。㊴左庶长王龁：秦将王龁，身为左庶长之爵。王龁事迹又见于《史记》之《秦本纪》《范雎蔡泽列传》。㊵拔之：攻克了上党郡的郡治壶关。㊶走赵：逃向赵国。㊷廉颇军于长平：赵将廉颇率军驻守于长平。长平是韩县名，县治在今山西高平西北。㊸按据：犹言“镇抚”，镇抚其人民，不使散亡。㊹数战：一连几次战斗。㊺亡一裨将、四尉：赵方损失了一员副将、四个校尉。裨

将，副将。《史记·白起王翦列传》作“斩赵裨将茄……取二鄣四尉”。㊻楼昌、虞卿：当时皆为赵臣。㊼发重使为媾：派出高规格的使臣向秦国讲和。媾，求和订交。㊽制媾：决定讲和还是不讲和。制，控制、决定。㊾秦必欲破王之军：当前秦国首要的是要消灭我们的军队，意即它不会与我们讲和。㊿秦将不听：秦国不会答应。将，会。351以重宝附楚、魏：花大本钱联合楚、魏。附，依附、联合。这里是使动用法。352楚、魏受之：楚、魏一旦接受了我们的重宝。353则秦疑天下之合从：那么秦国就要怀疑东方各国结成了联盟。合从，建立联盟。354媾乃可成：这时秦国才会接受我们的求和。355使郑朱媾于秦：派郑朱入秦求和。郑朱，赵国的贵族与赵王的亲信。356秦受之：秦国接纳了这个使团。357内：同“纳”，接待。358王必不得媾：您肯定达不到讲和的目的。359而军破矣：我们赵国前方的部队肯定要被秦国打垮。360皆在秦矣：肯定都往秦国去了。361显重之二句：秦国必然是假意尊宠郑朱，让天下各国看，以离间东方各国与赵国的关系，从而孤立赵国。362见王之媾于秦：看到您已向秦国求和。363则媾不可得成：谓秦国就不会答应赵国的求和，而必然要乘机消灭赵国。364显郑朱：假意尊宠郑朱。365坚壁：坚守壁垒。366更怯不战：又怯懦，不敢出战。367数让之：多次派人去指责他。让，指责。368行千金于赵：拿出千金花在赵国。一金约当二十两，也有说二十四两。369为反间：以假情报迷惑对方，引导对方按照自己的意思行事。370马服君之子：马服君赵奢的儿子。赵奢是赵国名将，曾大破秦兵于阏与，因功被封为“马服君”。事迹已见本书卷五周赧王四十五年。371易与：容易对付。与，打交道。372且降矣：而且很快就要投降啦。373代颇将：代替廉颇统领赵军。374以名使括：凭着虚名任用赵括。375若胶柱鼓瑟：以比喻死守教条，遇事不知变通。此句乃指赵括而言，行文不明，易使人误认为是说赵王。胶柱，把柱胶死，不能再调整弦的松紧。柱是琴、瑟上系弦的转轴。376徒能：只会。377不知合变：不懂得根据实际情况应合变通。378莫能当：谁也比不了。379不能难：犹今所谓“问不倒”。380然不谓善：但还是不说他好。381兵二句：《孙子·始计》：“兵者，国之大事，死生之地。”死地，关系人生死的大问题。382易言之：谈起来不当一回事。易，轻，不当一回事。383不将括则已：不使赵括为将则还罢了。384破赵军：使赵军败亡。385及括将行：等到赵括就要去军中上任了。386始妾事其父二句：想当年我侍候他的父亲为将军的时候。387身所奉饭而进食：把对方视为尊长。身所奉，亲自捧着。奉，捧。进食，似应作“进之”，否则此句有语病。388所友者：把对方看作平等的朋友。389受命之日二句：自受命为将之日起，便不再过问家里的事情。《史记·司马穰苴列传》：“将受命之日，则忘其家；临军约束，则忘其亲；援枹鼓之急，则忘其身。”《尉缭子·武议篇》亦云：“将受命之日，忘其家。”390东乡而朝：面朝东坐着，接受部下的参见，以言其妄自尊大之状。〖按〗先秦以至汉初，除正式的坐殿、升堂仍是以南向为尊外，一般的集会、筵席，都是以东向为尊，见《史记》之《项羽本纪》《魏其武安侯列传》等。391日视便利田宅二句：本文以赵括如此行径为短，而《史记·白起王翦列传》写王翦又故意以如此行径安定秦王之心，用意不同也。392王以为如其父：大王您以为他和他的父亲差不多。393 父子异心：其实他和他父亲的思想作风完全不同。异心，指思想作风不同。394 愿王勿遣：锺惺曰："括母上书言括不可将，不单述括父之言，却将括临事举动占其成败，而以'父子异心'一语，自发一片高识，成一片妙喻。有母如此，亦可将也。"395 母置之：犹今所谓"老太太您就别管啦"。置，任其存在，不再过问。396 如有不称：事情结果如与预想不符，指赵军破败。397 妾请无随坐：我请求不要让我受牵连。随坐，因别人犯罪而牵连受惩罚。398 上将军：即"大将"，最高统帅。399 王龁为裨将：将王龁降为白起的助手，作为白起的副将。裨将，副将。锺惺曰："阴使武安君为上将，而王龁为尉裨将，龁亦安焉。与起共事，两无嫌怨，卒以成功，此亦后世人臣所难。"400 有敢泄武安君将者斩：陈子龙曰："敌将怯者，虚声以下之；敌将轻者，藏形以诱之。赵括轻锐之士，故秦不泄武安君也，亦可见武安君名震于诸侯矣。"401 悉更约束：完全改变了廉颇旧日的章程、法令。402 易置军吏：更换了廉颇旧日委派的军官。易置，改设。403 佯败而走：谓正面受赵军攻击的部队假装失败逃退。404 张二奇兵以劫之：左右翼埋伏下两支军队，准备截断他的退路。405 追造秦壁：一直追到秦军的防御工事前。追造，一直追到。造，到、抵达。秦壁，《史记正义》曰："一名'秦垒'，今亦名'秦长垒'。"406 壁坚拒：守卫防御工事的秦兵坚决抵抗。407 绝赵军之后：断绝了这支追兵的退路。408 绝赵壁间：语略不顺，意即将赵国阵地上的军队分隔成为两块。李笠见此四字不顺，乃将"间"字属下句读，作"绝赵壁，间赵军分而为二"。谓"此亦'祝聃衷戎师'，与'斗廉衡陈其师于巴师之中'之故智也。或以'间'字连上读，非"。〖按〗李氏所引二事，分别见于《左传·隐公九年》与《左传·桓公九年》，总的意思不错，但"间"字属下句读亦仍是不顺。409 赵军分而为二：实则是被分割为三块。410 轻兵:《正义佚存订补》曰："人马不带甲为轻兵。"〖按〗此处似指小股部队。411 筑壁坚守:《史记正义》曰："赵壁，今名赵东垒，亦名赵东长垒，在泽州高平县北五里，即赵括筑壁自败处。"由此可知，长平之战的遗址至唐时尚存，在今高平西北的山地中。412 自如河内：秦昭王亲自到达邻近长平的河内地区，即前文所说野王一带，后来秦国在这一带设立了河内郡。413 发：征调。414 年十五以上悉诣长平：让河内地区十五岁以上的男人一律开赴前线。古代规定，男人二十三岁（有时也规定为二十岁）算是"成丁"，开始为国家当兵、服徭役。至于战争年代，就全凭掌权者的需要了，这里是征调"年十五"以上的。杨宽曰："据此可见，秦制，男子十五足岁，即登记户籍，开始有服役与纳户赋之责任。"〖按〗汉代乐府有"十五从军征"，杜甫诗有所谓"或从十五北防河"，看来"年十五"也是一条习惯的划分线。萧何为给刘邦补充兵源，有所谓"发关中老弱未傅（未着籍）悉诣荥阳"，不知萧何的最低线划在了何处。悉诣，全部到达、全部送到。415 遮绝：截断。416 齐人、楚人救赵：当时救赵出力最大的是魏与楚，见《史记》之《魏公子列传》《平原君虞卿列传》《春申君列传》《六国年表》等篇。唯齐之救赵，仅于此处一见。又，魏、楚之救赵在公元前二五七年，即齐王建八年，非此所谓齐王建六年。梁玉绳以为此"王建六年"应作"五年"，然而齐王建五年，秦、赵长平之战时，各篇均无"齐、楚救赵"事。417 齐王弗许：齐王建不答应赵军的借粮。〖按〗结合齐王对赵之借粮尚不许，可知其更不可能有救赵事。⑱ 周子：齐之谋臣，史失其名。鲍彪以为是“周最”，不知确否。⑲ 捍蔽：屏蔽；屏障。齐国居赵之东，固无待言；以楚国而言，当时国都已迁至今安徽寿县，秦不灭赵，则无法东灭齐、楚也。⑳ 唇亡则齿寒：最早见于《左传·僖公十年》宫子奇谏虞君语，其后又见于《战国策·赵策一》张孟谈谓韩、魏之君语，盖古谚也。㉑ 救赵之务：救赵之紧急程度。鲍彪曰：“务，事也。”㉒ 奉漏瓮沃焦釜：极言其不容耽搁。奉，捧。沃，浇，使之冷却。㉓ 高义：崇高的道德与仁义。㉔ 却：打退。㉕ 显名：美名；显赫的威名。㉖ 爱粟：吝惜粮食。㉗ 为国计：为国家的根本利益考虑。㉘ 齐王弗听：依本文所言，赵借粟于齐，齐人不应事，应在长平之战前，此叙于“齐、楚救赵”后，误。以上周子劝齐王助赵事，见《战国策·齐策二》。“周子”，《策》文作“苏秦”，然苏秦已死于前五国伐齐时（公元前二八四年），本文作“周子”是。徐孚远曰：“齐不救赵，非为爱粟，深结于秦，盖其本谋误也。”㉙ 急来攻秦垒二句：赵军出攻秦军壁垒，意欲突出重围。㉚ 为四队：谓赵括将赵军分为四组，轮番向外突围。㉛ 四五复之：向外突围了四五次。㉜ 赵括自出锐卒搏战：赵括亲自率领精锐部队与秦军搏战，意欲突围。㉝ 秦人射杀之：陈子龙曰：“廉颇仅支王龁，而括安能敌白起？然赵军既分为二，括犹筑壁坚守至四五十日而后败，括亦良将也。特以视秦太轻，堕秦之诱耳。”〖按〗有关赵括之败，可参看《史记》之《廉颇蔺相如列传》《白起王翦列传》。㉞ 秦已拔上党：当秦军攻克上党郡治的时候。㉟ 不乐为秦而归赵：即上文所谓“王龁攻上党，拔之。上党民走赵”。㊱ 挟诈：使用欺骗手段。㊲ 前后斩首虏四十五万人：在战场上斩杀与俘获、活埋投降者共四十五万人。首虏，原指斩敌之首与捉得俘虏，有时也单指“首级”或俘虏。武国卿、慕中岳引《水经注》曰：“长平城西有秦垒，秦

【原文】

五十六年（壬寅，公元前二五九年）

十月，武安君分军为三㊴。王龁攻赵武安、皮牢㊵，拔之；司马梗北定太原㊶，尽有上党地㊷。韩、魏恐[11]，使苏代㊸厚币㊹说应侯曰：“武安君即围邯郸乎㊺？”曰：“然。”苏代曰：“赵亡，则秦王王矣㊻。武安君为三公㊼，君能为之下㊽乎？虽欲无为之下，固不得已矣。秦尝攻韩，围邢丘㊾，困上党，上党之民皆反为赵㊿。天下不乐为秦民之日久矣。今亡赵，北地入燕(451)，东地(452)入齐，南地(453)入韩、魏，

坑赵卒，收头颅筑台于垒中，迄今仍号白起台。”引《括地志》：“头颅山在县西五里，白起台在其上。”武国卿、慕中岳又曰：“冤谷，今山西高平西二十里，旧称为‘杀谷’。唐玄宗到潞州，路过致祭，又名‘省冤谷’。”〖按〗今山西高平已发现尸骨坑多个，靳生禾、谢鸿喜《长平之战古战场巡礼》认为“以韩王山麓为中心的三角形地带”是当时秦国出动奇兵以分断赵军，和两军最后决战，以及白起大规模屠杀战俘的地方。㊳赵人大震：靳生禾、谢鸿喜曰：“是役可谓东周五百年列国林立而兼并混战过渡到统一的中央集权国家的决定性之战，是以对中国古代历史发展，产生了极其深远的影响。”泷川资言引何晏曰：“白起之降赵卒，诈而坑其四十万，岂徒酷暴之谓乎，后亦难以重得志矣。向使众人皆豫知降之必死，则张虚拳犹可畏也，况于四十万被坚执锐哉！天下见降秦之将头颅似山，归秦之众尸积成丘，则后日之战，死当死耳，何众肯服，何城肯下乎？其所以终不敢复加兵于邯郸者，非但忧平原君之补袒，患诸侯之救至也，徒讳之而不言耳。”

【校记】

［8］亡一裨将：“亡”，原作“止”。据章钰校，十二行本、乙十一行本、孔天胤本皆作“亡”，张瑛《通鉴校勘记》同。今从诸本及《通鉴纪事本末》改。［9］齐王：“齐”字原无。据章钰校，十二行本、乙十一行本、孔天胤本皆有此字，张敦仁《通鉴刊本识误》、张瑛《通鉴校勘记》同。今从诸本及《通鉴纪事本末》补。［10］秦垒：“秦”字原无。据章钰校，十二行本、乙十一行本、孔天胤本皆有此字，张敦仁《通鉴刊本识误》、张瑛《通鉴校勘记》同。今从诸本及《通鉴纪事本末》补。

【语译】

五十六年（壬寅，公元前二五九年）

十月，武安君白起把秦军分为三路。一路由王龁率领，攻打赵国的武安和皮牢，王龁很快就将两个城邑拿下；一路由司马梗率领挺进太原，全部占领了上党地区。韩国和魏国恐慌，请苏代带着贵重的礼物到秦国去游说应侯范雎，苏代问应侯范雎：“武安君马上就要包围邯郸了吧？”应侯范雎说：“是的。”苏代说：“恐怕赵国灭亡之后，秦昭王就可以称王于天下。武安君必然位为三公，处在一人之下万人之上的高贵地位，到那时，您会甘心做他的下属吗？虽然您不想位居其下，但也不得不如此了。秦军曾经攻打韩国，包围邢丘，围困上党，那里的人民宁愿归附赵国也不愿做秦国的百姓。全天下的人都不愿做秦国的百姓已经很久了。如果秦国灭掉了赵国，赵国北边的人就会跑到燕国去，东边的人就会跑到齐国去，南边的人就会跑到韩国、魏国

则君之所得民无几何人[454]矣。不如因而割之[455]，无以为武安君功[456]也。”应侯言于秦王曰：“秦兵劳，请许韩、赵之割地以和，且休士卒。”王听之，割韩垣雍[457]、赵六城以和。正月，皆罢兵[458]。武安君由是与应侯有隙[459]。

赵王将使赵郝[460]约事于秦[461]，割六县[462]。虞卿谓赵王曰：“秦之攻王也，倦而归乎[463]？王以其力尚能进[464]，爱王而弗攻乎[465]？”王曰：“秦不遗余力[466]矣，必以倦而归也。”虞卿曰：“秦以其力攻其所不能取[467]，倦而归；王又以其力之所不能取以送之[468]，是助秦自攻[469]也。来年，秦攻王，王无救矣。”赵王计未定。

楼缓[470]至赵，赵王与之计之。楼缓曰：“虞卿得其一，不得其二。秦、赵构难[471]，而天下皆说[472]，何也？曰：‘吾且因强而乘弱矣[473]。’今赵不如亟割地为和[474]，以疑天下[475]，慰秦之心[476]。不然，天下将因秦之怒，乘赵之敝，瓜分之。赵且亡，何秦之图乎[477]？”

虞卿闻之，复见曰：“危哉，楼子之计[478]！是愈疑天下[479]，而何慰秦之心[480]哉！独不言[481]其示天下弱[482]乎？且臣言勿与[483]者，非固勿与而已也[484]。秦索六城于王，而王以六城赂齐。齐，秦之深仇[485]也，其听王[486]不待辞之毕[487]也。则是王失之于齐，而取偿于秦[488]，而示天下有能为[489]也。王以此发声[490]，兵未窥于境[491]，臣见秦之重赂[492]至赵，而反媾于王[493]也。从秦为媾[494]，韩、魏闻之，必尽重王[495]。是王一举而结三国之亲[496]，而与秦易道[497]也。”赵王曰：“善。”使虞卿东见齐王，与之谋秦。虞卿未返[498]，秦使者已在赵[499]矣。楼缓闻之，亡去[500]。赵王封虞卿以一城。

秦之始伐赵也，魏王[501]问于诸大夫[12]，皆以为秦伐赵，于魏便[502]。孔斌[503]曰：“何谓也？”曰：“胜赵，则吾因而服[504]焉；不胜赵，则可承

去，秦国所得到的百姓恐怕所剩无几。不如趁着两国求和的机会，强迫他们割让土地给秦国，不给武安君立功的机会。”范雎听信了苏代的话，就向秦昭王进言：“秦国的军队连续作战，已经很疲劳了，不如以割让土地为条件，答应韩国和赵国求和的要求，让士兵得到休整。”秦昭王听从范雎的意见，割取了韩国的垣雍、赵国的六座城邑，从而与韩、赵缔结和约。正月，秦昭王下令撤回所有在外的军队。因为此事，武安君白起与应侯范雎之间产生了矛盾，结下了仇怨。

赵孝成王准备派赵郝为使者，到秦国去办理割让六城的有关事宜。虞卿对赵孝成王说：“秦国攻打赵国，是因为秦国士兵疲劳才罢兵呢，还是尚有余力进攻，只是因为爱大王才不进攻呢？”赵孝成王说：“秦国进攻我们，已经是竭尽全力了，一定是因为疲劳才撤军的。”虞卿说：“秦国竭尽全力进攻也没能拿下我们多少土地，所以才把军队撤回去；而秦军凭借武力没有得到的东西，大王却要拱手相送，这是在帮助秦国攻打自己呀。等明年秦军再来攻打，赵国恐怕就没法救了。”赵孝成王听了虞卿的话，正在犹豫不决。

楼缓恰巧从秦国来到赵国，赵孝成王就与他商议此事。楼缓说：“虞卿只知其一，不知其二。秦国与赵国交兵，天下各国都感到很高兴，为什么呢？他们说：‘我可以借助强秦的力量去战胜疲弱的赵国了。’如今，赵国不如赶紧割让土地给秦国，用割地求和来迷惑诸侯，让他们以为秦、赵两国已经结好，也以此使秦国得到安慰，而不再攻打赵国。不然的话，天下诸侯将借着强秦的力量，趁赵国之危，起兵前来瓜分赵国。赵国就离灭亡不远了，还能对秦国怎么样呢？”

虞卿听楼缓说了这番话，就又去见赵孝成王，他对赵孝成王说：“楼缓的计策太歹毒了！按照楼缓说的去做，将使天下更加怀疑赵国，又哪里谈得上慰抚秦国的侵略之心呢！这难道不是公开向天下表示赵国软弱可欺吗？况且，我说的不给秦国六城，并不是简单地不向秦国割地就完了。秦国向您索取六城，您就把这六城拿去贿赂齐国。齐国和秦国有着很深的仇怨，恐怕不等您把话说完，齐国就对您百依百顺了。这就等于您在齐国那里损失了六城，却可以从秦国那里补回来，而且还向天下显示出您是有能力、有作为的。大王您再将齐、赵两国联盟抗秦的消息发布出去，恐怕等不到齐、赵两国之兵到达秦国的边境，就会看见秦国的使者带着厚礼来到赵国，请求与您讲和了。您此时再跟秦国讲和，韩国和魏国知道以后，必将争先结好于您。这是一举而与三个国家建立友好关系，而在讲和方面与秦国更换了主动与被动的位置。”赵孝成王说：“这个计策好。”便派虞卿向东去见齐王，与齐王共同商议如何对付秦国。果然，虞卿还没有从齐国回到赵国，秦国的使者已经来到了赵国。楼缓听到这一消息，马上从赵国逃走了。赵孝成王将一座城邑赏赐给虞卿。

在秦国开始攻打赵国的时候，魏安釐王向诸位大夫征求意见，大夫们都认为秦国攻打赵国对魏国有利。孔斌问：“怎么见得呢？”回答说：“如果秦国战胜了赵国，

敝而击之[505]。”子顺[506]曰：“不然。秦自孝公[507]以来，战未尝屈[508]。今又属其良将[509]，何敝之承[510]？”大夫曰：“纵其胜赵，于我何损？邻之羞，国之福也[511]。”子顺曰：“秦，贪暴之国也。胜赵，必复他求[512]，吾恐于时[513]魏受其师[514]也。先人有言：燕雀处屋[515]，子母相哺[516]，呴呴焉[517]相乐也，自以为安[518]矣。灶突炎上[519]，栋宇[520]将焚，燕雀颜不变[521]，不知祸之将及己也。今子不悟赵破患将及己[522]，可以人而同于燕雀乎[523]？”

子顺者，孔子六世孙[524]也。初，魏王闻子顺贤，遣使者奉[525]黄金束帛[526]，聘以为相。子顺谓使者[13]曰：“若王能信用[527]吾道，吾道固为治世[528]也，虽蔬食饮水[529]，吾犹为之。若徒欲制服吾身[530]，委以重禄，吾犹一夫[531]耳，魏王奚少于一夫[532]？”使者固请，子顺乃之魏，魏王郊迎[533]以为相。子顺改嬖宠之官[534]，以事贤才[535]；夺无任之禄[536]，以赐有功。诸丧职秩[537]者[14]咸不悦，乃造谤言[538]。文咨[539]以告子顺。子顺曰：“民之不可与虑始[540]久矣。古之善为政者，其初不能无谤。子产相郑[541]，三年而后谤止[542]。吾先君[543]之相鲁[544]，三月而后谤止[545]。今吾为政日新[546]，虽不能及贤[547]，庸知谤乎[548]？”文咨曰：“未识先君之谤[549]何也？”子顺曰：“先君相鲁，人诵之曰：‘麛裘而芾[550]，投之无戾[551]。芾而麛裘[552]，投之无邮[553]。’及三月，政化既成[554]，民又诵曰：‘裘衣章甫[555]，实获我所[556]。章甫裘衣，惠我无私[557]。’”文咨喜曰：“乃今[558]知先生不异乎圣贤[559]矣。”

子顺相魏凡[560]九月，陈大计[561]辄[562]不用，乃喟然[563]曰：“言不见用，是吾言之不当[564]也。言不当于主，居人之官，食人之禄，是尸利

那么我们就臣服于秦；如果秦国不能战胜赵国，我们就趁其久战疲惫而攻打它。”孔斌说：“不是这样的。秦国从秦孝公那时起，就从来没有战败过。如今又任用良将白起为主帅，哪里会有疲惫之机让你可乘呢？”大夫说：“即使秦国战胜赵国，对于我们魏国又有什么损失呢？邻国的耻辱，就是我们国家的福分啊。”孔斌说：“秦国，是一个贪婪残暴的国家。即使它战胜了赵国，也不会知足而止，必定还会侵犯别的国家，我恐怕到那时魏国就是它攻打的目标了。前人曾经说过这样的话：燕子在屋梁上筑好了窝，母燕觅食喂养着雏鸟，雏鸟叽叽喳喳，母子相亲相爱，是多么的幸福啊，它们以为自己能够永远这样安定地生活下去呢。有一天，灶膛里的火突然蹿了出来，整座房屋都要被烧着了，而屋梁上的燕子却一点也不惊慌，因为它们根本就不知道大祸就要临头了。如今你们也不知道赵国灭亡之后，亡国之祸就要降临到自己头上，为什么你们的见识竟然会同燕雀一样短浅呢？”

孔斌，是孔子的六世孙。当初，魏安釐王听说孔斌很贤能，就派使者恭恭敬敬地捧着金银布帛，聘请他为魏国的宰相。孔斌对使者说：“如果大王确实能够采用我的治国理论，我的治国理论也真能治理好国家，即使是粗茶淡饭，我也心甘情愿去做。如果只是想让我在你们大王面前规规矩矩地听使唤，就是给我再高的官、再多的俸禄，我也不过是普通百姓一个，魏王难道还缺少一个普通人使唤吗？”使者再三恳请，孔斌才跟随他来到魏国，魏安釐王亲自到郊外迎接，并任命他为宰相。孔斌上任以后，首先把那些只会在魏王面前巧言令色、承欢讨好而得到宠幸的佞臣裁掉，改换成贤能的人才；又停发那些不做事情官员的俸禄，将这些俸禄赏赐给为国立功的人。那些失掉官职俸禄的人全都怨恨孔斌，便造谣诽谤，对孔斌进行攻击。文咨将这些情况告诉孔斌。孔斌说：“在决心办成一件大事的时候，不能先去征求一般人的意见，这是由来已久的了。从古到今，那些善于治理国家的人在开始施政的时候，都免不了遭受诽谤攻击。郑国的子产为郑国相，直到三年以后才没有人再攻击他。我的祖先孔子任鲁国宰相的时候，三个月以后才没有人诽谤他。如今我在魏国担任宰相的时间还很短，虽然才能不及前贤，但难道还不知道会遭到诽谤攻击吗？”文咨问：“不知道您的先人孔子遭受的是怎样的攻击？”孔斌说：“我的先人孔子在开始担任鲁国宰相的时候，有人批评他说：‘该穿便服的时候穿了朝服，把他扔出朝廷是不违背法令的。该穿朝服的时候穿了便服，把他扔出朝廷是不会有罪的。’等到三个月以后，改革见了成效，人们又颂扬说：‘那个穿便服、戴礼帽的人，实在令我满意。那个戴礼帽、穿便服的人，给我恩惠，没有私心。’”文咨听了以后很高兴地说：“我到今天才知道，先生您跟那些先贤相比并没有什么两样啊。”

孔斌担任魏国宰相共计九个月，他提出的有关治理国家的大政方针总是不被采纳，于是他长叹一声说：“我的建议不被采用，说明是我的建议不符合君主的心意。建议不符合君主的心意，还做人家的官，拿人家的俸禄，这就是通常所说的像尸一

素餐[565]，吾罪深矣！”退而以病致仕[566]。人谓子顺曰：“王不用子，子其行乎[567]？”答曰：“行将何之？山东之国[568]，将并于秦[569]。秦为不义，义所不入[570]。”遂寝于家[571]。新垣固[572]请[573]子顺曰：“贤者所在，必兴化致治[574]。今子相魏，未闻异政[575]而即自退，意者[576]志不得乎，何去之速也？”子顺曰：“以无异政[577]，所以自退也。且死病[578]无良医。今秦有吞食天下之心，以义事之[579]，固不获安[580]。救亡不暇[581]，何化之兴[582]？昔伊挚[583]在夏，吕望[584]在商，而二国不治，岂伊、吕之不欲哉[585]？势不可也。当今山东之国，敝而不振[586]，三晋[587]割地以求安，二周[588]折而入秦[589]，燕、齐、楚已屈服矣。以此观之，不出二十年，天下其尽为秦乎[590]？”

秦王欲为应侯必报其仇，闻魏齐在平原君所[591]，乃为好言[592]诱平原君至秦而执之[593]。遣使谓赵王曰：“不得齐首[594]，吾不出王弟于关[595]。”魏齐穷[596]，抵虞卿[597]，虞卿弃相印[598]，与魏齐偕亡[599]。至魏，欲因信陵君以走楚[600]。信陵君意难见之[601]，魏齐怒，自杀。赵王卒[602]取其首以与秦，秦乃归平原君。

九月，五大夫王陵[603]复将兵伐赵。武安君病，不任行[604]。

【段旨】

以上为第四段，写周赧王五十六年（公元前二五九年）的各国大事。主要写了赵国在长平之败后亲秦派与抗秦派的尖锐斗争，突出地表现了虞卿思想的卓越与赵王的昏庸。写了孔子顺对魏国、对整个天下形势的清醒认识，东方国家的事情固然难为，但统治者的昏聩腐朽也是造成它们惨败的重要原因。同时也写了秦国在取得长平之胜后，范雎与白起的矛盾日益激化，为下段的秦杀白起埋下伏线。

样不做任何动作，却白白享受供奉，我的罪孽太大了！”于是便推说有病辞掉官职。有人问孔斌说：“魏王不能重用先生，先生大概准备离开魏国吧？”孔斌回答说：“我又能走到哪里去呢？崤山以东的国家都将被秦国所吞并。秦国又多行不义，我是绝不会到秦国那里去的。”于是孔斌便在家中闭门隐居起来。新垣固向孔斌请教说：“贤者所在的国家，一定会振兴教化、改变风俗，国家实现太平盛世。如今您出任魏国宰相，还没有做出什么突出的政绩就先辞职不干了，我猜想是否因为有志不得施展，不然为什么这么快就想离开政坛呢？”孔斌说：“就是因为没有做出突出的政绩，所以才辞官隐退。况且国家得的是不治之症，再好的医生也救不了。如今秦国有吞并天下的野心，我秉持正义在魏国为官，却连个安身之所都找不到。在这种情况下，我每天都生活在危险之中，连救命都来不及，又哪里谈得上振兴教化？过去，伊尹身为夏桀的子民，而吕望身为商纣王的子民，而夏、商两国都没有因为伊、吕的存在而使国家达到太平盛世，难道是伊、吕二人不想有所作为吗？是当时的局势使之成为不可能。现在，崤山以东的国家全都疲困衰败而无法振作，赵、魏、韩三国依靠将土地割让给秦国来求得暂时的安定，东周、西周也掉转方向归顺了秦国，燕国、齐国、楚国也早已向秦国屈服。从这种形势来看，用不了二十年，天下就都被秦国吞并了吗？”

秦昭王想要为应侯范雎报仇，听说魏齐正躲藏在赵国平原君的家中，就用花言巧语将平原君诓骗到秦国软禁起来。又派遣使者到赵国对赵孝成王说：“不将魏齐的首级送到秦国来，我就不放你弟弟平原君回赵国。”魏齐走投无路，只好投奔赵国的宰相虞卿。虞卿辞了官，和魏齐一起逃亡到了魏国，想通过魏公子信陵君的帮助逃到楚国去。信陵君魏无忌为了国家的利益不想见他，魏齐很生气，便自杀身亡了。赵孝成王终于得到了魏齐的首级，赶紧派人送给秦国，秦昭王这才释放平原君回到赵国。

九月，秦国五大夫王陵率军进犯赵国。此时武安君白起因为染病，不能率军出征。

【注释】

㊴分军为三：梁玉绳曰：“此只言王龁、司马梗二军者，不数武安君先归之一军也。”㊵武安、皮牢：皆赵县名，武安在今河北武安西南，皮牢在今山西翼城东北。㊶太原：指晋阳（今山西太原西南）一带地区，当时属赵。后来秦国在这一带设立太原郡，郡治晋阳。此以后来之地理形势言之。㊷上党地：今太原以南的山西东南部地区。㊸苏代：战国后期有名的辩士，《史记·苏秦列传》以为是苏秦之弟，实应是苏秦之兄，详见韩兆琦《史记笺证》之《苏秦列传》注。㊹厚币：厚礼，一般用璧、帛、马匹等物充之。㊺武安君即围邯郸乎：武安君不是即将进而包围邯郸吗。即，行将。㊻赵亡二

句：赵国一被消灭，则秦王即将称王于天下。胡三省曰："秦之称王，自王其国耳；今破赵国，则将王天下也。"中井积德曰："下'王'字，疑当作'帝'。"㊼武安君为三公：三公指丞相、太尉、御史大夫，此借指人臣中之权位最高者。㊽为之下：处于他的职位之下。㊾围邢丘：梁玉绳曰："鲍、吴《秦策》注云此当作'陉'，即韩桓惠王九年'秦拔陉'事。"王念孙曰："'丘'字衍文耳。"此即秦昭王四十三年（公元前二六四年），白起攻韩陉城事。㊿皆反为赵：都逃归了赵国。(451)北地入燕：赵国北部地区的居民逃归燕国。当时赵国的北部在今任丘、大城一带与燕国为邻。(452)东地：赵国东部地区的居民。当时赵国的东部在今馆陶、清河县一带与齐国为邻。(453)南地：赵国南部地区的居民。当时赵国的南部与韩、魏犬牙交错。(454)所得民无几何人：你们秦国得不到赵国的多少人口。无几何，没有多少。(455)因而割之：趁着机会逼着赵国割地求和。(456)无以为武安君功：没有必要帮着白起建立功勋。〖按〗以上苏代说范雎沮白起事，见《史记·白起王翦列传》。而《史记·白起王翦列传》乃依据《战国策·秦策三》，但《战国策》未云说范雎者为谁，是司马迁为之加上了"苏代"二字。缪文远曰："《史记》以为苏代语，未足据。"凌稚隆引徐中行曰："苏代揣知应侯是个忌刻底人，故先言武安之贵以动其忌心，然后言民不乐为秦，以动其阻心，势如破竹矣。"(457)垣雍：韩县名，县治在今河南原阳西。(458)正月二句：因此年以"十月"为岁首，故书"正月"在"十月"之后。(459)由是与应侯有隙：徐孚远曰："武安君，穰侯所任，应侯代穰侯相，二人故有隙，不待韩、赵之间也。"胡三省曰："为秦杀白起张本。"隙，隔阂、仇怨。(460)赵郝：赵国贵族中的亲秦派。(461)约事于秦：约定好从此赵国服从秦国。事，侍奉、服从。(462)割六县：割给秦国六个县，以达成讲和目的。梁玉绳曰："《赵策》谓秦破赵长平，归使人索六城于赵而讲。"鲍彪注："史书此事在邯郸解围后。按，邯郸之围非秦德赵而解，赵赖魏之力耳，何事朝秦而媾以六城？此策以长平破，惧而赂之，是也。"(463)倦而归乎：是自己疲惫打不下去了，因而撤回呢。倦，疲惫，无力再打。(464)其力尚能进：还有余力，还能接着进攻。(465)爱王而弗攻乎：是由于秦王爱您而不进攻您了呢。(466)不遗余力：以前作战已经消耗尽了一切力量。(467)秦以其力攻其所不能取：秦国花尽了力量攻打我们赵国，没有攻下更多的地盘。(468)又以其力句：如今您又把它所不能攻下的地盘送给它，指送其六城而言。(469)助秦自攻：这不等于帮着秦国来攻我们自己吗。(470)楼缓：原是赵国的亲秦派，后来到秦国为秦臣，现在又来帮着秦国恫吓赵国。(471)构难：指两国交兵。(472)天下皆说：别的国家都看着高兴。说，同"悦"。(473)吾且因强而乘弱矣：我们将趁机跟着秦国攻击赵国这个弱国。乘，陵、侵袭。(474)亟割地为和：迅速割地给秦以求和。亟，迅速。(475)以疑天下：使东方诸国以为赵与秦国友好，从而不敢侵赵。(476)慰秦之心：通过割地使秦国得到安慰，亦不再侵赵。(477)何秦之图乎：还能谈什么算计秦国呢。(478)危哉二句：楼缓为了秦国利益给咱们出的这个主意可真够狠毒的。危，险恶、歹毒。(479)是愈疑天下：胡三省注："赵与秦和，则天下愈疑而不肯亲赵也。"

㊽何慰秦之心：又怎能慰抚秦国的侵略之心呢。㊾独不言：难道您就不怕。㊿示天下弱：把赵国的衰弱暴露于各国之前。史珥曰："'示天下'一语是大作用，所谓'国势'也。南宋诸人昧于此义，故屈辱日至，而卒无以自立。"⑬勿与：指不向秦国割六城。⑭非固勿与而已也：并不是简单地不向他割地就完了。固，同"故"，只是。⑮齐二句：胡三省注："齐自宣、湣以来，亲楚而仇秦，孟尝君尝率诸侯伐秦至函谷。"⑯听王：接受您的献纳；听从您的结盟建议。⑰不待辞之毕：不用等到您的话说完，极言其听从之快。⑱失之于齐二句：胡三省注："赵失地于赂齐，而能攻秦，取其地以偿所失。"⑲示天下有能为：让各国看到赵国还是能够有所作为的。⑳以此发声：以此联齐抗秦之说昭告天下。发声，造舆论。㉑兵未窥于境：等不到齐、赵之兵接近秦国的边境。㉒重赂：厚礼；献厚礼以求和。㉓反媾于王：（秦国）将反过来向您求和。㉔从秦为媾：答应秦国，和它讲和。㉕必尽重王：必然都争先结好于您。㉖结三国之亲：指与齐、韩、魏三国结好。㉗与秦易道：与秦国更换了主动与被动的地位。易道，犹言"易地"，改换了地位。鲍彪注："赵割地与秦，三国贺秦而赵孤，赵割地与齐，则三国助赵而秦孤，故曰'与秦易道'。"㉘未返：尚未结盟回来。㉙秦使者已在赵：秦国求和的使者已经来到赵国。陈子龙曰："虞卿非终不欲媾秦，欲使和议发于秦，则彼轻而我重，易于媾成耳，此千古款虏之法。"㉚楼缓闻之二句：以上虞卿驳斥楼缓，使其逃走事，见《战国策·赵策三》与《史记·平原君虞卿列传》。据此则似赵王用虞卿之议，赂齐连齐以抗秦矣；然据《史记·白起王翦列传》，则仍曰"割韩垣雍、赵六城以和"，恐史公所取之《战国策》文不足信。此段写楼昌、赵郝、楼缓之竭力为秦，写虞卿之忠心为赵，而赵王昏聩，依违于诸人之间的情景，绝类小说。㉛魏王：时当魏安釐王十八年（公元前二五九年）。㉜于魏便：对魏国有好处。㉝孔斌：字子顺，孔子的八世孙，曾为魏相。㉞因而服：也跟着赵国一起归服于秦国。㉟承敝而击之：趁着秦国疲惫而打它。㊱子顺：即孔斌。〖按〗时而称名，时而称字，自《左传》即有此病，《孔丛子》晚出之书，犹学此习，可谓嗜痂成癖。㊲孝公：战国前期的君主，公元前三六一至前三三八年在位。㊳屈：屈服；失败。㊴属其良将：任用良将，将军队交给良将统领。属，托。㊵何敝之承：有什么疲惫的机会让你钻空子。㊶邻之羞二句：邻国的失败，是我们国家的福分。羞，耻辱，意即兵败。㊷必复他求：必然要寻找新的进攻对象。㊸于时：到那个时候。㊹魏受其师：魏国将受到秦国军队的攻击，遭受战争之祸。㊺燕雀处屋：燕子、麻雀在主人家的梁上、檐下做窝。㊻子母相哺：大鸟哺育小鸟。㊼呴呴焉：鸟声和乐的样子。㊽自以为安：自己觉着这种日子很安乐。㊾灶突炎上：灶膛里的火顺着烟囱而上。突，烟筒。炎，火焰、火苗。㊿栋宇：梁栋、屋檐，这里即指房屋。㉑颜不变：没有焦急忧虑的样子。㉒患将及己：国破家亡之祸就要降临自己头上。㉓可以人而同于燕雀乎：作为一个人，难道能像鸟雀那样目光短浅吗。㉔六世孙：有说应作"八世孙"。㉕奉：捧，恭敬的样子。㉖束帛：捆成一束的五匹帛，古代用作聘问、馈赠的礼物。㉗信用：真的采用。

信，果真。㉘固为治世：真能治理好国家。㉙蔬食饮水：吃菜喝水，极言生活清苦的样子。㉚徒欲制服吾身：只想让我在你们大王面前规规矩矩地听使唤。㉛吾犹一夫：那我也就是普通人一个。㉜奚少于一夫：难道还缺少普通人使唤吗。㉝郊迎：迎到郊外，这是君主对臣子所表现的很高的敬意。〖按〗以上文字见《孔丛子·陈士义》。㉞改嬖宠之官：裁去君主跟前的那些以巧言令色承欢讨好的佞幸之人。㉟以事贤才：一律换成贤能的人才。㊱夺无任之禄：停发那些不做事情的官员的俸禄。㊲丧职秩：丢职，失去俸禄。秩，官员的俸禄。㊳造谤言：给子顺编造坏话。㊴文咨：魏臣之同情子顺者。㊵民之不可与虑始：在决心要办一件大事的时候，不能先征求那些一般人的意见。此语又见于《商君书·更法》以及《史记·赵世家》写武灵王胡服骑射等等，法家之言也。㊶子产相郑：子产任郑国宰相。子产是春秋后期郑国的著名宰相，在南、北两方的楚、晋夹缝中走钢丝，以支撑危局。事见《左传》与《史记·郑世家》。㊷三年而后谤止：开始的时候有许多人反对子产的做法，三年之后，人们才不说子产的坏话了。据《左传·襄公三十年》，“从政一年，舆人诵之曰：‘取我衣冠而褚之，取我田畴而伍之，孰杀子产，吾其与之。’及三年，又诵之曰：‘我有子弟，子产诲之；我有田畴，子产殖之。子产而死，谁其嗣之？’”㊸吾先君：指子顺的八世祖孔子。㊹相鲁：任鲁国宰相。据《史记·孔子世家》，孔子在鲁定公时代先任鲁国的司寇，后“又由大司寇行摄相事”，司马迁认为这是孔子担任了鲁国的宰相，子顺即以此为说。但历史研究者多不认为此“行摄相事”即任宰相，而是为鲁定公出席诸侯盟会时充任过傧相。详见韩兆琦《史记笺证》之《孔子世家》。㊺三月而后谤止：据《史记·孔子世家》，孔子行摄相事后，诛乱政者少正卯，弟子们对孔子的表现也有一些意见。与闻国政三月后，“粥羔豚者弗饰贾，男女行者别于涂，涂不拾遗。四方之客至邑者不求有司，皆予之以归”。㊻为政日新：指任宰相的时日尚短。日新，时日短少。㊼不能及贤：没有把各种事情都处理好。贤，良好。㊽庸知谤乎：又怎么能顾及那些诽谤之言呢。庸，岂。知，过问、顾及。㊾先君之谤：先君孔子所受的诽谤。㊿麛裘而芾：指该穿便服的时候穿了朝服。麛裘，鹿皮衣，指便服。芾，通“黼”，指朝服。551投之无戾：把他（指孔子）扔出朝廷是不违背法令的。552芾而麛裘：该穿朝服的时候穿了便服。553投之无邮：把他（指孔子）扔出朝廷是不会有罪过的。邮，错误、罪过。554政化既成：孔子推行的政策方针见到了成效。555裘衣章甫：那个身穿便服、头戴礼帽的人。裘衣，指便服。章甫，殷朝时的礼帽，这里泛指礼帽。孔子自认为是商朝的后代，故而经常有沿用商朝器物、制度的话，如《论语》中有所谓“行夏之时，乘殷之辂，服周之冕”，即其一例。556实获我所：实在是令我满意。实，是。获我所，合我心、满我意。557惠我无私：给我恩惠，没有私心。558乃今：到今天；到现在。指他听了子顺所讲的孔子、子产的经历后。559不异乎圣贤：和古代的圣人、贤人没有差别。圣人指孔子，贤人指子产。560凡：总共。561陈大计：提出治理国家的方针大计。562辄：总是。563喟然：伤心的样子。564不当：不合，不合乎听话人的需要。565尸利素餐：即通常所说的“尸位素餐”，不花力气而白得俸禄。尸利，像尸一样不做任何动作，而白白享受供奉。尸是古代祭祀时假作神鬼的人，有如后代改用的“灵牌”。素餐，不做事而白吃饭。《诗经·将仲子》有“彼君子兮，不素餐兮”，这里即用其义。㊿566 以病致仕：推说有病辞掉官职。致仕，辞去官职。567 子其行乎：你要离开魏国到别的国家去吗。行，离该国而去他国。568 山东之国：指战国时期秦国以外的其他六国。因秦国在崤山（今河南灵宝东南）以西，其他诸国都在崤山以东，故云。569 将并于秦：将被秦国所吞并。570 义所不入：东方六国将被灭，秦国又不是自己可去的地方。571 遂寝于家：躺在家里等死。寝，躺。572 新垣固：姓新垣，名固。573 请：请教，这里的意思即“问其因何如此”。574 必兴化致治：必能使国家的政治与民风民俗好起来。575 异政：突出的政治建树。576 意者：莫非是。577 以无异政：正因为没法有好的建树。578 死病：患了不治之症。579 以义事之：由于我是秉持正义在魏国为官。580 固不获安：所以才找不到安身之处。固，同“故”。581 救亡不暇：每天都生活在危险之中，救命都来不及。582 何化之兴：哪里还有什么可能改革政治、移风易俗。583 伊挚：即伊尹，原是夏桀的臣子，因对夏朝感到无望，才逃到了商汤部下，成为商汤的开国元勋。事详《史记·殷本纪》。584 吕望：即姜尚。原在商朝为臣，见殷纣不可救药，才逃归周文王，后佐周武王灭商建周。事见《史记》之《周本纪》《齐太公世家》。585 岂伊、吕之不欲哉：这难道是伊尹、姜尚不想治理好夏、商两朝吗。586 敝而不振：破败而不可救治。587 三晋：指赵、魏、韩三国。588 二周：战国前期从周天子仅有的一小块地盘上又分裂形成的西周、东周两个小诸侯国，西周君都王城，东周君都巩县。589 折而入秦：转过头来归降了秦国。590 天下其尽为秦乎：整个天下就将全部成为秦国的吗。其，将。〖按〗以上子顺的几段话，都见于《孔丛子》。《孔丛子》是晚出之书。591 在平原君所：在平原君处。所，处。592 乃为好言：用一套好听的话相欺骗。593 执之：将其拘捕起来。594 齐首：魏齐的人头。595 不出王弟于关：不放你的弟弟出函谷关。〖按〗平原君乃赵孝成王之叔，此称“王弟”，误。596 穷：困窘；无计可施。597 抵虞卿：逃到赵国投奔虞卿。抵，到。598 弃相印：抛掉宰相不做了。599 偕亡：一道化装后抄小路而行。史珥曰：“非唯厚士，亦以齐之在魏犹己之在赵……惟弃相偕亡，庶全友谊而纾国难。”600 欲因信陵君以走楚：想通过信陵君的关系南逃楚国。信陵君，名无忌，魏安釐王之弟。事迹详见《史记·魏公子列传》。601 难见之：不愿意接待他。徐孚远曰：“魏齐，魏相；信陵君，魏公子。魏齐急不归信陵，而归平原，疑其当国时与信陵不合，故不敢以情告；及后复投信陵，信陵难见之，益可知也。”陈子龙曰：“迹信陵所为，欲以实事胜秦，非专尚意气者，故不轻纳魏齐也。”陈仁锡曰：“信陵君畏秦，社稷计重，侯生不畏秦，急士念重，两人实非畏秦者。”602 卒：最后。603 五大夫王陵：秦将王陵，身为五大夫之爵。604 不任行：无法领兵出征。不任，不能。〖按〗白起原欲长平之胜后立即起兵伐赵，因范雎从中作梗，劝说秦王罢兵，白起心中愤怨。事过一年，秦王、范雎又想进兵伐赵，劝白起统兵前往，白起称病不行，秦王无奈，只好派了王陵。

【校记】

［11］韩、魏恐："恐"字原无。据章钰校，十二行本、乙十一行本、孔天胤本皆有此字，张敦仁《通鉴刊本识误》、张瑛《通鉴校勘记》同。今从诸本及《史记·白起王翦列传》《通鉴纪事本末》补。［12］问于诸大夫："诸"字原无。据章钰校，十二行本、乙

【原文】

五十七年（癸卯，公元前二五八年）

正月[605]，王陵攻邯郸，少利[606]，益发卒佐陵。陵亡五校[607]。武安君病愈，王欲使代之。武安君曰："邯郸实未易攻也，且诸侯之救日至，彼诸侯怨秦之日久矣。秦虽胜于长平，士卒死者过半，国内空，远绝河山[608]而争人国都。赵应其内，诸侯攻其外，破秦军必矣[609]。"王自命不行[610]，乃使应侯请之。武安君终辞疾[611]，不肯行，乃以王龁代王陵。

赵王使平原君求救于楚[612]。平原君约其门下食客文武备具者二十人与之俱[613]，得十九人，余无可取者[614]。毛遂自荐于平原君。平原君曰："夫贤士之处世[615]也，譬若锥之处囊中，其末立见[616]。今先生处胜之门下三年于此矣，左右未有所称诵[617]，胜未有所闻，是先生无所有也。先生不能，先生留[618]。"毛遂曰："臣乃今日请处囊中耳。使遂蚤[619]得处囊中，乃颖脱[15]而出[620]，非特[621]其末见而已。"平原君乃与之俱，十九人相与目笑之[622]。

平原君至楚，与楚王言合从之利害[623]，日出而言之，日中不决。毛遂按剑历阶[624]而上，谓平原君曰："从之利害，两言而决耳。今日出而言，日中不决，何也[625]？"楚王怒叱曰："胡不下[626]！吾乃与而君[627]言，汝何为者也？"毛遂按剑而前曰[628]："王之所以叱遂者，以[629]楚国之众也。今十步之内，王不得恃楚国之众也，王之命悬于遂手[630]。

十一行本、孔天胤本皆有此字，张瑛《通鉴校勘记》同。今从诸本及《通鉴纪事本末》补。[13]子顺谓使者："谓使者"三字原无。据章钰校，十二行本、乙十一行本、孔天胤本皆有此三字，张敦仁《通鉴刊本识误》、张瑛《通鉴校勘记》同。今从诸本补。[14]丧职秩者："秩"字原无。据章钰校，十二行本、乙十一行本、孔天胤本皆有此字，张敦仁《通鉴刊本识误》、张瑛《通鉴校勘记》同。今从诸本及《通鉴纲目》补。

【语译】

五十七年（癸卯，公元前二五八年）

正月，王陵攻打赵国的都城邯郸，取得的胜利不大，秦昭王又从国内征调军队增援王陵。王陵又丧失了五个校的兵力。武安君白起病愈，秦昭王想让他接替王陵。武安君说："邯郸确实不容易攻打，况且，各诸侯国的救兵很快就要到达，那些诸侯国早就对秦国充满怨恨。秦国虽然在长平取得了胜利，但兵士死了一大半，目前国内兵力不足，再加上长途跋涉，还要渡过黄河、翻越太行等去争夺别国的都城，其困难可想而知。赵国在其国内抵抗，各路诸侯从外部包围，秦国的军队必败无疑了。"因此不肯出征，秦昭王见亲自下命令调不动白起，就派应侯范雎去劝说。白起始终以有病在身为由，拒绝上前线，秦昭王无奈之下只好派王龁接替王陵。

赵孝成王派平原君去向楚国求救。平原君准备在他的食客当中挑选二十名文武兼备的人和他一起去，选来选去，只选中了十九个人，在剩下的人中再也找不到合适的人了。有一个叫毛遂的人向平原君自我举荐。平原君说："一个有才能的人活在世上，就好像是把锥子装入布袋之中，锥子尖马上就会露出来。如今你在我的门下做食客已经三年了，左右的人没有一个赞扬过你，我对你也未有所闻，就说明你没有什么本事。你没有什么才能，还是留下吧。"毛遂说："我今天就是来请您把我装入袋中的。如果我早被装入袋中，我早就连锥子柄都露出来了，又何止锥子尖呢。"于是，平原君同意毛遂一同去，那十九个人都用讥讽的眼神嘲笑毛遂。

平原君一行来到楚国，在与楚考烈王的会谈中，平原君反复陈述楚国与赵国联合抗秦的好处，谈判从日出开始，一直谈到正午，仍然没有结果。毛遂用手按住剑柄，一步一步地走上台阶，对平原君说："缔结合纵联盟的利害关系，两句话就可以解决了。现在却从日出谈到正午，还是议而不决，原因何在？"楚考烈王非常恼怒，大声地斥责毛遂说："怎么还不退下！我是在和你的主人说话，你算干什么的？"毛遂按住剑柄又向前走了一步说："大王您所以敢大声地训斥我，还不是仗着你们楚国兵将众多。如今在十步之内，楚国人再多，大王您也用不上，大王的性命就掌握在我毛遂的手里。

吾君在前，叱者何也[631]？且遂闻汤以七十里之地王天下[632]，文王以百里之壤而臣诸侯[633]，岂其士卒众多哉？诚能据其势，而奋其威也[634]。今楚地方五千里，持戟百万，此霸王之资也。以楚之强，天下弗能当[635]。白起，小竖子[636]耳。率数万之众，兴师以与楚战，一战而举鄢、郢，再战而烧夷陵[637]，三战而辱王之先人[638]。此百世之怨，而赵之所羞[639]，而王弗知恶[640][16]焉。合从者，为楚，非为赵也[641]。吾君在前，叱者何也？”楚王曰：“唯唯[642]，诚若先生之言，谨奉社稷以从[643]。”毛遂曰：“从定乎[644]？”楚王曰：“定矣。”毛遂谓楚王之左右曰：“取鸡、狗、马之血来[645]！”毛遂奉铜盘[646]而跪进之楚王曰：“王当歃血[647]以定从，次者吾君，次者遂[648]。”遂定从于殿上。毛遂左手持盘血，而右手招十九人曰：“公等相与歃此血于堂下。公等录录[649]，所谓因人成事者也[650]。”平原君已定从而归，至于赵，曰：“胜不敢相天下士[651]矣！”遂以毛遂为上客[652]。

于是楚王使春申君[653]将兵救赵。魏王亦使将军晋鄙将兵十万救赵。秦王使谓魏王曰：“吾攻赵，旦暮且下[654]，诸侯敢救之者，吾已拔赵[655]，必移兵先击之。”魏王恐，遣人止晋鄙，留兵壁邺[656]，名为救赵，实挟两端[657]。又使将军新垣衍[658]间入[659]邯郸，因平原君说赵王[660]，欲共尊秦为帝[661]，以却其兵[662]。齐人鲁仲连[663]在邯郸，闻之，往见新垣衍曰：“彼秦者，弃礼义而上首功[664]之国也。彼即肆然而为帝于天下[665]，则连有[666]蹈东海而死耳，不愿为之民也。且梁未睹秦称帝之害故[667]耳，吾将使秦王烹醢梁王[668]。”新垣衍怏然不悦，曰：“先生恶能[669]使秦王烹醢梁王？”鲁仲连曰：“固也[670]，吾将言之。昔者九侯、鄂侯、文王[671]，纣之三公[672]也。九侯有子而好[673]，献之于纣[674]，纣以为恶，醢九侯[675]。鄂侯争之强[676]，辩之疾[677]，故脯鄂侯[678]。文王闻之，喟然[679]而叹，故拘之牖

当着我主人的面您竟然如此大声地训斥我，是什么用意？再说，我听说商汤凭借方圆七十里的领土而最终统治了天下，周文王凭借着方圆一百里的地盘而使各路诸侯臣服，他们是靠兵将众多吗？是因为他们能够抓住机会，发挥他们的威力呀。如今，楚国拥有方圆五千里的国土，用武器装备起来的军士有一百万，这是您称王争霸的资本。凭借楚国的强大，天下应该是没有人能够抵挡。白起，只不过是一个无名的小辈。率领着几万秦军进犯楚国，与楚军交战。只一战，就占领了楚国的鄢邑和都城郢；再战，就将您的祖坟所在地夷陵烧为平地；三战，摧毁了太庙，凌辱了您的祖先。这是一百世也解不开的仇怨，连赵国都为你们感到耻辱，而大王您怎么就不知道痛恨呢。赵国请求与楚国合纵联盟，其实是为楚国，而不是为赵国。我的主人就在面前，您凭什么训斥我？”楚考烈王听了毛遂的这番话，连声说：“是，是。确实像先生所说的那样，我们楚国一切都听从赵国。”毛遂说：“与赵国缔结合纵联盟的决心定了吗？”楚考烈王说：“定了。”毛遂于是对楚王左右的侍从说：“赶快把鸡血、狗血、马血拿来！”侍从准备好以后，毛遂将盛血的铜盘捧到楚王面前，跪下呈送给楚考烈王说：“大王应当首先歃血以表明缔约的决心，然后是我的主人，最后是我。”于是，在殿上举行了歃血缔约的仪式。毛遂用左手拿着盘，用右手招呼那十九个人说：“先生们就在殿堂之下参与此事吧。你们平庸无能，能够参与今天的结盟仪式，只是借助别人的力量罢了。”平原君顺利完成了出使楚国的任务，回到赵国，感慨说：“从今以后，我再也不敢说自己善于辨识人才了！”于是将毛遂待为上宾。

楚考烈王派春申君黄歇率领楚国的军队前来援救赵国。魏安釐王也派将军晋鄙率领十万兵马救援赵国。秦昭王对魏安釐王说：“秦国攻打赵国，早晚之间就可以将赵国灭掉，诸侯各国谁敢救援赵国，等我灭了赵国，我就首先率军攻打它。”魏安釐王害怕秦国的报复，赶紧派人去阻止晋鄙，让晋鄙将军队驻扎在邺邑，名义上是救援赵国，实际上采取了观望的态度。又派将军新垣衍秘密地潜入邯郸，通过平原君的引见来劝说赵孝成王，想要赵国和魏国一起尊奉秦昭王为帝，以这种讨好的办法哄秦军退兵。齐国的鲁仲连当时正在赵国的都城邯郸，听到这个消息后，立即去会见新垣衍，他对新垣衍说：“秦国是个野蛮的国家，不讲道德礼仪，只推崇在战场上杀敌立功。假使秦国胆敢在天下人面前称帝，我鲁仲连宁可跳入东海淹死，也不愿意做秦国的百姓。况且，魏王要尊奉秦昭王为帝，是因为他没有看见秦国称帝所带来的祸害罢了。我会让秦王将魏王剁成肉泥、煮成肉酱，让魏王尝尝秦昭王称帝以后的滋味。”新垣衍听了很不高兴，说：“先生又如何能使秦王将魏王剁成肉泥、煮成肉酱呢？”鲁仲连说：“当然，我会告诉你的。过去，九侯、鄂侯、文王三个人都是商朝末年的诸侯，是商纣王时期的朝廷重臣。九侯有个女儿，因为长得漂亮，就献给了商纣王，可是，纣王却认为长得不好，竟为此而将九侯剁成了肉酱。鄂侯极力劝阻，强烈辩护，因此而被纣王做成了肉干。文王听说了这件事之后，只长叹了一声，就被

里[680]之库百日，欲令之死。今秦，万乘之国也。梁，亦万乘之国也。俱据万乘之国，各有称王之名，奈何睹其一战而胜，欲从而帝之[681]，卒就脯醢之地[682]乎！且秦无已而帝[683]，则将行其天子之礼[684]以号令于天下，则且变易诸侯之大臣[685]。彼将夺其所不肖[686]而与其所贤[687]，夺其所憎而与其所爱。彼又将使其子女谗妾[688]为诸侯妃姬，处梁之宫[689]，梁王安得晏然而已[690]乎？而将军又何以得故宠[691]乎？”新垣衍起，再拜曰：“吾乃今[692]知先生天下之士[693]也！吾请出[694]，不敢复言帝秦矣[695]。”

燕武成王薨，子孝王[696]立。

初，魏公子无忌[697]仁而下士[698]，致[699]食客三千人。魏有隐士[700]曰侯嬴，年七十，家贫，为大梁夷门监者[701]。公子置酒大会宾客，坐定[702]，公子从车骑[703]虚左[704]自迎侯生。侯生摄[705]敝衣冠，直上载公子上坐不让。公子执辔[706]愈恭。侯生又谓公子曰：“臣有客在市屠[707]中，愿枉车骑过之[708]。”公子引车入市，侯生下见其客朱亥。睥睨[709]，故久立，与其客语，微察[710]公子，公子色愈和。乃谢客就车，至公子家。公子引侯生坐上坐，遍赞宾客[711]，宾客皆惊。

及秦围赵[712]，赵平原君之夫人，公子无忌之姊也，平原君使者冠盖相属于魏[713]，让[714]公子曰：“胜所以自附[715]于婚姻者，以公子之高义，能急人之困[716]也。今邯郸旦暮降秦[717]，而魏救不至，纵[718]公子轻胜弃之[719]，独[720]不怜公子姊邪！”公子患之[721]，数请魏王敕晋鄙令救赵[722]，及宾客辩士游说万端[723]，王终不听。公子乃属宾客[724]，约车骑百余乘[725]，欲赴斗[726]，以死于赵。

过夷门，见侯生。侯生曰：“公子勉之[727]矣，老臣不能从。”公子去，行数里，心不快，复还见侯生。侯生笑曰：“臣固知公子之还也[728]。

送进了牖里的监狱，关押了一百天，想要将他幽禁至死。如今，秦国是一个拥有万乘兵车的大国。魏国也是一个拥有万乘兵车的大国。秦国和魏国都是拥有万乘兵车的大国，各自都有称王的名声，为什么看见秦国打了一次胜仗，就被吓得想要尊他为帝，从而将自己摆在被晒成肉干、剁成肉酱的地位上去呢！而且秦国还不是称了帝就算完事，他还要摆天子的排场，行使天子的权力，向天下人发号施令，还要更换各诸侯国的执政大臣。将他认为不好的废除，换上他认为贤能的人，剥夺他所憎恶的人的权力而把权力交给他所喜爱的人。他还会将秦国王室中那些善于挑拨离间、搬弄是非的女人指派给各国的国王做王后和嫔妾，这样的女人充斥着魏王的后宫，魏王还能够太太平平地过日子吗？而将军你还会像原来那样得到宠幸吗？"新垣衍站起身来，跪在地上，再三地向鲁仲连道歉说："我现在才知道先生是天下最杰出的贤士啊！我马上就离开赵国，再也不敢提尊奉秦王称帝的事了。"

燕武成王去世，他的儿子燕孝王即位。

当初，魏公子信陵君无忌仁爱而又礼贤下士，招纳的食客有三千多人。魏国当时有一个隐士叫作侯嬴，已经七十岁了，家里很穷，是大梁城夷门的看门人。魏公子摆设酒宴，招待宾客，等到客人入座以后，魏公子带着随从，驾着马车，空着马车左边的位子，亲自去迎接侯嬴。到了以后，侯嬴整了整破旧的衣帽，径直上了魏公子的车，并坐在左边的位子上，一点也不谦让。魏公子亲自手执缰绳赶车，态度十分恭敬。侯嬴对魏公子说："我还有个屠夫朋友住在闹市之中，我希望你的车子绕个弯到那里去一趟。"魏公子赶着车来到闹市之中，侯嬴下车去会见他的朋友朱亥。一边与朱亥说话，一边用眼睛观察魏公子的动静，故意站在那里与朱亥说个没完没了，暗暗地审视着魏公子，只见魏公子的脸色更加和悦。这时侯嬴才告别朋友坐上车，随魏公子来到家中。魏公子将侯嬴安排在上座，并一个一个地向在座的客人介绍，那些客人都感到很吃惊。

秦军包围了赵国的都城邯郸之后，因为平原君赵胜的夫人是魏公子无忌的姐姐，平原君派使者到魏国求救，派往魏国的使者一批接一批，却不见魏国的救兵到来，平原君责备魏公子说："我所以愿意高攀，和你结为婚姻之好，就是因为仰慕你的义气，能够扶人之危、救人之困。如今邯郸早晚之间就要被迫投降秦国了，而魏国的救兵却迟迟不见到来，即使你看不起我平原君而听任我被秦军抓去当俘虏，难道你就不关心你的姐姐吗！"魏公子很为此事伤脑筋，他多次恳请魏安釐王下令让晋鄙出兵救赵，又请求宾客中善于言辞的人千方百计地去劝说魏安釐王，请他下令出兵，但魏安釐王始终不肯答应。魏公子无计可施，最后决定派自己的宾客组织起一百余辆的战车，亲自率领着到赵国去参加战斗，与秦军决一生死。

在经过夷门的时候，魏公子向侯嬴辞行。侯嬴说："请公子好自为之，原谅我不能跟您一同去。"魏公子告别侯嬴继续赶路，但走了没几里路，心里越想越不痛快，于是又回到侯嬴那里。侯嬴笑着说："我就知道您会回来的。如果公子没有其他办法

今公子无他端[729]，而欲赴秦军[730]，譬如以肉投馁虎[731]，何功之有？”公子再拜问计。侯嬴屏人[732]曰：“吾闻晋鄙兵符[733]在王卧内[734]，而如姬最幸[735]，力能窃之。尝闻公子为如姬报其父仇[736]，如姬欲为公子死[737]无所辞。公子诚一开口[738]，则得虎符，夺晋鄙之兵，北救赵，西却秦[739]，此五伯之功[740]也。”

公子如其言，果得兵符。公子行，侯生曰：“将在外，君令有所不受[741]。有如晋鄙合符[742]而不授兵[743]，复请之，则事危矣。臣客朱亥，其人力士，可与俱[744]。晋鄙若听，大善；不听，可使击之。”于是公子请朱亥与俱。至邺[745]，晋鄙合符，疑之，举手[746]视公子曰：“吾拥十万之众屯于境上，国之重任[17]，今单车[747]来代之，何如哉？”朱亥袖四十斤铁椎，椎杀晋鄙。公子遂勒兵[748]，下令军中曰：“父子俱在军中者，父归；兄弟俱在军中者，兄归；独子无兄弟者，归养。”得选兵[749]八万人，将之而进[750]。

王龁久围邯郸不拔[751]，诸侯来救[752]，战数不利[753]。武安君闻之曰：“王不听吾计，今何如矣[754]？”王闻之，怒，强起武安君[755]。武安君称病笃[756]，不肯起。

【段旨】

以上为第五段，写周赧王五十七年（公元前二五八年）一年中的各国大事，主要写了长平之战后秦国丞相范雎先对白起的军事计划进行破坏，后又怂恿秦昭王迫害白起，而东方的赵、魏、楚则趁机建立联盟，大破秦兵于邯郸城下，并乘胜给秦国以重创的事实。

解救赵国，只想亲自去与秦军拼命，这就好比是用肉投打饥饿的老虎，哪里会取得成功呢?”魏公子向侯嬴拜礼两次，并请他给出主意。侯嬴将身边的人支开，悄声说:“我听说调动晋鄙军队的兵符就放在魏王的卧室之内，如姬最受魏王的宠幸，只有她才有机会将兵符偷出来。我听说公子曾经为如姬报了杀父之仇，如姬为报答公子的大恩而不惜一死。如果公子亲自去求如姬盗取兵符，肯定会如愿以偿，凭借兵符夺取晋鄙的军权，就能够率军北上解救赵国，西进击败秦军，这是五霸一样的功业呀。”

公子按照侯嬴的办法果然得到了兵符。公子临行的时候，侯嬴说:“大将领军在外，国君的命令有时也可以拒绝执行。如果晋鄙合符以后，不肯将兵权交出，还要再向魏王请示，事情可就危险了。我的朋友朱亥是个大力士，可以让他跟您一同去。如果晋鄙交出兵权，那是再好不过的了；如果不肯交出兵权，可以让朱亥用锤将他击毙。”于是魏公子邀请朱亥一起去。到了邺地，晋鄙合完兵符后，仍然有些怀疑，他惶惑地对魏公子说:“我现在率领十万大军驻扎在国境线上，身负国家的重任，公子在没有魏王特使陪同的情况下就来接管军队，这是怎么回事呢?”朱亥见晋鄙犹豫，就从衣袖中抽出四十斤重的铁锤将晋鄙击毙。魏公子于是整顿部队，下令军中说:“父亲和儿子都在军中的，父亲回去；哥哥和弟弟都在军中的，哥哥回去；独生子的，也回家去赡养父母。”经过挑选的精兵有八万，魏公子亲自率领着向赵国进发。

秦将王龁对邯郸围攻了很久，仍然无法攻克，诸侯又派兵来救赵，秦军屡次交战，都没有占据优势。武安君白起听到消息之后说:“秦王不听我的意见，现在怎么样?”秦昭王听说以后非常生气，就逼迫白起去前线领兵。白起推说自己病情严重，不肯就任。

【注释】

⑥⑤ 正月：秦国从这年又改用“正月”为岁首，故书“正月”于年初。⑥⑥ 少利：取得的胜利不大。⑥⑦ 亡五校：损失了五个校的人马。校，军队编制名，约当今之师、团，其部队长即校尉。一个将军统率若干校。⑥⑧ 远绝河山：长途跋涉而又要渡过黄河、翻越太行山。绝，横渡、跨越。⑥⑨ 破秦军必矣：史珥曰:“极切情事，然武安之意似并不在胜负。”中井积德曰:“‘未易攻’者，白起不欲行之词，非其情也。‘死者过半’，亦甚言之，不必事实。不然，当初受命围邯郸而不辞，其谓之何?”杨宽曰:“今本《战国策》末章记白起对秦昭王之长篇回答，反对围攻赵都邯郸，并阐明所以能拔楚都鄢郢、大破韩魏于伊阙之原因，以及不宜于此时进围邯郸之理由。并谓:‘皆计利形势，自然之理，何神之有哉?’此乃‘兵形势家’之见解，为白起所精通者，此所以白起能为常胜将军而不

败。”(《战国史料编年辑证》)〖按〗白起既已有见于此，则上文应侯劝昭王罢兵时，“武安君由是与应侯有隙”，又如何解释？⑩王自命不行：秦王亲自下令任白起为将军，白起仍是不赴任。不行，不上任、不出发。⑪终辞疾：始终是推说有病不能任职。⑫求救于楚：时当楚考烈王五年（公元前二五八年），楚国的都城陈县，即今河南周口市淮阳区。⑬与之俱：跟他一道前往。俱，一道、同行。⑭余无可取者：凌稚隆引顾璘曰：“食客数千人，求二十人而不足，及十九人，又不能有为，当时之士可知已，四君徒相倾以取胜耳。”⑮处世：生活在世界上。⑯其末立见：锥子尖立刻就会露出来。见，同“现”。⑰称诵：称道。诵，念叨。⑱先生不能二句：泷川资言曰：“叠用四‘先生’字，平原君声音状貌，千载如生。”〖按〗数语逻辑推理，滚滚而下，亦不容人商量。⑲蚤：同“早”。⑳颖脱而出：整个锥子头甚至连柽子都得出来。《史记正义》于此处有所谓：“颖，禾穗也。‘颖脱而出’，言特出众穗之上。”似与本文不相合。颖，原指禾穗之芒，这里即指锥子尖。㉑非特：不止；岂止。㉒相与目笑之：蔑视毛遂的情景如见，为后文先抑后扬。㉓言合从之利害：讲说楚、赵联合的好处。利害，偏义复词，这里即指利。㉔按剑历阶：用字极有斟酌，提到“剑”是为下文的示武做铺垫，亦唯有“按剑”之从容乃得进入。历阶，一步一磴台阶。根据当时上台阶的礼节，应该是每上一磴要并一下脚，然后再上第二磴。现因事情紧急，故毛遂不顾礼法历阶而上。㉕日出而言三句：林云铭《古文析义》曰：“实是问楚王，却向平原君说，妙。”㉖胡不下：为什么还不快点下去。胡，何、为何。㉗而君：你的主人。而，你、你的。㉘毛遂按剑而前曰：姚苎田曰：“两‘按剑’字，写得奕奕，与前文‘不能取胜’意相应，此时本不恃武，然必以此先折服之，所以扬其气也。不然，便开口不得。”㉙以：因；仗着。㉚悬于遂手：姚苎田曰：“楚王叱遂，何至遂以‘命悬己手’辱之？妙在两提‘吾君在前’句，便见叱舍人便是辱平原，则主辱臣死之义，亦胡能更忍？古人立言周匝有体，绝不专恃一朝之气也。”㉛吾君在前二句：当着我们主子的面，你怎么能这样叱责我。因为斥责随员，也就是对人家主子的无礼。㉜汤以七十里之地王天下：汤是商朝的开国帝王，因实行仁义由弱而强，终至灭夏称王事，见《史记·殷本纪》。㉝文王以百里之壤句：文王姓姬，名昌，是商朝末年的西方诸侯霸主。姬昌死后，其子武王以父亲的名义起兵代商，灭纣称王，过程见《史记·周本纪》。㉞据其势二句：凭借这个机会，而发挥他们的威力。以上四句的意思最早见《孟子·公孙丑上》，原文作“以德行仁者王，王不待大。汤以七十里，文王以百里”。《史记》化用其意，《资治通鉴》又据《史记》。㉟以楚之强二句：楚国既然如此强大，按理说它应该是天下无敌才对。㊱小竖子：犹如后世骂人的“小奴才”。泷川资言曰：“言庸劣无知，如童竖然。”㊲一战而举鄢、郢二句：据《史记·白起王翦列传》：“后七年，白起攻楚，拔鄢、邓五城；其明年，攻楚，拔郢，烧夷陵，遂东至竟陵。楚王亡去郢，东走徙陈。秦以郢为南郡。”鄢，战国时楚邑名，在今湖北宜城境内。郢，楚国都城，即今湖北江陵西北的纪南城。夷陵，楚邑名，在今湖北宜昌东南，有楚国先王的坟墓埋在这里。⑹⑶⑻三战而辱王之先人：胡三省曰："谓焚夷楚之陵庙也。"〖按〗这里实际是两次战役，而毛遂分之曰"一战""二战""三战"者，乃为加重气势而然。姚苎田曰："邯郸之围方急，秦明告诸侯'有敢救赵者，已拔赵，必移兵先击之'，以故诸侯观望不前。不知今日以此孤赵，他日复以此孤他国，则有任其蚕食而尽焉耳。无奈诸侯畏葸性成，惟顾目前，故不说到发冢烧尸极伤心无地处，必不能激发。毛遂一气赶出一战、再战、三战等句，使楚王更无地缝可入，正与鲁连'烹醢梁王'之语同一作用，当时之风气巽懦亦可知矣。"⑹⑶⑼赵之所羞：连赵国都为你们感到羞耻。⑹⑷⑽弗知恶：不知道痛恨。原作"弗之恶"，即弗恶之，不知道痛恨这件事，亦通。⑹⑷⑴合从者三句：来楚国向楚求救，反而说成是"合从者为楚，不为赵也"，在穷追猛打之下，连楚王也不再责其无理，极写毛遂气势之壮。⑹⑷⑵唯唯：一切无不从命的样子。⑹⑷⑶谨奉社稷以从：犹言愿交出整个国家来听候你的使唤。林云铭曰："果两言而决。"⑹⑷⑷从定乎：史珥曰："'从定乎'一诘，情致如生。"郭嵩焘曰："此复申问'从定乎'，是颊上添毫法，史公于此等逸事常加倍渲染，写得十分精彩。"⑹⑷⑸取鸡、狗、马之血来：《史记索隐》曰："盟之所用牲，贵贱不同，天子用牛及马，诸侯用犬及豭（猪），大夫已下用鸡。"王骏图曰："因需三等之血，故令取来耳。……楚僭称王，毛遂故以天子之礼尊之。"⑹⑷⑹奉铜盘：捧着盛血的铜盘子。奉，捧。⑹⑷⑺歃血：古人盟誓时的一种仪式，宰杀牲畜，盛血以盘，盟誓者以口沾吮之。歃，同"唼"，吮吸。⑹⑷⑻次者吾君二句：林云铭曰："把自己插入，占了多少地步。"⑹⑷⑼录录：即今之所谓"庸庸碌碌"，无所作为的样子。录，今皆写作"碌"。⑹⑸⑽所谓因人成事者也：使无此二句，毛遂之英风伟概何等诱人！司马迁好写复仇报怨，常常有损正面形象，如李广、韩安国等皆然，此于毛遂亦是，而《资治通鉴》竟亦照样移录。⑹⑸⑴胜不敢相天下士：姚苎田曰："平原语，处处肖其为人。……啧啧连翩，文有画意。"〖按〗平原君一段自责语，见其胸襟坦荡，大公无私，情景感人。此等境界，魏公子亦不及。《史记·廉颇蔺相如列传》又写其不计赵奢杀其九个管家，而出以公心地举荐赵奢事，皆人情之所难者。⑹⑸⑵遂以毛遂为上客：毛遂事迹不见于《战国策》，其他诸子书亦少有道及者，此全文移录《史记·平原君虞卿列传》。梁启超曰："毛遂，一小蔺相如也，其智勇略似之，其德量不逮（及），要亦人杰也矣。"史珥曰："游客极奇之事，子长层次写来，字字欲活。……惜'王之命悬于吾手'，及'公等录录''因人成事'三语，露出本色耳。使无三语，则夹谷后仅事耳矣，蔺生不逮也。"〖按〗孔子佐鲁定公会齐景公于夹谷事，见《史记·孔子世家》；蔺相如佐赵惠文王会秦昭王于渑池事，见《史记·廉颇蔺相如列传》。又，今山东滕州东南有故薛城遗址，在薛城镇北有近年重建的毛遂墓。⑹⑸⑶春申君：黄歇，楚顷襄王之弟，考烈王之叔。事见韩兆琦《史记笺证》之《春申君列传》。⑹⑸⑷旦暮且下：犹今所谓"指日可下"，很快即将攻克。⑹⑸⑸吾已拔赵：等我攻克邯郸后。⑹⑸⑹留兵壁邺：在邺县止军筑垒。邺，魏县名，在今河北临漳。梁玉绳曰："《鲁仲连传》本《国策》云'止于荡阴'，不曰'邺'。"〖按〗邺与荡阴相隔不远，十万人之驻扎，前军、后军之间耳。㊿657挟两端：等看清胜负属谁后，再帮胜者一方分取利益。658新垣衍：姓新垣，名衍。汉文帝时有所谓“新垣平”者，即此姓。〖按〗新，《战国策》作“辛”。659间入：潜入；化装进入，因城外有秦军包围。660因平原君说赵王：通过平原君的引见，劝说赵孝成王。661尊秦为帝：尊秦昭王为帝。当时各国诸侯皆称“王”，若尊秦为“帝”，则分明是承认秦是它们各国的共主。662以却其兵：以这种献媚讨好的办法哄得秦国撤兵。663鲁仲连：齐国人，一个具有侠客特点的云游之士。事迹详见《史记·鲁仲连邹阳列传》。664弃礼义而上首功：不讲道德礼义，只重杀敌立功。秦法，凡斩敌首一个，即升爵一级。秦爵共二十级，其名称详见韩兆琦《史记笺证》之《商君列传》《白起列传》注引。665彼即肆然而为帝于天下：如果秦王面对天下公然称帝。即，若、如果。肆然，公然。666有：宁可。667梁未睹秦称帝之害故：梁王之所以提出尊秦为帝这种坏主意，是他没有看到尊秦为帝的害处。668吾将使秦王烹醢梁王：如果梁王能尊秦王为帝，我就可以让秦王把你们梁王煮成肉粥。烹醢，煮成肉粥。669恶能：如何能够。恶，也写作“乌”，如何。670固也：当然；肯定。671九侯、鄂侯、文王：都是商朝末年的诸侯，并在纣王驾前为臣。九侯，亦作“鬼侯”，商朝时的少数民族部落首领，大约在今山西北部活动。鄂侯，鄂国的君主。古之鄂国在今河南沁阳西北。文王，周国的君主，武王之父。文王时的周国在今西安西，都丰。672三公：周朝指司徒、司马、司空，在这里借指朝廷重臣，言上述三人皆在商朝任职，位尊权重。673有子而好：有个女儿长得很美。子，这里指女儿。好，美丽。674纣：也称“受”，商朝的末代君主，以残暴著称。详见《史记·殷本纪》。675纣以为恶二句：恶，不好看。《史记·殷本纪》云：“九侯女不喜淫，纣怒，杀之，而醢九侯。”与此略异。676争之强：犹言“极力劝阻”。争，谏止。677辩之疾：强烈地为九侯辩护。678脯鄂侯：将鄂侯做成了肉干。脯，肉干。679喟然：伤心的样子。680牖里：也写作“羑里”，古邑名，在今河南汤阴北，当时有商朝的监狱。681欲从而帝之：由此便想尊之为帝。682就脯醢之地：将自己摆到那种受人宰割的地位上去。683无已而帝：还不是称了帝就算完事。684则将行其天子之礼：他要摆出他作为“天子”的排场与权威。685则且变易诸侯之大臣：他还将更换各诸侯国的执政大臣。686夺其所不肖：剥夺那些他认为不好的大臣的权位。不肖，不类其父，通常用为“不成材”“没出息”的意思。687与其所贤：把权力、地位转交给他所满意的大臣。贤，好、满意。688子女谗妾：子女，泛称秦国王室的女子。谗妾，擅于挑拨离间、搬弄是非的女人。689处梁之宫：嫁到梁国的宫廷里去。690晏然而已：太平无事地一直活下去。晏然，安然。而已，一直到头。691得故宠：保持原有的地位与爵禄。692乃今：直到今天；直到现在。693天下之士：天下数得着的杰出之士。694请出：请允许我离开邯郸。695不敢复言帝秦矣：以上故事详见《史记·鲁仲连邹阳列传》。696孝王：燕武成王之子，公元前二五七至前二五五年在位。697魏公子无忌：魏昭王之子，魏安釐王的异母弟，被封为信陵君。事迹详见《史记·魏公子列传》。698下士：尊重士人。降低身份，屈居士人之下。699致：

招纳；招纳到。⑺隐士：有才德、有本领而隐居不仕的人。⑺大梁夷门监者：魏都大梁（今河南开封）城东门的守门人。夷门，大梁城的东门。⑺坐定：参加宴会的来宾都已坐好。⑺从车骑：带着车马侍从。从，使之跟随。⑺虚左：空着左边的座位，当时的魏国以左为尊。〖按〗究竟以左为尊，还是以右为尊，各时代、各地区的习惯不同，汉初是以右为上。⑺摄：整理。⑺执辔：指亲自为之赶车，亲自握着缰绳。⑺市屠：市场中的肉铺。⑺枉车骑过之：让你的车子绕弯到那里去一趟。枉，绕弯、绕远，这里是谦辞。⑺睥睨：斜视；用余光偷看人。⑺微察：暗中观察，看其是否有耐心。⑺遍赞宾客：把宾客一个个地向侯生做了介绍，极力尊敬侯生。⑺及秦围赵：指公元前二五八年秦将王陵之围赵都邯郸。⑺冠盖相属于魏：一批接一批的求救使者，络绎不绝地到魏国来。冠盖相属，极言派出求救的使者之多，一批接一批，络绎不绝。冠盖，冠冕、车盖。属，连续。⑺让：责备。⑺自附：犹今所谓“高攀”，谦辞。⑺能急人之困：能以他人的危难为自己之所急。⑺旦暮降秦：邯郸眼看就要被秦军所攻下。⑺纵：即使。⑺轻胜弃之：不把我赵胜当一回事，任凭我被秦军捉去当俘虏。⑺独：难道。⑺患之：很为此事伤脑筋。患，忧虑。⑺教晋鄙令救赵：给晋鄙下令，让晋鄙出兵救赵。当时魏国原已派出晋鄙率兵救赵，后来由于害怕秦国，中途让晋鄙停了下来，让晋鄙驻扎于邺城，观望形势。⑺游说万端：千方百计地劝说魏王。⑺属宾客：让自己门下的宾客们。属，使、让。⑺约车骑百余乘：组织起一支一百多辆战车的队伍。约，拴、收拾。乘，古称一车四马曰一乘。⑺赴斗：前往参加战斗。⑺勉之：犹今所谓“请好自为之”。⑺臣固知公子之还也：黄洪宪曰：“叙侯生与公子语，宛然在眉睫间，盖生初欲为公子画计，恐不从，故于其复还而尽之，所以坚其志耳！”（《史记评林》引）〖按〗侯生之设谋，事关重大，且又处人骨肉之间，不到时候，势难开口。《三国志·诸葛亮传》云：“刘表长子琦，亦深器亮。表受后妻之言，爱少子琮，不悦于琦。琦每欲与亮谋自安之术，亮辄拒塞，未与处画。琦乃将亮游观后园，共上高楼，饮宴之间，令人去梯，因谓亮曰：‘今日上不至天，下不至地，言出子口，入于吾耳，可以言未？’亮答曰：‘君不见申生在内而危，重耳在外而安乎？’”诸葛亮的心情和做法，有助于我们理解侯嬴。此外，孔子云：“不愤不启，不悱不发。”经过如此一番周折，话更易入，黄氏之说是。⑺无他端：没有其他办法。端，头绪、办法。⑺赴秦军：扑向秦军；与秦军拼命。⑺馁虎：饿虎。⑺屏人：支开众人，单独秘密而谈。屏，同“摒”。⑺晋鄙兵符：调动晋鄙军队的那块虎符。古代调兵所用的符信，一半为大将所持，一半存于君主处。国君有令，则命使者持符前往，以合符为信。⑺在王卧内：在魏王的卧室内。姚苎田曰：“天下有心人当其穷贱闲废之时，无事不留心采察。侯生作用，极似唐之虬髯客、古押衙一流人，谓之‘大侠’，不虚也。看其两个‘闻’字中包却许多机事。”李贽曰：“抱关人偏知宫禁秘密事，奇哉！”〖按〗此等描写即类小说。⑺最幸：最受宠幸。⑺为如姬报其父仇：如姬之父被人所杀，如姬欲为其父报仇，三年找不到援助，后来向魏公子请求，魏公子派人杀了如姬的仇人。⑺欲为公子死：为报答魏公子的大恩而不惜一死。⑱诚一开口：指求如姬为之盗出虎符。⑲却秦：打退秦兵。⑳五伯之功：春秋五霸一样的功业。五霸指齐桓公、晋文公、楚庄王、吴王阖闾、越王勾践。伯，通“霸”。㉑将在外二句：《孙子·九变》：“将受命于君，合军聚众……君命有所不受。”此外，《史记》之《司马穰苴列传》《绛侯周勃世家》亦有类似说法。㉒合符：两符相合，证明无误。㉓不授兵：不交出兵权。㉔可与俱：可以让他跟你一起去。㉕邺：魏县名，在今河北临漳。㉖举手：表示一种紧张、急迫的样子。〖按〗古今注本于此皆无说，《史记·孔子世家》写孔子佐鲁定公赴夹谷之会，齐人欲用乐工劫鲁君，这时“孔子趋而进，历阶而登，不尽一等，举袂而言曰”云云，此“举袂”与晋鄙之“举手”意思相同。《后汉书·班超传》写班超在鄯善背着大使郭恂杀了匈奴使者后，“明日乃还告郭恂，恂大惊，既而色动，超知其意，举手曰”云云，此乃范晔之学《史记》。㉗单车：古今注本于此皆无说，但此处似绝不能理解为只有一辆车子，因为信陵君当时带着“车骑百余乘”。凡国君在战场更换大将，似应同时派出两个人物，一个是前往接任的将军，一个是前往下达诏书的特使。《史记·陈丞相世家》写刘邦怀疑讨伐卢绾的樊哙谋反，于是派出了周勃与陈平，周勃的任务是往“代哙将”，陈平的任务是“至军中即斩哙头”，而不能让周勃自己兼干其事。王维诗《使至塞上》有“单车欲问边”，可理解为谦称自己的品级不高，恐亦不能解释为只有一辆车子。㉘勒兵：整理部队。勒，整饬、约束。㉙选兵：犹言“精兵”，经过挑选的士兵。《史记·廉颇蔺相如列传》有所谓“选车”“选骑”，与此意同。锺惺曰：“战国用兵，此一令绝响矣。”凌稚隆引王世贞曰：“公子虽窃符以有魏师，而其人皆嚄唶懦将之所教，而恫胁不振之余也。又纵其父兄独子以归者二万人，外若削弱其形，而内实有以一八万人之心而振其气，偏师直入于虎狼之窟而逐之以存赵。此其乘坚而为瑕，转弱而为劲者何如也。……愚以为善为兵者，固无如公子者矣。”引董份曰：“《国语》叙越王伐吴所以遣恤军士者亦此意，但彼用数十百言，此惟三句尽之，而遒劲不遗，所以难也。”㉚将之而进：〖按〗以上故事详见《史记·魏公子列传》。沈长云等《赵国史

【原文】

五十八年（甲辰，公元前二五七年）

十月[757]，免武安君为士伍[758]，迁之阴密[759]。十二月，益发卒军汾城旁[760]。武安君病，未行，诸侯攻王龁，龁数却，使者日至[761]。王乃使人遣武安君[762]，不得留咸阳中。武安君出咸阳西门十里，至杜邮[763]。王与应侯，群臣谋曰：“白起之迁，意尚怏怏[764]，有余言[765]。”王乃使使者赐

稿》曰："邯郸保卫战的胜利，是诸侯合纵抗秦的胜利，由于史料的缺乏，这次重要战役的过程文献中没有详细的记载。一九八二年，考古工作者在河南汤阴五里岗发现了一处战国后期阵亡将士古墓群，学者认为，此墓群在年代、地点与考古现象等方面都与邯郸之役相符。邯郸之役中，魏、楚联军就驻扎在今河南汤阴一带，秦军为阻挡援赵，在此设有重兵，秦军与援军之间发生激烈战斗，此墓群便是当时阵亡将士墓。墓群密集分布在二十多万平方米的范围内，东西成行，排列有序，总数约有四千座，死者多为男性青壮年，有的尸骨上还有铜镞。"㊿751 王龁久围邯郸不拔：据《史记·秦本纪》，王陵为秦将，率兵围邯郸，乃自公元前二五九年始，至公元前二五八年仍无进展，于是改任王龁为将。752 诸侯来救：来救者主要是魏国与楚国，详见《史记》之《魏公子列传》《春申君列传》。《史记·田敬仲完世家》说齐国也曾救赵，似不可信，赵向齐国借粮齐犹不肯借，尚能为之出兵乎？753 战数不利：指秦军数战不利。据杨宽《战国史料编年辑证》，此次楚、魏联军之破秦兵，所取得之胜利甚大，可供参考。754 王不听吾计二句：徐孚远曰："武安君不宜有后言，疑应侯为之蜚语也。"755 强起武安君：硬是逼着白起出来为将。756 病笃：病重。笃，沉实。〖按〗以上秦使白起为将，白起拒不应命事，见《战国策·中山策》，其文载白起与昭王、与范雎之往复对答甚详。

【校记】

［15］颖脱：原作"脱颖"。据章钰校，十二行本、乙十一行本二字互乙。今从十二行本、乙十一行本及《史记·平原君虞卿列传》《通鉴纪事本末》乙。［16］弗知恶："知"，原作"之"。据章钰校，十二行本、乙十一行本皆作"知"。今从十二行本、乙十一行本及《史记·平原君虞卿列传》《通鉴纪事本末》改。［17］国之重任：此四字原无。据章钰校，十二行本、乙十一行本、孔天胤本皆有此四字，张敦仁《通鉴刊本识误》、张瑛《通鉴校勘记》同。今从诸本及《史记·信陵君列传》《通鉴纪事本末》补。

【语译】

五十八年（甲辰，公元前二五七年）

十月，秦昭王免除了武安君白起的一切官爵，降为普通士兵，发配到阴密。十二月，又从国内征调士卒派往汾城驻扎。武安君白起因为有病，没有起行，诸侯派出的援军轮番攻打王龁，王龁多次败退，来自前方报告紧急军情的使者络绎不绝。秦昭王派人逼迫白起前往阴密，不许他留在咸阳城中。武安君白起从咸阳西门出城之后走了大约十里，到达杜邮。秦昭王和应侯范雎等群臣商议说："白起对于被驱逐很不满意，郁郁寡欢，还口出怨言。"于是秦昭王派使者送给白起一把剑，白起接到

之剑[766]，武安君遂自杀。秦人怜之，乡邑皆祭祀焉[767]。

魏公子无忌大破秦师于邯郸下，王龁解邯郸围走。郑安平[768]为赵所困，将二万人降赵。应侯由是得罪[769]。

公子无忌既存赵[770]，遂不敢归魏[771]，与宾客留居赵，使将将其军还魏。赵王与平原君计[772]，以五城封公子[773]。赵王扫除自迎[774]，执主人之礼[775]，引公子就西阶[776]。公子侧行辞让，从东阶上[777]，自言罪过[778]，以负于魏[779]，无功于赵[780]。赵王与公子饮至暮，口不忍[781]献五城，以公子退让也。赵王以鄗为公子汤沐邑[782]。魏亦复以信陵奉公子[783]。

公子闻赵有处士[784]毛公隐于博徒[785]，薛公隐于卖浆家，欲见之。两人不肯见，公子乃间步[786]从之游[787]。平原君闻而非之[788]。公子曰："吾闻平原君之贤，故背魏而救赵。今平原君所与游[789]，徒豪举[790]耳，不求士也[791]。以无忌[792]从此两人游，尚恐其不我欲[793]也，平原君乃以为羞乎[794]？"为装欲去[795]。平原君免冠谢，乃止[796]。

平原君欲封鲁连[797]，使者三返[798]，终不肯受。又以千金为鲁连寿[799]，鲁连笑曰："所贵于天下之士者[800][18]，为人排患释难，解纷乱而无取也。即[801]有取者[19]，是商贾之事也，而连不忍为也[20]。"遂辞平原君而去，终身不复见[802]。

秦太子[803]之妃曰华阳夫人[804]，无子。夏姬生子异人[805]。异人质于赵，秦数伐赵，赵人不礼之[806]。异人以庶孽孙[807]质于诸侯，车乘进用不饶[808]，居处困[809]不得意。

阳翟大贾[810]吕不韦适邯郸[811]，见之，曰："此奇货可居[812]。"乃往见异人，说曰："吾能大子之门[813]。"异人笑曰："且自大君之门[814]。"不韦曰："子不知也，吾门待子门而大[815]。"异人心知所谓，乃引与坐，

秦昭王所赐之剑后，便在杜邮自杀身亡。秦国人都很同情白起，不论是城镇还是乡村，到处都设坛祭祀他。

魏公子无忌率领魏军在邯郸城下大破秦军，秦将王龁解除了对邯郸的包围，撤军回国。秦国的另一员大将郑安平被赵军包围，最后率领部下二万人投降了赵国。范雎因为举荐郑安平不当而受到责备。

魏公子无忌虽然保全了赵国，却因为窃兵符、杀魏将晋鄙得罪魏安釐王而不敢回魏国，便与他的宾客一起留在赵国，而派魏将率领魏军回归魏国。赵孝成王与平原君赵胜商议后，决定拿出赵国的五座城邑分给魏公子无忌作领地。赵孝成王亲自清扫道路，迎接魏公子进宫，赵孝成王以主人的身份从东边台阶上殿，用对待贵宾的礼节引导魏公子无忌从西边的台阶上殿。公子不敢以客人自居，而是侧着身子跟随在赵孝成王身后，从东边的台阶走上宫殿，并表示自己的所作所为有罪，既对不起魏国，又没有为赵国建立什么功劳。赵孝成王奉陪魏公子饮酒，一直饮到天黑，因为魏公子谦让，所以献给他五座城邑的话赵孝成王总也说不出口。赵孝成王把鄗城送给魏公子当汤沐邑。魏安釐王也将公子在魏国的封地信陵归还给他。

魏公子听说赵国毛公是一个很有才能的人，却混迹于赌徒之中，薛公隐居于卖酒之家，魏公子很想结交这两个人。他们不肯见魏公子，魏公子就秘密私访，和他们二人混在一起。平原君赵胜得知魏公子和毛公、薛公交上了朋友，就对他有所非议。魏公子说："我是因为你平原君贤能，所以才背叛了魏国来援救赵国。今天通过你所结交的那些朋友，知道你不过是徒有豪侠虚名罢了，并不是为了真正求得贤才。就凭我无忌这么个人跟他们两人交游，我还怕他们不乐意呢，而平原君竟然以为这是耻辱？"于是，收拾行装准备离开赵国。平原君赵胜摘下帽子再三道歉，魏公子才同意留下来。

平原君赵胜想要为鲁仲连请封，派使者一连去了三次，鲁仲连始终不肯接受。平原君就又以祝寿的名义派人送去价值千金的礼物，鲁仲连笑着说："作为男子汉大丈夫，最为可贵的就是能为他人排除忧患而又丝毫无所取。贪图利益是商人的作为，而鲁仲连不能忍受这种做法。"于是辞别平原君，一辈子都不再见他。

秦国太子的宠妃是华阳夫人，华阳夫人没有生育儿子。夏姬所生的儿子叫嬴异人。其被送到赵国做人质，因为秦国屡次攻打赵国，所以赵国人对嬴异人并不重视。嬴异人只是秦昭王一个非嫡生的普通王孙，又被送到赵国做人质，所以他的日常用度并不富裕，生活贫困，处境很不得志。

阳翟的大商人吕不韦到邯郸经商，见到了嬴异人，说："这可是个珍稀的货物，值得囤积起来，将来一定能卖个大价钱。"于是就去会见嬴异人，他对嬴异人说："我能光大你的门第。"嬴异人笑着说："你还是先光大自己的门第去吧。"吕不韦说："你有所不知，我的门第还得靠你才能光大。"嬴异人明白吕不韦说的意思，于是就拉他坐下，

深语[816]。不韦曰：“秦王老矣。太子爱华阳夫人，夫人无子。子之兄弟二十余人，子傒[817]有承国[21]之业[818]，士仓[819]又辅之。子居中[820]，不甚见幸，久质诸侯[821]。太子即位[822]，子不得争为嗣[823]矣。”异人曰：“然则奈何[824]？”不韦曰：“能立適嗣[825]者，独华阳夫人耳。不韦虽贫，请以千金[826]为子西游[827]，立子为嗣[828]。”异人曰：“必如君策，请得分秦国，与君共之。”不韦乃以五百金与异人，令结宾客。复以五百金买奇物玩好，自奉[829]而西，见华阳夫人之姊[830]，而以奇物献于夫人。因誉子异人之贤，宾客遍天下，常日夜泣思太子及夫人，曰：“异人也，以夫人为天[831]。”夫人大喜。不韦因使其姊说夫人[832]曰：“夫以色事人者，色衰则爱弛。今夫人爱[833]而无子，不以繁华时[834]蚤[835]自结于诸子中贤孝者，举以为[22]適[836]，即[837]色衰爱弛，虽欲开一言，尚可得乎？今子异人贤，而自知中子不得为適[838]。夫人诚以此时拔之，是子异人无国而有国，夫人无子而有子也，则终身有宠于秦矣。”夫人以为然。承间[839]言于太子曰：“子异人绝贤，来往者皆称誉之。”因泣曰：“妾不幸无子，愿得子异人立以为嗣[840][23]，以托妾身[841]。”太子许之，与夫人刻玉符[842]，约以为嗣[843]，因厚馈遗[844]异人，而请吕不韦傅之[845]。异人名誉盛于诸侯[846]。

吕不韦娶邯郸姬[847][24]绝美者与居，知其有娠[848]。异人从不韦饮[849]，见而请之[850]。不韦佯怒[851]，既而献之[852]，孕期年[853]而生子政[854]，异人遂以为夫人[855]。邯郸之围[856]，赵人欲杀之，异人与不韦行金[857]六百斤予守者[858]，脱亡赴秦军[859]，遂得归。异人楚服[860]而见华阳夫人，夫人曰：“吾楚人也，当自子之[861]。”因更其名曰楚。

五十九年（乙巳，公元前二五六年）

秦将军摎伐韩[862]，取阳城、负黍[863]，斩首四万。伐赵，取二十余县，

和他披肝沥胆地深谈起来。吕不韦说："秦昭王现在年纪已经很大了。秦太子虽然宠爱华阳夫人，但华阳夫人却没有儿子。在你们二十几个兄弟之中，子傒继承王位最有条件，再加上有丞相士仓辅佐他。而你在这些兄弟当中排行不大不小，并不怎么受宠爱，又长时间在外做人质。太子即位后，王位的继承人肯定轮不到你。"嬴异人说："那我该怎么办？"吕不韦说："只有华阳夫人能够决定立谁为王位继承人。我吕不韦虽然没有多少钱财，但还是愿意拿出千金到秦国进行游说，争取让你成为王位继承人。"嬴异人非常高兴地说："如果你的计划能够实现，我甘愿和你共同享有秦国。"吕不韦拿出五百金送给嬴异人，让他广泛结交宾客。又用五百金购买了许多稀有的物品和好玩的东西，亲自携带着向西来到秦国。他先去拜见了华阳夫人的姐姐，又将那些稀有的礼物敬献给华阳夫人。趁机称赞嬴异人的贤能，说他宾客遍天下，而且经常因为思念太子和夫人而哭泣，吕不韦又说："异人说，他这一辈子唯一的依靠就是夫人。"华阳夫人听了吕不韦的这番话以后非常高兴。吕不韦又怂恿华阳夫人的姐姐劝说华阳夫人："靠美貌去侍奉人，等到您的美貌消失以后，您所受到的宠爱也就减退了。如今夫人虽然受宠但无子，何不趁着年轻受宠的时候，早早地在诸子当中物色一个贤德的人，认养他做嫡子，如果等到容颜衰老、宠爱消失的时候，还能够再说一句话吗？现在诸子当中，异人最贤德，再说，他也知道自己上有哥哥，下有弟弟，自己排行在中间，按照次序根本轮不到他做继承人。夫人能在这时抬举他，是使他从原本没有国家变得有了国家，而夫人您也从没有儿子变成了有儿子，那么您这一辈子都会在秦国受到尊宠。"华阳夫人认为姐姐说得对。找个机会对太子说："诸子当中异人最贤德，来来往往的人都称赞他。"华阳夫人说到动情处竟然掉下了眼泪，她说："我很不幸，不能为你生个儿子，我希望让异人做我的儿子，也使我终身有个依靠。"太子答应了华阳夫人的请求，并把立异人为嫡子的诺言刻在玉符上，交给华阳夫人作为凭证，太子夫妇随即赏赐给异人许多财物，还聘请吕不韦做嬴异人的师傅。从此，异人的名声逐渐在诸侯当中得到称颂。

吕不韦在邯郸的歌女当中挑选了一个绝代美人赵姬同居，后来得知赵姬怀了身孕。嬴异人到吕不韦家中饮酒时看见了赵姬，就向吕不韦讨要赵姬。吕不韦当时装出一副很生气的样子，过后便将赵姬献给了嬴异人。赵姬怀孕一年，生下了儿子嬴政，就是后来的秦始皇，嬴异人于是立赵姬为夫人。邯郸被秦军包围的时候，赵国人想杀死嬴异人，异人和吕不韦拿出六百金贿赂看守他们的人，然后潜逃到城外的秦军中，这才得以回到秦国。嬴异人身穿楚国的服装拜见华阳夫人，华阳夫人说："我是楚国人，自然会把异人当作自己的儿子看待。"于是将异人的名字改为"子楚"。

五十九年（乙巳，公元前二五六年）

秦国的摎将军攻打韩国，占领了阳城、负黍，斩杀韩国四万人。又攻打赵国，

斩首虏九万[864]。赧王恐，背秦与诸侯约从[865]，将天下锐师出伊阙[866]攻秦，令无得通阳城[867]。秦王使将军摎攻西周[868]，赧王入秦，顿首受罪，尽献其邑三十六，口三万[869]。秦受其献，归赧王于周[870]。是岁，赧王崩。

【段旨】

以上为第六段，写周赧王五十八年（公元前二五七年）至周赧王五十九年两年间的各国大事，主要写了秦国因白起怏怏不平而将其杀害，楚、魏、赵联合破秦后魏公子留居赵国，鲁仲连排难解纷功成不受赏，以及吕不韦帮助公孙异人取得太子位的故事。

【注释】

⑺⑸⑺ 十月：这年秦国又改变历法，以十月为岁首。关于秦国历法在战国时期的几度变更，参见韩兆琦《史记笺证》之《秦本纪》。⑺⑸⑻ 免武安君为士伍：免去白起的一切官爵，将其降到普通士兵的地位。士伍，士兵五人为一伍，此处指普通士兵。⑺⑸⑼ 迁之阴密：发配到阴密县。阴密是秦县名，县治在今甘肃灵台西南。⑺⑹⑴ 军汾城旁：增派秦军驻扎汾城，以阻楚、魏军西进。汾城，即今山西临汾。⑺⑹⑴ 使者日至：来自前方报告军情紧急的使者接连不断。⑺⑹⑵ 遣武安君：逼着白起迅速前往阴密县。⑺⑹⑶ 杜邮：亭驿名，在当时咸阳城西南，今咸阳东北。⑺⑹⑷ 怏怏：失意不满的样子。⑺⑹⑸ 有余言：有无尽的怨言。⑺⑹⑹ 王乃使使者赐之剑：梁玉绳曰："《国策》甘罗述武安君之死也，曰'去咸阳七里绞而杀之'，与此不同。"⑺⑹⑺ 秦人怜之二句：武国卿、慕中岳曰："一代叱咤风云的战将，每每驰骋于百万敌军之中，敌人无奈他何。然而却常常会被一句流言蜚语或毁于一旦，或被逼而死，使铮铮忠骨含恨九泉之下。长平大战后，廉颇老死楚乡，白起被赐剑自刎，再度重现了这种不公平的历史结局。"〖按〗白起墓在今咸阳渭城乡之三姓庄村，封土呈圆丘形，底径约十六米，残高五米。又，今陕西洛川县之上洪福村也有白起墓，封土呈圆丘形，底径约十七米，残高五米，墓前有清代所立"白起将军之墓"碑一通。墓侧原有白起祠，已毁圮。⑺⑹⑻ 郑安平：原魏人，当范雎在魏国被须贾、魏齐所害时，郑安平曾帮助范雎藏匿，使范雎得以跟随秦使王稽来到秦国。范雎为报郑安平救助之恩，向秦王保举郑安平为秦将，与王龁共围邯郸。⑺⑹⑼ 应侯由是得罪：根据秦法，凡保荐某人为官吏，其人不称职或犯法，保举者将受追究。⑺⑺⑴ 存赵：指打退秦军，使赵国得以保全。⑺⑺⑴ 不敢归魏：因盗窃兵符，又椎杀晋鄙，故也。⑺⑺⑵ 计：商量；计议。⑺⑺⑶ 以五城封公子：拿出赵国的五座城，给魏公子作领地。⑺⑺⑷ 扫除自迎：清扫道路，亲自迎接。⑺⑺⑸ 执主人之礼：赵王自己做

占领了二十多个县，斩杀九万人。周赧王感到很恐惧，就背叛了秦国，转而与诸侯缔结合纵联盟，率领天下的精锐联军从伊阙出发攻打秦国，切断秦国与刚刚侵占的阳城之间的联系。秦昭王派摎将军从赵国的战场转而去攻打西周，周赧王被擒后送往秦国，赧王向秦昭王磕头谢罪，并答应将西周的三十六邑和三万人全部献给秦国。秦昭王接受了西周的土地和人口，然后放赧王仍旧回到王城。这一年周赧王驾崩，周王朝彻底灭亡。

主人，意即将魏公子敬为贵宾。⑺⑹引公子就西阶：请魏公子从西侧的台阶上殿。⑺⑺公子侧行辞让二句：《礼记·曲礼上》："主人就东阶，客就西阶，客若降等，则就主人之阶。"⑺⑻自言罪过：自称自己是有罪之人。⑺⑼以负于魏：已经得罪了魏王。以，同"已"。负，背叛。⑻⑽无功于赵：对赵国也没有什么功劳，这句是谦辞。⑻⑴口不忍：不好意思张口说。⑻⑵以鄗为公子汤沐邑：鄗，赵县名，在今河北柏乡北。汤沐邑，古代诸侯因要按时往朝天子，故天子在其京郊附近赐给诸侯一块领地，以供他们"斋戒沐浴"的开销之用，此地称为汤沐邑。后来王后、王子、公主等也都有汤沐邑，它的意义就变成了供给其生活所需，或者纯粹就是巧立名目地另占一块地盘。⑻⑶复以信陵奉公子：仍把魏公子原在魏国的封地还给魏公子，以表示不计前仇，不与赵国闹僵关系。⑻⑷处士：有才德而隐居不仕的人。⑻⑸博徒：在市场上赌博的人。⑻⑹间步：形容改便服步行。间，悄悄地、秘密地。⑻⑺从之游：和他们去一起混。⑻⑻闻而非之：据《史记·魏公子列传》："平原君闻之，谓其夫人曰：'始吾闻夫人弟公子天下无双，今吾闻之，乃妄从博徒卖浆者游，公子妄人耳。'""妄人"即任性胡来的人。⑻⑼所与游：所结交的那些朋友。⑼⑽徒豪举：只图虚名、装门面。豪举，声势显赫的举动。⑼⑴不求士也：不是为了真正地求得贤士。⑼⑵以无忌：拿我无忌这么个人。对人说话而称己之名，是谦卑的表现。⑼⑶不我欲：不欲我，不愿和我打交道。⑼⑷乃以为羞乎：竟以此为羞耻吗。⑼⑸为装欲去：收拾行装，想要离开赵国。⑼⑹平原君免冠谢二句：以上故事见《史记·魏公子列传》。⑼⑺欲封鲁连：鲁连即鲁仲连，因其痛斥新垣衍的投降论调，对鼓舞赵国军民，对促进东方抗秦统一战线的形成起了重要作用，故平原君欲为之向赵王请封。⑼⑻三返：一连去了三次。⑼⑼寿：敬酒祝福，这里即敬献礼品。⑻⑽⑽所贵于天下之士者：作为一个名士，其最可贵的是……⑻⑽⑴即：倘若。⑻⑽⑵终身不复见：以上鲁仲连义不帝秦事，见《战国策·赵策三》与《史记·鲁仲连邹阳列传》。吴师道曰："仲连事皆可称，而不肯帝秦一节尤伟。战国之士皆以势为强弱，而连独以义为重轻，此其所以异尔。"杨潮观曰："战国策士纵横，干秦货楚，唯鲁连于世无求，独申大义于天下，其贤于人远矣。"马非百曰："仲连面斥新垣衍于秦势方张、举世风靡之际，高论帝秦之害，粉碎秦人二次称帝之阴谋，振奋邯郸抗战到底之勇

气，影响于当日国际局势者实巨且大。”⑻⑶秦太子：即“安国君”，名柱，秦昭王的次子。秦昭王的太子死于秦昭王四十年（公元前二六七年），于是昭王立次子安国君为太子，即日后的孝文王。⑻⑷华阳夫人：胡三省曰：“盖食汤沐邑于华阳，因以为号。”华阳，秦县名。牛鸿恩引《禹贡锥指》曰：“今商州之地也。秦宣太后弟芈戎封‘华阳君’，昭王立太子爱姬为‘华阳夫人’，皆此地。在华山之阳，正《禹贡》之华阳也。”⑻⑸异人：后来改称“子楚”，即日后之庄襄王。据《战国策》，子楚原名“异人”，后从赵还，不韦使以楚服见。王后悦之，曰：“吾楚人也。”遂认其为子，并改其名曰“子楚”。⑻⑹不礼之：因他起不到人质的作用。⑻⑺庶孽孙：秦昭王的一个非嫡系的普通王孙。庶孽，非嫡子正妻所生的孩子。⑻⑻车乘进用不饶：《汉书·高帝纪》师古注：“进者，会礼之财也。字本作‘賮’，又作‘赆’，音皆同耳。古字假借，故转而为‘进’。”通常即指“财货”。中井积德曰：“犹供给也。”即今之所谓生活日用。不饶，不富裕。⑻⑼居处困：平常的生活颇为困难。居处，即指日常生活。⑻⑽阳翟大贾：阳翟县的大商人。阳翟是韩国前期景侯、烈侯、文侯时代的都城，即今河南禹州。《史记索隐》曰：“《战国策》以不韦为濮阳人，又记其事迹亦多与此传不同。”贾，《史记索隐》引郑玄曰：“行曰商，处曰贾。”⑻⑾适邯郸：到邯郸去做买卖。邯郸是当时赵国的都城，即今河北邯郸。⑻⑿此奇货可居：这可是一宗珍奇的货物，有储藏价值。居，囤积。“囤积居奇”的典故即由此而来。胡三省曰：“贾人居积滞货，伺时以牟利，以异人方财货也。”〖按〗此处文字依《史记·吕不韦列传》。《战国策·秦策》记此事云：“濮阳人吕不韦贾于邯郸，见秦质子异人，归而谓父曰：‘耕田之利几倍？’曰：‘十倍。’‘珠玉之赢几倍？’曰：‘百倍。’‘立国家之主赢几倍？’曰：‘无数。’曰：‘今力田疾作，不得暖衣余食；今建国立君，泽可以遗世，愿往事之。’”行文固亦细致，然史公“奇货可居”四字尤精彩。⑻⒀大子之门：光大你的门楣，意即使你的地位权势得到提高、扩大。⑻⒁且自大君之门：还是先光大你自己的门楣去吧。⑻⒂吾门待子门而大：吴见思曰：“三折五‘门’字，清倩便捷。”⑻⒃深语：秘密地谈到了许多要害的问题。⑻⒄子傒：安国君之子，异人的同父异母兄。⑻⒅有承国之业：有继承秦王之位的条件。⑻⒆士仓：马非百以为即“杜仓”，“士”乃“土”字之误，“土”即“杜”，古通。秦昭王时杜仓为丞相，在秦昭王二十六年（公元前二八一年）至秦昭王三十二年。⑻⒇子居中：你不大不小，只是安国君众多儿子中间的一个。⑻㉑久质诸侯：长期在别的国家当人质。⑻㉒太子即位：安国君继位为秦王后。⑻㉓子不得争为嗣：你不可能争到接班人的地位。⑻㉔奈何：如何；怎么办。⑻㉕能立適嗣：能确立嫡系接班人。適，同“嫡”。⑻㉖千金：当时称黄金二十两或二十四两曰“一金”。一金约值铜钱一万枚。⑻㉗西游：到秦国都城咸阳游走一遭，进行游说。⑻㉘立子为嗣：争取让你当上接班人。⑻㉙自奉：自己携带。奉，捧、持。⑻㉚见华阳夫人之姊：〖按〗《战国策》未言有此人。⑻㉛以夫人为天：指视之为荫庇者、保护者，古有“天覆地载”之语。⑻㉜因使其姊说夫人：据《战国策》，吕不韦乃通过华阳夫人之弟阳泉君以说服华阳夫人。⑻㉝爱：受太子宠爱。⑻㉞繁华时：青春美丽，正受宠爱之时。⑧⑤蚤：同“早”。⑧⑥举以为適：向太子推举他，立之为接班人。王骏图曰：“举为嫡而以为己子，若不以为己子，则举为嫡无益也。”⑧⑦即：若。⑧⑧不得为適：按次序轮不上他做继承人。⑧⑨承间：趁机会。间，空隙、机会。⑧⑩立以为嗣：立以为继承人。⑧⑪以托妾身：古有所谓“子以母贵”，其母受宠，其子才有可能被立为太子；又有所谓“母以子贵”，即其子被立为太子，并得以继位称王，其母的富贵尊荣才能得到保障，故华阳夫人要把自己的后半生寄托在子楚身上。⑧⑫刻玉符：刻玉符以为信物。⑧⑬约以为嗣：中井积德曰：“时昭王在焉，故太子不能显定计议，立名号，故阴刻符为约耳。”⑧⑭馈遗：赠送。⑧⑮请吕不韦傅之：请吕不韦充任子楚的师傅之职，即担任教育、训导，以及关心照顾其生活起居。⑧⑯名誉盛于诸侯：名声在各国间越来越得到称颂。锺惺曰：“如吕不韦，乃可当‘大贾’二字。”凌稚隆引茅坤曰：“叙不韦之谋立子楚如手指谈。”引高仪曰：“不韦说子楚使及说华阳夫人，句句刺骨语，以故得行其策，然则不韦乃说客之雄，非直‘大贾’也。”⑧⑰邯郸姬：邯郸娱乐场所的歌伎、舞伎。⑧⑱有娠：怀孕。⑧⑲从不韦饮：到吕不韦家喝酒。从，到、过。⑧⑳请之：这里指讨要此人。⑧㉑佯怒：假装生气。⑧㉒既而献之：后来还是把这个女子给了异人。⑧㉓孕期年：怀孕怀了十二个月。⑧㉔生子政：生了儿子嬴政。〖按〗此“政”字应作“正”，因始皇名“正”，故后来遂呼“正（zhèng）月”曰“正（zhēng）月”。⑧㉕遂以为夫人：遂以此吕不韦妾为正妻。⑧㉖邯郸之围：即长平惨败后赵都邯郸之被秦所围，事从公元前二五九年底至公元前二五七年。⑧㉗行金：拿出金钱。⑧㉘予守者：给看守子楚家的赵国官吏。⑧㉙脱亡赴秦军：潜逃到了城外的秦国军中。⑧㉚楚服：穿着楚人的服饰。⑧㉛当自子之：应该让他成为我自己的儿子。⑧㉜秦将军摎伐韩：时当秦昭王五十一年（公元前二五六年）、韩桓惠王十七年。秦将军摎，名摎，史失其姓，后官至丞相。⑧㉝阳城、负黍：皆韩县名，阳城在今河南登封东南，负黍在今登封西南。⑧㉞伐赵三句：梁玉绳曰：“此非事实。”〖按〗梁氏以为即《史记·赵世家》所谓“赵将乐乘、庆舍攻秦信梁军，破之”之事，秦讳言败，“史公于本纪依秦史书之而未改正耳”。首虏，斩敌之首与俘获敌人。此词屡见于《史记·卫将军骠骑列传》，可参看。⑧㉟赧王恐二句：此处“赧王”应作“西周君”。《史记·周本纪》于此正作“西周恐，倍秦，与诸侯约从”；《史记·秦本纪》亦作“西周君背秦，与诸侯约从”。约从，相约合纵。从，同“纵”。⑧㊱伊阙：在今河南洛阳南，伊水流其间，两侧之山对立如门，故称伊阙。⑧㊲令无得通阳城：谓周赧王联合东方诸国由伊阙南出，袭击秦军之侧翼，欲断秦国与其新取阳城之联络。《史记·周本纪》所记与此同。⑧㊳攻西周：攻西周武公。当时西周之都城曰王城，在今洛阳之王城公园一带。⑧㊴赧王入秦四句：此处之“赧王”亦应作“西周君”。《史记·周本纪》于此作“西周君奔秦，顿首受罪，尽献其邑三十六，口三万”；《史记·秦本纪》亦作“西周君走来自归，顿首受罪，尽献其邑三十六城，口三万”。⑧㊵归赧王于周：此处之“赧王”亦应作“西周君”。《史记·周本纪》与《史记·秦本纪》皆作“秦受其献，归其君于周”，意即仍让西周君回到王城（今河南洛阳）去住。

【校记】

［18］天下之士者：原作“天下士”。据章钰校，十二行本、乙十一行本、孔天胤本“下”下皆有“之”字，“士”下皆有“者”字。今从诸本及《史记·鲁仲连邹阳列传》《战国策·赵策三》改。［19］即有取者：原无“者”字。据章钰校，十二行本、乙十一行本、孔天胤本皆有此字。今从诸本及《史记·鲁仲连邹阳列传》《战国策·赵策三》补。［20］而连不忍为也：此六字原无。据章钰校，十二行本、乙十一行本、孔天胤本皆有此六字，张敦仁《通鉴刊本识误》、张瑛《通鉴校勘记》同。今从诸本及《史记·鲁仲连邹阳列传》补。［21］有承国：“承”原作“秦”。据章钰校，十二行本、乙十一行本、孔天胤本皆作“承”，张瑛《通鉴校勘记》同。今从诸本及《史记·吕不韦列传》《战国策·秦策五》和《通鉴释文辨误》卷一改。［22］举以为：“举”原作“誉”。今从《四部丛刊》影宋本（乙十一行本）及《史记·吕不韦列传》改。［23］为嗣：“嗣”原作“子”。据章钰校，十二行本、乙十一行本、孔天胤本皆作“嗣”。今从诸本及《史记·吕不韦列传》改。［24］邯郸姬：“姬”上原有“诸”字。据章钰校，十二行本、乙十一行本、孔天胤本皆无此字。今从诸本及《史记·吕不韦列传》删。

【研析】

本卷的主要篇幅是写秦与赵国的斗争，在本卷以前，赵国可以说是还没有受过秦国的惨重打击。不仅如此，本卷一开始还写了赵国名将大破秦军于阏与的动人故事。后人曾给予赵国的这次胜利很高的评价。武国卿、慕中岳《中国战争史》说：“赵奢在阏与之战中，制造了种种假象，严密地隐蔽了奔袭阏与的企图，迷惑了秦军，偃旗息鼓，昼夜急驰，突然逼近敌人，一举解了阏与之围，其中巧妙地示敌以‘佯’，起了很重要的作用。”马非百《秦集史》曰：“阏与战争后，国际间所生影响实甚巨大。信陵君说魏王曰：‘夫越山逾河，绝韩之上党，而攻强赵，则是复阏与之事也，秦必不为也。’当日秦在阏与战争所受创伤之深，盖可想见。又《秦策》言：‘天下之士合从相聚于赵，而欲攻秦。’然则自阏与战争后，赵之邯郸且一跃为合从谋秦之国际政治中心矣。李斯有云：‘秦四世有胜，兵强海内，威行诸侯，独阏与战争为赵所败。’”沈长云等《赵国史稿》曰：“阏与之战后，秦军又发兵进攻几（今河北大名东南），廉颇率领赵军再次大败秦军。秦军进攻东方六国的锋芒又一次受挫。……赵惠文王时期，赵国依靠其强大的国力与廉颇、马服君等著名战将，两次大败秦军，削弱了秦国进攻东方的锐气。‘赵有廉颇、马服，强秦不敢窥兵井陉’（《汉书·傅常郑甘陈段传》）；《战国策·赵策三》说赵国强大，‘四十余年秦不能得其所欲’。”但这都是赵惠文王时代的事情，当时赵国有廉颇、蔺相如等，可谓人才济济。

秦军断绝太行路，分明是要攻取韩国的上党地区。韩国不堪一击，畏秦如虎，居然放弃上党地区，任其投降秦国。韩将冯亭与上党军民不愿降秦，而宁可降赵。冯亭则希望降赵后而引起韩、赵的联合，用心未尝不苦。遗憾的是赵孝成王昏庸无能，不用虞卿的建议，不与其他国家联合，又中秦人的反间计罢去廉颇，改用赵括，于是一场悲剧发生了。武国卿、慕中岳《中国战争史》对此评论说："春秋战国以来，规模最大的大决战——秦、赵长平之战，以秦军大获全胜并坑杀赵军四十五万而告终。秦军所以能够获胜，除了它在战国七雄中占有政治上、经济上的优势地位这些最基本的因素之外，诱使赵国换将成为一个至关重要的因素。'知敌之众，莫如知敌将之性'……'掌握敌将之性，在于制服敌将之用'……当然，赵王在秦军重兵压境之时，不听虞卿以重宝赂魏、楚，赵、魏、楚合纵的建议，也是赵失败的重要因素。如若当时三国合纵成功，外有魏、楚军之援，内有廉颇之赵军，三面夹击秦军，那么长平大战的结局恐又当别论了。"对比赵国统治阶层的昏庸无为，秦国这时内部统一，计划周密，范雎施反间计于前，白起大展奇才于后，秦王"自之河内，赐民爵各一级，发年十五以上悉诣长平，绝赵救及粮食"。于是赵国大难临头。

长平之战后，首先秦国内部发生了尖锐矛盾，范雎破坏白起迅即进攻邯郸的计划，秦王听信范雎，致使白起愤然称病离开军队。等到过了一年秦王又想进攻邯郸时，东方的形势已经发生了变化。《史记》对这方面的叙述、描写是极其充分、极其精彩的。如《史记·平原君虞卿列传》写平原君带着毛遂等人到楚国求救的情景，作品不仅生动地描写了毛遂，还生动地展现了赵国的下层人物李同。后来的梁启超评论毛遂说："毛遂，一小蔺相如也，其智勇略似之，其德量不逮（及），要亦人杰也矣。"明代的李贽评论李同说："邯郸之故主灰飞，咸阳之宫阙烟灭久矣，而李同至今犹在世也。……读史至李同战死，遂为三叹。"（《藏书》）史珥曰："李同战死，为功甚大，非此力战恐亦不及待楚、魏之救。"《魏公子列传》详细地写了魏公子在侯嬴、朱亥等人的帮助下，窃符救赵，与春申君联合大破秦兵的故事。而这些故事又偏偏是只见于《史记》，而不见于《战国策》与先秦其他古书。司马光写这段历史可以说是删繁就简地引用了《史记》的文字，读者要想深知原委，应该参看《史记》原文。

鲁仲连在驳斥投降派、鼓舞赵国军民，在促进东方抗秦统一阵线的形成上是起了重要作用的，这段故事的来源是《战国策·赵策三》里的"鲁仲连义不帝秦"，司马迁据此写成了《鲁仲连列传》，从此鲁仲连成为历代知识分子既具侠肝义胆，又功成不受赏、清高绝伦的楷模形象。但这些文字是有颇多可疑之处的。钱穆曰："此文出自后人追记文饰，语已多误，绝非鲁连当日之言，更非鲁连亲笔所记。"他还认为今《战国策·赵策》之文乃后人抄《史记》以入之，而《史记》此文则采自后人依托之《鲁连子》。缪文远也说："此章载鲁仲连义不帝秦事，后代发为诗歌，演为戏剧，影响深远。然细究之，年代错乱，史事乖违，实辩士之拟作也。"又曰："当因秦围邯郸，魏公子无忌之救而得解一事横生枝节，拟作而插入者。"

本卷在叙述长平之战前，先叙述了范雎在魏国受困，经种种磨难逃到秦国，在秦国又处心积虑地劝说秦昭王收其母宣太后与其舅穰侯等人之权，从而强化王室，范雎也攫取了秦国丞相之位的过程。正是由于范雎先是扳倒穰侯，后又谗杀秦国名将白起，故而历史上多把范雎视为阴谋家。但平心而论：范雎第一次向秦昭王明确提出“远交近攻”的军事策略，这对秦国此后的依次灭掉六国是有贡献的；接着又在长平之战中施展反间计，误导赵王罢斥廉颇，起用赵括，从而为白起的大获全胜开辟了道路。穰侯先佐秦昭王夺得王位，又佐秦昭王大刀阔斧地进攻东方诸国，造成了秦国俯视六国的高屋建瓴之势，功勋确实卓著，但专横跋扈，不善处功名之际，他与秦昭王的矛盾是不能调和的，范雎正是利用了这一点。

本卷还写了吕不韦援助嬴异人捷足先登地获取了太子安国君的宠信，为其日后取得王位打好了基础。但作者写这段故事主要是为了给秦王政的日后上台做伏笔，为吕不韦的把持秦国政权做铺垫。这段故事的来源是《史记·吕不韦列传》，但《史记·吕不韦列传》的可信度是比较低的。关于吕不韦送自己的孕妾给嬴异人事，郭嵩焘说：“此与《春申君传》楚幽王为春申子同一传疑之辞，当时亦恶秦、楚之王，知其所幸姬入自吕不韦及为春申所献，因以讥刺之，不必果有其事也。”郭沫若曰：“这个传说虽然得到了久远而广泛的传播，但其本身实在是可疑的。第一，仅见《史记》而为《国策》所不载，没有其他的旁证。第二，和春申君与女嬛的故事，如一个刻板印出的文章，情节大类小说。第三，《史记》的本文即互相矛盾而无法说通。”

卷第六　秦纪一

起柔兆敦牂（丙午，公元前二五五年），尽昭阳作噩（癸酉，公元前二二八年），凡二十八年。

【题解】

本卷写了秦昭王五十二年（公元前二五五年）至秦王政十九年（公元前二二八年）共二十八年间的各国大事，其总体形势是秦国对东方六国发起了最后的大扫荡，使韩国被灭，魏国与赵国正濒临灭亡，燕国、楚国已成为惊弓之鸟，只有齐国暂时还祸未临头，仍沉迷于醉生梦死之中。本卷交代了秦国的昭襄王之死，孝文王、庄襄王的短暂过渡，秦王政的上台执政，秦国丞相范雎被蔡泽所取代，以及吕不韦为秦相国的历程。本卷写了赵国良将李牧为赵国支撑残局，并一度大破匈奴，开拓了北部边境，但最后被昏庸的赵王迁所毁，从而国破家亡，教训触目惊心。本卷写了春申君进孕妾于楚王，企图以此巩固自己在楚国的地位，结果被阴谋家李园所杀；写了吕不韦进孕妾于秦国的子楚，并由此在秦国执政，结果因嫪毐之乱牵连被杀。作者将这两个人物连在一起写，其意味是深长的，但事实本身未必可信。

【原文】

昭襄王

五十二年[①]（丙午，公元前二五五年）

河东守王稽[②]坐与诸侯通[③]，弃市[④]。应侯日以不怿[⑤]。王临朝而叹[⑥]，应侯请其故[⑦]。王曰："今武安君死，而郑安平、王稽等皆畔[⑧]，内无良将，而外多敌国，吾是以忧。"应侯惧，不知所出[⑨]。

燕客[⑩]蔡泽闻之，西入秦，先使人宣言[⑪]于应侯曰："蔡泽，天下雄辩之士。彼见王，必困君[⑫]而夺君之位。"应侯怒，使人召之。蔡泽见应侯，礼又倨[⑬]。应侯不快，因让[⑭]之曰："子宣言欲代我相，请闻其说。"蔡泽曰："吁，君何见之晚也！夫四时之序，成功者去[⑮]。

【语译】

昭襄王

五十二年（丙午，公元前二五五年）

河东郡郡守王稽因为与东方诸国勾结而获罪，在闹市被处死后陈尸示众。应侯范雎为此事而每天闷闷不乐。一天，秦昭王在上朝的时候长长地叹了一口气，应侯询问秦昭王因为什么而长叹。秦昭王说："如今武安侯已经死了，而郑安平、王稽等人也都背叛了秦国，目前秦国内无良将，外面又有许多敌对的国家，所以感到很忧虑。"应侯听后感到很恐惧，不知道该怎么办才好。

燕国人蔡泽知道后，就从燕国向西来到秦国，他先派人传话给应侯说："蔡泽这个人，是天下最能言善辩的人。如果让他去见秦王，必定会使您陷入困境而夺去您的职位。"应侯范雎非常生气，派人把蔡泽找来。蔡泽见到应侯范雎，态度很傲慢。应侯范雎看见他这个样子很不高兴，就责备他说："你向我传话说，要顶替我而为秦国的丞相，我倒想听听是什么缘故。"蔡泽说："唉，先生您的见识怎么那么迟钝呢！一年当中分为四季，春种、夏长、秋收、冬藏，这是大自然的规律，表示成功了就得离

君独不见夫秦之商君[16]、楚之吴起[17]、越之大夫种[18]，何足愿与[19]？”应侯谬曰[20]：“何为不可？此三子者，义之至也[21]，忠之尽也[22]。君子有杀身以成名[23]，死无所恨[24]。”蔡泽曰：“夫人立功[25]，岂不期于成全邪[26]？身名俱全者，上也；名可法[27]，而身死者，次也；名僇辱[28]，而身全者，下也。夫商君、吴起、大夫种，其为人臣[29]，尽忠致功[30]，则可愿[31]矣。闳夭[32]、周公[33]，岂不亦忠且圣乎[34]？三子之可愿，孰与闳夭、周公哉[35]？”应侯曰：“善。”蔡泽曰：“然则君之主[36]，惇厚旧故[37]，不倍功臣[38]，孰与孝公、楚王、越王[39]？”曰：“未知何如。”蔡泽曰：“君之功能，孰与三子？”曰：“不若。”蔡泽曰：“然则君身不退[40]，患恐甚于三子[41]矣。语曰：‘日中则移，月满则亏[42]。’进退赢缩，与时变化[43]，圣人之道[44]也。今君之怨已仇[45]，而德已报[46]，意欲至[47]矣，而无变计[48]，窃为君危之[49]。”应侯遂延[50]以为上客，因荐于王。王召与语，大悦，拜为客卿。应侯因谢病免[51]。王新悦蔡泽计划，遂以为相国[52]。泽为相数月，免[53]。

楚春申君以荀卿[54]为兰陵令[55]。荀卿者，赵人，名况，尝与临武君[56]论兵于赵孝成王之前。王曰：“请问兵要[57]。”临武君对曰：“上得天时[58]，下得地利[59]，观敌之变动，后之发[60]，先之至[61]，此用兵之要术也。”

荀卿曰：“不然。臣所闻古之道，凡用兵攻战之本，在乎一民[62]。弓矢不调[63]，则羿[64]不能以中[65]；六马不和[66]，则造父[67]不能以致远[68]；士民不亲附[69]，则汤、武[70]不能以必胜[71]也。故善附民[72]者，是乃善用兵者也，故兵要在乎附民而已。”

临武君曰：“不然。兵之所贵[73]者，势利[74]也；所行者，变诈[75]也。善用兵者，感忽悠暗[76]，莫知所从出[77]。孙、吴[78]用之，无敌于天下，

去。您难道没有看见秦国的商鞅、楚国的吴起、越国的文种，他们的那种结局有什么可值得羡慕?”应侯范雎辩解说:“怎么不值得羡慕? 这三个人，将义和忠都做到了尽善尽美的地步。君子为了成就忠义的美名而死不足惜，就是被杀死也不会感到遗憾。”蔡泽说:“人在追求成功的时候，哪一个不希望事业成功、人身完好呢? 做到性命和功名都能够保全的是最上策；功名、事业传于后世，可供后人效法，而自身却不能保全的为中策；声名遭受侮辱而能保全性命的为下策。像商鞅、吴起、文种，他们作为人臣，忠心耿耿地致力于君王的事业，为国家建立了丰功伟业，本来是很值得仰慕的。像闳夭、周公这样的人，难道不是既为君王尽忠的忠臣又通达万物之理的圣人吗? 商鞅等三人如果和闳夭、周公比起来，哪个更值得仰慕呢?”应侯范雎说:“你说得有道理。”蔡泽又分析说:“您的主人秦王在对待旧臣的忠厚程度、绝不背弃功臣方面，和秦孝公、楚王、越王比起来又做得怎么样呢?”应侯范雎说:“不怎么样。”蔡泽说:“先生您的功劳与才干和商鞅等人比起来谁的更大呢?”应侯回答说:“我不如他们。”蔡泽说:“这样的话，再不赶紧引退，恐怕您的灾祸比那三个人还要大呢。俗话说:‘太阳行到中午，就要偏移西沉；月亮到了圆满，就要慢慢亏损。’该进就进，该退就退，该伸就伸，该缩就缩，要随着形势的变化而改变，这就是圣人遵循的常理。如今您该报的仇已经报过，该报答的恩德也已报答，心愿已经实现，但却没有适应时势变化的考虑，我真为您感到担忧。”应侯范雎听后感到如同大梦初醒，于是将蔡泽待为上宾，并找机会将蔡泽举荐给秦昭王。秦昭王召见蔡泽，和他面谈后非常高兴，任命他为客卿。应侯范雎借口有病，向秦昭王递交了辞呈。秦昭王最近很是欣赏蔡泽的计划，于是就任命蔡泽为丞相。蔡泽任丞相几个月后被免职。

楚国的春申君黄歇任命荀卿为兰陵县令。荀卿是赵国人，他的名字叫况，曾经在赵孝成王面前和临武君谈论兵法。赵孝成王说:“请你们告诉我，用兵的关键是什么。”临武君说:“在上，要懂得阴晴寒暑的变化符合不符合攻战的条件，在下，要明了高城深池、山川险阻的有利地势，还要善于观察敌人的变化，在充分掌握敌情后再向敌人发起进攻，还要在敌人之前抢先占据有利地势，这些都是用兵的关键。”

荀卿说:“不对。我听说古代的用兵之道，夺取战争胜利的关键在于使全国上下团结一致。弓和箭如果调整得不好，就连善于射箭的后羿也不能射中目标；六匹马步调不一致，就是善于驾车的造父也不能使马车到达最远的目的地；如果人民不拥戴你，不听从你的号令，那么就是商汤、周武王那样的圣人也不一定能够取得胜利。所以说，善于使人民亲附、乐于为自己效命，这才是善于用兵的人，所以，用兵的关键在于使人民亲附、乐于效命而已。”

临武君说:“你说得不对。用兵之道在于重视有利的形势和有利的条件；还要善于运用变化无常、行动隐秘、迷惑对方的手段。善于用兵的人变幻无常、神秘莫测，使敌方摸不透你的作战意图。孙武、吴起就是如此，所以才能够无敌于天下，做到

岂必待附民哉⑲！"

荀卿曰："不然。臣之所道⑳，仁人之兵㉑，王者之志㉒也。君之所贵㉓，权谋㉔势利也。仁人之兵，不可诈㉕也。彼可诈者㉖，怠慢㉗者也，露袒㉘者也，君臣上下之间滑然㉙有离德㉚者也。故以桀诈桀㉛，犹巧拙有幸㉜焉。以桀诈尧㉝，譬之以卵投石，以指挠沸㉞，若赴㉟水火，入焉焦没㊱耳。故仁人之兵，上下一心，三军㊲同力。臣之于君也，下之于上也，若子之事父，弟之事兄，若手臂之捍头目㊳，而覆胸腹㊴也。诈而袭之㊵，与先惊而后击之㊶，一也㊷。且仁人用㊸十里之国，则将有百里之听㊹；用百里之国，则将有千里之听；用千里之国，则将有四海之听㊺。必将聪明警戒㊻，和傅而一㊼。故仁人之兵，聚则成卒㊽，散则成列㊾。延㊿则若莫邪[111]之长刃，婴[112]之者断；兑[113]则若莫邪之利锋[114]，当[115]之者溃[116]。圜居而方止[117]，则若盘石然[118]，触之者角摧[119]而退耳。且夫[120]暴国之君，将谁与至[121]哉？彼其所与至者[122]，必其民也[123]。其民之亲我[124]，欢若父母[125]；其好我[126]，芬若椒兰[127]。彼反顾其上[128]，则若灼黥[129]，若仇雠[130]。人之情[131]，虽[132]桀、跖，岂有肯为其所恶，贼其所好者哉[133]？是犹使人之子孙自贼其父母也。彼必将来告[134]，夫又何可诈也[135]？故仁人用[136]，国日明[137]。诸侯先顺者安[138]，后顺者危，敌之者削[139]，反之者亡[140]。《诗》曰[141]：'武王载发[142]，有虔秉钺[143]，如火烈烈[144]，则莫我敢遏[145]。'此之谓也[146]。"

孝成王、临武君曰："善。请问王者之兵，设何道何行而可[147]？"荀卿曰："凡君贤[148]者，其国治；君不能者，其国乱。隆礼贵义[149]者，其国治；简礼贱义[150]者，其国乱。治者强，乱者弱，是[151]强弱之本也。上足卬[152]，则下可用[153]也；上不足卬，则下不可用也。下可用则强，

了这些，难道还一定要依赖人民亲附吗！”

荀卿说：“你说得不对。我所说的用兵之道指的是道德修养高、能行仁义的帝王所进行的战争，指的是实行仁政、以王道治理天下的人的用兵之道。而你所推崇的是使用诈谋，看重的是有利的形势。对付行仁政的人，是不能够用诈谋的。可以用诈谋打败的，是那些纪律松懈、疲惫不堪的，或是君臣之间、上下之间关系涣散、离心离德的人。所以让一支夏桀的部队去攻打另一支夏桀的部队，也许手段高明的可以打败手段拙劣的。如果是以夏桀那样的人对付尧那样道德高尚的人，就好比是以卵击石，用手指去搅动沸腾的水，将身体投入水中，投入火中，进去就得淹死，就得烧焦了。所以仁德的人用兵，上下一心，三军协力。臣子对待国君，下级对待上级，就像是儿子侍奉父亲，弟弟侍奉兄长，像双手会不由自主地去护卫头颅、眼睛和胸腹一样。运用诈谋对人发动突然袭击，与先恫吓，然后再去攻打的结果是一样的。况且仁德的人即使只统治着方圆十里的地方，百里之内的人都会给他充当耳目；统治方圆百里的地方，千里之内的人都会给他充当耳目；统治方圆千里的地方，普天之下的人都会给他充当耳目。这样的话，必定是耳聪目明，早已做好各项警惕戒备，国家团结得像一个人一样。所以，仁德的人用兵，一起聚拢起来就是一座军阵，向四处散开就组成了行列。排成横队，就像是伸出了莫邪那样的宝剑，碰上的必定被杀死；排成纵队，就像是莫邪的锋刃，遇上的必定灭亡。扎营驻军不管是圆形阵还是方形阵，都会安如磐石，谁碰上谁就会被摧毁，就像牛被折断了角一样向后倒退。更何况那些残暴的国君，谁还愿意为他去打仗呢？那些跟他去打仗的，只有他的百姓。他的那些百姓亲近我们，就像是亲近自己的父母；对王者的喜爱，就像是喜爱芬芳的椒、兰等香草那样。回过头来再看他们的君主，就如同自己受到了黥刑一样难受，像面对着自己的仇人一样痛恨。人的本性，即使像夏桀、盗跖那样的人，难道会愿意帮助自己所厌恶的人，而去伤害自己所爱戴的人吗？这就如同是让别人的子孙去残害他们的父母。他们必定会将所憎恨的人的阴谋报告给我们，在这样的形势下，你又如何能够使用诈谋呢？所以仁德的人治理国家，国家会一天天地强盛起来。那些诸侯国率先归附的就能得到安宁，最后归顺的就会危险，敌对的就会被削弱，背叛的就会被灭亡。《诗经》上有这样的诗句：‘周武王开始出发，勇武的兵士手拿着斧钺，就像是熊熊燃烧的火焰，没有人敢阻挡。’说的就是王者之师呀。”

赵孝成王和临武君都说：“你说得很好。请问，以仁政治理国家的人在用兵的时候，采用的是什么样的治军路线和治军思想？”荀卿说：“凡是君主贤明的，国家就一定治理得很好；君主缺少才干的，国家就会很混乱。尊崇礼教、重视仁义的，国家就治理得好；怠慢礼教、轻视仁义的，国家就混乱。治理好的国家就强盛，混乱的国家就衰弱，这就是国家强盛还是衰弱的根本。在上位的国君能够被在下的臣民所景仰，臣民就愿意为国君效力；在上位的国君不能够被在下的臣民所景仰，臣民就不愿意为国君效力。臣民愿意为国君效力的国家就强大，臣民不愿意为国君效力的

下不可用则弱，是强弱之常也154。好士者强，不好士者弱。爱民者强，不爱民者弱。政令信者强，政令不信者弱。重用兵者强，轻用兵者弱。权出一者强，权出二者弱。是强弱之常也[1]。

“齐人隆技击155，其技也得一首156者，则赐赎锱金157，无本赏158矣。是159事小敌毳160，则偷可用161也；事大敌坚162，则涣焉离163耳，若飞鸟然，倾侧反覆无日164。是亡国之兵也，兵莫弱是165矣，是其去赁市佣而战之几矣166。

“魏氏167之武卒168，以度取之169：衣三属之甲170，操十二石之弩171，负矢五十个172，置戈其上173，冠胄174带剑，赢175三日之粮，日中而趋百里176。中试则复其户177，利其田宅178。是179其气力数年而衰180，而复利未可夺181也，改造则不易周也182。是故地虽大，其税必寡183。是危国184之兵也。

“秦人其生民也狭隘185，其使民也酷烈186。劫之以势187，隐之以厄188，忸之以庆赏189，鳅之以刑罚190。使民所以要利于上191者，非斗无由192也。使以功赏相长193,五甲首而隶五家194。是最为众强长久之道195。故四世有胜196，非幸197也，数也198。

“故齐之技击，不可以遇199魏之武卒；魏之武卒，不可以遇秦之锐士200；秦之锐士，不可以当201桓、文之节制202；桓、文之节制，不可以当汤、武之仁义。有遇之者203，若以焦熬投石204焉。兼是数国205者，皆干赏蹈利206之兵也，佣徒鬻卖之道207也，未有贵上208安制209綦节210之理也。诸侯有能微妙之以节，则作而兼殆之耳211。故招延募选212，隆势诈213，

国家就衰弱，这是决定国家强大还是衰弱的根本。君主尊贤好士的国家就强大，君主不喜好贤士的国家就衰弱。君主爱护人民的国家就强大，君主不爱护人民的国家就衰弱。政令能使臣民信服的国家就强大，政令不能使臣民信服的国家就衰弱。重视军队建设的国家就强大，轻视军队建设的国家就衰弱。权力集中统一的国家就强大，政出多门的国家就衰弱。这些是决定国家强大还是衰弱的根本。

“齐国人崇尚各种作战杀敌的技巧，这种技巧斩获敌人一颗首级的，或者给予八两黄金的奖赏，或者可以抵偿本人犯罪应缴的同样数量的罚金，只凭斩首的多少进行赏赐而不问全军的胜败。这样的方式，在作战中遇到小股脆弱的敌人还可以勉强使用；遇到强大的对手就会军心瓦解、四处逃奔了，像天空中的飞鸟一样自己干自己的，这就离灭亡不远了。这就是亡国之兵，没有比这再衰弱的军队了，这就如同在街市上招募一些人，让他们去作战差不多。

“魏国在选拔精锐部队的时候，采取了严格的选拔标准，方法是：让那些参加选拔的人肩上披着皮革做的披肩，胸部围着胸铠，下身垂着腿裙，即所谓的三属之甲，手中拿着拉力十二石的弓，背上背着五十支箭，肩上再扛着戈，头上戴着头盔，腰中插着剑，还得带着三天的干粮，一个中午的时间急行军一百里。考试合格的人，国家就免除他家的徭役和房屋地产等一应的租税。其实这些人服役不了几年就逐渐累垮了，但他们所享受的免除徭役等优惠待遇却不能剥夺。再招募新兵，仍然不改变做法，这样周而复始地沿用下去。魏国的领土虽大，而税收必定越来越少。这样的军队是会使国家陷入危险的军队。

“秦国人民赖以生存的自然条件很不好，而役使人民的手段又很残酷严厉。用威权来强迫他们，使他们不得不参与战争，让他们习惯于杀敌就可以得到奖赏，用严酷的刑罚逼迫人民。使他们明白，要想得到利益，除去拼死杀敌以外没有别的出路。使战功和奖赏相互增长，在战场上斩获五个敌人的首级，就能得到役使乡里五户人家的爵赏。这就使得国家兵员众多、战斗力强而又能保持长久而不衰败。所以从秦孝公、秦惠文王、秦武王、秦昭襄王以来四世都能保持常胜不败的地位，这不是侥幸得来的，而是有其必然性。

“总而言之，齐国靠它的各种杀敌技巧，对付不了魏国的武士；魏国的武士，战胜不了秦国的精锐部队；秦国的精锐部队，又不能抵挡齐桓公、晋文公的纪律严明、训练有素的霸主军队；齐桓公、晋文公的纪律严明、训练有素的霸主军队，又不能战胜商汤、周武王的仁义之师。如果遇上了，就如同是用手指搅动沸水、以卵击石一样，必败无疑。上述齐、魏、秦等所有国家的军队，都是为追求奖赏、贪图利益而战斗，是受雇佣出卖力气的军队，而没有尊重君主、遵守纪律、极尽忠心的情操。诸侯如果能够尽心竭力用礼义教育士兵，让他们知道为何而战，就必定能强大起来，把其他国家打败。招募也好，考试也好，如果只是看重有利的形势和运用诈谋，

上功利[214]，是渐之也[215]。礼义教化，是齐之[216]也。故以诈遇诈[217]，犹有巧拙[218]焉；以诈遇齐，譬之犹以锥刀堕泰山[219]也。故汤、武之诛[220]桀、纣也，拱挹指麾[221]，而强暴之国[222]莫不趋使[223]，诛桀、纣若诛独夫[224]。故《泰誓》曰'独夫纣'[225]，此之谓也。故兵，大齐[226]则制天下，小齐则治邻敌[227]。若夫招延募选，隆势诈，上功利之兵，则胜不胜无常[228]，代翕代张[229]，代存代亡[230]，相为雌雄[231]耳。夫是谓之盗兵[232]，君子不由[233]也。"

孝成王、临武君曰："善。请问为将。"荀卿曰："知[234]莫大于弃疑[235]，行莫大于无过[236]，事莫大于无悔[237]。事至无悔而止矣[238]，不可必也[239]。故制号政令[240]，欲严以威[241]；庆赏[242]刑罚，欲必以信[243]；处舍[244]收藏[245]，欲周以固[246]；徙举进退[247]，欲安以重[248]，欲疾以速[249]；窥敌观变[250]，欲潜以深[251]，欲伍以参[252]；遇敌决战，必行吾所明[253]，无行吾所疑[254]。夫是之谓'六术[255]'。

"无欲将而恶废[256]，无怠胜而忘败[257]，无威内而轻外[258]，无见其利而不顾其害[259]，凡虑事欲熟[260]而用财欲泰[261]。夫是之谓'五权[262]'。将所以不受命于主[263]有三：可杀[264]而不可使处不完[265]，可杀而不可使击不胜[266]，可杀而不可使欺百姓。夫是之谓'三至[267]'。

"凡受命于主而行[268]三军，三军既定[269]，百官得序[270]，群物皆正[271]，则主不能喜[272]，敌不能怒[273]。夫是之谓至臣[274]。虑必先事[275]，而申之以敬[276]，慎终如始[277]，始终如一。夫是之谓大吉。凡百事之成也，必在敬[278]之；其败也，必在慢[279]之。故敬胜怠则吉，怠胜敬则灭；计胜欲则从[280]，欲胜计[281]则凶。战如守[282]，行如战[283]，有功如幸[284]。敬谋无旷[285]，

只是崇尚战功和奖赏，那就是在欺骗士兵。尊崇礼仪、实施教化，才能使他们整齐划一、齐心协力。运用诈谋对付诈谋，尚且有巧拙之分；用诈谋对待齐心协力的军队，就像是企图用小刀去摧毁巍峨的泰山一样愚蠢。所以商汤讨伐夏桀、周武王讨伐商纣的时候，指挥作战时是那样从容不迫，而平时骄横暴戾的人在仁义之师面前也变得老老实实，听从驱使，所以诛杀夏桀、商纣就如同诛杀两个没人拥护的光杆司令一样容易。《泰誓》上说'孤家寡人的商纣王'，说的就是这个意思。所以军队的思想特别统一、行动一致，就能够平定天下，一定程度的行动一致也能打败周边的敌国。至于采取招募或是考试的方式选拔士兵，作战时只是看重有利的形势和运用诈谋，又崇尚战功和奖赏，对士兵进行欺骗，那么战争的胜败就没有定准了，国家也就会时强时弱、时存时亡，互有胜败。这就是所说的盗贼之兵，仁德的君主是不会走这条路的。”

赵孝成王和临武君说：“说得太好了。请问如何才能做个好统帅？”荀卿说：“聪明的做法是不做没有把握的决定，不打没有把握的仗，做事没有过错，事情过后没有遗憾，没有比这再好的了。其实做事做到了没有遗憾的地步就可以了，还不一定能够做到。所以制定各种制度号令，在执行的时候一定要严格而有威力；奖功罚过，一定要实事求是，要讲求信用；构筑营垒、仓库，要力求周密坚固；部队前进或后退，一定要安全而稳重，快捷而迅速；刺探敌情，看其变化，一定要隐蔽而深入，对观察到的情况要进行分析比较，反复核实；遇到和敌人交战，一定要在了解清楚敌情的情况下进行，不打没把握的仗。以上是六种军事原则。

“不要只想保住自己的将帅地位而担心失去，不要因为胜利产生怠慢的心理而忘记了骄兵必败，不要只注意对内部政令威严而轻视外敌，不要只看见有利的一面而忽略了有害的一面，凡是考虑事情一定要做到深思熟虑，在进行奖赏的时候，发放财物绝对不能吝啬。以上是五种值得权衡、应该考虑的情况。将在外所以能不听君主的指挥的情况有三种：宁可杀头，而不可以接受使他率军进入绝地的命令；宁可杀头，而不可以接受让他去打根本无法战胜敌人的命令；宁可杀头，也不接受让他去执行残害人民的命令。以上就是必须遵守而不可改变的三个原则。

“凡是接受了君主的命令率领三军，就要使三军各级官吏委任齐全、各守其职、各负其责，军中各种事物都要纳入正轨，在这种情况下，君主的奖赏不能使他欢喜，敌人的任何伎俩也不能使他恼怒。这才是最好的将领。谋虑必须在行动之前，而且要慎之又慎，行动从开始到结束要始终保持谨慎，能够做到始终如一。如果做到这样，就必定没有覆败的危险了。任何事情的成功一定取决于慎重对待，而失败必定是因为漫不经心和疏忽大意。所以谨慎战胜疏忽大意就能取得胜利，轻敌和疏忽战胜了谨慎就会败亡；从国家的利益考虑战胜了为一己私利考虑就成功，考虑个人利害得失胜过为国家利益考虑就必定遭遇凶险。出战如同防守一样谨慎，平时训练行军也要像战时一样快捷迅速，打了胜仗时也不骄傲，反而觉得是侥幸得胜一样。

敬事[286]无旷，敬吏[287]无旷，敬众[288]无旷，敬敌[289]无旷。夫是之谓‘五无旷’。慎行此‘六术’‘五权’‘三至’，而处[290]之以恭敬、无旷，夫是之谓天下之将[291]，则通于神明[292]矣。”

临武君曰：“善。请问王者之军制[293]。”荀卿曰：“将死鼓[294]，御死辔[295]，百吏死职[296]，士大夫[2]死行列[297]。闻鼓声而进，闻金声[298]而退。顺命为上[299]，有功次之[300]。令不进而进，犹令不退而退也，其罪惟均[301]。不杀老弱，不猎禾稼[302]，服者不禽[303]，格者不赦[304]，奔命者[305]不获[306]。凡诛[307]，非诛其百姓也，诛其乱百姓者也。百姓有捍其贼[308]，则是亦贼[309]也。以故[3]顺刃者生[310]，傃刃[311]者死，奔命者贡[312]。微子开封于宋[313]，曹触龙[314]断于军[315]，商之服民[316]，所以养生之者[317]无异周人。故近者歌讴[318]而乐之，远者竭蹶而趋之[319]。无幽闲辟陋之国[320]，莫不趋使而安乐之[321]。四海之内若一家，通达之属[322]，莫不从服。夫是之谓‘人师[323]’。《诗》曰[324]：‘自西自东，自南自北，无思不服[325]。’此之谓也[326]。王者[327]有诛而无战[328]，城守不攻[329]，兵格不击[330]。敌上下相喜[331]则庆之[332]，不屠城[333]，不潜军[334]，不留众[335]，师不越时[336]。故乱者乐其政[337]，不安其上[338]，欲其至[339]也。”临武君曰：“善。”

陈嚣[340]问荀卿曰：“先生议兵，常以仁义为本。仁者爱人，义者循理[341]，然则又何以兵为[342]？凡所为有兵者，为争夺也。”荀卿曰：“非汝所知也。彼仁者爱人，爱人，故恶人之害之[343]也。义者循理，循理，故恶人之乱之[344]也。彼兵者[345]，所以禁暴除害[346]也，非争夺[347]也。”

燕孝王薨，子喜[348]立。

谨慎地考虑战略战术而不松懈、不疏忽，谨慎地对待战事而不松懈、不疏忽，谨慎地对待下属官吏而不松懈、不疏忽，谨慎地对待士卒而不松懈、不疏忽，慎重地对待你的敌人而不松懈、不疏忽。这就是五个不松懈、不疏忽。能够慎重地把握上述‘六术’‘五权’‘三至’，又能以恭敬谨慎、不松懈不疏忽的态度去对待，这就是所说的天下无敌、用兵如神的将领了。”

临武君说：“说得好。请问以王道治理国家的君主，他们治军的法令制度是怎么样的呢？”荀卿说：“大将在指挥作战时就是战死了也不会丢下战鼓，驾驭战车的人就是死在战车旁也不会放下缰绳，军中的小官吏就是死也不会擅离职守，领军的指挥官就是死也会死在自己的岗位上。要做到听到进军的鼓声就向前冲，听到停止进攻的锣声就马上撤退。服从命令为第一，建立战功为第二。命令前进而不进，就如同命令不许撤退而自行撤退一样，其罪是相同的。作战时不杀害年老的和年少的，不践踏百姓的庄稼，已经投降的不再囚禁，敢于抵抗的绝不赦免，四散逃跑的敌军，不能再抓他们当俘虏看待。诛杀，不会诛杀老百姓，而是诛杀那些危害百姓的人。百姓当中有保护敌人的，那他就是敌人。要让敌人知道：如果不战而屈服就可以生存，顽抗到底死路一条，四散逃跑的敌军则献之于上将。商纣王的哥哥微子启投降了周武王，所以被封于宋；曹触龙忠于商纣王，所以被杀死在军中；商朝的百姓凡是归顺周朝的，在生活待遇上与周人没什么两样。所以生活在近处的人都歌颂周的仁德，欢迎周的军队；远方的人不顾颠簸之苦，争先恐后地来投奔周。不论多么偏僻遥远的小国，都愉快地为它效劳。四海之内就如同一家人一样，只要有人迹的地方，就没有不归顺的。这就是所说的引导人们走向幸福安乐的导师。《诗经》上说：‘从西向东，从南到北，没有一个人不想着归附周朝的。’所说的就是这种天下万国向往归附王者之师的情景。以仁义礼乐治理国家的君主，只有讨伐不义的战争而没有争城夺地的战争，守城敌军防守很严就不强行攻打，敌人还在顽强地抵抗就不进攻。敌人上下一心就祝贺他们，攻下城池以后绝不把城中的百姓不加区别地全部杀光，不偷袭敌人，不长时间地把军队留驻在被征讨的国家，用兵不超过规定的时间。所以，那些政治混乱国家的人民欢迎王者的政治措施，而不满于本国君主的统治，盼望王者军队的到来。”临武君说：“讲得好。”

陈嚣问荀卿说：“先生您谈论军事，总是把仁义当作根本。仁的意思就是爱人，义的意思是按照规矩办事，然而为什么还要用兵呢？依我看来，用兵的目的都是为了争夺。”荀卿回答说：“这不是你所能懂得的。那些仁德的人都有爱人之心，因为他们爱人，所以就担心有人去危害自己所爱的人。行义的人总是按照规矩去做，因为按照规矩去做，所以就担心有人扰乱了正确的规矩。仁义之人用兵的目的，是为了制止暴乱、消除祸害，而不是为了争夺。”

燕孝王去世，他的儿子喜即位。

周民东亡[349]。秦人取其宝器[350]，迁西周公[351]于𢠸狐之聚[352]。

楚人[4]迁鲁于莒而取其地[353]。

【段旨】

以上为第一段，写秦昭王五十二年（公元前二五五年）的全国大事，但本段实际只写了燕国游士蔡泽乘范雎在秦国失宠之机恫吓范雎辞职，自己攫得相位，以及荀况自赵入楚，被楚任为兰陵令，遂趁便引入了荀子《议兵》的几个段落，表现了司马光有关军事问题的一些思想。

【注释】

①昭襄王五十二年：在本年以前，周天子虽然早已成为傀儡，但由于他还活着，故司马光记述全国大事仍用周天子的年号；如今周赧王死了，这时的四海之内虽然还没有大家共同承认的帝王，但是秦国最强，其他国家都非常怕他，而且再过三十多年秦国就要统一天下了，所以司马光就从这一年开始用秦昭王的年号记述全国大事，并开始称本年以后历史为“秦纪”。②河东守王稽：河东郡的郡守王稽。河东郡的郡治在今山西夏县西北。王稽是当初把范雎带到秦国来的人，当时在秦国任谒者，后来被范雎推举为河东郡郡守。③坐与诸侯通：因与东方诸国相勾结。坐，因，因某事被治罪。④弃市：被处死于闹市。古时在闹市处死犯人，以示与世人共弃之。⑤日以不怿：每天不高兴。不怿，不悦、不高兴。⑥临朝而叹：在上朝的时候当众叹气。⑦请其故：请问叹气的原因。⑧畔：同“叛”。郑安平在围邯郸时率二万人降赵，王稽为河东守时又通诸侯，故曰“皆畔”。⑨不知所出：不知道该怎么办；想不出解决问题的办法。⑩燕客：燕国的说客。⑪宣言：扬言；放出话去。⑫困君：使您处于不利地位。君，指范雎。⑬倨：傲慢无礼。⑭让：责备。⑮四时之序二句：春、夏、秋、冬，轮回交替，自己的任务一完成就自动离去。凌稚隆引凌约言曰：“‘四时之序，成功者退’，此一篇主意。后反覆议论，要不外此。”⑯商君：即商鞅。佐孝公变法，使秦富强，孝公死后，商鞅被反对派杀害。事见《史记·商君列传》。⑰吴起：战国前期的政治家，曾佐楚悼王实行变法，楚国富强。悼王死后，吴起被反对派杀害。事见《史记·孙子吴起列传》。⑱大夫种：即文种，春秋末期越国大臣，曾佐助越王勾践灭吴称霸，事成后被勾践所杀。事见《史记·越王勾践世家》。⑲何足愿与：他们的结局有什么可学习的呢。⑳谬曰：故意地说。谬，假装，故意强词夺理。㉑义之至也：义的顶点。至，顶点、极点。㉒忠之尽也：忠的尽头。㉓有杀身以成名：为成就忠义的美名而死不足惜。㉔死无所恨：即死而无憾。恨，

西周君被秦国灭亡，西周君统治下的人民大多逃亡到了东周君那里。秦国将西周君的所有宝器全部掠走，还把西周君放逐到罴狐村。

楚考烈王将鲁国国君姬仇放逐到莒而霸占了鲁国的领土。

憾、遗憾。㉕夫人立功：大凡一个为国立功的人。夫，发语词。㉖岂不期于成全邪：谁不希望事业成功、人身完好呢。期，希望。成全，事业成功、人身完好。㉗名可法：功名、事业传于后世，可供人效法。㉘名僇辱：即留骂名于后世。僇辱，侮辱。㉙为人臣：作为一个臣子。㉚尽忠致功：忠心耿耿，为国家建立了丰功伟业。㉛可愿：是后人愿意学习的榜样。㉜闳夭：周文王的佐命大臣，与散宜生等齐名。事迹见《史记·周本纪》。㉝周公：文王之子，武王之弟，先辅佐武王灭商建周，又辅佐其侄成王治理国家，使国家出现了"盛世"局面。事见《史记·周本纪》《史记·鲁周公世家》。闳夭与周公都被后世称为圣人，称为人臣的典范。㉞岂不亦忠且圣乎：岂不更既是忠臣又是圣人吗。㉟三子之可愿二句：商君、吴起、大夫种这三个人可供人学习的吸引力，和周公、闳夭比起来，哪个更大呢。㊱君之主：您的君主，指秦昭王。㊲惇厚旧故：对待旧臣的厚道程度。㊳不倍功臣：能做到绝不背叛功臣。倍，通"背"，背叛。㊴孰与孝公、楚王、越王：和秦孝公、楚悼王、越王勾践比起来又怎么样。㊵君身不退：如果您还不赶紧引退。㊶患恐甚于三子：您的灾祸将比商鞅、吴起、大夫种还要严重。患，灾祸。㊷日中则移二句：二句出自《易·彖传》，原文作"日中则昃，月盈则食"。后世也用作讲事物发展规律的格言。㊸进退嬴缩二句：即随客观形势之变而变。嬴缩，曲伸。㊹圣人之道：指功成身退，见好就收。这里的"圣人"显然是指老子一派。㊺怨已仇：该报的仇都已经报了。仇，报，取得相等之补偿。㊻德已报：该报的恩也都报了。德，恩。㊼意欲至：凡是想做的事情都已经做到。㊽而无变计：还不另做别的打算。㊾窃为君危之：我替您感到危险。窃，谦辞。㊿延：引；请。51谢病免：推说有病，辞去相位。凌稚隆引王应麟曰："蔡泽虽以辩智夺范雎之位，然竟免范于难，其有益于范亦大矣。"鲍彪曰："周衰，辩士皆矜材角智，趣于利而已，惟泽为近道德，明哲保身之策，故其得位不数月引去，优游于秦，以封君令终，美矣！'非苟知之，亦允蹈之'，泽之谓乎？"吴师道曰："泽知范雎内惭，故西入秦，志在夺相，扬雄所谓'扼其喉，抗其气，拊其背，而夺其位'，乃矜材、角智、趣利之尤者。相秦数月，惧诛归印，亦智巧之尤。无功而退，既无当于道德之旨；'明哲保身'之义，彼何足以知之哉！"茅坤曰："《蔡泽传》，不详他事业，只了当范雎事。"〖按〗关于范雎之死，史无明文。马非百引《战国策·秦策三》而后曰："雎之死，当在推荐蔡泽自代称病免相之时。而其死法，则不是明正典刑，而是请药赐死。且其事进行甚密，不为外人所知。"52王新悦蔡泽计划二句：时当秦昭王五十

二年（公元前二五五年）。53 泽为相数月二句：李光缙引张洲曰："蔡泽不难于夺雎之位，而难于数月去位，盖始终守'成功者去'之一言也。"锺惺曰："战国之士取相位有余，而救死不足者甚多。若泽者，能释人于死，而又不代人处死地，亦可谓有识矣。盖成功者退一语，泽以之责应侯，而又能以之自处。"54 荀卿：即荀况，战国末年赵人，亦称孙卿。我国古代著名的唯物主义思想家，是继孟轲之后的又一位儒家大师。事迹见《史记·孟子荀卿列传》。55 兰陵令：兰陵县的县令。兰陵是楚县名，在今山东兰陵西南。〖按〗荀卿为兰陵令在楚考烈王八年（公元前二五五年）。56 临武君：原楚人，此时为赵将，姓名不详。57 兵要：用兵的关键问题。58 得天时：古代阴阳学家占卜得出的"宜"与"不宜"的事情。《孟子》有所谓"天时不如地利"，赵岐注："天时谓时日干支五行旺相孤虚之属也。"得天时，意即得天助。59 地利：指占据险要的地理形势，战时易守难攻。60 后之发：观察好敌人的动向以后再出击，即通常所说的后发制人。61 先之至：抢先占据有利的地形，如赵奢阏与破秦之先占北山是也。62 一民：使本国上下的军民团结一致。一，统一、一致。63 不调：不合适；不中用。64 羿：后羿，夏朝时有穷氏部落的首领，是古代传说中最擅长于射箭的人。65 中：射中目标。有人根据下句的"致远"，认为本句的"中"字应作"中微"。66 六马不和：拉同一辆车的几匹马用力不统一。六马，这里指六匹马拉的一辆车，通常是帝王的车驾。67 造父：赵国诸侯的祖先，周穆王时人，是古代传说中最善于赶车的驭手。事见《史记·赵世家》。68 致远：达到最远的目的地。相传造父曾给周穆王赶着车子西上昆仑山见西王母。69 亲附：紧密团结在国家君主的周围。70 汤、武：商汤、周武王。71 必胜：指商汤灭夏，周武王灭商。72 附民：使百姓亲附。73 贵：重视；关注。74 势利：有利的时机与有利的形势。75 变诈：变化无常，手段诡诈。76 感忽悠暗：机密深隐，神秘莫测。感忽，倏忽之间，不可捉摸。77 莫知所从出：摸不清究竟用什么办法，使之无法防备。78 孙、吴：孙武、吴起。79 岂必待附民哉：何必一定要使百姓亲附呢。岂，哪里、何必。待，依赖。80 臣之所道：我所讲的"兵要"。道，讲。81 仁人之兵：行仁义的帝王所进行的战争。82 王者之志：以仁政王道治天下的帝王的志愿。83 君之所贵：你所进行的战争。君，指临武君。84 权谋：即上文所说的"变诈"。85 不可诈：不可能被你所讲的诡诈手段所战胜。86 彼可诈者：那些可以被欺诈手段打败的人。87 怠慢：松懈大意，掉以轻心。88 露袒：《荀子》原文作"路亶"，意即羸弱疲病。89 滑然：《荀子》原文作"涣然"，应从。涣然，离散的样子。90 离德：离心离德，众心不一，各想各的。91 以桀诈桀：让一支夏桀的部队去打另一支夏桀的部队，以喻作战双方都是残虐不仁的人。92 犹巧拙有幸：也许手段高明的可以打败手段笨拙的。犹，尚且、也许。巧拙，指变诈手段的高明或拙劣。幸，侥幸。93 以桀诈尧：以比喻残暴不仁的军队企图以诡诈手段对付仁义的王者之师。尧是儒家心目中道德至高无上的大圣人。94 以指挠沸：用手指去搅动沸水。挠，搅。95 赴：扑；扑向。96 入焉焦没：进去的人只有被烧焦、被淹没。97 三军：泛指全军。古代的大国诸侯有上、中、下三军。⑱捍头目：人都有的习惯性动作，当有物打向头、打向眼的时候，双手就会不由得护住自己的头、自己的眼。捍，护卫。⑲覆胸腹：也是人所有的习惯性动作，当有物击向自己的胸腹时，双手就会不由得护住胸腹。覆，护住。⑳诈而袭之：用诡诈手段，突然对人发动袭击。㉑先惊而后击之：先恫吓，而后对人发动进攻。㉒一也：两种做法的结果相同，都不可能打败王者之师。㉓用：使用；占有；统治。㉔百里之听：百里之内的人都给他们的君主当耳目。㉕四海之听：普天下的人都给他们的君主当耳目。㉖聪明警戒：听得准，看得清，一切准备工作早已做好。㉗和傅而一：整个国家上下团结，紧密得如同一个人。王念孙、王先谦都以为“傅”字应为“抟”，是集聚的意思。㉘聚则成卒：集合起来就是一座军阵。卒，古代军队的基层编制名，百人为卒。㉙散则成列：如果分散开，就成为许多行列。㉚延：排成横队以拦阻敌人。㉛莫邪：古代传说中的宝剑名，相传是吴王夫差时所造。㉜婴：通“撄”，碰、触犯。㉝兑：排成纵队以刺向敌人。㉞利锋：锋利的剑尖儿。㉟当：所刺之处。㊱溃：毁；败散。㊲圜居而方止：如果排成圆阵或方阵。圜，同“圆”。居、止，都是指军队的驻扎。而，或。㊳若盘石然：则坚固得像磐石一样。盘石，既大且厚的石块。盘，通“磐”，大石。㊴触之者角摧：谁碰上谁就被摧毁，如同牛碰上牛角被折断一样。㊵且夫：更何况。㊶将谁与至：还有谁肯跟着他一道前来。㊷彼其所与至者：能够跟着他一道前来的。㊸必其民也：只有他的百姓。㊹亲我：亲近王者之君。㊺欢若父母：感情好得就如同遇到父母。欢，感情好。㊻好我：喜欢王者之君；拥戴王者之君。㊼芬若椒兰：就如同喜欢芬芳的椒兰一样。椒、兰，都是香草名。㊽反顾其上：回过头来看他自己的君主。上，君主。㊾若灼黥：如同受墨刑一样的难受。灼黥，在脸上刺字而涂以墨，其痛如火烧。㊿若仇雠：如同看到仇人、对头。雠，对头。(131)人之情：人之常情。(132)虽：即使，退一步讲话。(133)岂有肯为其所恶二句：哪里有人会为他所恨的人去杀他所爱的人呢。所恶，所憎恨。贼，杀。所好，所爱。(134)必将来告：必然会来向王者之师报告情况。(135)又何可诈也：又如何能对仁义之师进行欺诈呢。(136)仁人用：讲仁义的人统治国家。(137)国日明：这个国家将一天比一天昌盛。(138)先顺者安：谁先归顺谁就平安。(139)敌之者削：谁敢与仁人执政的国家对抗，谁就会被削弱。(140)反之者亡：谁敢反对仁人执政的国家，谁就会灭亡。(141)《诗》曰：以下四句见《诗经·长发》。(142)武王载发：商王的大军出发了。武王，此处即指商汤。商汤自称“武王”，见《史记·殷本纪》。载发，出发。载，发声词。也有说“载”字通“哉”，开始。“载发”意即“始发”，亦可。(143)有虔秉钺：庄严地秉持着黄钺。有虔，庄严肃穆的样子。有，语词。秉，抱持。钺，大斧，军中的刑具，象征有权诛杀犯令者。(144)如火烈烈：以形容军队的威严与气势。(145)莫我敢遏：没有任何人敢来阻挡。遏，阻止。(146)此之谓也：诗句所描写的就是这种王者之师。(147)设何道何行而可：采用什么治军思想，使用什么样的战略战术，才能打败敌人。设，行、采用。道，思想、路线。(148)贤：指道德与才干兼优。(149)隆礼贵义：崇尚礼义。隆，尊崇、崇尚。礼，儒家所推崇的为维护等级制所规定的各种仪容制度。但荀子所讲的“礼”实则具有“法”的含义。义，宜，指一切言行都符合“礼”的要求。⑮简礼贱义：即不重视、不实行礼义制度。简，怠慢。贱，蔑弃。⑯是：此，指“礼义”。⑰上足卬：国君的一举一动，值得臣民敬仰。卬，同“仰”，敬仰，视之为楷模。⑱下可用：臣民听君主的使唤，愿为国君效力。可用，听从指使。⑲是强弱之常也：这君主能否让臣民敬仰，就是决定国家强弱的根本。常，常理、通则。⑳隆技击：重视各种击刺技巧。隆，重视、奖励。㉑得一首：斩获敌人一颗人头。㉒赐赎锱金：或者给予八两黄金的奖赏，或者可以抵偿本人犯罪应缴的同样数额的罚金。锱，古代重量单位，八两为一锱。㉓无本赏：只是打败敌人而未斩敌之首，就得不到奖赏。相反，即使打了败仗，但能斩敌之首也照样受赏。本赏，指打了胜仗应给予的赏赐。㉔是：此，指以上奖励斩敌之首的办法。㉕事小敌毳：从事小的战斗，对付脆弱的军队。事，从事。敌，对抗。毳，通“脆”。㉖偷可用：马马虎虎管用。偷，勉强。㉗事大敌坚：从事大的战争，对付强大的敌人。坚，强大。㉘涣焉离：一下子就全部瓦解了。涣焉，涣然，军心瓦解如春冰之涣散。㉙倾侧反覆无日：溃败覆灭就在眼前。倾侧，倒塌。反覆，颠覆。无日，就在眼前。㉚兵莫弱是：没有比这种军队更脆弱的了。是，此，指齐国的这种只“隆技击”“无本赏”的军队。㉛是其去赁市佣句：这种军队就和到市场上临时雇用一些人来上战场相差无几。是，此，像齐国的这种军队。去，距离。赁市佣，到市场上雇一些劳力。赁，雇用。战之，使其出战。几，近、差不多。㉜魏氏：即指魏国。㉝武卒：魏国一种精锐部队的名称。《史记·苏秦列传》中，苏秦说魏王时曾说魏国之卒有“武士”“苍头”“奋击”“厮徒”等名目，疑荀卿所说的“武卒”即苏秦所说的“武士”。这里即指勇猛的战士。㉞以度取之：都按严格标准选拔而来。度，标准，指下述各种项目。㉟衣三属之甲：身披精良的铠甲。三属之甲，古代铠甲多分为三片，上片披于肩膀，中片披于胸膛，下片披于双腿。属，连缀。㊱十二石之弩：指古代的强弓。石，古代的重量单位，一百二十斤为一石。此处指弓的拉力。㊲负矢五十个：每人背着五十支箭。负，背。矢，箭。㊳置戈其上：肩上还要扛着长矛。㊴冠胄：头上戴着铁盔。胄，头盔。㊵赢：担；背。㊶日中而趋百里：一个中午就要走出一百里路。趋，小跑、急行。㊷中试则复其户：凡选拔合格的就免除其全家的劳役。复，免除劳役。㊸利其田宅：免除其土地税与房产税。㊹是：这样一来。㊺其气力数年而衰：指当兵者的服役不用几年就累垮了。㊻复利未可夺：指“复其户”“利其田宅”的优待办法还要继续享受。未可夺，不能撤销。㊼改造则不易周也：但长期实行下去也必然难以为继。改造，指不断地选拔新兵。不易周，不容易让新选来的士兵也丝毫不差地享受原来的优待条件。㊽其税必寡：因享受免税的人越积累越多，国家收入的赋税肯定越来越少。㊾危国：行将灭亡之国。㊿秦人其生民也狭隘：秦国百姓生活的自然条件不好。秦人，此指秦国。生民，使百姓生活。狭隘，指肥沃的良田窄小。(186)使民也酷烈：奴役百姓的手段残酷。(187)劫之以势：用无法抗拒的威权逼迫他们。应上句“使民”。(188)隐之以厄：以艰难的生活条件促使他们。应前句“生民”。⑱狃之以庆赏：让他们习惯于杀敌受赏。狃，习惯。⑲鰌之以刑罚：用严酷的刑罚威逼他们。鰌，威逼。⑲所以要利于上：向君主讨得好处的办法。要，求。上，君主。⑲非斗无由：除了杀敌立功没有别的门路。由，途径、办法。⑲功赏相长：杀敌立功与获得奖赏构成循环。立功则受奖赏，受赏更思立功，形成循环的模式。⑲五甲首而隶五家：在战场上斩得五个敌人的人头，回乡后就能得到五户人家供其役使。甲首，披甲士兵的人头。隶，役使。⑲是最为众强长久之道：这就是秦国的士兵越来越多，战斗力越来越强，而且经久不衰的原因。众，兵员多。强，战斗力强。道，原因、办法。⑲四世有胜：四代君主依靠这种办法连连获胜。四世，指秦孝公、秦惠文王、秦武王、秦昭襄王。有胜，获胜。⑲非幸：并非出于侥幸。⑲数也：是有其必然的。数，合乎规律、合乎逻辑。⑲不可以遇：不能抗拒；不能抵挡。遇，抵挡。⑳锐士：精锐的士兵。⑳当：同上文之“遇”，抵抗。⑳桓、文之节制：春秋五霸的有节制之兵。桓、文指齐桓公与晋文公，都是春秋时期的霸主。节制，指纪律严明、训练有素。⑳有遇之者：凡是敢与汤、武的仁义之师对抗的人。⑳以焦熬投石：“焦熬投石”四字不可解，疑有讹误。俞樾《诸子平议》说：“上文‘以桀诈尧，譬之若以卵投石，以指挠沸’。此文‘以焦熬投石’疑有夺误，当云‘以指焦熬，以卵投石’。‘焦’读为‘樵’，《广雅·释诂》曰：‘樵，㧕也。’《说文·火部》：‘熬，干煎也。’然则以指樵熬，其义犹‘以指挠沸’也。”录以备考。或以为焦熬指“焦脆之物”。⑳兼是数国：总括以上齐、魏、秦三国军队的情况而言之。兼，总、总括。数国，指齐、魏、秦。⑳干赏蹈利：为追求立功受赏而战斗。干，求。蹈，追。⑳佣徒鬻卖之道：其君主与其士兵的关系就如同雇佣与收买。佣徒，受雇佣的劳力。鬻卖，出卖自己的人身。⑳贵上：尊崇君主，这里指为拥戴捍卫君主而战。⑳安制：遵守制度，这里指因奉公守法而自愿作战。⑳綦节：尽节，这里指为了道德节操而拼死作战。㉑诸侯有能二句：如果某个诸侯能以礼义教育士兵，让他们知道为何而战，那么这个诸侯就能壮大起来，打败并兼并其他所有的国家。微妙之以节，以礼义教化士兵。节，指礼义。兼殆，兼并、摧毁。㉑招延募选：指以私利招募选拔。㉑隆势诈：靠着威权诡诈辖制他们。㉑上功利：只讲立功受赏。㉑是渐之也：这是在用歪门邪道慢慢地毒化他们。渐，浸染。㉑齐之：统一他们的思想。㉑以诈遇诈：以诡诈对付诡诈。遇，对付。㉑犹有巧拙：还可以看出一些巧拙的不同。㉑以锥刀堕泰山：以比喻自不量力，徒劳而无功。堕，同“隳”，毁坏。㉒诛：讨；讨伐。㉒拱挹指麾：形容其君主清闲自然、从容不迫的样子。拱挹，拱手作揖。挹，通“揖”。麾，同“挥”。㉒强暴之国：指平时骄横暴戾的国家。㉒莫不趋使：此时在仁义之师面前，也变得老老实实，听从驱使。㉒独夫：犹如今之所谓“光杆司令”。㉒《泰誓》曰“独夫纣”：《泰誓》是古文《尚书》中篇目名，是武王伐纣时的誓词，分上、中、下三篇。其下篇有所谓“古人有言曰：‘抚我则后，虐我则仇。’独夫受洪惟作威，乃汝世仇”云云。独夫受，即“独夫纣”，受是纣的名。㉒大齐：最大限度的思想统一、行动统一。㉗治邻敌：打败周边的敌人。治，通“殆”，打败。㉘无常：没有定准。㉙代翕代张：有时弱有时强。代，相互交替。翕，收敛，以喻衰弱。张，扩大，以喻强盛。㉚代存代亡：有时存有时亡。㉛相为雌雄：互为雌雄；互有胜败。㉜盗兵：盗贼之兵。㉝不由：不走这种道路。㉞知：同“智”，智慧。㉟弃疑：不做没有把握的决定，不打没有把握的仗。㊱无过：不犯错误。意思是不追求有功。㊲无悔：不致后悔；不致遗憾。㊳而止矣：就可以了。㊴不可必也：（即使这最低的要求）也不一定就能保证实现。㊵制号政令：军中的各种制度号令。㊶欲严以威：应该做到严厉而又威猛。欲，要、应该。以，表承接，相当于“而”。㊷庆赏：得福受赏。庆，福。㊸必以信：确实而有信用。必，说到做到。信，说话算数。㊹处舍：指安营扎寨。㊺收藏：指保管粮食辎重。㊻周以固：严密而又稳固。㊼徙举进退：军队的转移与进攻撤退。㊽安以重：安全而又稳重。㊾疾以速：敏捷而又迅速。㊿窥敌观变：侦察敌情，刺探其行动变化。(251)潜以深：隐蔽而又深入。(252)伍以参：对各种情报要反复核实，分析比较。伍，同“五”。参，同“三”。在这里都是参照、比较的意思。(253)行吾所明：情况明确，有把握的仗就打。(254)无行吾所疑：凡是情况不明，有疑虑的仗就不打。(255)六术：六条军事原则。(256)无欲将而恶废：不要因为喜欢谁就任他为将，也不要因为讨厌谁就把他罢免。欲，这里指喜爱。恶，讨厌。或曰，不要总是追求为将军，而害怕被罢免。(257)无怠胜而忘败：不要因为打了胜仗就松懈怠慢而忘掉失败。〖按〗《荀子·议兵》原文作“无急胜而忘败”，意思与此略异，但二者似不必求同。(258)无威内而轻外：不要只顾强化内部而轻视外敌。(259)无见其利而不顾其害：不要只看到对自己有利的条件而忽视对自己不利的条件。(260)虑事欲熟：考虑问题越周密越好。欲，宜、应该。(261)用财欲泰：该花钱的地方要舍得花，不要吝啬。如奖励自己的将士，收买敌方的人员，等等。泰，奢华、不吝啬。(262)五权：五种应该权衡的问题。(263)不受命于主：不按照君主的命令办。(264)可杀：宁可将此人处死。(265)使处不完：派去镇守防御不完备的地方。(266)使击不胜：派去进攻不能战胜之敌。(267)三至：君命有所不受的三种情况。(268)行：统领。(269)既定：选定；调派停当。(270)百官得序：军中的各级官吏都已委任齐全，各就各位。序，次序。(271)群物皆正：军中各种事情都已经纳入正轨。(272)主不能喜：不能因为受到君主的某种褒奖而自喜，忘乎所以。(273)敌不能怒：敌人的任何伎俩都不能使之发怒。意谓将军应时常处于内心平和、不骄不躁的虚静状态。(274)至臣：无以复加的武臣。(275)虑必先事：做任何一件事情，采取任何一种行动，都要事先考虑好。(276)申之以敬：要三令五申地告诫将士小心谨慎。申，告诫。敬，谨慎。(277)慎终如始：快要完成任务时也要像刚开始行动时那样的小心谨慎。古语有所谓“无不有始，鲜克有终”，以防功亏一篑。(278)敬：小心谨慎。(279)慢：松懈；大意。(280)计胜欲则从：按智谋计划而行，不杂个人的喜怒贪欲于其中就顺利。欲，主观的情感欲望。从，顺利、成功。(281)欲胜计：因临时的个人的情感欲望而改变既定的战略战术。(282)战如守：出击与防守都要一样小心谨慎。(283)行如战：行军也和作战一样需要小心谨慎。(284)有功如幸：即使破敌立功也要感到这是一种侥幸，而不可能是十拿九稳的。(285)敬谋

无旷：要小心谨慎地进行谋划，不要疏忽大意。无旷，不松懈、不疏忽。㉘⑥敬事：小心谨慎地对待战事。㉘⑦敬吏：小心谨慎地对待各级军官。㉘⑧敬众：小心谨慎地对待士兵。㉘⑨敬敌：小心谨慎地对待敌人。㉙⓪处：对待。㉙①天下之将：天下无敌之将；天下少有之将。㉙②通于神明：极言其智慧权谋之高，百战百胜之术有如神明。㉙③军制：军队的规章制度。㉙④将死鼓：大将用鼓声指挥作战，与战鼓共存亡。《左传·成公二年》写晋军统帅郤克指挥战斗有所谓"郤克伤于矢，流血及屦，未绝鼓音"，即"将死鼓"之谓也。㉙⑤御死辔：驾驭战车的人至死不能丢下马的缰绳。《左传·成公二年》写晋军御手张侯有所谓"自始合，而矢贯余手及肘，余折以御，左轮朱殷，岂敢言病"，即"御死辔"之谓也。㉙⑥百吏死职：军中的各级军官都要死在自己的岗位上。死职，至死不能离开职守。㉙⑦士大夫死行列："士大夫"指下层军官。死行列，至死不离开战斗行列。㉙⑧金声：铜钲的声音。古代作战时，以鼓声指挥前进，以钲声作为收兵的号令。钲的声音类似锣，故而小说、戏曲上干脆就说成"鸣锣收兵"。㉙⑨顺命为上：服从命令是第一位的，即通常所说的"军人以服从命令为天职"。㉚⓪有功次之：杀敌立功是第二位的。㉚①其罪惟均：其罪过相等。惟，是。㉚②不猎禾稼：不践踏百姓的庄稼。猎，通"躐"，践踏。㉚③服者不禽：举手投降的人就不再拘捕。禽，通"擒"。㉚④格者不赦：对敢于抵抗的人绝不饶恕。格，斗、对抗。㉚⑤奔命者：离开军队四散逃跑的敌兵。㉚⑥不获：不能再抓他们做俘虏。㉚⑦诛：讨伐。㉚⑧有捍其贼：如果保护他们的敌人。有，如果。捍，护卫。㉚⑨则是亦贼：那么这些人也就成了贼人。㉛⓪以故顺刃者生：因此凡不战而顺服的人就可以得生。顺刃，不战而降服。㉛①傃刃：迎着我们的兵刃而上，意即顽抗。㉛②奔命者贡：对于四散奔逃的敌兵则献之于上将。〖按〗《资治通鉴》原文意思费解，据梁启雄所引刘师培说，"贡"当作"置"，意为放弃不管，即逃命的敌兵听其自便。㉛③微子开封于宋：微子开，本名启，汉人为避景帝讳，故改称微子开。微子开是殷纣王之兄，因其看到殷纣之暴虐，及早地投降了周武王，故而武王灭商后封微子于宋国。事见《史记·宋微子世家》。㉛④曹触龙：殷纣王的臣子。《荀子·臣道》有所谓"若曹触龙之于纣者，可谓国贼矣"，具体事迹不详。㉛⑤断于军：被周武王斩首于军中。㉛⑥服民：归服于周朝的殷朝百姓。㉛⑦所以养生之者：周朝给他们提供的谋生条件。㉛⑧歌讴：歌颂周王朝的恩德。㉛⑨竭蹶而趋之：争先恐后地前来投奔。竭蹶，摔倒了再爬起来，匆忙奔走的样子。趋，奔向。㉜⓪无幽闲辟陋之国：无论是多么偏僻、多么荒远崎岖的小国。无，无论。幽闲，被遮蔽阻绝。辟陋，偏僻，不开化。㉜①莫不趋使而安乐之：都一律驱使他们走上了幸福安乐的大道。㉜②通达之属：凡有道路可通人群的地方，即普天之下。㉜③人师：引人走向幸福安乐的导师。㉜④《诗》曰：以下三句见《诗经·文王有声》。㉜⑤无思不服：没有一个不想着归服于周王朝。㉜⑥此之谓也：《诗经》所说的就是这种天下万国向往归服王者之师的情景。㉜⑦王者：以仁义礼乐治理国家的君主。㉜⑧有诛而无战：有讨伐残暴的举动，而用不着真正的流血作战。㉜⑨城守不攻：如果守城的敌兵还没有认识到我们是仁义之师，是来救助他们出水火的，那我们就不要忙于攻城。㉚兵格不击：如果敌兵还没有认识到我们是仁义之师，他们还在奋力抵抗，那我们就不要忙着对他们进行攻击。㉛敌上下相喜：如果敌兵上下之间亲切和睦。㉜则庆之：就祝贺他们，表彰他们。㉝不屠城：绝不要不分青红皂白地把城内的军民一律杀光。㉞不潜军：不悄悄地偷袭敌人。㉟不留众：不长时间地把军队留驻在被征讨的国家。㊱师不越时：用兵打仗不超过规定的时间。㊲乱者乐其政：那些政治混乱国家的军民都喜欢仁义之国的这些政策措施。㊳不安其上：不愿意受他们本国君主的统治。㊴欲其至：盼望着王者之师的到来。㊵陈嚣：荀况的弟子。㊶循理：按着规矩办事。㊷何以兵为：还要战争做什么。兵，军备、战事。㊸恶人之害之：憎恨有人去伤害那些善良的人。恶，讨厌、憎恨。㊹恶人之乱之：憎恨有人去破坏这种正常的生活秩序。㊺彼兵者：那些行仁义的王者之所以要有军队，要进行战争。㊻禁暴除害：为拯救黎民于水火而铲除暴政、消灭恶人。㊼争夺：争城夺地、争权夺利。〖按〗以上大段荀子论兵的文字，都节选自《荀子·论兵》，表现了司马光对荀况思想的认同。㊽子喜：即历史上所说的燕王喜，燕国的末代君主，公元前二五四至前二二二年在位，被秦国所灭。㊾周民东亡：都于王城（今河南洛阳）的西周君被秦国消灭，西周君治下的百姓不愿做秦国的子民，纷纷逃向都于巩县的东周君。㊿宝器：指西周君祭祀天

【原文】

五十三年（丁未，公元前二五四年）

摎伐魏[351]，取吴城[352]。韩王入朝[353]。魏举国听令[354]。

五十四年（戊申，公元前二五三年）

王郊见上帝于雍[355]。

楚迁于钜阳[356]。

五十五年（己酉，公元前二五二年）

卫怀君[357]朝于魏，魏人执而杀之，更立其弟，是为元君[358]。元君，魏婿也。

五十六年（庚戌，公元前二五一年）

秋，王薨，孝文王[359]立。尊唐八子[360]为唐太后，以子楚[361]为太子。赵人奉[362]子楚妻子[363]归之[364]。韩王衰绖入吊祠[365]。

燕王喜使栗腹约欢于赵[366]，以五百金为赵王酒[367]。反[368]而言于燕王

地先王的祭器与礼器等这些从祖先留传下来的东西。㉛ 西周公：即西周君，当时占据王城与邻近几个县的小诸侯。㉜ 𫍯狐之聚：村落名，在今河南汝州西北。聚，村落。㉝ 楚人迁鲁于莒而取其地：时当楚考烈王八年（公元前二五五年）、鲁顷公十八年，从此鲁国被楚国所灭。莒，楚县名，即今山东莒县。〖按〗莒县在齐国的南境，有时属齐，有时属楚。杨宽《战国史·战国大事年表》系鲁被楚灭在上一年，即公元前二五六年。

【校记】

［1］好士者强……是强弱之常也：此五十五字原脱。据章钰校，十二行本、乙十一行本、孔天胤本皆有此五十五字，张敦仁《通鉴刊本识误》、张瑛《通鉴校勘记》同。〖按〗此五十五字盖涉两“是强弱之常也”而脱，今据诸本及《荀子·议兵》补。［2］士大夫：原作“上大夫”。据章钰校，乙十一行本作“士大夫”。今从乙十一行本及《荀子·议兵》改。［3］以故：原作“以其”。据章钰校，十二行本、乙十一行本皆作“以故”。今从十二行本、乙十一行本及《荀子·议兵》改。［4］楚人：“人”原作“王”。据章钰校，十二行本、乙十一行本、孔天胤本皆作“人”，张瑛《通鉴校勘记》同。今从诸本及吕祖谦《大事记》卷六引文改。

【语译】

五十三年（丁未，公元前二五四年）

秦国将军摎率领秦军攻打魏国，占领了魏国的吴城县。韩桓惠王到秦国朝拜秦昭王。整个魏国全都听从秦国的命令。

五十四年（戊申，公元前二五三年）

秦昭王在雍县的南郊祭祀上天。

楚国将都城从陈县向东南迁到钜阳。

五十五年（己酉，公元前二五二年）

卫国国君怀君到魏国朝拜魏王的时候，被魏国人抓起来杀死，又将卫怀君的弟弟立为卫君，就是卫元君。卫元君，是魏国国王的女婿。

五十六年（庚戌，公元前二五一年）

秋天，秦昭王嬴稷去世，他的儿子嬴柱即位，就是秦孝文王。秦孝文王追尊他的生母唐八子为太后，立子楚为太子。赵国派人将子楚的妻子和儿子送回秦国。韩桓惠王身穿孝服前来吊唁秦昭襄王。

燕王姬喜派栗腹出使赵国，想要和赵国建立友好关系。栗腹到了赵国以后，将五百金作为礼物给赵王祝酒。栗腹回到燕国后，向燕王汇报说：“赵国年富力强的

曰："赵壮者皆死长平，其孤[372]未壮，可伐也。"王召昌国君乐闲[373]问之，对曰："赵四战之国[374]，其民习兵[375]，不可。"王曰："吾以五而伐一[376]。"对曰："不可。"王怒，群臣皆以为可。乃发二千乘[377]，栗腹将而攻鄗[378]，卿秦攻代[379]。

将渠[380]曰："与人通关约交[381]，以五百金饮人之王[382]，使者报而攻之[383]，不祥[384]。师必无功。"王不听，自将偏军[385]随之。将渠引王之绶[386]，王以足蹴之[387]。将渠泣曰："臣非自为[388]，为王也！"燕师至宋子[389]，赵廉颇为将，逆击[390]之，败栗腹于鄗，败卿秦、乐乘于代[391]，追北[392]五百余里，遂围燕[393]。燕人请和，赵人曰："必令将渠处和[394]。"燕王使将渠为相而处和，赵师乃解去[395]。

赵平原君卒[396]。

孝文王

元年（辛亥，公元前二五〇年）

冬，十月己亥[397]，王即位[398]，三日薨[399]。子楚立，是为庄襄王[400]。尊华阳夫人为华阳太后[401]，夏姬为夏太后[402]。

燕将攻齐聊城[403]，拔之。或谮之燕王[404]："燕将保[405]聊城，不敢归[406]。"齐田单[407]攻之，岁余不下。鲁仲连乃为书，约之矢[408]，以射城中，遗[409]燕将，为陈利害[410]，曰："为公计[411]者，不归燕则归齐。今独守孤城，齐兵日益[412]，而燕救不至，将何为[413]乎？"燕将见书，泣三日，犹豫不能自决[414]。欲归燕，已有隙[415]；欲降齐，所杀虏于齐[416]甚众，恐已降而后见辱[417]。喟然[418]叹曰："与人刃我[419]，宁我自刃。"遂自杀。聊城乱，田单克聊城[420]。归[421]，言鲁仲连于齐王〔5〕，欲爵之。仲连逃之海上[422]，曰："吾与富贵而诎于人[423]，宁贫贱而轻世肆志[424]焉。"

魏安釐王问天下之高士[425]于子顺[426]，子顺曰："世无其人[427]也，

人都在长平战役中死光了，他们的孩子还没有长大成人，这可是攻打赵国的大好时机。”燕王把昌国君乐闲找来咨询，乐闲说：“赵国是个四面受敌的国家，无险可守，所以赵国的百姓人人懂得军事，惯于勇猛作战，是不宜攻打的。”燕王说：“我用五个人对付他一个人。”乐闲说：“那也难以取胜。”燕王很生气，其他大臣都认为可以攻打赵国。于是燕王调集了二千辆兵车，让栗腹率领着去攻打赵国的鄗邑，卿秦去攻打赵国的代郡。

将渠劝阻说：“派出使者与人家互订友好盟约，还送五百金给赵王祝酒，而使者回来后一报告，就要出兵攻打人家，这是不吉利的。这次出师肯定不会取得成功。”燕王不听，还亲自率领一支援军跟随在大军之后。将渠拉住燕王的印绶不让他去，燕王用脚踢他。将渠哭着说：“我不是为了自己，我是为大王啊!”燕国的军队到达宋子县，赵国任命廉颇为将，率领赵军迎战燕军，在鄗县打败了栗腹，又在代郡打败了卿秦和乐乘的军队，将燕国的败兵追出五百多里远，并趁机包围了燕国的都城。燕国派人向赵国求和，赵国说：“必须任命将渠为燕国丞相，派他来才能讲和。”燕王任命将渠为燕相，让去和赵国谈判求和的事情，赵国才解除对燕国的包围，撤军回国。

赵国的平原君赵胜去世。

孝文王

元年（辛亥，公元前二五〇年）

这年的冬天，十月初一日己亥，秦国嬴柱正式即位为秦王，就是秦孝文王。秦孝文王在位三天就去世了。嬴异人即位，就是秦庄襄王。庄襄王尊华阳夫人为华阳太后，尊自己的生母夏姬为夏太后。

燕国的将领率军攻陷了齐国的聊城。有人在燕王面前进谗言说：“燕将固守聊城而不敢回国。”齐国的田单攻打他，攻了一年多也没有攻下。鲁仲连于是写了一封书信，将信绑在箭上，射入城中给这位燕国将领，为他分析利害关系，信中说：“我为您的利益考虑，面前您只有两条路可走，不回燕国就归降齐国。如今，您单独固守着聊城这座孤城，齐国的士兵一天一天地在增加，而燕国的救兵根本就没有到，您将怎么办呢?”燕国的将领看了这封书信以后，哭了三天，还是犹豫不决。想回到燕国，已经和燕国的国君有了隔阂，回去无疑是自投罗网；想要投降齐国吧，自己杀害和俘虏的齐国人太多，恐怕投降以后会遭受侮辱。最后长叹一声说：“与其让别人杀死，还不如我自己杀死自己呢。”便拔刀自刎了。聊城之内没了主帅以后一片混乱，田单趁机收复了聊城。田单回到齐国的都城临淄，将鲁仲连的事情向齐王做了汇报，齐王想要封给鲁仲连爵位。鲁仲连不愿意接受封赏，就逃到了海边，他说：“我与其享受富贵而受制于人，还不如摆脱功名利禄，去过自由自在的隐居生活呢。”

魏安釐王向子顺打听谁是天下数得着的高士，子顺回答说：“世上根本没有什么

抑可以为次[428]，其鲁仲连乎[429]！”王曰：“鲁仲连强作[430]之者，非体自然[431]也。”子顺曰：“人皆作之[432]。作之不止[433]，乃成君子；作之不变[434]，习与体成[435]；习与体成[6]，则自然也[436]。”

【段旨】

以上为第二段，写秦昭王五十三年（公元前二五四年）至孝文王元年（公元前二五〇年）共五年间的各国大事。主要写秦昭王南郊祭天，已俨然以统一天下的帝王自居，以及秦昭王死，孝文王即位，不到一年孝文王又死，庄襄王即位，紧锣密鼓地为日后秦王政的上台做准备，而东方的韩、魏都已为秦国的附庸，楚国又已不能在陈县立足，进一步向东南迁都。比较详细地写了燕国趁赵国长平之败向赵国挑衅，被赵国击败；写了燕将取齐聊城后，因在国内遭谗不敢归燕，又坚守聊城，齐人攻之不下，鲁仲连致书燕将，助田单夺取聊城事。

【注释】

[354]摎伐魏：秦将摎统兵伐魏，时当魏安釐王二十三年（公元前二五四年）。摎，秦将名，其姓不详。[355]吴城：魏县名，又名虞城，在今山西平陆北。[356]韩王入朝：韩王到咸阳朝拜秦昭王，表示对秦国臣服。韩王，指韩桓惠王，此年为韩桓惠王十九年（公元前二五四年）。[357]举国听令：整个魏国听从秦国的号令，也是臣服于秦的意思。举国，全国。[358]王郊见上帝于雍：秦昭王在雍县南郊祭祀上帝。雍，秦国的旧都，在今陕西凤翔城南。〖按〗在都城南郊祭天是只有统一全国的帝王才能举行的一种典礼，今秦昭王公然行之，分明已经是以统一天下的帝王自居。[359]楚迁于钜阳：时当楚考烈王十年（公元前二五三年）。楚国自公元前二七八年被秦兵攻破郢都（今湖北江陵之纪南城），东迁到陈县（今河南周口市淮阳区），现又向东南迁到钜阳。钜阳在今安徽太和东南。[360]怀君：卫嗣君之子，具体在位年限众说不一。此时的卫国早已成为魏国的附庸。[361]更立其弟二句：元君究竟是怀君之弟，还是嗣君之弟，亦众说不一。元君在位的年限有说是公元前二五二至前二三〇年，其实也是众说不一。[362]孝文王：即前面所说过的“太子安国君”，名柱，又名式，昭襄王之子。[363]唐八子：孝文王的生母，姓唐，“八子”是妃嫔的封号名。据《汉书·外戚传》，当时帝王的正妻称皇后，诸妾尽称夫人，细分则有美人、良人、八子、七子、长使、少使等等。唐八子早死，此追尊为太后。[364]子楚：即前在赵国为人质，吕不韦为之奔走活动的嬴异人。[365]奉：捧，

高士，如果非得要指出一个的话，那大概就是鲁仲连了！”魏安釐王说：“鲁仲连是故意做出来的，而不是出于自然的本性啊。”子顺说：“其实，每个人都有做作的时候。能够坚持下来，就成了君子；永远努力地去做而不中途改变，就会形成习惯；形成习惯之后，就变成自然的本性了。”

“送”的敬称。㊱㊱子楚妻子：据《史记》与《资治通鉴》，即吕不韦的孕妾及其私生子嬴政。㊱㊲归之：送到秦国。〖按〗子楚在前秦兵围赵时已经逃回秦国，故此时赵人只送其妻与其子入秦。㊱㊳韩王衰绖入吊祠：韩桓惠王像是死了父母一样地到秦国吊唁昭王之丧。衰，指孝服，有齐衰、斩衰之分。绖，指服丧者系在头上与系在腰间的孝带，系在腰间的有时用麻绳，系在头上的用布带。吊祠，吊唁、祭祀。㊱㊴燕王喜使栗腹约欢于赵：燕王命栗腹前往赵国订约结友好联盟。事当燕王喜四年（公元前二五一年）、赵孝成王十五年。栗腹，时为燕国丞相。㊲⓪以五百金为赵王酒：用五百金作为礼物给赵王祝酒。〖按〗《战国策》作“以百金为赵孝成王寿，酒三日反报”。本文“酒”疑当作“寿”。或曰：“酒所养老，献金曰寿，义盖本于此，则作酒亦通。”㊲①反：同“返”，回国。㊲②孤：赵国死者的孤儿。㊲③昌国君乐闲：乐毅的儿子，被封为昌国君，时在燕国为将。㊲④四战之国：四面受敌、四面都需要设防作战的国家。《史记正义》曰：“赵东邻燕，西接秦境，南错韩魏，北连胡貊，故言四战。”胡三省曰：“言其四境皆邻于强敌，四面拒战也。”㊲⑤习兵：懂得军事；惯于作战。㊲⑥吾以五而伐一：我们可以用五个人打他一个人。㊲⑦二千乘：古称一车四马为一乘。一辆车上三个武士，后跟七十五个步兵。二千乘共约十五万人。㊲⑧鄗：赵邑名，在今河北柏乡北。㊲⑨卿秦攻代：卿秦是燕国的将领，也作“庆秦”。代是赵国的郡名，郡治即今河北蔚县东北的代王城。㊳⓪将渠：燕将名，姓将，名渠。有说“将渠”与“卿秦”对文，以为“卿”“将”皆官名者，沈涛曰：“卿秦、将渠皆人姓名。卿秦，《战国策》作‘庆秦’，庆、卿通字，明非公卿之卿，下文云燕相将渠以处和，《集解》曰‘以将渠为相’，又岂得为将相之将乎?”㊳①通关约交：派出使者约建友好之交。通关，意即通使。㊳②饮人之王：即前文所说的以五百金为赵王酒。㊳③使者报而攻之：使者回来一报告就攻打人家。㊳④不祥：不吉利，这里意即没有道理。㊳⑤偏军：另一支非主力部队。㊳⑥引王之绶：拉住燕王的绶带，意即劝他不要前去。引，拉着。绶，古时系印的丝带。㊳⑦以足蹴之：用脚踢他，表示厌弃之意。㊳⑧非自为：不是为了我自己。㊳⑨宋子：赵县名，在今河北赵县东北。㊴⓪逆击：迎击。逆，迎、迎面。㊴①败卿秦、乐乘于代：此句有误，应作“乐乘败卿秦于代”。梁玉绳曰：“《燕策》云：‘赵使乐乘以五万遇庆秦于代。’则乐乘赵将也，故下文

云赵悼襄王使乐乘代廉颇，此与《乐毅传》同误。当以‘乐乘’置‘破卿秦’上。”乐乘，乐毅的族人，此时为赵将。㊴追北：追击败兵。北，“背”的本字。两军对战而示之以背，意思即败。㊵围燕：包围了燕国的都城蓟县，即今北京市。黄震曰：“〖按〗今王喜方自救不暇，反用栗腹败赵以自败其从，岂必丹、轲之谋而后燕灭哉?”杨宽曰：“据《赵世家》，廉颇围燕在次年。”㊶必令将渠处和：一定要让将渠为燕国宰相，让将渠来办理和谈问题。泷川资言曰：“将渠初谏燕王不令伐赵，赵人知之。”处和，办理议和的事。㊷解去：解除包围，撤军而去。㊸赵平原君卒：《史记》《资治通鉴》皆书“平原君卒”于史，以见平原君在赵国的地位崇重，一身系赵国之安危。㊹十月己亥：十月初一，也就是秦孝文王元年（公元前二五〇年）的第一天，当时秦以十月为岁首。㊺王即位：孝文王正式登基。〖按〗我国古代帝王继承前代帝王之位的一般规矩都是前代帝王身死后，新帝王立即登基理事，但这一年仍使用前代帝王的年号。从转过年来第一个月的第一天起，改用新帝王的年号，这叫作“改元”。所以这里的“王即位”实指改用新的年号。㊻三日薨：只做了三天秦王，第四天就死了。〖按〗实际上也许处理政务已好几个月。㊼庄襄王：秦昭王之孙，孝文王之子，初名异人，后改名曰楚，历史上称为庄襄王。〖按〗庄襄王此时虽已即位，但本年仍继续使用“孝文王”的年号，要到下一年的十月初一才能“改元”。故历史上称庄襄王在位的年限为公元前二四九至前二四七年。㊽尊华阳夫人为华阳太后：华阳夫人原是孝文王的宠妃，并非王后，只因认了子楚做儿子，子楚后来又做了孝文王的太子，故而孝文王才立其为后；现在子楚又做了秦王，故而遂尊之为太后。㊾夏姬为夏太后：夏姬是庄襄王的生母，本来地位不高，不值一提，但因为亲生儿子做了秦王，故而也被尊为太后，位在“华阳太后”之下。㊿燕将攻齐聊城：〖按〗此燕将的名字为谁，又究竟是在何年何月攻占了齐国的聊城，历史上都没有明确记载。只在《战国策》里有《遗燕将书》一文，而《史记》之《鲁仲连邹阳列传》在记载“义不帝秦”一段辞令后，又录入了“遗燕将书”，于是有些人遂将二者牵合在一起。其实应该是不相关联的两件事。《资治通鉴》将其系之于秦孝文王元年（公元前二五〇年），大体合适。聊城，齐县名，在今山东聊城市西北。(404)或谮之燕王：有人在燕王面前说这位燕将的坏话。此事约当在燕王喜五年（公元前二五〇年）、齐王建十五年。或，有人。谮，诬毁、说人坏话。(405)保：据城固守。(406)不敢归：不敢返回燕国。(407)田单：齐国名将，在燕军破齐，齐国行将灭亡之际，田单大展奇才，再造齐国，被封为安平君，为齐国宰相。事迹详见《史记·田单列传》。㊳约之矢：把信件绑在箭杆上。约，束、捆绑。㊴遗：给；致。㊵为陈利害：为之分析陈说怎么做好，怎么做不好。㊶为公计：为您的利益考虑。㊷日益：越来越多。益，增。㊸将何为：将要怎么办。㊹自决：自己做出决定。㊺已有隙：已经与燕国君主有了隔阂。隙，裂缝、隔阂。㊻所杀虏于齐：在战斗中杀死和俘虏的齐国人。㊼见辱：被齐国人所侮辱。㊽喟然：伤心的样子。㊾与人刃我：与其被别人所杀。刃，杀。㊿田单克聊城：田单遂趁机攻下聊城。〖按〗《史记·鲁仲连邹阳列传》于此作“田单遂屠聊城”，非常不合情理。梁玉绳曰：“《国策》：‘燕将曰：敬闻命矣。因罢兵倒韣而去。’吴注云：‘《史》称燕将得书自杀，单屠聊城，非事实也。连之大意在于罢兵息民，而其料事之明，劝以归燕、降齐，亦度其计之必可者；迫之于穷而置之于死，岂其心哉？夫其劝之，政将以全聊城之民，而忍坐视屠之？《策》得其实，《史》不可信。’孙侍御云：‘聊城，齐地；田单，齐将，何以反屠聊乎？’”421归：指回到齐国都城临淄。422海上：海滨。423与富贵而诎于人：与其享受富贵而屈居人下。与，与其。诎于人，屈居人下，指做国君的臣子。诎，屈服。424轻世肆志：摆脱世俗的功名利禄，过自由自在的隐士生活。轻，看破、摆脱。肆志，随心所欲。425天下之高士：谁是天下数得着的高士。426子顺：即孔斌，字子顺，孔子的后代，曾在魏国为官，因与统治者的政见不合而引退。事已见前《周纪五》。427世无其人：世界上没有您说的那种人。428抑可以为次：或者可以退一步求之。抑，或者。为次，求其次。429其鲁仲连乎：大概就可以说是鲁仲连了吧。其，将、大概，表示推断。430强作：犹今所谓“做作”，故意做出来的。强，勉强。431非体自然：不是出于自然的本性。体，本性。432人皆作之：每个人都有做作的时候，指学礼学义、遵礼守法等等，都要经过一个勉强的阶段。433作之不止：一个人如能坚持学礼学义，修行不止。434作之不变：日复一日、年复一年地坚持学礼学义，履行仁义不变更。435习与体成：久而久之，形成习惯，也就和天生的本性一样了。436则自然也：到那时也就成为自然而然的了。

【校记】

［5］齐王：原无“王”字。据章钰校，十二行本、乙十一行本、孔天胤本皆有此字。今从诸本及《通鉴总类》卷十五下补。［6］习与体成：原本“习与体成”四字不重。据章钰校，十二行本、乙十一行本、孔天胤本“成”下皆有“习与体成”四字，张敦仁《通鉴刊本识误》同。盖涉两“习与体成”而脱。今从诸本及《通鉴总类》卷十五下补。

【原文】

庄襄王

元年（壬子，公元前二四九年）

吕不韦为相国[437]。

东周君与诸侯谋伐秦[438]，王使相国帅师讨灭之，迁东周君于阳人聚[439]，周既不祀[440]。周比亡[441]，凡有七邑[442]:河南[443]、洛阳[444]、谷城[445]、平阴[446]、偃师[447]、巩[448]、缑氏[449]。

以河南、洛阳十万户封相国不韦，为文信侯[450]。

蒙骜[451]伐韩，取成皋[452]、荥阳[453]，初置三川郡[454]。

楚灭鲁，迁鲁顷公[455]于卞[456]，为家人[457]。

二年（癸丑，公元前二四八年）

日有食之[458]。

蒙骜伐赵，定太原[7]，取榆次[459]、狼孟[460]等三十七城。

楚春申君言于楚王曰:“淮北[461]地边于齐[462]，其事急[463]，请以为郡[464]，而封于江东[465]。”楚王许之。春申君因城吴故墟[466]以为都邑[467]。宫室极盛。

三年（甲寅，公元前二四七年）

王龁攻上党诸城[468]，悉拔之，初置太原郡[469]。

蒙骜帅师伐魏，取高都、汲[470]。魏师数败，魏王患之，乃使人请信陵君于赵[471]。信陵君畏得罪，不肯还，诫门下[472]曰:“有敢为魏使通[473]者死。”宾客莫敢谏。毛公、薛公[474]见信陵君曰:“公子所以重于诸侯[475]者，徒以有魏[476]也。今魏急而公子不恤[477]，一旦秦人克大梁[478]，夷先王之宗庙[479]，公子当何面目立天下乎?”语未卒，信陵君色变[480]，趣驾[481]还魏。魏王持信陵君而泣，以为上将军[482]。信陵君使人求援于诸侯。诸侯闻信陵君复为魏将，皆遣兵救魏。信陵君率五国之师[483]，败蒙骜于河外[484]，蒙骜遁走[485]。信陵君追至函谷关[486]，抑之[487]而还。

安陵[488]人缩高之子仕于秦[489]，秦使之守管[490]。信陵君攻之不下[491]，

【语译】

庄襄王

元年（壬子，公元前二四九年）

任命吕不韦为秦国的相国。

东周君与诸侯谋划攻打秦国，秦庄襄王派相国吕不韦率军灭掉了东周，将东周君放逐到阳人聚村，周王朝彻底灭亡。东周君在灭亡之前与西周君所管辖的地盘合起来也不过只有七个县：河南、洛阳、谷城、平阴、偃师、巩、缑氏。

秦庄襄王将河南、洛阳的十万户赏给吕不韦，封吕不韦为文信侯。

秦国蒙骜率军攻打韩国，占领了韩国的成皋、荥阳，秦国将其地设置为三川郡。

楚国灭掉了鲁国，将鲁顷公姬雠放逐到卞邑，成为一个平民百姓。

二年（癸丑，公元前二四八年）

发生日食。

秦将蒙骜率军攻打赵国，平定了太原，攻克了赵国的榆次、狼孟等三十七座城邑。

楚国的春申君向楚考烈王要求说："淮河以北地区与齐国接壤，那里的防务紧急，请把那里设置为郡，收归国家管辖，把我的封地改到江东。"楚考烈王答应了他的要求。春申君于是在吴国旧都的遗址上筑城作为封地的首埠。宫殿修建得非常豪华。

三年（甲寅，公元前二四七年）

秦将王龁率军向上党郡所属的一些城邑发动进攻，全部占领，秦将其设置为太原郡。

秦将蒙骜率军攻打魏国，占领了魏国的高都、汲县。魏国的军队多次打败仗，魏王深感忧虑，于是派人到赵国请魏公子信陵君回国。信陵君害怕回国会受到处罚，坚决不肯回去，并警告左右的人说："谁要是敢给魏国的使者通报，一定将他处死。"他的门客谁也不敢劝谏。毛公、薛公进见信陵君说："公子之所以受到诸侯国的尊重，就因为您是魏国人，有魏国做您的后盾啊。现在魏国情势危急而公子漠不关心，一旦秦国的军队攻陷了魏国的都城大梁，毁坏了先王的宗庙，您还有什么面目活在这个世上啊？"两个人的话还没有说完，信陵君已经变了脸色，他马上催促收拾行装回到魏国。魏王抱住信陵君痛哭流涕，仍然任命他为上将军。信陵君派人到各诸侯国请求援助。那些诸侯听说信陵君又担任了魏国的大将，全都派兵前来救援魏国。信陵君率领赵、韩、楚、燕、魏五国的军队，在黄河以南打败了蒙骜，蒙骜逃走。信陵君率军将秦军一直逼近函谷关，迫使秦军不敢东出才收兵而回。

魏国安陵君封地内缩高的儿子在秦国任职，秦国派他担任管城的守将。信陵君

使人谓安陵君[492]曰："君其遣缩高[493]，吾将仕之以五大夫[494]，使为执节尉[495]。"安陵君曰："安陵，小国也，不能必使其民[496]。使者[497]自往请之[498]。"使吏导[499]使者至缩高之所[500]，使者致[501]信陵君之命。缩高曰："君之幸高[502]也，将使高攻管[503]也。夫父攻子守[504]，人之笑也；见臣而下[505]，是倍主[506]也。父教子倍，亦非君之所喜[507]。敢再拜辞[508]。"

使者以报信陵君。信陵君大怒，遣使之安陵君所[509]曰："安陵之地，亦犹魏也[510]。今吾攻管而不下，则秦兵及我[511]，社稷[512]必危矣。愿君生束缩高而致之[513]。若君弗致，无忌将发十万之师以造[514]安陵之城下。"安陵君曰："吾先君成侯[515]，受诏襄王，以守此城也。手授[516]太府之宪[517]，宪之上篇曰：'臣弑君，子弑父，有常不赦[518]。国虽大赦[519]，降城、亡子不得与[520]焉。'今缩高辞大位[521]，以全父子之义[522]，而君曰'必生致之'，是使我负[523]襄王之诏，而废[524]太府之宪也。虽死，终不敢行[525]。"

缩高闻之曰："信陵君为人悍猛[526]而自用[527]，此辞反，必[8]为国祸[528]。吾已全已[529]，无违人臣之义[530]矣，岂可使吾君[531]有魏患[532]乎？"乃之使者之舍，刎颈而死。信陵君闻之，缟素辟舍[533]，使使者谢安陵君曰："无忌，小人也，困于思虑[534]，失言于君[535]，请再拜辞罪[536]。"

王[537]使人行万金于魏[538]，以间[539]信陵君。求[540]得晋鄙客[541]，令说魏王曰："公子亡在外十年[542]矣，今复为将，诸侯皆属[543]。天下徒闻[544]信陵君，而不闻魏王矣。"王又数使人贺信陵君得为魏王未也[545]。魏王日闻其毁[546]，不能不信，乃使人代信陵君将兵。信陵君自知再以毁废[547]，乃谢病不朝[548]，日夜以酒色自娱，凡四岁而卒[549]。

韩王[550]往吊，其子荣之[551]，以告子顺[552]。子顺曰："必辞之以礼[553]。邻国君吊，君为之主[554]。今君不命子[555]，则子无所受韩君[556]也。"其子辞之[557]。

率军攻打管城，却总是攻打不下。信陵君于是派人对安陵君说：“请您将缩高派遣到我这里来，我将授予他五大夫的爵位，还要任命他为执节的军尉。”安陵君说：“安陵不过是一个很小的封国，我不能使我的人民一定能听从我的命令。还是使者你自己亲自去请他吧。”安陵君派人引导信陵君的使者来到缩高的住所，使者将信陵君的命令转达给缩高。缩高说：“信陵君所以这么抬举我，目的是让我去帮助攻打管城。父亲去攻打儿子所防守的城邑，会遭受世人的讥笑；如果儿子一看是父亲去攻城就不战而投降，这是背叛他的主人。做父亲的教育他的儿子背叛主人，这不是您主人所喜欢的。所以我大着胆向您请求，允许我不能接受您主人的命令。”

使者将缩高的话报告给信陵君。信陵君非常生气，他再次派人到安陵君那里说：“安陵这块地方虽然是您的封地，但也是魏国的领土。现在我攻不下管城，秦军就会利用管城为据点攻打魏国，魏国就将面临灭亡的危险。如果缩高仍然不肯来，我希望您将他捆起来，活着送到我这里来。如果您不把他送来，我就要率领十万大军到达您的安陵城下。”安陵君说：“我的先人成侯，奉魏襄王之命来守卫这个城邑。当时襄王亲手把藏在国家太府的法令授予他，这个法令的上篇写着：‘臣子杀死国君，儿子杀死父亲，按照常法绝不赦免。即使遇到国家大赦，但以城投降敌人，或是临阵逃亡的都不在大赦的范围之内。’现在缩高拒绝接受您赏赐给他的高官厚禄，是为了保全他们父子之间的情义，而您却说‘一定要把他活着送过来’，这是让我违背襄王的诏命，废掉太府的法令啊。我宁可去死也不敢那样去做。”

缩高听了以后说：“信陵君的为人勇猛凶悍而又固执任性，使者将安陵君的这番话带回去以后，必定会给安陵带来灾祸。我已经保全了自己的道德、气节，还要尽一个臣子的义务，我怎么能让安陵君遭受来自魏国的入侵呢？”于是来到使者的住所，拔剑自刎而死。信陵君听到消息以后很自责，他立即穿上丧服离开自己的居所，派人向安陵君道歉说：“无忌是一个无知的小子，被错误的思想所困扰，在您面前说了错话，我再次向您请罪。”

秦庄襄王派人带着万金到魏国行使反间计，以离间魏王和公子信陵君的关系。他们找到了晋鄙的门客，让他去劝魏安釐王说：“公子在外流亡已经十年了，现在又担任魏国的大将，诸侯都愿意听命于他。天下的人只知道有信陵君，而不知道有魏王。”秦庄襄王还故意多次派人向信陵君祝贺，并问有没有做了魏王。魏安釐王每天都能听到诋毁信陵君的话，也就不能不相信，于是派人接替了信陵君的大将职务。信陵君知道是因为遭受诽谤而再次被废黜，于是就假托有病，不再上朝见魏王，一天到晚只是沉湎于酒色当中，四年之后就在郁郁寡欢中死去了。

韩桓惠王准备亲自前往吊唁，信陵君的儿子深感荣耀，就将此事告诉了孔斌。孔斌对信陵君的儿子说：“你一定要按照礼法加以推辞。邻国的国君前来吊唁，一定要由本国的国君出面接待。如今魏王并没有委托你代表他接待韩王，你就没有资格接受韩王的吊唁。”信陵君的儿子于是谢绝了韩王，所以韩王没有成行。

五月丙午⑤⑤⑧，王薨⑤⑤⑨。太子政⑤⑥⓪立，生十三年⑤⑥①矣，国事皆委[9]于文信侯⑤⑥②，号称仲父⑤⑥③。

晋阳反⑤⑥④。

【段旨】

以上为第三段，写秦庄襄王在位三年（公元前二四九至前二四七年）间的各国大事，主要写：吕不韦开始在秦国执政，至秦王政上台更尊之曰“仲父”；魏公子归赵后又一度率五国之兵破秦军于河外，以及魏公子的悲剧结局；安陵人缩高坚守“道义”“操节”，不屈服于魏国压力的表现。

【注释】

㊲相国：原称“相邦”，汉朝建国后为避讳改称“相国”。相国的职务与宰相同，不同的是相国权专而位尊，通常只设一人，而宰相则有两人或多人。㊳东周君与诸侯谋伐秦：显然是强加罪名，以此作为出兵灭周的口实，此时的东周还有什么能力“谋伐秦”？㊴阳人聚：村落名，在今河南汝州西北，𢙵狐聚之西南。西周灭亡后西周君被迁于𢙵狐聚。㊵周既不祀：周王朝彻底灭亡。既，尽。不祀，不再有人祭祀周朝的社稷与宗庙。〖按〗周王朝自公元前一〇四六年建立，至此灭亡，共历七百九十多年。㊶周比亡：周国在灭亡前夕。比，及、邻近。㊷凡有七邑：总共还有七个县。此指西周君与东周君辖地总数。西周君有三个县，东周君有四个县。㊸河南：西周县名，即王城，今河南洛阳内的王城公园一带，原为西周君的都城，成为傀儡的周赧王也曾住在这里。㊹洛阳：即成周，东周县名，在今洛阳之东北侧。㊺谷城：西周县名，在今洛阳西北，当时的谷水北侧。㊻平阴：东周地名，在今河南孟津东北。㊼偃师：东周县名，在今河南洛阳市偃师区东。㊽巩：东周县名，在今河南巩义西南，当时为东周君的都城。㊾缑氏：西周县名，在今河南洛阳市偃师区南。㊿以河南、洛阳十万户二句：吕不韦被封为文信侯，其封地则不仅“河南、洛阳十万户”。梁玉绳引金耀辰曰：“《国策》曰‘食蓝田十二县’……岂河南、洛阳为封国，而蓝田其采地欤?”杨宽曰：“据《秦策》，庄襄王初立，即以吕不韦为相，食蓝田十二县。其食河南、洛阳十万户，当在吕不韦取东周以后。洛阳原为东周都邑。”⑤①蒙骜：蒙恬的祖父，原齐人，秦昭王时为秦将，多有战功。事详《史记·蒙恬列传》。⑤②成皋：韩县名，旧址在今荥阳西北之大伾山上。⑤③荥阳：韩县名，县治即今荥阳东北之古荥镇。⑤④三川郡：秦郡名，因其境内有黄河、洛水、伊水三川而得名，郡治洛阳（今洛阳之东北侧）。⑤⑤鲁顷公：鲁国的末代君主，名雠，公元前二七二至前二四九年在位。⑤⑥卞：楚邑名，在今山东泗水县东。⑤⑦为家人：

五月二十六日丙午，秦庄襄王去世。太子嬴政即位为秦王，这一年嬴政十三岁，国家大事全部托付给吕不韦，秦王嬴政尊他为“仲父”。

晋阳起兵叛变秦国。

成为平民百姓。家人，平民。㊺⑧日有食之：即日食。古人视日食为严重灾难的先兆，故书之于史。㊺⑨榆次：赵县名，即今山西晋中市榆次区。㊻⓪狼孟：赵县名，在今山西阳曲。㊻①淮北：楚国的东北边境地区，约当今江苏连云港市海州区及山东临沂市兰山区一带，地处淮河以北。㊻②地边于齐：地盘靠近齐国。㊻③其事急：边防事务紧急。㊻④请以为郡：请求把淮北地区设为郡，收归国家直接管辖。这一带地区本来是春申君的封地，不属楚国朝廷直接管辖。㊻⑤封于江东：把自己的封地改到江东，即今之苏州、上海一带。㊻⑥城吴故墟：在旧日吴国都城的废墟上重新筑城。城，筑城。吴故墟，指吴国旧都，即今苏州。㊻⑦以为都邑：作为春申君封地的首埠。㊻⑧上党诸城：属于上党郡（今山西东南部的长治一带地区）的一些城邑。这一带原分属于韩、赵两国，长平之战前后被秦占领。楚、魏联合救赵破秦后，有些城邑被韩、赵夺回，今又被秦国攻取。㊻⑨初置太原郡：此处行文似有语病，仿佛上党诸城属于太原郡。实际是秦拔上党诸城，只能“初置上党郡”；至攻拔太原诸城后，才能“初置太原郡”。太原郡的辖地约当今山西中部一带地区，郡治晋阳，在今太原西南。㊼⓪高都、汲：都是魏县名，高都即今山西晋城，汲县在今河南卫辉西南。㊼①请信陵君于赵：信陵君窃符救赵后，因怕魏王责罚，不敢回魏，遂留住在赵国。今魏国有急，故魏王请之。㊼②诫门下：告诉左右的人说。诫，告、嘱咐。门下，门客、左右人等。㊼③通：通报。㊼④毛公、薛公：隐于博徒、酒徒中的两位赵国贤士，事已见于《史记·周纪五》。详见于《史记·魏公子列传》。㊼⑤重于诸侯：被各国诸侯所看重。㊼⑥徒以有魏：就因为你是魏国人，你有魏国这个根据地。㊼⑦不恤：不关心；不忧虑。㊼⑧克大梁：攻下魏国都城，魏都大梁即河南开封。㊼⑨夷先王之宗庙：即灭掉魏国。夷，铲平。一个国家的宗庙、社稷被毁，即指国家灭亡。㊽⓪语未卒二句：二句极写魏公子的系心国家、从谏如流。未卒，未说完。色变，变了脸色，后悔、着急的样子。㊽①趣驾：催促从人整顿车马，迅速动身。㊽②上将军：国家的最高统帅。㊽③五国之师：指魏、韩、赵、楚、燕五国的军队。杨宽曰：“是时‘天下合纵’，以赵、楚、魏三国为主谋，信陵君正留赵不归，因窃符合纵救赵而破秦，颇具威名，因而被推为五国合纵之师之统帅。”㊽④河外：即今河南荥阳、郑州、原阳等当时黄河以南地区。当时称对岸的黄河以北为“河内”，称黄河以南为“河外”。㊽⑤蒙骜遁走：杨宽曰：“魏、楚合纵救赵邯郸之围，不仅攻邯郸之秦军为魏、楚、赵夹击而大破，而且秦将郑安平率军降赵，秦将王龁溃退至河东，又为魏、楚大败。此为秦从来未有之惨败。因而十年后，信陵君再度

统率合纵之师进击秦于河外，屡建战功之秦将蒙骜未敢抵抗，即败退而解去，于是信陵君‘威振天下’。”㊽函谷关：秦国东境的关塞名，旧址在今河南灵宝东北。㊾抑之：挫败它；压抑它。使之不敢东出。㊿安陵：也作“鄢陵”，魏国的附属国，在今河南鄢陵西北。489仕于秦：在秦国为官。490守管：镇守管城。管城即今河南郑州，原属魏，现已被秦国所攻占。491攻之不下：即魏公子败秦兵于河外之时。492安陵君：魏国国内的小封君，始受封者有说即魏襄王之弟公子劲。此时的安陵君究竟是第二代还是第三代，不清楚。据《战国策·秦策一》，此人名“坛”；据《说苑·权谋》，此人名“缠”。493君其遣缩高：请您派遣缩高到我这来，意欲让其去劝说他的儿子投降。其，表示祈请的语气词。494吾将仕之以五大夫：缩高如能办好此事，我将封他为五大夫。仕，任命。五大夫，依秦爵为第九级，大夫的最高级。秦、楚、赵、魏皆设有此爵。495执节尉：手执旌节的军尉。节是帝王派使者外出时所持的信物，以证明此人的身份与权限。尉是军中的司法官。执节的军尉在军中有生杀之权。496不能必使其民：不能让百姓们一定从命。必，一定。497使者：敬称信陵君所派的来人。498自往请之：自己去跟缩高说。请之，求缩高去办。499导：引；引路。500所：处；住处。501致：传达；转达。502君之幸高：你们主子如此这般地抬举我。幸，宠遇、优待。503将使高攻管：其实际意思是让我帮着他们攻打管城。将，表示推断。504夫父攻子守：让父亲去攻打儿子镇守的城池。505见臣而下：如果儿子一见父亲往攻就不战而降。506倍主：背叛他所效力的秦国君主。倍，通“背”，背叛。507亦非君之所喜：这种行为道德也不是你们主子所喜欢、所肯定的。508敢再拜辞：请允许我不能接受你们主子的这种要求。509之安陵君所：到安陵君处。之，往。510安陵之地二句：安陵君所管辖的地盘，也和魏国本土一模一样。511秦兵及我：秦兵必然要大规模地来攻魏地。512社稷：社稷坛，国家祭土谷之神的场所。因只有帝王才有祭祀社稷的资格，故古代常用“社稷”以代国家政权。513生束缩高而致之：将缩高捆起给我送来。致，送。514造：至；到达。515成侯：第一任受魏王所封的安陵君。〖按〗《史记·秦本纪》：“（昭王八年）魏公子劲、韩公子长为诸侯。”《史记索隐》曰：“别封之邑比之诸侯，犹商君、赵长安君。”秦昭王八年（公元前二九九年）当魏襄王二十年，顾观光《七国地理考》以为此成侯或即安陵始封之君，即《史记·秦本纪》所说的“公子劲”。516手授：指魏襄王亲手授予成侯。517太府之宪：藏于朝廷府库的国家法令。518有常不赦：按常法处死，绝不宽赦。有常，即按照常法。519国虽大赦：即使国家宣布大赦令。520降城、亡子不得与：带着城池投降敌人或是弃城逃跑的人不在宽赦之内。降城，举城以降敌。亡子，弃城逃跑的人。不得与，不能向这里边靠，意即不在大赦之内。521辞大位：指拒绝接受信陵君所封的“五大夫”与“执节尉”。522全父子之义：指不为信陵君去劝说儿子投降，不使父子俩在道德礼法面前陷于尴尬之地。523负：违背；背叛。524废：废弃；不遵守。525不敢行：不能这么做。不敢，“不能”的一种委婉说法。526悍猛：强悍勇猛。527自用：自以为是；固执己见。528此辞反二句：此番话反馈给信陵君，必然要给安陵带来灾难。当时的小封君领地也可以称“国”。〖按〗原本作“此辞必反为国祸”，意即这番说辞反而会给国家带来灾祸。二者皆可通。㉙全已：保全了自己的道德、气节，没有去做违心、违背礼法的事。㉚无违人臣之义：即要尽一个臣子的义务，要替安陵小国分忧。㉛吾君：指安陵君。㉜魏患：来自魏国的入侵。㉝缟素辟舍：身穿白色衣服，离开平时所住的屋子，以表示向人请罪。缟素，凶服，古人向人请罪时往往穿此衣服，如子婴向刘邦投降、秦穆公向国人请罪等等。辟舍，离舍。辟，通“避”。㉞困于思虑：被错误的思想所困扰，也就是神思恍惚，想法悖谬。㉟失言于君：对您说错了话。㊱辞罪：告罪；请罪。辞，谢、告。㊲王：指秦庄襄王。㊳行万金于魏：花上万金到魏国去施行反间计。行，拿出、花出。万金，古称黄金二十四两（也有说二十两）为一金，一金约当铜钱一万枚。万金，极言其多，不惜代价。㊴间：挑拨离间。㊵求：寻访；找到。㊶晋鄙客：晋鄙手下的门客、宾客。㊷亡在外十年：魏公子窃符救赵在公元前二五七年，至秦庄襄王三年（公元前二四七年）正好十年。亡，流亡，此指侨居在赵。㊸诸侯皆属：各诸侯国都愿意听他的招呼。属，此指听命。㊹徒闻：只听说；只知道。㊺数使人贺信陵君句：假作听说信陵君已经当了魏王，故来祝贺，来后方知尚未当魏王。手段与汉陈平之间范增相似。《史记·项羽本纪》云：“项王使者来，为太牢具，举欲进之。见使者，详惊愕曰：‘吾以为亚父使者，乃反项王使者。’更持去，以恶食食项王使者。”杨宽曰：“秦行金万于魏以毁魏公子于魏王，即李斯‘阴遣谋士赍持金玉以游说诸侯’之计。”㊻日闻其毁：每天都听到这种对信陵君的诽谤。日，日复一日，每天如此。毁，诽谤。㊼再以毁废：这已经是第二次因遭诽谤被罢职。再，第二次。㊽谢病不朝：推说有病，不再上朝见魏王。㊾凡四岁而卒：郭沫若曰：“信陵君回国之后，二次受谗，竟不得不以醇酒妇女以自戕贼，这也与其说是由于信陵君的悲观、失望而至于消极，倒宁可说是由于魏王的猜忌、残忍，而使他不得不韬光隐晦的。”（《虎符·写作缘起》）凌稚隆引王世贞曰：“公子不死则魏几不亡，万金入而晋鄙客之间行，公子知饮酒近妇女之足以伤生，不欲以生为秦虏耳。愚哉，魏王之为秦亡魏也。”〖按〗魏公子卒于魏安釐王三十四年（公元前二四三年）。㊿韩王：指韩桓惠王，此年为韩桓惠王二十六年（公元前二四七年）。551荣之：感到光彩，因为韩国的君主来吊唁魏国的大臣。552子顺：孔斌，字子顺，孔子的后代，前文已出现过两次。553辞之以礼：依据礼法加以推辞。554邻国君吊二句：邻国的君主前来吊唁，要由本国的君主出面接待。主，指负责接待的人。555君不命子：如今我们的君主并未命令你，让你接待韩国的君主。556子无所受韩君：你没有资格接待韩国君主。557其子辞之：《孔丛子·执节》于此作：“其子辞韩，韩君乃止。”558五月丙午：五月二十六。559王薨：秦庄襄王卒。560太子政：即日后的秦始皇，本名“正”，因秦朝为之避讳，故写作“政”，历法上的“正月（zhèng yuè）”也改读作“正月（zhēng yuè）”。561生十三年：此时已十三岁，即出生于公元前二五九年。562文信侯：吕不韦的封号。吕不韦的活动前文已见，《史记》有《吕不韦列传》。唯其所记，今历史家多以为不可信，诸说见韩兆琦《史记笺证》。563仲父：义同“叔父”，意谓对之敬重的程度仅次于父。管仲因辅佐齐桓公成为霸主，故齐桓公尊之曰“仲父”；范雎佐秦昭王远交近攻以壮大秦国，故秦昭王尊之曰“叔父”；今秦王政亦依此礼尊称吕不韦。564晋阳反：晋阳原是赵邑名，在今山西太原西南，长平之战后被秦国所占领。至楚、魏救赵败秦兵于邯郸后，晋阳起义反秦，不久又被秦国平息；前不久魏公子率五国兵破秦于河外，故晋阳又起兵反秦。杨宽曰：“盖信陵君合纵击秦得胜，蒙骜退兵，赵乘机使晋阳又反。犹如十年前魏、楚合纵救赵破秦后，赵使太原反，韩使上党反。”参见韩兆琦《史记笺证·魏公子列传》注。

【原文】

始皇帝[565]上

元年（乙卯，公元前二四六年）

蒙骜击定之[566]。

韩欲疲秦人[567]，使无东伐[568]，乃使水工郑国[569]为间于秦[570]，凿泾水[571]自仲山为渠[572]，并北山[573]，东注洛[574]。中作而觉[575]，秦人欲杀之。郑国曰：“臣为韩延数年之命[576]，然渠成，亦秦万世之利[577]也。”乃使卒为之[578]，注填阏之水[579]，溉舄卤之地[580]四万余顷，收皆亩一钟[581]。关中由是益富饶[582]。

二年（丙辰，公元前二四五年）

麃公[583]将卒攻卷[584]，斩首三万。

赵以廉颇为假相国[585]，伐魏，取繁阳[586]。赵孝成王[587]薨，子悼襄王[588]立，使武襄君乐乘[589]代廉颇。廉颇怒，攻武襄君，武襄君走[590]。廉颇出奔魏，久之，魏不能信用。赵师数困[591]于秦，赵王思复得廉颇，廉颇亦思复用于赵。赵王使使者视廉颇尚可用否。廉颇之仇郭开[592]多与使者金，令毁[593]之。廉颇见使者，一饭斗米，肉十斤[594]，被甲上马，以示可用[595]。使者还报曰：“廉将军虽老，尚善饭，然与臣坐，顷之[596]三

【校记】

［7］定太原：此三字原无。据章钰校，十二行本、乙十一行本、孔天胤本皆有此三字，张敦仁《通鉴刊本识误》、张瑛《通鉴校勘记》同。今从诸本及胡三省《通鉴释文辨误》卷一补。［8］反，必：原作"必反"。据章钰校，十二行本、乙十一行本、孔天胤本二字互乙。今从诸本及《战国策·魏策》和《通鉴纪事本末》卷一下改。［9］国事皆委："委"原作"决"。据章钰校，十二行本、乙十一行本、孔天胤本皆作"委"，张敦仁《通鉴刊本识误》、张瑛《通鉴校勘记》同。今从诸本及《通鉴纪事本末》卷一下改。

【语译】

始皇帝上

元年（乙卯，公元前二四六年）

秦将蒙骜率军平定了晋阳之乱。

韩国想以劳民伤财的方式削弱秦国，使秦国没有力量再向东方侵略扩张，便派水利专家郑国到秦国去进行间谍活动，郑国率领秦国人从仲山凿渠引泾河之水，穿过北山，向东流入洛水。工程进行到一半的时候，秦国发觉了韩国的阴谋，于是就想把郑国杀掉。郑国说："我来到秦国虽然为韩国延长了几年的寿命，但水渠开凿成功，秦国也可以万世受益呀。"秦国终于同意将这项水利工程完成，郑国渠修成以后，用含有大量泥沙的黄水，灌溉秦国四万余顷盐碱地，有效地改良了土壤，使每亩地能够收获一钟的粮食。秦国关中一带因此而更加富庶。

二年（丙辰，公元前二四五年）

秦将麃公率领秦军攻打魏国的卷城，杀死三万人。

赵国任命廉颇为代理丞相，攻打魏国，占领了繁阳。赵孝成王去世，他的儿子悼襄王即位，悼襄王任命武襄君乐乘取代廉颇。廉颇非常恼怒，就起兵攻打武襄君，武襄君败走。廉颇逃到魏国，在魏国待了很久，却不受魏国的信任与重用。赵国的军队屡次被秦军打败，赵悼襄王想让廉颇回赵国继续领兵，廉颇也想回赵国继续为国效力。赵王派人去考察廉颇是否还有能力继续带兵打仗。廉颇的仇人郭开用重金贿赂使者，让他在赵王面前说廉颇的坏话。廉颇看见赵王派来的使者，为了显示自己的能力，他一顿就吃了一斗米的米饭、十斤肉，然后穿上铠甲、跨上战马，表示体力不减当年，仍然可以报效国家。使者回到赵国对赵王说："廉颇将军虽然年老，饭量还是很大，但和我坐着的时候，工夫不大就拉了三次屎。"赵王认为廉颇确实已

遗矢[597]矣。”赵王以为老，遂不召。楚人阴使迎之[598]。廉颇一为楚将[599]，无功[600]，曰：“我思用赵人[601]。”卒死于寿春[602]。

三年（丁巳，公元前二四四年）

大饥[603]。

蒙骜伐韩[604]，取十二城。

赵王以李牧[605]为将，伐燕，取武遂、方城[606]。李牧者，赵之北边[607]良将也。尝居代、雁门[608]备匈奴[609]，以便宜置吏[610]，市租皆输入莫府，为士卒费[611]，日击数牛飨士[612]。习骑射[613]，谨烽火[614]，多间谍[615]。为约曰[616]：“匈奴即入盗[617]，急入收保[618]。有敢捕虏者斩。”匈奴每入，烽火谨，辄入收保不战。如是数岁，亦不亡失[619]。匈奴皆以为怯。虽[620]赵边兵，亦以为吾将怯。赵王让之[621]，李牧如故。王怒，使他人代之[622]。岁余，屡出战，不利，多失亡，边不得田畜[623]。王复请李牧，李牧杜门[624]称病不出[625]。王强起之[626]，李牧曰：“王必用臣[10]，如前，乃敢奉令[627]。”王许之。李牧至边，如约[628]。匈奴数岁无所得，终以为怯。边士[629]日得赏赐而不用[630]，皆愿一战。于是乃具选车[631]得千三百乘，选骑[632]得万三千匹，百金之士[633]五万人，彀者[634]十万人：悉勒习战[635]。大纵畜牧，人民满野[636]。匈奴小入[637]，佯北不胜[638]，以数十人委之[639]。单于[640]闻之，大率众来入。李牧多为奇陈[641]，张左右翼[642]击之，大破之，杀匈奴十余万骑[643]。灭襜褴[644]，破东胡[645]，降林胡[646]。单于奔走[647]，十余岁不敢近赵边[648]。

先是，天下冠带之国七[649]，而三国边于戎狄[650]。秦自陇以西[651]有绵诸、绲戎、翟䝠[652]之戎，岐、梁[653]、泾、漆[654]之北有义渠、大荔、乌氏、朐衍[655]之戎；而赵北有林胡、楼烦[656]之戎；燕北有东胡、山戎[657]。

经年老，不堪重任，于是打消了召他回国的念头。楚国悄悄派人将廉颇接到楚国。廉颇出任楚将之后，并没有什么作为，廉颇说："我还是想要指挥赵国的军队。"最后死在楚国的寿春。

三年（丁巳，公元前二四四年）

秦国遇到了严重的饥荒。

秦将蒙骜率军攻打韩国，占领十二座城邑。

赵悼襄王任命李牧为大将，攻打燕国，占领了燕国的武遂、方城。李牧，是赵国驻守北方的良将。曾经驻守在代郡、雁门防备匈奴，他有权根据需要自行设置官吏，所征收的租税不缴纳给国家，而是直接交到驻军公署，作为军费，他每天都要宰杀几头牛犒赏士卒。下令士兵每天练习骑马射箭，密切注意敌情，小心把守烽火台，他还大量地派出间谍，随时掌握匈奴的动向。又反复地向部下申明约束说："如果发现匈奴进犯，要迅速退回营垒固守。有人胆敢捕杀匈奴，一律斩首。"匈奴每次进犯，负责看守烽火台的就赶紧点燃烽火报警，守军也马上回到营垒固守而不与匈奴交战。这样坚持了好几年，虽然没有战胜敌人，而自己也没有受到什么损失。匈奴认为李牧胆怯。就连赵国守卫边境的士兵，也认为自己的将领胆怯。赵王曾因此而责备李牧，李牧却依然如故。赵王非常不满意，就派别人接替李牧带兵。在一年多的时间里，虽然多次与匈奴交战，但总是打败仗，造成了很大的损失和人员伤亡，也导致边境地区的人民不能正常地进行耕作和放牧。赵王于是重新起用李牧，李牧假托有病，谢客不出。赵王强迫他出来任职，李牧说："大王非要用我的话，必须允许我还是照以前的样子办，我才敢接受您的命令。"赵王答应了李牧的请求，李牧重新走马上任。他来到边境，依然实行坚壁清野的策略。几年当中，匈奴屡次入侵，却一无所获，但他们始终以为李牧是胆怯，惧怕匈奴而不敢出战。守边的军士每天得到赏赐却无用武之地，都希望与匈奴决一胜负。李牧精心挑选兵车一千三百辆，战马一万三千匹，曾经获得过百金奖赏的勇士五万人，能拉动硬弓的射手十万人：将他们组织起来进行战斗训练。又让百姓赶着牲畜出去放牧，人和牛羊布满了田野。当匈奴小股部队进行试探性的入侵时，李牧就让手下假装失败，还故意留下几十个人，让他们捉去。匈奴单于得知这种情况，便亲自率领大军前来进犯。李牧布下许多疑兵，在两侧设好埋伏，除去正面作战外，还从两侧迂回包抄，结果把匈奴打得大败，共杀死匈奴十多万人。然后趁势灭掉了襜褴，击败了东胡，迫使林胡投降。匈奴单于从此逃得远远的，此后十多年，匈奴不敢进犯赵国的边境。

早先，天下文明礼仪之邦有七个，其中秦、赵、燕三个国家与戎狄接壤。秦国陇山以西有绵诸、绲戎、翟貆之戎，岐山、梁山、泾水、漆水以北有义渠、大荔、乌氏、朐衍之戎；赵国的北部有林胡、楼烦之戎；燕国北部有东胡、山戎。这些戎

各分散居溪谷[658]，自有君长。往往而聚[659]者，百有余戎，然莫能相一[660]。其后义渠筑城郭以自守[661]，而秦稍蚕食之[662]。至惠王[663]，遂拔义渠二十五城[664]。昭王[665]之时，宣太后[666]诱义渠王，杀诸甘泉[667]。遂发兵伐义渠，灭之[668]。始于陇西[669]、北地[670]、上郡[671]筑长城以拒胡[672]。赵武灵王[673]北破林胡、楼烦[674]，筑长城，自代并阴山下，至高阙为塞[675]，而置云中[676]、雁门[677]、代郡。其后燕将秦开[678]为质于胡[679]，胡甚信之，归而袭破东胡，东胡却[680]千余里。燕亦筑长城，自造阳至襄平[681]，置上谷[682]、渔阳[683]、右北平[684]、辽东[685]郡以拒胡。及战国之末，而匈奴始大[686]。

四年（戊午，公元前二四三年）

春，蒙骜伐魏，取畼、有诡[687]。三月，军罢。

秦质子归自赵[688]，赵太子出归国[689]。

七月，蝗，疫[690]，令百姓纳粟千石，拜爵一级[691]。

魏安釐王薨，子景湣王[692]立。

五年（己未，公元前二四二年）

蒙骜伐魏，取酸枣、燕、虚、长平、雍丘、山阳[693]等二十城[11]，初置东郡[694]。

初，剧辛[695]在赵，与庞煖[696]善，已而仕燕。燕王[697]见赵数困于秦[698]，廉颇去[699]而庞煖为将，欲因其敝[700]而攻之，问于剧辛。对曰："庞煖易与[701]耳。"燕王使剧辛将而伐赵。赵庞煖御[702]之，杀剧辛，取燕师二万[703]。

诸侯[704]患秦攻伐无已时[705]。

六年（庚申，公元前二四一年）

楚、赵、魏、韩、卫[706]合从[707]以伐秦。楚王为从长[708]，春申君[709]用事[710]，取寿陵。至函谷[711]，秦师出，五国之师皆败走。楚王以咎[712]春申君，春申君以此益疏。观津[713]人朱英[714]谓春申君曰："人皆以楚为强[715]，君用之而弱[716]，其于英不然[717]。先君时，秦善楚[718]，二十年而不攻楚，何也？秦逾黾厄之塞[719]而攻楚，不便[720]；假道于两周[721]，背韩、魏[722]而攻楚，不可[723]。

狄全都分散居住在山间溪谷之中，各部落有各部落的君长。他们往往是一百多个部落聚集在一起，然而各部落互不统属。稍后，义渠开始修筑城郭，以此来防护自己，然而却无法抵御秦国的吞食。秦惠文王时期，秦国侵占了义渠二十五座城邑。秦昭王时期，秦宣太后将义渠王诱骗，将其杀死在甘泉。趁势发兵攻打，终于将义渠消灭。此时秦国开始在陇西、北地、上郡修筑长城，用来抵御其他戎狄的入侵。赵武灵王向北打败了林胡、楼烦以后，也开始修筑长城，赵国的长城从代郡开始，经过阴山山脉一直修到高阙，又设置云中、雁门、代郡。其后，燕国的将领秦开到胡地去做人质，胡人特别信任他，秦开回到燕国以后，就偷袭了东胡，将东胡向北赶至一千里以外。燕国也修筑长城，从造阳一直到襄平，并设置上谷、渔阳、右北平、辽东郡以抗击胡人南侵。到了战国后期，匈奴又开始强大起来。

四年（戊午，公元前二四三年）

这年春天，秦将蒙骜率军攻打魏国，夺取了畼、有诡。三月，秦军撤退。

在赵国做人质的秦国公子回到秦国，赵国派往秦国做人质的太子也回到赵国。

七月，发生了蝗灾、瘟疫，粮食歉收。秦王政向百姓下令，交纳一千石粮食，就奖赏一级爵位。

魏国的安釐王去世，他的儿子景湣王即位。

五年（己未，公元前二四二年）

秦将蒙骜攻打魏国，占领酸枣、燕、虚、长平、雍丘、山阳等二十座城，秦国开始将其地设为东郡。

当初，剧辛在赵国时和庞煖友善，后来剧辛到燕国任职。燕王喜看见赵国多次被秦国打败，廉颇离开赵国而赵国任用庞煖为将，就想趁赵国正处在疲敝、破败之际去攻打赵国，燕王喜征求剧辛的意见。剧辛回答说："庞煖这人很容易对付。"于是燕王喜下决心攻打赵国，并委任剧辛为统帅。赵国派庞煖领兵抗击燕国的入侵，结果大败燕军，杀死了剧辛，俘虏燕军二万人。

各诸侯国对秦国无休止的侵犯都感到深深的忧虑。

六年（庚申，公元前二四一年）

楚国、赵国、魏国、韩国、卫国建立合纵联盟，共同讨伐秦国。楚考烈王任盟约长，春申君黄歇掌权，攻下了秦国的寿陵。当联军抵达函谷关的时候，秦国派军迎战，五国联军不敢与秦军交战，一哄而散。楚王指责春申君指挥不力，从此与春申君的关系更加疏远。观津人朱英对春申君说："别人都认为楚国很强大，是因为您执政才使楚国变弱了，而我却不这样认为。先王在世的时候，秦国和楚国的关系友好，秦国有二十多年不侵犯楚国，什么原因呢？因为秦国要攻打楚国，就必须翻越黾隘这个险要的关塞，很不便利；如果从两周的领地上穿过来攻打楚国，那么秦国就要面临背后遭受韩、魏攻击而被断绝退路的危险，地理形势不允许。

今则不然，魏旦暮亡[724]，不能爱[725]许、鄢陵[726]，魏割以与秦[727]。秦兵去陈百六十里[728]，臣之所观者[729]，见秦、楚之日斗[730]也。”楚于是去陈[731]，徙寿春[732]，命曰郢[733]。春申君就封于吴[734]，行相事[735]。

秦拔魏朝歌[736]及卫濮阳[737]。卫元君[738]率其支属徙居野王[739]，阻其山，以保魏之河内[740]。

七年（辛酉，公元前二四〇年）

伐魏，取汲[741]。

夏太后[742]薨。

蒙骜卒。

八年（壬戌，公元前二三九年）

魏与赵邺[743]。

韩桓惠王薨，子安[744]立。

【段旨】

以上为第四段，写秦始皇（实应作“秦王政”）元年（公元前二四六年）至秦始皇八年的各国大事，主要写：秦国因修郑国渠而经济实力益强；楚国合纵破秦，为秦所败，从此益弱，东迁至寿春；赵国罢斥廉颇，廉颇因抑郁死于楚，但赵国因能用李牧，致李牧为赵拓展北部边防；燕国攻赵，又被赵所破，因而东方六国中只有赵国尚能支撑局面。

【注释】

[565]始皇帝：秦庄襄王之子，名政，《史记·吕不韦列传》以为是吕不韦的孕妾嫁与庄襄王者所生，今历史家多以为不可信。嬴政初即位时为秦王，即历史上所说的秦王政。秦王政二十六年（公元前二二一年）吞并最后一个诸侯国，统一天下，改称“始皇帝”，这里是以后来的称呼追写改号以前的历史。[566]蒙骜击定之：此句乃接上一年的“晋阳反”而言，谓蒙骜平定了晋阳一带的反秦活动。定，平定。之，指“晋阳反”。[567]韩欲疲秦人：韩国想消耗秦国的人力物力。时当韩桓惠王二十七年（公元前二四六年）。疲，消耗。[568]使无东伐：使其没有力量再向东方诸国进攻。[569]水工郑国：韩国的水利工程技术人员，姓郑，名国。[570]为间于秦：到秦国进行间谍活动。[571]凿泾水：开凿沟渠，从泾河

现在就不一样了，魏国被秦国灭亡是早晚的事，不敢吝惜自己的许城、鄢陵，要割让给秦国。秦国的军队离楚国的都城陈县只有一百六十里远，依我看，秦国和楚国的战斗从此将会日夜不断。”于是，楚国将都城从陈迁到寿春，将寿春改称为郢。春申君回到自己的封地吴，但仍然保留着一个丞相的虚名。

秦国攻占了魏国的朝歌和卫国的都城濮阳。卫元君被秦人强迫离开卫国的都城而迁居到野王，凭借山势的险阻，为魏国守卫黄河北岸的领土。

七年（辛酉，公元前二四〇年）

秦国攻打魏国，占领了汲县。

秦庄襄王子楚的生母夏太后去世。

秦国大将蒙骜逝世。

八年（壬戌，公元前二三九年）

魏国把邺城割让给赵国。

韩桓惠王去世，他的儿子安即位。

中引水。泾河源于今宁夏之六盘山，东南流经甘肃泾川、陕西彬州，至咸阳东入渭水。㉜ 自仲山为渠：在仲山附近修渠，从泾水中引水东出。仲山，也称“中山”，山名，在今陕西淳化东南。㉝ 并北山：沿着北部的山势东行。并，意思同“傍”，沿着。㉞ 东注洛：东行连通洛水。洛水自陕西西北部的吴旗流来，东南经甘泉、洛川，至大荔东南汇入渭水，郑国渠的东端在今陕西大荔西北。㉟ 中作而觉：正在开凿的过程中，郑国的间谍活动被发觉。〖按〗郑国入秦为间谍，开始为秦国修渠，在秦王政元年（公元前二四六年）；郑国的间谍活动被发觉，并引起秦王政欲一概驱逐东方来客，在秦王政十年（公元前二三七年）。此为叙事简便，故一并叙之于此。㊱ 延数年之命：谓韩国用此伎俩挽救不了它的灭亡，顶多不过苟延数年而已。㊲ 秦万世之利：《汉书·沟洫志》载郑国于此云：“臣为韩延数岁之命，而为秦建万世之功。”㊳ 乃使卒为之：于是秦国就让他彻底修完了这条渠。〖按〗以上郑国为秦修渠，以及由于郑国的间谍活动被发现，而引发秦国的下逐客令，李斯上《谏逐客书》等，事见《史记》之《秦始皇本纪》《李斯列传》。锺惺曰：“郑国为韩间秦，令凿泾水开渠溉田，此商君强本之谋也。苟免韩一时之患，而永开秦数世之利，使秦暂宽一韩而兼收六国，安在其为韩间秦乎？盖战国策士之习，本为身谋，术用身利，初无分于在韩与在秦也，秦幸而韩不幸耳。”㊴ 注填阏之水：引用饱含泥沙的黄水。师古曰：“注，引也。‘阏’读与‘淤’同。‘填阏’即‘淤泥’也。”㊵ 溉舄卤之地：灌溉盐碱地。舄卤，盐碱地。㊶ 收皆亩一钟：亩产六石四斗。钟，古代的量器名，一钟等于六石四斗，在当时为少有的好收成。郭茂倩《乐府诗集》载《郑白渠歌》云：

“田于何所，池阳谷口。郑国在前，白渠起后。举臿如云，决渠为雨。泾水一石，其泥数斗。且溉且粪，长我禾黍。衣食京师，亿万之口。”㊿㊷ 关中由是益富饶：杨宽曰：“郑国渠凿泾水自中山向西到瓠口（亦作谷口），靠北山向东，经三百余里，注入洛水，穿越截断若干纵流之小河，使若干小河之水注入渠中，用以灌溉四万余顷之田。并创造‘淤灌压碱’之法，以改良土壤与增加肥力。”关中，指函谷关以西，通常用以指今陕西中部一带地区。郭涛曰：“郑国渠于秦始皇元年（公元前二四六年）动工兴建，共计用了十余年时间。渠成后，历代均有修建、整治和改造。不同历史时期的灌溉范围、取水口位置、渠系布置以及名称有所变化。汉修白渠后叫郑白渠，唐叫三白渠，宋代渠首叫丰利渠，元代渠首叫王御史渠，明代又叫广惠渠，清代改引泉水后，改叫龙洞渠。民国时期引进现代工程技术，重建引泾渠首工程，取名泾惠渠，一直沿用至今。”583 麃公：秦将名。或曰其人姓“麃”，史失其名；或曰“麃”是县名，此人曾为麃县县令，史失其姓名。当时的县令往往称公。如刘邦之称“沛公”，夏侯婴之称“滕公”是也。584 卷：魏县名，在今河南原阳西。梁玉绳曰：“秦昭三十四年已取魏卷，何烦此时攻之？疑‘卷’字误。”泷川资言曰：“按古抄、南本‘卷’作‘权’。”权是赵县名，在今河北正定北。牛鸿恩曰：“梁、泷川说不确，《编年纪》始皇三年载‘卷军’，可见有卷之战。”〖按〗杨宽《战国史·战国大事年表》始皇二年有“秦再度攻取魏的卷”。时当魏安釐王三十二年（公元前二四五年）。585 假相国：官名。给予“相国”的虚衔，以示崇敬。给将军以朝官的虚衔历代都有，如韩信、樊哙都曾为“假相国”，唐朝多给节度使加以“丞相”或“御史大夫”的虚衔等等。586 繁阳：魏县名，在今河南内黄西北。587 孝成王：赵惠文王之子，公元前二六五至前二四五年在位。588 悼襄王：名偃，公元前二四四至前二三六年在位。589 武襄君乐乘：赵将，乐毅的族人，被封为武襄君。事见《史记》之《赵世家》《乐毅列传》。《史记·燕召公世家》谓其在廉颇大破栗腹之役中被擒者，误。590 廉颇怒三句：王应麟曰：“‘赵使乐乘代廉颇，颇怒，攻乐乘’；‘使赵葱、颜聚代李牧，牧不受命’，此非为将之法，颇、牧特战国之将尔。”591 数困：屡屡被打败。592 郭开：赵悼襄王的宠臣，此人除害廉颇外，尚有受秦金谗害李牧事，见后文。593 毁：诽谤；在当权者面前说人坏话。594 一饭斗米二句：〖按〗战国时的一斗约当现在的二升，战国时的一斤约当现在的半斤。595 被甲上马二句：被，通“披”。凌稚隆曰：“马援‘据鞍矍铄’，李靖‘虽老，犹堪一行’，与廉颇意同。”〖按〗马援事见《后汉书·马援传》，李靖事见《新唐书·李靖传》。596 顷之：时间不长。597 三遗矢：《史记索隐》曰：“谓数起便。”遗矢，排大便。矢，通“屎”。中井积德曰：“是坐而不觉矢也，非‘起’。”照中井说，盖即大便失禁，意思较好；然大便失禁，别人尚难一时发觉，故仍以《史记索隐》说为宜。598 阴使迎之：暗中派人将其接到楚国。阴，暗中。599 一为楚将：既为楚将之后。一，既已。600 无功：没有成效；没有作为。郭嵩焘曰：“廉颇入楚，在考烈王东徙寿春之后，其势亦不足以有为矣。”601 思用赵人：愿为赵国服务。姚苎田曰：“钟仪既絷，犹鼓南音；范叔西游，无忘丘墓；廉将军于此，遐哉弗不可及已，而惜乎赵之不终其用也。”⑥⓪②卒死于寿春：寿春是楚县名，即今安徽寿县，当时为楚国东迁后的都城。《史记正义》曰：“廉颇墓在寿州寿春县北四里。”〖按〗今寿县八公山纪家郢放牛山之西南坡有廉颇墓，高二十米，周三十米，墓基由条石垒积而成，俗称颇古堆。⑥⓪③大饥：严重灾荒，庄稼无收成。⑥⓪④蒙骜伐韩：时当韩桓惠王二十九年（公元前二四四年）。⑥⓪⑤李牧：赵国名将。事迹详见《史记·廉颇蔺相如列传》。⑥⓪⑥武遂、方城：皆燕县名，武遂在今河北保定市徐水区西遂城，方城在今河北固安西南。⑥⓪⑦北边：北部边境。⑥⓪⑧代、雁门：赵国北部的两个郡名，代郡约当今大同以东的山西北部与河北西北部地区，首府称代，即今河北蔚县东北之代王城。雁门郡约当今大同以西的山西北部地区，首府善无，即今山西右玉南。⑥⓪⑨匈奴：战国后期强大起来的北部少数民族名，活动在今内蒙古与蒙古国南部一带地区。详见《史记·匈奴列传》。⑥①⓪以便宜置吏：根据实际需要，任命属下的官员，这是一种受帝王特许才能行使的权力。便宜，根据实际情况采取适当措施，与谨遵固有的章程规定相对而言。⑥①①市租皆输入莫府二句：市租，指从军中市场和当地百姓市场上所收得之税。莫府，同“幕府”，将军办公的篷帐，后用以代指将军的办事机构。《史记·张释之冯唐列传》有所谓“李牧为赵将居边，军市之租，皆自用飨士”，可与此互证。⑥①②日击数牛飨士：每天都要杀几头牛以犒赏军中的士大夫。击牛，杀牛。古时杀牛多用椎棒将牛击死，故也称“椎牛”。飨士，犒赏军中的士大夫。⑥①③习骑射：让士兵们每天练习骑马射箭。⑥①④谨烽火：密切注意敌情，有情况迅速报告。烽火，古代边疆设立的报警措施，白天点狼烟，夜间举火。⑥①⑤多间谍：大量派出谍报人员，刺探敌情。⑥①⑥为约曰：给部下人规定说。⑥①⑦匈奴即入盗：如果有匈奴人来攻边塞。即，若、如果。⑥①⑧急入收保：迅速退入工事，谨守城堡。⑥①⑨亦不亡失：虽然没有战胜敌人，但自己也没有损失什么。亡失，损失、丢失。⑥②⓪虽：即使。⑥②①赵王让之：赵王派人责备李牧怯懦不战。赵王，赵悼襄王，孝成王之子。时为赵悼襄王元年（公元前二四四年）。让，责备。⑥②②使他人代之：即罢免李牧，改用他人为将。⑥②③边不得田畜：整个北部边境惶惶然，不能耕田、放牧。⑥②④杜门：闭门。⑥②⑤称病不出：推说有病，不肯出来为将。⑥②⑥王强起之：赵王非让他出来为将不可。⑥②⑦如前二句：您必须允许我还是照以前的样子办，我才能接受您的命令。奉，承、接受。⑥②⑧如约：如故约，按照以前的老办法。⑥②⑨边士：守边的将士。⑥③⓪不用：无所作为；无用武之地。⑥③①具选车：具，安排、筹备。选车，经过挑选的战车，指车的装备好，战士又勇敢。⑥③②选骑：经过挑选的骑兵。⑥③③百金之士：曾获过百金之赏的勇士。裴骃引《管子》：“能破敌擒将者赏百金。”⑥③④彀者：能拉硬弓的射手。《史记正义佚文》：“彀，满弓张也，言能满弦而射。”⑥③⑤悉勒习战：组织起来进行战斗训练。勒，部勒、组织。〖按〗以上数语亦见于《史记·张释之冯唐列传》。⑥③⑥大纵畜牧二句：把大批的牛羊、百姓赶到田野上去，以吸引敌人。⑥③⑦匈奴小入：当一支匈奴的小部队试探性地入侵时。⑥③⑧佯北不胜：〖按〗“佯北”上应增“牧”字读。佯，假装。⑥③⑨以数十人委之：抛弃几十个人不管，任凭他们杀戮俘虏。

《史记索隐》曰："'委'谓弃之，恣其杀略也。"〖按〗《史记》原文作"以数千人委之"，《资治通鉴》改为"以数十人委之"，似乎欠妥。⑭⑳ 单于：匈奴族的首领，有如秦、汉时代的皇帝。据《史记·匈奴列传》，此时的匈奴单于或许就是头曼，冒顿单于之父。⑭㉑ 多为奇陈：布下了许多疑兵。陈，通"阵"。⑭㉒ 张左右翼：除正面出击外，还从两侧迂回，进行包抄。⑭㉓ 大破之二句：凌稚隆引凌约言曰："李牧日击数牛享士，而不敢用，虽王让之如故。及使他人代之，再至亦如故约。兵法云：'守如处女，距如脱兔。'牧其庶几。"⑭㉔ 襜褴：当时活动在代郡以北的少数民族。⑭㉕ 东胡：当时活动在今辽宁西部、内蒙古东部一带地区的少数民族，大约与后来的乌桓、鲜卑同一种姓。⑭㉖ 林胡：当时活动在今内蒙古东胜一带地区的少数民族。⑭㉗ 单于奔走：谓匈奴单于从此逃得远远的。⑭㉘ 十余岁不敢近赵边：李牧"灭襜褴，破东胡，降林胡"，并使"单于奔走"事，《史记·赵世家》《史记·六国年表》均不载，疑有夸大。⑭㉙ 冠带之国七：即秦、楚、齐、燕、韩、赵、魏。冠带，戴帽子，系腰带，意指"文明之国""礼义之邦"，以与"戎狄""蛮夷"相对而言。⑮⑳ 三国边于戎狄：三国，即秦、赵、燕。边于戎狄，与北方的民族相接壤。⑮㉑ 陇以西：陇山以西。陇山或称陇坂，在今陕西陇县西南。⑮㉒ 绵诸、绲戎、翟貁：开始都是戎狄部落名，有的地方后来成为县名。绵诸在今甘肃天水东；绲戎即前文所谓"犬戎""畎戎"，在今甘肃之通渭、陇西县一带；翟貁在甘肃陇西县东南。⑮㉓ 岐、梁：二山名，岐山在今陕西岐山县东北，梁山在今陕西韩城西北。⑮㉔ 泾、漆：二水名，漆水在今陕西彬州西北汇入泾水，泾水东南流，在西安东北汇入渭水。⑮㉕ 义渠、大荔、乌氏、朐衍：开始都是戎狄部落名，后来成为县名。义渠在今甘肃庆阳西南；大荔在今陕西大荔东；乌氏在今甘肃平凉北；朐衍即今宁夏盐池县。⑮㉖ 楼烦：原为少数民族部落名，后成为县名，即今山西宁武。⑮㉗ 山戎：少数民族名，春秋战国时期活动在今辽宁西部之朝阳、建平一带。⑮㉘ 溪谷：溪水、山谷。⑮㉙ 往往而聚：各处都散居着一些小部落。⑯⑳ 莫能相一：各部落互不统属。⑯㉑ 义渠筑城郭以自守：据《史记·秦本纪》，惠王十一年（公元前三二七年）有"义渠君为臣""县义渠"之语，是义渠之戎，前曾归降于秦，今乃又叛秦自立，且筑义渠城（在今甘肃宁县西北）以对抗秦国。城郭，古时有的城墙分内外两重，内城曰城，外城曰郭。⑯㉒ 秦稍蚕食之：谓秦国不断蚕食义渠的领土。时秦国的都城雍县，在义渠城之正南偏西。⑯㉓ 惠王：即秦惠文王，孝公之子，名驷，公元前三三七至前三一一年在位。⑯㉔ 拔义渠二十五城：据《史记·六国年表》，事在惠文王后元十一年（公元前三一四年），杨宽《战国史·战国大事年表》同，《史记·秦本纪》系之于后元十年，误。⑯㉕ 昭王：名则，惠王之子，武王之弟，公元前三〇六至前二五一年在位。⑯㉖ 宣太后：昭王之母，原楚人，惠王之妃。⑯㉗ 杀诸甘泉：据记载，宣太后曾与义渠戎王私通，后来宣太后又将其诱至甘泉离宫杀掉。甘泉，山名，在今陕西淳化县西北，其地有秦国统治者的离宫。⑯㉘ 遂发兵伐义渠二句：关于宣太后诱杀义渠戎王于甘泉，并进而灭义渠事，马非百《秦集史》以为应在秦昭王三十五年（公元前二七二年），杨宽《战国史·战国大事年表》同。马非百且谓："宣太后以母后之尊，为国家歼除顽寇，不惜牺牲色相，与义渠戎王私通生子。谋之达三十余年之久，始将此二百年来为秦人腹心大患之敌国巨魁手刃于宫廷之中，衽席之上，然后乘势出兵，一举灭之，收其地为郡县，使秦人得以一意东向，无复后顾之忧。此其功岂在张仪、司马错收取巴蜀下哉!"㊾陇西：秦郡名，郡治狄道，即今甘肃临洮。⑰北地：秦郡名，郡治义渠。⑰上郡：秦郡名，郡治肤施（今陕西榆林东南）。⑰筑长城以拒胡：此时的秦长城西起甘肃岷县，北行至兰州，东折至宁夏固原，再东北行经陕西吴旗、横山，直至内蒙古的准格尔旗南。⑰赵武灵王：名雍，公元前三二五至前二九九年在位。其变更军制，实行胡服骑射，使赵国称强于一时事。详见《史记·赵世家》。⑰北破林胡、楼烦：据《史记·赵世家》，赵武灵王二十年（公元前三〇六年），"西略胡地，至榆中，林胡王献马"；赵武灵王二十六年（公元前三〇〇年），"攘地北至燕、代，西至云中、九原"。⑰筑长城三句：代是赵郡名，郡治即今河北蔚县东北之代王城。并阴山下，傍着阴山西行。阴山在今内蒙古呼和浩特、包头以及黄河的后套之北，横亘东西。高阙，在今内蒙古乌拉特后旗东南，黄河后套之西北。杨宽曰："赵北长城大体上有前后两条：前条在今内蒙古乌加河以北，沿今狼山一带建筑；后条从今内蒙古乌拉特前旗向东，经包头市北，沿乌拉山向东，沿大青山，经呼和浩特市北、卓资和集宁市南，一直到今河北省张北县以南。"⑰云中：赵郡名，郡治在今内蒙古呼和浩特西南，托克托东北。⑰雁门：赵郡名，郡治善无，在今山西右玉南。⑰秦开：燕国名将，伴同荆轲入秦行刺的秦武阳之祖父。⑰为质于胡：为燕国给匈奴当人质。吕祖谦《大事记·解题》卷四云："秦开不知当燕何君之世，然秦武阳乃开之孙，计其年，或在昭王时。"⑱却：后退。⑱自造阳至襄平：造阳是燕县名，在今河北独石口附近。也有说即沮阳，在今河北怀来东南。襄平也是燕县名，即今辽宁辽阳。〖按〗据杨宽《战国史》说，燕国长城"西端可以和今赤峰市东北卓苏河南的土城、小城堡相连接"，"赤峰市红山北方沿西路戛河北岸有燕长城遗址向东延伸着，遗存的显著部分经过老爷庙、八家子、撒水波等村，全长约三十多里"。⑱上谷：燕郡名，郡治沮阳，在今河北怀来东南。⑱渔阳：燕郡名，郡治在今北京市密云西南。⑱右北平：燕郡名，郡治无终，即今天津市蓟州区。⑱辽东：燕郡名，郡治襄平，即今辽宁辽阳。⑱及战国之末二句：使匈奴强大的关键人物是冒顿，有关冒顿的事迹见《史记·匈奴列传》与《资治通鉴》后文。⑱畼、有诡：皆魏县名，今不详在何处。⑱秦质子归自赵：在赵国为人质的秦国公子自赵返回秦国。⑱赵太子出归国：在秦国当人质的赵国太子也出关回赵。⑲蝗二句：既闹蝗灾，又闹瘟疫。因是重大灾害，故书于史。⑲纳粟千石二句：凡向国家交粮食千石的人，就给他提高一级爵位。目的是鼓励百姓给国家交纳粮食，以缓解国家困难。而有爵位的百姓则可以用爵级冲抵徭役、减免罪过，甚至可以卖钱花。⑲景湣王：名增，或曰名午，公元前二四二至前二二八年在位。⑲酸枣、燕、虚、长平、雍丘、山阳：皆魏县名，酸枣县在今河南延津西南，燕县在今延津东北，虚县在今延津东，长平县在今河南西华东北，雍丘县在今河南杞县北，山阳县在今河南焦作东南。⑭初置东郡：第一次在这一带地区设立了东郡。秦时的东郡约辖今山东东阿、梁山以西，定陶、成武以北，河南延津以东，清丰以南，长垣以北地区。郡治濮阳，在今河南濮阳西南。〖按〗此时的濮阳城尚未被秦人所占。⑮剧辛：据《史记》之《燕召公世家》《乐毅列传》，皆谓剧辛原是赵国人，于燕昭王时来到燕国，为燕将。《清朝通志》载："《六国年表》，剧辛死于赵，在十三年。又按'昭王即位，剧辛自赵往'，至此经七十年，历五王，当有两剧辛耶？否则皆传讹也。"钱穆《先秦诸子系年》认为，剧辛自赵入燕不可能在燕昭王时，应在燕王喜时代。〖按〗钱说可从，《史记》似误。⑯庞煖：赵国将领。事见《史记·赵世家》。⑰燕王：燕王喜，此时为燕王喜十三年（公元前二四二年）。⑱赵数困于秦：指十八年前赵被秦大破于长平，十七年前邯郸又被秦所围，五年前秦又取赵三十七城，等等。⑲廉颇去：廉颇于赵孝成王二十一年（公元前二四五年）被排挤离开赵国。事见前文与《史记》之《赵世家》与《廉颇蔺相如列传》。⑳敝：疲敝；破败。㉑易与：容易对付。与，对付、打交道。㉒御：迎敌；迎击。㉓杀剧辛二句：取，俘获。凌稚隆引王维祯曰："剧辛与庞煖善，知其易与而反为煖击杀，此以忽心乘之，所以败也。"㉔诸侯：指东方的韩、赵、魏、楚诸国。㉕无已时：没有终了的时候。已，终、完了。㉖楚、赵、魏、韩、卫：时当楚考烈王二十二年（公元前二四一年）、赵悼襄王四年、魏景湣王二年、韩桓惠王三十二年，卫君之年代不详。㉗合从：即联合。从，同"纵"。㉘从长：诸国联军的总指挥、总头领。㉙春申君：黄歇，楚襄王之弟，时为楚国宰相。㉚用事：主事；掌权。意谓伐秦诸国的从长是楚考烈王，实际掌权者是春申君。㉛函谷：函谷关，在今河南灵宝东北，中间相距甚远。前一句中的寿陵是秦孝文王的陵墓所在地，在今西安东北的临潼。五国之兵不先过函谷关，如何能西至寿陵？《史记·秦本纪》无"至函谷"三字，此处"至函谷"三字似应删。杨宽《战国史·战国大事年表》于本年书："赵庞煖率赵、楚、魏、燕、韩五国兵攻秦，至蕞。"而《史记·春申君列传》则有"至函谷"，而无"取寿陵"三字，则削"取寿陵"三字亦通。依当时情势而言，以削"取寿陵"较合情理。梁玉绳《史记志疑》引翟灏曰："卫微弱仅存，被秦迫逐，徙居野王，将救亡不暇，何敢攻秦？盖燕、楚、赵、韩、魏五国伐秦耳……至取寿陵之说，更非。无论不胜而罢，未尝取秦寸土，而五国所攻者乃新丰之蕞，非寿陵也。"〖按〗蕞于战国时为秦地，在今陕西临潼东北，距寿陵不很远。㉜咎：责怪。㉝观津：赵县名，在今河北武邑东。㉞朱英：春申君的门客。《战国策》作"魏鞅"，实为误字。疑其初"朱英"有误为"未英"者，"未"又改为"魏"，"英"与"央"同声，又转变为"鞅"。㉟以楚为强：认为楚国本来是很强大的。㊱君用之而弱：由于您的执政使国家变弱了。㊲其于英不然：在我朱英看来不是如此。㊳秦善楚：秦与楚国的关系友好。㊴逾黾厄之塞：翻越黾隘要塞。黾厄之塞，也叫黾塞，在今河南信阳南，是今河南与湖北间的天然屏障，其地有平靖关、武胜关等诸险。〖按〗秦自昭王二十九年（楚顷襄王二十一年，公元前二七八年）攻占楚国旧都郢，在其地设立南郡，楚国被迫迁都于陈（今河南淮阳）。在此以后，秦如从南郡出兵攻陈，则须翻越黾隘之塞。⑳不便：指有危险。㉑假道于两周：指秦兵由函谷关东出，直取楚之新都陈。假道，借道。两周，指巩县的东周与王城的西周。㉒背韩、魏：越过韩、魏两国之地。㉓不可：谓当时的韩、魏尚强，恐其联合两周以断绝秦兵之退路。㉔旦暮亡：谓其很快就要灭亡了，就在这一早一晚之间。㉕爱：吝惜。㉖许、鄢陵：皆魏县名，许县在今河南许昌东，鄢陵在今河南鄢陵西北。㉗魏割以与秦：句中“魏”字疑衍，应削。㉘秦兵去陈百六十里：谓秦兵占据许与鄢陵后，东距楚都陈县（今河南淮阳）就只有一百六十里了。㉙臣之所观者：今后我所看到的。㉚秦、楚之日斗：谓楚与秦国的战斗从此将日夜不息。〖按〗以上朱英谓春申君语，见《战国策·韩策一》。缪文远引钟凤年曰：“细绎说者之辞，虽若阳为楚谋，而阴则意在令春申君顾及魏危则楚将有唇亡齿寒之虞，故实不啻为魏计。”㉛去陈：离开陈县。去，离开。㉜寿春：即今安徽寿县。〖按〗楚由陈迁都寿春事，在楚考烈王二十二年（公元前二四一年）。㉝命曰郢：仍将寿春称作“郢”。㉞就封于吴：即被免掉丞相之权，让他到自己的封地上去住。当时春申君的封地在吴，即今苏州一带。㉟行相事：这里的意思是还保留着一个丞相的虚名。㊱朝歌：魏县名，即今河南淇县，旧时殷纣的都城。㊲卫濮阳：卫国的都城濮阳，在今河南濮阳西南。㊳卫元君：卫国的倒数第二代傀儡君主，在位年限众说不一。㊴徙居野王：被秦人强迫离开卫都，搬迁到野王县。因为秦人要用濮阳作为其东郡的首埠。野王，即今河南沁阳。㊵阻其山二句：阻其山，凭借山的险阻。阻，仗恃、凭借。梁玉绳《史记志疑》曰：“河内之地，秦未全有，故曰‘魏之河内’。”杨宽《战国史料编年辑证》曰：“魏安釐王二十四年，即秦昭王五十四年，卫怀君因与秦连横，为魏所囚杀，另立魏王之婿卫元君作为附庸。上年秦攻取魏东地设东郡，是年攻拔濮阳，并归入东郡而作为郡治，于是另立角以为卫君，命角率其支属（并非卫之全族）徙居野王，作为秦之附庸。野王在今河南沁阳，原属魏之河内，故《本纪》谓‘阻其山以保魏之河内’。”㊶汲：魏县名，在今河南卫辉西南。㊷夏太后：秦庄襄王子楚的生母夏姬。㊸魏与赵邺：时为魏景湣王四年（公元前二三九年）、赵悼襄王六年。邺，魏县名，在今河北临漳，今则与赵。㊹子安：韩桓惠王之子，名安，公元前二三八至前二三〇年在位。

【校记】

［10］王必用臣：原作“必欲用臣”。据章钰校，十二行本、乙十一行本、孔天胤本皆作“王必用臣”，张瑛《通鉴校勘记》同。今从诸本及《史记·廉颇蔺相如列传》改。［11］二十城：“二”原作“三”。据章钰校，十二行本、乙十一行本、孔天胤本皆作“二”，张瑛《通鉴校勘记》同。今从诸本及《通鉴纪事本末》卷一下、《史记·秦始皇本纪》等改。

【原文】

九年（癸亥，公元前二三八年）

伐魏，取垣、蒲[745]。

夏，四月，寒，民有冻死者。

王宿雍[746]。

己酉[747]，王冠，带剑[748]。

杨端和[749]伐魏，取衍氏[750]。

初，王即位，年少[751]，太后时时[12]与文信侯私通[752]。王益壮[753]，文信侯恐事觉[754]，祸及己，乃诈[755]以舍人嫪毐为宦者[756]，进于太后。太后幸[757]之，生二子，封毐为长信侯，以太原[758]为毐国[759]，政事皆决于毐。客求为毐舍人者甚众[760]。王左右[761]有与毐争言[762]者，告毐实非宦者。王下吏治毐[763]，毐惧，矫王御玺发兵[764]，欲攻蕲年宫为乱[765]。王使相国[766]、昌平君、昌文君[767]发卒攻毐，战咸阳，斩首数百[768]。毐败走，获之。秋，九月，夷毐三族[769]，党与[770]皆车裂、灭宗[771]，舍人罪轻者徙蜀[772]，凡[773]四千余家。迁[774]太后于雍萯阳宫[775]，杀其二子。下令曰："敢以太后事谏者，戮而杀之，断其四支，积于阙下[776]。"死者二十七人。齐客茅焦[777]上谒[778]请谏。王使[779]谓之曰："若不见夫积阙下者邪[780]？"对曰："臣闻天有二十八宿[781]，今死者二十七人，臣之来，固欲满其数[782]耳。臣非畏死者也。"使者走入白之[783]。茅焦邑子[784]同食者，尽负[785]其衣物而逃。王大怒曰："是人[786]也，故来犯吾[787]。趣召镬烹之[788]，是安得积阙下哉[789]！"王按剑而坐，口正沫出，使者召之入。茅焦徐行[790]至前，再拜谒起[791]，称曰："臣闻有生者不讳死[792]，有国者[793]不讳亡。讳死者不可以得生[794]，讳亡者不可以得存[795]。死生存亡[796]，圣主所欲急闻[797]也，陛下欲闻之乎？"王曰："何谓也[798]？"茅焦曰："陛下有狂悖之行[799]，

【语译】

九年（癸亥，公元前二三八年）

秦国攻打魏国，占领垣邑、蒲邑。

夏季，四月，秦国气候寒冷，有许多人被冻死。

秦王住宿在雍县的蕲年宫。

四月二十一日己酉，秦王举行加冕礼，并开始佩带宝剑。

秦将杨端和率军攻打魏国，占领了衍氏邑。

当初，秦王嬴政即位的时候，年纪很小，太后与文信侯吕不韦私通。秦王逐渐长大，吕不韦担心与太后私通的事情被发觉，给自己带来灾祸，就假称自己家里一个亲信宾客嫪毐已经净身，可以入宫做宦官，于是将嫪毐送给了太后。太后很宠幸嫪毐，为他生了两个儿子，还封嫪毐为长信侯，把太原赏赐给他做封邑，国家的各种政务全都由他处理。投奔嫪毐做门客的人也特别多。秦王左右的侍从有人跟嫪毐发生口角，便向秦王政揭发，说嫪毐根本不是宦官。秦王政准备把嫪毐交给法官审理，嫪毐害怕，就盗用秦王玉玺假传皇帝旨意调动军队，攻打秦王政所居住的蕲年宫，妄图谋反。秦王政下令相国吕不韦、昌平君、昌文君率兵进攻嫪毐，在咸阳展开激战，斩杀数百人。嫪毐兵败逃走，被追兵生擒。秋季，九月，将嫪毐夷灭三族，嫪毐的党羽全部被施以车裂之刑，并被灭族，食客当中罪行较轻的被流放到蜀地，一共有四千多家遭到流放。秦王政又将太后囚禁在雍地的萯阳宫，将太后为嫪毐所生的两个孩子杀死。秦王政下令说："胆敢以太后的事来劝谏我，我必定杀死他，还要砍下他的四肢，再将他的尸体堆积到宫门口去。"因劝谏而死的已经有二十七个人。齐国有一个人叫作茅焦，当时正客居于秦国，他听说了这件事后就递上名片请求进见秦王，并声称能劝阻秦王囚禁他的母亲。秦王政派人对茅焦说："你没看见堆放在宫门口的那些尸体吗？"茅焦回答说："我听说天上有二十八个星宿，现在死了的才只有二十七个，我这次来就是为了凑足这二十八个数目的。我不是怕死的人。"那个使者赶紧进去报告给秦王。此时茅焦的那些老乡和经常在一起吃饭的朋友怕受到连累，早就收拾好行装逃得一干二净了。秦王政非常生气地说："此人竟敢故意来冒犯我。赶紧准备大锅把他给我煮了，看他还怎么堆积到宫门口去凑数！"秦王政手按宝剑，盛气凌人地坐在那里，气得口流白沫，使者将茅焦叫了进来。茅焦慢吞吞地走到秦王政面前，拜了两拜，然后站起来说："我听说，一个有生命力的人不忌讳说死，一个政权稳固的统治者不忌讳谈论国家灭亡。一个人如果到了忌讳说死的时候，离死也就不远了；一个帝王如果到了害怕谈论国家灭亡的时候，他这个国家也就快要灭亡了。关于生死存亡的道理，英明的君主都急于想要知道，大王您想不想知道呢？"秦王政说："你说的是什么意思呢？"茅焦说："大王狂妄悖逆的行为，难道您自

不自知邪[800]？车裂假父[801]，囊扑[802]二弟[803]，迁母于雍，残戮[804]谏士。桀、纣之行，不至于是矣。令天下[13]闻之[805]，尽瓦解[806]，无向秦者[807]，臣窃为陛下危之。臣言已矣[808]。”乃解衣伏质[809]。王下殿，手自接之[810]曰：“先生起就衣[811]，今愿受事[812]。”乃爵之上卿[813]。王自驾[814]，虚左方[815]，往迎太后，归于咸阳，复为母子如初[816]。

楚考烈王[817]无子，春申君患之[818]，求妇人宜子[819]者甚众。进之，卒无子[820]。赵人李园持其妹，欲进诸楚王，闻其不宜子[821]，恐久无宠，乃求为春申君舍人[822]。已而谒归[823]，故失期[824]而还。春申君问之，李园曰：“齐王使人求臣之妹[825]，与其使者饮，故失期。”春申君曰：“聘入乎[826]？”曰：“未也。”春申君遂纳之[827]。既而有娠[828]，李园使其妹说春申君曰：“楚王贵幸君，虽兄弟不如也[829]。今君相楚二十余年，而王无子，即[830]百岁后[831]，将更立兄弟[832]。彼亦各贵其故所亲，君又安得常保此宠乎？非徒然也[833]，君贵，用事久，多失礼于王之兄弟。兄弟立，祸且及身[834]矣。今妾有娠，而人莫知。妾幸君未久[835]，诚[836]以君之重[837]，进妾于王，王必幸之。妾赖天而有男[838]，则是君之子为王也[839]，楚国尽可得。孰与身临不测之祸哉[840]？”春申君大然之[841]，乃出李园妹[842]，谨舍[843]，而言诸楚王[844]。王召入，幸之[845]，遂生男，立为太子[846]。

李园妹为王后，李园亦贵，用事[847]，而恐春申君泄其语[848]，阴养死士[849]，欲杀春申君以灭口。国人颇有知之者。楚王病，朱英谓春申君曰：“世有无望之福[850]，亦有无望之祸。今君处无望之世[851]，事无望之主[852]，安可以无[853]无望之人[854]乎？”春申君曰：“何谓无望之福？”曰：“君相楚二十余年矣，虽名相国，其实王也[855]。王今病，旦暮薨，薨而君相幼主[856]，因而当国[857]。王长而反政[858]；不，即遂南面称孤[859]。此所谓无望之福也。”“何谓无望之祸？”曰：“李园不治国而君之仇[860]也，

己不知道吗？将您的假父嫪毐施以车裂之刑，将您的两个弟弟装在口袋里敲打至死，将您的母亲囚禁在雍邑，又将敢于劝谏的人杀害并堆积到宫门口。即使是夏桀、商纣王那样的暴君，也不至于这样残忍啊。假如让天下的人知道了这件事，秦国的凝聚力马上就会瓦解，再也不会有人想到秦国来，我真为您感到担忧。我的话说完了。”于是，解开衣服趴在砧板上等候接受刑罚。秦王政急忙走下殿来，亲手将茅焦扶起来说：“先生赶紧把衣服穿好。我愿意接受您的忠告。”于是授予茅焦上卿的爵位。秦王政亲自赶着车，空着左边的位子，到雍邑将太后接回咸阳，母子和好如初。

楚考烈王没有儿子，春申君黄歇很为这件事发愁，他为楚王找了好多富有生育能力的美女。送进宫中，但仍然没人能给楚王生个儿子。赵国人李园带着他的妹妹来到楚国，准备把他妹妹进献给楚王，听说楚王生育能力很差，恐怕自己的妹妹进宫之后无法生育而宠幸不会长久，于是李园就请求做了春申君的侍从。一次李园请假回家，故意超过假期后才返回。春申君问他原因，李园回答说：“齐王派人要来娶我的妹妹，因为和齐王的使者喝酒，所以回来误了期限。”春申君问：“下了聘礼没有？”回答说：“还没有。”春申君就将李园的妹妹接进自己的府中。不久，李园的妹妹有了身孕，李园指使他妹妹劝说春申君：“楚王尊重您、宠信您，即使是亲兄弟也不可能这样。如今您任楚国的宰相已经二十多年，而国王还没有儿子，突然哪一天国王死了，继承王位的一定是他的兄弟。而他的兄弟必定会重用他们自己的亲朋故友，您又怎能长久地保持您现在的尊宠地位呢？还不只是这些，您地位尊贵，执政的时间太久，对国王的兄弟们必定多有得罪的地方。假如国王的兄弟即位，您可就要大祸临头了。现在我虽然已经怀有身孕，但没人知道。我侍奉您的时间不长，如果凭借您尊贵的地位，将我进献给国王，国王一定会宠爱我。依靠上天的保佑，我如果能够生个男孩，将来就是您的儿子做国王啊，到那时，楚国就完全是您的了。这与遭受不可预测的灾祸相比，哪个更好呢？”春申君非常同意李园妹妹的意见，于是就把李园妹妹送出府外，另外安置一处居所，严加守卫，并将她推荐给楚王。楚王将李园的妹妹接进宫中，对她很是宠爱，后来生下一个男孩，被立为太子。

李园的妹妹被立为王后，李园也因此显贵而位居要津。他们害怕春申君泄露机密，就偷偷地豢养一些亡命之徒，准备杀掉春申君灭口。京城里还是有不少人知道这件事。楚王病重，朱英对春申君说：“世上有意想不到的洪福，也有不可预料的灾祸。如今您处在一个不可预料的时期，侍奉一个喜怒无常、不可捉摸的君主，怎么可以不指望有非凡的人来帮助您呢？”春申君问：“什么是不可预料的洪福？”朱英说：“您为楚国的宰相二十多年了，名义上是宰相，而实际上是国王。楚王如今病重，随时都有可能去世，楚王去世，您必定辅佐年幼的国王，因而得以执掌国政。国王长大以后，您就要将政权归还国王；反之，就不交还政权，干脆自己做国王。这就是所说的意想不到的洪福啊。”“那什么又是不可预料的灾祸呢？”朱英说：“李园身为王

不为兵而养死士[861]之日久矣。王薨，李园必先入据权[862]，而杀君以灭口。此所谓无望之祸也。”“何谓无望之人？”曰：“君置臣郎中[863]。王薨，李园先入，臣为君杀之。此所谓无望之人也[864]。”春申君曰：“足下置之[865]。李园，弱人也，仆又善之，且何至此[866]？”朱英知言不用，惧而亡去[867]。

后十七日，楚王薨，李园果先入，伏死士于棘门[868]之内。春申君入，死士侠刺之[869]，投其首于棘门之外[870]。于是使吏尽捕诛春申君之家[871]。

太子立，是为幽王[872]。

扬子[873]《法言》[874]曰：“或问：‘信陵、平原、孟尝、春申[875]益乎[876]？’曰：‘上失其政[877]，奸臣窃国命[878]，何其益乎[879]！’”

王以文信侯奉先王[880]功大，不忍诛。

十年（甲子，公元前二三七年）

冬，十月，文信侯免相，出就国[881]。

宗室大臣议曰：“诸侯人来仕[882]者，皆为其主游间[883]耳，请一切逐之[884]。”于是大索[885]，逐客。客卿楚人李斯亦在逐中[886]，行且上书曰[887]：“昔穆公[888]求士，西取由余于戎[889]，东得百里奚[14]于宛[890]，迎蹇叔于宋[891]，求丕豹、公孙支于晋[892]。并国二十，遂霸西戎[893]。孝公[894]用商鞅之法[895]，诸侯亲服，至今治强[896]。惠王[897]用张仪[898]之计，散六国之从[899]，使之事秦[900]。昭王[901]得范雎[902]，强公室，杜私门[903]。此四君[904]者，皆以客之功[905]。由此观之，客何负于秦[906]哉？夫色、乐、珠、玉[907]，不产于秦，而王服御[908]者众。取人则不然，不问可否，不论曲直，非秦者去[909]，为客者逐[910]。是所重[911]者，在乎色、乐、珠、玉；而所轻[912]者，在乎人民[913]也。臣闻太山[914]不让土壤[915]，故能成其大；河海不择[916]细流，故能就[917]其深；

后的哥哥却不能为丞相，他就是您的仇人；他不掌军权，却暗中豢养敢死之士很久了。楚王一死，李园必定抢先入宫把持大权，然后杀您以灭口。这就是不可预料的灾祸。”“什么是非凡之人呢？”回答说：“您将我安排在宫中担任侍卫官郎中。假如楚王去世以后，李园先进入宫中，我就为您先把他杀掉。这就是所说的非凡之人。”春申君说：“先生请打消这种念头。李园是一个软弱的人，我又一向待他很好，况且哪里会到这种地步？”朱英知道自己的建议不会被采纳，害怕受到迫害，就悄悄逃走了。

过了十七天，楚王去世，李园果然抢先进入宫中，预先在棘门之内埋伏下敢死之士。等到春申君入宫，那些敢死之士将他夹在当中，用乱剑刺死，又将他的脑袋砍下来扔到棘门之外。接着又派人到春申君家中搜捕，将其家属全部处死。

太子即位，就是楚幽王。

扬雄在他的著作《法言》中写道：“有人问：‘信陵君、平原君、孟尝君、春申君这四个人对他们的国家有贡献吗？’回答是：‘高高在上的君主没有能力治理好国家，而使这些巨猾的大奸得以窃取国柄，掌握了国家的命脉罢了，哪里有什么贡献呢！’”

秦王政因为文信侯吕不韦扶持先王功劳巨大，不忍心把他杀掉。

十年（甲子，公元前二三七年）

冬天，十月，文信侯吕不韦被罢免了宰相职务，他离开京城回到自己的封地。

秦国的皇亲国戚及诸位大臣商议说：“从诸侯各国来到秦国做官的人，都是为他们本国的主子来游说，挑拨离间的，应该把他们一律驱逐出境。”于是在全国展开大搜索，准备将所有的外国人都驱逐出境。在秦国担任客卿的楚国人李斯也在被驱逐的行列之中，他在即将离开秦国的时候给秦王政递交了一封书信，他说：“从前秦穆王时代大力召请贤才，在西方的戎部落物色到了由余，在东方从楚国的宛城得到百里奚，从宋国聘请到蹇叔，从晋国招来丕豹、公孙支。结果使秦国吞并了二十个国家，称霸于西戎。秦孝公时代采用商鞅的建议实行变法，各国都来亲近归附秦国，秦国至今仍然政治清明、国力强盛。秦惠王采纳张仪的谋略，瓦解了东方六国的合纵联盟，使他们全都来讨好秦国。秦昭王得到范雎的辅佐，从而加强了君主自身的权力，抑制了执政大臣的私人势力。以上这四位君主，都是依靠客卿的力量才建立了如此巨大的功业。从这里看来，这些外国人有什么地方对不起秦国呢？至于那些美女、音乐、珍珠、美玉，并不是秦国所出产，而大王您使用得很多很多。在用人方面却不是这样，不管这个人可用还是不可用，不分是非曲直，不是秦国人一概不要，凡是客居于此的一律驱逐。这说明大王您所看重的，是美女、音乐、珍珠、美玉，而您所轻视的，是人才呀。我听说，泰山由于不拒绝别处的土壤堆积，所以才成就了它的高大；河海不拒绝涓涓细流的流入，所以能够成就它的深广；

王者不却[918]众庶[919]，故能明其德[920]。此五帝、三王[921]之所以无敌也。今乃弃黔首[922]以资[923]敌国，却宾客以业[924]诸侯，所谓借寇兵而[15]赍盗粮[925]者也。”

王乃召李斯，复其官[926]，除逐客之令。李斯至骊邑而还[927]。王卒用[928]李斯之谋，阴遣辩士赍[929]金玉游说诸侯。诸侯名士[930]可下以财[931]者，厚遗结[932]之；不肯者，利剑刺之。离其君臣之计[933]，然后使良将随其后[934]。数年之中，卒兼天下[935]。

十一年（乙丑，公元前二三六年）

赵人伐燕[936]，取貍阳[937]。兵未罢，将军王翦、桓齮、杨端和[938]伐赵，攻邺[939]，取九城。王翦攻阏与、轑阳[940]，桓齮取邺、安阳[941]。

赵悼襄王薨，子幽缪王迁[942]立。其母倡[943]也，嬖[944]于悼襄王，悼襄王废嫡子嘉[945]而立之。迁素以无行[946]闻于国。

文信侯就国岁余[947]，诸侯宾客使者[948]相望于道[949]，请[950]之。王恐其为变[951]，乃赐文信侯书曰：“君何功于秦，封君河南，食十万户？何亲于秦，号称仲父？其与家属徙处蜀[952]。”文信侯自知稍侵[953]，恐诛。

十二年（丙寅，公元前二三五年）

文信侯饮鸩死[954]，窃葬[955]。其舍人临[956]者，皆逐迁[957]之。且曰：“自今以来[958]，操国事不道[959]如嫪毐、不韦者，籍其门[960]视此[961]。”

扬子《法言》曰[962]：“或问：‘吕不韦其智矣乎[963]？以人易货[964]。’曰：‘谁谓不韦智者欤[965]？以国易宗[966]。吕不韦之盗，穿窬之雄乎[967]？穿窬也者[968]，吾见担石矣[969]，未见雒阳也[970]。’”

自六月不雨，至于八月[971]。

发四郡兵助魏伐楚[972]。

成就王业的人因为不排斥各类人才，所以才成就他的功业和美德。这就是五帝、三王无敌于天下的原因啊。如今您却抛弃您的百姓，让他们去帮助敌对的国家，拒绝各类贤才，让他们去成就其他诸侯国的事业，这就如同给寇仇提供兵器，给盗贼提供粮食啊。”

秦王政看完，赶紧派人将李斯请回，让他官复原职，并废止了驱逐客卿的命令。李斯是走到骊邑时被追回来的。秦王终于采纳了李斯的谋略，暗中派遣能言善辩的人带着金银财宝到东方各国游说。诸侯国中那些有名望、握有权柄的人士，凡是可以被收买的，就用重金收买；不能收买的，就派刺客暗杀。或者运用离间之计离间其君臣之间的关系，然后派良将率领大军进行攻打。几年之间，终于吞并了东方六国，统一了天下。

十一年（乙丑，公元前二三六年）

赵国派兵攻打燕国，攻占了貍阳。与燕国的战争还没有结束，秦将王翦、桓齮、杨端和就对赵国的邺地展开了进攻，攻克了九座城邑。王翦又去攻打阏与、轑阳，桓齮攻陷了邺城、安阳。

赵悼襄王去世，他的儿子幽缪王赵迁即位。赵迁的生母是歌舞艺人出身，因为受到悼襄王的宠爱，所以悼襄王废掉了嫡子赵嘉而立赵迁为太子。赵迁一向以品行不端而闻名全国。

文信侯吕不韦回到他的封地一年有余，东方各诸侯国派来拜访、问候的使者络绎不绝。秦王政怕他图谋不轨，就写了一封书信给他，说：“先生对秦国有什么功劳，竟然享受河南十万户的封赏？你跟秦国又有什么亲情关系，竟敢号称仲父？你和你的家属还是迁到蜀地去住吧。”文信侯吕不韦知道就要大祸临头了，心里非常害怕。

十二年（丙寅，公元前二三五年）

文信侯吕不韦喝毒酒自杀，家属偷偷地将他埋葬。那些宾客门人中，前来吊唁的如果是来自东方诸国的一律驱逐出境，凡是秦国本土的一律发配蜀地。秦王政下令说：“从今以后，主持国家政事而不守规矩，像嫪毐、吕不韦这样的，就将他满门财产充公，人口沦为奴隶，一切照此办理。”

扬雄在《法言》一书中评论说：“有人问‘吕不韦这个人办事聪明吗？他把王子异人当作货物拿去交易。’回答说：‘谁说吕不韦是个聪明人呢？为了得到一个文信侯的封赏，而弄得整个家族被消灭。吕不韦充其量不过是个盗贼，在钻洞越墙这类盗贼中算得上是数一数二的高手吗？我见过钻洞越墙的人中有人偷过一两担的，却没见过像吕不韦那样偷了一座洛阳城。’”

从六月开始就不下雨，一直到八月。

秦国调动四个郡的兵力帮助魏国攻打楚国。

【段旨】

以上为第五段，写秦王政九年（公元前二三八年）至秦王政十二年的各国大事，主要写：秦国的嫪毐之乱，并由此引起的吕不韦被罢职自杀；楚国春申君的利令智昏，企图篡国，最后被李园所杀，吕、黄二人同出一辙；李斯因上《谏逐客书》被秦王赏识，佐秦扫荡六国。

【注释】

㊺垣、蒲：皆魏县名，垣县在今山西垣曲东南。蒲县也称蒲阳，在今山西隰县。㊻王宿雍：秦王住宿在雍县的蕲年宫。雍县是秦国的旧都，在今陕西宝鸡市凤翔区南，秦国的宗庙与秦国先王的陵墓都在雍县。秦王今年二十二岁，该行加冠礼，而加冠礼要在宗庙里进行，所以秦王要来雍县。㊼己酉：四月二十一。㊽王冠二句：秦王行加冠礼，并开始佩带宝剑。按当时东方国家的礼节，是男子二十岁行加冠礼，而秦王此年已二十二岁。杨宽曰："秦以年二十二岁行冠礼于宗庙。秦之宗庙在雍，故往宿雍而行冠礼。秦惠文王年十九而立，三年王冠。秦昭王年十九而立，亦三年王冠。按礼，冠而亲政。秦王政从此亲政，不再如'初即位'时'委国事大臣'。"㊾杨端和：秦将名。陈直曰："秦代武将蒙氏、王氏之外，则有杨氏。见于《史记》者有杨端和、杨樛、杨熊、杨熹等人。"㊿衍氏：魏县名，在今河南郑州北。(751)年少：时十三岁。(752)太后时时与文信侯私通：据《史记·吕不韦列传》，秦王政之母原是吕不韦的孕妾，嫁与秦王政之父公孙异人而生子。秦王政即位后，其母仍与吕不韦暗中私通。文信侯，吕不韦的封号。(753)益壮：渐渐长大。益，逐渐。(754)事觉：事情被察觉。(755)诈：假装；欺骗。(756)以舍人嫪毐为宦者：让自己家里的一个亲信宾客冒充为净了身的人，把他送进宫去当宦官。舍人嫪毐，亲信宾客姓嫪名毐。舍人是一种依附于权贵门下的半佣人、半宾客的亲信人员。(757)幸：宠幸；亲昵。这里指两性关系。(758)太原：秦郡名，郡治晋阳，在今山西太原西南。(759)为毐国：作为嫪毐的封地。秦汉时代称侯爵的封地也叫"国"。(760)客求为毐舍人者甚众：极言嫪毐的权势之大，趋炎附势者之多。史珥曰："已为魏阉义男、义孙导夫先路。"(761)王左右：秦王政身边的人。(762)争言：发生口角；争论是非长短。据《说苑·正谏》："毐专国事，浸益骄奢，与侍中左右贵臣俱博，饮酒醉，争言而斗，瞋目大叱曰：吾乃皇帝之假父也，窭人子何敢乃与我亢！"(763)下吏治毐：这里指准备将嫪毐交由法官查办。治，推问、查办。(764)矫王御玺发兵：偷盖秦王的御玺，假传秦王的旨意以调动军队。嫪毐之所以能偷盖秦王的御玺，以其身边有"太后"故也。矫，假托、盗用。王御玺，秦王所用之印玺，王骏图引《韵会》曰："凡天子所居之处，所用之物，皆曰'御'。"(765)欲攻蕲年宫为乱：因为当时秦王政住宿在蕲年宫。蕲年宫，秦国的离宫名，遗址在今陕西宝鸡市凤翔区孙家南头村东，面积约四五万平方米，采集有"蕲年宫当""来谷宫当""长生无极""长生未央"等瓦当。是一座用于祭祀，祈求丰年的专用

建筑。⑯相国：指吕不韦。当时吕不韦的职务为相国，封爵为文信侯。⑰昌平君、昌文君：二人名字不详，事迹亦寥寥。《史记索隐》曰："昌平君，楚之公子。"盖在秦有功被封为昌平君。杨宽曰："此后二年'荆将项燕立昌平君为荆王'，见于《秦始皇本纪》，可知昌平君确为楚公子。"⑱战咸阳二句：嫪毐之叛乱乃发动于雍县，缘何曰"战咸阳"？盖嫪毐在雍战败，逃回京城，欲依太后及其党羽，故又将战火引入咸阳。⑲夷毒三族：将嫪毐的三族通通杀光。三族，或曰指父族、母族、妻族，或曰指父族、己族、子族。⑳党与：同"党羽"。与，交结、交好。㉑灭宗：即灭族。㉒徙蜀：发配到蜀地，即今四川西部一带地区。㉓凡：总共。㉔迁：逼令搬迁。令其离开王宫，到别处予以看管。㉕雍萯阳宫：处于雍县的萯阳宫。萯阳宫是秦国的离宫名，秦文王所建，旧址在今陕西西安市鄠邑区西南。㉖积于阙下：将其尸体堆积于宫门两旁。阙，宫门两侧的高台，今故宫午门两侧的五凤楼即其遗制。阙下通常即指宫门。㉗齐客茅焦：齐国的游士姓茅名焦。㉘上谒：递上名片求见。谒，类似今之名片。㉙王使：秦王派人。㉚若不见夫积阙下者邪：你没有看见堆积门外的那些死人吗。若，你。夫，彼、那些。邪，同"耶"，反问语气词。㉛二十八宿：古人认为太阳围着地球转，每年转一圈。太阳所行经的空中轨迹叫作黄道。古人将该黄道上的星宿分成二十八组，即二十八宿。东方的七宿为：角、亢、氐、房、心、尾、箕。南方的七宿为：井、鬼、柳、星、张、翼、轸。西方的七宿为：奎、娄、胃、昴、毕、觜、参。北方的七宿为：斗、牛、女、虚、危、室、壁。㉜欲满其数：想凑足这二十八个数目。㉝白之：向秦王政报告。㉞邑子：同一个县的人。㉟负：背着，这里即指裹挟。㊱是人：此人，指茅焦。㊲故来犯吾：是成心来和我捣乱。故，故意。㊳趣召镬烹之：赶紧给我把他用大锅煮了。趣，通"促"，赶快。镬，古代煮人的大锅。烹，这里即指煮。㊴是安得积阙下哉：他哪里有资格堆积到门前去呢。㊵徐行：缓慢地行走。这段描写乃模仿《战国策》中的《触龙说赵太后》。㊶再拜谒起：给秦王叩拜后站起身来。谒，见。㊷有生者不讳死：一个有生命力的人不怕谈到死。不讳，不怕、不顾及。㊸有国者：一个政权稳固的统治者。㊹讳死者不可以得生：一个人如果到了害怕谈到死的时候，他就离死不远了。㊺讳亡者不可以得存：一个帝王如果到了害怕谈到他这个国家灭亡的时候，他这个国家也就快要灭亡了。㊻死生存亡：有关生死存亡的道理。㊼所欲急闻：是急想听到的。㊽何谓也：你说的是什么意思呢。㊾狂悖之行：癫狂悖谬的行为。㊿不自知邪：你自己不知道吗。(801)假父：继父、义父之类，指嫪毐。(802)囊扑：装在口袋里打死。(803)二弟：指其母后来所生的两个私生子。(804)残戮：残害、杀戮。(805)令天下闻之：让天下人都知道这件事。"令"，原本作"今"，将、假如，亦可通。(806)尽瓦解：谓一切拥护秦国、向往秦国的心思将立刻荡然无存。瓦解，极言丧失之快。(807)无向秦者：再没人想到秦国来。(808)臣言已矣：我的话说完了。已，完了。(809)伏质：趴到杀人所用的砧板上。(810)手自接之：亲手把他拉起来。接，拉、扶。(811)就衣：穿好衣服。(812)愿受事：愿意听从您的教导。(813)爵之上卿：授给茅焦上卿之爵。上卿是战国时代诸侯国大臣的最高爵位，至秦、汉时代则成为中央的部长一级。⑭自驾：亲自赶着车。⑮虚左方：空着左边的位子。战国时以“左”为上位。⑯复为母子如初：以上故事的轮廓，见《史记·秦始皇本纪》，至于茅焦的大段言辞，详见于《说苑·正谏》，后人演义的成分看来不少。⑰楚考烈王：楚顷襄王之子，公元前二六二至前二三八年在位。⑱患之：为此事伤脑筋。⑲宜子：易于怀孕生子。宜，适合、容易。⑳卒无子：谓直到此时尚无子嗣。郭嵩焘曰：“《楚世家》：‘幽王十年卒，同母弟犹代立，是为哀王。哀王立二月，庶兄负刍之徒袭杀哀王而立负刍为王。’而此云考烈王‘卒无子’，与《世家》乖异，此不可晓。”〖按〗“负刍”与“犹”皆幽王之弟。㉑不宜子：是个生育能力差的男人。㉒舍人：王公贵族身边的用人，门客之有职事者。㉓谒归：请假回家。㉔故失期：故意超过了假期。胡三省曰：“欲以发春申君之问也。”㉕求臣之妹：想娶我的妹妹为妃。㉖聘入乎：下过聘礼了吗。聘，古代男家给女家的定亲礼品。㉗纳之：将其收为自己的姬妾。纳，收。㉘有娠：指怀孕。㉙楚王贵幸君二句：依此文，则春申君似乎不是楚国王室贵族，此乃据《史记·春申君列传》旧说。今钱穆、杨宽等历史家皆以春申君为顷襄王之弟、考烈王之叔。其说可信，见韩兆琦《史记笺证》之《春申君列传》。㉚即：倘若。㉛百岁后：婉指考烈王死。㉜将更立兄弟：将改立考烈王的其他兄弟为王。㉝非徒然也：问题的严重还不仅于此。徒，只、仅仅。㉞祸且及身：大祸将降临到您头上。㉟妾幸君未久：我受您宠爱的日子还不长，意思是外人还不怎么知道。㊱诚：真的要是。㊲以君之重：凭着您的身份地位。㊳妾赖天而有男：如果老天爷保佑我生个男孩。㊴则是君之子为王也：那么日后在楚国为王的就是您的儿子。㊵孰与身临不测之祸哉：这与我们整天担心日后的灾难比起来，哪个更好呢。不测之祸，指考烈王的兄弟们日后上台报复春申君。㊶大然之：大以为是。㊷乃出李园妹：于是让李园妹离开春申君家，出居于外。㊸谨舍：胡三省曰：“别为馆舍以居之，奉卫甚谨也。”㊹言诸楚王：将李园之妹推荐给楚王。言诸，言之于，意即告诉。诸，“之于”的合音。㊺幸之：与之发生性关系。㊻立为太子：即日后的楚幽王。〖按〗对于此说，今历史家多以为不可信，见韩兆琦《史记笺证》。㊼用事：主事；掌权。㊽泄其语：泄露他们当初的阴谋。㊾死士：犹今之所谓“亡命徒”，不怕死的杀手。㊿无望之福：想不到的洪福。无望，意想不到。《史记正义》曰：“犹不望而忽至。”851无望之世：指楚国政治形势的变化无常，说不定会发生什么事情。852事无望之主：在一个生死不可预测的君主驾前为臣。事，侍候、为之做事。无望之主，指病中的楚王生死莫测。853安可以无：怎么能够没有。854无望之人：想不到而忽然降临的贵人，盖朱英自指。中井积德曰：“‘毋望之世’谓祸福不可常也，‘毋望之主’谓宠幸不可恃也，‘毋望之人’谓排难脱厄之人不求而至也。”855虽名相国二句：极言其权力之大。856相幼主：在年幼的君主身边为相。857当国：执掌国家大权。858王长而反政：一直要到君主长大才把权力还给他。反，归还。859不二句：否则就干脆自己正式做了楚国的国王。南面称孤，南向而坐，自称曰“孤家”“寡人”，这是古代王者的行为做派。860李园不治国而君之仇：应作“李园不治国而王之舅”，意即李园虽然不是为丞相掌大权，但他是楚王的妻舅。不治国，指不为宰相。君之仇，梁玉绳曰：“《策》作‘王之舅’，是，此因声近而误。言李园为王舅也。下文春申云‘仆善李园’，则不以为仇明矣。”⑻⑹①不为兵而养死士：虽然不掌握军队，但养了不少亡命徒。不为兵，指不为将军。⑻⑹②先入据权：抢先入宫，把持政权。⑻⑹③置臣郎中：将我安插在楚王的卫队里。郎，帝王的侍从警卫人员。⑻⑹④此所谓无望之人也：凌稚隆引茅瓒曰：“朱英之言深矣，然未闻道也。春申之纳女，前日事耳，英不能以时匡之以大臣之义，而以杀园自任，虽多言亦何救于乱哉?”⑻⑹⑤足下置之：你还是不要说啦。置之，犹言“收起”。⑻⑹⑥何至此：哪里会到这一步。⑻⑹⑦亡去：悄悄逃走。⑻⑹⑧棘门：《史记正义》曰：“寿州城门。”或曰，棘，通“戟”。棘门，即宫门，立戟为卫。⑻⑹⑨侠刺之：两侧夹持而刺杀之。⑻⑺⑩投其首于棘门之外：〖按〗今安徽淮南之赖山集有春申君墓，距寿县城十二公里。墓的封土高十一米，东西长约九十米，南北宽约八十米。⑻⑺①尽捕诛春申君之家：《郁离子》曰：“楚太子以梧桐之实养枭，而冀其凤鸣焉。春申君曰：‘是枭也，生而殊性，不可易也，食何与焉!’朱英闻之，谓春申君曰：‘君知枭之不可以食易其性而为凤矣，而君之门下无非狗偷鼠窃，亡赖之人也，而君宠荣之，食之以玉食，荐之以珠履，将望之国士之报。以臣观之，亦何异乎以梧桐之实养枭而冀其凤鸣也?’春申君不寤，卒为李园所杀，而门下之士无一人能报者。”⑻⑺②幽王：名悍，公元前二三七至前二二八年在位。⑻⑺③扬子：即扬雄，西汉末期的学者与辞赋家。扬，或作“杨”。其学术著作有《法言》《太玄经》，其辞赋有《甘泉赋》《羽猎赋》《长杨赋》等。⑻⑺④《法言》：扬雄模仿《论语》所写的一部问答体论学著作。⑻⑺⑤信陵、平原、孟尝、春申：信陵君魏公子无忌、平原君赵胜、孟尝君田文、春申君黄歇，是战国时期以养士闻名的“四公子”，《史记》中都有传。⑻⑺⑥益乎：对国家有好处吗。⑻⑺⑦上失其政：国家的君主大权旁落。⑻⑺⑧奸臣窃国命：奸臣掌握了国家命脉。窃，窃据、篡夺。⑻⑺⑨何其益乎：能有什么好处。〖按〗以上扬雄的话见《法言·渊骞》。司马光引扬雄语以评价信陵、平原、孟尝、春申四人，照《史记》所写，孟尝与春申可以称作“奸臣”，但信陵君无忌与平原君赵胜，司马迁写了他们的礼贤下士与忠心为国，与扬雄的评价大不相同。从这里我们可以看到扬雄、司马光与司马迁思想的差异。⑻⑻⑩奉先王：指拥戴秦王政之父先取得太子安国君的欢心，并由此得以在秦国继位为王，这是秦王政所以能在秦国顺利为王的先决条件，其功至大。⑻⑻①出就国：离开京城，到自己的封地上去。吕不韦的封地在今河南洛阳一带。⑻⑻②来仕：来秦国为吏。⑻⑻③为其主游间：为其本国的主子来秦国进行游说，充当间谍。⑻⑻④一切逐之：不问黑白，一律赶走。一切，《汉书·平帝纪》师古注：“如以刀切物，苟取齐整，不顾长短纵横。”泷川资言引中井积德曰：“譬如一刀切束刍（饲草），刍有长短巨细，而无所择，唯一刀取齐整也。”杨宽曰：“《资治通鉴》叙‘宗室大臣议曰：诸侯人来仕者’云云，于‘十月文信侯免相，出就国’之后，盖从《秦始皇本纪》，以为秦大索逐客，即因嫪毐叛乱而作。甚是。《李斯列传》误以为因韩人郑国来秦作郑国渠而起，非是。《六国表》明载‘作郑国渠’在秦始皇元年，非此年事。”⑻索：搜查。⑻亦在逐中：也在被驱逐之列。⑻行且上书曰:《史记集解》引《新序》曰:“斯在逐中，道上上谏书，达始皇，始皇使人逐至骊邑，得还。”⑻穆公：秦穆公，春秋时代的秦国君主，公元前六五九至前六二一年在位。⑻西取由余于戎：由余原是晋国人，因事逃亡入戎。秦穆公闻其贤，乃用反间计使戎王疏斥由余，致使由余归秦。由余入秦后，佐穆公吞并戎国十二，开地千里，使穆公称霸西戎。事见《史记·秦本纪》。⑻东得百里奚于宛：百里奚原是虞国（都下阳，今山西平陆）大夫，晋献公欲灭虢（都上阳，今河南三门峡东南），向虞国借道。百里奚以唇亡齿寒的道理劝阻虞君，虞君不听，结果晋国灭掉虢国后，趁势也就把虞国灭掉了。百里奚被俘虏，被晋国作为晋女的陪嫁奴仆西送入秦。百里奚耻之，中途南逃至宛（今河南南阳），被楚人捉住。秦穆公以五张黑羊皮将其换到秦国，任以国政，遂佐穆公以霸，人称“五羖大夫”。事见《史记·秦本纪》。〖按〗关于百里奚归于秦穆公的过程，说法不同。据《史记·商君列传》，百里奚是楚国人，因家贫，欲往见秦穆公而无由，遂卖身为人养牛，他用养牛的道理说秦穆公治理国家，受到秦穆公的赏识，被任为大臣。今河南南阳市区西部尚有地名曰“百里奚”，其处有百里奚故里。李斯所用以为典故者，也是后一种说法。⑻迎蹇叔于宋：蹇叔是百里奚的友人，百里奚在秦国当政后，向穆公推荐蹇叔，穆公迎以为上大夫。事见《史记·秦本纪》。《史记正义》引《括地志》曰:“蹇叔，岐州人也。时游宋，故迎之于宋。”⑻求丕豹、公孙支于晋：丕豹是晋国大臣丕郑之子，丕郑被晋惠公所杀，丕豹遂奔秦。事见《史记·晋世家》。公孙支，《史记正义》以为是“岐州人，游晋，后归秦”。⑻并国二十二句:《史记·秦本纪》曰:“秦用由余谋伐戎王，益国十二，开地千里，遂霸西戎。”泷川资言引中井积德曰:“‘并国二十’，或是有所据，或是夸张耳。”⑻孝公：战国前期的秦国君主，公元前三六一至前三三八年在位。⑻用商鞅之法：即采用商鞅的建议实行变法。详情见前文《周纪二》与《史记·商君列传》。〖按〗商鞅变法使秦国富强不假，但《史记·秦本纪》与《史记·商君列传》所列的事实有的不对，参见韩兆琦《史记笺证》有关两文之相应注释。⑻治强：政治英明，国力强大。⑻惠王：也称“惠文王”，孝公之子，公元前三三七至前三一一年在位。秦国从他开始称“王”。⑻张仪：战国中期的大政治家，以连横学说事秦，为秦国的发展做出了重大贡献。事迹详见《史记·张仪列传》。⑻散六国之从：瓦解了东方诸国间的联盟关系。⑼事秦：向秦国讨好；为秦国效力。⑼昭王：惠文王之子，武王之弟，公元前三〇六至前二五一年在位。⑼范雎：原魏人，因在魏国受迫害而到秦国，帮秦国确定了“远交近攻”的策略。事见前文《周纪五》与《史记·范雎蔡泽列传》。⑼强公室二句：加强君主自身的权力，削弱执政大臣的权柄。杜，堵塞、根绝。⑼四君：指秦穆公、秦孝公、秦惠王、秦昭王。⑼皆以客之功：都是靠着客卿的力量才建功立业。⑼何负于秦：有什么对不起秦国的地方。负，亏待、对不起。⑼色、乐、珠、玉：指供统治者欣赏、享乐的各种玩物。色，指美貌的女子。乐，指好听好看的音乐舞蹈。⑼服御：

享用；使唤。⑨⑩非秦者去：不是秦国出的一概不要。去，驱逐。⑨⑩为客者逐：凡来秦国为客的一律赶走。逐，赶走。⑨⑪所重：所着重。⑨⑫所轻：所轻视；所抛弃。⑨⑬人民：二字同义，这里实指“人才”。⑨⑭太山：泰山，在今山东泰安北。⑨⑮不让土壤：不拒绝别处的土壤向泰山堆积。让，拒绝。⑨⑯不择：不挑剔，这里也是“不拒绝”的意思。⑨⑰就：成；形成。⑨⑱不却：不使之退而不来，也是“不拒绝”的意思。⑨⑲众庶：众多的黎民百姓。庶，庶民、平民。⑨⑳明其德：光大他的德业。〖按〗以上六句为古代成语，《管子》云：“海不辞水，故能成其大；山不辞土石，故能成其高。”《墨子·亲士》：“江河不恶小谷之满已也，故能大；圣人者事无辞也，物无违也，故能为天下器。”⑨㉑五帝、三王：古人心目中政治最清明、国力最强大的几位帝王。依《史记》的说法，五帝指黄帝、颛顼、帝喾、尧、舜；三王指夏禹、商汤和周代文王、武王。⑨㉒黔首：指黎民百姓。⑨㉓资：助。⑨㉔业：成就；造就。⑨㉕借寇兵而赍盗粮：给敌人提供武器，给强盗提供粮食，使之兵强马壮地来打我们。借，给予。兵，武器。赍，提供、资助。张照曰：“此必当时习语，故范雎用之，李斯再用之，荀子亦曰：‘非其人而教之，赍盗粮借寇兵也。’”⑨㉖复其官：据《史记·李斯列传》，李斯在被逐前任客卿，今乃复其原职。杨宽曰：“据此可知李斯为客卿，当在秦王政十年前，其为长史，或在初年。”⑨㉗至骊邑而还：谓李斯原已被逐，乃在途中上书，秦王政见李斯书而悔悟，派人东追到骊邑，将其追回。骊邑，即今西安市临潼区。⑨㉘卒用：终于采用；始终采用。⑨㉙赍：携带。⑨㉚诸侯名士：东方各国内有威望、有才干的朝野知名人物。⑨㉛可下以财：可用金钱收买，为己所用。⑨㉜厚遗结：即花重金予以收买、交结。遗，给予。⑨㉝离其君臣之计：离间、破坏东方各国君臣之间的共同计划。〖按〗秦善用间，此种事具体见于《史记》之《田敬仲完世家》《魏公子列传》《廉颇蔺相如列传》《范雎蔡泽列传》等篇。⑨㉞使良将随其后：《史记·陈丞相世家》写陈平为刘邦设谋云：“大王诚能出捐数万斤金行反间，间其君臣，以疑其心，项王为人意忌信谗，必内相诛，汉因举兵而攻之，破楚必矣。”正与李斯的手段完全相同。⑨㉟数年之中二句：从李斯为秦王进谋，受秦重用，至秦灭六国、统一天下共历时十六年。⑨㊱赵人伐燕：时当赵悼襄王九年（公元前二三六年）、燕王喜十九年。⑨㊲貍阳：燕邑名，在今河北任丘市与文安县之间。⑨㊳王翦、桓齮、杨端和：皆秦将名，王翦的事迹详见《史记·白起王翦列传》；桓齮始见于此，后文屡出；杨端和前文已见。⑨㊴邺：县名，原属魏，前已属赵，在今河北临漳。〖按〗攻邺之役，三将共为之，王翦为主将，桓齮为次将，杨端和为末将，初攻未能攻下。⑨㊵阏与、轑阳：皆赵县名，阏与在今山西和顺西北，轑阳即今山西左权。⑨㊶安阳：县名，在今河南安阳东南。梁玉绳《史记志疑》以为安阳早在二十多年前已被秦昭王攻取，此“安阳”当是“轑阳”之误。⑨㊷幽缪王迁：名迁，谥曰幽缪，公元前二三五至前二二八年在位。⑨㊸倡：歌舞艺人。⑨㊹嬖：狎昵；受宠。⑨㊺嫡子嘉：原来的太子名嘉。嫡子，正妻所生的儿子。⑨㊻无行：没有好的品行，意即不肖。⑨㊼就国岁余：在其封地洛阳住了一年多。⑨㊽诸侯宾客使者：谓东方各国的君主纷纷派人到洛阳看望吕不韦。㊾ 相望于道：极言前来的使者之多，后一批可以望到前一批。㊿ 请：问候。[951] 恐其为变：担心吕不韦搞阴谋叛乱。[952] 其与家属徙处蜀：你要和你的家属一同搬到蜀地去住。其，表示命令、勒令的发语词。徙处，搬迁。蜀，指今四川成都一带地区。[953] 稍侵：渐渐开始受迫害、受侵犯。稍，渐渐。[954] 饮鸩死：喝毒酒而死。鸩，毒鸟名，相传以其羽毛蘸酒，人饮立死，故通常即以鸩指毒酒。[955] 窃葬：家里人将其悄悄安葬。窃，与"大肆张扬"相对而言。[956] 临：哭吊。[957] 逐迁：凡来自东方诸国的一律驱逐出境，凡是秦国本土的一律发配蜀地。[958] 自今以来：犹今所谓"从今以后"。[959] 操国事不道：主持政事不守规矩。[960] 籍其门：将其满门的财产、人口登记入册，财产充公，人口沦为奴隶。籍，登记。[961] 视此：公文语，意即以此为例，后皆照此办理。[962] 扬子《法言》曰：以下语句，见《法言·渊骞》。[963] 其智矣乎：能够说是聪明吗。[964] 以人易货：为了能在官场上翻云覆雨而不惜花钱。指其以子楚为"奇货可居"，从而为此进行活动。[965] 谁谓不韦智者欤：谁说吕不韦是聪明人呢。[966] 以国易宗：为了得到一个文信侯的分封，而弄得整个家族被消灭。[967] 吕不韦之盗二句：吕不韦是个贼盗，而在贼盗中，算是数一数二的吗。穿窬，挖窟窿进入。窬，窟窿、洞穴。[968] 穿窬也者：在挖窟窿进入宅院的盗贼中。[969] 吾见担石矣：

【原文】

十三年（丁卯，公元前二三四年）

桓齮伐赵[973]，败赵将扈辄于平阳[974]，斩首十万，杀扈辄。赵王以李牧[975]为大将军，复战于宜安、肥下[976]，秦师败绩[977]，桓齮奔还。赵封李牧为武安君[978]。

十四年（戊辰，公元前二三三年）

桓齮伐赵，取宜安、平阳、武城[979]。

韩王纳地效玺[980]，请为藩臣[981]，使韩非来聘[982]。韩非者，韩之诸公子[983]也，善刑名法术之学[984]，见韩之削弱，数以书干韩王[985]，王不能用。于是韩非疾[986]治国不务[987]求人任贤，反举[988]浮淫之蠹[989]，而加之功实[990]之上。宽[991]则宠名誉之人[992]，急[993]则用介胄之士[994]。所养非所用，所用非所养[995]。悲廉直不容于邪枉之臣[996]。观往者得失之变，作《孤愤》《五蠹》《内外储》《说林》《说难》五十六篇[997]，十余万言。

我见过偷一两担子的。担石，亦作儋石。《汉书》：一石为石，再石为儋。⑰ 未见雒阳也：还从来没见过哪个盗贼偷了一座洛阳城。吕不韦封文信侯，先是食蓝田十二邑，后又以洛阳为其封国，与“担石”不可同日而语，故扬雄称之为“穿窬之雄”。⑰ 自六月不雨二句：此应主要指秦地而言。⑰ 助魏伐楚：《史记·楚世家》书此曰：“幽王三年，秦、魏伐楚。”

【校记】

［12］太后时时：下“时”字原本空字。据章钰校，十二行本、乙十一行本、孔天胤本皆作“时”。今从诸本及《史记·吕不韦列传》和《通鉴总类》卷四上补。［13］令天下：“令”原作“今”。据章钰校，十二行本、乙十一行本、孔天胤本皆作“令”，张瑛《通鉴校勘记》同。今从诸本及《通鉴总类》卷四上改。［14］百里奚：原无“奚”字。据章钰校，十二行本、乙十一行本、孔天胤本皆有此字。今从诸本及《史记·李斯列传》和《通鉴纪事本末》卷一下补。［15］借寇兵而：原无“而”字。据章钰校，十二行本、乙十一行本、孔天胤本皆有此字。今从诸本及《史记·李斯列传》和《通鉴纪事本末》卷一下补。

【语译】

十三年（丁卯，公元前二三四年）

秦将桓齮率军攻打赵国，在平阳打败了赵国大将扈辄，杀死十万赵军，扈辄阵亡。赵王迁任命李牧为大将军，李牧与秦军在宜安、肥下展开激战，将秦军打得大败，桓齮逃回秦国。赵王迁封李牧为武安君。

十四年（戊辰，公元前二三三年）

秦将桓齮攻打赵国，占领了赵国的宜安、平阳、武城。

韩王安向秦国交出全部土地，同时献上作为韩王凭证的玺印，请求做秦国国内的一个封君，又派韩非到秦国拜谒秦王。韩非，是韩国一个国王的儿子，主要研究政治法律和君主驾驭群臣的办法，他看到韩国一天天地被削弱，曾经多次向韩王上书请求任用，而韩王始终不用。韩非对韩王的这些行为感到愤恨：治理国家不以选拔人才、任用贤能为当务之急，反而将那些只会夸夸其谈的蛀虫提拔上来，让他们凌驾于那些为国当兵与从事农业获有实效的人之上。在国家太平无事之时就宠幸那些沽名钓誉、哗众取宠的人，有敌人来进攻就重用戴盔披甲的武士。所禄养的不是国家所需要的人，而所需要的人又得不到禄养等。他对廉洁正直的人反而受到奸邪之人排斥的现象感到悲伤，他纵观古今胜败得失的变化，著《孤愤》《五蠹》《内外储》《说林》《说难》共五十六篇，十多万字。

王闻其贤，欲见之[998]，非为韩使于秦[999]，因上书说王曰："今秦地方数千里，师名百万[1000]，号令赏罚[1001]，天下不如[1002]。臣昧死[1003]愿望见大王，言所以破天下从之计[1004]。大王诚听臣说[1005]，一举而天下之从不破，赵不举[1006]，韩不亡，荆、魏不臣[1007]，齐、燕不亲[1008]，霸王之名不成，四邻诸侯不朝，大王斩臣以徇国[1009]，以戒为王谋不忠者[1010]也。"王悦之，未任用。李斯嫉之，曰："韩非，韩之诸公子也。今欲并诸侯[1011]，非终为韩，不为秦[1012]，此人情也[1013]。今王不用[1014]，久留而归之[1015]，此自遗患也[1016]。不如以法诛之[1017]。"王以为然，下吏治非[1018]。李斯使人遗非药[1019]，令早自杀。韩非欲自陈，不得见。王后悔[1020]，使人赦之，非已死矣。

扬子《法言》曰："或问：'韩非作《说难》之书，而卒死乎说难[1021]，敢问何反也[1022]？'曰：'《说难》盖其所以死乎[1023]？'曰：'何也？''君子以礼动，以义止[1024]。合则进，否则退[1025]，确乎[1026]不忧其不合[1027]也。夫说人[1028]而忧其不合[1029]，则亦无所不至[1030]矣。'或曰：'非忧说之不合，非邪[1031]？'曰：'说不由道，忧也[1032]；由道而不合，非忧也[1033]。'"

臣光曰："臣闻君子亲其亲，以及人之亲[1034]；爱其国，以及人之国[1035]。是以功大名美，而享有百福也[1036]。今非为秦画谋[1037]，而首欲[1038]覆其宗国[1039]，以售其言[1040]，罪固不容于死[1041]矣。乌足愍哉[1042]！"

十五年（己巳，公元前二三二年）

王大兴师伐赵[1043]。一军抵邺[1044]，一军抵太原[1045]，取狼孟、番吾[1046]，遇李牧而还。

初，燕太子丹[1047]尝质于赵[1048]，与王善[1049]。王即位[1050]，丹为质于

秦王政听说韩非很贤能，非常想见到他，韩非作为韩国的使者来到秦国，他上书给秦王说："现在秦国的土地方圆几千里，军队号称百万，号令严明，赏罚有信，天下没有任何一个国家能比得上。我冒着被杀头的危险请求您接见我，我将向您陈述瓦解东方六国合纵联盟的具体方案。如果您能听取我的意见，一次行动之后，天下的合纵联盟没有被瓦解，赵国不被攻破，韩国不灭亡，楚国、魏国不向秦国俯首称臣，齐国、燕国不来归顺，霸王的功业不获成功，四周的邻国不来朝见，就请您砍下我的脑袋在全国示众，以惩戒那些为您出谋划策不忠诚的人。"秦王政非常高兴，在想重用但还没有重用。这时李斯出于嫉妒，就对秦王说："韩非，是韩国的一个公子。现在您想吞并诸侯统一天下，韩非最终还是会忠于韩国而不会忠于秦国，这是人之常情。如果大王您不能重用他，将他在秦国扣留很久又放他回去，这等于给自己留下祸根。不如找个借口将他杀掉。"秦王政认为李斯说得有道理，就将韩非交给法官去审理。李斯派人将毒药送给韩非，想让他早点自杀。韩非想面见秦王替自己辩解，但无法见到秦王。秦王后来改变了主意，派人去赦免韩非，而韩非已经死了。

扬雄在《法言》中评论说："有人问：'韩非能写出《说难》这篇文章，而他自己最终却死在游说上，我大胆地提出疑问：为什么理论和结果如此相反？'回答说：'大概著述《说难》，是导致他死的原因吧？'问：'为什么呢？''因为君子的一举一动都要符合礼义。符合礼义就前进，不符合礼义就退回来，所以他们确实不担心遇不到赏识自己的人。向统治者推销自己的方略、主张，却又担心自己的说辞不符合对方的心意，那就什么事情都做得出来，什么伎俩都会施展出来。'有人又问：'韩非担心说辞不合秦王的心意，这难道不对吗？'回答说：'说服别人去做某事或不去做某事，是否能本着仁义之道，这是值得担忧的；如果游说的言辞完全合乎仁义之道却不符合对方的心意，那就没有必要去忧虑。'"

司马光说："我听说，君子因为爱自己的父母，从而推广到爱别人的父母；因为爱自己的国家，从而也爱别人的国家。所以才能建立伟大的功勋，获得美好的名声，并享有世上的各种幸福。现在韩非为秦国出谋划策，第一件事就是要以灭掉自己的祖国为代价，以达到推销自己主张的目的，他的罪行本来就是死有余辜。哪里值得怜悯呢！"

十五年（己巳，公元前二三二年）

秦王政出动大军攻打赵国。一军抵达邺城，一军抵达太原，攻取了狼孟、番吾，遇到赵国大将李牧前来迎战，这才撤军而回。

当初，燕国的太子丹曾经在赵国充当人质，跟秦王嬴政关系很好。嬴政回到秦

秦，王不礼[1051]焉。丹怒，亡归[1052]。

十六年（庚午，公元前二三一年）

韩献南阳地[1053]。九月，发卒受地于韩[1054]。

魏人献地[1055]。

代[1056]地震，自乐徐[1057]以西，北至平阴[1058]，台屋墙垣太半[1059]坏，地坼[1060]东西百三十步。

十七年（辛未，公元前二三〇年）

内史胜[1061]灭韩[1062]，虏韩王安，以其地置颍川郡[1063]。

华阳太后[1064]薨。

赵大饥[1065]。

卫元君薨，子角立[1066]。

十八年（壬申，公元前二二九年）

王翦将上地[1067]兵下井陉[1068]，端和[1069]将河内[1070]兵，共伐赵。赵李牧、司马尚[1071]御[1072]之。秦人多与赵王嬖臣郭开[1073]金，使毁[1074]牧及尚，言其欲反。赵王使赵葱[1075]及齐将颜聚[1076]代之。李牧不受命[1077]，赵人捕而杀之[1078]，废司马尚。

十九年（癸酉，公元前二二八年）

王翦击赵军，大破之，杀赵葱，颜聚亡[1079]，遂克邯郸，虏赵王迁[1080]。王如邯郸[1081]，故与母家有仇怨者[1082]，皆杀之。还[1083]，从太原、上郡归。

太后[1084]薨。

王翦屯中山以临燕[1085]。赵公子嘉[1086]帅其宗[1087]数百人奔代，自立为代王[1088]。赵之亡大夫[1089]稍稍归之[1090]，与燕合兵，军上谷[1091]。

楚幽王薨，国人[1092]立其弟郝[1093]。三月，郝庶兄负刍[1094]杀之自立。

魏景湣王薨，子假[1095]立。

燕太子丹怨王[1096]，欲报之，以问其傅鞠武[1097]。鞠武请西约三晋[1098]，南连齐、楚[1099]，北媾匈奴[1100]，以图秦。太子曰："太傅之计旷日弥久[1101]，令人心惛然[1102]，恐不能须[1103]也。"顷之[1104]，将军樊於期[1105]得罪[1106]，亡之燕[1107]，

国做了秦王，燕太子丹又到秦国做人质，秦王政对他不以礼相待。太子丹很生气，就私自逃回了燕国。

十六年（庚午，公元前二三一年）

韩国将南阳献给秦国。九月，秦国派兵到韩国接管南阳。

魏国也将国土献给秦国。

赵国的代郡发生了地震，从乐徐往西，北到平阴，楼台房舍毁坏了一大半，地面裂开了一条东西宽一百三十步的大裂缝。

十七年（辛未，公元前二三〇年）

秦国的内史胜率军灭掉了韩国，俘虏了韩王安，韩国灭亡。秦国将韩国之地设置为颍川郡。

秦国的华阳太后去世。

赵国发生饥荒。

卫元君去世，儿子角即位。

十八年（壬申，公元前二二九年）

秦国大将王翦率领上地之兵攻下了赵国的井陉，杨端和率领河内的军队与王翦一起攻打赵国。赵国大将李牧、司马尚率领赵军抵御秦军的入侵。秦国派人用重金贿赂赵王迁的宠臣郭开，让他在赵王面前进谗言，污蔑李牧、司马尚想要谋反。赵王听信谗言，于是派赵葱和前齐国将领颜聚分别接替李牧和司马尚。李牧不肯接受命令，结果被抓起来杀害了；司马尚则被免去了职务。

十九年（癸酉，公元前二二八年）

秦将王翦攻打赵国的军队，大败赵军，杀死了赵将赵葱，颜聚逃走，于是攻克了赵国的都城邯郸，俘虏了赵王迁。秦王亲自前往邯郸视察，把过去那些和他生母家有仇怨的人全部杀掉。返回途中经过太原、上郡，然后回到都城咸阳。

秦国王太后去世。

王翦将军队驻扎在中山，逼近燕国。赵国的公子赵嘉率领他的宗族数百人逃到代地，自封为代王。赵国灭亡以后，那些逃离京城、隐匿各处的赵国群臣也都渐渐地会聚到了代郡。代王赵嘉与燕国合兵一处，将军队驻扎在上谷。

楚幽王去世，百官与都城的百姓拥立他的弟弟芈郝为楚王。三月，芈郝的庶兄芈负刍将他杀死，自己做了国王。

魏国景湣王去世，他的儿子魏假即位。

燕太子丹怨恨秦王嬴政，想要进行报复，就去向他的太傅鞠武求教。鞠武告诉他，必须联合西边的赵、魏、韩，南边的齐、楚，北边与匈奴讲和，然后才能攻打秦国。太子丹说：“您的计策虽好，但需要的时间太长了，使人心里烦乱，我恐怕等不了那么长的时间。”不久，秦国的将领樊於期因为在秦国获罪逃到燕国，太子丹接待了他，

太子受而舍之[108]。鞠武谏曰："夫以秦王之暴，而积怒于燕，足为寒心[109]，又况闻樊将军之所在乎！是谓委肉当饿虎之蹊[110]也。愿太子疾遣樊将军入匈奴。"太子曰："樊将军穷困[111]于天下，归身于丹，是固丹命卒[112]之时也，愿更虑[113]之。"鞠武曰："夫行危以求安[114]，造祸以为福[115]。计浅而怨深[116]，连结一人之后交[117]，不顾国家之大害，所谓资怨而助祸[118]矣。"太子不听。

太子闻卫人荆轲[119]之贤，卑辞厚礼而请见之。谓轲曰："今秦已虏韩王，又举兵南伐楚，北临赵[120]。赵不能支秦[121]，则祸必至于燕。燕小弱，数困于兵[122]，何足[123]以当秦？诸侯服秦，莫敢合从。丹之私计[124]，愚以为：诚得天下之勇士[125]使于秦，劫秦王[126]，使悉反[127]诸侯侵地[128]，若曹沫之与齐桓公[129]，则大善[130]矣；则不可[131]，因而刺杀之[16]。彼大将擅兵[132]于外，而内有乱[133]，则君臣相疑[134]。以其间[135]，诸侯得合从，其破秦必矣。唯[136]荆卿[137]留意[138]焉。"荆轲许之。

于是舍[139]荆卿于上舍，太子日造[140]门下。所以奉养荆轲，无所不至[141]。及王翦灭赵[142]，太子闻之惧，欲遣荆轲行。荆轲曰："今行而无信[143]，则秦未可亲[144]也。诚得樊将军首[145]与燕督亢之地图[146]，奉献秦王，秦王必说[147]见臣。臣乃有以报[148]。"太子曰："樊将军穷困来归丹，丹不忍也。"荆轲乃私见樊於期曰："秦之遇[149]将军，可谓深[150]矣，父母宗族皆为戮没[151]。今闻购将军首，金千斤，邑万家[152]，将奈何[153]？"於期太息[154]流涕曰："计将安出[155]？"荆卿曰："愿得将军之首以献秦王，秦王必喜而见臣。臣左手把其袖[156]，右手揕其胸[157]，则将军之仇报，而燕见陵之愧[158]除矣。"樊於期曰："此臣之日夜切齿腐心[159]也。"遂自刎。太子闻之，奔往伏哭，然已无奈何，遂以函[160]盛其首。太子豫求[161]天下之利匕首，使工以药焠之[162]，以试人，血濡缕，人无不立死者[163]。乃装[164]为遣荆轲，以燕勇士秦舞阳[165]为之副，使入秦。

并给他安排了住处。鞠武劝阻太子说："就凭秦王那凶暴的性格，再加上他一向憎恨燕国，这些就足以让人感到害怕了，又何况听到樊将军逃到燕国来呢！这就像是把肉放到饥饿的老虎必然经过的路上，肯定要被吃掉啊。希望您赶紧打发樊将军到匈奴那里去吧。"太子丹说："樊将军因为走投无路，才投奔于我，这正是需要我舍身保护他的时候，我怎能让他走呢，希望您再重新考虑一个好办法。"鞠武说："做着危险的事情却想要得到平安，正在制造灾难却想获得幸福。用一种很粗浅的办法来对付有深仇大恨的敌人，为了关照一个交情不深的新朋友而不顾及国家的安危，这将使秦国对燕国的怨恨越结越深，从而加速灾祸的降临啊。"太子丹不肯接受鞠武的劝告。

燕太子丹听说卫国人荆轲很贤能，就用谦卑的言辞、丰厚的礼物请求会见他。太子丹对荆轲说："如今秦国已经将韩王俘虏了，又发兵向南攻打楚国，向北逼近赵国。如果赵国不能抵抗秦国，那么灾祸就必定降临燕国了。而燕国本来就弱小，又加上连年遭受战争的困扰，怎么能抵挡得住秦国呢？其他诸侯都屈服于秦国，没有敢结成合纵联盟的。我私下里考虑：如果能够有一个天下难得的勇士作为使者到秦国去，劫持住秦王，让他把侵占各国的领土全部归还给各诸侯国，就像曹沫劫持齐桓公那样，那就再好不过了；如果到时秦王不答应归还土地，就一剑将他刺死。秦国掌握兵权的大将统率重兵在外，而朝中却发生了秦王被刺杀的突发事变，君臣之间必定互相猜忌。趁这机会，各诸侯国联合起来攻打秦国，一定能够将秦国打败。希望您答应我的请求。"荆轲答应了太子丹。

于是，太子丹安排荆轲住在上等的宾馆里，每天都亲自登门拜访，用来奉养荆轲的方式也是无所不用。等到王翦灭掉了赵国，太子丹非常恐惧，就想马上派荆轲出发。荆轲说："如果没有可以取信于秦王的东西，就很难接近秦王。如果能够把樊将军的人头和燕国督亢地区的地图进献给秦王，秦王一定因为高兴而接见我。这样的话，我才有可能取得成功。"太子丹说："樊将军因为走投无路才来投奔我，我怎么忍心让他去死呢。"荆轲就背着太子私下里去见樊於期说："秦国对待将军，真是够残酷的了，您的父母和宗族全都被秦王所杀害。现在听说悬赏一千斤黄金，再加上万户的封邑来购买您的首级，您打算怎么办呢？"樊於期长叹一声流下了眼泪，说："您有什么好办法吗？"荆轲说："我想把您的人头进献给秦王，秦王一定高兴见我。到那时，我就用左手拉住他的衣袖，右手把剑刺进他的胸膛，将军您的大仇就算报了，而燕国被欺凌的耻辱也可以消除了。"樊於期说："这正是让我咬牙切齿、捶胸顿足的深仇大恨啊。"于是拔剑自刎。太子丹得知消息后，飞奔前来，趴在樊於期的尸体上放声大哭，但到了此时也是无可奈何，于是将樊於期的首级装在一个匣子里。太子事先已经找寻到天下最锋利的匕首，并将毒药淬在匕首上，用这把匕首只要刺伤一点，哪怕只渗出一丝血迹，人没有不立刻就死的。于是为荆轲置办行装，派他启程前往秦国，另外又派了燕国有名的勇士秦舞阳做他的副手，一同前往秦国。

【段旨】

以上为第六段，写秦王政十三年（公元前二三四年）至秦王政十九年间的各国大事，主要写了秦王政对韩、魏、赵、楚四国猛烈攻击，使其陷于灭亡或趋于灭亡的情景，并写了燕太子丹策划派荆轲入秦行刺事。

【注释】

⑨⑦③桓齮伐赵：时当赵王迁二年（公元前二三四年）。桓齮，秦将名。⑨⑦④平阳：赵县名，在今山西临汾西南。⑨⑦⑤李牧：赵国的最后一位名将，已见于前文。详见《史记·廉颇蔺相如列传》。⑨⑦⑥宜安、肥下：皆赵县名，宜安在今河北藁城西南，肥下在今山西昔阳西南。⑨⑦⑦败绩：大败；溃不成军。⑨⑦⑧武安君：封号名，不一定实有封地。战国时苏秦、白起等亦曾受封此号。⑨⑦⑨武城：赵地名，在山东武城西北。⑨⑧⓪纳地效玺：交出所剩的全部地盘，交出作为韩王的印玺，意即彻底向秦国投降。⑨⑧①藩臣：起藩篱作用的臣子，指国内的封君。早在西周初期周天子分封诸侯时，这些诸侯都自称是周天子的藩篱、屏障，意即周王朝的拱卫者、捍卫者。⑨⑧②来聘：这里的意思就是到秦国出使。聘，原指诸侯国之间的友好访问。据《史记·老子韩非列传》，这次韩非来秦国的原因是韩非的著作《说难》《五蠹》传到秦国，秦王政看了很欣赏，向韩国要韩非，于是韩王派韩非来到秦国。⑨⑧③诸公子：韩国国王的一个儿子，“诸公子”是与“太子”相对而言。但韩非究竟是哪一代韩王之子史无明文。⑨⑧④刑名法术之学：指法家学说。先秦法家把“刑名”与“法术”联为一体，他们从法律的意义上讲“刑名”，把“名”引申为法令、名分、言论等，主张“循名责实，慎赏明罚”。“法术”是“法”与“术”的合称。法即商鞅所讲的刑赏法令。术即申不害所讲的驾驭群臣的办法。⑨⑧⑤数以书干韩王：多次给韩王上书，求见韩王。干，求见。⑨⑧⑥疾：痛恨。⑨⑧⑦不务：不致力；不从事。⑨⑧⑧举：提拔；任用。⑨⑧⑨浮淫之蠹：只会夸夸其谈的蛀虫，指儒生、纵横家等人。浮淫，花里胡哨、夸夸其谈，中看不中用。蠹，蛀虫。韩非在《五蠹》中把儒者、游侠、纵横家、奸臣私门的党人、工商业者五种人称为蠹虫。⑨⑨⓪功实：军功与实绩，指为国当兵与从事农业获有实效的人。⑨⑨①宽：指太平无事时。⑨⑨②名誉之人：沽名钓誉、哗众取宠者，指儒生、侠客等。⑨⑨③急：军情紧急，有敌人来攻。⑨⑨④介胄之士：即士兵。介胄，铠甲、头盔。⑨⑨⑤所养非所用二句：《史记索隐》曰：“言人主今临事任用，并非常所禄养之士，故难可尽其死力也。”⑨⑨⑥悲廉直不容于邪枉之臣：此旨集中表现于《孤愤》。岑仲勉曰：“此篇言智能法术之士与权奸不两立，智能法术之士恒难进。”⑨⑨⑦《孤愤》《五蠹》《内外储》句：上列都是《韩非子》中的篇目名。《史记索隐》曰：“此皆所著书篇名也。《孤愤》，愤孤直不容于时也（揭发法家与旧贵族的矛盾）；《五蠹》，蠹政之事有五也（文章批判儒家崇古、法古的荒谬，提出‘不期修古，不法常可，论世之事，因为之备’，‘世异则事异’，‘事异则备

变’的辩证观点。他以勤耕之民、力战之士为贵而当赏，以五蠹之民为贱而当除）;《内外储》，按《韩子》有《内储》《外储》篇，《内储》言明君执术以制臣下，制之在己，故曰‘内’也。《外储》言明君观听臣下之言行，以断其实，赏罚在彼，故曰‘外’也。储蓄二事，所谓明君也。《说林》者，广说诸事，其多若林，故曰‘说林’也。”说难，岑仲勉曰：“此篇先陈‘说’之难，继言‘说’之术，极精。”五十六篇，意谓韩非的著作总共五十六篇。〖按〗今本《韩非子》只有五十五篇。⑨⑨⑧王闻其贤二句：《史记·老子韩非列传》曰：“人或传其书至秦，秦王见《孤愤》《五蠹》之书，曰：‘嗟乎，寡人得见此人与之游，死不恨矣！’”⑨⑨⑨非为韩使于秦：此即补叙前述韩非使秦之原因。《史记·老子韩非列传》载李斯曰：“此韩非之所著书也。”秦因急攻韩。韩王始不用非，及急，乃遣非使秦。⑩⓪⓪⓪师名百万：军队号称百万。⑩⓪⓪①号令赏罚：指号令严明，赏罚有信。⑩⓪⓪②天下不如：没有任何一个别的国家能与秦国相比。⑩⓪⓪③昧死：冒着死的危险。这是古代大臣对君主说话时的一种谦辞。⑩⓪⓪④言所以破天下从之计：我要和您谈谈如何打破东方诸国合纵联盟的办法。从，同“纵”，指东方诸国间的联盟。⑩⓪⓪⑤诚听臣说：如果真能听取我的意见。诚，果真。⑩⓪⓪⑥不举：不被攻下。⑩⓪⓪⑦荆、魏不臣：楚、魏两国不向您缴械归服。荆，楚国的别称。⑩⓪⓪⑧不亲：不向秦国臣服亲近。⑩⓪⓪⑨斩臣以徇国：割下我的人头，持以向全国示众。徇，巡行示众。⑩⓪①⓪以戒为王谋不忠者：以警告那些为大王进献计策不认真的人。戒，警告。不忠，不认真、不负责任。〖按〗以上韩非上书文字见《韩非子·初见秦》，这是一篇忠心耿耿地为秦王出主意以尽快消灭东方六国的文章，这与《韩非子》中的第二篇《存韩》完全对立，也与韩非被秦国所杀的原因不合，故后人多以为不是韩非所作。而司马光则分明是采取了肯定《初见秦》是韩非所作的观点。⑩⓪①①今欲并诸侯：如今居然讲了一套吞并东方六国的理论。⑩⓪①②非终为韩二句：但韩非归根结底是为了韩国而不是为了秦国。⑩⓪①③此人情也：这才是人之常情，真实的想法。⑩⓪①④今王不用：如果大王不想用韩非。今，如果。⑩⓪①⑤久留而归之：在秦国扣留很久又放他回去。⑩⓪①⑥此自遗患也：这是给我们自己留下祸根。遗，留。⑩⓪①⑦以法诛之：找个借口杀了他。⑩⓪①⑧下吏治非：将韩非交付法官审理。治，审问。⑩⓪①⑨遗非药：送给韩非毒药。遗，给、送。⑩⓪②⓪后悔：后来又变了主意。悔，改主意。⑩⓪②①作《说难》之书二句：能写《说难》文章，把游说的风险讲得头头是道，结果自己还是死在游说上。⑩⓪②②何反也：为什么说话和行动如此相反。⑩⓪②③《说难》盖其所以死乎：韩非之所以死大概就在于他写《说难》这种文章吧。盖，表示推测的语气词。⑩⓪②④以礼动二句：谓君子的一举一动都要符合礼义。《论语·颜渊》有所谓“非礼勿视，非礼勿听，非礼勿言，非礼勿动”，说的就是这种意思。⑩⓪②⑤合则进二句：符合礼义就前进，不合礼义就退回来。⑩⓪②⑥确乎：很明显。⑩⓪②⑦不忧其不合：不担心遇不到赏识自己的人。不合，遇不到知音、赏识者。⑩⓪②⑧说人：向统治者推销自己的方略、主张。⑩⓪②⑨忧其不合：担心不被人家采纳。意思是为了让当权者赏识自己而极力迎合。⑩⓪③⓪无所不至：什么事情都会做出来，什么伎俩都会施展出来。孔子曾有“苟患失之，无所不至矣”，就是说的这种情形。⑩㉛非忧说之不合二句：韩非担心自己的说辞不被当权者所采纳，这难道也不对吗。邪，同“耶”，反问语气词。⑩㉜说不由道二句：劝说当权者干某事或不干某事，是否能本着仁义之道，这是我们应该忧虑的。由，遵循、本着。道，指仁义、礼制。⑩㉝由道而不合二句：如果劝说当权者所用的言辞完全是本着仁义之道，而当权者就是不听，那我们就没有必要忧虑。以上扬雄的话见《法言·问明》。⑩㉞亲其亲二句：由敬爱自己的父母推而广之到敬爱别人的父母。⑩㉟爱其国二句：由爱自己的国家推而广之到尊重其他别的任何国家。〖按〗《孟子·梁惠王上》有所谓“老吾老以及人之老，幼吾幼以及人之幼”;《墨子·兼爱》有所谓“视人之国若视其国，视人之家若视其家，视人之身若视其身”，即此言之所仿效。⑩㊱是以功大名美二句：只有这样的人才能“功大名美而享有百福”。⑩㊲今非为秦画谋：现在韩非为秦国出主意。画谋，出主意。⑩㊳首欲：第一个就想。⑩㊴覆其宗国：颠覆自己的祖国。宗国，祖国。⑩㊵以售其言：以证明自己的言论正确可行。售，出卖，这里即指“实行”“验证”。⑩㊶罪固不容于死：本来就是死有余辜。不容，有余。⑩㊷乌足愍哉：有什么值得怜悯的。乌足，哪里值得。乌，也写作“恶”，哪、岂。⑩㊸王大兴师伐赵：时当赵王迁四年（公元前二三二年）。⑩㊹邺：赵县名，在今河北临漳。⑩㊺太原：赵郡名，郡治晋阳，在今山西太原西南。⑩㊻狼孟、番吾：皆赵县名，狼孟即今山西阳曲，番吾也称“播吾”，在今河北磁县境内。⑩㊼燕太子丹：燕王喜的太子，名丹。⑩㊽尝质于赵：曾在赵国为人质。⑩㊾与王善：与秦王政的关系友好。当燕太子丹在赵国为人质时，秦王政的父亲子楚也在赵国为人质，秦王政即生在赵国，故幼时得与太子丹交好。⑩㊿王即位：秦王政在秦国继任为王，时当公元前二四六年。⑩51不礼：不以礼相待，对太子丹不念旧情。⑩52亡归：逃回燕国。⑩53韩献南阳地：韩国将南阳郡之地献与秦国，时当韩王安八年（公元前二三一年）。南阳，韩郡名，在今河南南阳一带。⑩54受地于韩：正式对南阳地区实行接管。⑩55魏人献地：有人据《史记·秦始皇本纪》之“魏献地于秦，秦置丽邑”，以为魏之所献乃今陕西西安市临潼区一带。〖按〗此说可疑，魏国之大梁周围早被秦国所攻占，何咸阳咫尺之临潼反属魏国所有？疑“魏献地”与“秦置丽邑”为不相干之二事，后人误为牵合。⑩56代：赵郡名，郡治即今河北蔚县东北之代王城。⑩57乐徐：赵县，在今河北满城西北，当时属代郡。⑩58平阴：赵县名，在今山西阳高东南，当时属代郡。⑩59太半：大半。⑩60坼：裂开。⑩61内史胜：秦国的内史名胜，史失其姓。内史，官名，国家首都及其郊区的行政长官，后来改称京兆尹。⑩62灭韩：时当韩王安九年（公元前二三〇年）。⑩63颍川郡：秦郡名，郡治阳翟，即今河南禹州。⑩64华阳太后：秦王政的祖父孝文王的宠妃，即秦王政之父子楚所倾心投靠者。子楚为秦王后，尊之为“华阳太后”。⑩65大饥：严重自然灾害，农业没有收成。⑩66卫元君薨二句：此依《史记》说法，其实卫国最后几个君主的在位年限众说不一，“卫君角”是否就是卫元君之子，也存在疑问。卫君角是卫国的亡国之君，公元前二二九至前二〇九年在位。⑯上地：上郡地区。上郡是秦郡名，郡治肤施，在今陕西榆林东南。也有说“上地”是“上党”之误。秦国上党郡郡治壶关，今山西长治北。⑱下井陉：由井陉道率兵东出。井陉是山西、河北间的翻越太行山的山路名，其西口即今山西境内的娘子关，其东口即今河北鹿泉境内的土门关。⑲端和：杨端和，秦将名，前文已见。⑳河内：秦郡名，郡治怀县，即今河南武涉西南。㉑司马尚：赵将名。㉒御：迎战；抵抗。㉓嬖臣郭开：其人先害过廉颇，前文已见。嬖臣，受宠爱的狎昵之臣，如男宠之类。㉔毁：在当权者面前有目的地说人坏话，使其倒霉。㉕赵葱：赵王的族人，时为赵将。㉖齐将颜聚：原为齐将，今已仕于赵者。㉗不受命：不接受命令；不交出兵权。㉘捕而杀之：关于李牧之死说法不同，此乃依《战国策·赵策四》与《史记·廉颇蔺相如列传》言之。其他说法见本卷之“研析”。㉙亡：逃走。㉚遂克邯郸二句：时当赵王迁八年（公元前二二八年）。㉛王如邯郸：秦王政亲临赵都邯郸视察。如，往、至。㉜故与母家有仇怨者：凡是过去与秦王政母亲的娘家闹过矛盾、结下怨仇的邯郸人。故，从前。秦王政之母在嫁与子楚为妻时，子楚与其妻之母家地位都不高。长平之战后秦兵围困邯郸时，子楚逃入秦军得以回国，秦王政与其母都尚在邯郸，随其母家居住，故邯郸人有欺凌之者。㉝还：指秦王政返回京城咸阳。㉞太后：秦王政之母。依《史记·吕不韦列传》，即吕不韦之孕妾。但同一篇又称秦王政母为“豪家女”，今历史家多以孕妾说为非。㉟临燕：虎视眈眈，欲进取燕国。㊱赵公子嘉：赵悼襄王原来的太子，名嘉，因后来赵悼襄王宠爱公子迁之母，于是废了太子嘉，而改立公子迁为太子。如今邯郸被破，赵王迁被虏，故公子嘉遂逃到代地为王，坚持反秦。㊲其宗：赵国的宗室不愿降秦者。㊳自立为代王：赵国的末代君主，公元前二二七至前二二二年在位。㊴亡大夫：逃离京城、隐匿各处的赵国群臣。㊵稍稍归之：渐渐地都会聚到代郡。稍稍，渐渐。㊶军上谷：驻扎在上谷。上谷是燕郡名，郡治沮阳，在今河北怀来东南。㊷国人：百官与京城里的百姓。㊸其弟郝：楚幽王之弟，名郝。㊹郝庶兄负刍：楚国的亡国之君，公元前二二七至前二二三年在位。梁玉绳《汉书人表考》以为负刍是考烈王之弟。〖按〗有人以负刍为公子郝与幽王之庶兄，证明楚考烈王原非“无子”，进而证明春申君送其孕妾进宫为不可信者，亦可备一说。㊺子假：魏国的亡国之君，公元前二二七至前二二五年在位。㊻怨王：怨恨秦王政之对己无礼。㊼其傅鞠武：他的太傅鞠武。傅，官名，此处是“太傅”的省称，太傅负责对太子的教育训导工作。㊽西约三晋：向西联合韩、赵、魏三国。约，结约，意即联合。三晋，指韩、赵、魏三国，因为它们是瓜分晋国所建成的三个国家。〖按〗此时韩国已被秦国所灭，魏国也已灭亡在即。㊾齐、楚：此时为齐王建三十七年（公元前二二八年）、楚幽王十年。㊿北媾匈奴：向北与匈奴联合。匈奴是战国后期在北方发展起来的少数民族，活动在今内蒙古与蒙古国一带。(1101)旷日弥久：要等待很长时间才能见效。旷日，要隔着很多时日。弥久，甚久。(1102)惛然：着急心烦的样子。(1103)不能须：无法等待。须，等候。(1104)顷之：过了一段时间。(1105)樊於期：秦将名，事迹不详。杨宽曰：“据《燕世家》，‘太子丹质于秦，亡归燕’在燕王喜二十三年，当秦王政十五年，即在桓齮败走之明年。《秦始皇本纪》详载历次出战秦将之名，独不见樊於期，盖樊於期即桓齮……因荆轲刺秦王之故事，出于后人转相传述，传述者但凭口语相传，而记录者未能核对史料，但凭语音记录，因而秦将桓齮写作同音的樊於期。”(1106)得罪：得罪于秦王。〖按〗樊於期究竟如何得罪秦王，史事不详。若依上引杨氏之说，则樊於期之“得罪”即指其被赵将李牧打败应受惩处事。(1107)亡之燕：逃到燕国。亡，逃。(1108)受而舍之：接受他，安排他在燕国住下来。(1109)寒心：恐惧的样子。(1110)委肉当饿虎之蹊：把肉扔在饿虎要过的通道上。当，对着。蹊，小径。(1111)穷困：这里指走投无路。(1112)命卒：命尽，指为朋友献出生命。(1113)更虑：想更好的办法。(1114)行危以求安：一方面在做危险事，一方面心里却希望太平。(1115)造祸以为福：一方面在制造灾难，一方面心里却盼着幸福。(1116)计浅而怨深：用一种很粗浅的办法来对付有深仇大恨的敌人。(1117)连结一人之后交：为了关照一个交情不深的新朋友。连结，关照。后交，新交。(1118)资怨而助祸：使仇恨越结越深，使灾祸越积越大。(1119)荆轲：战国末期的侠客，原卫人，卫国被秦国勒令搬迁后，荆轲北游到赵国。赵都邯郸被秦攻破后，荆轲始北游到燕国。故事详见《史记·刺客列传》，这里是粗举其要。(1120)南伐楚二句：据《史记·秦始皇本纪》，此时无“南伐楚”之记载，“北临赵”即追述上文拔赵邯郸等事。(1121)支秦：抵抗秦国。(1122)数困于兵：连年为战争所困扰。如燕王喜四年（公元前二五一年）燕军攻赵，被廉颇所败，燕都被围；燕王喜十二年，赵将李牧攻燕，拔武遂、方城；燕王喜十三年，燕将剧辛攻赵，被赵将庞煖所败，杀燕军二万人；等等。(1123)何足：哪配；哪里能够。(1124)私计：私下考虑。(1125)天下之勇士：天下少有的勇士。天下，这里是“天下少有”“天下难得”的意思。(1126)劫秦王：劫持住秦王，逼其答应条件。(1127)悉反：全部归还。(1128)诸侯侵地：秦国所侵占的东方各国的地盘。(1129)若曹沫之与齐桓公：像曹沫逼着齐桓公归还侵占鲁国的地盘一样。关于曹沫逼齐桓公归还鲁国失地的故事详见《史记·刺客列传》。梁玉绳曰：“以齐桓望始皇，丹之愚也。”柳子厚《咏荆轲》：“秦皇本诈力，事与桓公殊。奈何效曹子，实为勇且愚。”(1130)则大善：那是最好不过了。(1131)不可：倘若不行。(1132)擅兵：掌握兵权。擅，专断。(1133)内有乱：国内出现秦王被刺的突然事变。(1134)君臣相疑：谓新国君不信任老将领，老将领不佩服新国君。(1135)以其间：趁着这个空隙。间，空隙、机会。(1136)唯：表示祈请的发语词。(1137)荆卿：对荆轲的敬称。(1138)留意：留心，请求对方答应请求的客气说法。(1139)舍：使其住宿。(1140)日造：每天亲自来到。造，到。(1141)所以奉养荆轲二句：奉养，供养。《史记·刺客列传》于此作“供太牢具，异物间进，车骑美女恣荆轲所欲”。(1142)王翦灭赵：即前文之所谓“克邯郸，虏赵王迁”。(1143)行而无信：谓空手前去，没有令人相信诚意的东西。(1144)秦未可亲：不可能接近秦王。秦，此处指秦王。亲，接近。⑪⑮诚得樊将军首：当时秦王有令，谁能替秦国捉到樊於期，秦国将赏以千金，封之为万户侯。故荆轲提出以此为进见礼物之一。⑪⑯督亢之地图：进献某地之地形图，意即要将此地献给秦国。督亢，约当今河北之涿州、定兴、新城、固安等一带地区，为当时燕国的富庶地带。⑪⑰说：通“悦”，高兴。⑪⑱臣乃有以报：这样我才可能有报效您（指刺秦王）的机会。⑪⑲遇：对待。⑫⑩深：指狠毒、残暴。⑫⑪戮没：杀尽。⑫⑫邑万家：即封之以万家之邑。⑫⑬将奈何：您打算怎么办。⑫⑭太息：叹气。⑫⑮计将安出：即“有什么办法可使”。⑫⑯把其袖：抓住他的袖子。⑫⑰揕其胸：刺其胸膛。揕，刺。⑫⑱见陵之愧：被侵陵、被欺侮的耻辱，指秦王政对太子丹无礼而言。⑫⑲切齿腐心：切齿捶胸，以言其想不出办法、未能报仇之恨怒之情。腐，应作“拊”，拍、捶。《战国策》作“拊”。中井积德曰：“忧闷不可忍，则心摧折如腐烂然。”说似勉强。茅坤曰：“荆轲请樊於期头一节，愚窃谓非人情也。当时必荆轲与太子阴取之，而好事者饰奇，或战国慕侠节者为之也。”⑬⑩函：盒子。⑬⑪豫求：事先已经找到。⑬⑫以药焠之：（把烧红的匕首）放到毒药水里蘸，使其带有毒性。⑬⑬血濡缕二句：《史记集解》曰：“人血出，足以沾濡丝缕，便立死也。”中井积德曰：“濡缕，谓伤浅血出，仅如丝缕。”疑前说是。凌稚隆引董份曰：“叙匕首缕缕，亦惜荆卿之虚发也。”⑬⑭装：指装好匕首。一说，指为荆轲收拾行装。牛鸿恩曰：“《国策》作‘乃为装，遣荆卿’。为装：治装。疑《史》文淆乱，当据《策》乙正。”⑬⑮秦舞阳：燕国贤将秦开之孙。《史记·匈奴列传》云：“燕有贤将秦开，为质于胡，胡甚信之。归而袭破走东胡，东胡却千余里。与荆轲刺秦王秦舞阳者，开之孙也。”梁玉绳曰：“《国策》《燕丹子》《人表》《隶续》《武梁画》并作‘武阳’，而《史》独作‘舞阳’，古字通用。”

【校记】

［16］则不可，因而刺杀之：原作“□不可，则因而刺杀之”。据章钰校，十二行本、乙十一行本、孔天胤本皆作“则不可，因而刺杀之”，张瑛《通鉴校勘记》同，《通鉴纪事本末》卷一下作“即不可，因而刺杀之”。今从诸本及《史记·刺客列传》《战国策·燕策三》改。

【研析】

本卷写了秦昭王五十二年（公元前二五五年）至秦王政十九年（公元前二二八年）共二十八年，也就是秦国在统一六国前夕的一些重要史事，值得注意与值得讨论的主要有以下几点：

一、作者在写荀况为楚国的兰陵令时，大篇幅地引入了荀况的《议兵》，表现了司马光对这套观点的极大兴趣。荀况《议兵》的主要思想与孟轲“得道多助，失道寡助”“得人心者得天下，失人心者失天下”的思想基本相同，但比孟轲阐释得更细致、更精确。他所讲的“六术”“五权”“三至”等等都很有辩证法；他所讲的“将死鼓，驭死辔，百吏死职，士大夫死行列”以及“不杀老弱，不猎禾稼，服者不禽，格者不赦，奔命者不获”等等更是历代军事书的基本通则。

二、本卷写到了鲁仲连的《遗燕将书》，大体是依据《战国策·齐策六》与《史记·鲁仲连邹阳列传》，但这件事情的真假自古看法不一。马非百说：“鲁仲连遗书燕将事，《史》《策》所载互有不同。《策》于遗书前，叙称‘燕攻齐，取七十余城，唯莒、即墨不下，齐田单以即墨破燕，杀骑劫。初，燕将下聊城，人或谗之，燕将惧诛，守聊城，田单攻之，而聊城不下’云云。似燕将之攻下聊城乃乐毅攻齐时事。考乐毅攻齐，在秦昭王二十三年；田单攻燕杀骑劫，在昭王二十八年；而书中言及栗腹事，则在昭王五十六年，去骑劫之杀计二十八年。以齐之事势，田单之兵力，岂有全齐七十余城皆复，而聊城独能坚守至二十余年而不能下之理?”梁玉绳曰：“《国策》‘燕将曰：敬闻命矣。因罢兵倒韣而去’，吴注云：‘史称燕将得书自杀，单屠聊城，非事实也。连之大意在于罢兵息民，而其料事之明，劝以归燕、降齐，亦度其计之必可者，迫之于穷而置之于死，岂其心哉？夫其劝之，正将以全聊城之民，而忍坐视屠之?《策》得其实，《史》不可信。’”牛鸿恩《鲁仲连〈遗聊城燕将书〉史实考》曰：“燕将攻聊城在公元前二五三或前二五二年，田单为齐攻聊城在前二五〇下半年或前二四九上半年，鲁连《遗燕将书》在前二四九下半年或前二四八上半年。说《遗燕将书》是‘拟托’‘依托’还缺乏有说服力的理由。”（《语言文学论丛》第一辑，北京师范学院出版社一九八五年版）按：牛说比较合理，只要不把燕将取齐聊城和乐毅破齐连在一起就容易理解了。

三、本卷详细地写了赵国的名将李牧为赵国开疆辟土、大破匈奴，与其最后被赵王宠臣所谗害的历史悲剧，故事完全依据《战国策·赵策四》与《史记·廉颇蔺相如列传》，表现了作者对一代名将无限惋惜之情。但关于李牧被害的具体情节，还有不同说法。《战国策·秦策五》说李牧被罢职归朝后，赵王“使韩仓数之曰：‘将军战胜，王觞将军，将军为寿于前而捍匕首，当死。’武安君（李牧）曰：‘繓（李牧自称其名）病钩，身大臂短，不能及地，起居不敬，恐惧死罪于前，故使工人为木杖以接手，上若不信，繓请以出示。’出之袖中，以示韩仓，状如振捆，缠之以布。‘愿公入明之。’韩仓曰：‘受命于王，赐将军死不赦。臣不敢言。’武安君北面再拜……举剑将自刺，臂短不能及，衔剑征之于柱以自刺。”梁玉绳曰：“牧之死，《策》言其‘北面再拜，衔剑自刺’，《史》言其‘不受命，捕斩之’，二说迥异。《通鉴》主《史》，《大事纪》主《策》，鲍、吴注并以《史》为误也。……史公于《赵世家》及《冯唐传》俱言‘王迁信郭开，诛李牧’，乃此以为‘不受命’，岂非矛盾？盖郭开、韩仓比共陷牧，而《列女传》又谓迁母谮牧，使王诛之也。”陈仁锡曰：“秦、胡数十万人杀颇、牧而不足；一郭开，杀颇、牧而有余。”杨宽曰：“秦之灭赵，盖以间谍工作配合军事行动，传说不一。”

四、本卷写了韩国为消耗秦国的人力物力而派水利工程人员入秦为秦国修筑郑国渠的故事，此事虽用字不多，但事关重大。本文说：“溉舄卤之地四万余顷，收皆亩一钟。关中由是益富饶。”司马迁在《河渠书》中更由此推衍说：“于是关中为沃野，无凶年，秦以富强，卒并诸侯。”郑国渠不仅功在秦国，而且是功在万世。《中国文物地图集·陕西分册》说：郑国渠首遗址在今陕西泾阳县上然村北，渠首位于泾河出山口东南三公里，在这里发现东西向拦河大坝一座，原坝长二千六百五十米，除长约四百五十米的河谷部分被冲毁外，其余阶地部分基本保存。坝体夯筑，断面呈梯形，高六至八米，基宽一百五十米，顶宽二十米，在大坝东侧发现引水口及渠道遗迹。在渠首周围长约七公里、宽约三公里的范围内，还遗存汉白渠，前秦、隋、唐引水渠，宋丰利渠，元王御史渠，明广惠渠，清龙洞渠等渠首遗址，发现历代渠道二十余公里，水坝、引水口、退水口、闸槽、水尺等遗存十余处，水利碑刻及摩崖题刻二十余通（方）。郑国渠首遗址被誉为中国水利史的天然博物馆。

五、本卷用笔墨最多的无疑是吕不韦嫁自己的孕妾给秦国的子楚，从而执掌秦政，以及日后因嫪毐事败，受牵连被秦王政所杀，以及春申君送自己的孕妾给楚考烈王，以图牢固把持楚国政权，结果被李园所杀事，两件事情的性质相同、结局相同，发生的时间也正好在同一个历史阶段。材料的来源都是《史记》，司马迁都认为是真的，尽管两个人物不在一篇，司马迁还特意地把他们牵合在一起。他在《春申君列传》中写到春申君被李园所杀时说：“是岁也，秦始皇帝立九年矣，嫪毐亦为乱于秦，觉，夷其三族，而吕不韦废。”司马迁与司马光对这两个人都是厌恶的，尤其是对吕不韦，没有写到他的任何一点贡献。但后人对此的看法却多有不同。关于春申君的事情，缪文远说：“盖好事者所为，而史公不察，又误采之也。”黄式三说：“《越绝书》十四篇则云：‘烈王娶李园妹，十月产子男’，则《策》《史》之说非矣。夫春申君果知娠而出诸谨宫，言诸王而入幸之，则事非一月，安必其十月后生子乎？生而果男乎？行不可知之诡计，春申君何愚？此必后负刍谋弑哀王犹之诬言也。”钱穆曰：“夫通未终月，乌得怀子已一月？此全写女环之愚春申，而欲假借以得幸于楚王，与下言十月产子同一笔法，凡以明幽王之非春申子也……文信、春申之事，一何若符节之合，而又同出于一时，不奇之尤奇者邪？……今并举而著之，亦足使读史者知此故实之不尽可信耳。”杨宽曰：“凡此皆出于‘传奇’之创作，不足信也。”吕不韦相庄襄王与秦王政初期，正是秦对东方诸国大张挞伐之际，而《史记》中对此不置一词，恐也太失之片面了。马非百说：“吕不韦之入秦，关系于秦之统一者实深且巨，策立之谋姑勿论，仅以人才一项言之，史称不韦食客三千人，今观其所著《吕氏春秋》，包括儒家、墨家、法家、农家、兵家、阴阳家、道家、名家各派言论，集当代种种专门学者于一门，已无形收得今日所谓‘智囊团’者之用。况不韦乃东方大贾，其食客三千之中，自亦必有不少富有之人，知识、金钱兼而有之，故能从事于多方面之建设，秦代统一事业之得以完成，吕不韦之功，实不在商鞅、张仪、范雎、李斯诸人之下也。司马迁云：‘结子楚亲，使诸侯之士，斐然争入事秦’，真扼要之论哉！”（《秦集史》）杨宽曰：“吕不韦集合宾客，共著《吕氏春秋》一书，公布于国都，盖欲集各家之长，以完成秦之帝业。即所谓‘假人者遂有天下’。以为是时周室既灭，天子已绝，惟有用‘义兵’以诛暴君而振苦民，方能重立天子，消除相残不休之局势，救民于水深火热之中……此书亦即吕不韦欲使秦王‘吞天下，称帝而治’者。吕不韦先后执政十二年，宣称奉行此书之政纲。先灭亡东周，建三川郡；又攻取韩、赵二国地，建立上党郡与太原郡；更攻取魏之东地，建东郡，使秦之领土向东伸展，与齐接界，切断赵与韩、魏之联系，造成包围三晋之形势。秦为尚首功之国，当以斩首数目作为其战胜之标志，动辄以万计，先后所杀三晋及楚之民数百万。秦昭王时白起为将，斩首最多。是时（吕不韦执政时）战争之最大变化，所攻占之城邑甚多，如秦庄襄王三年蒙骜击赵榆次等三十七城，秦王政三年蒙骜攻取韩十三城，五年蒙骜攻取魏二十五城，皆无斩首之记录。惟有秦王政二年麃公攻卷，斩首三万之记录，而此后麃公未见将军作战。盖三晋已丧失战斗力，望风而逃，因而杀伤较少，同时亦当与吕氏宾客鼓吹以‘义兵’‘诛暴君’有关。”（《战国史料编年辑证》）

卷第七　秦纪二

起阏逢阉茂（甲戌，公元前二二七年），尽玄黓执徐（壬辰，公元前二〇九年），凡十九年。

【题解】

本卷写了秦始皇二十年（公元前二二七年）至秦二世元年（公元前二〇九年）共十九年的秦国历史。其中前七年是写秦始皇逐个消灭东方诸国，最后实现了全国统一；随后十年是写秦始皇在全国统一的情况下所进行的种种活动，主要是修长城、直道、驰道，伐匈奴、南越，巡游、求仙，以及焚书、坑术士，修阿房宫、修骊山陵墓，等等；倒数第二年是写秦始皇在东巡的返程中突然身死，赵高、胡亥、李斯篡改诏书，杀扶苏、蒙恬，立胡亥为二世皇帝；最后是写胡亥上台后变本加厉地推行秦始皇的错误政策，倒行逆施，迅即引发全国农民大起义的过程。

【原文】

始皇帝下

二十年（甲戌，公元前二二七年）

荆轲至咸阳，因王宠臣蒙嘉[①]卑辞以求见。王大喜，朝服[②]，设九宾[③]而见之。荆轲奉图[④]而进于王，图穷而匕首见[⑤]，因把王袖而揕[⑥]之。未至身，王惊起，袖绝[⑦]。荆轲逐[⑧]王，王环柱而走。群臣皆愕[⑨]，卒起不意[⑩]，尽失其度[⑪]。而秦法[⑫]，群臣侍殿上者，不得操尺寸之兵[⑬]，左右以手共搏[⑭]之，且曰："王负剑[⑮]！"负剑，王遂拔以击荆轲，断其左股。荆轲废[⑯]，乃引匕首擿[⑰]王，中铜柱。自知事不就[⑱]，骂曰：

【语译】

始皇帝下

二十年（甲戌，公元前二二七年）

荆轲到了咸阳，通过秦王宠臣蒙嘉的引荐，用谦卑委婉的言辞请求拜见秦王。秦王政听说燕国来进献地图，很高兴，就穿上朝服，集合文武百官，按照外交上最隆重的仪式接见前来献图的燕国使臣荆轲和他的随从。荆轲手捧燕国督亢地区的地形图进献给秦王，当地图快要完全展开的时候，藏在里面的匕首露了出来，荆轲抓过匕首，趁势用左手一把拉住秦王政的衣袖，右手将匕首刺向秦王政。但在匕首还没有刺到的时候，秦王已经惊慌地跳了起来，由于用力过猛，竟然把衣袖挣断了。荆轲追杀秦王，秦王情急之下，只知围绕着殿中的柱子躲避。由于事出突然，群臣也都被吓得目瞪口呆，全都乱了套。当时秦国的制度规定，群臣上殿议事的时候不准携带任何武器，秦王身边的人只能赤手空拳地拦截荆轲，一边高喊："大王，把剑推到背后再拔！"秦王这才反应过来，于是把剑推到背后，拔出宝剑，死命地向荆轲砍去，一下子将荆轲的左腿砍断。荆轲瘫倒在地上，但他仍然竭尽全力地把匕首投向秦王，却投在了铜柱上。荆轲知道行刺已经没有成功的希望，索性大骂起来：

"事所以不成者，以欲生劫之，必得约契以报太子也[19]！"遂体解荆轲以徇[20]。王于是大怒，益发兵诣赵[21]，就王翦[22]以伐燕，与燕师、代师[23]战于易水[24]之西，大破之。

二十一年（乙亥，公元前二二六年）

冬，十月[25]，王翦拔蓟[26]，燕王及太子率其精兵东保辽东[27]，李信[28]急追之。代王嘉[29]遗燕王书[30],令杀太子丹以献[31]。丹匿衍水[32]中，燕王使使斩丹，欲以献王，王复进兵攻之。

王贲伐楚[33]，取十余城[34]。王问于将军李信曰："吾欲取荆，于将军度用[35]几何人而足？"李信曰："不过用二十万。"王以问王翦，王翦曰："非六十万人不可。"王曰："王将军老矣，何怯也！"遂使李信、蒙恬[36]将二十万人伐楚。王翦因谢病归频阳[37]。

二十二年（丙子，公元前二二五年）

王贲伐魏[38]，引河沟[39]以灌大梁。三月，城坏。魏王假降，杀之，遂灭魏。

王使人谓安陵君[40]曰："寡人欲以五百里地易安陵。"安陵君曰："大王加惠，以大易小，甚幸。虽然，臣受地于魏之先王[41]，愿终守之，弗敢易[42]。"王义而许之[43]。

李信攻平舆[44]，蒙恬攻寝[45]，大破楚军。信又攻鄢、郢，破之[46]，于是引兵而西，与蒙恬会城父[47]。楚人因随之，三日三夜不顿舍[48]，大败李信[49]，入两壁，杀七都尉，李信奔还。

王闻之，大怒，自至频阳谢[50]王翦曰："寡人不用将军谋，李信果辱秦军[51]。将军虽病，独忍弃寡人乎？"王翦谢病不能将[52]，王曰："已矣，勿复言。"王翦曰："必不得已用臣，非六十万人不可。"王曰："为听将军计耳[53]。"于是王翦将六十万人伐楚，王送至霸上[54]。王翦请美田宅甚众。王曰："将军行矣，何忧贫乎？"王翦曰："为大王将，有功，终不得封侯[55]，故及[56]大王之向臣[57]，以请田宅为子孙业耳。"王大笑。王翦既行，至关[58]，使使还，请善田者五辈[59]。或曰："将军之乞贷[60]，亦已甚矣。"

“我今天之所以没有成功，是因为我只是想劫持你，让你归还侵占各诸侯国的土地，然后回报太子!”于是荆轲被当场分尸，尸体被装在车上巡行示众。秦王受此惊吓，更加愤怒，于是派出更多的兵力前往赵国，交给王翦，让他统领着去攻打燕国。王翦在易水之西与燕军、代军展开激战，燕、代两国被打得大败。

二十一年（乙亥，公元前二二六年）

冬天，十月，王翦占领了燕国的都城蓟，燕王和太子丹率领部分精兵向东撤退，据守辽东，秦将李信随后紧追不舍。代王赵嘉一看形势不好，就写信给燕王喜，劝说他杀掉太子丹，把太子丹的尸体献给秦国请罪。太子丹闻讯后逃到衍水躲藏起来，燕王喜还是派人把太子丹杀死，准备献给秦王，但秦王再次下令继续攻打燕国。

秦将王贲率军攻打楚国，占领了十多个城邑。秦王询问将军李信:“我想彻底征服楚国，你估计需要多少人才够用?”李信回答:“二十万人就足够了。”秦王又去问王翦，王翦说:“非得六十万人不可。”秦王听了很不高兴地说:“王将军确实是老了，胆量怎么变得这么小啊!”于是不用王翦攻楚，而是派李信、蒙恬率领二十万大军去攻打楚国。王翦于是推说有病返回频阳。

二十二年（丙子，公元前二二五年）

秦将王贲率领秦军攻打魏国，掘开河沟之水灌魏国的都城大梁。三月，大梁城墙被泡塌。魏王假投降，被秦军杀死，秦国彻底灭掉了魏国。

秦王政派人对安陵君说:“我想用五百里的土地和你交换安陵。”安陵君回复说:“承蒙大王给以恩惠，用大地方交换我这块小地方，我非常感激。但我这块土地是从魏国先王那里继承的，我愿意始终守护它，不敢交换。”秦王认为安陵君奉守道义，就不再坚持与其交换土地。

秦将李信攻打楚国的平舆，蒙恬攻打寝丘，两处都将楚军打得大败。李信又去攻打鄢、郢，取得了胜利，于是率领部下向西进发，准备到城父与蒙恬会师。楚国的军队随后追击了三天三夜，李信的军队不得休息，结果被楚军打得大败，李信两个营垒被攻破，七个都尉阵亡，李信逃回了秦国。

秦王政听到李信战败的消息非常生气，他亲自到频阳向王翦道歉说:“我没有采纳将军的意见，李信果然打了败仗，使秦国的军队遭受了侮辱。将军你虽然有病在身，难道就忍心抛弃我不管了吗?”王翦仍推辞说有病不能为将统兵。秦王说:“算了吧，不要再推脱有病了。”王翦说:“如果实在没有别的办法，必须让我带兵，那非得给我六十万人不可。”秦王说:“就依将军。”于是王翦率领秦国的六十万大军攻打楚国，秦王政亲自到霸上为王翦送行。临别时，王翦向秦王请求多多赏赐他良田和美宅。秦王说:“将军只管出发吧，难道还担心贫穷吗?”王翦说:“担任大王的将军，功劳再大，也不能再加官晋爵，所以就想趁着大王亲近我的时候，多向大王讨些封赏留给我的子孙。”秦王听了大笑起来。王翦率军出发，当走到武关的时候，又陆续派回五位使者向秦王请求赏给自己好田地。有人说:“将军的要求也太过分了吧。”

王翦曰："不然。王怚中[61]而不信人，今空国中之甲士[62]，而专委于我，我不多请田宅为子孙业以自坚[63]，顾[64]令王坐而疑我矣。"

二十三年（丁丑，公元前二二四年）

王翦取陈以南[65]至平舆。楚人闻王翦益军[66]而来，乃悉国中兵以御[67]之。王翦坚壁[68]不与战。楚人数挑战，终不出[69]。王翦日休士洗沐[70]，而善饮食，抚循[71]之，亲与士卒同食。久之，王翦使人问："军中戏乎[72]？"对曰："方投石[73]、超距[74]。"王翦曰："可用矣。"楚既不得战，乃引而东。王翦追之，令壮士击，大破楚师。至蕲南[75]，杀其将军项燕[76]，楚师遂败走。王翦因乘胜略定[77]城邑。

二十四年（戊寅，公元前二二三年）

王翦、蒙武虏楚王负刍，以其地置楚郡[78]。

二十五年（己卯，公元前二二二年）

大兴兵，使王贲攻辽东[79]，虏燕王喜[80]。

臣光曰："燕丹不胜[81]一朝之忿[82]，以犯虎狼之秦[83]。轻虑浅谋，挑怨速祸[84]，使召公之庙[85]不祀忽诸[86]，罪孰大焉[87]！而论者或谓之贤，岂不过哉！

"夫为国家者，任官以才，立政以礼，怀民[88]以仁，交邻[89]以信。是以官得其人[90]，政得其节[91]，百姓怀其德，四邻亲其义。夫如是，则国家安如磐石，炽如焱火[92]；触之者碎，犯之者焦。虽有强暴之国，尚何足畏哉？丹释此不为，顾[93]以万乘之国[94]，决匹夫之怒[95]，逞盗贼之谋，功隳身戮[96]，社稷为墟，不亦悲哉！夫其膝行蒲伏[97]，非恭也；复言重诺[98]，非信也；糜金散玉[99]，非惠也；刎首决腹[100]，非勇也。要之，谋不远而动不义，其楚白公胜[101]之流乎！

"荆轲怀[102]其豢养之私，不顾七族[103]，欲以尺八匕首，强燕

王翦说："说得不对。秦王性情粗暴而又多猜忌，现在他把全国的军队都交给我指挥，心中一定放心不下。我多次向他为自己的儿孙请求田宅，为的是使秦王对我坚信不疑，不然的话，秦王岂不是要对我产生怀疑。"

二十三年（丁丑，公元前二二四年）

秦将王翦率军攻克陈县以后继续南下，到达平舆。楚国听说秦国又增派兵力，让王翦率领着直奔楚国而来，就调动全国的兵力来迎战秦军。王翦坚守营垒不与楚军接战。楚军屡次挑战，王翦只是固守不出。王翦每天让士卒养精蓄锐、洗头洗澡，给他们改善饮食，并亲自安抚他们，还和士卒一起进餐。过了很长一段时间，王翦派人询问："军队中正在进行什么游戏？"回答说："正在练习投远、跑跳。"王翦说："这样的军队可以用来作战了。"楚军想要与秦军交战而不能，便率军向东撤退。王翦率军在后边追赶，并组织精壮的勇士向楚军发动了猛烈的攻击，把楚军打得大败。追击楚军到蕲南，杀死了楚军大将项燕，楚军全线崩溃，四散而逃。王翦乘胜攻取城邑。

二十四年（戊寅，公元前二二三年）

秦将王翦、蒙武俘虏了楚王芈负刍，楚国灭亡；秦国将夺取的楚国土地设置为秦国的郡县。

二十五年（己卯，公元前二二二年）

秦国出动大军，派王贲率领着去攻打辽东，俘虏了燕王喜，燕国灭亡。

司马光说："燕太子丹不能忍受一时的愤怒，而冒犯了像虎狼一样的秦国。又考虑不周，谋略肤浅，既挑起了秦国的怨恨又加速了燕国的灭亡，使召公开创的燕国一下子被灭亡，召公的祭祀从此断绝，还有什么罪过比这更大的吗！而评论的人当中还有人认为太子丹是个贤才，这不是太过错误了吗！

"对于治理国家的人来说，选拔官吏要根据才能，教化人民要注重礼教，安抚黎民要采用仁德，与邻国交往要守信用。做到这些才能说为官者称职，各种政令制定得合乎时宜、合乎分寸，百姓感念你的恩德，邻国愿意与你亲近友好。如此，国家就会稳固得如同磐石，兴盛得像熊熊燃烧的烈焰；碰撞它的就会粉身碎骨，冒犯它的就会被烧得焦头烂额。即使遇到强横凶暴的国家，难道还会惧怕吗？太子丹不如此去做，却把一个万乘兵车的大国的成败押在匹夫的一怒之上，采取盗贼式的谋略，终于使自己身败名裂，国家灭亡，不也是挺可悲的吗！至于双膝跪地，匍匐前进，这不叫恭敬；反复叮咛，一再答应，这不叫信义；散发金银，送人宝玉，这不叫恩惠；自砍头颅，自剖肚腹，这不叫勇敢。总之，不考虑长远而行动不符合义，不过是楚国白公胜一流的人物！

"荆轲为了报答燕太子丹豢养的一点私情，就不顾自己的七族亲属，想要凭

而弱秦，不亦愚乎！故扬子论之[104]，以要离[105]为蛛蝥之靡[106]，聂政[107]为壮士之靡[108]，荆轲为刺客之靡：皆不可谓之义。又曰：‘荆轲，君子盗诸[109]。’善哉！”

王贲攻代，虏代王嘉[110]。

王翦悉定荆江南地，降百越之君，置会稽郡[111]。

五月，天下大酺[112]。

初，齐君王后贤[113]，事秦谨，与诸侯信[114]。齐亦东边海上[115]。秦日夜攻三晋、燕、楚，五国各自救，以故齐王建立四十余年[116]，不受兵。及君王后且死，戒王建曰："群臣之可用者某[117]。"王曰："请书之。"君王后曰："善。"王取笔牍受言，君王后曰："老妇已忘矣[118]。"君王后死。后胜[119]相齐，多受秦间金[120]。宾客入秦，秦又多与金。客皆为反间，劝王朝秦[121]，不修攻战之备，不助五国攻秦，秦以故得灭五国。

齐王将入朝[122]，雍门司马前[123]曰："所为立王者，为社稷耶，为王耶[124]？"王曰："为社稷。"司马曰："为社稷立王，王何以去社稷[125]而入秦？"齐王还车而反[126]。

即墨大夫[127]闻之，见齐王曰："齐地方数千里，带甲[128]数百万。夫三晋大夫[129]皆不便秦[130]，而在阿、鄄[131]之间者百数。王收而与之百万人之众，使收三晋之故地，即临晋之关可以入[132]矣。鄢、郢大夫[133]不欲为秦[134]，而在城南下[135]者百数。王收而与之百万之师，使收楚故地，即武关[136]可以入矣。如此，则齐威可立，秦国可亡，岂特保其国家而已哉？"齐王不听。

二十六年（庚辰，公元前二二一年）

王贲自燕南攻齐，猝入临淄[137]，民莫敢格[138]者。秦使人诱齐王，约封以五百里之地[139]。齐王遂降，秦迁之共[140]，处之松柏之间[141]，饿而死。

借一把一尺八寸长的匕首就使燕国强大、使秦国衰弱，不也太愚蠢了吗！所以扬雄评论他们这些人时认为，要离所做的不过是蜘蛛一样的行为，聂政所做的不过是一个壮士的行为，荆轲所做的不过是一个刺客的行为：他们的行为都不能算是义。他又说：‘荆轲的行为，大概属于强盗中的君子吧。’这个评价是多么正确呀！”

秦将王贲攻打代郡，俘虏了代王赵嘉，赵国彻底灭亡。

秦将王翦占领了楚国长江以南的全部土地，征服了百越；秦国把楚地设置为会稽郡。

五月，秦王下令允许天下人聚会畅饮。

当初，齐国君王后很贤惠能干，对待秦国很恭敬，与邻国的关系也处得很好。齐国的东部与海相接。秦国日夜不停地攻打赵、魏、韩、燕、楚五个国家，这五个国家都忙于自救，所以齐王田建即位以来四十多年没有经受战争。君王后临死的时候告诫齐王建说：“诸位大臣当中只有某某人可以重用。”齐王建说：“请让我把他记下来。”君王后说：“好吧。”当齐王建把笔和木简取来，准备将君王后的话记下来的时候，君王后却说：“我已经忘了要说什么了。”君王后死后，由后胜担任齐国的宰相，他接受了秦国间谍的许多贿赂。齐国派往秦国的使节和宾客，秦国也采取用钱物收买的办法。所以从秦国回来的那些使者、宾客都替秦国办事，他们劝说齐王去朝见秦王，劝说齐王不要做战争的准备，劝说齐王不要和赵、魏 、韩、燕、楚等五国联合抗秦，秦国因此很快地灭掉了赵、魏、韩、燕、楚五国。

齐王建要到秦国去朝见秦王，驻守齐国都城临淄西门的军中司马站在齐王的马车面前挡住去路，他对齐王说：“齐国设立国王的目的，是为了国家呢，还是为了大王您自己呢？”齐王建说：“当然是为了国家。”司马又问：“既然是为了国家才设置国王，大王您为什么离开国家到秦国去呢？”齐王只好掉转马车返回宫中。

即墨大夫听说此事后，就去拜见齐王说：“齐国的土地方圆数千里，披甲的战士好几百万。赵、魏、韩三个国家灭亡以后，三个国家的许多官员都不愿意接受秦国的统治，流亡到阿、鄄一带的就有好几百人。大王如果与他们联合起来，借给他们一百万人，让他们去收复失地，那么不仅三晋可以收复，就是秦国的临晋关也可以攻入啊。楚国鄢、郢一带的大夫也不愿意被秦国统治，在齐国南部的长城下避难的有好几百人。大王如果也和他们联合起来，借给他们一百万的军队，派他们去收复楚国旧有的疆土，那么武关也可以进去了。这样的话，齐国的威望就可以重新建立起来，秦国就可以被消灭，岂止是保住国家而已呢？”齐王建不肯接受即墨大夫的建议。

二十六年（庚辰，公元前二二一年）

秦将王贲从故燕国的南部攻打齐国，猝不及防地攻进了齐国的都城临淄，齐国的军民没人敢进行抵抗。秦国派人诱骗齐王建，说封给他五百里的土地。齐王建乖乖地投降了秦国。秦国把他放逐到共邑，让他住在荒凉的松柏树林之中，被饿死。

齐人怨王建不早与诸侯合从[142]，听奸人宾客，以亡其国，歌之曰："松耶，柏耶，住建共[143]者客[144]耶！"疾[145]建用客之不详[146]也。

臣光曰："从衡[147]之说虽反覆百端[148]，然大要[149]合从者，六国之利也。昔先王建万国[150]，亲诸侯，使之朝聘[151]以相交，飨宴[152]以相乐，会盟[153]以相结者，无它，欲其同心勠力[154]以保家国也。向使[155]六国能以信义相亲，则秦虽强暴，安得而亡之哉？夫三晋者，齐、楚之藩蔽[156]；齐、楚者，三晋之根柢[157]。形势相资[158]，表里相依[159]。故以三晋而攻齐、楚，自绝其根柢也；以齐、楚而攻三晋，自撤其藩蔽也。安有撤其藩蔽以媚盗，曰'盗将爱我而不攻'，岂不悖哉[160]？"

王初并[161]天下，自以为德兼三皇[162]，功过五帝[163]，乃更号曰"皇帝[164]"，命为"制"，令为"诏"[165]，自称曰"朕"[166]。追尊庄襄王为太上皇[167]。制曰："死而以行为谥[168]，则是子议父、臣议君也，甚无谓[169]。自今以来[170]，除谥法[171]。朕为始皇帝，后世以计数[172]，二世、三世，至于万世，传之无穷[173]。"

初，齐威、宣[174]之时，邹衍[175]论著终始五德之运[176]。及始皇并天下，齐人奏[177]之。始皇采用其说，以为周得火德[178]，秦代周，从所不胜，为水德[179]。始改年[180]，朝贺皆自十月朔[181]，衣服[182]、旌旄[183]、节旗[184]皆尚黑[185]，数以六为纪[186]。

丞相绾[187]言："燕、齐、荆地远，不为置王[188]，无以镇之[189]。请立诸子[190]。"始皇下其议[191]。廷尉斯[192]曰："周文、武所封[193]子弟同姓甚众，然后属[194]疏远，相攻击如仇雠[195]，周天子弗能禁止。今海内赖陛下神灵一统，皆为郡、县[196]。诸子、功臣以公赋税[197]重赏赐之，甚足易制，天下无异意，则安宁之术也。置诸侯不便[198]。"始皇曰："天下共苦战斗不

齐国的百姓怨恨齐王建不能早早地与诸侯合纵抗秦，而是听信奸人和那些被秦国收买的宾客的话导致国家灭亡，就编了一首歌讽刺齐王建的愚蠢，歌词是："松树啊，柏树啊，把齐王建放逐到共邑的是那些宾客呀！"痛恨齐王建采用宾客的意见不慎重。

司马光说："合纵与连横的策略虽然反复百端，但总体来说，实行南北合纵，对东方六国有利。最初，先王建立了一万个封国，使他们相互亲近，让他们定期朝见天子，让他们之间派遣使者相互交好，用宴会来增进感情，用会盟来加强团结，这一切措施都是为了使各诸侯之间能够同心协力保卫国家呀。假如当初六国之间遵守信义，相互亲近，那么秦国虽然强大凶暴，六国又怎么会那么容易就被它消灭呢？晋地的三个国家是齐、楚两国的屏障；反过来，齐、楚是韩、魏、赵的基础。形势上应该互相支持，互相依靠。所以用韩、魏、赵来攻打齐、楚，就是在挖掘自己的根基；用齐、楚的军队去攻打赵、魏、韩，就是在拆除自己的屏障。天下竟然有人拆除自己的屏障去讨好强盗，还说'强盗爱我而不会攻打我'，难道不是太糊涂了吗？"

秦王吞并六国，刚刚统一了天下，认为自己的道德超过了三皇，功勋盖过了五帝，于是不再称王，而改称"皇帝"，皇帝下的命令叫作"制"，以皇帝的名义发布的文告等叫作"诏"，皇帝称呼自己为"朕"。追尊他的父亲庄襄王嬴异人为太上皇。他下令说："人死了以后，根据他的生平事迹给他一个谥号，这就造成儿子议论父亲、臣子议论君主，很没意思。从今以后废除给谥号的做法。我是始皇帝，我的后代就按照数字的顺序往后排，称为二世、三世，直到万世，永远传承下去，没有穷尽。"

当初，在齐威王、齐宣王时期，齐国的邹衍论述了五行相生、相克的理论。到秦始皇统一天下时，齐国有人把邹衍的那一套奏报给了秦始皇。秦始皇就采用了邹衍的说法，认为周朝属于火德，秦替代了周，周既然是火，能够胜火的当然就是水，所以秦朝属于水德。开始更改一年的岁首，以十月一日作为新年朝贺之日，所穿的衣服，以及各种用途的旗子，都崇尚黑色，数字以六为单位。

丞相王绾建议说："燕国故地、齐国故地、楚国故地离都城过于遥远，不为这些地方设置诸侯王，就无法维持那里的稳定。请立诸位王子为诸侯王。"秦始皇让大臣们讨论。廷尉李斯说："周文王、周武王分封的诸侯王中，与周同姓的子弟很多，但是到了他们的后代，血缘关系越来越疏远，互相攻击起来就像是仇人一样，就连周天子也不能禁止。如今托赖皇帝陛下的圣明，天下一统，应该全都设置为郡、县。诸位皇子和有功的臣属，可以用国家所征收的赋税重重地赏赐他们，这样就非常容易控制，天下同心同德，没有异心，这是使国家安定的最好办法。设置诸侯对国家

休，以有侯王。赖宗庙[199]，天下初定。又复立国，是树兵也，而求其宁息，岂不难哉？廷尉议是。”分天下为三十六郡[200]，郡置守、尉、监[201]。

收天下兵[202]，聚咸阳，销以为钟𫓹金人十二[203]，重各千石[204]，置宫廷[1]中[205]。一法度、衡、石、丈尺[206]。徙[207]天下豪杰[208]于咸阳十二万户。

诸庙[209]及章台[210]、上林[211]皆在渭南[212]。每破诸侯，写放[213]其宫室，作[214]之咸阳北阪[215]上，南临渭[216]，自雍门[217]以东，至泾、渭[218]，殿屋、复道[219]、周阁[220]相属[221]。所得诸侯美人、钟鼓以充入之[222]。

【段旨】

以上为第一段，写秦王政二十年（公元前二二七年）至秦王政二十六年的天下大事，主要是秦国灭魏、灭赵、灭楚、灭燕、灭齐，统一六国，秦王政改号皇帝，以及废分封、行郡县、统一度量衡，等等。

【注释】

①因王宠臣蒙嘉：通过秦王宠臣蒙嘉的推荐、引进。因，通过、依靠。蒙嘉，秦王的宠臣，时为中庶子。中庶子是太子的属官，秩六百石，主管宫中及诸吏嫡子、庶子的支系谱籍。其他事迹不详。有说蒙嘉是蒙恬之弟者，无据。②朝服：穿朝服升殿以见使者，乃表示郑重。③设九宾：用最隆重的接待仪式。“九宾”之礼又见于《史记·廉颇蔺相如列传》，但其制度不见于经传，不知究竟云何。《史记集解》引韦昭语以为即《周礼》之“九仪”；《史记正义》曰：“设文物大备，即谓‘九宾’，不得以《周礼》‘九宾’义为释。”《史记索隐》以为“九宾”即“九服之宾客”；《史记正义》引刘伯庄以为“九宾”为“周王备之礼，天子临轩，九服同会”；中井积德曰：“宾，傧也。傧九人立廷，以礼使者也。”〖按〗以上诸说都可以参考，唯独不能解释作设九个人依次传呼，因为九个人依次传呼是表现统治者所处地位的既高且远，是在装腔作势，借以吓人，而不是意在礼宾。④奉图：捧着燕国督亢地区的地形图匣。奉，捧，极言其恭敬小心之状。⑤图穷而匕首见：当展图展到尽头时，匕首就露出来了。穷，尽、最后。见，通“现”。⑥揕：刺。⑦袖绝：袖子被扯断。⑧逐：追赶。⑨愕：惊；惊呆了。⑩卒起不意：突然发生意想不到的事情。卒，同“猝”，突然。⑪尽失其度：全都乱了套。⑫秦法：秦朝的制度

没有好处。”秦始皇说：“天下人共同遭受永无休止的战争之苦，就是因为有众多的诸侯王。靠祖先的保佑，天下刚刚安定。如果再分封诸侯，就是在播种战乱的祸根啊，如果出现诸侯争斗的局面以后，再想使局面稳定安宁，难道不是太难了吗？廷尉李斯说得对。”秦始皇便下令将全国划分为三十六个郡，郡中设置郡守、郡尉、监郡。

将全国所有的兵器都收集到都城咸阳，熔化后铸成铜钟、铜钟架和十二个铜人，每个铜人重千石，全都摆放在宫廷的院子里。统一了全国的法律制度和度量衡标准。将全国各地的大族、豪绅总计十二万户强制搬迁到咸阳。

秦始皇祖先的祭庙、章台宫、上林苑都建在渭水南岸。每当消灭一个诸侯国，就在咸阳北边的山坡上仿照其原来宫室的样子再造一座，向南对着渭水，从雍门开始往东一直延伸到泾水与渭水的汇合处，亭台楼阁、复道、长廊互相连接。把从各诸侯国掳掠来的美女和各种乐器安置其中。

规定。⑬不得操尺寸之兵：不准携带任何兵器。操，持。尺寸，极言其小。⑭搏：击，实即拦阻。⑮负剑：背剑；把剑推到背后再拔。据《史记·刺客列传》，秦王所佩之剑甚长，在向前逃跑时拔不出剑来，非常着急，故有人提醒秦王“负剑”。⑯废：瘫了下去。⑰擿：投刺。《史记索隐》曰：“‘擿’与‘掷’同，古字耳。”⑱不就：不能成功。⑲以欲生劫之二句：顾炎武《菰中随笔》曰：“荆卿‘生劫’一语乃解嘲之辞，其实轲剑术疏耳，错处只在‘未至身’三字之间。……荆轲所以为神勇者，全在临事时一毫不动，此孟贲辈所不及也。”中井积德曰：“‘欲生劫’云者，是回护之言，非事实。”〖按〗“生劫”之意，史公于荆轲“左手把秦王之袖，而右手持匕首揕之”处缺少交代，故启后人“解嘲”“回护”之疑，实则史公未必欲讥荆轲也。⑳徇：载其尸巡行示众。㉑益发兵诣赵：更多地增派部队到赵国，也就是灭燕的前线。诣，到。㉒就王翦：追加到王翦的军队中。就，凑、追加。有人疑此字应作“诏”，《战国策·燕策三》与《史记·刺客列传》皆作“诏”。㉓燕师、代师：燕王喜与代王嘉的联军，据上卷，这两支军队当时都屯驻在燕国的上谷郡，即今河北张家口、宣化、怀来等地区一带。㉔易水：河水名，发源于河北、山西交界的太行山，东流经易县、雄县入大清河，当时属燕。㉕十月：当时秦国以“十月”为岁首，故叙此年之事皆在十月后。㉖蓟：即今北京市西南，当时为燕国国都。㉗东保辽东：向东撤退，据守于辽东郡。保，据守。辽东，燕郡名，约当今辽宁之大凌河以东地区，郡治即今辽阳。㉘李信：秦将名，西汉名将李广的祖辈。㉙代王嘉：代王赵嘉，赵悼襄王的太子，由于赵悼襄王宠爱赵迁之母，故废赵嘉而改立赵迁。赵迁为王后，杀了赵国名将李牧，公元前二二八年邯郸被秦兵攻破，赵迁被俘。赵嘉逃到代郡，被赵国的残余势力拥立为代王，苟延残喘。㉚遗燕王书：写信给燕王喜。遗，

给、致。㉛令杀太子丹以献：代王嘉错估形势，以为秦国之发怒只是恨太子丹派荆轲入刺秦王。以为燕国自己杀死太子丹向秦请罪，秦国就会放过燕国，同时也可讨得秦国对代国的欢心。㉜衍水：河水名，即今所谓太子河，在今辽宁东南部，当时属燕国的辽东郡。㉝王贲伐楚：时当楚王负刍二年（公元前二二六年）。王贲，王翦之子。㉞取十余城：《史记》但称"荆兵败"，究竟取何城，史无明文。㉟度用：估计需要。度，忖度、估计。㊱蒙恬：秦将蒙骜之孙，蒙武之子。事迹详见《史记·蒙恬列传》。㊲频阳：秦县名，县治在今陕西富平东北。㊳王贲伐魏：时当魏王假三年（公元前二二五年）。㊴河沟：即鸿沟，魏国所修的运河名，西自荥阳城北的黄河中引水东下，至开封折向南流，经淮阳入颍水。㊵安陵君：魏国国内的小封君，封地在今河南鄢陵西北，前已见于《秦纪一》。㊶魏之先王：即魏惠王。㊷弗敢易：不敢拿来与你交换。易，交换。㊸王义而许之：此情节取自《战国策·魏策四》，《史记》不载。缪文远以为"实辩士之寓言"。㊹平舆：楚县名，县治在今河南平舆西北。㊺寝：也叫"寝丘"，古邑名，在今河南沈丘东南。㊻信又攻鄢、郢二句：中井积德曰："先是白起既'拔鄢、郢'矣，不闻楚复之，此乃云'攻鄢、郢'何也？盖考烈王东徙，命寿春曰'郢'，唯'鄢'未审所谓。"梁玉绳曰："'信又攻鄢、郢破之'，七字衍。《大事记》曰：'鄢、郢，白起取，以置南郡，是时不属楚久矣，传之误也。'"〖按〗秦简《编年纪·始皇十九年》有所谓"南郡备敬"，杨宽以为"敬"字应读作"警"，并说："南郡原为秦昭王时白起攻取得楚都鄢、郢及其周围地区而设置，因为南郡为楚贵族盘踞之地，楚亦常谋克复其地……《秦始皇本纪》记秦王政初并天下后，宣布所以灭楚之原因，谓'荆王献青阳以西，已而畔约，击我南郡，故发兵诛'云云。"又曰："盖是时鄢、郢已为楚贵族所反覆，并已为楚军所克复。原为秦所徙居而监禁于郢之□山之昌平君，亦已出山而主持反秦之战争，因而李信必须引大军南下而攻破之。"杨说似可信。㊼与蒙恬会城父：梁玉绳曰："此前后三称'蒙恬'，考《六国表》及《蒙恬传》，是时恬未为将，当是'蒙武'之误。"〖按〗现代战国史研究者皆同意为蒙武。城父，楚县名，县治在今安徽亳州东南。㊽顿舍：息宿。《汉书·李广传》有"就善水草顿舍"语，师古注："顿，止也；舍，息也。"㊾大败李信：杨宽曰："（当李信进击鄢、郢时）鄢、郢之楚军未作坚决抵抗而退出，待李信引大军回师东进，与蒙武在城父（今安徽亳县东南）会合，以便向楚新都寿春进攻，楚军即跟踪追击，三日三夜不顿舍，从而大破李信军。"㊿谢：道歉；请罪。(51)果辱秦军：果然给我国军队带来耻辱，意即打了败仗。(52)谢病不能将：称说有病不能为将统兵。(53)为听将军计耳："为"似应读作"唯"，《册府元龟》卷一百九十九引正作"唯"，意即"一切都听你的"。杨树达《词诠》以为"为"字之义同"将"，"将要"，相同用法又见于《史记》之《卫将军骠骑列传》《匈奴列传》《韩信卢绾列传》。可作参考。(54)霸上：也作"灞上"，即日后刘邦进关后的驻兵之处，在当时咸阳城东南，今西安东的霸水西侧。(55)有功二句：秦国之功臣将相，能封侯者向来较少，王翦之前丰功伟绩如张仪、司马错、白起，王翦后立有殊勋之李斯、蒙恬，皆未闻封侯。㊿及：趁着。㊿向臣：亲近为臣。向，亲近、宠用。㊿关：指函谷关，在今河南灵宝东北，秦国本土东出的门户。㊿五辈：五批；五拨。⑥⓪乞贷：讨要东西。⑥①怚中：性情粗暴。怚，通“粗”。⑥②空国中之甲士：调动全国的军队。空，全部，一个不剩。⑥③自坚：使其对自己坚信不疑。黄震曰：“王翦为始皇伐楚，而请美田宅；既行，使使请美田者五辈。后有劝萧何田宅自污者，其计无乃出于此欤?”马非百曰：“《陕西通志》及《富平通志》，均载王翦尚华阳公主事。略谓始皇二十三年，李信伐楚败归，时王翦谢病家居。始皇疾驾入频阳，手以上将军印佩翦身，授命二十万。后三日，翦发频阳，始皇降华阳公主，简宫中丽色百人为媵，北迎翦于途。诏即遇处，成婚。翦行五十里遇焉，列兵为城，中间设锦幄，行合卺礼。信宿，公主随翦入都。诏频阳别开主第。今名相遇处为‘华阳’。其事不知何出，而两书皆言之凿凿。然则翦之多请美田宅园池为子孙业者，殆亦利用儿女情深以为自坚之地耶?”⑥④顾：反；岂不。⑥⑤取陈以南：攻取楚国旧都陈县（今河南淮阳）后，继续南进。⑥⑥益军：增兵。⑥⑦御：迎；抵抗。⑥⑧坚壁：坚守壁垒。壁，防御工事。⑥⑨终不出：李光缙曰：“曰‘不与战’，曰‘终不出’，兵法所谓‘懈然后击之’者，翦盖得此。”何焯曰：“‘王翦至，坚壁而守之’，亚夫祖之破吴楚，即高祖之于黥布亦然也。”〖按〗李牧之破匈奴，与此尤其相似。见《史记·廉颇蔺相如列传》。⑦⓪休士洗沐：让士兵养精蓄锐，洗头洗澡。沐，洗头。⑦①抚循：安抚、体恤。⑦②戏乎：在做什么游戏。⑦③投石：练习投得远，投得准。⑦④超距：即跳跃、跳远。《汉书·甘延寿传》有所谓“投石拔距”，张晏以为“拔距”意同“超距”。应劭以为“拔距”殆如武侠之飞檐走壁。今人陈直曰：“谓军中以远距离投石为戏也。”乃以“投石超距”为一个动作。⑦⑤蕲南：蕲县南。蕲县在今安徽宿州南，当时属楚。⑦⑥项燕：楚国的最后一员名将，项羽的祖父。〖按〗《史记》之《楚世家》《项羽本纪》皆谓项燕是被秦兵所杀，与此同；唯《秦本纪》乃谓“项燕遂自杀”。⑦⑦略定：攻取、平定。⑦⑧以其地置楚郡：将获取的楚国地盘设置为秦国的郡县。《史记集解》引孙检曰：“灭去楚名，以楚地为秦郡。”⑦⑨辽东：燕郡名，郡治即今辽宁辽阳。⑧⓪虏燕王喜：燕国自周初建国，历八百余年至此灭。⑧①不胜：不能克制。⑧②一朝之忿：指在秦为人质时所受秦王的不礼貌对待。⑧③犯虎狼之秦：指派荆轲入秦行刺。⑧④速祸：使亡国之祸加快降临。⑧⑤召公之庙：燕国诸侯的祖庙。召公名奭，武王之弟，因辅佐武王灭殷有功，被封为燕国诸侯。事迹见《史记·燕召公世家》。⑧⑥不祀忽诸：指燕国被灭，召公的祭祀从此断绝。忽诸，一下子就完了。忽，极言其快。诸，语助词。⑧⑦罪孰大焉：这是一派人的老生常谈，仿佛秦之灭燕就是让荆轲刺秦激起来的。别的国家没有去秦行刺，怎么也都被灭了？齐国一向亲秦，眼看着别的国家逐个被灭而采取孤立主义，怎么秦国到头来也还是灭了它！⑧⑧怀民：安抚黎民，使黎民感戴。怀，使之思念，受感动。⑧⑨交邻：与邻国打交道。⑨⓪官得其人：即凡为官者都能称职。⑨①政得其节：各种政令都制定得合乎时宜、合乎分寸。⑨②炽如焱火：热烈得有如大火。焱火，熊熊的大火，这里是比喻强盛、兴旺。⑬顾：反；反而。⑭万乘之国：代指强大而称王的国家，这里即指燕国。万乘，万辆兵车。⑮决匹夫之怒：决定于一个匹夫的发怒逞勇。⑯功隳身戮：刺秦之功毁于一旦，自己也被人所杀。隳，同“毁”。⑰膝行蒲伏：指燕太子丹接待荆轲时所行的礼。《史记·刺客列传》有所谓“太子再拜而跪，膝行流涕”云云。蒲伏，爬行。⑱复言重诺：多次叮嘱，一再答应。诺，答应。⑲糜金散玉：指太子丹舍得花费钱财，供养刺客。糜，通“靡”，散。⑳刎首决腹：指樊於期为助成荆轲刺秦献出自己的人头。决腹，切腹。㉑白公胜：名胜，楚平王太子建的儿子，白公是其封号。其父在费无忌的谗毁下被楚平王所废，后在郑国谋反被郑人所杀。白公胜后来被楚国召回，为给其父报仇，又在楚发动叛乱，失败被杀。过程详见《史记·伍子胥列传》。㉒怀：感谢，感谢太子丹。㉓七族：上起曾祖下至曾孙的各代亲属。邹阳《狱中上梁王书》中有所谓“荆轲湛七族”之语，意即荆轲因其刺秦之罪招致七族的亲属被秦国屠灭。㉔扬子论之：扬雄在《法言·渊骞》中议论过刺客的为人。扬雄是西汉末期的经学家与辞赋家，著有《法言》《太玄》，以及《长杨赋》《羽猎赋》等。《汉书》有传。㉕要离：春秋末期的刺客，受吴王阖闾的收买，帮阖闾刺杀了王僚之弟王子庆忌。过程见《吴越春秋·阖闾内传》。㉖蛛蝥之靡：是蜘蛛虫豸一类的行为。靡，行为、所为。㉗聂政：战国时代的刺客，为韩严刺韩相侠累的故事见《史记·刺客列传》与本书卷一周安王五年。㉘壮士之靡：扬雄称要离为“蛛蝥”，称荆轲为“刺客”，而称聂政为“壮士”，大概是因为聂政不搞阴谋、不搞伪装，而是径直冲入相府杀了侠累，与其他人的采用欺骗手段不同。㉙君子盗诸：大概属于强盗中的“君子”吧。诸，语尾助词。有关荆轲的故事见本卷的始皇帝二十年，详见《史记·刺客列传》。〖按〗对刺客评价不高是可以的，但痛加否定是不可以的。从古到今，任何国家、任何政治势力都从来不排除使用刺客就是绝好的证明。司马光等人不仅排斥刺客，而且把燕国的灭亡加到太子丹的派人刺秦上，这是颠倒黑白。其他六国没有派人刺秦，怎么也被秦国消灭了？齐国一贯向秦国讨好，眼睁睁地看着别国被秦所灭而袖手旁观，怎么最后也被秦国消灭了？明代黄洪宪说：“当燕丹时，内无强力，外无奥援，而以孱国当枭鸷之秦，此谓卵抵泰山者也。故刺秦亦亡，不刺亦亡，故刺秦王非失计也。夫乌附、五石，非长生之药也，即有寒热之疾中于关窍，则乌附用；诡痈、诡疽起，则五石用，等死耳，冀万一其效之。故人有死疾，则乌附、五石不可废；当丹之时，垂绝之国，则荆轲未可非也。”㉚虏代王嘉：时当赵代王嘉六年（公元前二二二年），赵国从此彻底灭亡。㉛降百越之君二句：详文意，秦灭楚在此年，至于“降百越之君，置会稽郡”当更在以后，史乃终言于此耳。《史记·白起王翦列传》于此作：“岁余，虏荆王负刍，竟平荆地为郡县，因南征百越之君。”㉜天下大酺：因秦已灭五国，故下令天下人欢聚畅饮。秦汉时代通常禁止聚众豪饮，唯统治者有大喜庆，始下令开禁。㉝君王后贤：君王后即齐襄王之后，乐毅灭齐时识齐襄王（名法章）于蒙难之中者也。齐国在秦国“远交近攻”的方针下，长时间与秦国“友好”，实行孤立主义，不援助其他国家。此正坠秦计中而不悟，非有其他“贤能”。⑭ 与诸侯信：未闻齐对别国有何讲信义之处。⑮ 东边海上：东部以海边为界。“边”字用如动词。⑯ 齐王建立四十余年：齐王建在位的年限为公元前二六四至前二二一年，共四十三年。⑰ 群臣之可用者某：欲说而未及说。⑱ 老妇已忘矣：君王后也看出齐臣没有一个中用者，故无法说。⑲ 后胜：姓后，名胜，齐国的亲秦派。⑳ 秦间金：秦国为行反间计所用之金。《史记·李斯列传》有所谓“秦王乃拜斯为长史，听其计，阴遣谋士赍持金玉以游说诸侯。诸侯名士可下以财者，厚遗结之；不肯者，利剑刺之，离其君臣之计，秦王乃使其良将随其后。”齐国君臣皆坠其计中。陈子龙曰：“是时秦灭诸侯之势成矣，犹行金间齐，使齐兵不出，为万全之策。固知秦之并天下不独兵力强哉，其谋深矣。”㉑ 劝王朝秦：劝齐王不与东方别国来往而单独朝拜、听命于秦。㉒ 入朝：入秦朝拜秦王。㉓ 雍门司马前：王念孙《读战国策杂志》以为应依《北堂书钞·武功部·戟类》下引《战国策》作“雍门司马横戟当马前”，《太平御览·兵部·戟类》所引亦如此。〖按〗王说可从，故下文曰“齐王还车而反”，事相因而文亦相承也。雍门司马，驻守齐国都城临淄西门的军中司马。“司马”是军中的司法官。㉔ 为社稷耶二句：立王是为了国家呢，还是为了大王您呢？㉕ 何以去社稷：怎么能够离开国家。去，离开。㉖ 反：同“返”。㉗ 即墨大夫：即墨城的行政长官。即墨是齐国的“五都”之一，在今山东平度东南。齐国的“都”相当于其他国家的郡。㉘ 带甲：披甲的战士，即指军队。㉙ 三晋大夫：韩、赵、魏三国的流亡官吏。㉚ 不便秦：不愿受秦国统治，不愿当秦国的子民。㉛ 阿、鄄：齐国西部地区的县名，阿县的县治即今山东阳谷东北的阿城镇，鄄县的县治在今山东鄄城北。㉜ 临晋之关可以入：谓不仅可以收复三晋的失地，而且可以打到秦国的本土上去。临晋之关即临晋关，在今陕西东部的大荔城东，东临黄河，与对岸山西的蒲津关隔河相望。㉝ 鄢、郢大夫：楚国的流亡官吏。㉞ 不欲为秦：不愿给秦国人做事。㉟ 城南下：齐国南部的长城下。齐国长城西起今山东西部的平阴，东经泰山北麓、沂源城北，东南行直至黄海边的琅邪台。所谓“城南下”应指今泰安、莱芜、沂源等一带地区。㊱ 武关：秦国本土东南部的关塞名，在今陕西丹凤东南，是秦国通往楚国的交通要道。㊲ 猝入临淄：突然攻入齐国的都城，以其无防备，故也。猝，突然。㊳ 莫敢格：没有人敢抵抗、拦阻。格，抵抗。㊴ 约封以五百里之地：谓让其离开齐国，另在别处封以五百里之地。㊵ 共：秦县名，在今甘肃泾川县北。㊶ 处之松柏之间：将其软禁在一个松柏茂密的地方。㊷ 合从：同“合纵”，意即联合抗秦。㊸ 住建共：导致齐王建被软禁于共。“住”字用如动词。㊹ 客：围在齐王身边的宾客与群臣。㊺ 疾：恨；埋怨。㊻ 用客之不详：采用宾客的建议不慎重、不仔细。王骏图曰：“此盖齐人怆怀故国，深怨王建听宾客奸谋，以致国破而迁住于共，因借松柏以起兴作歌，亦犹乔木、黍离之感，三‘耶’字有无限慨叹艾怨之意。”凌稚隆曰：“六国独齐后亡，故于齐总论兴亡大势，有感慨。”〖按〗责齐王建贪图苟安，不与三晋等联合抗秦是也；然则司马光用司马迁《史记》原文亦称君王后曰“贤”，其果“贤”乎哉？㊼ 从衡：指合

纵、连横两种学说。⑭⑧反覆百端：即多种多样、变化无常。⑭⑨大要：大体说来。⑮⓪先王建万国：指夏、商、周建国初期的分封诸侯。⑮①朝聘：指天子与诸侯以及各诸侯国间的相互往来。古代诸侯定期进见天子曰“朝”，各诸侯间的友好往来曰“聘”。⑮②飨宴：招待朝聘者的宴会。⑮③会盟：各国诸侯或执政大臣的会见结盟。⑮④勠力：并力；合力。⑮⑤向使：假如当初。⑮⑥藩蔽：藩篱、屏障。⑮⑦根柢：基础，即今所谓“后盾”。⑮⑧相资：相互援助。⑮⑨相依：相互依存。⑯⓪岂不悖哉：岂不是很荒谬吗。悖，荒谬。⑯①并：兼并；统一。⑯②三皇：有说指天皇、地皇、人皇；有说指伏羲氏、女娲氏、神农氏。⑯③五帝：司马迁以为指黄帝、颛顼、帝喾、尧、舜五人。见《史记·五帝本纪》。⑯④皇帝：兼取“三皇”“五帝”之名号而有之。⑯⑤命为“制”二句：皇帝下的命令称作“制”，或者称作“诏”。⑯⑥自称曰“朕”：在战国时一般人也可以自称曰“朕”，自秦始皇作此规定后，整个中国封建社会遂遵行不变。⑯⑦太上皇：至高无上的皇帝，以称现行皇帝之父。但自刘邦开始，“太上皇”只称现行皇帝的生父，不再称死去的父亲。⑯⑧以行为谥：西周以来，人们往往给死去的父母尊长追加一个谥号，至于谥为什么，要依据死者生前的行为而定，诸如“文”“武”“成”“康”“灵”“厉”等等是也。⑯⑨无谓：没道理；没说法。⑰⓪自今以来：从此以后。⑰①除谥法：取消死后加谥的做法。《史记集解》曰：“《谥法》，周公所作。”⑰②以计数：按照数目往下数。计，这里即指数字。⑰③至于万世二句：王应麟曰：“秦皇欲以一至万，新莽推三万六千岁历纪，宋明帝给三百年期，其愚一也。汉世祖曰：‘日复一日，安敢远期十岁乎？’真帝王之言哉！”⑰④齐威、宣：齐威王（公元前三五六至前三二〇年在位）、齐宣王（公元前三一九至前三〇一年在位）。⑰⑤邹衍：齐国人，阴阳五行学说的发起者。司马迁称其为齐国的威、宣时代人，司马光亦从之。据钱穆《先秦诸子系年》考证，邹衍应是战国末期人，生活在燕王喜、齐王建时期。钱说可从。⑰⑥终始五德之运：将金、木、水、火、土五行的相生、相克，周而复始，引用到历史朝代的相承相变，这种唯心的东西长期影响中国封建社会极为恶劣。⑰⑦奏：进，进献给秦始皇。⑰⑧火德：火性，性质属火。⑰⑨从所不胜二句：应该是属于火所怕的那种东西，即水。⑱⓪改年：改用新历法。周以建子之月（夏历十一月）为岁首，秦朝则改以建亥之月（夏历十月）为岁首，以十月初一为新一年的第一天。⑱①朝贺皆自十月朔：群臣朝拜皇帝的大典都在十月初一这天举行。⑱②衣服：此处指皇帝与群臣在参加朝贺大典时所穿的礼服。⑱③旌旄：以旄牛尾装饰的旗帜。⑱④节旗：符节，皇帝使者所持的凭证，以竹、木或金属为之。⑱⑤尚黑：以黑色为贵。按五行说，黑色象征水，秦以水德王，故尚黑。⑱⑥数以六为纪：制作什么东西都以“六”为单位，如车子的宽度为六尺，符节的长度为六寸，一步等于六尺，等等。当时尺小，一尺约当今天的二十三点一厘米。⑱⑦丞相绾：秦朝的丞相为王绾。⑱⑧不为置王：不在那里封建侯王。⑱⑨无以镇之：无法维持那些地区的稳定。镇，弹压，维持地方秩序。⑲⓪请立诸子：请立始皇的儿子们到各地为王。⑲①下其议：将这个人的意见交给群臣讨论。⑲②廷尉斯：

李斯，时为廷尉之职。廷尉是国家的最高执法官，九卿之一。⑲周文、武所封：周文王、周武王所封的诸侯国，实即武王所封，因武王灭纣时文王已死，武王乃托父命讨伐殷纣，故后世习以“文”“武”并称。相传当时受封者共八百余国。⑲后属：后来的亲缘关系。⑲仇雠：冤家对头。⑲皆为郡、县：关于郡、县的设立，早在春秋时期各国已有，开始时郡小县大，后来始变为郡管县，然当时是郡县与有土封君相互混杂。至秦始皇统一天下后，遂大规模地实行郡县制，但极少数的国内封君也还存在。⑲公赋税：国家收敛上来的赋税。⑲置诸侯不便：凌稚隆引邓以瓒曰：“论甚当，不宜以后事败非之。”〖按〗贾谊《过秦论》中犹以此责始皇，史公引之为论赞，见史公于此事心存矛盾。⑲赖宗庙：靠着祖辈神灵的保佑。⑳分天下为三十六郡：《史记集解》以此三十六郡为：三川、河东、南阳、南郡、九江、鄣郡、会稽、颍川、砀郡、泗水、薛郡、东郡、琅邪、齐郡、上谷、渔阳、右北平、辽西、辽东、代郡、巨鹿、邯郸、上党、太原、云中、九原、雁门、上郡、陇西、北地、汉中、巴郡、蜀郡、黔中、长沙、内史。〖按〗关于“三十六郡”的具体所指，诸家说法略有差异；而所谓“三十六郡”，又只是秦始皇二十六年（公元前二二一年）刚统一六国时的数字。张家英引姚鼐云：“迄三十三年，略取陆梁地为桂林、象郡、南海，是已为三十九郡。”又引王国维说，以为“秦郡当得四十有八”。㉑郡置守、尉、监：守指郡守，汉代称太守，郡里的最高行政长官。尉指郡尉，郡里的武官，主管治安，缉捕盗贼。监指监郡，皇帝派驻该郡的监察官员，由御史担任，主管监察该郡的吏治。㉒兵：兵器，当时多为铜制，亦有少量为铁制者。㉓销以为钟鐻金人十二：过去解释为将收缴来的六国兵器熔化而改铸成大钟、大鐻各若干，并铸成铜人十二个。鐻，夹钟，也是钟的一种。杨宽则以为“钟鐻金人”四字当连读，“鐻”同“虡”，“钟鐻”乃悬挂大钟或编钟的架子，“钟鐻金人”即铸成人形的钟架两端的立柱。杨宽曰：“秦、汉时，朝宫与宗庙前，皆建有钟虡而悬挂大钟，以便鸣钟而举行朝礼。《续汉书·礼仪志》述‘上陵礼’云：‘钟鸣，谒者治礼引客，群臣就位如仪。’”《史记正义》引《汉书·五行志》云：“二十六年，有大人长五丈，足履六尺，皆夷狄服，凡十二人，见于临洮，故销兵器，铸而象之。”〖按〗杨说可从。㉔重各千石：指每个人形钟鐻的重量。“石”是重量单位，一石为一百二十斤（约当于今六十市斤），千石约当今之六万斤。杨宽曰：“《三辅黄图》记汉高祖庙，引《关辅记》曰：‘秦庙中钟四枚，皆在汉高祖庙中。’又引《三辅旧事》云：‘高庙钟重十二万斤。’又引《汉旧仪》曰：‘高祖庙钟十枚，各受千石，撞之声闻百里。’可知汉朝宫前之钟鐻，取自秦之朝宫，汉高祖庙前之钟鐻，亦取自秦庙。高庙钟鐻重十二万斤，正合千石，正与十二钟鐻金人‘各重千石’相当……十二钟虡所悬挂之钟当为‘编钟’性质，编钟十二枚大小不同，依次排列，钟虡金人十二座亦大小轻重不同，其小者重千石，即十二万斤，其大者重二千石，即二十四万斤。”㉕置宫廷中：杨宽曰：“十二钟虡金人原当在咸阳宫宫门，及起建阿房宫，乃立于阿房宫宫门。”㉖一法度、衡、石、丈尺：统一全国的法律制度和度量衡标准。一，统一、划一。衡是秤砣。石是重量单位。丈尺是长度单位。㉗徙：强制搬迁。⑳⑧豪杰：各地区的大族、豪绅，包括六国贵族的后代以及游侠、恶霸等。⑳⑨诸庙：杨宽认为指“建造于秦王陵附近的秦昭王、孝文王、庄襄王诸人之庙”。徐卫民认为秦昭王等三王之庙在“东陵”，距此较远，此处的所谓“庙”就是指为祭祀某王所建立的祭庙，其中有昭王庙，也包括由信宫改名的“极庙”在内。㉑⑩章台：秦宫名，徐卫民以为“是秦都咸阳在渭河南岸的主要宫室建筑之一，秦王的许多重要外交活动都在这里举行”。其具体位置“在汉长安城内的未央宫前殿，也就是说未央宫前殿是在秦章台的基础上建筑的……过去把章台称为章台宫是不正确的”。㉑⑪上林：即上林苑，秦朝的皇家猎场，在当时秦朝都城的咸阳城南，区域达数县之广。西边可能到沣河，南边到终南山，北起渭水，东最远到宜春苑。㉑⑫渭南：渭水之南，渭水自甘肃流来，经今西安北，当时的咸阳城南，东流至今风陵渡汇入黄河。㉑⑬写放：模仿；仿照。放，同“仿”。钱锺书曰：“移物之貌曰‘写’，拟肖是也……‘写真’‘写生’‘写照’之‘写’，皆‘写放’‘模写’之‘写’。”㉑⑭作：建造。㉑⑮阪：山坡。以上两句是说，秦朝每灭掉一个东方国家，就按照被灭国家的宫殿模样在咸阳城北的山坡上仿建一座。《委宛余篇》云：“秦始灭六国，写其宫室，作之咸阳，然各自为区，虽一瓦一甓之造亦如其式，各书国号，不相雷同。”徐卫民认为：所谓“咸阳北阪”是指“咸阳北原”，仿六国宫室就在今咸阳窑店北怡魏村一带。怡魏村出土的带有齐风

【原文】

二十七年（辛巳，公元前二二〇年）

始皇巡陇西[223]、北地[224]，至鸡头山[225]，过回中[226]焉。

作信宫[227]渭南，已，更命曰极庙[228]。自极庙道通骊山[229]，作甘泉前殿[230]，筑甬道[231]，自咸阳属之[232]，治驰道[233]于天下。

二十八年（壬午，公元前二一九年）

始皇东行郡县[234]，上邹峄山[235]，立石颂功业[236]。于是召集鲁儒生七十人，至泰山下，议封禅[237]。诸儒或曰：“古者封禅，为蒲车[238]，恶伤[239]山之土石草木，扫地而祭，席用菹秸[240]。”议各乖异[241]。始皇以其难施用[242]，由此绌儒生[243]。而遂除[244]车道，上自太山阳至颠[245]，立石颂德[246]。从阴道[247]下，禅于梁父[248]。其礼颇采太祝[249]之祀雍上帝[250]所用，

格的建筑瓦当，则说明齐宫殿可能在此。〖按〗六国宫殿遗址在今咸阳市渭城区之窑店乡、正阳乡一带，在秦时咸阳城北部的宫城北侧。燕宫遗址在秦国宫城的东端，楚宫遗址在秦国宫城的西端。㉖南临渭：向南对着渭水。㉗雍门：地名，当在今咸阳西南的渭水之北，当时咸阳城的大西南。㉘泾、渭：胡三省曰："言泾渭之交也。"即泾水与渭水的汇流处，泾水自宁夏流来，流经当时的咸阳城北，东流至今高陵南汇入渭水。㉙复道：楼阁之间的空中通道。㉚周阁：楼台四周的廊道。㉛相属：相通；相连。㉜所得诸侯美人句：谓把获得的哪个国家的美人钟鼓，就安置在那个复制的该国的宫室内。《史记正义》引《庙记》云："北至九嵏、甘泉，南至长杨、五柞，东至河，西至汧渭之交，东西八百里，离宫别馆相望属也。木衣绨绣，土被朱紫，宫人不徙，穷年忘归，犹不能遍也。"又引《三辅旧事》云："始皇表河以为秦东门，表汧以为秦西门，表（此处似有缺文），中外殿观百四十五，后宫列女万余人，气上冲于天。"

【校记】

［1］宫廷：原作"宫庭"。据章钰校，十二行本、乙十一行本、孔天胤本皆作"宫廷"，《史记·秦始皇本纪》作"廷宫"。今从诸本改。

【语译】

二十七年（辛巳，公元前二二〇年）

秦始皇到陇西、北地等处巡视，最终抵达鸡头山，途中住在陕西的回中宫。

在渭水南岸建造信宫，建造完毕，又改名为极庙宫。从极庙宫经过复道直通骊山，在骊山修建甘泉宫前殿，又修建甬道，从咸阳皇宫通过甬道可以越过渭水直达甘泉前殿，又到处修建专供皇帝使用的快车道。

二十八年（壬午，公元前二一九年）

秦始皇到东方视察各郡县，登上邹峄山，在山上竖立石碑，刻写铭文以歌功颂德。又把鲁地那些尊奉儒家学说的知识分子七十人召集到泰山之下讨论封禅典礼的具体仪式。其中一个儒生说："古代的帝王在登泰山举行祭祀天地的封禅活动时，要用蒲草把车轮包裹起来，怕损伤了山上的土石草木，再打扫出一片干净的地方，铺上草和禾秆做垫子，人就站在垫子上面行礼。"每个人的说法都不一致。秦始皇认为他们说的难以实行，因此斥退这些儒生，不再任用。按照自己的想法，先修建了一条上山的大道，从泰山南部一直通到山顶，竖立石碑，刻上封泰山的铭文，以此歌功颂德。然后从泰山的北面下山，又在泰山脚下的梁父山举行了祭祀大地的仪式。秦始皇所用的仪式，大体与秦国先王在雍城坛台祭祀上帝的仪式相同，

而封藏[251]皆秘之，世不得而记也。

于是始皇遂东游海上，行礼祠[252]名山大川及八神[253]。始皇南登琅邪[254]，大乐之，留三月，作琅邪台[255]，立石颂德，明得意[256]。

初，燕人宋毋忌[257]、羡门子高[258]之徒称有仙道[259]形解销化[260]之术。燕、齐迂怪之士[261]，皆争传习之。自齐威王、宣王、燕昭王[262]皆信其言，使人入海求蓬莱、方丈、瀛洲[263]，云此三神山在勃海中，去人[264]不远。患且至则风引船去[265]。尝有至者，诸仙人及不死之药皆在焉[266]。及始皇至海上，诸方士[267]齐人徐市[268]等争上书言之，请得斋戒[269]与童男女求之。于是遣徐市发[270]童男女数千人入海求之。船交[271]海中，皆以风为解[272]，曰："未能至，望见之焉。"

始皇还，过彭城[273]，斋戒祷祠[274]，欲出周鼎泗水[275]，使千人没水[276]求之，弗得。乃西南渡淮水，之衡山[277]、南郡[278]。浮江[279]至湘山祠[280]，逢大风，几不能渡。上问博士曰："湘君何神？"对曰："闻之，尧女，舜之妻[281]，葬此[282]。"始皇大怒，使刑徒三千人皆伐湘山树，赭其山[283]。遂自南郡由武关[284]归。

初，韩人张良[285]，其父祖以上五世相韩[286]。及韩亡，良散千金之产[287]，欲为韩报仇。

二十九年（癸未，公元前二一八年）

始皇东游，至阳武[288]博浪沙[289]中，张良令力士操铁椎[290]狙击[291]始皇，误中副车[292]。始皇惊，求[293]弗得。令天下大索[294]十日。

始皇遂登之罘[295]，刻石[296]。旋[297]，之琅邪[298]，道上党入[299]。

三十一年（乙酉，公元前二一六年）

使黔首[300]自实田[301]。

三十二年（丙戌，公元前二一五年）

始皇之碣石[302]，使燕人卢生[303]求羡门[304]，刻碣石门[305]。坏城郭[306]，决

祭祀时埋藏在山上的礼品以及记载祭祀仪式的文件都很机密，世人没有办法把它记录下来。

秦始皇向东来到东海岸边，在此祭祀了名山大川和天主、地主、兵主、阴主、阳主、月主、日主、四时主八位神灵。又向南登上琅邪山，他非常喜欢这里，于是逗留了三个月，还建立了琅邪台，竖立石碑为自己歌功颂德，表明自己万事称心如意。

当初，燕国人宋毋忌、羡门子高之流自称具有修道成仙之术，可以甩掉肉体，变成真人升天。燕国、齐国一带那些思想怪诞的人，都争着向他们学习。齐威王、齐宣王、燕昭王都对他们的话深信不疑，派人到大海中去寻找蓬莱、方丈、瀛洲，回来的人都说，三座神山都在渤海中，距离人们生活的地方不是很远。最难办的是当人们的船快要接近三座神山的时候，风就会把船刮走。曾经有人登上过三座神山，众多的神人和长生不老药都在那里。秦始皇来到海边，齐国以徐市为首的访仙炼丹以求长生不老的人纷纷给秦始皇上书介绍三神山的事情，还请求允许他们斋戒以后带领童男童女到海上去寻找。秦始皇听信了他们的话，就派徐市率领童男童女几千人进入大海之中去寻找三座神山。然而船进入海中回来后，都以风大，船不能接近三神山作为解释，说："我们虽然未能到达，但看见了。"

秦始皇从海边回来，经过彭城，在彭城进行斋戒祈祷，想把周鼎从泗水中打捞出来，他派了上千人下水寻找，但都没有找到。继续向西南进发，渡过淮水，到达衡山、南郡。渡过长江，前往湘山祠，遇上大风，几乎不能渡江。秦始皇问那些博学之士说："湘君是什么神？"回答说："听说是尧的女儿、舜的妻子，死后葬在这里。"秦始皇大怒，便派正在服刑的三千名犯人把湘山上的树木全部砍光，让它变得光秃秃的，呈现出一片褐色。秦始皇从南郡出发，经过武关回到都城咸阳。

当初，韩国人张良，从他的父亲、祖父往上数，五世都为韩相。等到韩国灭亡，张良散尽了家中千金的财产，想要为韩国报仇。

二十九年（癸未，公元前二一八年）

秦始皇到东方巡视，到达阳武博浪沙的时候，张良雇请大力士用铁锤伏击秦始皇，不料却击中了随行的副车。秦始皇受了惊吓，派人四处捉拿，但是没有捉到。又下令全国大张旗鼓地搜捕了十天。

秦始皇登上之罘山，立碑、刻石。返回途中，再次经过琅邪山，取道上党回到都城咸阳。

三十一年（乙酉，公元前二一六年）

让百姓如实申报自己所有的田亩数。

三十二年（丙戌，公元前二一五年）

秦始皇前往碣石，派燕地卢生去寻找仙人羡门子，在碣石山山前岩壁上刻写铭

通堤坊[307]。始皇巡北边[308]，从上郡入[309]。卢生使入海还[310]，因奏《录图书》[311]曰："亡秦者胡也[312]。"始皇乃遣将军蒙恬[313]发兵三十万人，北伐匈奴[314]。

三十三年（丁亥，公元前二一四年）

发[315]诸尝[316]逋亡人[317]、赘婿[318]、贾人[319]为兵，略取[320]南越陆梁地[321]，置桂林[322]、南海[323]、象郡[324]，以谪徙民[325]五十万人戍五岭[326]，与越杂处。

蒙恬斥逐[327]匈奴，收河南地[328]为四十四县。筑长城，因地形[329]，用制险塞[330]，起临洮，至辽东[331]，延袤[332]万余里。于是渡河[333]，据阳山[334]，逶迤[335]而北，暴师[336]于外十余年。蒙恬常居上郡[337]统治[338]之，威振匈奴。

三十四年（戊子，公元前二一三年）

谪治狱吏不直[339]及覆狱故失[340]者，筑长城及处南越地[341]。

丞相李斯上书曰："异时[342]诸侯并争，厚招游学[343]，今天下已定，法令出一。百姓[344]当家[345]则力农工[346]，士则学习法令[347]。今诸生[348]不师今而学古[349]，以非当世[350]，惑乱黔首[351]，相与[352]非法教。人闻令下，则各以其学议之[353]。入则心非[354]，出则巷议[355]。夸主以为名[356]，异趣[357]以为高，率群下以造谤。如此弗禁，则主势[358]降乎上，党与[359]成乎下。禁之便。臣请史官[360]非秦记皆烧之[361]。非博士[362]官所职[363]，天下有藏《诗》、《书》、百家语[364]者，皆诣守、尉杂烧之[365]。有敢偶语[366]《诗》《书》弃市[367]；以古非今者族[368]；吏见知不举[369]，与同罪；令下三十日不烧，黥为城旦[370]。所不去者，医药、卜筮、种树之书。若欲有学法令〔2〕，以吏为师[371]。"制曰[372]："可。"

魏人陈馀[373]谓孔鲋[374]曰："秦将灭先王之籍[375]，而子[376]为书籍之主[377]，其危哉[378]！"子鱼曰："吾为无用之学[379]，知吾者惟友[380]。秦非吾友[381]，

文，为自己歌功颂德。拆掉旧时东方各国的城墙，疏通河道。秦始皇沿着北部边境巡视，从上郡转而向南回到都城咸阳。卢生奉命到海上寻求不死之药回来，将一部《录图书》进献给秦始皇，书上写道："使秦国灭亡的是'胡'。"秦始皇认为书中所说的"胡"是北方的匈奴，于是派蒙恬将军率领三十万大军去北方攻打匈奴。

三十三年（丁亥，公元前二一四年）

秦始皇征调那些曾经逃避兵役徭役或因罪而逃跑的人、倒插门的女婿以及经商的人去服兵役，攻取了南方越人聚居的陆梁地区，设置为桂林、南海、象郡；又发配罪犯五十万人去戍守五岭，跟南越的土著人杂居。

蒙恬赶跑了匈奴人，收复了河套一带，设置为四十四个县。修筑长城，根据山河固有的地理形势建筑险要的城堡，从最西端的临洮一直到辽东，绵延一万多里。于是蒙恬率军渡过黄河，占据阳山，又逶迤向北延伸，军队在外饱受风霜雨雪之苦长达十余年。蒙恬经常住在上郡以便统领这一地区，他的威名震动了匈奴。

三十四年（戊子，公元前二一三年）

流放那些断狱不公正以及重审以往旧案时故意见错不纠的官吏，或是去北方修筑长城，或是到南越去服苦役。

丞相李斯上书给秦始皇说："先前诸侯之间互相征战，各国都以优厚的条件招纳贤才为己所用，如今天下已经平定，政令由皇帝统一颁布。黎民百姓主持家业就应该努力从事农业和手工生产，想要读书做官的就要跟着官吏们学习法令。可如今这些读书人不尊重现实政治，不以今为师，而是一味地吹捧古代，借用古人的学说来诽谤现今社会，蛊惑人心、迷惑百姓，彼此勾结在一起反对法制。每当听到颁布一个新法令，就各以他们所学的那一套为标准对时政品头论足。在家中独处时心里诽谤，出门见到了人，就在街头巷尾批评议论。在君主面前夸耀自己的主张，以此来沽名钓誉，故意在皇帝面前标新立异来抬高自己，引导百姓制造诽谤。像这种现象如果不加禁止，则君主的权势就会逐渐下降，宗派集团就会形成。要严加禁止才好。我请求允许国家掌管图书、文籍的官员，除了记载秦国历史的书籍以外，其余的全部烧掉，除去博士官因职务需要，全国之内凡是收藏有《诗》《书》以及诸子百家著作的，全都要送往各级官府集中烧毁。如有两人以上聚在一起议论《诗》《书》的一律斩首示众；借古讽今的诛灭全家；看见或是知道有人犯罪而不检举的与犯人同罪；命令颁布三十天还不烧毁图书的，就处以黥刑，并判罚到北方去修筑长城。需要保存而无须烧毁的是那些有关医药、卜筮、种树之类的书。如果有人想学习法令，就以官吏为老师。"秦始皇批示说："可以。"

魏地人陈馀对孔鲋说："秦国将要把那些记载古代圣王治国平天下的书籍全部烧毁，你是掌管儒家书籍的人，恐怕会危险了！"孔鲋说："我只是研究一些没有用处的学问，理解、赞成儒家思想学说的人是我的朋友。秦不是我的朋友，不会来找我，

吾何危哉？吾将藏之以待其求[382]。求至[383]，无患矣。”

三十五年（己丑，公元前二一二年）

使蒙恬除直道[384]，道九原，抵云阳[385]，堑山堙谷[386]千八百里，数年不就。

始皇以为咸阳人多[387]，先王之宫廷[3]小，乃营作朝宫[388]渭南上林苑[389]中。先作前殿阿房[390]，东西五百步[391]，南北五十丈[392]，上可以坐万人，下可以建五丈旗[393]。周驰为阁道[394]，自殿下直抵南山[395]，表南山之颠以为阙[396]。为复道[397]，自阿房度渭[398]，属之咸阳[399]，以象天极阁道绝汉抵营室[400]也。隐宫徒刑者[401]七十余万人，乃分作阿房宫或作骊山[402]。发北山石椁[403]，写蜀、荆地材[404]皆至。关中[405]计宫三百，关外[406]四百余。于是立石[407]东海上朐[408]界中，以为秦东门[409]。因徙三万家骊邑[410]，五万家云阳[411]，皆复不事[412]十岁。

卢生说始皇曰：“方中[413]：人主时为微行[414]以辟[415]恶鬼。恶鬼辟，真人[416]至。愿上所居宫，毋令人知，然后不死之药殆[417]可得也。”始皇曰：“吾慕[418]真人。自谓[419]‘真人’，不称‘朕’。”乃令咸阳之旁二百里内，宫观二百七十，复道、甬道[420]相连，帷帐、钟鼓、美人充之，各案署不移徙[421]。行所幸[422]，有言其处者罪死。始皇幸梁山宫[423]，从山上见丞相[424]车骑众[425]，弗善[426]也。中人[427]或告丞相，丞相后损车骑[428]。始皇怒曰：“此中人泄吾语。”案问[429]莫服，捕时在旁者，尽杀之。自是后，莫知行之所在。群臣受决事[430]者，悉于咸阳宫[431]。

侯生、卢生相与讥议始皇[432]，因亡去[433]。始皇闻之，大怒曰：“卢生等，吾尊赐之甚厚，今乃诽谤我！诸生[434]在咸阳者，吾使人廉问[435]，或为妖言以乱黔首。”于是使御史[436]悉案问[437]诸生。诸生传相告引[438]，乃自除[439]犯禁者四百六十余人，皆坑之咸阳[440]，使天下知之，以惩后。益发谪徙边[441]。始皇长子扶苏谏曰：“诸生皆诵法孔子[442]，今上皆重法绳

我有什么危险呢？我要把这些书籍埋藏起来，等待那些理解、赞成儒家思想学说的友人来寻找它。有人来寻找的时候就没有危险了。”

三十五年（己丑，公元前二一二年）

派蒙恬修筑直通大道，从内蒙古西北的九原开始，一直修到陕西的云阳，沿路开山填谷，全长一千八百里，用了几年的时间还没有最后完成。

秦始皇认为咸阳皇宫里的人太多，先王修建的宫殿狭小，于是就在渭水南岸的上林苑中重新修建接受朝见的朝宫。首先在山阿之旁修建前殿，前殿东西长五百步，南北长五十丈，上面可以坐一万人，下面可以竖起五丈高的旗杆。朝宫前殿的四周，都有阁道与远处的建筑相连通，从朝宫之下一直通到终南山，让终南山的山头充做朝宫前面的双阙。又修建空中通道，从朝宫前殿北行，凌空渡过渭水，一直与咸阳的宫殿相连接，就像天宫的阁道星渡过天河直通营室星座。征调隐官所管辖的劳改犯人总计七十万人，将他们派去修建阿房，或者到骊山为秦始皇修建陵墓。采运北部诸山的石料，运来蜀地、楚地所产的木材。修建的宫殿函谷关以西有三百座，函谷关以东有四百多座。于是秦始皇在东海郡朐县境内立石以为双阙，作为秦国东方的大门。强迫三万家迁居到骊邑，五万家迁居到云阳，免除这些搬迁户十年的赋税和各种徭役。

卢生向秦始皇建议说：“根据仙人的秘方：国君应该经常微服私行以躲避恶鬼。躲开恶鬼以后仙人就出现了。希望您居住的行宫不要让人知道，如此才能得到长生不死之药。”秦始皇说：“我仰慕仙人。所以自称为‘真人’，而不称‘朕’。”于是下令，将咸阳附近二百里之内的二百七十处宫观，都要用复道、甬道连接起来，宫殿、楼观内部都设置了帏帐、钟鼓等器物，安排了美人、宫女等侍从。按照要求布置好以后就不允许再移动。秦始皇所到之处，如果有人把他的住处透露出去，立即处以死刑。秦始皇到梁山宫，从山顶上看见丞相李斯扈从的车马众多，很不高兴。有宦官把这事悄悄告诉了丞相李斯，李斯此后便削减了扈从的车马。秦始皇非常生气地说：“一定是宦官把我的话泄露出去了。”派人审理，没有人肯招认，于是就把当时在场的人全部抓起来杀死。从此以后，没有人知道秦始皇在什么地方。大臣们有事向秦始皇请示，就到咸阳宫去。

侯生、卢生曾经在一起议论讥讽过秦始皇，因为惧怕遭到杀身之祸，就都逃跑了。秦始皇知道以后，非常恼怒地说：“卢生等人，我以前很看重他们，赏赐他们也很丰厚，现在竟敢诽谤我！住在咸阳的那些读书人，我派人暗中察访，还有人在妖言惑众。”于是就派御史一个一个地拷问那些读书人。于是相互告发，彼此牵引，供出了许多人，秦始皇亲自裁决，圈定出违反禁令的四百六十多人，全部在咸阳活埋了，并且诏告天下，以警告其他人不要以身试法。又更多地发配罪犯，令其全家搬迁到边地。秦始皇的长子扶苏劝谏秦始皇说：“那些儒生都是读孔子的书，效法孔子

之[443]，臣恐天下不安。”始皇怒，使扶苏北监蒙恬军[444]于上郡。

三十六年（庚寅，公元前二一一年）

有陨石于东郡[445]。或刻其石[446]曰：“始皇死而地分[447]。”始皇使御史逐问[448]，莫服。尽取石旁居人诛之，燔[449]其石。

迁河北、榆中三万家[450]，赐爵一级[451]。

【段旨】

以上为第二段，写秦始皇二十七年（公元前二二〇年）至秦始皇三十六年十年间的全国大事，主要写了秦始皇统一天下后的十年在位期间所实行的一些好的措施，以及其志得意满所推行的劳民伤财的种种败政，后者加速了秦朝的崩溃。

【注释】

㉓陇西：秦郡名，郡治狄道（今甘肃临洮）。㉔北地：秦郡名，郡治义渠（今甘肃庆阳西南）。㉕鸡头山：在今宁夏泾源西北。㉖回中：秦宫名，在今陕西陇县西北。㉗信宫：秦始皇举行重大朝会活动的宫殿。泷川资言曰“即长信宫”。㉘极庙：以其所处的地位像是天极星，故云。天极，星座名。中国古代天文学家把天空的星座分为五个区域，称作五宫，天极则是中宫的中心星座。徐卫民曰：“秦始皇之所以将信宫改为极庙，实质上正是采用邹衍的阴阳五行学说，把天上的星座与地上的君臣相比附，为自己的中央集权制造理论根据。”至于信宫，也就是“极庙”的旧址，大体在今西安北郊的大刘寨村东。信宫改为“极庙”，就成了秦始皇令人祭祀自己的场所。㉙道通骊山：经复道直通骊山。骊山在西安市临潼区东南，当时的咸阳城东南。海拔八百米，东西长约五公里，南北宽约三公里。㉚甘泉前殿：甘泉宫的前殿。徐卫民考证秦代甘泉宫的旧址在汉代长安城西北角的桂宫遗址之下，在今西安“夹城堡、民娄村、黄庄和铁锁村一带”。㉛甬道：两侧筑有夹墙的通道。《史记正义》引应劭曰：“天子于中行，外人不见。”㉜自咸阳属之：谓从咸阳皇宫通过甬道可越过渭水，直达甘泉前殿。属，连通。㉝驰道：专供皇帝使用的快车道。《史记集解》引应劭曰：“驰道，天子道也，道若今之‘中道’然。《汉书·贾山传》曰：‘秦为驰道于天下，东穷燕、齐，南极吴、楚，江湖之上，滨海之观毕至。道广五十步，三丈而树，厚筑其外，隐以金椎，树以青松。’”徐卫民曰：“驰道就是驰骋车马的宽广道路。路中央供皇帝通行，列树标明，两旁任人行走。”并说从都城咸阳通往全国各地的驰道有：从咸阳沿渭河东行，出函谷关到关东；由咸阳向西，叫回中道；从长

行事的人，如今您用严厉的刑罚惩治他们，我担心天下会人心不安。”秦始皇听后很生气，就派扶苏到上郡去担任蒙恬的监军。

三十六年（庚寅，公元前二一一年）

有陨石降落在东郡。有人在陨石上刻字说：“秦始皇死了以后，土地就要被分封了。”秦始皇派御史逐个地进行审问，没有人承认。于是就把居住在陨石附近的人全部诛杀，将那块陨石也给焚烧了。

将内地的三万户居民搬迁到河北、榆中一带居住，每个成年男子赐给爵位一级。

安向东南，经商县出武关到湖北；由咸阳向东北，经栎阳、大荔、渡蒲津到太原；由咸阳到西南，通过子午道、陈仓道等到达巴蜀。㉞东行郡县：到东方视察诸郡县。行，巡视。㉟邹峄山：邹县的峄山，在今山东邹城东南。㊱立石颂功业：指立石刻写铭文以歌颂秦始皇的功业。〖按〗峄山刻石铭文今本《史记》不载，其原文见韩兆琦《史记笺证·秦始皇本纪》注。梁玉绳引赵明诚《金石录》云：“峄山碑文词简古，非秦人不能为，《史记》独遗此文，何哉?”泷川资言引卢文弨曰：“此文（指《始皇纪》）似有误脱。峄山刻石乃七篇中之第一篇也，史公必不特删此篇。疑此‘上邹峄山’下，即当云‘刻石颂秦德’，便接以‘其辞曰’云云，如后数篇之式。颂文之后，接以‘与鲁诸儒生议封禅，望祭山川’之事。”㊲议封禅：讨论封禅典礼的具体仪式。封禅，在泰山顶上筑台以祭天叫作封，在泰山脚下的某地拓场以祭地叫作禅。㊳为蒲车：帝王要乘坐蒲车上山。㊴恶伤：担心伤害。恶，怕。㊵席用菹秸：以草与禾秆作垫，人在上面行礼。菹，可用为铺垫的草。秸，禾秆，有的可以编席子。㊶乖异：相互矛盾，各不相同。㊷难施用：难以施行。㊸由此绌儒生：从此罢黜儒生不用。绌，通“黜”，退、罢斥。㊹除：开拓；开通。㊺上自太山阳至颠：从泰山南面上到了顶峰。㊻立石颂德：秦始皇封泰山的刻石铭文见《史记·秦始皇本纪》（二十八年）。㊼阴道：从北面上下山的路。㊽梁父：泰山脚下东南方的小山名。㊾太祝：为朝廷主管祭祀的官员，上属太常。㊿祀雍上帝：在雍县诸坛台祭祀上帝。(251)封藏：指祭祀时埋藏在山上的礼品与告天的文字等。(252)行礼祠：一边巡游，一边沿途祭祀。(253)八神：指天主、地主、兵主、阴主、阳主、月主、日主、四时主。详情见《史记·封禅书》。(254)琅邪：山名，在今山东青岛市黄岛区西南。也是台名，相传是战国时代的齐威王所建。(255)作琅邪台：在旧时台观的基础上另建新台。作，建造。(256)立石颂德二句：秦始皇的琅邪刻石原文见《史记·秦始皇本纪》（二十八年）。(257)宋毋忌：《史记索隐》引《戒经》谓其为月中仙人，又引《白泽图语》称其为火仙。(258)羡门子高：也称“羡门高”，传说中的神仙。(259)仙道：修道成仙之术。(260)形解销化：“形解”也称“尸解”，即方士骗人所讲的甩掉肉体，真人升天。(261)迂怪之士：以奇谈

怪论招摇撞骗的人。㉖²燕昭王：名职，公元前三一一至前二七九年在位。㉖³蓬莱、方丈、瀛洲：即通常所说的海上三神山，大体即由海边所见的“海市蜃楼”演义而成。㉖⁴去人：离开人们生活的地方。去，离、距。㉖⁵患且至则风引船去：最难办的是当人们的船快要接近三神山时，就被一阵风把船吹跑了。患，怕、难办。㉖⁶在焉：在那里。㉖⁷方士：以炼丹吃药、长生不老之术招摇撞骗的人。㉖⁸徐市：也写作“徐福”，齐地的方士，其骗人活动详见《史记·封禅书》。㉖⁹斋戒：古人为祭祀鬼神而事先做出的一些恭敬表示，如禁嗜欲、禁酒肉、禁房事等。㉗⁰发：动员；征调。㉗¹交：接；进入。㉗²以风为解：以风大而船不能接近为解释。㉗³彭城：即今江苏徐州。㉗⁴祷祠：祷告、祭祀。祠，祭。㉗⁵欲出周鼎泗水：想从泗水中打捞周鼎。泗水，源于今山东泗水县东，西流经今曲阜、兖州，南流经今徐州，再南流汇入淮水。周鼎，即大禹所铸的九鼎，夏、殷、周以来，一直作为历代帝王的传国之宝。《汉书·郊祀志》云：“周显王之四十二年，宋太丘社亡，而鼎沦没于泗水彭城下。”㉗⁶没水：潜水。杨慎曰：“昭襄之世既书‘九鼎入秦’矣，始皇二十八年曷又书‘使千人没泗求周鼎不获乎’。吁，此太史公深意也。秦有并天下之心，非得鼎无以自解于天下，九鼎入秦之说，虚言以欺天下也，秦史蒙书以欺后世也。太史公从其文而不改，又于《始皇纪》言‘鼎没泗水’，以见其妄。鼎果在秦，曷为又入水以求之乎?”㉗⁷衡山：秦郡名，郡治邾县（今湖北黄冈西北）。㉗⁸南郡：秦郡名，郡治江陵，即今湖北荆州市荆州区。㉗⁹浮江：渡过长江。㉘⁰湘山祠：也叫“湘君祠”，在今湖南岳阳西南洞庭湖中的君山上。湘山，即君山。㉘¹尧女二句：《史记索隐》曰：“《列女传》亦以湘君为尧女，按《楚辞·九歌》有《湘君》《湘夫人》，夫人是尧女，则湘君当是舜。今此文以湘君为尧女，是总而言之。”〖按〗依史公此文，则“湘君”乃谓尧之女，而今君山庙所供之湘君乃谓舜，俗传与史文不同。㉘²葬此：〖按〗今君山上有二妃墓。㉘³赭其山：指砍光其山上之树，使山丘呈现一片红褐色。赭，红褐色。㉘⁴武关：关塞名，在今陕西丹凤东南，是关中地区通往河南南部的交通要道。㉘⁵张良：战国时韩国贵族的后代，起义后随刘邦破秦、灭项，被封留侯。事见《史记·留侯世家》。㉘⁶五世相韩：实乃张良之父、祖两代相韩之五代君主，非谓张良的五代祖先皆为韩相。张良的祖父开地相韩昭侯、宣惠王、襄王，张良之父平相釐王、桓惠王，共五世。㉘⁷散千金之产：为了结交宾客或收买刺客而散尽千金财产。㉘⁸阳武：秦县名，县治在今河南原阳东南。㉘⁹博浪沙：沙地名，在当时的阳武县西南。㉙⁰铁椎：同“铁锤”。《史记·留侯世家》称“铁椎重百二十斤”，约当今之六十斤。㉙¹狙击：伏击。㉙²误中副车：张良带刺客锤击秦始皇于博浪沙，误中副车事，见《史记·留侯世家》。㉙³求：搜索；查找。㉙⁴大索：大搜捕。㉙⁵之罘：海岛名，即今山东烟台西北的芝罘岛。㉙⁶刻石：秦始皇巡游之罘的刻石铭文。见《史记·秦始皇本纪》。㉙⁷旋：随即；紧跟着。有解为“还”“返”者，误。㉙⁸之琅邪：前往琅邪台。之，往。㉙⁹道上党入：经由上党返回关中。道，经由。上党，秦郡名，郡治壶关，在今山西长治北。㉚⁰黔首：秦朝用以称平民百姓。这是秦朝的特别规定，自秦始皇二十六年

（公元前二二一年）开始实行。㉛实田：如实申报自己所有的田亩数。㉜碣石：山名，在今河北昌黎西北。㉝卢生：当地的方士。㉞羡门：传说中的“仙人”的名字。梁玉绳、张文虎以为此即《史记·封禅书》中所说的“羡门高”，也称“羡门子高”。㉟刻碣石门：在碣石山的山前岩壁上刻写铭文。顾炎武曰：“门自是石，不须立也。”即不必再像他处那样先“立石”，再行刻写。有关碣石山的铭文见《史记·秦始皇本纪》（三十二年）。㊱坏城郭：拆掉旧时东方各国的城墙，即贾谊《过秦论》中之所谓“堕名城”，同时也应包括拆除旧时各国之间的长城。㊲决通堤坊：即疏通河道。钱穆曰：“旧时诸国各筑堤防御水，而以邻国为壑，亦有壅水不下，以害邻国。”杨宽曰：“‘川防’就是指战国时代各国在内地利用大河堤防扩建而成的长城。”㊳巡北边：沿着北部边境西行。㊴从上郡入：由上郡南折回都城咸阳。上郡，秦郡名，郡治肤施（今陕西榆林东南）。㊵使入海还：奉使到海上寻求“不死之药”回来。㊶奏《录图书》：奏，进上。王叔岷曰：“‘录图’亦作‘绿图’，即《河图》。”胡三省曰：“如后世谶纬之书。”即骗子们所编造的耸人听闻的“预言”。㊷亡秦者胡也：泷川资言曰：“始皇欲击胡，托言图谶以为口实耳。”〖按〗此必汉初讲说“谶纬”者之所造作，如后世司马懿见《玄石图》云“牛继马后”遂鸩杀牛金，郭威闻谶云“赵氏当为天子”遂杀防御使赵童子之类。㊸蒙恬：秦朝名将，蒙骜之孙，蒙武之子。事迹详见《史记·蒙恬列传》。㊹匈奴：战国后期以来活动于今内蒙古、蒙古一带的少数民族。详情见《史记·匈奴列传》。㊺发：征调。㊻尝：曾经是。㊼逋亡人：逃避兵役、徭役，或因犯罪而逃跑者。逋，逃亡。㊽赘婿：倒上门的女婿。《史记索隐》曰：“女之夫也，比于子，如人疣赘，是余剩之物也。”《汉书·贾谊传》：“秦人家富子壮则出分，家贫子壮则出赘。”㊾贾人：商人，旧说有所谓行商曰商，坐商曰贾。秦、汉时代统治者重农抑商，视商人为二等罪犯，故于征兵、征役时常调取之。㊿略取：攻取。(321)陆梁地：指今五岭以南的两广一带。《史记正义》曰：“岭南之人多处山陆，其性强梁，故称‘陆梁’。”〖按〗这里将“赘婿”“贾人”与逃犯并列，一同被谪遣服役，可见当时“赘婿”“贾人”待遇之惨烈，汉朝建国后仍是如此。又“赘婿”之受非人待遇，起自战国，《睡虎地秦墓竹简·为吏之道》记有《魏户律》《魏奔命律》，都是魏安釐王下达的指令。前者谓丞相曰：“假门逆旅，赘婿后父，勿令为户，勿予田宇。三世之后，欲仕仕之，仍署其籍曰：‘故某闾赘婿某叟之仍孙。’”后者谓将军曰：“假门逆旅，赘婿后父，今遣从军，将军勿恤视。烹牛食士，赐之参饭而勿予肴。攻城用其不足，将军以堙壕。”于此可见一斑。(322)桂林：秦郡名，郡治在今广西桂平西南。(323)南海：秦郡名，郡治番禺（今广东广州）。(324)象郡：秦郡名，郡治临尘（今广西崇左）。(325)谪徙民：因有罪而被勒令搬迁的人，即罪犯、商人、赘婿等。(326)戍五岭：驻守五岭。戍，驻守。五岭，也称“南岭”，指今广东、广西与湖南、江西交界上的大山，有大庾岭、骑田岭、萌渚岭、都庞岭、越城岭。(327)斥逐：赶跑。(328)河南地：此指今内蒙古境内的黄河以南地区，即所谓“河套”一带。(329)因地形：顺着山河固有的形势。因，顺、沿着。(330)用制险塞：

以建筑险要的城堡。用，因、以。㉛起临洮二句：此即后世之所谓“万里长城”。临洮，秦县名，即今甘肃岷县。辽东，秦郡名，郡治即今辽宁辽阳。〖按〗当时辽东郡内的长城即当年燕国所筑的旧长城，其东南端在今朝鲜境内的清川江入海口。㉜延袤：绵延伸展。袤，延。㉝于是渡河：这句话的主语是“蒙恬率军”。河，指今内蒙古境内的那段黄河。㉞阳山：阴山最西头的一段，即今内蒙古自治区乌拉特后旗的狼山。㉟逶迤：形容弯弯曲曲延续不断。此指蒙恬率军北征的路线。㊱暴师：使军队蒙受风霜雨露之苦。暴，露，直接经受。㊲上郡：秦郡名，郡治肤施，在今陕西榆林东南。㊳统治：统领、治理。㊴谪治狱吏不直：流放那些断案不公正的官吏。谪，贬罚。㊵覆狱故失：重审以往旧案的时候故意见错不纠。覆狱，推翻旧案重审。㊶筑长城及处南越地：或令其北筑长城，或令其南守蛮越。南越，即前所谓桂林、象郡、南海等地区，这一带在被秦朝统一前称作百越。㊷异时：当初；前些时候。指秦朝统一之前的战国时代。㊸厚招游学：谓各国统治者都以优厚条件招纳贤才为己所用。游学，持各种学说而到处奔走游说的人。㊹百姓：指黎民众庶。㊺当家：持家；主管家务。㊻力农工：努力从事农业与手工业劳动。㊼士则学习法令：想读书做官的就要跟着官吏们学习法令。㊽诸生：指当时朝廷所收留的具有广博知识，以备参谋顾问的各类书生。㊾不师今而学古：不尊重现行政治，不以今为师，而一味吹捧古代。㊿以非当世：用古代的东西比照今天、诽谤今天。非，诋毁、诽谤。(351)惑乱黔首：蛊惑人心，让百姓思想混乱。(352)相与：彼此联络；相互勾结。(353)各以其学议之：都以他们所学的那一套为标准来非议现时政治。(354)入则心非：在家独处时则心里诽谤。(355)出则巷议：出门见到人则相聚非议。(356)夸主以为名：在君主面前夸耀自己的主张以博取名声。(357)异趣：故意和当今皇帝唱反调。(358)主势：君主的权势。(359)党与：同“党羽”。(360)史官：为国家掌管图书、文籍的官员。(361)非秦记皆烧之：除了秦国的历史外，其他国家的历史书通通烧掉。秦记，秦国的历史书。《史记·六国年表序》云：“秦既得意，烧天下《诗》《书》，诸侯史记尤甚，为其有所刺讥也。”正与此相互印证。(362)博士：皇帝身边的侍从官员，以知识渊博者为之，以备参谋顾问。(363)职：掌管。(364)《诗》、《书》、百家语：泛指春秋、战国以来社会上所流行的各种书籍。《诗》，《诗经》。《书》，《尚书》。百家语，诸子百家的各种杂书。(365)皆诣守、尉杂烧之：全部送到各郡的郡守、郡尉那里统一烧掉。皆诣，全部送到。守、尉，各地的郡守、郡尉。杂烧，统一烧毁。杂，集。〖按〗据此处文意，则当时“博士官所职”之“《诗》、《书》、百家语”，固未在焚烧之列。崔适曰：“第烧民间之书，不烧官府之书；第禁私相授受，可诣博士受业。故陈胜反，二世召问博士诸生，博士诸生三十余人前曰‘人臣无将’，语本《公羊传》，事载《叔孙通传》。若并在官者禁之，三十余人者，焉敢公犯诏书，擅引经义哉？”(366)偶语：两个人聚在一起谈说。偶，对。(367)弃市：斩之于街市。《周礼·秋官》：“凡杀人者，踣诸市，肆之三日。”(368)族：灭门；杀光整个家族。古有灭“三族”“九族”之重刑。(369)见知不举：看见或是知道有人犯罪而不举报。(370)黥为城旦：《史记集解》引如淳曰:“论决为髡钳,输边筑长城,昼日伺寇虏,夜暮筑长城。城旦,四岁也。”泷川资言引《汉书·惠帝纪》注:“城旦者,旦起行治城,四岁刑。”㉛以吏为师:《韩非子·五蠹》:“明主之国,无书简之文,以法为教;无先王之语,以吏为师。”〖按〗以上李斯的大段议论,原见于《史记·李斯列传》。凌稚隆引杨慎曰:“秦焚书坑儒起于李斯乎?斯之先固有为此说于秦者,韩非是也。非之言曰:‘世之愚学皆不知治乱之情,讘詨多诵先古之书以乱当世之治,又妄非有术之士。听其言者危,用其计者乱。’此与斯所言‘是古非今’若合符节。”㊲制曰:皇帝下令说。皇帝的命令从始皇帝二十六年(公元前二二一年)改称曰“制”或“诏”。㊳陈馀:原战国时魏国的名士,秦灭六国后,陈馀藏匿民间。事迹见本书后文及《史记·张耳陈馀列传》。㊴孔鲋:字子鱼,又字甲,孔子的八代孙。㊵先王之籍:记载古代圣王治国平天下的典籍,如《尚书》《诗经》等,这里即指儒家经典。㊶子:敬称孔鲋。㊷书籍之主:掌管儒家书籍的人。㊸其危哉:恐怕将有危险啦。其,表示推测的发语词。㊹无用之学:此牢骚愤怒之语,即指儒家学说。因其不被战国以来的各国所重视,更不被统一之后的秦国所采用,故自称“无用之学”。㊺友:指理解、赞成儒家思想学说的人。㊻秦非吾友:即他们不会来找我、用我。㊼以待其求:以等待那个理解儒家学说、前来找我的人。求,寻找。㊽求至:一旦那个理解我、寻访我的人来到。㊾除直道:修筑自首都至其他地区的直通大道。除,整治、修筑。㊿道九原二句:从九原起直达云阳。九原,秦郡名,郡治在今内蒙古包头西。云阳,秦县名,在今陕西淳化西北,其地有甘泉山与秦朝的离宫。徐卫民引史念海曰:“秦直道起由秦林光宫,沿子午岭主脉北行,经旬邑县石关、黄陵县艾蒿店、陕甘两省交界的五里墩,至黄陵县兴隆关(沮源关)后,沿子午岭主脉西侧的甘肃省华池县东,至铁角城、张家畛岘,又直北经陕西省定边县东南,复折东北方向达内蒙古乌审旗红庆河、东胜县西、昭君坟东,至内蒙古包头市西,至秦九原郡治九原县。”〖按〗今陕西富县之张家湾乡、甘泉之桥镇乡以及志丹都留有秦时之直道遗址,平均宽度为三十米,最宽处五十八米,最窄处十余米。(386)堑山堙谷:开山填谷。堑,挖沟,此处即指开山。(387)始皇以为咸阳人多:实指咸阳宫廷里的人多,与咸阳市民无涉。(388)朝宫:接受朝见之宫,下所谓“阿房”者盖即其一,此宫殿群未建成而秦朝灭亡。(389)上林苑:秦王朝的皇家猎场,在当时咸阳城的西南方,今西安的南部与西南部,地处渭水以南,纵横有数县之广。(390)先作前殿阿房:首先建造“朝宫”的前殿于阿房。阿房,中井积德曰:“山名,下文自明。”启功先生说:“‘阿房’犹言‘阿旁’,山阿之旁。”〖按〗其地并无大山,盖即丘陵之旁。今其地有“阿房村”,盖后代因阿房宫旧址所在而得名。(391)步:当时六尺为一步,一尺相当于今二十三点一厘米。(392)丈:当时一丈相当于今二点三一米。(393)下可以建五丈旗:第一层的厅堂高度有五丈多,约当现今之三丈五尺略少。建,竖起。(394)周驰为阁道:朝宫前殿的四周,都有阁道与远处的建筑相通连。阁道,空中行车的通道。泷川资言曰:“架木为棚于苑囿中,以行车者,盖象天阁道。”(395)南山:终南山,在今西安南,当时著名的游览区。㊎表南山之颠以为阙：让终南山的山头给朝宫做宫前的双阙。表，竖以为标志。阙，宫门前两侧的台观。㊏复道：高楼间或山岩险要处架空的通道。㊐自阿房度渭：从阿房前殿北行凌空渡过渭水。度，通“渡”。㊑属之咸阳：一直与咸阳的宫殿连起来。属，连接。㊒以象天极阁道句：就像天宫的阁道星渡过天河直通营室星座。天极，紫宫后的十七星。阁道，星名，共六颗。绝汉，横过天河。营室，星宿名，与天极隔着天河。据《中国文物地图集·陕西分册》，阿房宫遗址在今西安未央区之三桥镇南，阿房前殿遗址东至赵家堡、巨家庄，西至长安古城村，现存平面长方形夯土台基，东西长约一千三百二十米，南北宽约四百二十米，面积为五十五万多平方米，是我国古代最大的夯土建筑台基。〖按〗司马迁在本文中对阿房宫的描述至为详悉，但据二〇〇三年十二月考古工作者对阿房前殿的发掘，既未见秦代瓦当，也未见焚烧痕迹，于是考古学家认为阿房前殿的“基础打好了，宫殿没有完全盖好”就停止了。阿房宫在后人头脑里显得如此富丽堂皇，除了有司马迁如上的一段描写外，更重要的是因为唐代杜牧的一篇《阿房宫赋》，恐怕在汉朝人的心目中，阿房宫远远没有唐朝以后人们的印象那样鲜明。㊓隐宫徒刑者：隐官所管的劳改犯人。〖按〗旧注皆以“隐宫”指宫刑，《史记正义》曰：“余刑见于市朝，宫刑一百日隐之荫室养之乃可，故曰‘隐宫’。”以“宫刑”解释“隐宫”，于《史记·秦始皇本纪》尚不易见其谬，于《史记·蒙恬列传》则绝对不可通。近年来学者陈直、马非百等皆以“隐宫”为“隐官”之误。所谓“隐官”乃是一个收容受过刑罚而因立功被赦之罪人的机关。处在隐官之罪人，必须从事劳动，其性质约与后世之劳动教养所大致相同。详见韩兆琦《史记笺证》。㊔骊山：在今陕西西安市临潼区东南，此指秦始皇为自己预造陵墓的工地。秦始皇的陵墓在今陕西西安市临潼区东。㊕发北山石椁：采运北部诸山的石料。椁，外棺。梁玉绳引何焯曰：“‘椁’字疑衍。”〖按〗何、梁说是，此处只说从何处调取材料，并未讲其具体用途。㊖写蜀、荆地材：调发今四川、湖北一带的木料。张家英引《字汇》曰：“写，输也。”即运输、输送。㊗关中：函谷关以内。泷川资言引《关中记》云：“东至函关，西至陇关，二关之间谓之关中。”㊘关外：指函谷关以东，旧时的六国之地。〖按〗“关中计宫三百，关外四百余”，极言始皇之骄奢。㊙立石：立石以为双阙。㊚东海上朐：东海郡的朐县，在今江苏连云港市西南。东海是秦郡名，郡治即今山东郯城北。也有说“东海上”犹言“东海边”，意即东海边的朐县，亦通。㊛以为秦东门：秦时所立的“东门阙”在今连云港市西南海边。秦始皇表“南山之颠”以为其朝宫之“阙”，又“立石东海上朐界中，以为秦东门”。陈直曰：“此石原在江苏海州，为汉之临朐界。碑文所记，与本文正合。”锺惺曰：“如此举动，自是万古第一横汉。”㊜徙三万家骊邑：在骊山下建立城市，以使始皇陵的周围不再冷清。㊝五万家云阳：云阳在今陕西淳化西北，其西即甘泉山、甘泉宫之所在。在云阳建立城市，以使其生前游乐不感寂寞。㊞皆复不事：都免征这些搬迁户的赋税，不让他们服各种徭役。㊟方中：即“仙方”上说。泷川资言曰：“方，仙方也。”㊠时为微行：经常化装悄悄外出。㊡辟：通

"避"，躲开。416 真人：仙人。417 殆：大概；差不多。418 慕：美慕；仰慕。419 自谓：自称。420 甬道：两侧筑有夹墙的通道，人行其中，外面看不见。421 各案署不移徙：各色人等（包括美人、侍卫）都是长期住在那里，不各处移动。不论皇帝出行至何处，各处备用的人、物都一应俱全。案署，各居各位。422 行所幸：皇帝出行的所到之处。幸，蒙幸之处。423 梁山宫：秦朝的离宫，遗址在今陕西干县的梁山脚下，位于漠峪河西岸的台地上，面积约六十万平方米。中部有一方形夯筑台基，边长约二十米，残高约五米。采集有篆体"梁宫"或"染宫"戳印的绳纹筒瓦板瓦等物。424 丞相：指李斯。425 车骑众：指随行的车马众多。426 弗善：不以为好。427 中人：在宫内任职的人，通常指宦者。428 损车骑：削减了随从的车马人众。429 案问：查问；审问。430 群臣受决事：诸臣聆听皇帝处理某事的决定，盖谓一切都是照办而已。431 悉于咸阳宫：即始皇从此遂深居不出。432 讥议始皇：讥议的内容大体是骄奢自大、暴戾好杀、贪权独断等。详见《史记·秦始皇本纪》。433 因亡去：随即逃走了。亡，潜逃。434 诸生：各种门类的文化人。包括具有各种知识的"博士"（其中包括儒生），也包括徐市、韩终一类的"方士"，而此次秦始皇的发怒杀人，首先是由"方士"引起，后世说秦始皇"焚书坑儒"，并说被坑者即孔丘、孟轲所传授的儒家一派，与事实不全相符。435 廉问：暗中察问。胡三省曰："廉，察也。"436 御史：御史大夫的属官。胡三省曰："掌讨奸猾，治大狱。"437 案问：审问；拷问。438 传相告引：互相告发、牵引。传，同"转"，辗转。439 自除：自己圈定、挑出。主语为秦始皇。〖按〗方苞将"诸生传相告引乃自除"作一句读，谓"引他人乃得自除己罪"。如此则"乃"字不顺，且下文亦欠完整，似不可从。440 皆坑之咸阳：《史记正义》引颜师古曰："今新丰县温阳之处号'愍儒乡'，温阳西南三百里有马谷，谷之西岸有坑，古相传以为秦坑儒处也。"〖按〗坑儒谷在今西安临潼区西南十公里之洪庆村。史珥曰："所按问而坑者'诸生'，'生'字蒙前'侯生''卢生'来，即'博士七十人'之属，转相告引，故至四百六十余人，未尝尽及天下之儒也。《叔孙通传》称'二世召博士诸儒生'问楚戍卒之反，前对者三十余人，而叔孙'以文学征'，亦其明证。历代朋党株连何止此数，而秦独丛诟詈，下流固不可居，亦为恶有幸不幸哉？"441 益发谪徙边：更多地发配罪犯，令其全家搬迁边地。442 诵法孔子：诵孔子之书，效法孔子榜样行事。443 重法绳之：以重法严惩。444 北监蒙恬军：时蒙恬驻兵于上郡（郡治在今陕西榆林东南），始皇令扶苏往为之做监军。445 有陨石于东郡：应作"有石陨于东郡"。东郡，秦郡名，郡治即今河南濮阳西南。446 或刻其石：有人在陨石上刻字。447 始皇死而地分：显为后人所编造，与《述异记》所谓始皇三十六年（公元前二一一年）有童谣云"阿房阿房亡始皇"，以及"亡秦者胡"云云相同。448 逐问：挨个审问。逐，挨个。449 燔：烧毁；烧化。450 迁河北、榆中三万家：把内地的百姓三万家迁到河北、榆中去住。河北，指今内蒙古境内东西走向的那段黄河以北，即今巴彦淖尔市临河区、包头一带地区。榆中，地区名，即今陕西榆林一带。451 赐爵一级：给搬迁者的成年男人每人赐爵一级。

【校记】

［2］欲有学法令：原作“有欲学法令者”。据章钰校，十二行本、乙十一行本“有欲”二字互乙，无“者”字。今从十二行本、乙十一行本及《史记·秦始皇本纪》改。［3］宫廷：原作“宫庭”。据章钰校，十二行本、乙十一行本、孔天胤本皆作“宫廷”。今从诸本及《史记·秦始皇本纪》改。

【原文】

三十七年（辛卯，公元前二一〇年）

冬，十月癸丑[452]，始皇出游，左丞相斯从[453]，右丞相去疾守[454]。始皇二十余子，少子胡亥[455]最爱[456]，请从，上许之。

十一月，行至云梦[457]，望祀[458]虞舜于九疑山[459]。浮江下[460]，观藉柯[461]，渡海渚[462]，过丹阳[463]，至钱唐[464]，临浙江[465]。水波恶，乃西[466]百二十里，从狭中渡[467]。上会稽[468]，祭大禹[469]，望于南海[470]，立石颂德[471]。还过吴[472]，从江乘[473]渡。并海上[474]，北至琅邪[475]、之罘[476]，见巨鱼，射杀之。遂并海西，至平原津[477]而病。

始皇恶言死[478]，群臣莫敢言死事。病益甚，乃令中车府令行符玺事[479]赵高[480]为书赐扶苏曰：“与丧会咸阳而葬[481]。”书已封，在赵高所[482]，未付使者[483]。

秋，七月丙寅[484]，始皇崩于沙丘平台[485]。丞相斯为上崩在外，恐诸公子及天下有变[486]，乃秘之，不发丧[487]。棺载辒凉车中[488]，故幸宦者[489]骖乘[490]。所至上食[491]，百官奏事[492]如故，宦者辄[493]从车中可其奏事[494]。独胡亥、赵高及幸宦者五六人知之。

初，始皇尊宠蒙氏，信任之。蒙恬任外将[495]，蒙毅[496]常居中[497]参谋议，名为忠信[498]。故虽诸将相，莫敢与之争[499]。赵高者，生而隐宫[500]，始皇闻其强力[501]，通于狱法[502]，举以为中车府令，使教胡亥决狱[503]，胡亥

【语译】

三十七年（辛卯，公元前二一〇年）

冬天，十月初四癸丑这天，秦始皇出游，左丞相李斯跟随秦始皇出巡，右丞相冯去疾在京师咸阳留守。秦始皇有二十多个儿子，最小的儿子胡亥最受秦始皇的宠爱，这次出游，胡亥要求跟随，秦始皇答应了胡亥的要求。

十一月，秦始皇到达湖北的云梦泽，在这里遥望九嶷山，祭祀死在那里的虞舜。乘船顺长江而下，游览了藉柯，渡过海渚，历经丹阳，而后到达钱唐观看钱塘江大潮。由于波涛险恶，于是向西绕行一百二十里，从江面最窄的地方渡过钱塘江。登上会稽山，祭祀大禹，遥望南海，竖立石碑，刻上歌颂自己功德的文字。返回途中经过吴县，从江乘渡过长江。沿着海边北上，到达琅邪、之罘，看见海中有大鱼，用箭将鱼射死。又沿海西行，到达平原津的时候，秦始皇染病。

秦始皇一向忌讳说到“死”字，周围的大臣也就没有人敢提死后如何料理后事的问题。秦始皇的病情越来越严重，于是下令，让担任中车府令并兼管皇帝御玺的赵高为秦始皇起草诏书给长子扶苏说：“赶紧从上郡回咸阳，与从东方回咸阳的丧车相会。”诏书已经写好密封起来，保存在赵高手里，还没有来得及交给使者发出。

秋天，七月丙寅这天，秦始皇死在沙丘宫里的平台。丞相李斯考虑到秦始皇是在都城之外亡故，担心诸位王子抢夺王位，以及天下各地闻讯造反，就把秦始皇死亡的消息隐瞒起来，没有对外界发布。他们把秦始皇的遗体安放在辒凉车中，让秦始皇生前最宠信的宦官站在车上主座的位置上充当警卫、侍从。皇帝所到之处，都照常给皇帝敬献食物，百官向始皇帝奏请事情，一切都按照秦始皇生前的样子进行，由宦官从辒凉车中冒充秦始皇批准他们的奏报。只有胡亥、赵高以及最受宠幸的宦官五六个人知道。

当初，秦始皇对蒙恬兄弟非常宠爱，很信任他们。蒙恬任将军，统兵在外，蒙毅在朝中任职，参谋决策，两人都享有忠信之名。所以在当时即使是职位最高的太尉和丞相，受到的信任与尊宠也无法和他们相比。赵高出生于关押劳教犯人的场所，秦始皇听说他办事坚强有力，又通晓刑法，就提拔他做了中车府令，让他负责教授

幸[504]之。赵高有罪，始皇使蒙毅治[505]之。毅当高法应死[506]。始皇以高敏于事[507]，赦之，复其官。赵高既雅[508]得幸于胡亥，又怨蒙氏，乃说胡亥，请诈[509]以始皇命诛扶苏，而立胡亥为太子。胡亥然其计[510]。赵高曰："不与丞相谋，恐事不能成[511]。"乃见丞相斯曰："上赐长子书及符玺，皆在胡亥所[512]。定太子[513]，在君侯[514]与高之口耳。事将何如[515]？"斯曰："安得亡国之言[516]？此非人臣所当议也。"高曰："君侯材能、谋虑、功高、无怨、长子信之，此五者，皆孰与蒙恬[517]？"斯曰："不及也。"高曰："然则长子即位，必用蒙恬为丞相，君侯终不怀通侯之印归乡里[518]明矣。胡亥慈仁笃厚[519]，可以为嗣[520]。愿君审计[521]而定之。"丞相斯以为然。乃相与谋，诈为受始皇诏[522]，立胡亥为太子。更为书[523]赐扶苏，数[524]以不能辟地立功，士卒多耗[525]，反数上书[4]直言诽谤，日夜怨望[526]，不得罢归[527]为太子。将军恬不矫正[528]，知其谋[529]。皆赐死，以兵属裨将王离[530]。

扶苏发书[531]，泣，入内舍，欲自杀。蒙恬曰："陛下居外[532]，未立太子，使臣将三十万众守边，公子为监，此天下重任也。今一使者来，即自杀，安知其非诈？复请而后死[533]，未暮也[534]。"使者数趣之[535]。扶苏谓蒙恬曰："父赐子死，尚安复请[536]！"即自杀[537]。蒙恬不肯死，使者以属吏[538]，系诸阳周[539]。更置李斯舍人[540]为护军[541]，还报。

胡亥已闻扶苏死，即欲释蒙恬。会蒙毅为始皇出祷山川[542]，还至[543]。赵高言于胡亥曰："先帝欲举贤立太子[544]久矣，而毅谏以为不可，不若诛之。"乃系诸代[545]。遂从井陉抵九原[546]。会暑[547]，辒车[548]臭，乃诏从官，令车载一石鲍鱼[549]以乱之[550]。从直道至咸阳，发丧。太子胡亥袭位[551]。

九月，葬始皇于骊山[552]，下锢三泉[553]，奇器珍怪，徙藏满之。令匠作机弩[554]，有穿近者[555]，辄射之[556]。以水银为百川、江河、大海，机相灌输[557]。

胡亥判案，胡亥对赵高很喜爱并信任。赵高曾经犯过大罪，秦始皇派蒙毅负责审理。蒙毅依据法律判处赵高死刑。秦始皇因为赵高办事敏捷，特别赦免了他，让他官复原职。赵高平素既深受胡亥宠信，又对蒙氏兄弟怀有仇怨，如今见秦始皇已死，就趁机煽动胡亥，让他假传秦始皇的遗嘱诛杀扶苏而自立为太子。胡亥同意赵高的意见。赵高说："如果不和丞相李斯商量，事情恐怕无法成功。"于是赵高就去找李斯说："皇上赐给长子扶苏的诏书和玺印都在胡亥的手里。立谁为太子，就决定于您和我的一句话了。您看这事该怎么办呢？"李斯说："怎么能说出这种亡国的话？立太子的事不是做臣子的所应当议论的。"赵高说："您的才能、谋略、功劳、人缘，以及受太子扶苏信任的程度，和蒙恬比起来，谁更胜一筹呢？"李斯说："我比不上蒙恬。"赵高说："那样的话，如果长子扶苏即位当了皇帝，肯定任用蒙恬为丞相，您最终将不能怀揣丞相大印荣归故里是肯定的了。胡亥的品行仁慈、为人厚道，可以立他为皇位继承人。希望您认真地考虑后做出决定。"丞相李斯认为赵高的话有道理。就与赵高一起谋划此事，假称接受了秦始皇的遗诏，立胡亥为太子。又另外编造了一封信给扶苏，捏造了几大罪状对他进行责备：不能开辟疆土为国家建立功勋，却使军队遭受了重大损失，又多次给皇帝上奏章，在奏章当中对始皇帝明目张胆地进行诽谤，一天到晚地抱怨说不让返回到朝廷、不被立为太子。蒙恬将军对他的所作所为不规劝不制止，知道他的心思。诏令两人自杀，将兵权移交给副将王离。

扶苏拆开诏书看完后，就哭着走进内室，准备自杀。蒙恬制止他说："皇上在外巡视，并没有册立太子，他派我率领三十万大军戍守边境，派公子您担任监军，这是天下最重要的任务啊。如今派一个使者前来，您就听信想要自杀，您怎么知道这不会是欺诈呢？应该再奏请皇上，证实是真的后再自杀也不晚。"赵高派来的使者再三催促他们。扶苏对蒙恬说："既然是父亲决心让儿子自杀，哪里还需要再请示！"说完立即自杀了。蒙恬不肯自杀，使者就将他交给狱吏，囚禁在阳周。又更换李斯的手下做护军都尉，然后回报赵高等人。

胡亥听说扶苏已死，就想赦免蒙恬。正好此时蒙毅为给秦始皇求福而外出祭祀山川之神回来了。赵高对胡亥说："先帝认为您在诸位王子中最贤能，早就想立您为太子了，可是蒙毅却劝阻先帝不让立您为太子，不如现在将他杀掉。"于是将蒙毅抓起来，囚禁在代郡。胡亥等经过井陉抵达九原。当时正好是暑热天气，秦始皇的尸体在辒凉车中已经腐烂，散发出臭味，于是下令每辆车上都要装载一百斤的腌咸鱼，用鱼的臭味混淆尸体的臭味。从直道回到都城咸阳，这才宣布秦始皇的死讯，为秦始皇举办丧事。太子胡亥继承皇位。

九月，将秦始皇安葬在骊山，由于墓穴很深，就把铜熔化后灌入，用以堵塞底下的泉水，墓穴之中装满了奇珍异宝。又让能工巧匠在陵墓中装上有机关控制的弩箭，如果有人盗掘陵墓，只要一靠近就自动将盗墓者射死。还仿照地面的样子，挖

上具天文[558]，下具地理[559]。后宫[560]无子者[561]，皆令从死。葬既已下[562]，或言："工匠为机[563]，藏皆知之[564]，藏重即泄[565]。大事尽，闭之墓中[566]。"

二世欲诛蒙恬兄弟，二世兄子子婴[567]谏曰："赵王迁[568]杀李牧[569]而用颜聚[570]，齐王建[571]杀其故世忠臣而用后胜[572]，卒皆亡国。蒙氏，秦之大臣谋士也，而陛下欲一旦弃去之。诛杀忠臣，而立无节行之人[573]，是内使群臣不相信，而外使斗士之意离[574]也。"二世弗听，遂杀蒙毅及内史恬[575]。恬曰："自吾先人及至子孙[576]，积功信于秦三世矣。今臣将兵三十余万，身虽囚系，其势足以倍畔[577]。然自知必死而守义者，不敢辱先人之教，以不忘先帝也[578]。"乃吞药自杀[579]。

扬子《法言》[580]曰："或问：'蒙恬忠而被诛，忠奚可为也[581]？'曰：'堑山堙谷[582]，起临洮，击辽水[583]，力不足而尸有余[584]，忠不足相也[585]。'"

臣光曰："始皇方毒天下[586]，而蒙恬为之使[587]，恬不仁可知[588]矣。然恬明于为人臣之义，虽无罪见诛，能守死不贰[589]，斯亦足称[590]也。"

【段旨】

以上是第三段，写秦始皇死于东巡途中，赵高、胡亥拉拢李斯篡改诏书，杀扶苏、蒙恬而立胡亥为帝的过程。

掘成百川、江河、大海的形状，灌入水银作为流水，再用机械的力量使水银在川、河、海里不停地流动。陵墓中，顶部装饰有日、月、星、辰，底部有山脉河流。后宫当中，凡是没有生育子女的嫔妃，全部强迫她们为始皇殉葬。安葬完毕，有人提醒说："陵墓里的弓弩都是工匠制作的，里面陪葬了什么珍宝他们最清楚，恐怕会泄露出去。所以等到陵墓里面的事情一完，就把那些工匠等人全部封闭在墓中。"

秦二世胡亥想要诛杀蒙恬、蒙毅兄弟。二世哥哥的儿子子婴劝阻他说："过去赵王赵迁杀死了大将李牧而任用颜聚，齐王田建杀死了数世的忠臣而重用后胜，最终都导致了国家灭亡。蒙氏是秦国的重要大臣和谋士，而陛下却想在一天之内就除掉他们。诛杀对国家忠心耿耿的大臣，任用没有品行操守的奸佞，其结果必然会使朝廷之内群臣失去对皇帝的信任，在外使将士们对朝廷离心离德而丧失斗志。"秦二世胡亥不听从子婴的劝告，终于杀掉了蒙毅和蒙恬。蒙恬在临死之前说："从我的祖先一直到我们孙子辈，对秦国忠心耿耿、屡立战功已经三代了。如今我率领大军三十万，尽管我被囚禁，但我仍然有势力可以背叛秦国。但我明明知道一定会被处死而仍然坚守'君叫臣死，臣不得不死'的原则，是因为我不敢辜负先人的教诲，不敢忘记先帝对蒙氏的厚恩。"说完就吞下毒药自杀了。

扬雄在《法言》中议论说："有人问：'蒙恬忠心耿耿反而被杀，忠又有什么用呢?'回答说：'开山填谷修筑长城，从西部的临洮一直修到东部的辽水，只知道利用人民的力量而不顾人民的死活，使民力匮乏、死伤众多，他的忠心是抵消不了他对人民的罪行的。'"

司马光说："在秦始皇荼毒天下的时候，蒙恬却为他奔走效力，蒙恬缺乏仁爱之心而行为不明智由此可知。然而蒙恬始终遵守君臣关系的准则，虽然自己没有罪过而遭到诛杀，却宁可死也不生二心，就这点来说也是值得称道的。"

【注释】

㊷十月癸丑：十月初四。当时秦朝以十月为岁首。㊸左丞相斯从：左丞相李斯跟从始皇帝出巡。㊹右丞相去疾守：右丞相冯去疾在咸阳留守。守，留守。㊺少子胡亥：据《史记集解》，胡亥乃始皇帝之第十八子。㊻最爱：最受秦始皇宠爱。㊼云梦：当时的大泽名，约当今湖北武汉以西、公安以东、潜江以南、长江以北的大片地区。㊽望祀：遥望而祭。"望"是古代祭祀的一种。㊾九疑山：也作"九嶷山""苍梧山"，在今湖南宁远南，相传虞舜南巡，死而葬于此山。㊿浮江下：乘船沿长江而下。(461)藉柯：周予同《中

国历史文选》以为应作“籍河”。刘盼遂以为“籍”通“藉”，即“布”，如小孩的尿布称“藉子”。辛志贤以为“藉河”即瀑布，指庐山瀑布。㊷海渚：梁玉绳曰：“《正义》以‘海’字为‘江’之误，《史诠》谓‘江渚’一名‘牛渚’，即采石矶也。”〖按〗采石矶在今安徽马鞍山市西南，突出于长江中。㊸丹阳：秦县名，在今马鞍山市东南。㊹钱唐：秦县名，在今杭州西。㊺浙江：即今钱塘江。㊻西：向西绕行。㊼从狭中渡：在上游江面狭窄的地方渡过了钱塘江。《史记集解》云：“徐广曰：‘盖余杭也。’顾夷曰：‘余杭者，秦始皇至会稽经此，立为县。’”〖按〗秦时之“余杭”在今杭州西，与今杭州东北之“余杭”相距甚远。㊽会稽：山名，在今浙江绍兴南。㊾祭大禹：相传大禹东巡，曾会诸侯于此山，死后葬此。事见《史记·夏本纪》。今会稽山上有禹陵、禹庙。㊿望于南海：谓遥望南海而对之致祭。471立石颂德：立石刻铭文以歌颂秦始皇之功德。〖按〗此刻石现存于浙江绍兴文物管理委员会，碑高近三米，宽约一米半，上刻篆书十二行，每行二十四字。另有隶书题记三行，共六十字。是丞相李斯的手笔。《史记·秦始皇本纪》（三十七年）亦载此文。472吴：秦县名，即今江苏苏州市郊，其地当时为会稽郡的郡治。473江乘：秦县名，在今江苏句容北，地处长江边。474并海上：沿着东海边向北走。并，傍、沿着。475琅邪：台名，也是秦郡名，郡治在今山东青岛市黄岛区西南。476之罘：海岛名，即今山东烟台西北的芝罘岛。477平原津：平原县西的黄河渡口名，当时的平原县在今山东平原县西南，西靠当时北流的黄河。478恶言死：不愿意谈到“死”字。479中车府令行符玺事：其主要官职是中车府令，同时还为皇帝兼管符玺。中车府令，官名，上属郎中令，为皇帝主管车库。行符玺事，兼带着为皇帝管理符节印玺。480赵高：秦始皇身边的宦官。事迹参见《史记·李斯列传》。481与丧会咸阳而葬：即让扶苏赶紧自上郡回咸阳，始皇的丧车亦将自东方回归咸阳。482在赵高所：在赵高处。所，处。483未付使者：尚未交由使者发出。484七月丙寅：〖按〗始皇三十七年（辛卯）的七月无“丙寅”日，“丙寅”是六月二十，或是八月二十一。485沙丘平台：沙丘宫里的平台。沙丘宫是当年赵国的离宫，在今河北平乡东北、广宗西北，赵武灵王即死于此处。见《史记·赵世家》。〖按〗始皇死时年四十九岁，《史记集解》之所谓“年五十”者，盖古人习用虚岁。486恐诸公子及天下有变：恐诸公子群起抢夺皇位，与天下各地闻讯而造反。诸公子，指除长子以外的其他所有儿子。487不发丧：此处意即不发布、不透露始皇死的消息。488棺载辒凉车中：依当时的形势情理，似只能说将“始皇遗体”载于辒凉车中，而尚难得用棺。辒凉车，王叔岷引孟康曰：“旧衣车也，有窗牖，闭则温，开则凉。”又引《一切经音义》：“卧车也。”489故幸宦者：旧日受宠爱的宦者。490骖乘：站在车上主座的右侧，充当警卫、侍应。491所至上食：不论行进到哪里，那里都照常给始皇帝送上饭食。492奏事：向始皇禀报诸事。493辄：就；随即。494可其奏事：答应他所启奏的事情；同意照他的意思办。495外将：任将军，统兵在外。496蒙毅：蒙恬之弟。497居中：在朝中任职。498名为忠信：有忠信之名。499诸将相二句：当时文臣最高的是“丞相”，武将最高的是“太尉”，蒙氏兄弟虽然不是“丞相”与“太尉”，但所受的信任与尊宠实在“丞相”与“太尉”之上。⑳ 生而隐宫：应作“生于隐官”。旧说皆以“隐宫”为惩治并关押宫刑犯人的场所，其实大误。“隐宫”应作“隐官”，乃是一个收容受过刑罚而因立功被赦之罪人的机关。处在隐官之罪人，必须从事劳动，其性质约与后世之劳动教养所大致相同。此语盖谓赵高之母乃是一名劳改犯，故赵高生于隐官。详细考据见韩兆琦《史记笺证》。㉑ 强力：坚强有力，此多从其意志而言。㉒ 通于狱法：懂得刑法。㉓ 决狱：判案。陈直曰：“《汉书·艺文志》：‘《爰历》六章，中车府令赵高作。’赵高盖深通小学者……赵高教胡亥书，盖指《爰历篇》等，兼及律令文而言。”㉔ 幸：喜欢；亲近。㉕ 治：审问；核查。㉖ 当高法应死：判赵高死刑。当，判定。㉗ 敏于事：办事勤快敏捷。㉘ 雅：平素；一向。㉙ 诈：假称。⑩ 然其计：赞成他的主意。⑪ 不与丞相谋二句：丞相，指李斯。史珥曰：“载高此语，所以著丞相成乱之罪。”⑫ 皆在胡亥所：徐孚远曰：“符玺及书本在高所，而云胡亥者，亦以劫斯也。”⑬ 定太子：究竟立谁为太子。⑭ 君侯：李斯时为丞相，爵为通侯，故赵高称之为“君侯”。⑮ 事将何如：您看这事该怎么办。⑯ 安得亡国之言：极言事体之严重，弄不好将使国破家亡。⑰ 孰与蒙恬：您与蒙恬相比，哪个条件更好。茅坤曰：“高必以蒙恬之隙，才能倾动李斯而使之叛。”⑱ 终不怀通侯之印归乡里：无论如何也不可能平安无事地告老归家，言最后必将被诛。通侯，亦称“彻侯”“列侯”。张晏云：“‘列侯’者，见序列也。”⑲ 笃厚：诚实厚道。笃，诚、厚。⑳ 嗣：接续；接班人。㉑ 审计：仔细考虑。㉒ 诈为受始皇诏：假说是接受了始皇帝的命令。㉓ 更为书：另编造了一封信。㉔ 数：责备；谴责。㉕ 士卒多耗：损失的士兵众多。㉖ 怨望：犹言“怨恨”。望，怨。㉗ 罢归：指返回京城。㉘ 不矫正：不纠之使正。㉙ 知其谋：知道他的心思。谋，这里指心思。㉚ 以兵属裨将王离：把兵权交给军营的副将王离。属，托、移交。裨将，偏将、副将。王离，秦国名将王翦之孙，后来被项羽破杀于巨鹿。㉛ 发书：打开诏书。㉜ 居外：指巡游在外。㉝ 复请而后死：再向朝廷请示一遍，如果朝廷仍是要杀我们，我们再死。㉞ 未暮也：那时再死也不迟。暮，迟。㉟ 数趣之：连续地催促。趣，通“促”。㊱ 尚安复请：还再请示什么。㊲ 即自杀：〖按〗今陕西绥德城内之疏属山顶有“扶苏墓”，墓为长方形，立有“秦长子扶苏墓”石碑一通。绥德城北一公里有“月宫寺”，相传为扶苏赏月处。其北两公里有“呜咽泉”，相传为扶苏赐死处。唐胡曾《杀子谷》诗有曰“至今谷口泉呜咽，犹似当时恨李斯”，泉名即出于此。㊳ 以属吏：把蒙恬交给狱吏。㊴ 系诸阳周：囚禁在阳周。阳周，秦县名，县治在今陕西子长西北。㊵ 舍人：半宾客半仆役的亲信用人。㊶ 护军：即监军，取代扶苏的职务。监军、护军，都是代表朝廷，为朝廷负责的特派员。㊷ 为始皇出祷山川：为给始皇帝求福而外出祭祀各地山川之神。㊸ 还至：回到始皇帝身边，因还不知始皇帝已死。㊹ 立太子：指欲立胡亥为太子。赵高为激起胡亥之恨蒙毅，极意编造。㊺ 乃系诸代：因当时始皇帝的灵车正行进至代，故即系此。系，下狱。代，秦郡名，郡治即今河北蔚县东北的代王城。㊻ 从井陉抵九原：由井陉北上，至九原郡。井陉，秦县名，在今河北井陉西北。县西即井陉口，是河北与山西之间的穿越太行山的交通要道，后来韩信破陈馀于此。九原，秦郡名，郡治在今内蒙古包头西。顾炎武曰："始皇崩于沙丘，乃又从井陉抵九原，然后从直道以至咸阳，回绕三四千里而归者，盖……若径归咸阳，不果行游，恐人疑揣，故载辒辌车而北行。"㊼会暑：正赶上天热。548辒车：即前所谓装载始皇遗体的辒凉车。549令车载一石鲍鱼：让每辆从官的车子都装上一石咸干鱼。石，一百二十斤。鲍鱼，咸干鱼。550以乱之：以冲击、混淆始皇灵车所发出的臭味。乱，混淆。551袭位：继其父位为皇帝。552骊山：也写作"丽山""郦山"，在今陕西西安市临潼区东南。553下锢三泉：向下挖到三层泉水以下，锢塞泉水，使之不向地宫渗漏。关于三层泉水的深度，袁仲一认为，在二十三米至三十米之间；朱思红、王志友根据始皇陵东、南、西三侧的排水沟渠深度为三十九点四米，认为秦陵地宫的深度要小于排水沟渠的深度，即小于三十九点四米。554机弩：有机关控制的弓，一触即发。555有穿近者：倘有人挖墓走近。556辄射之：机弩就会自行射箭。辄，就、随即。557机相灌输：有机关控制，使之周回流个不停。558上具天文：上有日月星斗。559下具地理：下有山脉河流。560后宫：指嫔妃与侍女。561无子者：即曾受始皇亲幸而未生子女者。562葬既已下：谓始皇棺椁与各种殉葬的东西俱已送入陵墓。563为机：制作的机弩。564藏皆知之：陵墓中藏了些什么他们都知道。565藏重即泄：陵墓中这些众多的珍藏物可能泄露出去。藏重，意同"重藏"，指陵墓中的众多珍藏。566闭之墓中：将众工匠封闭在陵墓中。〖按〗《史记·秦始皇本纪》于此作："葬既已下，或言工匠为机，藏皆知之。藏重即泄。大事毕，已藏，闭中羡，下外羡门，尽闭工匠藏者，无复出者。"较此清晰。567二世兄子子婴：〖按〗子婴的身世诸说不一。依本文所说，则子婴为二世之侄，《史记·李斯列传》则说是始皇之弟，而《史记集解》又引徐广说是始皇之弟的儿子。568赵王迁：战国末期赵国的倒数第二代昏君，悼襄王之子，公元前二三五至前二二八年在位。569李牧：战国末期赵国的最后一员良将，曾支撑赵国残局，为赵国抗秦兵、破匈奴，最后被赵王迁袭捕杀害。570颜聚：原是齐国将领，后又为赵将。关于李牧为赵国支撑残局与其被赵王迁所杀事，详见《史记·廉颇蔺相如列传》。571齐王建：齐国的亡国之君，公元前二六四至前

【原文】

二世皇帝上

元年（壬辰，公元前二〇九年）

冬，十月戊寅[591]，大赦[592]。

春，二世东行[593]郡县，李斯从。到碣石[594]，并海[595]南至会稽[596]，而

二二一年在位。⑤⑦② 后胜：齐王建时的宰相，被秦国收买的奸细。事迹见《史记·田敬仲完世家》。⑤⑦③ 无节行之人：指赵高之流。凌稚隆引杨慎曰："子婴知蒙恬之枉而能进谏，后卒能烛赵高之奸而讨贼，亦可谓贤矣。生逢末世，不幸盖与刘谌、曹髦同，哀哉！"⑤⑦④ 离：对朝廷离心离德。⑤⑦⑤ 内史恬：蒙恬，时为内史之职。内史是国家首都与其郊区的行政长官，汉代改称京兆尹。⑤⑦⑥ 自吾先人及至子孙：蒙恬、蒙毅的祖父为蒙骜，父亲为蒙武。⑤⑦⑦ 倍畔：同"背叛"。⑤⑦⑧ 不敢辱先人之教二句：不敢辱，意即不敢违背。此处蒙恬用语，与乐毅之《报燕惠王书》用语相同，足见作者对蒙氏之深刻同情。⑤⑦⑨ 乃吞药自杀：今陕西绥德城西南一华里之大理河北有蒙恬墓，墓高二十余米，墓前有清代道光年间立的石碑一通，上刻"秦将军蒙恬墓"。⑤⑧⓪ 扬子《法言》：西汉末年扬雄模仿《论语》，用自问自答口吻所写的一部论学著作。扬，或作"杨"。⑤⑧① 忠而被诛二句：忠心耿耿而被人所杀，照此看来，还有必要给人尽忠吗。奚，岂，反问语词。⑤⑧② 堑山堙谷：挖山填谷。堑，挖掘。堙，填塞。⑤⑧③ 起临洮二句："击"字无义，似应作"至"，即指西起临洮，东至辽东郡的长城。⑤⑧④ 力不足而尸有余：汪荣宝《法言义疏》曰："谓用民之力而不惜民之死，民力匮而死者多耳。"⑤⑧⑤ 忠不足相也：蒙恬的所谓"忠心"是不值得称道的。相，称赞。〖按〗以上数语见《法言·渊骞》。⑤⑧⑥ 始皇方毒天下：当秦始皇施虐于天下、为害于天下的时候。方，当。毒，祸害。⑤⑧⑦ 蒙恬为之使：蒙恬为其奔走效力。使，役使。⑤⑧⑧ 不仁可知：无仁爱之心，是可以知道的。⑤⑧⑨ 守死不贰：宁死而不生二心。⑤⑨⓪ 亦足称：也值得颂扬。〖按〗司马光对秦始皇与蒙恬的进步作用一点也看不到，而对蒙恬为一个罪恶多端的帝王"守死不二"而大唱赞歌，可以说是死心塌地地为专制主义服务。

【校记】

［4］反数上书："反"字原无。据章钰校，十二行本、乙十一行本、孔天胤本皆有此字，张敦仁《通鉴刊本识误》、张瑛《通鉴校勘记》同。今从诸本及《史记·李斯列传》和《通鉴纪事本末》卷一下补。

【语译】

二世皇帝上

元年（壬辰，公元前二〇九年）

冬天，十月初五戊寅这天，大赦天下。

春天，秦二世胡亥向东巡视郡县，由李斯跟随。首先到达碣石，沿着海边向南

尽刻始皇所立刻石，旁著大臣从者名[597]，以章先帝成功盛德[598]而还。

夏四月，二世至咸阳[599]，谓赵高曰："夫人生居世间也，譬犹骋六骥过决隙[600]也。吾既已临[601]天下矣，欲悉耳目之所好[602]，穷心志之所乐[603]，以终吾年寿[604]，可乎？"高曰："此贤主之所能行，而昏乱主之所禁[605]也。虽然，有所未可[606]，臣请言之。夫沙丘之谋，诸公子及大臣皆疑焉。而诸公子尽帝兄[607]，大臣又先帝之所置也。今陛下初立，此其属意怏怏[608]皆不服，恐为变。臣战战栗栗，唯恐不终[609]，陛下安得为[610]此乐乎？"二世曰："为之奈何？"赵高曰："陛下严法而刻刑[611]，令有罪者相坐[612]，诛灭大臣及宗室[613]。然后收举遗民[614]，贫者富之，贱者贵之。尽除去[5]先帝之故臣，更置陛下之所亲信者[615]。此则阴德归陛下[616]，害除而奸谋塞[617]，群臣莫不被润泽[618]、蒙厚德，陛下则高枕肆志宠乐[619]矣。计莫出于此[620]。"二世然之。乃更为法律[621]，务益刻深。大臣、诸公子有罪，辄下高[622]，令[6]鞠治[623]之。于是公子[624]十二人僇死[625]咸阳市[626]，十公主矺死于杜[627]，财物入于县官[628]，相连逮者，不可胜数。

公子将闾[629]昆弟三人[630]囚于内宫，议其罪独后。二世使使令将闾曰："公子不臣[631]，罪当死。吏致法[632]焉。"将闾曰："阙廷之礼[633]，吾未尝敢不从宾赞[634]也；廊庙之位[635]，吾未尝敢失节[636]也；受命应对[637]，吾未尝敢失辞[638]也，何谓'不臣'？愿闻罪而死。"使者曰："臣不得与谋[639]，奉书从事[640]。"将闾乃仰天大呼"天"者三，曰："吾无罪！"昆弟三人皆流涕，拔剑自杀。宗室振恐[641]。

公子高欲奔，恐收族[642]，乃上书曰："先帝无恙[643]时，臣入则[7]赐食，出则乘舆[644]。御府[645]之衣，臣得赐之；中厩[646]之宝马，臣得赐之。

到达会稽；沿途又在秦始皇为歌功颂德所立的石碑上加刻了一些说明文字，并在侧面刻上当时跟随秦始皇一起出行的大臣的名字，用以显扬秦始皇的盖世之功和美盛的品德。

夏天，四月，秦二世回到咸阳，他对赵高说：“人活在天地之间，就好像是六匹千里马驾着的车子飞快地冲过一道裂缝。我现在已经当了皇帝，统治了天下，我想要最大限度地满足一切感官的享受，尽情地享受世间的欢乐以满足内心的需要，直到我生命的终结，你看可以吗？”赵高说：“这正是贤明的君主应该做，而昏庸淫乱的君主所要禁止的事情啊。虽然如此，但现在还有些条件不足，请让我说给您听。在沙丘时杀扶苏立太子的计谋，诸位公子和那些大臣都心怀疑虑。而诸位公子又都是您的兄长，那些大臣又都是先帝所任命的。现在您刚刚即位，这一班人都心怀不满，恐怕会寻机作乱。我每天心惊胆战，唯恐没有好下场，您又怎么能够享受这些欢乐呢？”秦二世说：“那怎么办呢？”赵高说：“您可以用最严苛的刑法和最残酷的手段去处置他们，让那些有罪的人互相株连，把那些宗室和大臣全部杀掉。然后起用那些往日不被任用的人，贫困的让他们富裕起来，地位卑微的让他们尊贵起来。把先帝时的所有老臣全部废除，改换成您所信任的人。如此的话，他们内心都会感激您的恩德而愿意亲附于您，所有对您有害的都被除掉，而阴谋作乱的途径也就被杜绝，到那时，所有的臣子都得到您的恩惠、蒙受您的厚德，您就可以高枕无忧、为所欲为、随心所欲地享受尊荣富贵了。目前没有比这再好的计谋了。”秦二世同意了赵高的方案。于是重新修订法律条文，务必使新法更加苛刻严峻。那些大臣、公子犯了罪，往往就交给赵高去审理。不久就有十二位公子在咸阳街市上被杀死，十位公主在杜县受到分裂肢体的酷刑，这些人的财物全部被朝廷没收，因受到株连被逮捕的更是数不胜数。

公子将闾弟兄三人被囚禁在皇宫后院，最后才审理定罪。秦二世派人向将闾三人宣布罪状说：“公子不遵守为臣之道，根据罪状判处死刑。由官吏执行判决。”将闾抗争说：“我在朝廷上的一举一动，从来不敢不按照司礼官员的唱赞行动；在朝廷举行祭祀活动的时候，我从来没有不合礼节；在接受皇帝的命令和回答皇帝问话的时候，我从来不敢使自己的言辞有所失误，凭什么说我不遵守为臣之道？我希望能够拿出证据再死。”那个使者说：“我无权知道详细情况，只是奉命行事罢了。”将闾满腔悲愤，仰面大呼三声“苍天”，然后又长叹一声说：“我没有罪呀！”兄弟三人相抱痛哭，无奈之下只好拔剑自杀。秦二世的宗室成员全都感到惊恐不安。

公子高想要出逃，又怕连累全家人，于是就给秦二世上了一封奏章，他在奏章上说：“先帝在世的时候，我每次进宫，先帝都把御膳赏赐给我吃，外出的时候，就乘坐着皇帝赏赐的车子。皇宫内府的衣服，我得到过先帝的赏赐；皇宫内马厩里的宝马，我得到过先帝的赏赐。先帝去世时，我本应该殉葬却没有那样去做，从这点

臣当从死而不能[647]，为人子不孝，为人臣不忠。不孝不忠者，无名以立于世，臣请从死，愿葬骊山之足[648]。唯上幸哀怜之[649]。”书上，二世大说，召赵高而示之，曰：“此可谓急乎[650]？”赵高曰：“人臣当忧死不暇，何变之得谋[651]？”二世可其书，赐钱十万[8]以葬。

复作阿房宫[652]。尽征[653]材士[654]五万人，为屯卫咸阳，令教射狗马禽兽[655]。当食者多，度不足[656]，下调郡县转输菽粟、刍稿[657]，皆令自赍粮食[658]，咸阳三百里内不得食其谷[659]。

秋七月，阳城[660]人陈胜[661]、阳夏[662]人吴广[663]起兵于蕲[664]。是时，发闾左戍渔阳[665]，九百人屯大泽乡[666]，陈胜、吴广皆为屯长[667]。会[668]天大雨，道不通，度已失期[669]。失期，法皆斩。陈胜、吴广因[670]天下之愁怨[671]，乃杀将尉[672]，召令徒属[673]曰：“公等皆失期当斩，假令毋斩而戍[674]，死者固什六七[675]。且壮士不死则已[676]，死则举大名[677]耳。王侯将相，宁有种[678]乎！”众皆从之。乃诈称公子扶苏、项燕[679]，为坛而盟，称大楚[680]。陈胜自立为将军，吴广为都尉[681]。攻大泽乡，拔之。收而攻蕲，蕲下。乃令符离[682]人葛婴将兵徇[683]蕲以东，攻铚、酂、苦、柘、谯[684]，皆下之。行收兵[685]，比至陈[686]，车六七百乘[687]，骑千余，卒数万人。攻陈，陈守、尉[688]皆不在，独守丞[689]与战谯门[690]中，不胜，守丞死，陈胜乃入据陈[691]。

初，大梁[692]人张耳、陈馀相与为刎颈交[693]。秦灭魏[694]，闻二人魏之名士，重赏购求[695]之。张耳、陈馀乃变名姓，俱之陈[696]，为里监门[697]以自食[698]。里吏尝以过笞陈馀[699]，陈馀欲起[700]，张耳蹑之[701]，使受笞。吏去，张耳乃引陈馀之桑下，数[702]之曰：“始吾与公言何如[703]？今见小辱[704]而欲死一吏乎[705]！”陈馀谢之。陈涉既入陈，张耳、陈馀诣门上谒[706]。陈

来看，我这做儿子的就是不孝，做臣子的就是不忠。我已经背上了不忠不孝的罪名，就没有理由再活在这个世界上。我现在请求追随先帝于地下，希望能够将我埋葬在骊山脚下先帝的旁边。希望陛下可怜我，满足我的要求。”秦二世接到公子高的奏章以后非常高兴，他把赵高找来，将公子高的奏章拿给他看，说：“他们现在已经走投无路，还有什么可能会谋反？”赵高说：“这些臣子担心活命都来不及，哪里还会去考虑谋反？”秦二世批准了公子高的奏请，还额外赏赐给他十万钱做安葬费。

秦二世下令继续建造阿房宫。又将健壮勇武的五万名战士全部调集去守卫咸阳，命令他们一面加强射箭技能的训练，一面训练狗和马，以供皇帝狩猎之需。由于一下子增加了五万人，再加上豢养的狗和马等禽兽，咸阳所需要的粮食和饲料很多，估计用度不足，于是就下令各郡县向咸阳运送粮食和草料，担负运送的人必须自己携带路上吃的粮食，不许他们在咸阳周围三百里以内购买粮食。

秋天，七月，阳城人陈胜、阳夏人吴广在蕲县武装起义，反抗秦王朝的暴政。当时，朝廷征调住在里巷左侧的居民去戍守渔阳，有九百人屯扎在大泽乡，陈胜、吴广都是领队的屯长。正赶上天降大雨，桥断路绝，无法前进，估计已经误了规定的期限。按照当时秦朝的法律，误了期限就要被处死。陈胜、吴广利用天下人对秦朝暴政充满怨恨的情绪，就把统领戍卒的县尉杀死；又把手下的戍卒召集起来，动员大家说：“你们大家都误了期限，按照法律，误了期限就要被处死；即使不被处死，为戍边、修筑长城而死的也得十有六七。再说，大丈夫不死也就罢了，如果非死不可，就要死得轰轰烈烈，死出点名堂来。王侯将相难道是爹娘遗传的吗！”众人都愿意听从陈胜、吴广的指挥。于是就冒充公子扶苏和项燕的队伍，设立祭坛，共同盟誓，号称“大楚”。陈胜封自己为将军，封吴广为都尉。他们率领着这支农民起义军首先进攻大泽乡，很快就将大泽乡占领。而后集中兵力攻下了蕲县。派符离人葛婴率军往蕲县以东去宣传，号召人民响应起义。起义军所到之处，势如破竹，一连攻下了铚、酂、苦、柘、谯等地。沿途招兵买马，等到达陈县的时候，起义军的队伍已经扩大到兵车六七百辆、骑兵一千多、士卒几万人。攻打陈县的时候，陈县里的郡守和郡尉都已逃出城外，只有守丞率军在城门之下进行抵抗，最后守丞因战败而死，陈胜率军占据了陈郡。

当初，大梁人张耳、陈馀两人是生死与共的挚友。秦国灭掉魏国以后，听说二人是魏国的知名人士，就用重金悬赏捉拿他们。张耳、陈馀改名换姓，逃到了陈郡，为一个里巷看门以糊口度日。一个主管里巷事务的小吏曾经因为一点小事而抽打陈馀，当时陈馀想要起来反抗，张耳就踩住他的脚，示意他暂时忍耐。那个小官吏走了以后，张耳把陈馀拉到一棵桑树之下，责备他说：“当初我是怎么跟你说的？今天受到一点小的屈辱，值得去跟一个小吏计较而牺牲自己的性命吗！”陈馀对张耳的直言相劝表示感谢。等到陈涉占领了陈郡的时候，张耳、陈馀亲自登门请求相见。陈

涉素闻其贤，大喜。

陈中豪桀父老请立涉为楚王，涉以问张耳、陈馀。耳、余对曰：“秦为无道，灭人社稷[707]，暴虐百姓，将军出万死之计[708]，为天下除残[709]也。今始至陈而王之，示天下私[710]。愿将军毋王[711]，急引兵而西[712]，遣人立六国后[713]，自为树党[714]，为秦益敌[715]。敌多则力分[716]，与众[717]则兵强。如此[9]野无交兵[718]，县无守城[719]。诛暴秦，据咸阳，以令诸侯[720]。诸侯亡而得立，以德服之[721]，如此则[10]帝业[722]成矣。今独王陈[723]，恐天下懈也[724]。”陈涉不听，遂自立为王[725]，号“张楚[726]”。

当是时，诸郡县苦秦法[727]，争杀长吏以应涉。谒者[728]从东方来[729]，以反者闻[730]。二世怒，下之吏[731]。后使者至[732]，上问之，对曰：“群盗鼠窃狗偷[733]，郡守、尉方逐捕[734]，今尽得[735]，不足忧也[736]。”上悦。

陈王以吴叔[737]为假王[738]，监诸将以西击荥阳[739]。

张耳、陈馀复说陈王，请奇兵[740]北略赵地[741]。于是陈王以故所善陈人武臣[742]为将军，邵骚为护军[743]，以张耳、陈馀为左右校尉[744]，予卒三千人，徇赵[745]。

陈王又令汝阴[746]人邓宗徇九江郡[747]。当此时，楚兵数千人为聚者不可胜数。

葛婴至东城[748]，立襄强[749]为楚王。闻陈王已立，因杀襄强还报。陈王诛杀葛婴。

陈王令魏人[11]周市[750]北徇魏地[751]。以上蔡[752]人房君蔡赐[753]为上柱国[754]。

陈王闻周文[755]，陈之贤人也，习兵，乃与之将军印，使西击秦。

武臣等从白马渡河[756]，至诸县[12]，说其豪桀[757]，豪桀皆应之。乃行收兵[758]，得数万人，号武臣为武信君[759]。下赵十余城，余皆城守[760]。

涉素知二人的贤能，对二人的到来非常高兴。

此时陈郡的英雄豪杰和一些德高望重的老者正在请求立陈涉为楚王，陈涉就以此事向张耳、陈馀征求意见。二人回答说："秦廷的所作所为简直惨无人道，它消灭了东方六国，残酷地对待百姓。将军率军起义，出生入死，是为天下的百姓铲除无道。如今刚到陈郡就要称王，这就等于告诉天下人，您起义的目的是为个人的私利。希望您暂缓称王，赶快率军西进，另外派人去寻找被秦国灭亡的六国后裔，帮助他们复国，如此则为自己广泛建立了同盟军，更是给秦国大量地增加了敌对势力。秦国的敌对势力越多，它的兵力就越分散；我们的同盟军越多，我们的力量就越强大。这样一来，在郊外就没有人愿意为秦国打仗，各郡县城就没有人再为秦国防守。您很快就能诛灭残暴的秦国，占据都城咸阳，然后向各路起义人马发布号令。各诸侯本来已经灭亡，因为有您而得以复国，这是用恩德使他们亲附，这样，您的帝王大业就算成功了。如果只占据了陈郡就称王，我担心天下的起义队伍会因此而解体。"陈涉没有采纳张耳、陈馀的意见，在陈郡自封为王，国号"张楚"。

在那个时期，各个郡县的百姓都痛恨秦朝的严刑酷法，纷纷起来杀死当地的官吏来响应陈涉。秦二世派往东方的使臣回到咸阳，把陈涉等人造反的事情报告给秦二世。二世不相信会有这样的事情，因此大怒，就把那个使者交给司法人员去治罪。后来再有使者回来，二世再问起农民起义的事情，使者怕得罪不敢讲实情，就骗他说："那群盗贼不过是些小偷小摸之辈，郡守、郡尉正在一个一个地抓捕他们，将要全部抓起来了，不值得您担忧。"秦二世听后马上就高兴起来。

陈王任命吴广为代理楚王，率领诸将向西攻取荥阳。

张耳、陈馀又劝说陈王，请求他派出一支军队出其不意地去攻取战国时期赵国统治下的地盘。于是陈王就任命他过去的老朋友陈郡人武臣为将军，邵骚为副将护军，任命张耳、陈馀为左右校尉，拨给他们三千人马，让他们去攻取赵地。

陈王又命令汝阴人邓宗去攻取九江郡。此时，楚地几千人聚在一起组成一个起义集团的已经数不胜数。

陈王所派葛婴的部队在抵达东城以后，就拥立襄强为楚王。后来听说陈涉已经自立为楚王，就杀死襄强，回到陈郡向陈涉汇报。陈王为此杀死了葛婴。

陈王派魏国人周市率领一支军队去攻取故魏国的土地。任命上蔡人房君蔡赐为上柱国。

陈王闻听周文是陈郡的贤能之士，又熟习兵法，就颁发给他将军印绶，派他向西进军去攻取秦国的都城咸阳。

武臣自从接受了攻取赵地的命令以后，率军从白马渡过黄河，向赵地进发。途中，每到一个地方，就派人去游说当地的英雄豪杰，那些豪杰全都起来响应。于是一边进军一边招募士兵，军队很快就由当初的三千人壮大到几万人，武臣被称为武信君。

乃引兵东北击范阳[761]。范阳蒯彻[762]说武信君曰："足下必将战胜而后略地[763]，攻得然后下城[764]，臣窃以为过矣[765]。诚听臣之计，可不攻而降城[766]，不战而略地，传檄而千里定[767]，可乎？"武信君曰："何谓也[768]？"彻曰："范阳令徐公，畏死而贪，欲先天下降[769]。君若以为秦所置吏[770]，诛杀如前十城[771]，则边地之城[772]皆为金城汤池[773]，不可攻也。君若赍臣侯印以授范阳令[774]，使乘朱轮华毂[775]，驱驰燕、赵之郊[776]，即[777]燕、赵城可无战而降矣。"武信君曰："善。"以车百乘、骑二百、侯印迎徐公。燕、赵闻之，不战以城下者三十余城[778]。

陈王既遣周章[779]，以秦政之乱，有轻秦之意，不复设备。博士[780]孔鲋[781]谏曰："臣闻兵法'不恃敌之不我攻，恃吾不可攻[782]'。今王恃敌[783]而不自恃[784]，若跌而不振，悔之无及也。"陈王曰："寡人之军，先生无累[785]焉。"

周文行收兵至关[786]，车千乘，卒数十万，至戏，军焉[787]。二世乃大惊，与群臣谋曰："奈何？"少府[788]章邯[789]曰："盗已至众强[790]，今发近县[791]不及矣。骊山徒[792]多，请赦之，授兵[793]以击之。"二世乃大赦天下，使章邯免[794]骊山徒，人奴产子[795]悉发以击楚军，大败之，周文走[796]。

张耳、陈馀至邯郸[797]，闻周章却[798]，又闻诸将为陈王徇地还[799]者，多以谗毁得罪诛[800]，乃说武信君，令自王[801]。八月，武信君自立为赵王，以陈馀为大将军[802]，张耳为右丞相，邵骚为左丞相。使人报陈王。陈王大怒，欲尽族[803]武信君等家，而发兵击赵。柱国房君[804]谏曰："秦未亡而诛武信君等家，此生一秦也[805]。不如因而贺之[806]，使急引兵西击秦。"

武信君一连攻占了赵地十几座城邑，其余的秦军据城坚守。于是武信君率军转向东北去攻打范阳。范阳人蒯彻劝说武信君说："我分析您的进军策略，好像非得经过苦战才能占领土地、扩大地盘，非得通过武力进攻才能占领城市。我认为这种做法太艰难了。您如果能采用我的办法，我保证让您不用攻城就能夺取城市，不用交战就能占领土地，只要用一纸声讨秦朝的文书就能平定千里，您认为可以吗？"武信君说："你用什么办法？"蒯彻说："范阳县令徐公，既怕死又贪婪，您率领的大军一到，他肯定率先投降。您如果因为他是秦王朝所设置的官吏，就像您先前占领那十座城一样把他杀掉，那么那些没有被您攻下的城池就都变成了像用金属铸造的城墙、像翻滚着开水一样的护城河，使您难以攻下。您如果把侯爵的印绶交给我，让我替您授予范阳令，我再乘坐着装饰豪华的车子，奔走炫耀于赵国、燕国故地的城郊，那么燕、赵故地的城邑用不着攻打就全部投降了。"武信君说："这个办法好。"于是就派蒯彻带着一百辆车、二百名骑兵，再加上侯爵的印绶去迎接范阳令徐公。燕、赵那些秦朝的守军听到消息，不用交战就主动投降的有三十多个城邑。

陈涉把周章派出去后，认为秦朝的统治已经彻底崩溃，于是流露出了轻视秦军的迹象，不再部署设防。博士孔鲋劝谏他说："我听说兵法上有这样的话，'不要把希望寄托在敌人不来攻打上，而要依靠我们自己的强大，使敌人打不垮'。如今大王您却认为秦军不来攻打而放松戒备，而不是依靠自己的强大不怕秦军攻打，如此的话，一旦遭受失败就不可挽救，后悔可就来不及了。"陈涉说："我的军队，您就不必费心了。"

周文沿途招募兵卒，到达函谷关的时候，已经拥有兵车一千辆、士卒数十万，大军抵达戏亭，便就地扎下营寨。秦二世听到起义军已经进入函谷关的消息后，这才大吃一惊，赶紧与诸位大臣商议说："现在该怎么办？"担任少府的章邯说："强盗已经打到家门口了，而且他们人多势众，现在再征调附近各县的兵力恐怕已经来不及了。在骊山修建陵墓的囚徒很多，请皇帝先赦免他们的罪行，发给他们兵器，让他们去抵挡起义军。"秦二世于是大赦天下，派章邯到骊山去赦免那些服刑的囚徒，再加上那些奴婢所生的儿子，全部征集起来去抗击楚军，结果周文所率领的楚军被打得大败。周文逃走。

张耳、陈馀到达邯郸，听说周文已经败退，又听说被陈王派去攻城略地的将领回到陈王所在的陈丘以后，好多人都因为遭受谗毁而被杀，于是就鼓动武信君武臣自立为王。八月，武信君武臣在邯郸自立为赵王，他封陈馀为大将军，封张耳为右丞相，封邵骚为左丞相。然后派人向陈涉报告。陈涉得知武信君自立为赵王的消息以后非常生气，就想把武信君等人的家人全部杀掉，然后出兵攻打刚刚建立起来的赵国。上柱国房君蔡赐谏阻陈王说："秦国还没有灭亡，现在又要诛灭武信君等人的家属，这就等于制造出一个与我们为敌的秦国呀。不如顺水推舟，派人前去祝贺，

陈王然之，从其计，徙系武信君等家宫中[807]，封张耳子敖为成都君[808]，使使者贺赵，令趣[809]发兵西入关[810]。

张耳、陈馀说赵王曰："王王赵，非楚意[811]，特以计贺王。楚已灭秦[812]，必加兵于赵。愿王毋西兵[813]，北徇燕、代[814]，南收河内[815]以自广。赵南据大河[816]，北有燕、代，楚虽胜秦，必不敢制赵[817]，不胜秦，必重赵[818]。赵乘秦、楚之敝[819]，可以得志于天下[820]。"赵王以为然，因不西兵，而使韩广[821]略燕、李良略常山[822]、张黡略上党[823]。

九月[824]，沛人刘邦[825]起兵于沛，下相[826]人项梁[827]起兵于吴[828]，狄[829]人田儋[830]起兵于齐。

刘邦字季[831]，为人隆准龙颜[832]，左股[833]有七十二黑子[834]。爱人喜施[835]，意豁如[836]也，常有大度，不事[837]家人生产作业[838]。初为泗上亭长[839]，单父[840]人吕公好相人[841]，见季状貌，奇之，以女妻之[842]。

既而[843]季以亭长[844]为县送徒骊山[845]，徒多道亡[846]。自度[847]比至皆亡之[848]。到丰西泽中亭[849]止饮，夜乃解纵[850]所送徒曰："公等皆去[851]，吾亦从此逝矣[852]。"徒中壮士愿从者[853]十余人。

刘季被酒[854]，夜径[855]泽中，有大蛇当径，季拔剑斩蛇。有老妪哭曰："吾子，白帝子[856]也，化为蛇，当道，今赤帝子[857]杀之。"因忽不见[858]。刘季亡匿[859]于芒、砀[860]山泽之间，数有奇怪[861]。沛中子弟闻之，多欲附[862]者。

及陈涉起，沛令[863]欲以沛应之[864]。掾、主吏萧何、曹参[865]曰："君为秦吏，今欲背之[866]，率沛子弟，恐不听。愿君召诸亡在外者，可得数百人，因劫众[867]，众不敢不听。"乃令樊哙[868]召刘季。刘季之众已数十百

就势让他赶紧率军西进去攻打秦王朝所在地。”陈涉认为蔡赐说得有理，于是接受了蔡赐的建议，把武信君等人的家属全都软禁到陈王的宫中作为人质，封张耳的儿子张敖为成都君，派遣使者到邯郸对赵王武臣登基表示祝贺，同时命令赵王武臣赶紧向西攻打函谷关。

张耳、陈馀劝说赵王武臣说："大王您在赵地称王，这本来不是出于陈王的本意，他派人来祝贺，只不过是他的权宜之计罢了。将来楚灭掉秦以后，必定会率兵攻打赵国。我们希望大王您不要听从陈王的命令向西进军，而是应该向北占领燕、代等地，再向南占领黄河以北地区，扩大自己的领土。到那时，赵国南临黄河，北有燕、代，地域辽阔，楚国就是战胜了秦国，也必定不敢制裁赵国，如果战胜不了秦国，就会有求于赵国，而与赵国保持友好的关系。到那时赵国就可以趁秦、楚两败俱伤的大好时机控制全国，横行天下了。”赵王赞成张、陈二人的意见，没有派兵西进攻秦，而是派韩广去攻取燕地，派李良攻取常山郡，派张黡攻取上党郡。

九月，沛县人刘邦在沛县起兵反秦，下相人项梁在吴郡起兵反秦，狄县人田儋于齐地起兵反秦。

刘邦因为在兄弟当中排行最小，所以又被称为刘季。他长得高鼻梁，上额突起，有着一副帝王的面相，大腿上还有七十二颗黑痣。他喜好交友，乐善好施，性情开朗豁达，胸怀大志，不愿意从事那些一般百姓所从事的谋生职业。最初担任泗上亭的亭长。单父县人吕公爱给人相面，他看见刘邦相貌，大为惊奇，就把自己的女儿吕雉嫁给刘邦为妻。

后来刘邦以亭长的身份为县里押解囚犯到骊山服苦役，路上不断有囚犯逃走。刘邦估计，等到骊山的时候，这些囚犯差不多就全逃光了。当走到丰邑西边大泽中的一个亭驿时，他让那些囚犯歇下来饮酒。等到夜深人静的时候，他把所有囚犯身上的绳索解开，对他们说："你们赶紧逃走吧，我从此也要离开沛县了。”囚犯当中有十多个身体强壮的人愿意跟随刘邦一起逃亡。

刘邦带着酒意，在夜里抄小路穿越泽中草地，有一条大蛇盘卧在路当中，挡住刘邦的去路，刘邦借着酒意，拔出身上的佩剑，将大蛇拦腰斩断。有一个老婆婆哭着说："我儿子是西方白帝的儿子，他幻化成蛇挡在路上，如今被赤帝的儿子杀死了。”说完就不见了。刘邦因为放跑了囚犯而躲避在芒山、砀山之间的草泽中的时候，不断有奇怪的事情发生。沛县中的年轻人听说以后，就有许多人想要追随他。

等到陈涉起兵反秦的时候，沛县县令想率领沛县的人民响应陈涉。当时任沛县主吏的萧何、任沛县狱掾的曹参对县令说："您是秦朝的官吏，现在想要背叛秦朝，如果由您来领导沛县的子弟，恐怕他们不会听从。希望您能把那些逃亡在外的人召回来，大约得有好几百人，依靠这些逃亡者来挟持县里的吏民，吏民不敢不听从。”于是就派樊哙去寻找刘邦。此时刘邦的追随者已有近百人。沛县县令把逃亡在外的

人[869]矣。沛令后悔，恐其有变，乃闭城城守[870]，欲诛萧、曹。萧、曹恐，逾城保[871]刘季。刘季乃书帛[872]射城上，遗[873]沛父老，为陈利害[874]。父老乃率子弟共杀沛令，开门迎刘季，立以为沛公[875]。萧、曹等为收沛子弟，得三千人，以应诸侯[876]。

项梁者，楚将项燕子也，尝[877]杀人，与兄子籍[878]避仇吴中[879]。吴中贤士大夫皆出其下[880]。籍少时，学书[881]不成，去[882]；学剑，又不成。项梁怒之。籍曰："书，足以记名姓而已。剑，一人敌，不足学。学万人敌[883]。"于是项梁乃教籍兵法。籍大喜，略知其意，又不肯竟学[884]。籍长八尺余[885]，力能扛鼎[886]，才器[887]过人。会稽守[888]殷通闻陈涉起，欲发兵以应涉[889]，使项梁及桓楚将[890]。是时，桓楚亡[891]在泽中。梁曰："桓楚亡，人莫知其处，独籍知之耳。"梁乃诫[892]籍持剑居外，梁复入，与守坐，曰："请召籍，使受命召桓楚。"守曰："诺。"梁召籍入。须臾，梁眴籍[893]曰："可行矣。"于是籍遂拔剑斩守头。项梁持守头，佩其印绶[894]。门下大惊，扰乱。籍所击杀数十百人。一府中皆慑伏[895]，莫敢起。梁乃召故所知豪吏，谕以所为起大事，遂举吴中兵，使人收下县[896]，得精兵八千人。梁为会稽守，籍为裨将[897]，徇[898]下县。籍是时年二十四。

田儋，故齐王族[899]也。儋从弟荣[900]，荣弟横，皆豪健[901]，宗强[902]，能得人[903]。周市徇地[904]至狄[905]，狄城守。田儋详[906]为缚其奴，从少年之廷[907]，欲谒杀奴[908]。见狄令，因击杀令[909]，而召豪吏子弟曰："诸侯皆反秦自立。齐，古之建国[910]也。儋，田氏，当王[911]。"遂自立为齐王。发兵以击周市[912]，周市军还去。田儋率兵东略定齐地[913]。

这些人找回来后又有些后悔，他担心这些人会不听节制，发生变乱，于是改变初衷，派人紧闭城门严加防守，不许刘邦等人进入县城，还要诛杀萧何、曹参。萧何、曹参害怕，就逃出城去投靠刘邦以求自保。刘邦于是写了一封书信绑在箭上射入城中，为城中父老分析坚守与投降孰好孰坏。城中的父老率领沛县子弟共同杀死了沛县县令，打开城门迎接刘邦进城，拥立他为沛县县令，称之为沛公。萧何、曹参等人替刘邦招集沛县的年轻人，一共有三千多人愿意跟随刘邦响应各路起义军的抗秦行动。

项梁，是楚国大将项燕的儿子，曾经因为杀了人，为躲避仇家的追杀，与他哥哥的儿子项籍逃到了吴中。吴中那些贤能的人士和有名望的士大夫都愿意和他们交往。项籍小时候曾经学习认字，没有学成就离开了；学习剑法，又半途而废。项梁对他这种有始无终的做法很不满意。项籍说："学习认字，能够学会写名字就足够了。学剑法，也不过抵挡一个敌人，不值得学。我要学万人敌。"于是项梁就亲自教项籍学习如何用兵作战、克敌制胜的策略和方法。项籍开始的时候非常愿意学，可是略知一点皮毛以后，就又不肯深入学习了。项籍身高八尺多，力量大得能扛起鼎，他的才干、气度、见识远远地超过一般人。会稽太守殷通听说陈涉率领农民起义后，就准备发兵响应陈涉，他委任项梁和桓楚为统兵的将领。此时，桓楚正流亡隐匿在江湖之中。项梁说："桓楚正在逃亡，没有人知道他藏在什么地方，只有我的侄子项籍知道。"项梁出外告诫项籍，让他随身携带兵器在门外等候，然后又进去与郡守殷通坐在一起谈话，项梁说："请您把项籍叫进来，让他接受您的使命去寻找桓楚。"殷通说："好吧。"项梁把项籍召了进来。殷通还没有来得及说话，项梁便向项籍使了个眼色说："可以动手了。"于是项籍拔剑一挥，殷通已经是人头落地。项梁提着殷通的首级，佩戴上郡守的印绶。郡守的侍卫们看见郡守突然被杀，都大惊失色，乱作一团。项籍挥剑杀死上百人。其他人全被镇住，趴在地上不敢动弹。项梁把他平时所结交的精干的官吏召集起来，将自己想要起事的想法告诉他们，于是征调吴中的兵马，又派人去下属各县召集人马，一共征集了八千精兵。项梁自己出任会稽郡郡守，命项籍为副将，率领部分军队到下属各县巡行告谕，让人民归附。当时项籍只有二十四岁。

田儋，是齐国王室的后裔。田儋的堂弟叫田荣，田荣的弟弟叫田横，他们都是地方上有威望的人物，宗族势力强大，很有号召力。周市受命陈王，一路攻城略地抵达狄邑，狄邑令死命防守。田儋假装着将一个家奴捆绑起来，带着一伙年轻人把绑着的家奴送到县衙门，说是要把杀奴的事情请示邑令。他见到狄邑令，就趁机把狄邑令杀死，而后又把那些有声望、有权势的官吏召集起来说："诸侯都在反抗秦朝，自立为王。齐地是我们田氏当年建国的地方。我田儋是齐王田氏的后代，理应称王。"于是田儋就自立为齐王。派兵攻打周市，周市领兵退去。田儋率领军队从狄邑出发，向东去收复原属于齐国的土地。

韩广[914]将兵北徇燕，燕地豪桀欲共立广为燕王。广曰："广母在赵，不可。"燕人曰："赵方西忧秦，南忧楚[915]，其力不能禁我[916]。且以楚之强，不敢害赵王将相[917]之家，赵独安敢害将军家乎？"韩广乃自立为燕王[918]。居数月，赵奉燕王母家属归之。

赵王与张耳、陈馀北略地燕界[919]，赵王间出[920]，为燕军所得。燕囚之，欲求割地。使者往请，燕辄[921]杀之。有厮养卒[922]走燕壁[923]，见燕将[924]曰："君知张耳、陈馀何欲[925]？"曰："欲得其王耳。"赵养卒[926]笑曰："君未知此两人所欲也。夫武臣、张耳、陈馀，杖马棰[927]，下赵数十城，此亦各欲南面而王，岂欲为将相终已耶[928]！顾[929]其势初定，未敢参分而王。且以少长[930]，先立武臣为王，以持赵心[931]。今赵地已服，此两人亦欲分赵而王，时未可耳[932]。今君乃囚赵王，此两人名为求[933]赵王，实欲燕杀之，此两人分赵自立。夫以一赵，尚易燕[934]，况以两贤王，左提右挈[935]而责杀王之罪[936]，灭燕易矣！"燕将乃归赵王，养卒为御而归[937]。

周市自狄还，至魏地[938]，欲立故魏公子[939]宁陵君咎[940]为王。咎在陈[941]，不得之魏[942]。魏地已定，诸侯皆欲立周市为魏王。市曰："天下昏乱，忠臣乃见[943]。今天下共畔[944]秦，其义[945]必立魏王后[946]乃可。"诸侯固请立市，市终辞不受。迎魏咎于陈，五反[947]，陈王乃遣之。立咎为魏王，市为魏相[948]。

是岁，二世废卫君角为庶人，卫绝祀[949]。

韩广接受赵王武臣的命令，率军向北去攻取故燕国的领土，燕地的豪杰想要拥立韩广为燕王。韩广说："我的母亲还在赵国的都城邯郸，所以我不能当燕王。"燕人说："赵国目前既担心西边的秦国，又担心南边的楚国，它的力量不能阻止我们称王。再说，就凭楚国那样强大，还不敢伤害赵王和他将相的家属，赵王又怎么敢伤害将军您的家属呢?"于是韩广在燕自立为燕王。过了几个月，赵王派人将燕王韩广的母亲和家人护送到燕国。

赵王与张耳、陈馀向北攻取古代燕、赵的边界地区，赵王武臣微服外出，被燕军抓获。燕国将他囚禁起来，想要逼迫他割让土地给燕国。赵国每次派使者来求情，都被燕国杀掉。有一个干杂活的兵卒跑到燕国的军营里来，对燕将说："你们知道张耳、陈馀想要干什么吗?"燕将说："他们想要赵王回去。"赵国那个干杂活的小兵笑着说："你们不知道他们两个人的想法。那个武臣，还有张耳、陈馀策马扬鞭、南征北战，夺取了赵地的几十座城池，他们都想自己南面称王，怎么会甘心一辈子给别人做将相呢！只是因为大局还没有完全稳定下来，不敢贸然地将赵地一分为三，各自称王罢了。只好暂且按年龄大小先让武臣为王，来稳定赵地的民心。现在赵国的民心已定，这两个人就想将赵地平分，自己称王，只是时机未到。现在你们竟然把赵王囚禁起来，那两个人表面上是来为赵王说情，实际上是想借燕国人之手杀掉赵王，他们二人好分赵，自立为王。一个赵国尚且还要轻视燕国，如果再有两个贤明的国王，他们互相配合，紧密呼应，兴师问你们一个谋杀赵王的罪名，灭掉燕国就很容易了!"燕将马上释放赵王，那个干杂活的小卒为赵王驾车，一起回到赵国的军营。

周市在狄邑被田儋打败后，率军撤退途中，经过原魏国的领地，于是就想拥立原魏国的公子宁陵君魏咎为魏王。当时因为魏咎还在陈郡陈王涉那里，一时回不了魏。魏地的领土已经全部被起义军所占领，诸侯都想立周市为魏王。周市说："天下混乱的时候，才更能显现出忠臣的本色。如今天下人全都背叛了秦王朝，从道义上说应该立魏王的后裔才对。"诸侯坚持要立周市，周市坚决拒绝。各诸侯只好同意立魏王的后人魏咎为魏王，派人到陈郡迎接魏咎，使者往返了五次，陈王涉才允许魏咎回到魏地。于是立魏咎为魏王，任命周市为魏国丞相。

这一年，秦二世废掉了卫君角，将他贬为平民，卫国到此彻底灭亡。

【段旨】

以上为第四段，写秦二世元年（公元前二〇九年）的全国形势，主要写了秦二世即位后继续修阿房、修陵墓，实施严刑峻法，残暴杀戮，以致引发陈涉以及刘邦、项羽等全国百姓大起义的情景。

【注释】

㉛591 十月戊寅：十月初五。592 大赦：新帝王一上台往往有发布“大赦”之举，借以收买人心。593 行：巡视；视察。594 碣石：海边的山名，在今河北昌黎西北，距秦皇岛、北戴河不远。〖按〗秦二世在碣石山刻石的文字见《史记·秦始皇本纪》。595 并海：沿着海边。596 会稽：山名，在今浙江绍兴东南。597 尽刻始皇所立刻石二句：凡是有始皇刻石的地方，秦二世就在始皇刻石的侧面刻上当年跟随秦始皇出巡大臣的名字。598 以章先帝成功盛德：章，显扬。方苞曰：“金石刻词，当始皇时止称‘皇帝’，今易世，不称‘始皇’，则久远之后如后嗣为之也……使人疑后嗣所为，则不称始皇之成功盛德也。”〖按〗据此，则二世在始皇刻石旁边增加一点说明，确有必要。599 至咸阳：由巡游东方海岸回到咸阳。600 骋六骥过决隙：极言用时之短暂。六骥，此指六马所拉的车。决隙，裂缝。《史记·留侯世家》：“人生一世间，如白驹过隙”；《魏豹彭越列传》云：“人生一世间，如白驹过隙耳。”先此则《墨子·兼爱下》《庄子·知北游》《庄子·盗跖》，亦皆有类似语句。601 临：君临；统治。602 悉耳目之所好：最大限度地满足一切感官享受。悉，尽、全部。603 穷心志之所乐：即想干什么就干什么。穷，尽、全部做到。604 以终吾年寿：就这么最大满足地过一辈子。605 所禁：所不敢做的。606 有所未可：现在还有些条件不足。607 诸公子尽帝兄：始皇帝的其他儿子都是您的哥哥。帝，指秦二世。梁玉绳曰：“此言疑不然，始皇二十余子……二世是始皇第十八子，尚有弟也。”王叔岷曰：“此文‘兄’下盖脱‘弟’字。”608 此其属意怏怏：这些人都心怀不满。此其属，这些人。怏怏，不乐、不平的样子。609 唯恐不终：唯恐不得善终，不能长保如此。610 为：王叔岷曰：“‘为’犹‘有’也。”611 刻刑：犹言“酷刑”，刑法严酷。612 相坐：犹言“连坐”，一人犯罪而株连他人。613 宗室：皇帝同族的人员。614 收举遗民：起用那些往日不被任用的人。遗民，前朝的忠实子民。615 贫者富之四句：此为古往今来一切阴谋家纠合死党之通用手段。616 阴德归陛下：暗中感谢您而归附于您。德，用如动词，感谢。617 奸谋塞：阴谋作乱的途径被堵塞。618 被润泽：犹言“蒙恩惠”。被，通“披”，沾受。润泽，原指雨露的浸润，此处借指皇帝的恩惠。619 肆志宠乐：随心所欲地享受富贵尊荣。泷川资言引中井积德曰：“宠，荣也。”620 计莫出于此：李笠曰：“‘出’犹‘逾’也，过也，‘莫过于此’者，言无有胜于此也。《吴王濞传》云：‘臣愚计无出此’，义同。”621 更为法律：重新制定法律条文。622 下高：交给赵高。623 鞫治：审判；推问。624 公子：指秦始皇的儿子，胡亥的兄弟。625 僇死：杀死。僇，同“戮”，斩杀。626 市：街市；闹市。于闹市执行死刑可威慑百姓。627 矺死于杜：于杜县被剁成碎块。矺，通“磔”，将人剁为碎块。杜，秦县名，在当时的长安城东南，今西安东南。据秦俑考古队简报综述：始皇陵的陪葬墓有两处，一处在陵园东门外，另一处在始皇陵坟丘北边。东门外已发掘的八座，葬具皆一棺一椁。尸骨经鉴定，死者为五男二女，年龄都在二十至三十岁左右，皆肢解入葬。推测被葬者

可能是被胡亥处死的秦公子、公主，可能还有秦始皇原来的近臣。㉘财物入于县官：财产被没收归公。入，没收。县官，指国家。陈直曰："'县官'始见于此，嗣后遂成为两汉人之习俗语。"㉙公子将闾：秦二世之兄。㉚昆弟三人：兄弟三个。昆弟，兄弟。〖按〗诸公子皆始皇之子，而特别称"将闾昆弟三人"，则此三人必一母所生者。㉛不臣：不像做臣下的样子。㉜致法：进行惩治，意即行刑。㉝阙廷之礼：指在朝廷上的一举一动。㉞从宾赞：按照司礼官员的唱赞行动。㉟廊庙之位：指站立在朝廷上。㊱失节：不合礼节。㊲受命应对：指应诏与二世谈话。㊳失辞：用词不当；说错话。㊴臣不得与谋：我无权知道详细情况。㊵奉书从事：只是遵照命令办事。㊶振恐：同"震恐"。㊷收族：谓收其家族而灭之。㊸无恙：无病；安好。这里指生前。恙，病。㊹乘舆：乘坐着皇帝赏赐的车子。㊺御府：犹言"内府"，皇宫内的府库。㊻中厩：皇宫内的马棚。㊼臣当从死而不能：谓"如果我不能给先帝殉葬的话"。当，同"倘"，倘若。㊽愿葬骊山之足：请求把我埋在始皇帝的陵墓旁。骊山，在今陕西西安市临潼区东南，是秦始皇的陵墓所在地。㊾哀怜之：可怜我，答应我的这点要求。㊿此可谓急乎：这大概可以叫作走投无路了吧。急，急迫，走投无路。651人臣当忧死不暇二句：当臣子的如果像这样连死都顾不过来，那他们还有什么可能去盘算造反呢。当，通"倘"，假如。得，能。652复作阿房宫：前因集中力量筑陵而停建阿房，现又继续建造。653征：调集。654材士：材官蹶张之士。材官，军队中以力大著称的特种兵。蹶张，能用脚踏开强弩。此语又见于《史记·绛侯周勃世家》。655令教射狗马禽兽：此处断句不一，有将"狗马禽兽"与下文连读者，然于情理不合，故此处仍将"令教射狗马禽兽"作一句读，大意谓让这五万人一方面加强咸阳的守卫，同时也让他们教人射箭，训练狗马，以充皇帝狩猎之需。656当食者多二句：谓咸阳一带聚集的人多，估计粮食供应不足。657下调郡县转输菽粟、刍稿：于是下令让各郡县向咸阳运送粮食与草料。转输，运送。刍稿，喂牲口的饲料。658自赍粮食：命令运送粮食的民工都要自己携带路上吃的粮食。赍，携带。659咸阳三百里内句：不允许运粮的民工在咸阳周围的三百里内买粮食吃。有人将此句解释作"咸阳三百里内百姓，不得食其所种谷，以上供于阙廷"，似非。660阳城：秦县名，县治即今河南登封东南的告成镇。661陈胜：字涉，与吴广同为我国第一次农民起义的领袖。事迹详见《史记·陈涉世家》。662阳夏：秦县名，即今河南太康。663吴广：字叔。664蕲：县名，县治在今安徽宿州。665发闾左戍渔阳：征调住在里巷左侧的居民到渔阳服役。《汉书·食货志》注引应劭曰："先发吏有过及赘婿贾人，后以尝有市籍（名在商人）者发，又以大父母、父母尝有市籍者。适戍者曹辈尽，复入闾取其左发之，未及取右而秦亡。"师古曰："居在里门之左者，一切发之。"渔阳，秦县名，县治在今北京市密云西南。666屯大泽乡：屯，停驻。大泽乡，在今安徽宿州内，当时上属蕲县。〖按〗今安徽宿州埇桥区之西寺坡镇有"涉故台村"，相传即当年陈涉发动起义之处。因为古代这里是一片沼泽，故而称作"大泽乡"。667屯长：下级军官名，相当于后世的连长。《后汉书·百官志》云："大将军营五部，部校尉一人，比二千石；军司马一人，比千石。部下有曲，曲有军候一人，比六百石。曲下有屯，屯长一人，比二百石。”此是汉制，录之以为参考。⑱会：值；正赶上。⑲度已失期：估计着肯定要迟到。度，估计、猜测。⑳因：顺着；借着。㉑愁怨：怨恨秦朝的暴政。㉒将尉：统领戍卒的县尉。将，统领、率领。《史记索隐》引《汉旧仪》：“大县二人，其尉将屯九百人。”师古曰：“其官本‘尉’耳，时领戍人，故为‘将尉’。”㉓徒属：指其统领下的众民工。㉔假令毋斩而戍：即使暂时不被杀而去守边。㉕死者固什六七：本来也有十分之六七的人累死。㉖不死则已：不死就算了。㉗死则举大名：要死就死出点名堂来，意即造反，称帝称王。王先谦曰：“大名，即谓‘侯’‘王’之属。”凌稚隆引洪迈曰：“前段连用四‘死’字，此段连用三‘死’字，不嫌冗繁。”㉘种：血统。㉙乃诈称公子扶苏、项燕：〖按〗此云陈涉诈称扶苏、项燕以从民欲，而后面竟无具体事实，似叙述有漏洞。又扶苏是秦朝公子，项燕是被秦所杀的楚国将领，又如何同时并举，也有矛盾。⑳为坛而盟二句：今宿州西寺坡镇有“涉故台村”，相传即当年陈涉发动起义时与众人筑坛盟誓之处，后人称其台为“涉故台”。今其地立有陈涉起义的塑像。㉛都尉：军官名，低于将军，相当于今之校官。㉜符离：秦县名，县治在今安徽宿州东北。㉝徇：巡行宣令，使之听己。㉞铚、酂、苦、柘、谯：皆秦县名，铚县在今安徽宿州西南，酂县在今河南永城西，苦县即今河南鹿邑，柘县在今河南柘城北，谯县即今安徽亳州。㉟行收兵：一面前进，一面招募、收编部队。㊱比至陈：待到达陈县时。比，及、至。陈，秦县名，即今河南淮阳，当时也是陈郡的郡治所在地。㊲六七百乘：六七百辆。乘，古称一车四马曰乘。㊳陈守、尉：陈郡的郡守和郡尉。㊴守丞：犹言“郡丞”，是郡守的副官，秩六百石。师古曰：“郡丞之居守者。”意即只有郡丞在郡，主持守城。㊵谯门：上有望楼的城门。师古曰：“谓门上为高楼以望者。”㊶据陈：占据了陈郡。㊷大梁：古都邑名，即今河南开封，战国时代为魏国都城。㊸刎颈交：师古曰：“言托契深重，虽断颈绝头无所顾也。”㊹秦灭魏：事在秦王政二十二年（公元前二二五年）、魏王假三年。㊺购求：悬赏捉拿。㊻俱之陈：一同逃到了陈郡。之，往。㊼为里监门：给一个里巷看大门。㊽以自食：以此维持生活。㊾里吏尝以过笞馀：里吏，主管该里事务的小吏。〖按〗《汉书》于此作“吏尝以过笞馀”，无“里”字，较此畅达。笞，原指用竹板、木棒打人，这里即指打。㊿欲起：欲起来反抗。701蹑之：用脚踩，借以示意。702数：责备。703始吾与公言何如：当初我和你是怎么说的。704见小辱：遇到一点小的屈辱。705欲死一吏乎：值得与一个小吏计较而牺牲性命吗。罗大经曰：“大智大勇，必能忍小耻小忿，彼其云烝龙变，欲有所会，岂与琐琐者校乎？”706诣门上谒：到陈涉宫门递名片求见。谒，名帖。707灭人社稷：指灭掉东方六国。708出万死之计：即所谓“不顾万死一生”。709除残：扫除残暴。710示天下私：让人家看着好像是为了个人称王。711毋王：不要称王。712急引兵而西：赶紧引兵西下（攻取秦朝的首都咸阳）。713立六国后：即儒家所鼓吹的“存亡继绝”。六国，指被秦始皇消灭的那些诸侯国，如齐、楚、燕、韩、赵、魏等。⑭自为树党：为自己广建盟友。⑮为秦益敌：给秦王朝大量树敌。⑯力分：秦王朝的力量就分散了。⑰与众：党与多。与，同伙、同党。⑱野无交兵：田野上无人抵抗。⑲县无守城：各县城皆无为秦朝坚守者。⑳以令诸侯：以号令各路起义人马。㉑以德服之：六国之后能亡而复立，故皆感戴陈涉，对陈涉心悦诚服。㉒帝业：比“称王”更高级、更宏伟的事业。根据儒家的说法，统治天下有所谓“帝道”“王道”“霸道”之分，陈馀“好儒术”，故有此说。㉓独王陈：单独一个在陈郡称王。㉔恐天下懈也：我担心天下的起义队伍由此解体。懈，通“解”，解体、散伙。陈子龙曰：“此策于陈、项初起时，甚当，若于楚、汉相持之日则疏矣。”㉕遂自立为王：事在秦二世元年（公元前二〇九年）七月。㉖张楚：张大楚国。一说，楚本为秦所灭，今立楚，故为“张楚”。㉗苦秦法：痛恨秦朝的严刑酷法。苦，痛恨。㉘谒者：帝王的侍从官员，掌传达、收发以及为帝王赞礼等。㉙从东方来：从东方出使回来。㉚以反者闻：把东方各地“造反”的情况向秦二世报告。闻，启奏、报告。㉛下之吏：把出使回来的谒者交给司法官治罪，嫌他把敌情说得太严重。㉜后使者至：以后再有使者回来。㉝群盗鼠窃狗偷：都是些土匪和一些穿墙入户的小偷小摸之辈。㉞方逐捕：正在追捕当中。方，正在。㉟今尽得：很快就要全部捉尽。今，即将。㊱不足忧也：用不着忧虑。〖按〗以上谄媚秦二世、掩盖真实情况的言辞乃出自叔孙通之口，见《史记·刘敬叔孙通列传》。㊲吴叔：即吴广，字叔。㊳假王：非实授，而暂行王者之事。假，犹后世之“代理”“权署”。㊴荥阳：秦县名，县治即今河南荥阳东北之古荥镇。㊵奇兵：出人意料以袭击敌方的部队。㊶赵地：战国时赵国统治的地盘，相当于今河北南部一带地区。㊷武臣：起义军的将领名。事迹详见《史记》之《陈涉世家》与《张耳陈馀列传》。㊸护军：职同“监军”，帝王派往军队中的特派员，以监察军队与各将领的思想动向。㊹校尉：军官名，略同于今之校级军官。古时一个将军统领各干部，各部的首长即校尉。㊺徇赵：攻取、开拓当初赵国的地盘。徇，无大仗可打，派兵巡游占领。㊻汝阴：秦县名，县治即今安徽阜阳。㊼九江郡：秦郡名，郡治寿春（今安徽寿县）。㊽东城：秦县名，县治在今安徽定远东南。㊾襄强：其人不详，诸本皆无注，疑是六国时的楚国后代。㊿周市：六国时魏国贵族的后代，故起兵后一直忠于魏国旧主。(751)魏地：师古曰：“即梁地，非河东之魏也。”梁地即今河南开封一带地区。(752)上蔡：秦县名，县治在今河南上蔡西南。(753)房君蔡赐：房君是蔡赐的封号名。《史记索隐》曰：“房，邑也，爵之于房，号曰‘房君’。”(754)上柱国：战国时楚国官名，凡破军杀将有大功者可使充之，位极尊宠。后为虚衔。(755)周文：字章。(756)从白马渡河：从白马津渡过黄河，进入河北当年的赵国地区。白马，秦县名，县治在今即河南滑县东北。其西北有黄河渡口，名曰“白马津”。(757)豪桀：当地之有影响、敢说敢为的人物。(758)行收兵：一面前进，一面招募兵员，扩充军队。主语为“武臣等”。(759)武信君：自命的称号，无非是表现既勇武又讲信义的意思。后来项梁起义后也自号“武信君”。(760)城守：据城而守。(761)范阳：秦县名，一般认为其县治即今河北定兴南之固城镇，旧属燕国地面，后属涿郡。钱大昕曰："《汉志》：东郡有范县，此即齐之西境……本齐地，而亦可属赵也。"〖按〗从上下文意判断，钱说确定无疑，秦时的"范县"即称"范阳"，在今河南范县东南，山东梁山县西北，也恰在当时"白马津"之东北方。唯一不合的是当时这个"范阳"乃在古黄河之南，不在河北，或史公叙事略误也。⑺⑹⑵ 蒯彻：即蒯通，汉人为避武帝讳而改，当时有名的辩士。其事迹详见于《史记》之《陈涉世家》与《淮阴侯列传》，《汉书》中有《蒯通传》。⑺⑹⑶ 战胜而后略地：非得经过苦战才能拓展地盘。略，拓得、占有。⑺⑹⑷ 攻得然后下城：非得通过武力进攻才能得到城池。⑺⑹⑸ 窃以为过矣：我认为这样就太艰难、太过分啦。⑺⑹⑹ 降城：使敌城投降。⑺⑹⑺ 传檄而千里定：一道檄文出去而使千里之地平定。檄，檄文，声讨敌方首领、号召敌方军民起义来归的文告。⑺⑹⑻ 何谓也：你说的是什么意思。⑺⑹⑼ 欲先天下降：想要在别人尚未投降时，他先带头投降您。⑺⑺⑽ 君若以为秦所置吏：如果您要认为他是一个秦朝任命的官吏。⑺⑺⑴ 诛杀如前十城：也像您先前攻占的那些城池一样把他杀掉。⑺⑺⑵ 则边地之城：那么那些没有被您攻下的城池。⑺⑺⑶ 皆为金城汤池：则都将变成一座座让您无法攻下的金城汤池。金城汤池，像金筑之城，像流淌着滚开水的护城河，指防守坚固之城池。⑺⑺⑷ 若赍臣侯印以授范阳令：假如您能让我带着侯爵的印信去授予范阳县令。赍，携带。⑺⑺⑸ 使乘朱轮华毂：假如您能让我坐着华贵的车子。毂，车轮的中心部位，周围与车辐的一端相接，中可以插轴。⑺⑺⑹ 驱驰燕、赵之郊：奔走炫耀于燕、赵地区都市的城郊。⑺⑺⑺ 即：则；这样一来。⑺⑺⑻ 不战以城下者三十余城：锺惺曰："蒯通见范阳令则说之降武信君，见武信君又说之封范阳，两路擒纵，虽是战国策士伎俩，然交得其利，而交无所害，说士皆如此，何至以空言祸人也。"姚苎田曰："此段最似《国策》，若其为范阳令、武信君谋，片言之间，免去千里兵戈惨祸，文在鲁连之上，品居王蠋之前，非战国倾危者所能及也。"⑺⑺⑼ 周章：即前文之所谓"周文"，或名"文"字"章"，或名"章"字"文"。⑺⑻⑽ 博士：帝王的侍从官名，以学识渊博者为之，以备参谋顾问之用。⑺⑻⑴ 孔鲋：孔子的九世孙（一说八世孙），陈涉起义后投奔陈涉为博士官。⑺⑻⑵ 不恃敌之不我攻二句：不要寄希望于敌人不来攻，而是要做到使敌人不敢攻。恃，仗恃、依靠。⑺⑻⑶ 恃敌：即以为敌人不会来攻。⑺⑻⑷ 自恃：指加强防守，形成牢不可破之势。⑺⑻⑸ 无累：不劳担心。⑺⑻⑹ 关：指函谷关，在今河南灵宝东北，三门峡市西南。⑺⑻⑺ 至戏二句：西进至戏亭，驻扎下来。戏，戏亭，在今陕西西安市临潼区东，有戏水流经其下，因以为名。据《史记·秦楚之际月表》，周文西征至戏在秦二世元年（公元前二〇九年）九月。凌稚隆引许应元曰："周文'行收兵'，即得十万，遂先至关，可谓能矣。而卒败散者，悬车深入，后不继也。"⑺⑻⑻ 少府：即少府令，九卿之一，掌山海池泽的收入和皇家手工业制造，以供皇家生活之用。⑺⑻⑼ 章邯：秦朝名将，时任少府之职，事见下文及《史记·项羽本纪》。⑺⑼⑽ 众强：兵多而且强大。⑺⑼⑴ 今发近县：现在再想从周围的郡县调集人马。⑺⑼⑵ 骊山徒：指在骊山始皇陵继续筑陵的劳改犯。⑺⑼⑶ 授兵：发给他们武器。⑺⑼⑷ 免：免其罪，使之从军。⑺⑼⑸ 人奴产子：

犹如《红楼梦》中所说的“家生子”，即家奴所生的孩子，是奴仆中的最贱者。⑺96 周文走：向东方败逃。⑺97 邯郸：古都邑名，旧址即今河北邯郸西南之赵王城。⑺98 却：兵败；败回。⑺99 徇地还：外出攻占地盘后回到陈郡。⑻00 以谗毁得罪诛：因遭谗毁被陈涉所杀。谗毁，在掌权者跟前说人坏话。⑻01 自王：自己独立称王。⑻02 大将军：国家的最高军事长官。⑻03 尽族：这里即指全部杀掉。⑻04 柱国房君：即蔡赐，时号房君（封地在今湖北房县）。⑻05 此生一秦也：谓又树立一个像秦王朝一样强大的敌人。史珥曰：“即子房蹑足封信之智。”〖按〗子房蹑汉王足使封韩信事，见《史记·淮阴侯列传》。⑻06 因而贺之：承认其独立，并向其祝贺。⑻07 徙系武信君等家宫中：即扣押起武臣等的家属，以之作为人质。系，囚禁、关押。⑻08 成都君：疑封号名，未必实有封地，前人引今四川成都与河南之某地以证之者恐未必然。⑻09 趣：同“促”，催促，这里意同“迅速”。⑻10 西入关：迅速西下破秦。此盖补叙周文未败以前事。⑻11 非楚意：此“楚”即指陈涉。⑻12 楚已灭秦：等楚灭秦之后。⑻13 毋西兵：不派兵西下。⑻14 北徇燕、代：向北攻取燕、代之地。燕指战国时的燕国地盘，约当今之河北之北部及与之邻近的辽宁地区。代指赵国的代郡，相当于今河北之西北部与山西之东北部。⑻15 河内：今河南的古黄河以北，即新乡、焦作、济源等地区。⑻16 南据大河：大河，即黄河。当时的黄河流经今河南温县、滑县、濮阳，东北流经山东德州，至河北之沧州东北入海，在当时的确为赵国南部之天然屏障。⑻17 制赵：制服赵国。⑻18 重赵：即有求于赵。⑻19 赵乘秦、楚之敝：即坐收渔人之利。敝，疲惫、残破。⑻20 得志于天下：即号令全国、控制全国之意。茅坤曰：“此一段情事，有战国权谋之余习。”⑻21 韩广：燕人，原为上谷郡的小吏，此时为武臣的部将。⑻22 常山：秦郡名，郡治在今河北元氏西北。⑻23 上党：秦郡名，郡治在壶关（今山西长治北）。⑻24 九月：秦二世元年（公元前二〇九年）的最后一个月，当时以“十月”为岁首。⑻25 沛人刘邦：刘邦是沛县丰邑人，起义前曾为沛县里的泗上亭长。沛县在今江苏境内。⑻26 下相：秦县名，在今江苏宿迁西南。⑻27 项梁：楚将项燕之子，项羽的叔父。⑻28 吴：即今苏州。⑻29 狄：秦县名，县治在今山东高青东南，战国时代属齐国。⑻30 田儋：战国时齐国诸侯的后代，《史记》有《田儋列传》。⑻31 刘邦字季：“季”是排行，不是字。⑻32 隆准龙颜：隆准是高鼻梁，龙颜是上额突起，额角像龙。旧时以称帝王之相。⑻33 股：大腿。⑻34 黑子：黑痣。⑻35 喜施：喜欢施舍助人。⑻36 豁如：开朗豁达的样子。⑻37 事：从事。⑻38 家人生产作业：一般平民百姓所从事的谋生职业，指为农、做工、经商等。家人，平民。⑻39 泗上亭长：泗上亭的亭长。泗上亭在今江苏沛县城东的泗水之滨。亭长是基层小吏名，古时县下设乡，乡下设亭。亭长主管该亭范围内的各项事务。⑻40 单父：秦县名，即今山东单县。⑻41 相人：给人看相。⑻42 妻之：嫁给刘邦为妻。⑻43 既而：后来；不久。⑻44 以亭长：以亭长的身份。⑻45 为县送徒骊山：为沛县向骊山的始皇陵押送劳改犯。⑻46 徒多道亡：劳改犯在押送途中跑了不少。⑻47 自度：自己估计。⑻48 比至皆亡之：等送到骊山时也就全跑光了。比，等到。⑻49 丰西泽中亭：丰邑西边大泽中的一个亭驿。丰，沛县下面的一个乡邑名，刘邦的家就在这里，故而刘邦建国后丰邑即升为县。亭，该地亭长的办公之地，有接待过往出差人员的义务。⑧50 解纵：解开绳索，将所剩的人全部放掉。⑧51 公等皆去：你们全都走吧。⑧52 吾亦从此逝矣：我也要从此离开沛县了。逝，去、走。⑧53 愿从者：愿意跟随刘邦的。⑧54 被酒：带着酒意。被，同“披”。⑧55 径：原指小路，离开大路，走小路直穿，即所谓“斜过”。⑧56 白帝子：暗喻秦朝的帝王。白帝为古代传说的五方上帝之一，于五行为金，居于西方，秦朝祭祀白帝，以为自己和天上的白帝相应。⑧57 赤帝子：以喻刘邦。赤帝也是古代传说的五方上帝之一，于五行为火，居于南方，汉代自称是赤帝的子孙。赤帝子斩白帝子，意即刘邦将取代秦朝。杨循吉曰：“斩蛇事，沛公自托以神灵其身，而骇天下之愚夫妇耳。大虹大霓，苍龙赤龙，流火之乌，跃舟之鱼，皆所以兆帝王之兴起者，此斩蛇之计所由设也。”〖按〗今河南永城芒山镇之鲁庄西有“高祖斩蛇碑”，明代隆庆五年（公元一五七一年）立。⑧58 因忽不见：说完就忽然不见了。⑧59 亡匿：逃避躲藏。⑧60 芒、砀：二山名，芒山在北，砀山在南，其间相距八里。芒山在今河南永城城北三十里，主峰高一百五十多米；砀山纵长二十里，宽约十里，在今安徽砀山县东南。⑧61 数有奇怪：即所谓“东南有天子气”“季所居上常有云气”云云。见《史记·高祖本纪》。⑧62 附：归依；追随。⑧63 沛令：沛县县令。⑧64 欲以沛应之：想率领沛县响应陈涉，跟随陈涉一道反秦。⑧65 掾、主吏萧何、曹参：当时萧何在沛县任主吏，主管人事；曹参为狱掾，主管司法。掾，属官的通称。⑧66 背之：背叛秦王朝。⑧67 因劫众：用这些逃亡者来劫持县里的吏民。⑧68 樊哙：沛县人，当时以杀狗为业。事迹详见《史记·樊郦滕灌列传》。⑧69 数十百人：八九十，近百个。⑧70 城守：据城防守。⑧71 保：投靠；依靠。⑧72 书帛：用丝绸写成一封信。⑧73 遗：给；致意。⑧74 为陈利害：为之分析坚守与投降的孰好孰坏。⑧75 沛公：沛县县令。从战国以来楚国的县令例皆称公，如蔡公、叶公等皆是。⑧76 以应诸侯：以与各路起义军相呼应。⑧77 尝：曾经。⑧78 兄子籍：即项羽，名籍，字羽。⑧79 吴中：即今苏州。⑧80 皆出其下：皆居其下。出，此处是“处于”的意思。⑧81 学书：学习认字、写字。泷川资言引雨晴精翁曰：“书，六书也，如保氏所教。”⑧82 去：指离开学书的地方，另往学剑。去，离开。⑧83 万人敌：这里即指兵法。⑧84 竟学：完成全部学业。竟，终了。何焯曰：“《（汉书）艺文志》兵法形势中有《项王》一篇，而‘黥布置阵如项籍军，高祖望而恶之’，盖治兵置阵是其所长，故能力战摧锋；而不足于权谋，故其后往来奔命，卒为人乘其罢而踣之，所谓略知其意而不竟者也。”郭嵩焘曰：“此历叙项羽为人磊磊有英雄气，然苦少深沉之量，是以终身无成。”〖按〗此处一方面写项羽之豪迈，同时又为其日后败于韩信作伏笔。⑧85 八尺余：约当今之一点八五米。⑧86 扛鼎：举鼎。⑧87 才器：这里主要指勇武善战方面的才干。⑧88 会稽守：会稽郡的郡守。当时会稽郡的郡治就在苏州。⑧89 应涉：响应陈涉。⑧90 使项梁及桓楚将：让项梁、桓楚给他当将军。⑧91 亡：潜逃；逃亡。⑧92 诫：告诉；嘱咐。⑧93 眴籍：对项羽使眼色。⑧94 印绶：印章与绶带。绶，系印的丝带。⑧95 慑伏：吓得趴在地上。⑧96 收下县：调集下属各县的丁壮。下县，会稽郡的下属各县。⑧97 裨将：副将。⑱徇：带兵巡行告谕，使之归服。⑲故齐王族：战国时齐国田氏王族的后代。⑳从弟荣：堂弟田荣。从弟，堂弟，叔父伯父的儿子。㉑豪健：气势雄豪，敢作敢为。㉒宗强：家族人多势大。㉓能得人：指人缘好，受众人拥护。㉔徇地：带兵为陈涉开辟地盘。㉕狄：秦县名，县治在今山东高青东南。㉖详：通“佯”，假装。㉗从少年之廷：带着一些年轻人把绑着的家奴送到县衙门。从，使之跟从，意即带领。廷，县衙之前庭。㉘欲谒杀奴：求见县令请准许杀死此奴。谒，请、求见。《史记集解》引服虔曰：“古杀奴婢皆当告官，儋欲杀令，故诈缚奴而以谒也。”㉙因击杀令：趁机遂袭杀县令。㉚齐二句：齐地是我们田氏当年建国的地方。㉛儋三句：我田儋，是齐国王室的后代，现在理应为王。㉜击周市：迎击周市，不让他进入当初的齐国地面。㉝东略定齐地：田儋击走周市于狄县，在齐都临淄之西北；为平定全齐计，故田儋又转头收拾其东部地区，以巩固齐国之后方。㉞韩广：燕地人，原曾为上谷郡（郡治在今河北怀来东南）的小吏，此时为赵王武臣的部下。㉟南忧楚：南忧陈涉的楚兵来攻。㊱不能禁我：无法阻止我们推您为王。㊲赵王将相：赵王与其将相，即武臣与张耳、陈馀等。㊳自立为燕王：都城即今北京市。㊴北略地燕界：古代的燕、赵分界，约在今之河北任丘北部之大清河一线，其地有镇曰“赵北口”，盖即赵国之北境。㊵间出：化装外出。㊶辄：即；就。㊷厮养卒：《公羊传》韦昭注：“析薪为厮，炊烹为养。”即今之所谓“炊事员”。㊸走燕壁：到达燕军的营垒。走，跑、急行。㊹见燕将：梁玉绳曰：“‘燕将’亦当作‘燕王’，下文同。归王大事，燕将敢自主乎?”㊺何欲：想要什么；想得到什么。㊻养卒：即前之所谓“厮养卒”。㊼杖马棰：即扬鞭策马，指东征西战。棰，马鞭。㊽岂欲为将相终已耶：怎肯一辈子只做个卿相呢。终已，终了、到头。㊾顾：转折语词，犹今所谓“问题在于”。㊿以少长：犹今之所谓“按大小”“按辈分”。㉛以持赵心：以稳定赵地的人心。持，把握、稳定。㉜时未可耳：只是时机未到而已。㉝求：讨要。㉞易燕：藐视燕国。易，轻视、瞧不起。㉟左提右挈：即相互配合，紧密呼应。㊱责杀王之罪：声讨你杀害赵王的罪行。责，质问、声讨。㊲为御而归：给赵王赶着车子回到赵营。御，赶车。㊳魏地：战国时代的魏国地区，约当今之河南开封一带。㊴魏公子：战国末期的魏国国王的儿子。㊵宁陵君咎：魏咎，宁陵君是其封号。宁陵，战国时的魏县名，在今河南宁陵南。㊶咎在陈：现时在陈涉帐下。㊷不得之魏：不能到魏地就职。魏咎投奔陈涉后，陈涉见魏咎的根子硬，威望高，担心日后威胁自己，故将其“留”在自己身边。㊸天下昏乱二句：古时俗语，《老子》有所谓“国家昏乱有忠臣”，后来鲍照诗又有所谓“时危见臣节，世乱识忠良”，等等，都是同一个意思。见，通“现”，表现出来。㊹畔：通“叛”。㊺义：宜，事理。㊻魏王后：真正被秦始皇所灭的魏国国王的后代。㊼五反：周市派人接了五次。徐孚远《史记测义》曰：“陈王不欲立魏后，故使者五反而后遣也。”吴见思曰：“五反，非见陈王之难，正写周市之忠也。”〖按〗二者的意思都有。㊽立咎为魏王二句：事在秦二世二年（公元前二〇八年）十二月。锺惺《史怀》曰：

“(周)市之于魏虽不及子房之于韩，然始终之义尽矣，君臣之义，才不能为子房，则当为市，宜表出之。”〖按〗周市之始迎魏咎在二世元年九月，陈涉许而立之乃在十二月。今总叙于“九月”下者，终其事也。㊾废卫君角为庶人二句：卫君角原是魏国的附庸，秦在灭魏的同时，将卫君由其封地濮阳迁到了野王(即今河南沁阳)，仍准其继续对前代卫国诸侯的祭祀。至此始将卫国彻底灭掉。

【校记】

[5]尽除去：原无“去”字。据章钰校，十二行本、乙十一行本皆有此字。今从十二行本、乙十一行本及《史记·李斯列传》和《通鉴纪事本末》补。[6]下高，令：原无“令”字。据章钰校，十二行本、乙十一行本、孔天胤本皆有此字。今从诸本及《史记·李斯列传》《通鉴纪事本末》补。[7]入则：“则”原作“门”。据章钰校，十二行本、乙十一行本、孔天胤本皆作“则”，张瑛《通鉴校勘记》、熊罗宿《胡刻资治通鉴校字记》同。今从诸本及《史记·李斯列传》《通鉴纪事本末》改。[8]十万：“十”原作“千”。《四部丛刊》影宋本(乙十一行本)、《史记·李斯列传》、《通鉴纪事本末》皆作“十”，今据改。[9]如此：“此”下原有“则”字。据章钰校，十二行本、乙十一行本、孔天胤本皆无此字。今从诸本及《史记·张耳陈馀列传》《通鉴纪事本末》删。[10]如此则：“如此”二字原无。据章钰校，十二行本、乙十一行本、孔天胤本皆有此二字，张敦仁《通鉴刊本识误》同。今从诸本及《史记·张耳陈馀列传》《通鉴纪事本末》补。[11]令魏人：“魏人”二字原无。据章钰校，十二行本、乙十一行本、孔天胤本皆有此二字，张敦仁《通鉴刊本识误》、张瑛《通鉴校勘记》同。今从诸本及《史记·陈涉世家》《通鉴纪事本末》补。[12]至诸县：“至”字原脱。据章钰校，十二行本、乙十一行本、孔天胤本皆有此字；胡刻本“至”字正文混入上文小注中。今从诸本及《史记·张耳陈馀列传》补。

【研析】

本卷写了秦王朝由其消灭东方诸国，建立统一王朝，历经十年即引发全国农民大起义，使王朝陷于崩溃前夜的历史。本卷所涉及的许多历史事件是波澜壮阔的，诸如秦灭东方诸国，诸如秦之伐匈奴、伐南越，诸如秦之修长城、修直道驰道，诸如改分封、行郡县，以及统一文字、统一度量衡，等等，都是前所未有的创举。秦始皇是伟大的。

但秦始皇缺乏历史经验，不懂得打天下与守天下应有不同的政策与策略，不懂上层建筑的重要，一味迷信武力强大，迷信严刑峻法，加上骄傲自满、目空一切，劳民伤财，穷奢极欲。有关秦国、秦朝整个路线上的缺陷，荀况、吕不韦等都有过不同的方略与主张，李斯是荀况的弟子，应该有所认识，但李斯是个患得患失、不敢坚持正确意见的人，这就使秦始皇真的成为“独夫”，成为自行其是的“孤家寡人”了。

秦始皇有错误，但是他伟大。如果在接班人上不出问题，扶苏上台后能够有所纠偏，秦王朝也未必不能转危为安。但李斯因自私自利而被拉入阴谋集团，从此遂出卖灵魂、为虎作伥，使秦二世更加倒行逆施，于是秦王朝遂无可救药了。对此我们应该对比着读一下《史记》中的《秦始皇本纪》《李斯列传》《蒙恬列传》，正确地看清楚秦始皇在中国历史发展中的巨大贡献，以及他的悲剧结局的形成。贾谊的三篇《过秦论》有些提法错误，但总体精神是好的、精彩的。欧阳修在《五代史·伶官传序》中更有："《书》曰：'满招损，谦得益。'忧劳可以兴国，逸豫可以亡身，自然之理也。故方其盛也，举天下之豪杰莫能与之争；及其衰也，数十伶人困之，而身死国灭，为天下笑。夫祸患常积于忽微，而智勇多困于所溺，岂独伶人也哉！"这段教训人不要骄傲自满的言论尤为绝伦。

由于秦二世上台后的变本加厉、倒行逆施，因而几个月后就爆发了陈涉、吴广的农民大起义，其来势之猛烈、发展之迅速，又为历代所少有，几个月内就蔓延全国。其中周文所领的一支队伍，竟在一个月之内就行进一千几百里，打到了秦王朝首都的郊区，这是农民起义势不可当的一面。但是早期的农民队伍又有许多致命的弱点，无组织、无纪律、无长远目标，相互掣肘，自立山头。陈涉派武臣到河北，武臣脱离陈涉宣告独立；武臣派韩广到燕地，韩广又脱离武臣宣告独立。作为起义军的领袖，陈涉也蜕变极快，这些问题都详见于《史记》之《陈涉世家》《张耳陈馀列传》《田儋列传》等。《史记·陈涉世家》是我国第一篇记录农民起义全过程的历史文献，认识价值极高。

卷第八 秦纪三

起昭阳大荒落（癸巳，公元前二〇八年），尽阏逢敦牂（甲午，公元前二〇七年），凡二年。

【题解】

本卷记载了秦二世二年（公元前二〇八年）至秦二世三年共两年间秦王朝内部的矛盾、崩溃，与各地起义军蜂起反秦的不可阻挡之势。在秦王朝内部方面，主要写了赵高与秦二世日益专横残暴和李斯为保官保命而出卖灵魂、为虎作伥，但最终仍被赵高所害的可悲可耻结局，以及赵高杀秦二世、立子婴，子婴又将赵高满门诛灭的情景。在起义军方面，主要写了陈涉所部因缺乏经验、内部涣散而被秦将章邯所灭，与继之而起的项羽、刘邦两支军队日益强大，直至项羽大破章邯于巨鹿，章邯投降项羽，以及刘邦从南路西下，破武关、峣关逼近秦朝京城的情景。

【原文】

二世皇帝下

二年（癸巳，公元前二〇八年）

冬十月[①]，泗川监平[②]将兵围沛公于丰[③]。沛公出与战，破之，令雍齿[④]守丰。十一月，沛公引兵之薛[⑤]。泗川守壮[⑥]兵败于薛，走至戚[⑦]。沛公左司马[⑧]得，杀之[⑨]。

周章出关[⑩]，止屯曹阳[⑪]，二月余，章邯追败之[⑫]。复走渑池[⑬]，十余日，章邯击，大破之。周文自刎，军遂不战。

吴叔[⑭]围荥阳[⑮]。李由[⑯]为三川守[⑰]，守荥阳，叔弗能下[⑱]。楚将军田臧[⑲]等相与谋曰："周章军已破矣，秦兵旦暮[⑳]至。我围荥阳城弗能下，秦兵至，必大败。不如少遗兵[㉑]守荥阳[㉒]，悉精兵迎[㉓]秦军。今假

【语译】

二世皇帝下

二年（癸巳，公元前二〇八年）

冬天，十月，泗川郡监平率军把沛公刘邦包围在丰邑。刘邦率军出来迎战，打败了平，于是安排雍齿留守丰邑。十一月，刘邦率军攻打薛县。泗川郡守壮率军出来迎战，被打败后逃往戚城。最后被刘邦手下的左司马抓获后处死。

周章所率领的楚军被章邯的军队打败后退出了函谷关，将部队驻扎在曹阳；两个月以后，又被随后追来的章邯军打败。周章逃往渑池，十几天以后，周章再次被章邯打败。周章便自杀了，他所率领的这支楚军全军覆没。

吴广率军包围了荥阳。秦丞相李斯的儿子李由担任三川郡郡守，坚守荥阳，吴广攻打不下。楚将军田臧等人一起商议说："周章的军队已经被彻底击溃了，秦国章邯的军队早晚就要到达这里。我们现在虽然包围了荥阳，却一时攻打不下来，等到章邯的军队一到，内外夹攻，我们一定得吃败仗。不如留下少量的军队继续包围荥阳，我们率领全部精锐部队去迎战秦军。假王吴广既骄傲又不懂得用兵作战的临机

王㉔骄，不知兵权㉕，不足㉖与计事，恐败。”因相与矫王令㉗以诛吴叔，献其首于陈王。陈王使使赐田臧楚令尹印，使为[1]上将㉘。

田臧乃使诸将李归等守荥阳，自以精兵西迎秦军于敖仓㉙，与战。田臧死，军破。章邯进兵击李归等荥阳下，破之，李归等死。阳城人邓说㉚将兵居郯㉛，章邯别将㉜击破之。铚㉝人伍逢㉞将兵居许㉟，章邯击破之。两军皆散，走陈。陈王诛邓说。

二世数诮让㊱李斯："居三公位㊲，如何令盗如此！"李斯恐惧，重爵禄㊳，不知所出㊴，乃阿二世意㊵，以书对曰㊶："夫贤主者，必能行督责之术㊷者也。故申子㊸曰：'有天下而不恣睢㊹，命之曰以天下为桎梏㊺者，无他焉，不能督责，而顾以其身劳于天下之民㊻，若尧、禹然㊼，故谓之桎梏也。'夫不能修申、韩之明术㊽，行督责之道，专以天下自适㊾也，而徒务苦形劳神，以身徇百姓㊿，则是黔首之役(51)，非畜天下者也(52)，何足贵哉！故明主能行督责之术，以独断于上，则权不在臣下，然后能灭仁义之涂(53)，绝谏说之辩(54)，荦然行恣睢之心(55)，而莫之敢逆(56)。如此，群臣百姓救过不给(57)，何变之敢图(58)！"二世说，于是行督责益严。税民(59)深者为明吏，杀人众者为忠臣。刑者相半于道(60)，而死人日成积于市(61)。秦民益骇惧思乱。

赵李良(62)已定常山(63)，还报赵王。赵王复使良略太原(64)。至石邑(65)，秦兵塞井陉(66)，未能前。秦将诈为二世书(67)以招良。良得书未信(68)，还之邯郸，益请兵(69)。未至(70)，道逢赵王姊出饮，从百余骑[2]，良望见，以为王(71)，伏谒(72)道旁。王姊醉，不知其将(73)，使骑谢李良(74)。李良素贵(75)，起，惭其从官。从官有一人曰："天下畔秦，能者先立。且赵王

应变之术，用不着跟他商量，如果跟他商量的话恐怕不能成事，反倒坏事。”于是就假传奉了陈王涉的命令把吴广杀死，并把他的首级送往陈丘交给陈王陈涉。陈王涉派遣使者把楚国令尹的大印颁发给田臧，又任命田臧为上将。

田臧派李归等诸将留守荥阳，自己亲自率领精兵前往敖仓迎战秦将章邯，与之激战。田臧战死，他所率领的楚军也溃散了。章邯乘胜向围攻荥阳的李归等发起进攻，又将李归的军队打得大败，李归等诸将全部战死。陈王涉的部下、阳城人邓说率领一支部队驻扎在郏城，被章邯所派出的另一支军队打败。铚县人伍逢率军驻扎在许县，被章邯的军队打败。两军被打散以后全都逃到了陈丘。陈王涉将邓说杀死。

秦二世屡次责备丞相李斯说：“你身为丞相，位列三公，怎么会让盗贼如此猖狂！”李斯虽然深感恐惧，但又贪恋权势俸禄，既不愿意辞职，又想不出更好的应对办法，于是就迎合二世的心理，给秦二世上了一道奏章，说：“凡是贤明的君主，必定能够明察臣下的过失而用刑罚来处治他们。所以申不害说：‘享有天下却不敢随心所欲、为所欲为，这就叫作把天下当作拘禁犯人手足的刑具，不是别的原因，就是因为不能督责臣下，反而事事都要自己亲自操劳，就像尧、禹那样，所以说是把天下当作拘禁犯人手足的刑具。’如果不能实行申不害、韩非子所讲的那种管理人、驾驭人的办法，明察大臣的过失而进行有效的惩处，使整个国家服从自己、顺着自己，而是把治理天下百姓的事情都放在自己身上，以至于使自己身体憔悴、精神疲惫，那就等于让自己成了百姓的奴仆，那就不是享有天下的君主了，还有什么值得珍贵的呢！所以英明的国君都能够对下实行督责之术，在上独断专行，这样既不会使大权落到大臣的手里，又可以杜绝那些仁义之说的宣传，堵塞那些好提意见的人的嘴，到那时，君主才能够为所欲为而没有人敢违抗君主的意愿。如此一来，那些臣子、百姓就连弥补自己的过失都来不及，哪里还敢谋反呢！”秦二世听了后很高兴，于是对下更加严厉。那些敢于向百姓横征暴敛的被认为是好官，杀人杀得多的被看作是忠臣。在路上行走的有一半人是受过刑的，而被杀死的人的尸体每天都堆满了街市。秦二世统治下的百姓因此更加恐惧，同时也就更加盼望天下大乱。

赵王武臣的部将李良已经平定了常山，于是回到邯郸向赵王复命。赵王又派他去攻取太原。当走到石邑的时候，秦军已经在井陉设兵防守，李良的军队无法前进。秦将以秦二世的名义给李良写了一封招降信，企图用高官厚禄招降李良。李良接到这封假书信后，开始时并不相信，他率领着手下的一些亲信回邯郸请求增加兵马。走到半路，正巧碰上赵王的姐姐出外宴饮，有上百车骑跟从，李良以为是赵王的车驾，就赶紧在路边跪下参拜。谁知赵王的姐姐喝得大醉，没有认出李良是赵王手下的将领，只派了一个骑士前来答谢。李良向来显贵，当他认出是赵王的姐姐，便站起身来；想到自己当着随从的面给她下跪不说，还遭到无礼对待，感到非常羞愧。随从当中有一人趁机挑拨说：“天下的人全都背叛秦国，谁有能力谁当王。再说赵王

素出将军下[76]，今女儿[77]乃不为将军下车，请追杀之。”李良已得秦书，固[78]欲反赵，未决。因此怒[79]，遣人追杀王姊。因将其兵袭[80]邯郸，邯郸不知，竟杀赵王、邵骚[81]。赵人多为张耳、陈馀耳目[82]者，以故二人独得脱。

陈[83]人秦嘉[84]、符离[85]人朱鸡石等起兵，围东海守[86]于郯。陈王闻之，使武平君畔[87]为将军，监郯下军[88]。秦嘉不受命[89]，自立为大司马[90]，恶属武平君[91]，告军吏曰："武平君年少，不知兵事，勿听。"因矫以王命[92]杀武平君畔。

二世益遣[93]长史[94]司马欣、董翳[95]佐章邯击盗。章邯已破伍逢，击陈柱国房君[96]，杀之。又进击陈西[97]张贺军[98]。陈王出监战[99]，张贺死[100]。

腊月[101]，陈王之汝阴[102]，还，至下城父[103]，其御[104]庄贾杀陈王以降[105]。

初，陈涉既为王，其故人皆往依[106]之。妻之父亦往焉，陈王以众宾[107]待之，长揖不拜[108]。妻之父怒曰："怙乱僭号[109]，而傲长者[110]，不能久矣。"不辞而去。陈王跪谢[111]，遂不为顾[112]。客出入愈益发舒[113]，言陈王故情[114]，或[115]说陈王曰："客愚无知，颛妄言[116]，轻威[117]。"陈王斩之。诸故人皆自引去[118]，由是无亲陈王者。陈王以朱防为中正[119]，胡武为司过[120]，主司群臣[121]。诸将徇地至[122]，令之不是者[123][3]，辄系而罪之[124]，以苛察为忠[125]。其所不善者[126]，弗下吏[127]，辄自治之。诸将以其故不亲附，此其所以败也[128]。

陈王故涓人将军吕臣[129]为苍头军[130]，起新阳[131]，攻陈，下之，杀庄贾，复以陈为楚[132]。葬陈王于砀[133]，谥曰隐王[134]。

初，陈王令铚[135]人宋留将兵定南阳[136]，入武关[137]。留已徇南阳[138]，闻陈王死，南阳复为秦[139]。宋留以军降，二世车裂留以徇[140]。

原来的地位一向比您低，如今就连一个女人也竟敢对您不以礼相待，不如追上去把她杀了。”李良自从接到秦二世的书信以后，就有心背叛赵王，只是一直没有下定决心。因为这一羞一怒，就派人追上前去杀死了赵王的姐姐。然后率领手下的军队突然对邯郸发起进攻。邯郸因为事先毫无察觉，所以赵王、邵骚都被李良杀死。赵国有许多人去给张耳、陈馀通风报信，所以只有他们二人得以逃脱。

陈人秦嘉、符离人朱鸡石等率众起兵，把东海郡郡守包围在郯城。陈王涉得到消息，就任命武平君畔为将军，派他去郯城做监军。秦嘉拒不接受陈王的命令，自己封自己为大司马。他不愿接受武平君的节制，于是就对他的部下说：“武平君年纪太小，不懂军事，别听他的。”不久又假传陈王的命令，杀死了武平君畔。

秦二世又增派长史司马欣、董翳前去帮助章邯剿灭起义军。此时章邯已经打败了伍逢和房君蔡赐，并将二人杀死。又率军向驻扎在陈丘西边的张贺部队发起进攻。陈王涉亲自出来督战，但于事无补，张贺兵败阵亡。

这年的腊月，陈王涉逃往汝阴，在返回的途中，经过下城父的时候，他的车夫庄贾将他杀死，投降了秦军。

当初，陈涉当了楚王以后，他过去的好多朋友都来投奔他。他的岳父也去投奔他。陈涉对待他的岳父就像对待一般的客人一样，只作了一个揖就算完事，并不行拜见礼。他岳父非常生气地说：“你趁着天下大乱，冒用帝王的称号不说，还竟然在长者面前摆架子、耍骄傲，一定长久不了。”也不跟陈王告别就要离去。陈王涉跪下请求岳父原谅，但他岳父连理也不理他。那些前来投奔他的朋友说话更加随便、放肆，经常谈论陈王过去的事情，有人对陈王说：“这些客人愚昧无知，专爱胡说八道，太有损陈王您的威信了。”陈王涉就把那些乱讲话的朋友全都杀死了。其他的朋友看到这种情景，也就自动离开了他，所以在陈王涉的身边再也没有亲近之人。陈王涉任命朱防为主管人事的中正，任命胡武为监察百官过失的司过，负责考核、监视群臣。那些将领们在外打了胜仗、攻占了城邑以后，回到陈丘复命时，凡是对朱、胡二人的命令稍有不从的，就被抓起来治罪，二人对待群臣越是苛酷，陈王越以为他们对自己忠诚。凡是被朱防、胡武看不顺眼的，就连交付司法部门审理的程序都免了，随意进行处置。因为这些缘故，诸将对陈王涉都不亲近，这也是导致陈王涉最后失败被杀的原因。

陈王从前的侍从、后来做了将军的吕臣率领着一支部队在新阳起事，他的部下都用青巾裹头做标志，所以被称为苍头军。吕臣率军攻占了陈丘，杀死了庄贾，为陈王报了仇，仍然以陈丘作为楚的临时都城。他把陈涉安葬在砀县，并追谥陈王为隐王。

早先，陈王任命铚人宋留率军攻取南阳，然后进军武关。宋留攻下了南阳以后，听到陈王被杀的消息，军心动摇，南阳重新被秦军夺去。宋留率军投降了秦军，被秦二世车裂示众。

魏周市将兵略丰、沛[141]，使人招雍齿[142]。雍齿雅[143]不欲属沛公[144]，即以丰降魏[145]。沛公攻之，不克。

赵张耳、陈馀收其散兵[146]，得数万人，击李良。良败，走归章邯[147]。

客有说耳、余曰："两君羁旅[148]，而欲附赵[149]，难可独立。立赵后，辅以谊[150]，可就功[151]。"乃求得赵歇[152]。春正月[153]，耳、馀立歇为赵王，居信都[154]。

东阳宁君[155]、秦嘉闻陈王军败，乃立景驹[156]为楚王，引兵之方与[157]，欲击秦军定陶[158]下。使公孙庆[159]使齐，欲与之并力俱进。齐王[160]曰："陈王战败，不知其死生，楚安得不请[161]而立王！"公孙庆曰："齐不请楚而立王，楚何故请齐而立王！且楚首事[162]，当令于天下[163]。"田儋杀公孙庆。

秦左、右校[164]复攻陈，下之。吕将军[165]走，徼兵复聚[166]，与番盗黥布[167]相遇，攻击秦左、右校，破之青波[168]，复以陈为楚。

黥布者，六[169]人也，姓英氏[170]，坐法黥[171]，以刑徒[172]论输骊山[173]。骊山之徒数十万人，布皆与其徒长豪桀[174]交通[175]。乃率其曹耦[176]亡之江中[177]，为群盗。番阳令[178]吴芮甚得江湖[179]间民心，号曰番君。布往见之，其众已数千人。番君乃以女妻之，使将其兵击秦。

楚王景驹在留[180]，沛公往从之。张良[181]亦聚少年百余人，欲往从景驹，道遇沛公，遂属焉。沛公拜良为厩将[182]。良数以太公兵法[183]说沛公，沛公善之，常用其策。良为他人言，皆不省[184]。良曰："沛公殆天授[185]。"故遂从[4]不去[186]。

沛公与良俱见景驹，欲请兵以攻丰。时章邯司马尼[187]将兵北定楚地，屠相[188]，至砀。东阳宁君、沛公引兵西，与战萧[189]西，不利，还，收兵聚留[190]。二月，攻砀，三日拔之，收砀兵，得六千人，与故合九千人。三月，攻下邑[191]，拔之。还击丰，不下。

魏国丞相周市带领军队夺取丰县、沛县以后，派人去招降雍齿。雍齿一向不愿意跟从刘邦，所以率领丰邑一起投降了魏军。刘邦亲自率军攻打丰县，没有攻下。

赵国的张耳、陈馀在赵王武臣被李良杀死以后，重新招集四处流散的旧部，又聚集起几万人，便率领着这支军队去攻打李良。李良被击败后投降了秦将章邯。

有宾客劝张耳、陈馀说："你们两位原本不是赵国人，现在赵王已死，凭你们二人想要使赵国人亲附，恐怕很难成功。如果拥立故赵国王室的后裔，用他作为号召，就有可能成功。"于是找到了赵王室的后裔赵歇。这年的春天，正月，张耳、陈馀拥立赵歇为赵王，把信都作为赵的都城。

东阳宁君、秦嘉听到陈王兵败的消息，就拥立原楚国贵族景驹为楚王，然后率军抵达方与，想要进攻驻扎在定陶的秦军。与此同时，还派公孙庆到齐王田儋那里联络，希望得到齐国的支援，共同攻打秦军。齐王田儋说："陈王兵败，生死不明，你们楚国怎么不请示我们齐国就私自拥立景驹为楚王呢！"公孙庆回答说："齐国也没有请示楚国就自立为齐王，楚国立王凭什么要请示齐国！再说是楚国最先起兵反秦，应当有权号令天下。"齐王田儋恼怒之下杀死了公孙庆。

秦国的左、右校尉又将陈丘占领。吕臣败走，他把流散的士兵再次召集起来，跟鄱江大盗黥布联合起来，在青波打败了秦军的左、右校尉，重新占领了陈丘。

黥布是六邑人，姓英，因为犯法受了黥刑，黥布被判罪押送到骊山服苦役。在骊山服苦役的有几十万人，黥布与那些管理刑徒的小头目以及犯人中有才干、有威信的人都有交往。于是寻找机会率领部分死党逃亡到长江一带，做了强盗。番阳县令吴芮在长江与鄱阳湖一带很得民心，被称作番君。黥布前往拜见番君的时候，其手下已经有了好几千人。番君把自己的女儿嫁给他做了妻子，又派他率领自己的部属去攻打秦军。

楚王景驹驻扎在留县，沛公刘邦前来投靠楚王。张良也领着几百个年轻人，想去投靠楚王景驹，在路上遇见沛公刘邦，于是就跟随了刘邦。刘邦当时只任命张良做管理厩马的小官。张良多次跟刘邦谈论《太公兵法》，刘邦认为《太公兵法》很好，于是经常采纳张良的计策。而张良把《太公兵法》说给其他人听的时候，其他人全都听不懂。张良深有感慨地说："沛公的才能恐怕是上天授予的。"所以就决心跟从刘邦，不再去寻找别的主人了。

沛公刘邦带着张良一起去见景驹，想请求拨给一些军队去攻打丰县。当时，章邯的属将司马尸率兵向北攻取楚地，在相县进行了一番杀戮以后，又抵达砀邑。东阳宁君、沛公刘邦率军向西迎战秦军，在萧县以西与秦军展开激战，不能取胜，于是撤军回到留县进行休整。二月，进攻砀县，连续攻打了三天将砀县攻下，从砀县得到六千人马，加上自己原有的一共有九千人。三月，终于攻下了下邑县。回过头来再去攻打丰县，仍然攻打不下。

广陵⑲²人召平⑲³为陈王徇广陵，未下。闻陈王败走⑲⁴，章邯且至⑲⁵，乃渡江，矫陈王令⑲⁶，拜⑲⁷项梁为楚上柱国⑲⁸，曰："江东⑲⁹已定，急引兵西击秦。"梁乃以八千人渡江而西⑳⁰。闻陈婴⑳¹已下东阳，使使[5]欲与连和俱西。

陈婴者，故东阳令史⑳²，居县中，素信谨⑳³，称为长者⑳⁴。东阳少年杀其令⑳⁵，相聚得二万人，欲立婴为王。婴母谓婴曰："自我为汝家妇，未尝闻汝先世之有贵者。今暴得大名⑳⁶，不祥。不如有所属⑳⁷。事成犹得封侯，事败易以亡⑳⁸，非世所指名⑳⁹也。"婴乃不敢为王，谓其军吏曰："项氏世世将家，有名于楚。今欲举大事㉑⁰，将非其人不可㉑¹。我倚名族，亡秦必矣。"其众从之，乃以兵属梁㉑²。

英布既破秦军㉑³，引兵而东。闻项梁西渡淮㉑⁴，布与蒲将军㉑⁵皆以其兵属焉。项梁众凡㉑⁶六七万人，军下邳㉑⁷。

【段旨】

以上为第一段，写秦二世二年（公元前二〇八年）上半年的各地反秦起义形势，主要写了陈涉的失败被杀与刘邦、项梁叔侄相继而起的情形。

【注释】

①冬十月：秦二世二年（公元前二〇八年）的第一个月，当时秦朝以"十月"为岁首，故史家叙事每年皆从"十月"起。②泗川监平：泗川郡的监郡其名曰平，史失其姓。泗川郡的郡治相县，在今安徽濉溪西北。监，各郡的郡监。秦时的郡里设郡守、郡尉、郡监三官，郡监由朝廷所派的御史充任，对该郡的官民进行监督。刘邦所居的沛县即属泗川郡管辖。③丰：即今江苏丰县，当时为沛县下面的一个乡邑，刘邦的家乡之所在。刘邦建国后，丰邑上提为县。④雍齿：刘邦的同乡，此时为刘邦的部下。⑤薛：秦县名，县治在今山东滕州东南。⑥泗川守壮：泗川郡的郡守名壮，史失其姓。⑦戚：地名，方位不详，应离薛县不远，有说在今滕州南，也有说在今河南濮阳北者，非。⑧左司马：军中的执法官，时设左右二人。《史记索隐》以为指曹无伤。王先谦引周寿昌说，

陈涉的部将广陵人召平接受了陈王涉的命令去攻取广陵，还没有攻下。听到陈王败走、秦将章邯率领秦军即将抵达广陵的消息，于是放弃攻打广陵，率军渡过长江，诈称接到陈王的命令，任命项梁为楚国的上柱国，说："江东已经平定，赶快率领军队向西迎战秦军。"于是项梁率领着江东的八千人渡过长江向西进发。项梁听说陈婴已经攻下东阳，就派使者到陈婴那里，想和他联合起来一起西进攻打秦军。

陈婴曾经做过东阳县令属下的小吏，居住在东阳县，向来忠厚谨慎，有长者的风范，很受当地人的尊重。东阳的年轻人杀死了东阳县令，聚集了二万多人，想要立陈婴为王。陈婴的母亲对陈婴说："自从我嫁到你们陈家来，就从来没有听说过你们陈家的先人有谁做过大官。如今突然被人拥戴称王，恐怕不是什么好预兆。不如投靠在一个大名人的旗帜下。事情成功了还可以封侯，事情失败了也容易潜逃，而不至于成为被指名通缉捉拿的人。"陈婴因此自己不敢称王，他对那些军官们说："项氏世代都担任楚国的将领，在楚国享有盛名。如今要想成就大事，非得由项氏来领导不可。我们投靠名门望族，一定能够灭亡秦朝。"那些人都听从了陈婴的意见，于是陈婴把自己的军队都交给项梁指挥。

英布击败秦军以后，率领着属下的军队向东挺进。听说项梁已经率军向西渡过淮河，就和蒲将军一起投奔项梁，他们也将自己的军队交给项梁指挥。项梁此时已经拥有六七万人马，驻扎在下邳。

以为刘邦之左司马尚有孔聚、陈贺、唐厉诸人，未必定是曹无伤。〖按〗曹无伤事见《史记·项羽本纪》。⑨得杀之：即"得而杀之"。得，俘获。⑩出关：败退出函谷关。⑪曹阳：亭名，在今河南灵宝东。⑫追败之：追至曹阳，又将周章打败。⑬复走渑池：周章又东逃至渑池。渑池，秦县名，县治在今河南渑池县西。⑭吴叔：即吴广，字叔。⑮荥阳：秦县名，县治即今河南荥阳东北之古荥镇。⑯李由：秦丞相李斯的儿子。⑰三川守：三川郡的郡守。三川郡在今河南的西北部，郡治在洛阳。因其地有黄河、伊水、洛水，故以名郡。⑱弗能下：不能攻下。⑲田臧：吴广的部将。⑳旦暮：旦暮之间，极言很快就要来到。㉑少遗兵：少留一些军队。遗，留下。㉒守荥阳：继续围困荥阳。守，这里指围困。下文"田臧乃使诸将李归等守荥阳"之"守"字与此义同。㉓迎：迎击。㉔假王：指吴广。陈涉派吴广引兵攻荥阳时封之为假王。"假"是非正式，临时代理的意思。㉕不知兵权：不懂得用兵作战的临机应变之术。权，权变、应时变通。㉖不足：不值得。㉗矫王令：假说奉陈王之令。师古曰："矫，诈也，托言受令也。"㉘陈王使使赐田臧二句：凌稚隆引王鏊曰："陈涉兵无纪律若此。"〖按〗事至此，陈涉亦无法控制，与武臣称赵王，韩广称燕王，而陈涉、武臣之对其无可奈何相同，亦与项羽之杀

上将军宋义，而怀王即以上将军印赐项羽相同。令尹，战国时楚官名，职同丞相。㉙西迎秦军于敖仓：敖仓是秦朝储藏粮食的大仓库，在当时荥阳城北黄河边的敖山上。〖按〗"敖仓"在"荥阳"北，史文乃曰田臧等"西迎秦军"，方向不对。㉚邓说：陈涉的部将。说，同"悦"。㉛郯：《史记正义》曰："应作'郏'。"〖按〗《史记正义》说是。郯在今山东郯城北，东去陈郡甚远，章邯之兵不能突然至此。"郏"即今河南郏县，在荥阳南，陈县之西，地理形势相合。㉜章邯别将：章邯派出的另统一军的将领。㉝铚：秦县名，县治在今安徽宿州西南。㉞伍逢：陈涉的部将。〖按〗《汉书》作"五逢"。㉟许：秦县名，县治在今河南许昌东。㊱数诮让：屡屡责备。数，屡。诮、让，都是"责备"的意思。㊲居三公位：谓李斯身居丞相之职。秦时以丞相、太尉、御史大夫为"三公"。㊳重爵禄：害怕丢官丢爵。史珥曰："'恐惧''重爵禄'二语，诛心。"〖按〗"重爵禄"三字为李斯一生之病根，一切丧心病狂之事皆由此而起。㊴不知所出：想不出应对办法。㊵阿二世意：曲顺着秦二世的想法。阿，顺从讨好。㊶以书对曰：上奏章回答二世说。此奏章即通常所说的《论督责书》，全文见《史记·李斯列传》，这里是节选了它的一小段。㊷督责之术：《史记索隐》曰："督者，察也。察其罪，责之以刑罚也。"王叔岷以为"督责"犹言"督过"，二字不可分讲。㊸申子：指申不害，战国前期的法家人物，曾相韩昭侯，使韩国富强一时。事迹见《史记·老子韩非列传》。㊹恣睢：肆行暴戾，为所欲为。㊺桎梏：拘制犯人手足的刑具，在足者为桎，在手者为梏。㊻顾以其身劳于天下之民：反而让自己比普通百姓活得还要累。顾，反而。㊼若尧、禹然：像唐尧、大禹就是这样的。㊽不能修申、韩之明术：不能奉行申不害、韩非所讲的那种管理人、驾驭人的办法。㊾专以天下自适：让整个国家服从自己、顺着自己。㊿徒务苦形劳神二句：一味地辛苦自己，让自己去为百姓服务。形，身体。徇，顺，跟着别人转。(51)则是黔首之役：这就成了老百姓的仆役。(52)非畜天下者也：非"畜天下"者之所为。畜，占有、统治。(53)灭仁义之涂：杜绝那些仁义之说的宣传。(54)绝谏说之辩：堵塞那些好提意见的人的嘴。(55)荦然行恣睢之心：要敢于为所欲为。荦然，明显的样子。(56)莫之敢逆：没有一个人敢违抗您的意旨。逆，违背、对抗。(57)救过不给：整天光是警惕犯错误还来不及。救过，防止犯错误。(58)何变之敢图：还有什么心思敢图谋造反。变，变乱、造反。郭嵩焘曰："李斯此书贬斥尧、禹而灭仁义，绝谏说，困烈士，舛谬极矣……自秦汉以来操主术以制听从之臣，必由于是，莫之或易者也。李斯以其意务纵君之欲，一言而定万世之程。"(59)税民：征税于民。(60)刑者相半于道：在路上行走的人，有一半是受过刑的。(61)死人日成积于市：被处死者的尸体每天都在街市上成堆成垛。〖按〗"成"字似应削。(62)赵李良：赵王武臣的部将李良。(63)常山：秦郡名，郡治在今河北元氏西北。(64)略太原：攻取太原郡。太原郡的郡治晋阳，在今山西太原西南。(65)石邑：秦县名，县治在今石家庄西南。(66)井陉：河北与山西两省间翻越太行山的通道名，西口即今娘子关，东口即土门关，在今石家庄西南。后来韩信破陈馀就在此地。详情见韩兆琦《史记笺证》注。(67)诈为二世书：假托二世的名义给李良写了一封招降信。㊳ 未信：未能断定信的真假，也可说是未能判断二世所说的话是否算数。㊴ 益请兵：请求增派军队。㊵ 未至：尚未到达赵王宫廷。㊶ 以为王：以为是赵王武臣的车驾。㊷ 伏谒：伏地叩拜参见。㊸ 不知其将：不知道他是将军。㊹ 使骑谢李良：只是让侍从向李良打了个招呼。骑，骑兵侍从。㊺ 李良素贵：据此，知秦将反间之所谓二世云"良尝事我得显幸"者非妄语，李良盖尝为秦之贵官。㊻ 素出将军下：一向比将军您的地位低。出，处于。㊼ 女儿：对妇女的轻蔑称呼，犹今之所谓"丫头片子""老娘们"。㊽ 固：本来；早已经。㊾ 因此怒：再加上这一回的恼怒。㊿ 袭：偷偷地突然发起进攻。(81) 竟杀赵王、邵骚：事在秦二世二年（公元前二〇八年）十一月。竟，竟然、终于。(82) 耳目：指为之做眼线，探听消息。(83) 陈：《史记·陈涉世家》作"陵"，《汉书·陈胜传》作"凌"，"陵""凌"通。陵，县名，在今江苏宿迁东南。(84) 秦嘉：与下文朱鸡石都是自为一支的反秦队伍，不是陈涉的部下。(85) 符离：秦县名，在今安徽宿州东北。(86) 东海守：东海郡守，史失其名。东海郡的郡治郯县，在今山东郯城北。(87) 武平君畔：陈涉的部下，名畔，号为武平君。(88) 监郯下军：监督、协调包围郯县的几支义军部队。(89) 不受命：不接受陈涉的安排、调遣。(90) 大司马：古官名，朝廷上的最高军事长官。(91) 恶属武平君：不愿接受武平君节制。恶，不愿。(92) 矫以王命：假传陈涉的命令。(93) 益遣：增派。(94) 长史：官名，为丞相、太尉属下的诸史之长，总揽众事，地位甚重。(95) 司马欣、董翳：依文意，此二人皆在朝为长史。(96) 陈柱国房君：陈涉王朝的柱国蔡赐，封号为房君。柱国，楚官名，为国家的最高军事长官。(97) 陈西：陈县城西。(98) 张贺军：陈涉部将张贺的军队。(99) 出监战：亲自出城监督张贺军作战。(100) 张贺死：张贺兵败战死。(101) 腊月：秦二世二年（公元前二〇八年）的第三个月，陈涉起义称王的第六个月。(102) 陈王之汝阴：谓陈胜在陈县城西被章邯打败，南逃至汝阴。之，往。汝阴，秦县名，县治即今安徽阜阳。(103) 还二句：谓又北折而至下城父。下城父，古邑名，即今安徽涡阳东南之下城父聚。〖按〗下城父在汝阴东北。再往东北就是宿县，陈胜发动起义的地方；再往东，郯城还有秦嘉的大军，因此陈胜一旦摆脱秦军追赶，随即折回向东北走。(104) 御：车夫。(105) 杀陈王以降：〖按〗陈涉于秦二世元年（公元前二〇九年）七月起事，至秦二世二年十二月被庄贾所杀，前后共六个月。(106) 依：投奔。(107) 众宾：一般的、普通的客人。(108) 长揖不拜：只是拱手作揖，而不下跪磕头。(109) 怙乱僭号：乘乱取利，盗用帝王称号。僭，越级、越位。(110) 傲长者：对长者倨傲不逊。(111) 跪谢：下跪道歉。(112) 不为顾：不因陈涉下跪而回头看一眼。〖按〗陈涉妻父见陈涉一段情事见《孔丛子·独治》。(113) 发舒：放肆；无所顾忌。(114) 故情：当年的情况；过去的故事。(115) 或：有人。(116) 颛妄言：专门胡说八道。(117) 轻威：损害您的威信。(118) 引去：抽身离去。引，抽身。(119) 中正：官名，主管考核官吏，确定官吏的升降。(120) 司过：官名，犹如异时之监察御史，职掌纠弹。(121) 主司群臣：主管监视群臣。司，暗中监视、查访。(122) 徇地至：外出作战回来。徇地，开拓地盘。(123) 令之不是者：不服从朱防、胡武命令的人。不是，不听、不服从。⑫④辄系而罪之：立刻将其下狱，予以惩罚。辄，随即、立刻。⑫⑤以苛察为忠：主语为陈涉，将那些执法严厉、酷刻的人视为忠臣。⑫⑥其所不善者：凡是被朱防、胡武看着不顺眼的人。⑫⑦弗下吏：不通过正常程序，交由主管官吏处置。⑫⑧此其所以败也：以上文字依据《史记·陈涉世家》。⑫⑨故涓人将军吕臣：曾为陈王当过涓人，后来成了将军的吕臣。涓人，也叫"中涓"，为王者主管洒扫、洗涤等内务，这里即指侍从亲信，如灌婴、靳歙等都曾为刘邦之"中涓"是也。⑬⓪苍头军：以青巾裹头的军队。也有说是当时人们对"无敌""敢死"之兵的一种习用称呼，《史记·苏秦列传》有所谓"武士二十万，苍头二十万，奋击二十万，厮徒二十万"云云。⑬①新阳：秦县名，县治在今安徽界首北。⑬②杀庄贾二句：〖按〗吕臣基于对叛徒的义愤，号召陈王旧部，组织队伍重新起事，这支队伍竟至一举攻下陈郡，杀死了为秦朝驻守的叛徒庄贾，真是英风壮举，千载下犹有生气。⑬③葬陈王于砀：砀是秦县名，县治在今河南永城东北。〖按〗陈胜墓在今河南永城城北三十公里的芒山镇西，墓呈圆锥状，高约七米，墓前石碑有郭沫若题的"秦末农民起义领袖陈胜之墓"，四周松柏成林。⑬④谥曰隐王：谓汉代谥陈涉曰"隐王"。事见《史记·高祖本纪》。《谥法》云："不显尸国曰'隐'。"尸，主。主国不显，即功业不彰、在位时间不长之意。⑬⑤铚：秦县名，县治在今安徽宿州西南。⑬⑥南阳：秦郡名，郡治宛县，即今河南南阳。⑬⑦武关：关塞名，在今陕西丹凤东南，是河南南部进入陕西的交通要道。⑬⑧已徇南阳：即南阳郡已听从其号令。徇，巡行示威，号召其归己。⑬⑨南阳复为秦：南阳郡又反水，归顺秦王朝。⑭⓪车裂留以徇：将宋留车裂，并载其尸巡行示众。⑭①略丰、沛：武装巡行到丰、沛一带地区。⑭②招雍齿：招当时为刘邦守城的雍齿归顺魏军一方。⑭③雅：一向；素来。⑭④不欲属沛公：不愿跟从刘邦。属，归从。⑭⑤以丰降魏：率领丰邑投降了周市。⑭⑥收其散兵：招集被李良打垮的赵王武臣的军队。⑭⑦走归章邯：投奔归顺了秦将章邯。⑭⑧羁旅：客居异地。张耳、陈馀都是河南大梁人，如今到了河北，所以说他"羁旅"。⑭⑨附赵：让赵地的军民亲附。⑮⓪辅以谊：以仁义之道辅佐他。⑮①就功：成功。凌稚隆曰："客说张耳立赵后，即耳、馀劝陈涉立六国后也。盖欲激天下以攻秦，须当首天下以倡义耳。"⑮②赵歇：战国时赵国国王的后裔，具体细情史书无载。⑮③春正月：秦二世二年（公元前二〇八年）的第三个月，当时以"十月"为岁首。⑮④信都：秦县名，也称"襄国"，即今河北邢台。⑮⑤东阳宁君：东阳县的宁姓某人。东阳，秦县名，县治在今江苏盱眙东南东阳。⑮⑥景驹：六国时楚国贵族的后代。景为楚国贵族的大姓。⑮⑦方与：秦县名，县治在今山东鱼台西。⑮⑧定陶：秦县名，县治在今山东定陶西北。⑮⑨公孙庆：陈直曰："疑即上文之'东海守庆'。"⑯⓪齐王：田儋，战国时的田氏齐王的后裔，起义后自立为齐王，都城临淄。事迹详见《史记·田儋列传》。⑯①不请：不向齐国请示。⑯②首事：最先起兵反秦。⑯③令于天下：号令天下，意即为天下各路诸侯之盟主。⑯④左、右校：即左、右校尉，章邯的部将。⑯⑤吕将军：即吕臣。⑯⑥徼兵复聚：召集被打散的败兵，重又聚合起来。⑯⑦番盗黥布：鄱江上的匪盗黥布。番，同"鄱"，指鄱江，源于安徽西南部，流入鄱

阳湖。〖按〗黥布原称“英布”，因受刑被黥，故亦称“黥布”。先在鄱江为盗，后归项梁，称“当阳君”。事见《史记·黥布列传》。⑯⑧ 青波：秦县名，县治在今河南新蔡西南。⑯⑨ 六：秦县名，县治在今安徽六安北。⑰⓪ 姓英氏：《史记索隐》曰：“布本姓英，国名也，咎繇之后。”〖按〗古时“姓”与“氏”原有区分。同出于一个祖先，谓之同“姓”；在同一个“姓”里再按居住地区，或某种职业、某种官职等分成若干支派，叫作“氏”。至汉时人们对此已经不太讲究，故《史记》中常将“姓”“氏”并用，如《秦始皇本纪》之称秦王政“姓赵氏”是也。⑰① 坐法黥：由于犯法而被脸上刺字。坐，因。黥，古代在犯人脸上刺字涂墨的一种刑法，也称“墨刑”。⑰② 刑徒：犹今所谓“劳改犯”。⑰③ 论输骊山：被判罪押送骊山服役。论，判罪。骊山，通“郦山”，在今陕西西安市临潼区东南。此处即指骊山脚下的秦始皇陵墓工地，在今临潼东北。⑰④ 徒长豪桀：徒长指管理犯人的小头领。豪桀指犯人之有才干、有威信者。⑰⑤ 交通：交往、串通。⑰⑥ 曹耦：同一类的人。曹、耦即“辈”“类”的意思。⑰⑦ 亡之江中：逃到今江西、安徽一带的长江上。亡，潜逃。江中，江上。⑰⑧ 番阳令：鄱阳县的县令。番阳，同“鄱阳”，秦县名，县治在今江西鄱阳东北。〖按〗番阳令吴芮，后来因派将随项羽反秦，被项羽封为衡山王；后来又随刘邦反项羽，被刘邦封为长沙王。《汉书》中有《吴芮传》。⑰⑨ 江湖：长江与鄱阳湖。⑱⓪ 留：秦县名，在今江苏沛县东南。⑱① 张良：刘邦的开国功臣。事迹详见《史记·留侯世家》。⑱② 厩将：军中主管马匹的官。厩，马棚。⑱③ 太公兵法：相传为周武王的开国功臣太公吕尚所著。吕尚也称“姜尚”，事迹详见《史记·齐太公世家》。梁阮孝绪《七录》载有《太公兵法》三卷，《隋书·经籍志》载有《太公兵法》六卷。⑱④ 不省：不明白；不理解。省，领会、明白。⑱⑤ 殆天授：看来是上天给人世派下来的。殆，差不多、看来是。《史记·淮阴侯列传》云：“陛下所谓天授，非人力也。”《史记·郦生陆贾列传》云：“此非人力，天之所建也。”皆指刘邦，三处所言略同。⑱⑥ 遂从不去：遂跟从刘邦，不再去寻找别的主子了。⑱⑦ 章邯司马𡰥：章邯军中的司马名𡰥。⑱⑧ 屠相：屠灭了相县。相县是当时泗水郡的郡治，在今安徽濉溪西北。⑱⑨ 萧：秦县名，在今安徽萧县西北。⑲⓪ 聚留：集中屯聚在留县。⑲① 下邑：秦县名，即今安徽砀山县。⑲② 广陵：秦县名，县治即今江苏扬州西北。⑲③ 召平：陈涉的部将。王鸣盛曰：“《项羽本纪》内‘广陵人召平矫陈涉命封项梁’，《吕后本纪》内‘齐王相召平举兵欲围王’，《萧何世家》内有‘故东陵侯召平，种瓜城东’，三人皆同姓名，非一人。”⑲④ 陈王败走：即陈涉被秦将章邯打败于陈西，陈涉南逃事，召平此时尚不知其死。⑲⑤ 且至：将至。⑲⑥ 矫陈王令：诈称是传达陈涉的命令。矫，假托、谎称。⑲⑦ 拜：封拜；任命。⑲⑧ 上柱国：战国时楚官名，位同丞相，但后世多用为荣誉爵位，而无实权。刘辰翁曰：“召平不自了事，乃能作此度外奇事，所以发亡秦之端在此。”⑲⑨ 江东：通常用以称今江苏之长江以南地区，因长江在从安徽流入江苏时是从西南流向东北，故人们习惯地称今南京、苏州、上海市一带为江东。⑳⓪ 梁乃以八千人渡江而西：凌稚隆称《史记·项羽本纪》曰：“项羽始事，已定江东，渡江而西，故通篇以‘东’‘西’二字为眼目。”⑳① 陈婴：当时江北地区的起义领袖之一，先归项氏，后归刘邦，刘邦称帝后，陈婴被封为堂邑侯，见《史记·高祖功臣侯者年表》。㉒令史：县令手下的小吏。《史记集解》引《汉仪注》云："令吏曰令史，丞吏曰丞史。"㉓信谨：虔谨守信。㉔长者：厚道人。㉕杀其令：杀了东阳县的县令。当时大县的长官称"县令"，小县的长官称"县长"。㉖暴得大名：即突然称帝称王。暴，突然。大名，指称帝称王。《史记·陈涉世家》云："壮士不死即已，死即举大名耳。""大名"亦指称王。㉗有所属：即投靠在一个大名人的旗帜下。㉘易以亡：便于潜逃。㉙非世所指名：不是被社会上人人指说的人。㉚举大事：即举旗造反。㉛将非其人不可：恐怕是非他不行。将，推测之辞，意同"恐怕""大概"。㉜乃以兵属梁：以上陈婴母子对话的小故事见《史记·项羽本纪》。归有光曰："中包陈婴小传。"〖按〗此"小传"被后人收入《世说新语》。锺惺曰："(婴母)识力殊不在此，在'事成犹得封侯，事败易以亡，非世所指名也'数语，说得有权术，是世上第一占便宜人。"㉝既破秦军：即上文所叙破秦左右校于青波。㉞西渡淮：西下渡过淮水。㉟蒲将军：姓蒲，史失其名，与黥布同为项氏麾下的名将，于破秦作战中有大功。㊱凡：总共。㊲下邳：秦县名，县治在今江苏睢宁西北。

【原文】

景驹、秦嘉军彭城[218]东，欲以距[219]梁。梁谓军吏曰："陈王先首事，战不利，未闻所在[220]。今秦嘉倍[221]陈王而立景驹，大逆无道。"乃进兵击秦嘉，秦嘉军败走，追之至胡陵[222]。嘉还战一日，嘉死，军降。景驹走死梁地[223]。

梁已并秦嘉军，军胡陵，将引军而西。章邯军至栗[224]，项梁使别将[225]朱鸡石、馀樊君[226]与战。馀樊君死，朱鸡石军败，亡走胡陵。梁乃引兵入薛[227]，诛朱鸡石。

沛公从骑百余[228]往见梁，梁与沛公卒五千人、五大夫将[229]十人。沛公还，引兵攻丰[230]，拔之。雍齿奔魏[231]。

项梁使项羽别攻襄城[232]，襄城坚守不下。已拔，皆坑[233]之，还报。

梁闻陈王定死[234]，召诸别将[235]会薛计事，沛公亦往焉。居鄛[236]人范增[237]，年七十，素居家[238]，好奇计[239]，往说项梁曰："陈胜败，固当。夫秦灭六国，楚最无罪。自怀王入秦不反[240]，楚人怜之至今。

【校记】

［1］使为：“使”，原作“以”。据章钰校，十二行本、乙十一行本、孔天胤本皆作“使”。今从诸本及《史记·陈涉世家》《通鉴纪事本末》改。［2］从百余骑：此四字原脱。据章钰校，十二行本、乙十一行本、孔天胤本皆有此四字，张敦仁《通鉴刊本识误》、张瑛《通鉴校勘记》同。今从诸本及《史记·张耳陈馀列传》《通鉴纪事本末》补。［3］令之不是者：“者”字原无。据章钰校，十二行本、乙十一行本、孔天胤本皆有此字。今从诸本及《史记·陈涉世家》补。［4］遂从：“从”，原作“留”。据章钰校，十二行本、乙十一行本、孔天胤本皆作“从”。今从诸本及《史记·留侯世家》《通鉴纪事本末》改。［5］使使：原作“遣使”。据章钰校，十二行本、乙十一行本、孔天胤本“遣”皆作“使”。今从诸本及《史记·项羽本纪》《通鉴纪事本末》改。

【语译】

楚王景驹和秦嘉率军驻扎在彭城以东，准备抵制项梁。项梁对手下的军官们说：“陈王首先率众叛秦，后来打了败仗，不知他现在在什么地方。如今秦嘉背叛了陈王而拥立景驹为楚王，实属大逆不道。”于是率军向秦嘉发起了猛攻，秦嘉战败，率军逃走，项梁在后紧紧追赶，一直到胡陵。秦嘉迫不得已，只好率军迎战。经过一整天的激战，秦嘉战死，他的军队全部投降了项梁。景驹逃走，被追兵杀死在梁地。

项梁吞并了秦嘉的军队以后，将部队驻扎在胡陵，准备率军西进。而章邯的军队已经抵达栗县，项梁派另外一支军队的将领朱鸡石和馀樊君前去迎战章邯。馀樊君战死，朱鸡石战败，逃回胡陵。项梁率军进驻薛城，杀死朱鸡石。

沛公刘邦率领着一百多名骑兵来见项梁，项梁拨给刘邦五千名士兵、五大夫级的将领十人。刘邦率领这支借来的军队再次攻打丰县，终于占领了丰县。雍齿被刘邦打败后逃奔魏国。

项梁派项羽去攻打襄城，防守襄城的秦军顽强抵抗。等到攻下了襄城以后，项羽就把襄城的军民全部活埋，然后到薛城回报项梁。

项梁得知陈王确实已死，就召集各路将领到薛城商议事情，沛公刘邦也参加了会议。居鄛人范增当时已经七十岁了，一直居家，专好研究奇谋妙计，他劝谏项梁说：“陈涉反秦失败，本来是理所应当。被秦国灭亡的六国当中，楚国是最无辜的。自从楚怀王被骗入秦，遭到秦国的囚禁，后来竟死在秦国，楚国人一直怀念他。

故楚南公㉔¹曰：'楚虽三户，亡秦必楚㉔²。'今陈胜首事，不立楚后而自立，其势不长。今君起江东，楚蜂起㉔³之将皆争附君者，以君世世楚将，为能复立楚之后也。"于是项梁然其言㉔⁴，乃求得楚怀王孙心㉔⁵于民间，为人牧羊㉔⁶。夏六月，立以为楚怀王㉔⁷，从民望也㉔⁸。陈婴为上柱国㉔⁹，封五县，与怀王都盱眙㉕⁰。项梁自号为武信君㉕¹。

张良说项梁曰："君已立楚后，而韩诸公子㉕²横阳君成㉕³最贤，可立为王，益树党㉕⁴。"项梁使良求韩成㉕⁵，立以为韩王㉕⁶。以良为司徒㉕⁷，与韩王将㉕⁸千余人，西略韩地㉕⁹。得数城，秦辄㉖⁰复取之，往来为游兵颍川㉖¹。

章邯已破陈王㉖²，乃进兵击魏王㉖³于临济㉖⁴。魏王使周市出请救于齐、楚㉖⁵。齐王儋及楚将项它㉖⁶皆将兵随市救魏。章邯夜衔枚㉖⁷击，大破齐、楚军于临济下，杀齐王及周市。魏王咎为其民约降，约定，自烧杀㉖⁸。其弟豹亡走楚，楚怀王予魏豹数千人，复徇魏地㉖⁹。齐田荣收其兄儋余兵，东走东阿㉗⁰，章邯追围之。齐人闻齐王儋死[6]，乃立故齐王建㉗¹之弟假为王，田角为相，角弟间为将，以距诸侯㉗²。

秋七月，大霖雨㉗³。武信君引兵攻亢父㉗⁴，闻田荣之急，乃引兵击破章邯军东阿下。章邯走而西，田荣引兵东归齐㉗⁵。武信君独追北㉗⁶，使项羽、沛公别攻城阳㉗⁷，屠之。楚军军濮阳㉗⁸东，复与章邯战，又破之。章邯复振㉗⁹，守濮阳，环水㉘⁰。沛公、项羽去㉘¹，攻定陶㉘²。

八月，田荣击逐齐王假，假亡走楚㉘³，田角亡走赵[7]。田间前救赵㉘⁴，因留㉘⁵不敢归。田荣乃立儋子市为齐王，荣相之，田横㉘⁶为将，

所以楚国的预言家南公先生说：‘楚国即使只剩下三户人家，将来灭亡秦国的也一定是楚国人。’而今陈涉首先发难反秦，他不立楚王的后裔为王，却自己做了陈王，因而势必不会长久。现在将军从江东起兵，楚地将领蜂拥而起，都争着归附将军，就是因为将军家里几代都是楚国的著名将领，是最有资格拥戴楚王后裔为楚王的人选。”项梁认为范增说得有道理，就派人四处寻找楚王的后裔，终于把在民间为人放羊的楚怀王的孙子芈心找到。夏天，六月，项梁立芈心为楚怀王，目的是顺从百姓的希望。任陈婴为上柱国，分封给他五个县；按照楚王芈心的愿望，定都盱眙。项梁自称“武信君”。

张良对项梁说：“将军您已经把楚怀王的孙子立为楚王，而故韩国国王的诸位王子当中，就数横阳君韩成最贤能，可以立他为韩王。那样的话，就更多地建立一些反秦的同盟势力。”项梁就派张良去寻找韩成，找到后便立韩成为韩王。韩王成任命张良为司徒，司徒张良和韩王成一起率领一千多人的军队，向西去收复原来属于韩国的领土。开始时收复了几座城邑，然而不久又被秦军夺去，张良和韩王成就在颍川一带与秦军展开了游击战。

秦将章邯自从打败陈王涉以后，又率军攻打魏国的都城临济。魏王咎派周市到齐国、楚国求救。齐王田儋和楚军将领项它分别率领齐军和楚军跟随周市来救魏国。章邯在黑夜之中偃旗息鼓，秘密部署军队，在临济城下把齐、楚的援军打得大败，齐王田儋和周市全都战死。魏王咎为了城中百姓免遭杀戮，被迫与秦军约定了投降的条款，而后魏王咎便自杀了。魏王咎的弟弟魏豹逃亡到楚国，楚怀王拨给他几千名兵士，让他去收复魏地。齐王田儋的弟弟田荣把田儋的旧部召集起来，率领着逃往东阿；秦将章邯随后追来，把魏豹紧紧地包围在东阿城中。齐国人听说齐王田儋已经战死，就拥立已故齐王田建的弟弟田假为齐王，用田角为丞相，田角的弟弟田间为大将，以抵御别路义军进入齐地。

秋天，七月，大雨下个不停。武信君项梁正在亲自率军攻打亢父，当他听说齐国田荣在东阿被秦军包围，情况非常危急时，就率军赶往东阿，在东阿城下打败了章邯的军队，解了东阿之围。章邯率领败军向西逃走，田荣率领军队向东回到齐国。武信君项梁独自率领人马追赶败逃的秦军，他派项羽、刘邦去攻取城阳。项羽、刘邦攻下城阳以后，对城中坚守的军民进行了大肆杀戮。楚军驻扎在濮阳城东，与章邯的军队展开激战，再一次把章邯打败。章邯接连打了两次败仗之后，重整旗鼓，据守濮阳城，并在濮阳城四周挖好了护城河。刘邦、项羽离开濮阳去攻取定陶。

八月，田荣率领自己的部下攻打齐王假，齐王假抵挡不住田荣的进攻，便离开齐地逃奔项梁，齐相田角逃亡，投奔赵歇。在此之前，田间已经被派率军援救赵国，当他得知齐王假已经被田荣驱逐的消息后，不敢再回齐国，就留在了赵国。田荣立田儋的儿子田市为齐王，自己担任宰相，任命田横担任齐国的大将，收复了齐国故

平齐地。章邯兵益盛[287]，项梁数使使告齐、赵发兵共击章邯。田荣曰："楚杀田假，赵杀角、间，乃出兵[288]。"楚、赵不许。田荣怒，终不肯出兵。

郎中令赵高恃恩专恣[289]，以私怨诛杀人众多，恐大臣入朝奏事言之，乃说二世曰："天子所以贵者[8]，但以闻声，群臣莫得见其面[290]故也。且陛下富于春秋[291]，未必尽通诸事。今坐朝廷，谴举[292]有不当者，则见短于大臣[293]，非所以示神明于天下[294]也。陛下不如深拱禁中[295]，与臣及侍中[296]习法者待事[297]，事来有以揆之[298]。如此，则大臣不敢奏疑事[299]，天下称圣主矣。"二世用其计，乃不坐朝廷见大臣，常居禁中。赵高侍中用事[300]，事皆决于赵高。

高闻李斯以为言[301]，乃见丞相曰："关东群盗多，今上急益发繇[302]，治[303]阿房宫，聚[304]狗马无用之物。臣欲谏，为位贱，此真君侯之事，君何不谏？"李斯曰："固也，吾欲言之久矣。今时上不坐朝廷，常居深宫。吾所言者，不可传也[305]，欲见无间[306]。"赵高曰："君诚能谏，请为君候上间语君[307]。"于是赵高侍二世方燕乐[308]，妇女居前，使人告丞相："上方闲[309]，可奏事。"丞相至宫门上谒[310]，如此者三[311]。二世怒曰："吾常多闲日，丞相不来；吾方燕私，丞相辄来请事[312]。丞相岂少我[313]哉，且固我哉[314]？"赵高因曰："夫沙丘之谋[315]，丞相与焉[316]。今陛下已立为帝，而丞相贵不益[317]，此其意亦望裂地而王[318]矣。且陛下不问臣，臣不敢言。丞相长男李由为三川守[319]，楚盗陈胜等皆丞相傍县之子[320]，以故楚盗公行[321]，过三川，城守不肯击[322]。高闻其文书相往来[323]，未得其审[324]，故未敢以闻[325]。且丞相居外，权重于陛下[326]。"二世以为然，欲案[327]丞相，恐其不审，乃先使人按验[328]三川守与盗通状。

有的全部领土。章邯的兵力越来越强大，项梁多次派使者向齐、赵告急，让他们出兵共同攻打章邯。田荣回复说："如果楚杀掉田假，赵国杀掉田角、田间，齐国就马上出兵。"楚国、赵国都没有答应齐国的条件。田荣大怒，因此不肯派兵。

秦朝的郎中令赵高靠着秦二世的恩宠，更加独断专行、为所欲为。他以私人恩怨杀了好多人，惧怕朝中大臣在奏事时将他的恶行揭发出来，就想出了一个对付的好办法，他对秦二世说："天子之所以尊贵，就是因为大臣们只能听到他的声音，而不能看到他的面容。再说皇帝陛下正值青春年少，未必对什么事情都很精通。如今每天坐在朝堂之上听群臣议事，或责罚或选拔，万一有失当的地方，就等于把自己的短处暴露在群臣面前了，这对在天下人面前树立皇帝神圣英明的形象很不利。陛下不如深居宫中、不理朝政，由我和从陛下的其他侍从人员中挑选出来的、懂得法令的人来接待大臣奏事，遇到大事也有一个研究思考的余地。这样的话，那些大臣就不敢再把疑难不实的事情上奏，天下人就会称颂陛下是圣明的君主了。"秦二世采纳了赵高的建议，从此不再每天上朝接见大臣、批阅奏章，而是待在深宫之中。由于赵高总是随侍在二世左右，所以一切政事都取决于赵高。

赵高听说李斯想要面见秦二世，向秦二世进言，于是他去拜见李斯说："现在函谷关以东盗贼蜂起，而皇帝陛下却越发加紧增派徭役，修建阿房宫，大量地收敛狗、马等无用的东西。我本来想劝阻皇上，可是我的地位卑贱，这正是您的分内之事，您怎么不去劝劝皇上呢?"李斯说："这是我应该做的事，我已经想说很久了。但是如今皇上不上朝议事，经常待在深宫之中。我想要说的话又不能让人来转达，我想见皇上，却又没有机会。"赵高说："您如果真的想劝谏皇上，让我为您打听，等皇帝有空闲的时候我来通知您。"于是赵高等到秦二世在宫中饮酒作乐、美女当前、玩得正在兴头上的时候，就派人去告诉丞相李斯说："皇上此时正有空闲，丞相可以进去奏事。"李斯来到皇宫门口递进请求接见的帖子，这样一连三次以后，秦二世终于大发雷霆地说："我平常闲暇的时候，丞相不来奏事；我刚一欢宴休息，丞相就来奏报事情。丞相是因为我年幼轻视我呢，还是以为我浅陋而鄙视我呢?"赵高趁机进谗言说："当初在沙丘密谋篡改秦始皇诏书、杀死扶苏立陛下为皇帝的事，丞相李斯是参与了的。如今陛下已经做了皇帝，而丞相的地位却没有提高，他想让陛下分割土地给他，再封他为王。陛下如果不问我，我也不敢说。丞相的长子李由担任三川郡的郡守，楚地盗贼陈胜等人都是丞相邻县的子弟，他们仗着与丞相的乡情关系，所以在楚地畅行无阻，而且这些盗贼过往三川郡的时候，我听说李由从来都不攻打他们。我还听说李由与那些盗贼经常有书信往来，因为不知是不是属实，所以没敢把这件事报告给陛下。况且丞相在外面的权力比陛下还大。"秦二世认为赵高说得有道理，就想要查办李斯，又恐怕事实不确切，于是就派人到三川郡调查李由与盗贼暗中勾结的证据。

李斯闻之，因上书言赵高之短曰："高擅利擅害(329)，与陛下无异。昔田常相齐简公(330)，窃其恩威(331)，下得百姓，上得群臣，卒弑简公而取齐国(332)。此天下所明知也。今高有邪佚之志(333)，危反之行(334)，私家之富，若田氏之于齐(335)矣。而又贪欲无厌(336)，求利不止，列势次主(337)，其欲无穷，劫陛下之威信(338)，其志若韩玘为韩安相(339)也。陛下不图(340)，臣恐其必为变也(341)。"二世曰："何哉(342)！夫高，故宦人也(343)，然不为安肆志(344)，不以危易心(345)，洁行修善(346)，自使至此(347)。以忠得进，以信守位，朕实贤之，而君疑之，何也？且朕非属赵君，当谁任哉(348)！且赵君为人，精廉强力(349)，下知人情，上能适朕(350)，君其(351)勿疑。"二世雅爱信(352)高[9]，恐李斯杀之，乃私告赵高。高曰："丞相所患(353)者，独高。高已死，丞相即欲为田常所为(354)。"

是时，盗贼(355)益多，而关中卒(356)发东(357)击盗者无已(358)。右丞相冯去疾、左丞相李斯、将军冯劫进谏曰："关东群盗并起，秦发兵诛击，所杀亡(359)甚众，然犹不止。盗多，皆以戍漕转作(360)事苦，赋税大也。请且止(361)阿房宫作者，减省四边戍转(362)。"二世曰："凡所为贵有天下(363)者，得肆意极欲(364)，主重明法(365)，下不敢为非，以制御四海(366)矣。夫虞、夏之主(367)，贵为天子，亲处穷苦之实(368)，以徇百姓(369)，尚何于法(370)！且先帝起诸侯，兼天下。天下已定，外攘(371)四夷，以安边境。作宫室以章得意(372)。而君观先帝功业有绪(373)。今朕即位，二年之间，群盗并起。君不能禁，又欲罢先帝之所为(374)，是上无以报先帝，次不为朕尽忠力，何以在位(375)！"下去疾、斯、劫吏(376)，案责他罪(377)。去疾、劫自杀(378)，独李斯就狱(379)。二世以属赵高治之(380)，责(381)斯与子由谋反状，皆收捕宗族、宾客。赵高治斯，榜掠(382)千余，不胜痛，自诬服(383)。

李斯得知赵高在皇帝面前诬陷自己后，就给秦二世上了一封奏章揭露赵高的短处，说："赵高作威作福，跟皇帝没有什么区别。过去田常在齐简公时期担任宰相，把持了齐国的赏罚大权，因此，下面的百姓只知道感激田常，朝中的大臣也都拥护田常，全国上上下下全都忽视了齐简公的存在，终于导致了田常弑杀齐简公而篡夺齐国政权的结果。这是全天下的人都知道的事情。如今赵高心存邪恶，图谋造反，私人所占有的财富和当年田氏在齐国没什么两样。而且比田常更加贪得无厌，他不停地聚敛财富、追求利益，地位、权势已经与陛下不相上下，但仍然不满足，又凭借着陛下的权势控制群臣，他的志向与韩玘当韩王安的宰相时一样。陛下如果不考虑他的危险性，我怕会发生变乱啊！"秦二世说："你说的是什么话！赵高，他只不过是一个宦官出身而已，他没有因为国家太平而为所欲为，也没有因为时局艰危就改变对皇帝的忠心，他提高操行，一心向善，是依靠自己的努力才得到今天的地位。他是因为对皇帝忠心耿耿才得到提拔，是因为诚实守信才保住他的位置，我确实认为他是一个贤德的人才，而你却怀疑他，这是为什么呢？再说，我如果不信任赵高，那我还能信任谁呢！况且赵高的为人，既精明廉洁又勤奋，对下了解民情，对上合我心意，你不要再对他有什么怀疑。"秦二世一向喜爱、信任赵高，怕李斯会杀掉他，就私下里把李斯攻击赵高的话告诉了赵高。赵高说："丞相所害怕的，只有赵高一人而已。如果赵高一死，丞相就可以像田常那样为所欲为了。"

此时，东方的起义越来越多，关中的兵力被不停地派往东部剿灭起义军。右丞相冯去疾、左丞相李斯、将军冯劫都劝谏秦二世说："关东的盗贼蜂拥而起，朝廷派兵前去剿灭，虽然消灭了很多，但越杀越多。盗贼如此众多，都是因为朝廷征兵戍边、水陆转运、大兴土木等诸多苦役，再加上赋税繁重造成的。请暂且停止修建阿房宫，减少四周边境戍边的士卒和粮草转运的数量。"秦二世说："统治天下的皇帝之所以可贵，就是因为能够为所欲为、尽情享乐；君主申明法令，下面的人不敢为非作歹，皇帝就凭这个来统治天下。古代的虞舜、夏禹，虽然贵为天子，却亲自去劳苦操作，为百姓做出牺牲，还要法令干什么！况且先帝使秦国从一个普通的诸侯国兴盛起来，兼并了天下所有的诸侯国，统一了天下。现在天下已经平定，对外镇压了四周异族的侵略，使边境得以安宁。建造宫室就是为了显示自己的心满意足。你们是看到过先帝当年的功业是何等辉煌而有条理的。我从即位到现在，仅两年的时间，就盗贼蜂起。你们不能禁止，现在又想取消先帝尚未完成的事业，对上你们无法报答先帝对你们的恩宠，其次不能为我尽忠尽力，你们凭什么占据着高位！"就把冯去疾、李斯、冯劫交付给司法官去审讯，并追究其他罪责。冯去疾和冯劫不愿接受审讯，自杀而死；只有李斯不肯自杀，甘愿入狱。秦二世把李斯交与赵高审理。赵高严刑逼供，要李斯承认和他的儿子李由谋反，并把他的亲属、宾朋全都逮捕收监。赵高在审理此案的过程中动用了最残酷的刑罚，拷打千余次，李斯忍受不了，终于屈打成招，自诬谋反。

斯所以不死㊳者，自负其辩，有功㊵，实无反心，欲上书自陈㊶，幸二世寤㊷而赦之。乃从狱中上书曰："臣为丞相，治民三十余年矣㊸。逮秦地之狭隘㊹，不过千里，兵数十万。臣尽薄材㊺：阴行谋臣㊻，资㊼之金玉，使游说诸侯㊽。阴修甲兵，饬政教㊾，官斗士㊿，尊功臣，故终以胁韩弱魏，破燕、赵，夷齐、楚[396]，卒兼六国，虏其王，立秦为天子[397]。又北逐胡、貉[398]，南定百越[399]，以见秦之强。更克画，平斗斛、度量、文章[400]，布之天下，以树秦之名。此皆臣之罪也，臣当死久矣。上幸尽其能力，乃得至今。愿陛下察之[401]。"书上，赵高使吏弃去不奏，曰："囚安得[402]上书！"

赵高使其客十余辈[403]诈为御史、谒者、侍中[404]，更往覆讯斯[405]，斯更以其实对[406]，辄使人复榜之[407]。后二世使人验斯[408]，斯以为如前[409]，终不敢更言[410]。辞服[411]，奏当上[412]。二世喜曰："微赵君，几为丞相所卖[413]。"及二世所使案三川守由者至[414]，则楚兵已击杀之[415]。使者来[416]，会丞相下吏[417]，高皆妄为反辞[418]，以相傅会[419]。遂具斯五刑[420]，论腰斩咸阳市[421]。斯出狱，与其中子[422]俱执[423]，顾谓其中子曰："吾欲与若复牵黄犬，俱出上蔡东门逐狡兔，岂可得乎[424]！"遂父子相哭，而夷三族[425]。二世乃以赵高为丞相，事无大小皆决焉。

项梁已破章邯于东阿[426]，引兵西，比至[10]定陶[427]，再破秦军[428]。项羽、沛公又与秦军战于雍丘[429]，大破之，斩李由[430]。项梁益轻秦[431]，有骄色。宋义[432]谏曰："战胜而将骄卒惰者败。今卒少惰矣[433]，秦兵日益[434]，臣为君畏[435]之。"项梁弗听。乃使宋义使于齐[436]，道遇齐使者高陵君显[437]，

李斯当初所以没有和冯去疾他们一样自杀，是相信自己既能言善辩，有功于秦，又确实没有谋反之心，想给秦二世上一道奏章，陈述自己的冤情，希望二世醒悟后能赦免自己。李斯在狱中写奏章给秦二世说："我自从担任丞相，辅佐先帝治理国家到现在已经有三十多年了。起初，秦国的疆土很狭小，不超过一千里，兵力也只有几十万。我竭尽自己微薄的能力，实施了一系列富国强兵的政策：对外，暗中派遣了大批说客，供给他们黄金美玉，派遣他们到各诸侯国进行游说、离间。在国内，则暗中整饬武备，修明政治教化，提拔作战勇猛的将士，尊崇有功的大小臣僚；收到了威胁韩国，削弱魏国，攻破燕国、赵国，重创齐国、楚国的实效，进而又兼并六国，擒获了他们的国君，拥戴先帝登上天子之位。随后，又在北方驱逐了胡、貉两大少数民族，在南方平定了百越部落，以此显示了秦国的强大。四海归一以后，又建议更改礼器上的徽饰、统一了度量衡制度和文字，并在全国进行推广，以树立秦国的威望。如果这些可以算作罪名的话，那我早就该死了。所幸的是皇帝陛下允许我继续效力，才使我有今天。希望陛下能够详察。"奏章递上去以后，赵高并没有呈送给秦二世，而是派人把奏章扔掉了。赵高说："一个囚犯哪有资格给皇帝上奏章！"

赵高又派他的宾客十多个人装扮成御史、谒者、侍中，轮番对李斯进行审问。李斯不知是赵高所派，以为是秦二世看了自己的奏章以后派人来复查，就推翻了原先的供词，据实而奏。事后，赵高就派人对李斯进行一顿严刑拷打。如此几次之后，李斯再也不敢翻供。后来秦二世真的派人来审问李斯，核对口供，李斯以为说实话又得受拷打，就没敢更改口供。李斯既然招供服罪，赵高便把判决书上奏给秦二世。秦二世高兴地对赵高说："要不是你，我几乎就被李斯欺骗了。"再说秦二世派往三川审查李由的使者到达三川的时候，楚兵已经攻破三川郡，杀死了郡守李由。使者回到咸阳，正好赶上李斯被抓捕入狱，赵高就随心所欲地编造了李由谋反的情节，来证明李斯父子共同谋反。于是让李斯备受了五种刑罚后，在咸阳市上腰斩。李斯和他的二儿子一同从监狱中被押解出来时，他回头对二儿子说："我再想和你一起牵着黄狗，到家乡上蔡县的东门去追逐野兔，难道还会有这样的机会吗！"说完，父子二人相对痛哭。李斯父子被处死后，他的父族、母族、妻族全部被处死。秦二世任命赵高为丞相，事情不论大小，一切都取决于赵高。

项梁在东阿打败了章邯、救出田荣后，就率军向西挺进，到达定陶，在定陶再次打败秦军。项羽、刘邦在雍丘也将秦军打得大败，杀死了李斯的长子三川郡守李由。接连的胜利，使项梁更加轻视秦军，渐渐地流露出了骄傲的神色。宋义提醒项梁说："打了胜仗后将领骄傲、士兵怠惰时就要小心打败仗了。现在我们的兵卒已稍有懈怠，而秦军的数量在一天一天地增加，我很为您感到担忧。"项梁听不进去。项梁派宋义出使齐国，宋义在路上遇见齐国的使者高陵君显，问他说：

曰："公将见武信君乎？"曰："然。"曰："臣论[438]武信君军[11]必败，公徐行即免死，疾行则及祸[439]。"二世悉起兵益章邯击楚军，大破之定陶，项梁死[440]。

时连雨，自七月至九月。项羽、沛公攻外黄[441]未下，去，攻陈留[442]。闻武信君死，士卒恐，乃与将军吕臣[443]引兵而东[444]，徙怀王自盱眙都彭城[445]。吕臣军彭城东，项羽军彭城西，沛公军砀[446]。

魏豹[447]下魏二十余城，楚怀王立豹为魏王。

后九月[448]，楚怀王并吕臣、项羽军，自将之[449]。以沛公为砀郡长[450]，封武安侯[451]，将砀郡兵[452]；封项羽为长安侯[453]，号为鲁公[454]；吕臣为司徒[455]，其父吕青为令尹[456]。

章邯已破项梁，以为楚地兵不足忧，乃渡河[457]，北击赵，大破之[458]。引兵至邯郸[459]，皆徙其民河内[460]，夷其城郭[461]。张耳与赵王歇走入钜鹿[462]城，王离[463]围之。陈馀北收常山[464]兵，得数万人，军钜鹿北。章邯军钜鹿南棘原[465]。

赵数请救于楚。高陵君显在楚，见楚王曰："宋义论武信君之军必败，居数日，军果败。兵未战，而先见败征[466]，此可谓知兵[467]矣。"王召宋义与计事而大说[468]之，因置以为上将军[469]，项羽为次将[470]，范增为末将[471]，以救赵。诸别将[472]皆属宋义，号为"卿子冠军"[473]。

初[474]，楚怀王与诸将约，先入定关中者王之[475]。当是时，秦兵强，常乘胜逐北[476]，诸将莫利[477]先入关。独项羽怨秦之杀项梁，奋[478]势[12]愿与沛公西入关。怀王诸老将皆曰："项羽为人慓悍猾贼[479]，尝攻襄城，襄城无遗类[480]，皆坑之。诸所过，无不残灭[481]。且楚数进取[482]，前陈王、项梁皆败。不如更遣长者[483]，扶义[484]而西，告谕秦父兄[485]。秦父兄苦其主久矣，今诚得长者往，无侵暴，宜可下[486]。项羽不可遣。独沛公素宽大长者，可遣[487]。"怀王乃不许项羽，而遣沛公西略地[488]，收[489]陈王、项梁散卒以伐秦。

“先生准备去见武信君项梁吗?”高陵君回答说:“是的。”宋义说:“我推断武信君的军队必定失败，您慢点走，就可能躲过一死，走得快恐怕会与项梁同归于尽。”秦二世把全国的兵力都派去增援章邯，让他统领攻打楚军，结果在定陶大败楚军，项梁战死。

当时阴雨连绵，从七月一直下到九月。项羽、刘邦攻打外黄县，攻不下，就离开外黄县去攻打陈留。楚军在听到项梁战死的消息后，军心震恐，不敢恋战，就与将军吕臣一起向东撤退，把楚怀王芈心从盱眙迁移到彭城，将彭城作为都城。吕臣率军驻扎在彭城的东边，项羽率军驻扎在彭城的西边，沛公刘邦驻扎在砀郡。

魏豹攻克了魏国的二十余城，楚怀王封魏豹为魏王。

闰九月，楚怀王把吕臣和项羽的军队合并起来，自己亲自统领。任命刘邦为砀郡郡长，并封为武安侯，负责统率砀郡的军队；封项羽为长安侯，号称鲁公；任命吕臣为司徒，任命吕臣的父亲吕青为令尹。

章邯打败了项梁的军队后，就认为楚军对秦军已经不能构成威胁，于是放心地渡过黄河，向北攻取赵国，大败赵军。又率领秦军直逼邯郸，他把当地的居民全部迁移到黄河北岸，铲平了邯郸城。张耳与赵王被章邯打败后逃入钜鹿城，秦将王离随后就把钜鹿城包围起来。陈馀向北到常山一带召集军队，共召集到了几万人，驻扎在钜鹿城北。章邯的军队驻扎在巨鹿南边的棘原。

赵国多次派人向楚国求救。高陵君先在楚国的彭城拜见了楚王芈心，他对楚王芈心说:“宋义曾经预言武信君项梁的军队必定失败，过了没几天，武信君果然兵败身死。两军还没有交战，就能预先看出失败的先兆，可以说是懂得用兵、善于作战的了。”楚王于是把宋义招来和他当面商讨战事，楚王对宋义非常欣赏，于是任命宋义为上将军，统领诸将，任命项羽为副将，范增为末将，率领楚军前往救赵。其他各路军马也都归宋义统一指挥，当时都称宋义为“卿子冠军”。

当初，楚怀王和诸将约定，谁先破秦进入关中，谁就在那里为王。在那个时候，秦朝的兵力还非常强大，常将楚军打败，所以诸将没有人认为先入关有利。只有项羽因为怨恨秦军杀死了项梁，出于激愤愿意偕同沛公刘邦向西部的函谷关进发。楚怀王身边那些原来楚国的老臣都对楚怀王说:“项羽这个人剽悍勇猛、残暴狡猾，曾经攻破襄城，他把襄城的军民全部坑杀，没有一个人能够幸免。凡是他经过的地方，没有不被毁灭的。况且楚军已经数次向秦王朝所在地发动进攻，先前的陈王、项梁都失败了。不如另外派一个宽厚而老成持重的人，以仁义为号召，向西对秦地的父老兄弟进行宣传，收揽民心。秦朝的百姓饱受暴政蹂躏，早就痛恨他们的统治者了，现在如果派一个宽厚而有声望的人率军前去，不侵犯他们的利益，不乱杀无辜，应该能够攻下来。不能派项羽去。只有沛公刘邦一向以宽厚、老成著称，可以派他前去。”楚怀王因此不派项羽，而派刘邦向西攻取秦地。刘邦将陈涉、项梁的旧部召集起来，率领着向西攻打秦军。

沛公道砀[490]至阳城与杠里[491]，攻秦壁[492]，破其二军。

【段旨】

以上为第二段，写秦二世二年（公元前二〇八年）后半年秦王朝的内部矛盾与各地义军反秦的形势。秦王朝内部主要写了秦二世与赵高的倒行逆施、肆意作恶，与李斯为保官保命而出卖灵魂，最终仍被赵高所杀害的卑劣结局；义军方面则写了项梁、项羽、刘邦等先是打败章邯，气势壮阔，后因项梁轻敌，兵败被杀，起义军严重受创，以及楚怀王重新组织、部署，对秦王朝发起进攻的情景。

【注释】

⑱彭城：秦县名，县治即今江苏徐州。⑲距：通“拒”，抵抗。⑳未闻所在：〖按〗陈涉实际已死，但外界尚传说不一，故项梁曰“未闻所在”。或者项梁明知陈涉已死，而为了消灭秦嘉故意以此为口实。㉑倍：通“背”，背叛。㉒胡陵：秦县名，在今山东鱼台东南。㉓走死梁地：逃至梁国地面，被追兵所杀。梁地，指今河南之东部一带地区。战国时这一带地区属于魏国，因魏国建都大梁（今河南开封），所以也称魏国为梁国，称魏地为梁地。据《史记·秦楚之际月表》，项梁破杀秦嘉、景驹在秦二世二年（公元前二〇八年）四月。徐孚远曰：“景驹楚后，非不当立，项氏兵势已振，亦欲自立后，不肯受事于秦嘉，故以陈王为名而攻之。”㉔栗：秦县名，县治即今河南夏邑。㉕别将：陈涉部下的其他将领，与项梁的部下相对而言。㉖馀樊君：封号名，姓名不详。㉗薛：秦县名，县治在今山东滕州东南。㉘从骑百余：带着百数名骑兵。从，使之跟随。㉙五大夫将：具有“五大夫”爵位的将领。五大夫，秦朝二十级爵位的第九级。㉚沛公还二句：徐孚远曰：“汉祖起事，欲以沛、丰为根本，丰反复属魏，大势几失，故数借兵复之。”㉛雍齿奔魏：雍齿是刘邦的叛将，前已降魏将周市，今被刘邦打败，故往逃魏军。㉜别攻襄城：另率一支军队往攻襄城。襄城，秦县名，县治在今河南襄城西。㉝坑：活埋。㉞定死：确实已死。㉟诸别将：陈涉部下的各路将领。㊱居鄛：秦县名，县治在今安徽桐城南。㊲范增：后来成为项氏的谋士。事迹详见《史记·项羽本纪》。㊳素居家：泷川资言曰：“不仕也。”即在家当隐士。㊴好奇计：善为奇计。好，善、擅长。㊵怀王入秦不反：楚怀王名熊槐，战国后期的楚国国君，公元前三二八至前二九九年在位。秦昭王诈设武关之会，邀怀王结盟。怀王至，昭王以兵拘之，向怀王要求割地，怀王不允，遂被幽禁，客死于秦。事见《史记·楚元王世家》。㊶南公：《史记集解》引文颖曰：“南方老人也。”盖姓字不详。《汉书·艺文志》有“南公十三篇”，属阴阳家。㊷楚虽三户二句：极言楚人与秦势不两立之决心。《史记集解》引臣瓒曰：“楚人怨秦，虽三户犹足以亡秦

沛公刘邦从砀县出发，到达了阳城和杠里，向驻扎在此地的秦军发动了进攻，打败了这两处的秦军。

也。”泷川资言曰：“三户者，言其少耳，乃虚设之辞。”〖按〗臣瓒与泷川资言说极是，旧注有谓“三户”为亭名、津渡名者，有谓“三户”为楚之“昭”“屈”“景”三姓者，皆与此处文义不合。㉔③蜂起：蜂拥而起，极言起义反秦者之多。㉔④然其言：同意他的说法；以其说法为是。㉔⑤楚怀王孙心：客死于秦国的楚怀王的孙子，名心。㉔⑥为人牧羊：郭嵩焘曰：“纳在句中，史公叙事往往有此，是文家消纳法。”〖按〗此即所谓“夹注句”，后文写“鸿门宴”之座次有所谓“项王东向坐，亚父南向坐，亚父者范增也，沛公北向坐，张良西向侍”云云，“亚父者范增也”六字亦“夹注句”。㉔⑦立以为楚怀王：吴见思曰：“孙冒祖号，生袭死谥，写一时草草，可笑。”㉔⑧从民望也：顺从百姓们的希望。王鸣盛曰：“六国亡久矣，起兵诛暴秦不患无名，何必立楚后？制人者变为制于人……范增谬计，既误项氏，亦误怀王。”管同曰：“‘怀王入关不反，楚人怜之’，怜之者，特以愤秦之欺，而咎其君拒屈平之谠言，听子兰之佞说，轻其身以投虎口也；非有故主之思，遗民之痛。而增之劝立其后，何哉？且夫楚固列国，非天下之共主。项氏之意，欲亡秦而取其天下。则立楚之后，仅足以收其故族之心，鼓其遗民之痛。而所谓燕、齐、韩、赵、宋、卫、中山之邦者，于楚何怜？夫岂可得而悉动耶？增之为谋，于是乎悖矣。”泷川资言引凌稚隆曰：“范增劝项氏第一事惟立楚怀王心，不知项世楚将，怀王立，则项当终其身为驱驰，增谓羽能堪之乎？必不能堪，将置怀王于何地？卒之羽弑怀王，而汉之灭羽，因始终以怀王为说，是怀王之立反为汉地耳。盖怀王立则项羽不能不弑逆；羽弑逆则羽不容不灭。然则项之所以失天下，非增劝立怀王一事误之耶？”㉔⑨上柱国：战国时楚国官名，凡破军杀将有大功者可使充之，位极尊宠。后为虚衔。㉕⓪盱眙：同“盱台”。秦县名，县治在今江苏盱眙东北。㉕①武信君：战国与楚汉之际习用的封号名，张仪、武臣等皆曾号此。㉕②诸公子：帝王的嫡长子以外的其他儿子。㉕③横阳君成：即韩成，横阳君是其封号。㉕④益树党：更多地建立一些反秦的同盟势力。益，更加。党，党羽、同伙。师古曰：“广立六国之后，共攻秦也。”㉕⑤求韩成：找来韩成。求，访察、寻找。㉕⑥立以为韩王：泷川资言引周寿昌曰：“劝项梁立韩后，与他日说汉高销六国印相反，盖时异则事殊，不独为韩也。”㉕⑦司徒：古官名，其职守略同丞相。㉕⑧将：统领。㉕⑨韩地：指今河南的新郑、阳翟一带地区，战国时期属韩。㉖⓪辄：就；随即。㉖①游兵颍川：在颍川郡一带打游击。游兵，游击部队。颍川，秦郡名，郡治阳翟，即今河南禹州。㉖②章邯已破陈王：事在秦二世二年（公元前二八〇年）十二月。㉖③魏王：魏咎，战国时的魏王的后代，被周市等拥立为王。㉖④临济：秦县名，当时魏国的国都，在今河南长垣东南。㉖⑤请救于

齐、楚：当时齐军的首领是田儋，而楚军的真正领袖是项梁。章邯围魏咎于临济时，项梁正驻兵于薛县（今山东滕州南）。㉖⑥项它：楚将，项羽的族人。㉖⑦衔枚：让每个士兵口中衔着的一根筷子样的小棍儿，以防止喧哗。㉖⑧约定二句：订约请降，为使百姓不随己同灭；而后自杀，以示宁死不屈。魏咎由来深得人心，非偶然。《史记评林》引邵宝曰："魏咎于身与民，可谓两全之矣。全民以生，全身以死。"郭嵩焘《史记札记》曰："约降而后死，有救民之心矣。秦汉之际如周市、魏咎之君臣，君子有取焉。"凌稚隆曰："周市之让国，魏咎之全民，臣主皆贤，亦乱世所难得，故附见于豹传。"㉖⑨复徇魏地：重新到魏国地面拓地招兵。㉗⓪东阿：秦县名，县治在今山东东阿西南。㉗①齐王建：战国时齐国的末代之君，公元前二六四至前二二一年在位，被秦国所灭。事见《史记·田敬仲完世家》。㉗②以距诸侯：指不准别路义军进入齐地。距，通"拒"。㉗③大霖雨：即雨大成灾。霖，三日以上连续降雨。㉗④亢父：秦县名，在今山东济宁南。㉗⑤引兵东归齐：回齐剿灭新被齐人所立的齐王田假。㉗⑥追北：追击败兵。北，败逃。㉗⑦城阳：也写作"成阳"，秦县名，县治在今山东菏泽东北。㉗⑧濮阳：秦县名，县治在今河南濮阳西南。㉗⑨复振：重又振作起来。㉘⓪环水：环城挖沟引水，以固防守。㉘①去：从濮阳撤离。㉘②定陶：秦县名，县治在今山东定陶西北。㉘③假亡走楚：田假逃奔项梁。㉘④前救赵：在此之前已被派率军救赵。赵，原是陈涉的部将武臣在赵地称王，都邯郸。后来武臣被叛将李良所杀，武臣的部将张耳、陈馀遂拥立战国时赵王的后代赵歇为赵王，实际是张耳、陈馀当家。详情见《史记·张耳陈馀列传》。〖按〗《史记·田儋列传》于此作"角弟田间前求救赵"，《汉书》作"角弟间前救赵"，《汉书补注》以为"求"字衍文。但此说可疑，当时田儋被章邯破杀，齐地义军受重创，齐后方之人匆匆立田假为王，立脚未稳，哪有力量"派兵救赵"？㉘⑤因留：于是便留在了赵国。㉘⑥田横：田荣之弟。㉘⑦章邯兵益盛：时章邯驻兵定陶，今山东定陶西北。㉘⑧楚杀田假三句：徐孚远曰："齐方初立，恐田假尚存，民有异望故也。"㉘⑨恃恩专恣：靠着受秦二世恩宠而为所欲为。㉙⓪但以闻声二句：即只能让百官群臣听到声音，而见不到面容。㉙①富于春秋：指年轻，未来之光阴尚多。春秋，指时日、岁月。㉙②谴举：谴罚与拔举。〖按〗"谴举"似应作"谴誉"，谓谴责与称道。两相对文。㉙③见短于大臣：在大臣面前显露自己的短处。见，通"现"，显露。㉙④示神明于天下：向天下人显示做皇帝者的无上英明。㉙⑤深拱禁中：即深居宫廷，外事一概不问。拱，拱手，清闲无事的样子。禁中，宫中，因有守卫禁防，故称"禁中"。㉙⑥侍中：官名，秦汉时为帝王的侍从役使人员。㉙⑦待事：等候事来则处理之。㉙⑧事来有以揆之：有了事情可以帮您参谋筹划。揆，参详、审度。㉙⑨不敢奏疑事：不敢拿有疑问的、不真实的事情来蒙哄您。㉚⓪侍中用事：由于在宫廷侍候皇帝，于是遂得以专权。㉚①闻李斯以为言：听说李斯想要见二世进言某事。〖按〗据《史记·秦始皇本纪》，李斯此时是想谏二世请其止筑阿房宫事。㉚②急益发繇：越发加急地征调民工。繇，通"徭"，徭役、劳工。㉚③治：建筑。㉚④聚：收敛。㉚⑤不可传也：不能让别人转奏。㉚⑥欲见无间：想求见而没有机会。

间，空隙、机会。㉗侯上间语君：等见到皇上有空闲时告诉您。侯，觇测、暗中观察。㉘燕乐：安闲享乐，多指有妇女之事，与下文"燕私"意同。燕，也写作"宴"，安也。㉙上方闲：皇上眼下正有空闲。㉚上谒：递进请求接见的帖子。谒，犹如今之所谓"名片"，上写个人姓名、爵里、官称，求见时令门者执以入报。㉛如此者三：一连三回如此。㉜请事：请求接见谈事。㉝少我:《史记索隐》曰:"以我幼故轻我也。"或谓"少"即指"不满意"。《史记·曹相国世家》:"惠帝怪相国不治事，以为岂少朕与?"《史记索隐》曰:"少者，不足之词。"㉞且固我哉：还是以为浅陋而鄙视我呢。且，或、还是。固，陋，这里用如动词。㉟沙丘之谋：指始皇死于沙丘宫时，赵高、李斯阴谋篡改始皇遗诏，杀扶苏以立胡亥事。㊱丞相与焉：丞相是参与了的。与，参与。㊲贵不益：富贵没有增加。㊳裂地而王：占有地盘而称王。裂，割取、分出。㊴三川守：三川郡的郡守。三川郡的郡治即今河南洛阳。其郡内有黄河、伊水、洛水，故云。㊵傍县之子：邻近诸县的人。傍县，邻县。〖按〗李斯为上蔡人，陈胜为阳城（今河南登封东南）人，阳城在上蔡之西，二县相邻。㊶公行：畅行无阻。㊷过三川二句：谓陈胜的队伍（如周文等）在三川郡来来去去，李由只是闭门守城而不出击。㊸文书相往来：说李由与陈胜的部将互有书信往来。㊹未得其审：还未弄得确实。审，确实、确切。㊺未敢以闻：未敢向您报告。闻，使之闻，即报告。㊻丞相居外二句：吴见思曰:"结二语以威劫之，写赵高之恶至此，不意天地之中有此毒物!"㊼案：逮捕审问。㊽按验：审查；核查。㊾擅利擅害：即作威作福。㊿田常相齐简公：田常原称田恒，汉人避文帝讳改称田常，春秋晚期齐国的权臣，为齐简公（公元前四八四至前四八一年在位）之相。㉛窃其恩威：把持了齐国的赏罚大权。据《史记·田敬仲完世家》：田常之父田乞，为齐景公臣，为了获取民心，在贷粮于民时，大斗出，小斗入，故齐人皆德之。至田常时，复行其父之政，于是不知不觉地就把齐国政权把持了起来。㉜卒弑简公而取齐国：据《左传》与《史记·田敬仲完世家》，哀公十四年（公元前五五五年），齐简公的亲信监止欲诛田氏，事泄，田常击杀监止，并弑齐简公。从此田氏把持了齐国政权，姜姓诸侯成为傀儡。㉝邪佚之志：邪恶的心思。佚，放纵。㉞危反之行：即图谋造反。王念孙曰:"危，读为'诡'。诡，亦'反'也。"㉟若田氏之于齐：就如同当年田常在齐国的情形一样。㊱贪欲无厌：贪得而永无满足。厌，饱、满足。㊲列势次主：其地位权势和您差不多。次，仅次于、差不多。㊳劫陛下之威信：凭借着您的权势以控制群臣，即所谓狐假虎威。劫，劫持、倚仗。㊴韩玘为韩安相：韩玘不见于历史，当是战国末期韩国的权臣；韩安是韩国的末代国君（公元前二三八至前二三〇年在位），被秦国所灭。梁玉绳引胡三省曰:"韩安之臣必有韩玘者，特史逸其事耳。李斯与韩安同时，而韩安亡国之事接乎胡亥之耳目，所谓'殷鉴不远'也。"㊵不图：不考虑他的危险性。图，谋虑、提防。㊶臣恐其必为变也：陈子龙曰:"丞相子方得罪，而欲上书以除君侧之恶，此必无之事也，何斯之智而出此？知其无聊矣。"㊷何哉：怎么会像你说的那种样子呢。㊸故宦人也：只不过是一个宦者出身而已。泷川资言引中井积德曰："'故宦人'者，对今尊官而言，谓内官贱役也。"㉞不为安肆志：不因为国家太平而放纵自己。㉟不以危易心：不因为国事危急而改变忠心。㊱洁行修善：提高操行，一心向善。洁，用如动词。㊲自使至此：谓他今天的富贵权位都是靠着自己的努力获得的。㊳非属赵君二句：不倚靠赵高，又能倚靠谁呢。属，托、倚靠。㊴精廉强力：精明而又勤奋。强力，努力。㊵适朕：合我的心思。㊶其：表示祈请的语气词。㊷雅爱信：一向喜爱、信任。雅，平素、一向。㊸所患：所怕。㊹高已死二句：吴见思曰："即以田常事反用之，只一句，毒甚。李斯一篇文章反为赵高所用。何物文心，体贴至此！"又曰："赵高说李斯便入，李斯说赵高不入，盖李斯地逼，赵高地亲也。"㊺盗贼：指东方的各路起义军。㊻关中卒：关中地区的士兵。关，指函谷关，在今河南灵宝东北。㊼发东：被征调到东方。㊽无已：指被征调个没完。㊾杀亡：被杀死的与被赶走的。亡，逃走。㊿戍漕转作：胡三省曰："戍，征戍也；漕，水运也；转，陆运也；作，役作也。"役作指修阿房、修陵墓等等。361且止：暂时停止。362减省四边戍转：削减四方边境的驻守军队，减少向四方边境运送粮食。363所为贵有天下：统治天下的帝王之所以可贵。所为，所以。364肆意极欲：即为所欲为，想怎么着就怎么着。365主重明法：主要的是在于申明法令。"主重"二字连读，意即"强调""重在"。366制御四海：统治天下。制御，统治、驾驭。367虞、夏之主：指虞舜、大禹那样的人。368亲处穷苦之实：指亲自去干那些艰苦的劳动，亲自去过那种穷困的生活。369徇百姓：围着百姓转。徇，顺，以己从人。370尚何于法：还要法令干什么。王叔岷曰："'于'犹'用'也。"371攘：排挤；斥逐。372以章得意：以显示自己的心满意足。章，显示。373君观先帝功业有绪：你是看到过先帝当年的功业是何等辉煌而有条理的。观，谓看到过。有绪，有条理、有次序。374罢先帝之所为：指停止修建阿房宫等。375何以在位：凭什么居此职位。376下去疾、斯、劫吏：将冯去疾、李斯、冯劫交由司法官查办。377案责他罪：进一步追查他们的其他罪行。378去疾、劫自杀：古礼有所谓"将相不辱"，故大将、宰相轮当下狱时，往往会自杀。379就狱：接受惩罚，自甘入狱。380以属赵高治之：将李斯交由赵高审讯。"以"下应增"斯"字读。属，给、交由。治，拷问。381责：追问。382榜掠：拷打。榜，笞打。掠，拷问。383诬服：无罪而冤屈地承认有罪。384不死：指不自杀。385自负其辩二句：自以为既有功又善辩。泷川资言曰："《治要》无'其辩'二字。"〖按〗无"其辩"二字于文气更顺。386自陈：陈述自己的冤情。387幸二世寤：希望二世能醒悟。寤，同"悟"。388臣为丞相二句：梁玉绳曰："始皇二十八年李斯尚为卿，本纪可据。疑三十四年始为丞相，是相秦仅六年。若以始皇十年斯用事数之，是二十九年，亦无'三十余年'也。"王叔岷曰："盖自始皇拜斯为长史时计之，其事当始皇初年……李斯自计年数应不致误也。"389逮秦地之狭隘：还曾赶上过秦国当初那种疆土狭窄的样子。逮，达到、赶上。390臣尽薄材：即我尽了我的一切力量。"薄材"这里是故作谦语、反语。391阴行谋臣：暗中派出说客。阴行，暗中派出。行，派出、派遣。392资：供给；使其携带。393使游说诸侯：以上数语即《史记·李斯列传》所谓“秦王乃拜斯为长史，听其计，阴遣谋士赍持金玉以游说诸侯。诸侯名士可下以财者，厚遗结之；不肯者，利剑刺之。离其君臣之计，秦王乃使其良将随其后。”㊴饬政教：推行政治教化。饬，治、施行。㊵官斗士：封战场立功者以官。〖按〗“阴修甲兵”以下数语讲内政，与上文派谋臣游说诸侯之外交相对。㊶胁韩弱魏三句：即灭掉东方六国。胁、弱、破、夷，都是“消灭”的意思。㊷卒兼六国三句：〖按〗东方六国依次被秦所灭的时间，具见《史记·秦始皇本纪》。至秦王政二十六年（公元前二二一年），全国统一，从此秦王改称“始皇帝”。㊸北逐胡、貉：指北逐匈奴与东北逐朝鲜。古时称匈奴人曰“胡”，称朝鲜（当时曰高丽）人曰“貉”。貉，亦作“貊”。〖按〗秦之北逐匈奴见《史记·蒙恬列传》，秦之逐朝鲜事语焉不详。《史记·朝鲜列传》有所谓“秦灭燕，属辽东外徼”，或即指此以兵威使朝鲜归附。㊹南定百越：“百越”指当时杂居于今福建、广东、广西以及越南北部的各少数民族，以其种类繁多，故称“百越”。〖按〗《史记·南越列传》有云：“秦时已并天下，略定扬越，置桂林、南海、象郡。”具体情节亦语焉不详。㊺更克画二句：指统一度量衡、统一文字。更，改，改战国时期的旧制。陈直曰：“‘克画’即‘刻画’，谓铸刻其款识也。”〖按〗克画，指文字，即改大篆而行小篆。斗、斛，都是容器，一斛相当于十斗。文章，指礼乐制度。㊻愿陛下察之：曾国藩曰：“李斯之功，只从狱中上书叙出，与萧何之功，从鄂君语中叙出，同一机杼。李斯之罪，从赵高反复熟商立胡亥事叙出，与伍被说淮南、蒯通说韩信，同一机杼。”凌稚隆曰：“李斯所谓‘七罪’，乃自侈其极忠，反言以激二世耳。岂知矫杀扶苏、蒙恬，以酿其君之暴，其罪更有浮于此者。”钱锺书曰：“仆固怀恩《陈情书》‘臣实不欺天地，不负神明，夙夜三思，臣罪有六’云云，全师李斯此书，假认罪以表功，所谓‘反言’也。”㊼安得：岂能；哪有资格。㊽十余辈：十多批；十来伙。㊾御史、谒者、侍中：都是官名。御史是御史大夫的属官，掌监察弹劾。谒者属郎中令统管，掌傧相、赞礼及收发传达。侍中是帝王身边的侍从人员。㊿更往覆讯斯：谓赵高让他手下的宾客化装成秦二世的御史、谒者、侍中，多次前去询问李斯。更往，交替前往。覆讯，再次审问。406斯更以其实对：李斯以为他们真是二世派来的人，于是便翻去不实之词，照实情回答。407辄使人复榜之：陈子龙曰：“高知二世必遣人更讯，故先为之地也。”408验斯：拷问李斯。409斯以为如前：李斯以为还是赵高派来的。410终不敢更言：始终不敢再说别的。或也可以理解为“改口”。更，改。411辞服：招供认罪。412奏当上：把对李斯的判决书上报皇帝。奏，进呈。当，判罪、判决。胡三省曰：“奏当者，狱具而奏。当，处其罪也。”413微赵君二句：微，如果没有、如果不是。几，几乎、差点儿。卖，欺骗。414及二世所使句：当二世所派按察李由的使者到达三川郡时。415楚兵已击杀之：李由已被项梁之兵所杀。416使者来：使者回到咸阳。417会丞相下吏：正赶上李斯被下狱。会，值，正赶上。418妄为反辞：随意给李由编造了一些造反的情节。茅坤曰：“自古以谗贼之言诛功臣，未有不诬以谋反者。”419傅会：编造；编凑。420具斯五刑：让李斯备受了五种刑罚。《汉书·刑法志》云："当三族者，皆先黥、劓，斩左右趾，笞杀之，枭其首，菹其骨肉于市；其诽谤詈诅者，又先断舌，故谓之具五刑。"〖按〗关于"五刑"的规定，各个时代不一。据说舜时的五刑是墨（黥）、劓（割鼻）、刖（断小腿）、宫（割生殖器）、大辟（斩头）；汉则为黥、劓、斩趾、笞杀、菹骨肉。又，据此处文意，所谓"具斯五刑"者，疑即指根据刑法对李斯判罪，故下接"论腰斩咸阳市"。若五种刑罚皆已受遍，已经"大辟""枭首""菹骨肉"矣，则李斯腰斩前还怎能与其子说话？㉑论腰斩咸阳市：论，判处。咸阳市，咸阳城中的市场。古代都城的市场有规定地点，周围筑有围墙。㉒中子：在诸子中不是最大，也不是最小的。㉓俱执：一起被捆绑。执，捆绑。㉔吾欲与若三句：若，尔、你。逐，追，此指打猎。〖按〗《晋书·陆机传》写陆机临死曰"华亭鹤唳，岂可复闻乎"，当是效李斯此语。㉕夷三族：诛灭三族。夷，平、杀光。三族，有曰指父族、母族、妻族，有曰指父母、兄弟、妻子。其他不录。〖按〗李斯被秦所杀在秦二世二年（公元前二〇八年）九月。㉖已破章邯于东阿：即在东阿打败章邯，救出田荣后。㉗比至定陶："比"字原讹作"北"。"比至定陶"即追至打到定陶的时候。比，等到。〖按〗定陶不在东阿的北面，而是在东阿的西南方。㉘再破秦军：项梁又一次打败了秦朝军队。㉙雍丘：秦县名，县治即今河南杞县。㉚斩李由：破杀了李斯的儿子三川守李由。㉛益轻秦：谓项梁连续获胜后，越来越轻视秦朝军队。益，渐。㉜宋义：楚人，秦灭楚前曾为楚国高官。凌稚隆引《汉纪》云："宋义，故楚令尹。"㉝今卒少惰矣：少，同"稍"。惰，松懈、涣散。吴见思曰："本言将骄，讳而言卒，辞令之妙。"㉞秦兵日益：秦朝的军队越来越多。㉟畏：担心。㊱使于齐：派往田荣处联络。㊲高陵君显：高陵君名显，姓氏不详，齐王田荣的部下，"高陵君"是其封号。高陵，秦县名，《史记索隐》曰："高陵属琅邪。"㊳论：判断；估计。㊴徐行即免死二句：谓项梁那里很快就要出问题，您如果走慢点，可以躲过去，如果到得早，很可能就要跟着倒霉了。㊵大破之定陶二句：据《史记·秦楚之际月表》，项梁兵败被杀在秦二世二年（公元前二〇八年）九月。姚苎田曰："宋义语只是寻常见识耳，幸而中，亦不幸而中，卒以此杀其身也。"㊶外黄：秦县名，县治在今河南民权西北。㊷陈留：秦县名，县治在今河南开封东南。㊸吕臣：原为陈涉侍从，陈涉兵败被杀后，吕臣收合残部，又曾一度攻克陈郡，后归项梁。事见《史记·陈涉世家》。《史记·高祖功臣侯者年表》有"吕臣"，应是别一人。㊹引兵而东：向东方撤退。何焯曰："一路向西，此引而东，暂以兵败也。"㊺徙怀王自盱眙都彭城：将楚怀王的都城自盱眙迁到西北前线的彭城，即今徐州。盱眙在彭城东南数百里。㊻砀：秦县名，县治在今河南永城东北。㊼魏豹：六国时魏国的后代，魏咎之弟。魏咎前被章邯所围而自杀，故今楚怀王又立魏豹为魏王。魏豹的事迹详见《史记·魏豹彭越列传》。㊽后九月：即闰九月。秦朝以"十月"为岁首，"九月"为一年中的最后一个月。当时的闰月放在岁末，故称"后九月"。㊾并吕臣、项羽军二句：由此益见怀王在当时非徒拥虚名之傀儡，而是确有相当的实力；亦可由此想象异日项羽杀害怀王的后果非同一般。项羽与怀王的怨隙自此夺军始。㊿砀郡长：即砀郡的郡守。秦时的砀郡治砀县，在今河南永城东北。㊿武安侯：只是封号名，而无封地。㊿将砀郡兵：项羽的兵权被剥夺，而刘邦则被委以“将砀郡兵”，怀王亲近刘邦的意向分明。㊿长安侯：亦只是封号，没有封地。㊿号为鲁公：鲁县的县令，鲁县即今山东曲阜。㊿司徒：掌管教化的官名，地位崇高，为古代的“三公”之一。㊿令尹：战国时楚官名，位同丞相。《史记集解》引臣瓒曰：“时立楚之后，故置官司皆如楚旧。”㊿渡河：渡黄河北进。㊿大破之：谓大破张耳、陈馀之兵。㊿邯郸：即今河北邯郸，赵国的都城。㊿河内：地区名，战国、秦汉时代以称今河南北部的黄河以北地区。㊿夷其城郭：铲平了邯郸城。夷，铲平。城，内城。郭，外城。㊿钜鹿：秦县名，县治在今河北平乡西南。㊿王离：秦国名将王翦之孙。㊿常山：秦郡名，郡治元氏，在今河北元氏西北，当时为赵地起义军的势力范围。㊿棘原：古地名，在今河北平乡南。㊿败征：失败的征兆。㊿知兵：懂得用兵作战。㊿说：同“悦”。㊿上将军：非固定官名，盖令其位居诸将之上，以统领诸将而言。㊿次将：军队中的第二把手。㊿末将：位在次将之下。〖按〗“次将”“末将”皆非固定职位，只临时表示其在军中的地位。㊿诸别将：配合主力军部队作战的其他各路将领。㊿卿子冠军：“卿子”是对男子的美称，宋义为最高统帅，故称“卿子冠军”。㊿初：当初，史书追叙往事时常用“初”字领起下文。㊿先入定关中者王之：谁先破秦入定关中，谁就在那里称王。关中，《史记索隐》引《三辅旧事》云：“西以散关为界，东以函谷为界，二关之中，谓之关中。”〖按〗怀王打发项羽北上，指派刘邦西下，而约之曰“先入定关中者王之”，此怀王故意将关中王给予刘邦。凌稚隆引王九思曰：“当时救赵难于入关，秦大军在赵既有当之者，则入关差易为力。”㊿逐北：乘胜追击败兵。北，通“背”。二人对战而示之以背，意即败逃。㊿莫利：师古曰：“不以入关为利，言畏秦也。”㊿奋：《史记索隐》引韦昭曰：“奋，愤激也。”意即闻声而起、挺身而出。㊿僄悍猾贼：犹言“勇猛凶残”。僄悍，迅疾勇猛。猾贼，狡猾残忍。梁玉绳曰：“‘猾’字不似羽之为人，盖‘祸’字之讹，《汉书》作‘祸贼’。师古曰：‘好为祸害而残贼也。’”〖按〗王念孙以为应作“猾”，且谓“猾，黠恶也”，并以《史记·酷吏列传》之说宁成“猾贼任威”为证。㊿无遗类：犹言一个没剩，全部杀光了。㊿残灭：毁坏净尽。㊿楚数进取：楚兵已经多次向西方发动过进攻。师古曰：“楚者，总言楚兵，陈涉、项梁皆是。”㊿长者：厚道人；仁义之人。㊿扶义：仗义，一切行事以仁义为本。师古曰：“扶，助也。以义自助也。”㊿告谕秦父兄：对秦地父老讲清道理，令其投降。㊿宜可下：应该是可以攻下。㊿独沛公素宽大长者二句：素，一向；向来。泷川资言曰：“怀王之立也，楚亡臣来归者必众，所谓‘诸老将’是也。使怀王并吕臣、项羽军，以宋义为上将军，遣沛公入关者，概此等老将所为。”锺惺曰：“‘长者’字三言之，人心可卜矣。”陈子龙曰：“秦强兵皆在外而内怨复深，此不必全以兵力取，而可以虚声下也，楚诸老将可谓知兵。”㊿略地：攻取；开拓地盘。㊿收：招集；收编。㊿道砀：经由砀县。⑲至阳城与杠里：阳城，似应作“城阳”，也写作“成阳”，秦县名，在今山东菏泽东北。距刘邦开始出发的彭城较近。至于“阳城”，乃在西部的登封东南，刘邦不可能一下子到达此地。《史记·高祖本纪》正作“成阳”。杠里，秦县名，在当时的成阳之西。⑲秦壁：秦军的壁垒。壁，壁垒，防御工事。

【校记】

［6］齐王儋死：“齐王”二字，原作“田”。据章钰校，十二行本、乙十一行本、孔天胤本皆作“齐王”。今从诸本及《通鉴纪事本末》改。［7］田角亡走赵：此五字原无。据章钰校，十二行本、乙十一行本、孔天胤本皆有此五字，张敦仁《通鉴刊本识误》、张瑛《通鉴校勘记》同。今从诸本及《通鉴纪事本末》补。［8］天子所以贵者：“天子”下

【原文】

三年（甲午，公元前二〇七年）

冬十月，齐将田都畔田荣，助楚救赵[493]。

沛公攻破东郡尉[494]于成武。

宋义行至安阳[495]，留四十六日不进。项羽曰：“秦围赵急，宜疾引兵渡河。楚击其外，赵应其内，破秦军必矣。”宋义曰：“不然。夫搏牛之虻，不可以破虮虱[496]。今秦攻赵，战胜则兵疲，我承其敝[497]；不胜，则我引兵鼓行而西[498]，必举[499]秦矣。故不如先斗秦、赵[500]。夫被坚执锐[501]，义不如公；坐运筹策，公不如义。”因下令军中曰：“有猛如虎，狠如羊[502]，贪如狼，强不可使[503]者，皆斩之。”

乃遣其子宋襄相齐[504]，身送之至无盐[505]，饮酒高会[506]。天寒，大雨，士卒冻饥。项羽曰：“将勠力而攻秦[507]，久留不行。今岁饥民贫，士卒食半菽[508]，军无见粮[509]，乃饮酒高会，不引兵渡河，因赵食[510]，与赵并力攻秦，乃曰‘承其敝’。夫以秦之强，攻新造之赵[511]，其势必举[512]赵。

原有“之”字。据章钰校，十二行本、乙十一行本皆无此字。今从十二行本、乙十一行本及《史记·李斯列传》和《通鉴纪事本末》删。[9] 雅爱信高：“信”，原作“赵”。据章钰校，十二行本、乙十一行本皆作“信”。今从十二行本、乙十一行本及《通鉴纪事本末》改。[10] 比至：“比”，原作“北”。据章钰校，十二行本、孔天胤本皆作“比”。〖按〗定陶不在东阿之北（说详注释㊼），今从十二行本、孔天胤本及《汉书·陈胜项籍传》改。[11] 武信君军：“军”字原无。据章钰校，十二行本、乙十一行本皆有此字，张敦仁《通鉴刊本识误》同。今从十二行本、乙十一行本及《史记·项羽本纪》和《通鉴纪事本末》改。[12] 奋势：“势”字原无。据章钰校，乙十一行本、孔天胤本皆有此字，张敦仁《通鉴刊本识误》同。今从乙十一行本、孔天胤本及《汉书·高帝纪》补。

【语译】

三年（甲午，公元前二〇七年）

冬天，十月，齐国将领田都违抗齐国宰相田荣不许救援赵国的命令，率领齐军协助楚国抗秦救赵。

沛公刘邦打败秦朝东郡郡尉于成武。

宋义率领楚军到达安阳，在安阳已经驻扎了四十六天，仍然按兵不动。项羽说：“秦国围攻赵国，情势非常紧急，我们应该赶快率军渡过黄河。楚国从外部攻打，赵军从内部攻打，里外夹击，必定能打败秦军。”宋义说：“你说得不对。虻搏击的是牛，而不是牛身上的虱子。现在秦国攻打赵国，如果秦国打了胜仗，它的军队也已经很疲惫了，我们可以乘着秦军疲惫的机会去攻打；如果秦军不能取胜，那我们就率领军队大张旗鼓地向西进发，必定能一举打败秦军。所以不如先让秦军在与赵军的相互争斗中消耗力量。论起身披铠甲、手持兵器、冲锋陷阵，我不如你；但运筹帷幄、决胜千里，你不如我。”于是宋义下令军中说：“凡是像老虎一样凶猛的、像羊一样固执的、像狼一样贪婪的，再加上那些倔强不服从命令的，一律斩首。”

宋义派他的儿子宋襄前往齐国担任宰相，还亲自把他送到无盐，又大摆宴席，宴请宾客。当时天气寒冷，又下大雨，兵士们都在忍饥受冻。项羽说：“本来打算并力攻打秦军，却长时间地逗留在这里不肯前进。现在年景荒歉，百姓贫困，士兵吃的是半粮半菜，部队当中没有一点存粮，宋义竟然不顾士卒的死活，饮酒作乐，他不说赶快率军渡过黄河，利用赵国补给军粮，与赵国联手攻打秦军，反而说要‘乘其敝’。以强大的秦国，攻打刚刚建立起来的赵国，必然是赵国被秦军所消灭。

赵举秦强[13]，何敝之承！且国兵新破⑬，王坐不安席，扫境内⑭而专属于将军，国家安危，在此一举。今不恤士卒⑮，而徇其私⑯，非社稷之臣⑰也。"

十一月，项羽晨朝⑱上将军宋义，即其帐中斩宋义头。出令军中曰："宋义与齐谋反楚⑲，楚王阴令籍诛之。"当是时，诸将皆慑服⑳，莫敢枝梧㉑，皆曰："首立楚者，将军家也，今将军诛乱㉒。"乃相与共立羽为假上将军㉓。使人追宋义子，及之齐㉔，杀之。使桓楚报命于怀王。怀王因使羽为上将军㉕。

十二月，沛公引兵至栗㉖，遇刚武侯㉗，夺其军四千余人，并之。与魏将皇欣㉘、武满㉙军合攻秦军，破之。

故齐王建孙安㉚下济北㉛，从项羽救赵。

章邯筑甬道属河㉜，饷王离㉝。王离兵食多，急攻钜鹿。钜鹿城中食尽兵少，张耳数使人召前陈馀㉞。陈馀度㉟兵少，不敌秦，不敢前数月。张耳大怒，怨陈馀，使张黡、陈泽㊱往让㊲陈馀曰："始吾与公为刎颈交㊳，今王与耳㊴旦暮且死，而公拥兵数万，不肯相救，安在其相为死！苟必信㊵，胡不赴秦军俱死㊶，且有十一二相全㊷。"陈馀曰："吾度前㊸终不能救赵，徒尽亡军㊹。且馀所以不俱死，欲为赵王、张君报秦㊺。今必俱死，如以肉委饿虎㊻，何益！"张黡、陈泽要以俱死㊼，馀乃使黡、泽将五千人先尝秦军㊽，至，皆没㊾。当是时，齐师、燕师皆来救赵㊿，张敖551亦北收代兵552，得万余人。来皆壁553余旁，未敢击秦。

项羽已杀卿子冠军，威震楚国，乃遣当阳君、蒲将军554将卒二万渡河555，救钜鹿。战少利556，绝章邯甬道557，王离军乏食。陈馀复请兵558。

赵国被消灭，秦国就会更加强大，哪里会有疲惫之机让你利用！再说我们的军队刚刚遭受了重创，楚怀王为此坐卧不安，把全部军队都交付给上将军宋义指挥，国家的生死存亡，全取决于这次行动。而宋义不仅不关心士卒的死活，反而一心为自己谋求私利，说明他不是与国家同生死、共忧戚的大臣。”

十一月，项羽在早晨参见上将军宋义，就在宋义的军帐中杀死了宋义，并砍下他的人头。而后走出帐外对全军将士们说：“宋义勾结齐国妄图谋反，楚怀王暗中下令，让我诛杀他。”这时诸将都被项羽的威势所折服，没有谁敢抗拒，都说：“最早提出拥戴楚怀王的是项将军叔侄二人；现在项将军又为楚怀王诛杀了乱臣。”于是共同推举项羽为代理上将军。项羽派人去追杀宋义的儿子宋襄，一直追到齐国境内，终于将宋襄杀死。又派桓楚回到彭城，向楚怀王汇报这里所发生的一切。楚怀王也只好顺水推舟任命项羽为上将军。

十二月，沛公刘邦率领着楚军到达栗县，与刚武侯相遇，刘邦偷袭了刚武侯，把他的四千多军队编入自己的军中。然后又与魏将皇欣、武满的军队联合起来攻打秦军，将秦军打得大败。

故齐国国君田建的孙子田安攻占了济北郡，他率军前来跟随项羽救援赵国。

秦将章邯修筑了一条甬道，从黄河边一直通到钜鹿城下王离的军前，利用甬道为秦将王离输送粮草。因此王离军中粮食充足，他多次向钜鹿城发起猛攻。钜鹿城中粮食已尽而兵力又少，张耳多次派人督促陈馀前来攻打秦军，以解钜鹿之围。陈馀考虑兵力不足，打不过秦军，因此拖延了几个月也不敢与秦军交战。张耳非常恼火，心中怨恨陈馀，就派属下张黡、陈泽前去谴责陈馀说：“当初我和你结下生死与共的友情，如今赵王和我面临着随时都有死亡的危险，而你率领着数万人马，竟然坐视而不肯相救，同生死共命运的誓言到哪里去了！假如你遵守当初的誓言，何不率领你的军队冲上前去和秦军决一死战，或许还有十分之一二战胜秦军的希望。”陈馀说：“我估计，即使我们进击秦军，最终也救不了赵国，只会白白地牺牲掉我们的军队。另外，我所以不愿意和张耳一起去和秦军拼命，就是想保留我这点军队，将来为赵王和张耳报仇。如果一定要去和秦军拼命，就像是把肉扔给饥饿的老虎，对赵国又有什么帮助呢！”张黡、陈泽坚决要求去与秦军拼命以表明信义，陈馀只好拨给他们二人五千名士兵先去尝试着攻打秦军，结果，刚一交战，二人所率领的五千人马就被秦军杀得片甲无存。与此同时，齐国、燕国都派军队前来救援赵国，张耳的儿子张敖也在代地召集了一万多人的军队。赶来后都驻扎在陈馀的营垒旁边，没有人敢出兵攻打秦军。

项羽杀死了“卿子冠军”宋义后，他的声威震动了楚国，项羽派当阳君、蒲将军率领二万人的军队率先渡过黄河，救援钜鹿。交战中取得了一些胜利，最主要的是截断了章邯给王离运粮的通道，王离军中逐渐缺粮。陈馀再次向项羽请求增派援兵。

项羽乃悉引兵渡河，皆沉船，破釜甑，烧庐舍[559]，持三日粮，以示士卒必死[560]，无一还心。于是至则围王离，与秦军遇，九战[561]，大破之。章邯引兵却，诸侯兵乃敢进击秦军，遂杀苏角[562]，虏王离。涉间[563]不降，自烧杀。

当是时，楚兵冠诸侯[564]。军救钜鹿者十余壁[565]，莫敢纵兵。及楚击秦，诸侯将皆从壁上观[14]。楚战士无不一当十，呼声动天地，诸侯军无不人人惴恐[566]。于是已破秦军，项羽召见诸侯将。诸侯将入辕门，无不膝行而前，莫敢仰视[567]。项羽由是始为诸侯上将军[568]，诸侯皆属焉[569]。

于是赵王歇及张耳乃得出钜鹿城谢诸侯[570]。张耳与陈馀相见，责让陈馀以不肯救赵[571]，及问张黡、陈泽所在，疑陈馀杀之，数以问馀[572]。馀怒曰："不意[573]君之望[574]臣深也。岂以臣为重去将印哉[575]？"乃脱解印绶[576]，推与张耳。张耳亦愕[577]不受。陈馀起如厕。客有说张耳曰："臣闻'天与不取，反受其咎[578]。'今陈将军与君印，君不受，反天[579]不祥，急取之。"张耳乃佩其印，收其麾下[580]。而陈馀还，亦望张耳不让，遂趋出[581]，独与麾下所善数百人之河上泽中渔猎[582]。赵王歇还信都[583]。

春二月，沛公北击昌邑[584]，遇彭越，越[15]以其兵从沛公。越，昌邑人，常渔钜野泽中[585]，为群盗。陈胜、项梁之起[586]，泽间少年相聚百余人，往从彭越曰："请仲为长[587]。"越谢[588]曰："臣[589]不愿也。"少年强请，乃许。与期旦日日出会[590]，后期[591]者斩。旦日日出，十余人后[592]，后者至日中[593]。于是越谢曰[594]："臣老，诸君强以为长。今期而多后[595]，不可尽诛，诛最后者一人。"令校长[596]斩之。皆笑曰："何至于是！请后不敢[597]。"于是越引一人斩之[598]，设坛祭[599]，令徒属[600]，徒属[16]皆大惊，

于是项羽率领着全部人马渡过了黄河，他下令军中把所有的船只都沉入河中，把锅、甑等炊具全部捣毁，把住的营帐也都烧毁，每人只准许带三天的干粮，借此表示拼死作战、不取胜绝不生还的决心。项羽来到巨鹿就首先包围了王离，与秦军展开了激战，经过反复拼杀，终于打败了秦军。章邯率军撤退，到了此时，其他各诸侯的援军才敢离开营垒攻击秦军，于是斩杀了秦将苏角，俘虏了秦军统帅王离。秦军的另一位大将涉间不肯投降，但已无路可走，便自焚而死。

在会战刚开始的时候，项羽率领的楚军最勇敢。各诸侯派来援救钜鹿的军队连营十多座，没有一个敢出来与秦军交战。等到项羽的军队向秦军发起猛攻的时候，各路将领都在自己的营垒上远远地观望。只见项羽的战士无不以一当十，喊杀之声惊天动地，诸侯的将士们被楚军的声势吓得浑身战栗，面无血色。秦军被打垮后，项羽召见各路诸侯的将领。这些将领心怀敬畏，进入项羽的军营之后，便不由自主地双膝跪地、匍匐向前，谁也不敢抬头看项羽一眼。从这时开始，项羽成为各路诸侯的上将军，各路诸侯将领都归附于项羽。

赵王歇和丞相张耳从钜鹿城中被解救出来，二人向各路援军表示感谢。张耳与陈馀见面，张耳谴责陈馀不肯救赵；又问张黡、陈泽在哪里，当得知张黡、陈泽二人已死的消息后，张耳怀疑是陈馀杀死了二人，屡次向陈馀追问。陈馀怒气冲冲地说："我没想到你对我的怨恨会这么深。难道你以为我就这么看重这颗将军印吗？"说完，便从身上解下印绶交给张耳。张耳没料到陈馀会做出这种举动，很是吃惊，便不肯接印。陈馀起身去厕所。有一位宾客劝张耳说："我听说'上天赐给你的，你如果不接受，就会遭受上天的惩罚。'现在陈将军把印交给你，你不接受，这是违背上天的意愿，是不吉祥的，请赶快把印收下吧。"张耳听从了宾客的建议，就把那颗将军印佩戴在身上，并接管了陈馀的军队。陈馀回来，发现将军印已经被张耳收起，而且张耳竟然连一句挽留自己的话都没有，也很痛心和怨恨，于是，快步走出，只带领自己的几百名亲信到黄河边的大泽中打鱼狩猎。赵王歇返回信都。

春天，二月，沛公刘邦率军北上攻取昌邑，遇见彭越，彭越率领他的部下归附了刘邦。彭越是昌邑人，经常在钜鹿附近的湖泽之中捕鱼，后来聚众做了强盗。当陈胜、项梁率军反抗秦朝的时候，湖泽之中有几百个年轻人聚集起来，找到彭越说："请你做我们的首领。"彭越谢绝说："我不愿意做你们的首领。"那些年轻人极力地恳求，彭越才答应下来。于是，彭越与他们约定第二天早上太阳出来的时候相会，来晚了要杀头。第二天太阳出来的时候，有十多个人都来晚了，最晚的一个到了太阳正午的时候才到。彭越再次地对那些人说："我年纪大了，诸位却非要强迫我做首领。如今约定好了相会的时间而来晚的人很多，当然不能都杀死，今天就把那最后来的一位斩首。"命令校长执行。那些年轻人都笑着说："何至于这样！以后再也不敢了。"彭越亲自把最后来的那个人拉出来斩首，又设立一个祭台，就用那个人的头来祭祀，然后

莫敢仰视。乃略地，收诸侯散卒，得千余人，遂助沛公攻昌邑。

昌邑未下[601]，沛公引兵西过高阳[602]。高阳人郦食其[603]家贫落魄[604]，为里监门[605]。沛公麾下骑士适[606]食其里中人，食其见[607]，谓曰："诸侯将过高阳者数十人，吾问其将皆握龊[608]，好苛礼[609]，自用[610]，不能听大度之言。吾闻沛公慢而易人[611]，多大略。此真吾所愿从游[612]，莫为我先[613]。若见沛公[614]，谓曰：'臣里中有郦生，年六十余，长八尺，人皆谓之狂生。生自谓我非狂生。'"骑士曰："沛公不好儒，诸客冠儒冠[615]来者，沛公辄解其冠，溲溺其中[616]。与人言，常大骂，未可以儒生说[617]也。"郦生曰："第言之[618]。"骑士从容言[619]如郦生所诫[620]者。

沛公至高阳传舍[621]，使人召郦生[622]。郦生至，入谒[623]。沛公方倨床，使两女子洗足[624]，而见郦生。郦生入，则长揖不拜，曰："足下欲助秦攻诸侯[625]乎，且欲率诸侯破秦也？"沛公骂曰："竖儒[626]！天下同苦[17]秦久矣，故诸侯相率而攻秦，何谓助秦攻诸侯乎！"郦生曰："必聚徒合义兵，诛无道秦[627]，不宜倨见长者[628]。"于是沛公辍洗[629]，起，摄衣[630]，延[631]郦生上坐，谢[632]之。郦生因言六国从横时[633]。沛公喜，赐郦生食，问曰："计将安出？"郦生曰："足下起纠合之众[634]，收散乱之兵，不满万人。欲以径入强秦[635]，此所谓探虎口者也。夫陈留，天下之冲[636]，四通五达之郊[637]也。今其城中又多积粟。臣善其令[638]，请得使之[639]，令下足下[640]；即不听[641]，足下举兵[18]攻之，臣为内应。"于是遣郦生行，沛公引兵随之，遂下陈留。号郦食其为广野君[642]。郦生言其弟商[643]。时商聚少年，得四千人，来属沛公。沛公以为将，将陈留兵以从。郦生常为说客，使诸侯[644]。

发号施令，宣布起义，那些年轻人这才感到震惊，不敢抬头乱看。彭越就率领着这支新组建的军队，在四周攻城夺地，招集各路诸侯的散兵游勇，很快就发展到一千多人。彭越归附刘邦以后，就率军帮助刘邦攻打昌邑。

昌邑不容易攻打，沛公刘邦放弃昌邑继续向西进发，途中经过高阳。高阳人郦食其家庭贫苦，困窘失意，在里中给人做看门人。沛公刘邦手下的一个骑兵正好是郦食其的老乡，郦食其找到那个骑兵，对他说："诸侯的将领从高阳经过的已有好几十个，我与他们交谈，觉得这些人都器量狭小，举止卑微，又拘于小节，刚愎自用，自以为是，而又傲慢看不起人。我听说沛公刘邦虽然傲慢看不起人，却富有远大的谋略。这正是我所愿意追随的人，可惜的是没有人为我引见。你见了沛公，就对他说：'我的家乡有一个姓郦的人，六十多岁，身高八尺，人们都称他为疯子。但他却说自己不是疯子。'"骑兵说："沛公不喜欢儒生，那些戴着儒生的帽子来见他的，沛公总是把他们的帽子摘下来，往里面撒尿。跟人说话的时候，爱骂人，你可不能用一副儒生的样子去和他说话。"郦生说："你只管照我说的去做就是了。"骑兵就找了个机会在刘邦面前很自然地提起郦生这个人，完全按照郦生教给他的话说给刘邦听。

沛公来到高阳驿站，派人去请郦生。郦生到了之后，递上名帖求见刘邦。此时，刘邦正坐在床上，让两个女子给他洗脚，他就准备一边洗脚一边接见郦生。郦生进来以后，只对刘邦作了一个揖，而不行拜见礼，并首先发问说："您是打算帮助秦朝来攻打诸侯呢，还是想要率领诸侯打败秦朝呢？"刘邦开口骂道："你这小子说的是什么话！天下人被秦的暴政残害很久了，所以诸侯才纷纷起来反抗秦朝，你怎么竟然说我会帮助秦朝攻打诸侯呢！"郦生说："既然是要率领诸侯，攻打秦军，就应该招揽人才，联合各路起义的诸侯共同讨伐秦军，而不应该用这种傲慢无礼的态度来接见年长的人。"刘邦听后马上停止洗脚，站起身来，整理好衣服，请郦生坐在上座，并对刚才的无礼向郦生道歉。郦生趁机向刘邦讲述战国时期的合纵连横和可供借鉴的历史史实。沛公听了很高兴，就赏赐他和自己一起吃饭，在吃饭的时候又问他说："现在应该采取什么样的策略呢？"郦生回答说："您起兵时只是聚集了一些没有经过训练的乌合之众和一些散兵游勇，总共也不超过一万人。您就想依靠这些人一直向西攻入强大秦王朝的腹地，这正像俗话中所说的是把头伸到虎口里，其后果就可想而知了。陈留县，是天下的交通枢纽，四通八达。城中又囤积着好多粮食。我和陈留县令关系很好，请您派我去劝说陈留县令，让他归顺；如果他不听从，您就率军攻打陈留县城，我给您做内应。"刘邦就派郦生去劝说陈留县令，自己率领军队紧随其后，于是很顺利地占有了陈留。刘邦封郦食其为"广野君"。郦生又向刘邦举荐他的弟弟郦商。当时郦商已经聚集了四千多名年轻人，便率领着来投奔刘邦。刘邦任命郦商为将军，率领陈留兵随从出征。郦食其经常以说客的身份，为刘邦出使各地联络起义军。

三月，沛公攻开封[645]，未拔。西与秦将杨熊会战白马[646]，又战曲遇东，大破之。杨熊走之荥阳[647]，二世使使者斩之以徇[648]。

【段旨】

以上为第三段，写秦二世三年（公元前二〇七年）上半年的天下反秦形势，主要写了项羽杀宋义、夺兵权，大破章邯于钜鹿，以及刘邦率军西进，先后收得彭越与郦食其的情景。

【注释】

[493]田都畔田荣二句：田都是田荣的部将，田荣被项梁救出东阿后，忘恩负义，不随项梁西破秦，致使项梁孤军西进被章邯破杀。今楚兵北救赵，田荣又取孤立主义不肯随助，田都出于义愤乃率部随楚军而往。畔，通“叛”。[494]东郡尉：东郡的郡尉，史失其名。治所濮阳，在今河南濮阳西南。[495]安阳：古邑名，有说在今山东曹县东北者，杨宽以为当在今山东阳谷东北之阿城镇西北，说见《战国史料编年辑证》，似更觉可信。[496]搏牛之虻二句：师古曰：“搏，击也，言以手击牛之背，可以杀其上虻，而不能破虱，喻今将兵方欲灭秦，不可尽力与章邯即战，或未能禽，徒废力也。”《史记索隐》引邹氏曰：“言搏牛之虻，本不拟破其上之虮虱，以言志在大不在小也。”二说皆可通。[497]承其敝：乘其疲惫之机而攻之。承，此处的意思同“乘”，趁着。[498]鼓行而西：犹言“长驱西下”。鼓行，胡三省曰：“击鼓而行，堂堂之阵也。”言其公行无忌之状。[499]举：克；拔掉。[500]先斗秦、赵：先让秦、赵两方彼此相斗。凌稚隆引董份曰：“宋义之谋即亚夫委梁于吴、楚之说，然吴、楚骤合兵战梁地，势不可久，而梁力足与持，故亚夫策之而胜；今诸侯乌合，不可以当秦，而秦自战其地，久则兵益而势甚，故羽以为不如速攻。兵机得失，同事异形，决于毫发。”[501]被坚执锐：披坚甲，执利兵，指冲锋陷阵。被，通“披”。锐，锐利的兵器。[502]狠如羊：《史记·项羽本纪》作“很如羊”。很，通“狠”。《金楼子·立言》引卞彬《禽兽决录》云：“羊淫而狠，猪卑而率。”狠者，犹今之所谓“执拗”，不听招呼。[503]强不可使：执意专行，不服指挥。史珥曰：“此令明为项羽而设，羽不杀义，义必杀羽。义之死，自取之也；羽杀义，势迫之也。”[504]遣其子宋襄相齐：凌稚隆引屠隆曰：“楚不杀田假，齐不发兵助楚，两国固有隙者，义何遣子相之？此羽斩义声其罪曰‘与齐谋反’者也。”徐孚远曰：“田荣与项梁有隙，梁死楚弱，宋义欲结援于齐，以子相之。”〖按〗此亦一说。[505]身送之至无盐：身，亲自。无盐，秦县名，县治在今山东东平东南。[506]高会：盛大的宴会。《史记索隐》引服虔曰：“大会是也。”〖按〗后文刘邦攻克彭城亦有所谓“日置酒高会”。《史记集解》引韦昭有所谓“召尊爵，故曰‘高’”，似

三月，沛公刘邦攻打开封，攻不下。于是绕开开封，继续率军西进，在白马县与秦将杨熊展开激战，又在曲遇邑的东边再次与杨熊交战，终于打败了杨熊。杨熊逃往荥阳，秦二世派使臣到荥阳将杨熊斩首示众。

非。⑤⓪⑦将勠力而攻秦：将，王叔岷曰："'将'犹'当'。"勠力，合力、并力。⑤⓪⑧半菽：《史记集解》引徐广曰："半，五升器也。"《史记索隐》引王劭曰："半，量器名，容半升也。"〖按〗秦时之半升约合今之一百二十八克，二两多一点。菽，今称曰"豆"。⑤⓪⑨见粮：现时可用的粮食。见，同"现"。⑤①⓪因赵食：到赵国就地取食。⑤①①新造之赵：新建立的赵国，时赵歇等建国仅九个月，故称"新造"。⑤①②必举：必将被拔取。⑤①③国兵新破：指项梁兵败被杀。⑤①④扫境内：即调集所有的军队。⑤①⑤不恤士卒：不关心全军士兵。⑤①⑥徇其私：只顾自己的私情，指为送其子而置酒高会。徇，曲顺。⑤①⑦非社稷之臣：不是与国家同生死、共忧戚的大臣。社稷，指社稷坛，古代帝王祭祀土神和谷神的地方，后世遂常以"社稷"代指国家。⑤①⑧朝：参见。赵翼曰："古时凡诣人皆曰'朝'，《吕览》'尧朝许由于沛泽之中'是也；秦汉时僚属谒长官亦曰'朝'，《史记》'项羽晨朝上将军'是也。"⑤①⑨宋义与齐谋反楚：〖按〗凡发动政变、兵变夺权，未有不诬对方为"谋反"者。⑤②⓪慑服：畏惧、服从。⑤②①枝梧：同"支吾"，抗拒。⑤②②今将军诛乱：〖按〗此句语气未完，下面应有"固宜为上将军"云云，因与下面的叙述句重复，故而省略对话，单由叙述语补足。此种例子《史记》多有。⑤②③假上将军：代理上将军。假，权摄、代理。师古曰："未得怀王之命，故且为'假'也。"郭嵩焘曰："数语写得诸将气夺，项羽之为'假上将军'亦自为之名耳，诸将于是时仓皇失措，相与推戴之而已。"⑤②④及之齐：追到齐国，追上了。⑤②⑤怀王因使羽为上将军：因使，因其请求而使为之。〖按〗此怀王无可奈何之举，其与项羽的矛盾又进一步发展。凌稚隆引卢舜治曰："当是时梁已死，羽乃万人敌也。怀王以'上将军'将宋义，而以'次将'将羽，且以'卿子冠军'号义，而以救赵之别将皆属之于义。羽心之不平不特无义，且无怀王矣。'即帐中斩其头'，使人于齐追杀其子，观史氏书法，其贬怀王之不善将将亦可概见云。"⑤②⑥栗：秦县名，即今河南夏邑。⑤②⑦刚武侯：史失其姓名，当时起义军某一分支的将领。师古曰："史失其名姓，唯识其爵号，不知谁也。"《史记集解》引应劭曰："楚怀王将也。"〖按〗《汉书音义》以为应作"刚侯陈武"，而刚侯陈武非楚怀王将，与此事迹不合。⑤②⑧魏将皇欣：魏王魏豹之将，姓皇名欣。⑤②⑨武满：《史记·高祖本纪》作"武蒲"，并称武蒲是魏豹的"申徒"，即"司徒"。⑤③⓪齐王建孙安：田安。齐王建是战国时齐国的亡国之君，今举行反秦起义。⑤③①济北：秦郡名，郡治博阳，在今山东泰安东南。⑤③②筑甬道属河：修了一条甬道，从黄河边直通钜鹿城下的王离军前。甬道，两侧筑防御工事的通道，以便安全地从

中向前方运送兵员、粮草等。属河，通连到黄河。属，连。盖从黄河运来粮饷，以供应王离军也。533 饷王离：给王离输送粮食。饷，以饭食招待人，这里即指供应粮草。534 召前陈馀：招呼城北的陈馀，使之进兵解救围城。535 度：估量。536 张黡、陈泽：二将名，原属武臣，今属赵王歇。537 让：责备。538 刎颈交：可以为对方不顾生死的交情。539 王与耳：赵王歇与我张耳。540 苟必信：如果真是守信义。苟，如若。541 胡不赴秦军俱死：胡，何。赴秦军俱死，指城里城外一齐与秦军拼命。542 且有十一二相全：或许还能有十分之一二战胜秦军的希望。师古曰："十中尚冀得一二胜秦。"543 前：指进击秦军。544 徒尽亡军：白白地把军队全部葬送掉。545 报秦：向秦军讨还血债，为你们报仇。546 以肉委饿虎：把肉扔给饿虎。委，给扔向。547 要以俱死：都要求与秦军拼命以表明信义。548 先尝秦军：先试着进攻秦军。尝，试、试攻。549 至二句：锺惺曰："陈馀不救赵，犹不失为持重，未为甚错。错在使五千人先尝秦军，送张黡、陈泽于死，便有苟且塞责之意。于君臣朋友间，觉为不情。"550 齐师、燕师皆来救赵：齐地的首领田荣与项羽闹矛盾，不肯救赵，而被田荣驱逐的田都则率部前来；燕地的首领韩广，派其部将军臧荼率军前来。551 张敖：张耳之子，原被陈涉系于宫内做人质，至章邯破杀陈涉，占领陈县，张敖似即于此时逃归其父张耳，成为赵国之将。552 代兵：代郡之兵。代郡历来属于赵国，郡治即今河北蔚县东北之代王城。553 壁：营垒，这里用如动词，即驻扎。554 当阳君、蒲将军：都是宋义的部将。当阳君是黥布的称号，黥布原在长江上为盗，起义后初归项梁，后又成宋义部下。蒲将军，姓蒲，史失其名。《史记集解》引服虔有所谓"英布起于蒲地，因以为号"者，非。555 渡河：渡黄河。《史记正义》以此为渡漳河，与下文"项羽军漳南"云云不合。556 少利：谓稍许有些胜利，非如今之意为"不利"。王叔岷曰："《御览》引'少'作'小'，义同。"〖按〗《史记·黥布列传》云："项籍使布先渡河击秦，布数有利"，可资参证。557 绝章邯甬道：〖按〗据《史记·项羽本纪》，绝章邯甬道者为项羽本人，今乃归之于黥布，两者不同。558 复请兵：请继续增兵。559 皆沉船三句：《太公六韬·必出》云："先燔吾辎重，烧吾粮食。"《太平御览》引《太公六韬》云："武王伐殷，乘舟济河，兵车出，坏船于河中。太公曰：'太子为父报仇，今死无生。所过津梁，皆悉烧之。'"《孙子·九地》："帅与之期，如登高而去其梯，焚舟破釜……若驱群羊，驱而往，驱而来。"项羽所为，盖亦古兵法所示。釜，锅。甑，蒸饭的瓦罐之类。560 必死：即败则必死，只有死战求生。561 九战：即反复冲杀。"九"字代表多数。562 苏角：秦将名，与王离同围钜鹿者。563 涉间：秦将名，亦与王离同围钜鹿者。564 楚兵冠诸侯：在救钜鹿的各路起义军中楚兵最勇敢。565 军救钜鹿者十余壁：〖按〗句首应重出"诸侯"二字。此依"史记"旧文，而《史记》文章常有字当重出而未重出者，致使文气欠顺。说见韩兆琦《史记笺证》所附《〈史记〉的特殊修辞与畸形句例》。十余壁，十几座大营。566 惴恐：震恐；惊恐。惴，恐惧。567 无不膝行而前二句：刘辰翁曰："叙钜鹿之战，踊跃振动，极羽本生。"茅坤曰："项羽最得意之战，太史公最得意之文。"陈仁锡曰："叠用三'无不'

字，有精神。”钱锺书曰：“数语有如火如荼之观。”凌约言曰：“羽杀会稽守，则‘一府慑伏，莫敢起’；羽杀宋义，‘诸侯皆慑伏，莫敢枝梧’；羽救钜鹿，‘诸侯莫敢纵兵’；已破秦军，‘诸侯膝行而前，莫敢仰视’：势愈张而人愈惧，下四‘莫敢’字，而羽当时勇猛宛然可想见也。”郑板桥《钜鹿之战》诗：“战酣气盛声喧呼，诸侯壁上惊魂逋。项王何必为天子，只此快战千古无。”568 诸侯上将军：各路诸侯联军的总统帅。亦由当年乐毅之统五国联军，苏秦兼佩六国相印云云。569 诸侯皆属焉：梁玉绳曰：“‘诸侯’下疑缺‘将’字，《汉书》作‘兵皆属焉’。”王叔岷曰：“梁说是也，《秦楚之际月表》作‘诸侯将皆属项羽’，正有‘将’字。”570 谢诸侯：应作“谢诸侯将”。571 责让陈馀以不肯救赵：句中“赵”字使用欠妥，陈馀原亦赵将，只应责让他“不肯救围城”，或“不肯救赵王”。572 数以问馀：一连问了陈馀多次。573 不意：想不到。574 望：怨恨。575 岂以臣为重去将印哉：你以为我就这么看重这颗将军印吗。重，看重、舍不得。凌稚隆曰：“黡、泽之没秦军，馀安能欺天下耳目耶？耳不信而数问之，恶在其为‘刎颈交’哉！”576 印绶：印章与系印的丝绦。杨树达曰：“古人官印佩身旁，观项梁杀殷通及此事可知。”577 愕：惊讶。578 天与不取二句：战国以来流行的谚语。《国语·越语下》有所谓“天予不取，反为之灾”，即此类也。579 反天：即与“天与不取，反受其咎”的谚语相违背。580 收其麾下：将陈馀的部下收归自己统领。麾下，部下。麾，大将的指挥旗。581 趋出：小步疾行而出。“趋”是古代臣子在君父面前行路的一种姿势，因为当时赵王在座，故而陈馀如此。582 之河上泽中渔猎：到黄河边的大泽中去捕鱼打猎。此“河上泽”应在今河北之南皮一带，当时的黄河在此流过，到沧州东北之黄骅入海。凌稚隆曰：“余之脱解印绶，岂果无志于功名而脱然长往者哉？将以白其心之无他，而欲已耳之苛责也。不图耳不能谅，竟从客计，甘心自绝于余，是两人之交了不终为千古笑者，耳先得罪于余也。”583 信都：秦县名，即今河北邢台，自此为赵歇的都城。584 昌邑：秦县名，县治在今山东巨野南。585 常渔钜野泽中：常，通“尝”。曾经。钜野泽，水泽名，在今山东巨野北，当时水域辽阔，后来小说所写的梁山泊就是其中的一部分。586 陈胜、项梁之起：陈胜起兵于大泽乡在秦二世元年（公元前二〇九年）七月，项梁起兵于会稽在秦二世元年九月。587 请仲为长：请您做我们的头领。仲，是彭越的字。588 谢：推辞；拒绝。589 臣：战国与秦汉之际，普通人之间也可以自谦称“臣”，与称“仆”意同。590 与期旦日日出会：和他们约定好明早日出时相会。期，约定。旦日，明日日出之时。591 后期：迟到。592 后：迟到。593 后者至日中：最晚的直至中午才到。594 越谢曰：彭越对他们说。谢，告。595 今期而多后：如今约定了时间，结果很多人迟到。596 校长：校尉。古时一个将军下属若干部，各部的长官称作“校尉”。当时彭越草创人少，故手下只有一个“校长”。597 请后不敢：请允许我们今后再也不敢了。598 越引一人斩之：引，拉出。凌稚隆引陈懿典曰：“此与穰苴之斩庄贾，孙武之斩宫嫔事同。”郭嵩焘曰：“彭越初起，其令不能行于校长，乃自引而斩之。”吴见思曰：“诛最后一人，情法兼至。”599 设坛祭：祭天地、祭战神，以及宣誓定盟等。《史记·陈

涉世家》亦有“为坛而盟，祭以尉首”；《史记·高祖本纪》亦有“祠黄帝，祭蚩尤于沛庭”云云，做法相同。(600)令徒属：对这些人发号施令，意即把这些人都管辖了起来。令，管制、约束。(601)未下：未能攻下。(602)高阳：乡名，在今河南杞县西南，当时属陈留县。(603)郦食其：当时著名的说客。事迹见《史记·郦生陆贾列传》。(604)落魄：《史记集解》引应劭曰：“志行衰恶之貌也。”《史记正义》佚文曰：“落谓零落，魄谓漂泊也。言食其家贫，零落漂泊，无可以为衣食业产也。”(605)为里监门：在里巷口上看大门。〖按〗张耳、陈馀也曾隐匿为此职。(606)适：正好；恰好。(607)见：找到这个骑士。(608)握龊：同“龌龊”，器局狭小、行止卑微的样子，即今所谓“小家子气”。(609)苛礼：拘于小节。(610)自用：自以为是。(611)慢而易人：傲慢，瞧不起人。易，轻视，对人怠慢。(612)愿从游：愿意跟着他一起干。(613)莫为我先：没有人给我作个介绍。先，引见、介绍。(614)若见沛公：你回去见到沛公的时候。若，尔、你。(615)冠儒冠：戴着儒生的帽子。(616)辄解其冠二句：辄，常常、总是。溲溺，撒尿。〖按〗刘邦之慢儒、骂儒，又见于《史记》之《郦生陆贾列传》《刘敬叔孙通列传》。(617)未可以儒生说：不能用一副儒生的样子和他说话。(618)第言之：尽管照这么说。第，但、尽管。(619)从容言：很自然地向刘邦说起此事。从容，即选择合适的时机，像是无意中随便谈到似的。(620)如郦生所诫：按照郦生所嘱咐。诫，告。凌稚隆引杨循吉曰：“写出郦生轩昂落落疏卤之态，使其但谓‘从骑士得见，见而长揖，言天下事’，岂复识有食其哉?”(621)传舍：驿站，亦犹今旅馆、招待所。师古曰：“人所止息，前人已去，后人复来，转相传也。”(622)郦生：郦先生。秦汉时代对读书人往往敬称“生”，或称“先”，都与今之“先生”相同。(623)入谒：递进求见的名片。谒，名帖，类似于今之名片。(624)方倨床二句：方，正在。倨，通“踞”，坐。王骏图曰：“箕坐曰倨，谓箕坐于床，使女子洗足也。”泷川资言曰：“《黥布传》云：‘上方踞床洗，召布入见。’是汉皇试人常用手段。”(625)诸侯：此指东方的各路起义军。(626)竖儒：骂人语。《史记索隐》曰：“竖者，僮仆之称，沛公轻之，以比奴竖，故曰‘竖儒’。”(627)必聚徒合义兵二句：必，如果真是。李笠曰：“‘必’下当据《汉书》补‘欲’字，《淮阴侯传》云：‘王必欲长王汉中无所事信；必欲争天下，非信无所与计事者’，与此语意正同。”(628)不宜倨见长者：不应该见了我还坐着。〖按〗刘邦时年五十一，郦生时年“六十余”，故郦生自称“长者”。又，此处释“倨”为傲慢，意思亦同。(629)辍洗：停止洗脚。辍，停、中止。(630)摄衣：整

【原文】

夏，四月，沛公南攻颍川[649]，屠之。因张良遂略韩地[650]。时赵别将[651]司马卬[652]方欲渡河入关[653]。沛公乃北攻平阴[654]，绝河津[655]。南战洛

理衣襟。摄，整。㉛延：引；请。㉜谢：表示歉意。㉝言六国从横时："时"下似应有"事"字，盖谓言战国时之成功、失败，可供借鉴的各种事情。从横，合纵连横，这里泛指战国时各国（主要是秦与六国）之间的激烈斗争。从，同"纵"。㉞起纠合之众：带着一群乌合之众一哄而起。纠合，犹言"乌合"，如乌鸦一样地飞集一起，而没有任何组织、训练。㉟径入强秦：一直攻入秦国旧地。径，直、直接。㊱天下之冲：整个天下的交通枢纽。冲，要冲。㊲四通五达之郊：亦即天下枢纽之意。五达，《史记集解》引如淳曰："四面中央，凡五达也。"郊，《汉书·汲黯传》师古曰："谓交道冲要之处也。"《史记·汲郑列传》"常置驿马长安诸郊"，《史记集解》引如淳注："效道四通处也。"㊳令：指陈留县的县令。㊴请得使之：您可以派我出使到他那里去。㊵令下足下：我可以劝他投降您。下，降、归附。㊶即不听：如果他不听从我的劝告。即，若、假如。㊷广野君：封号名，只有名号而无封地。㊸其弟商：郦商，后为刘邦的开国功臣，以军功被封为曲周侯。事迹见《史记·樊郦滕灌列传》。㊹使诸侯：出使到各地区的起义军中以相联络。㊺开封：秦县名，县治在今河南开封南。㊻白马：秦县名，县治在今河南滑县东北。㊼荥阳：秦县名，县治即今河南荥阳东北的古荥镇。㊽徇：巡行示众。

【校记】

［13］赵举秦强：联系上一句后为"必举赵。赵举秦强"，原本"赵"字不重。据章钰校，孔天胤本重"赵"字。今从孔天胤本、《汉书·陈胜项籍传》、《通鉴纪事本末》补。［14］皆从壁上观：原无"皆"字。据章钰校，十二行本、乙十一行本、孔天胤本皆有此字，张敦仁《通鉴刊本识误》同。今从诸本及《汉书·陈胜项籍传》《通鉴纪事本末》补。［15］彭越，越：原本下"越"字上有"彭"字。据章钰校，十二行本、乙十一行本、孔天胤本皆无此字。今从诸本及《通鉴纪事本末》删。［16］令徒属，徒属：原本"徒属"二字不重。据章钰校，乙十一行本重"徒属"二字。今从乙十一行本及《汉书·韩彭英卢吴传》补。［17］同苦：原本"同"下有"共"字。据章钰校，十二行本、乙十一行本、孔天胤本皆无此字。今从诸本及《汉书·郦陆朱刘叔孙传》删。［18］举兵："举"，原作"引"。据章钰校，十二行本、乙十一行本、孔天胤本皆作"举"。今从诸本及《汉书·郦陆朱刘叔孙传》《通鉴纪事本末》改。

【语译】

夏季，四月，沛公刘邦率军向南攻取颍川，攻下以后屠杀了全城的军民。在张良的引导下占领了旧日韩国的地盘。当时赵国的另外一员将领司马卬正想率军渡过黄河进入函谷关。刘邦为了阻止司马卬入关，就向北攻占平阴，封锁了黄河的重要

阳[656]东。军不利，南出轘辕[657]，张良引兵从沛公。沛公令韩王成[658]留守阳翟[659]，与良俱南[660]。

六月，与南阳守齮[661]战犨东[662]，破之，略南阳郡[663]。南阳守走保城守宛[664]。沛公引兵过宛西[665]，张良谏曰："沛公虽欲急入关[666]，秦兵尚众，距险[667]。今不下宛[668]，宛从后击，强秦在前，此危道也。"于是沛公乃夜引军从他道还，偃旗帜[669]。迟明，围宛城三匝[670]。南阳守欲自刭，其舍人[671]陈恢曰："死未晚也[672]。"乃逾城[673]见沛公曰："臣闻足下约，先入咸阳者王之。今足下留守宛[674]，宛郡县连城数十，其吏民自以为降必死，故皆坚守乘城[675]。今足下尽日止攻[676]，士死伤者必多。引兵去宛[677]，宛必随足下后[678]。足下前则失咸阳之约[679]，后有强宛之患。为足下计，莫若约降[680]，封其守，因使止守[681]，引其甲卒与之西。诸城未下者，闻声争开门而待足下，足下通行无所累[682]。"沛公曰："善。"

秋，七月，南阳守齮降，封为殷侯[683]，封陈恢千户[684]。引兵西，无不下者。至丹水[685]，高武侯鳃[686]、襄侯王陵[687]降。还攻胡阳[688]，遇番君别将梅鋗[689]，与偕攻析、郦，皆降[690]。所过亡得卤掠[691]，秦民皆喜。

王离军既没，章邯军棘原[692]，项羽军漳南[693]，相持未战。秦军数却，二世使人让章邯[694]。章邯恐，使长史欣[695]请事[696]。至咸阳[697]，留司马门[698]三日，赵高不见，有不信之心。长史欣恐，还走其军[699]，不敢出故道[700]。赵高果使人追之，不及。欣至军，报曰："赵高用事于中，下无可为者。今战能胜，高必嫉妒吾功；不能胜，不免于死。愿将军孰计之[701]。"

陈馀亦遗章邯书[702]曰："白起[703]为秦将，南征鄢、郢[704]，北坑马

渡口平阴津，使司马卬不能渡过黄河。又向南进军在洛阳东部与秦军交战，结果吃了败仗，于是继续南下。经过轘辕的时候，张良率军与刘邦会合。刘邦派韩王成留守阳翟，自己则带着张良继续向南进发。

六月，在犨县城东与南阳郡守吕齮作战，打败了吕齮，占领了南阳郡。吕齮退保宛城。沛公刘邦想绕过宛城向西进军，张良劝阻说："沛公您虽然着急进关，但目前秦军的力量还很强大，他们凭借险阻，顽强抵抗。现在如果不先把宛城攻下来，恐怕我们入关以后，宛城的军队从背后攻打我们，强大的秦军在前阻击我们，如此，我们就陷入危险的境地了。"于是沛公刘邦就趁着黑夜，率领军队悄悄地从别的道路回到宛城，偃旗息鼓。等到天快亮的时候，已经把宛城里三层外三层地围了个水泄不通。南阳守吕齮想要自杀，他的随从陈恢制止他说："等我去见刘邦，如果他不接受我们的投降，再自杀也不晚。"于是便翻越城墙来见刘邦说："我听说楚王曾经和诸将有约在先，谁先进入咸阳，谁就在那里为王。沛公您不西进，却滞留下来攻打宛城，宛郡的属县有数十个，那里的军民认为投降就必定会被杀死，所以都登上城墙顽强固守。假如您一天到晚地攻打，士卒死伤的必定很多。如果不攻下宛就径直西进，宛地的秦军必然随后追击。如此的话，您向西挺进，既失去了先入咸阳为王的机会，后边又有宛兵追击的忧患。为您考虑，不如答应宛城的投降条件，封南阳郡守吕齮一个官职，继续派他留守宛城，而您率领宛城的军队一起西进。其他那些没有攻下来的城邑，听到您不仅不杀降者，还封给官做的消息，一定会争先恐后地打开城门，欢迎您的到来，您西进路上就会畅通无阻。"沛公听了说："这个办法好。"

秋季，七月，南阳郡守吕齮投降，刘邦封他为殷侯，封陈恢食邑一千户。刘邦率军向西进发，沿途所有城邑全都开城投降。到达丹水县境内，高武侯戚鳃、襄侯王陵也都开城投降。刘邦率军回过头来攻打胡阳，遇到番君吴芮派出的将领梅鋗，于是合兵一处，共同攻打析县、郦县，两县也都投降了刘邦。刘邦一路上禁止烧杀抢掠，所到之处，秦地百姓都很高兴。

王离的军队已经全军覆没，章邯的军队驻扎在棘原，项羽的军队驻扎在漳水的南岸，两军相持，没有战事。由于秦军多次退却，秦二世便派使者前来责备章邯。章邯心里恐惧，就派遣担任长史的司马欣回咸阳请求对有关事情的指示。司马欣到了咸阳后，在司马门等候接见，一连等了三天，赵高就是不见，看样子有不信任的意思。司马欣感到很害怕，赶紧往回返，但不敢走来时的路。赵高果然派人来追杀他，只是没有追上。司马欣回到军中对章邯说："朝廷之中，赵高一人专权，在下位的人不可能有所作为。如今即使我们打了胜仗，赵高必定嫉妒我们的功劳；打了败仗，我们难免一死。希望将军认真地考虑考虑我们面前的处境。"

陈馀也写信给章邯说："白起为秦将的时候，向南征服了鄢、郢，向北打败了马

服[705]，攻城略地，不可胜计，而竟赐死[706]。蒙恬[707]为秦将，北逐戎人[708]，开榆中地[709]数千里，竟斩阳周[710]。何者？功多，秦不能尽封，因以法诛之[711]。今将军为秦将三岁矣，所亡失[712]以十万数，而诸侯并起滋益多。彼赵高素谀[713]日久，今事急[714]，亦恐二世诛之。故欲以法诛将军以塞责[715]，使人更代将军，以脱其祸。夫将军居外久，多内郤[716]，有功亦诛，无功亦诛。且天之亡秦，无愚智[717]皆知之。今将军内不能直谏，外为亡国将，孤特独立[718]，而欲常存，岂不哀哉！将军何不还兵[719]，与诸侯为从[720]，约共攻秦，分王其地[721]，南面称孤。此孰与[722]身伏铁质[723]，妻子为戮[724]乎？"

章邯狐疑，阴使候始成使项羽[725]，欲约。约未成，项羽使蒲将军日夜[726]引兵渡三户[727]，军漳南[728]，与秦军战，再破之[729]。项羽悉引兵击秦军汙水[730]上，大破之[731]。章邯使人见项羽，欲约。项羽召军吏谋曰："粮少，欲听其约。"军吏皆曰："善。"项羽乃与期[732]洹水南殷虚[733]上。已盟，章邯见项羽而流涕，为言赵高[734]。项羽乃立章邯为雍王[735]，置楚军中[736]，使长史欣为上将军，将秦军为前行[737]。

瑕丘申阳[738]下河南[739]，引兵从项羽[740]。

初，中丞相[741]赵高欲专秦权，恐群臣不听，乃先设验[742]。持鹿献于二世，曰："马也。"二世笑曰："丞相误邪？谓鹿为马[743]。"问左右，左右[19]或默，或言马以阿顺[744]赵高，或言鹿者。高因阴中诸言鹿者以法[745]。后群臣皆畏高，莫敢言其过。

高前数言[746]关东盗无能为[747]也。及项羽虏王离等，而章邯等军数败，上书请益助[748]。自关以东，大抵尽畔秦吏[749]，应诸侯[750]。诸侯咸率其众西乡[751]。

服君赵括，坑杀了赵国降卒四十多万。他夺取的城邑，攻占的领土，多得数不清，而最终竟然落个被迫自杀的下场。蒙恬任秦朝的大将，在北方驱逐了匈奴，开拓榆中土地方圆几千里，竟然在阳周惨遭杀害。是什么原因呢？就是因为功劳太大，秦朝没有办法按照他们的功劳封赏，就将罪名强加在他们头上而杀死了他们。现在您担任秦朝的大将已经三年了，在平定叛乱的过程中，您所损失的士卒不下十余万，叛乱的诸侯不仅没有被消灭，反而越来越多。那个赵高平常专靠阿谀奉承来保有他的高位，如今事情已经危急到了这种程度，他怕被二世诛杀。所以就会把责任全都推到将军身上，杀掉将军，然后任命其他人来接替，以此来摆脱就要降临到自己头上的灾祸。再说，将军长期在外领兵打仗，与朝廷之间存在着许多矛盾，您有功也是被处死，无功也是被处死。况且，上天的意志就是要灭亡秦国，这是不论有智慧的人还是愚蠢的人都清楚的事实。如今，您既不能在朝廷之上直言劝谏，在外又即将成为亡国之将，孤立无援，还想要安然长存，其结局难道不是会很悲哀吗！将军您何不反戈一击，与诸侯联合起来攻打秦军，成功之后，共同瓜分秦朝的土地，南面称王。这与身伏铁质，妻、子受株连被杀比起来，哪个更好呢？”

章邯还在犹豫不决，便暗中派军候始成到楚军那里去求见项羽，想要和他谈判投降的有关事宜。谈判未成，项羽派蒲将军率领一支部队连夜急行军渡过三户津渡口，驻扎在漳河南岸，与秦军交战，一连两次打败秦军。项羽乘胜率领大军追击秦军，一直追到汙水，在汙水岸边又将秦军打得大败。章邯再次派人来见项羽约定投降。项羽召集他的手下军吏商议说：“我们现在的军粮不多了，不如同意章邯投降。”军吏都说：“好。”项羽就和章邯约定日期在洹水南边、殷朝都城的遗址上举行纳降仪式。订立盟约后，章邯在项羽面前痛哭流涕，诉说赵高专权误国、陷害忠良等事。项羽封章邯为雍王，安置在楚军当中，派长史司马欣为上将军，率领秦军为先头部队去攻秦。

瑕丘县令申阳攻占了河南，他率领部下来归附项羽。

当初，宦官丞相赵高想要彻底把持政权，恐怕大臣不听从自己，就先进行了一次测试。他牵来两头鹿进献给秦二世，说：“这是马。”秦二世笑着说：“丞相弄错了，怎么把鹿说成马？”他问左右那些随侍的人，左右的人有的不敢说话，有的曲意附和赵高也说是马，有的直言说是鹿。赵高暗暗地记住说是鹿的人，过后就捏造罪名将他们交予司法官严加处治。后来满朝大臣都因为惧怕赵高，没有人敢说赵高的过错。

赵高先前曾经多次跟秦二世说关东的盗贼成不了大气候。等到项羽俘虏了王离等人以后，章邯的军队又屡次打败仗，不停地给朝廷上奏章请求增派援军。从函谷关以东，秦朝的官吏大都背叛了秦朝，响应各路起义军。各路义军也都率领着自己的部众向西来攻打秦军。

八月，沛公将数万人〔20〕攻武关[752]，屠之。高恐二世怒，诛及其身，乃谢病[753]不朝见。二世梦白虎啮其左骖马杀之[754]。心不乐，怪问占梦[755]。卜曰[756]：“泾水为祟[757]。”二世乃斋[758]于望夷宫[759]，欲祠泾水[760]，沉四白马[761]。使使责让高以盗贼事[762]。高惧，乃阴与其婿咸阳令[763]阎乐及弟赵成谋曰：“上不听谏，今事急，欲归祸于吾。吾欲〔21〕易置上[764]，更立子婴[765]。子婴仁俭，百姓皆载其言[766]。”乃使郎中令[767]为内应，诈为有大贼，令乐召吏发卒[768]追。劫乐母，置高舍[769]。遣乐将吏卒千余人至望夷宫殿门，缚卫令仆射[770]，曰：“贼入此，何不止[771]？”卫令[772]曰：“周庐设卒[773]甚谨，安得贼敢入宫！”乐遂斩卫令，直将吏入，行射[774]郎、宦者[775]。郎、宦者大惊，或走或格[776]。格者辄死[777]，死者数十人。郎中令与乐俱入，射上幄坐帏[778]。二世怒，召左右，左右皆惶扰不斗[779]。旁有宦者一人侍，不敢去。二世入内[780]，谓曰：“公何不早告我[781]，乃至于此！”宦者曰：“臣不敢言，故得全；使臣早言，皆已诛，安得至今[782]！”

阎乐前即[783]二世，数[784]曰：“足下[785]骄恣，诛杀无道，天下共畔足下，足下其自为计[786]。”二世曰：“丞相[787]可得见否？”乐曰：“不可。”二世曰：“吾愿得一郡为王。”弗许。又曰：“愿为万户侯。”弗许。曰：“愿与妻子为黔首，比诸公子[788]。”阎乐曰：“臣受命于丞相，为天下诛足下。足下虽多言，臣不敢报[789]。”麾[790]其兵进。二世自杀[791]。阎乐归报赵高。赵高乃悉召诸大臣、公子，告以诛二世之状，曰：“秦故王国[792]，始皇君天下，故称帝。今六国复自立，秦地益小，乃以空名为帝，不可，宜为王如故〔22〕便[793]。”乃立子婴为秦王[794]。以黔首[795]葬二世杜南宜春苑[796]中。

九月，赵高令子婴斋[797]〔23〕，当庙见，受玉玺[798]。斋五日，子婴与其

八月，沛公刘邦率领着数万人的军队攻入武关，毁坏了城池，杀光了男女老幼。赵高害怕秦二世发怒，把自己杀掉，就推说有病，不上朝进见秦二世。秦二世梦见一只白虎咬死了自己车驾左侧的边马。他心里很不高兴，就让自己身边负责占梦的人给他解梦。那个占梦的卜了一卦，卦象说："是泾水之神作怪。"秦二世就在望夷宫进行斋戒，准备亲自去祭祀泾水神，同时把四匹白马作为祭品沉入水中。又派使者就关东盗贼的事情去责备赵高。赵高害怕，就暗中和他的女婿咸阳令阎乐及自己的弟弟赵成谋划说："皇帝不听劝谏以至于此，现在事情危急了，就想要把罪责推到我的身上。我想更换皇上，另立子婴为皇帝。子婴仁爱节俭，百姓都拥戴他。"谋划好了以后，就派赵成做内应，并大肆宣扬说有一伙强盗劫持了咸阳令阎乐的母亲，派阎乐率领兵士去追赶盗贼。一面悄悄地把阎乐的母亲软禁在自己家中做人质。阎乐率领一千多名士兵冲进望夷宫殿门，把守卫皇宫的卫士长官捆起来说："盗贼进入里面，你们怎么不阻止？"卫令说："围绕着宫墙内外一周，守卫得非常严谨，哪里有盗贼敢进入宫内！"阎乐杀死了卫令，率领士卒径直进入宫中，一边走一边用箭射杀那些值勤的郎官和宫中的宦官。这些郎官和宦官被吓得大惊失色，有的逃走了，有的上前进行阻拦。谁阻拦就将谁杀死，被杀死的有好几十人。郎中令赵成和阎乐同时进入后宫，冲着秦二世所坐的床帐射箭。秦二世大怒，招呼左右侍从上前，左右的人都惊慌混乱，无人敢进行抵抗。二世身边只有一个宦官没有逃走。秦二世逃入寝宫，问那个宦官说："你怎么不早点告诉我，以致到了现在这种地步！"宦官说："就因为我不敢说，所以才能保全生命；如果我早说了，恐怕早就被杀死了，哪里还会有今天！"

阎乐向前逼近秦二世，一条一条地列举他的罪状说："你骄横放纵，滥杀无辜，昏庸无道，天下所有的人都背叛了你。你想怎么个死法，你自己拿主意。"秦二世说："能不能让我见见丞相赵高？"阎乐说："不能。"秦二世说："希望给我一个郡，让我当一个郡王。"阎乐不答应。秦二世又请求说："那就让我做一个万户侯。"也不答应。秦二世又说："希望让我和我的妻子做一个老百姓，享受与其他公子一样的待遇。"阎乐说："我接受了丞相的命令，为天下诛杀你。你虽然有很多话要说，我却不敢替你回报。"说完就招呼他的手下上前。秦二世只得自杀。阎乐把秦二世自杀的事报告给赵高。赵高把所有的大臣、公子召集起来，把诛杀秦二世的经过和原因告诉了他们之后说："秦国本来是一个诸侯国，秦始皇统一了天下，所以称皇帝。如今诸侯又都恢复建国，秦国的领土比以前更加狭小，如果还用皇帝的空名，没有必要，还是改回称王，更显得适宜。"于是拥立嬴子婴为秦王。用平民的礼数把秦二世埋葬在杜县城南的宜春苑中。

九月，赵高让秦王子婴沐浴斋戒，到太庙祭拜祖先，会见群臣，然后接受秦王的玉玺，宣告即位。斋戒需要五天，子婴和他的两个儿子商量说："丞相赵高在望夷

子二人谋曰："丞相高杀二世望夷宫，恐群臣诛之，乃详[24]以义立我。我闻赵高乃与楚约⑺⑼，灭秦宗室，而分王关中⑻⑽。今使我斋、见庙，此欲因庙中杀我。我称病不行，丞相必自来，来则杀之。"高使人请子婴数辈⑻⑴，子婴不行。高果自往，曰："宗庙重事⑻⑵，王奈何不行？"子婴遂刺杀高于斋宫⑻⑶，三族高家⑻⑷以徇。遣将兵距峣关⑻⑸。

沛公欲击之。张良曰："秦兵尚强，未可轻。愿先遣人益张旗帜于山上，为疑兵⑻⑹。使郦食其、陆贾⑻⑺往说秦将，啖以利⑻⑻。"秦将果欲连和，沛公欲许之。张良曰："此独其将欲叛，恐其士卒不从，不如因其懈怠击之。"沛公引兵绕峣关，逾蒉山⑻⑼，击秦军，大破之蓝田南。遂至蓝田，又战其北，秦兵大败。

【段旨】

以上为第四段，写秦二世三年（公元前二〇七年）下半年秦王朝的内部斗争与各地起义军反秦的形势，主要写：项羽大破章邯，章邯投降项羽；秦王朝内部政变，赵高杀秦二世、立子婴，子婴又杀赵高；刘邦从南路攻入武关、峣关，逼近秦朝首都咸阳。

【注释】

⑹⑷⑼颍川：秦郡名，郡治即今河南禹州，战国时为韩国地盘。《史记·高祖本纪》作"颍阳"，颍阳是秦县名，在今河南许昌西南。⑹⑸⑽因张良遂略韩地：在张良的引导下拓定了旧日韩国的地盘，因张良是韩国旧臣之后，在韩地有号召力。⑹⑸⑴赵别将：赵王歇派出的一支小部队。别将，主力大军之外的独任一方的小部队。⑹⑸⑵司马卬：司马迁的同族，蒯聩之孙，世代居赵，此时为赵王歇的部将，后随项羽入关，被封为殷王。⑹⑸⑶渡河入关：渡过黄河，入函谷关。⑹⑸⑷平阴：秦县名，也是黄河渡口名，在今河南洛阳市孟津区东。⑹⑸⑸绝河津：封锁黄河渡口。津，渡口。司马卬欲渡河入关，刘邦则绝河津以阻之，显然是想独自入关称王。泷川资言引刘台拱曰："欲先定关中，距卬使不得渡。"⑹⑸⑹洛阳：旧城在今河南洛阳之东北部。⑹⑸⑺轘辕：在今河南偃师东南，山路险峻，是有名的要隘。⑹⑸⑻韩王成：名成，战国时韩国诸侯的后代，被封为横阳君，韩被秦灭后成平民。陈涉起兵反秦，张良亦佐韩成起事，也成为各路起义军中的一支。⑹⑸⑼阳翟：秦县名，在今河南禹州，战国时曾为韩国都城。⑹⑹⑽与良俱南：刘邦带着张良一直向着南方打去。⑹⑹⑴南阳守齮：

宫杀死了秦二世，害怕群臣讨伐他，就假装主持正义立我为秦王。我听说赵高早就和楚国约定，帮助消灭秦国后，他就在关中称王。如今他让我斋戒，祭告太庙，也是想在太庙中杀掉我。我假装有病不去，赵高一定会亲自来请，等他一来，就把他杀死。”到了举行典礼的那一天，赵高派了好几批人来请子婴，子婴就是不去。赵高果然亲自来请，他对子婴说：“国家祭祀大典这么重要的事，大王怎么能不去参加？”子婴见赵高走进斋宫，就一剑将他刺死，并灭其三族以示众。秦王子婴派兵将据守峣关。

沛公刘邦想要上前攻打，张良说：“秦军还很强大，不可以轻敌。希望您派人到山上遍插楚军的旗帜，虚张声势迷惑敌人。派郦食其、陆贾去游说秦军的将领，用重利引诱他们。”秦军将领果然同意投降，刘邦准备答应。张良说：“现在秦军当中只是将领们想背叛秦，恐怕下面的士兵不会听从，不如趁着秦军懈怠的机会出兵攻打他们。”沛公率领军队绕过峣关，翻越蒉山，向秦军发动突袭，在蓝田县南大败秦军。于是进入蓝田境内，又在蓝田以北打了一仗，再次大败秦军。

南阳郡的郡守名齮，《汉纪》与《长短经》皆作“吕齮”。⑥⑥② 犨东：犨县城东。犨是秦县名，县治在今河南鲁山县东南。⑥⑥③ 略南阳郡：攻取南阳郡的地盘。⑥⑥④ 走保城守宛：四个动词平列，共带一个宾语。走，退向。保，往依。城，筑城。守，防守。宛，秦县名，即今河南南阳，当时为南阳郡的郡治所在地。宛城遗址在今南阳老城东北之蔡庄，现存其东北角城墙，长约一千四百米，高出地表五至七米，基宽二十米，为省级文物保护单位。⑥⑥⑤ 过宛西：谓绕过南阳，带兵西进。倪思曰：“自项梁以来，攻定陶，未下，攻外黄，外黄未下，而兵行无忌，殆欲汲汲赴要害、捣虚邑耳。此最兵家要妙。”⑥⑥⑥ 急入关：此谓急入武关，夺取关中，为关中王。⑥⑥⑦ 距险：占据着险要之处。距，通“拒”。⑥⑥⑧ 今不下宛：如不攻下南阳郡城。⑥⑥⑨ 偃旗帜：偃旗息鼓，悄悄返回，以攻其不意。⑥⑦⓪ 迟明二句：迨至天亮，宛城已被包围了三层。《史记·高祖本纪》作“黎明”。黎明，同“犁明”，迨至天亮。《史记索隐》曰：“音‘犁’。黎，犹比也。谓比至天明也。《汉书》作‘迟’，音‘值’。值，待也，谓待天明，皆言早意也。”〖按〗《史记·吕太后本纪》有所谓“犁明，孝惠还，赵王已死”，徐广曰：“犁，比也。”与此相同。三匝，三遭、三层。《史记索隐》引《楚汉春秋》曰：“上南攻宛，匿旌旗，人衔枚，马束舌，鸡未鸣，围宛城三匝也。”锺惺曰：“此留侯佐汉初着，绝妙起手也。”⑥⑦① 舍人：半宾客、半仆役的左右亲信人员。师古曰：“亲近左右之通称也，后遂以为私属官号。”⑥⑦② 死未晚也：谓“现在还不到寻死的时候”。⑥⑦③ 逾城：翻城墙而出。⑥⑦④ 留守宛：因围困宛城而停留不进。⑥⑦⑤ 坚守乘城：即登城而坚守之。师古曰：“乘，登也，谓上城而守也。”⑥⑦⑥ 今足下尽日止攻：今，

倘若。尽日止攻，一天到晚地攻城。㊅㊆㊆引兵去宛：如果撤兵离去。㊅㊆㊇必随足下后：必随其后而攻之。㊅㊆㊈失咸阳之约：失掉最先进入咸阳为关中王的机会。㊅㊇⓪约降：建立盟约，许其投降。㊅㊇①封其守二句：封其郡守以高爵，令其居此为您守城。㊅㊇②通行无所累：即通行无阻。累，牵扯、挂累。《汉书》引朱子文曰："陈恢说沛公之辞不过百余字，凡称'足下'者八，其七皆不可去，惟'今足下留守宛'可以削之。宜曰：'臣闻足下约，先入咸阳者王，今留守宛'，方简而势顺。"锺惺曰："陈恢此策与蒯通说武信君封范阳令，下赵三十余城同意……沛公入关紧要着数也。"〖按〗蒯通说武信君张耳封范阳令事，见前文与《史记·张耳陈馀列传》。㊅㊇③殷侯：封地在殷。《史记索隐》引韦昭曰："在河内。"〖按〗韦昭所谓"在河内"者，乃指故殷都朝歌一带。㊅㊇④千户：封以千户食邑，并以"千户"为号，在列侯以下。㊅㊇⑤丹水：秦县名，县治在今河南淅川县西南，因有丹水流经其地而得名。㊅㊇⑥高武侯鳃：晋灼、梁玉绳皆以为即《史记·高祖功臣侯者年表》之"临辕侯戚鳃"，"高武"是其此时的封号；师古以为非"戚鳃"，当是另一人，史失其姓。㊅㊇⑦襄侯王陵：王陵是刘邦的开国功臣，后封安国侯。事迹见《史记·陈丞相世家》。王陵在丹水归附刘邦时，被封为"襄侯"。有人以为"襄"应作"穰"，但证据不足。㊅㊇⑧胡阳：也作"湖阳"，秦县名，县治在今河南唐河县西南。㊅㊇⑨番君别将梅鋗：番君派出的将领梅鋗。番君，即吴芮，秦时为番县（今江西鄱阳）县令，故称"番君"。因派兵随诸侯入关，先被项羽封为衡山王，后被刘邦封为长沙王。㊅㊈⓪与偕攻析、郦二句：即刘邦和梅鋗等一起攻下了析、郦二县。秦时之"析"即今河南西峡县；秦时之"郦"在今河南镇平东北。㊅㊈①亡得卤掠：不准抢夺百姓的子女与财物。亡，同"无"。㊅㊈②棘原：古地名，当在今河北平乡南。㊅㊈③漳南：漳水南岸。漳水源于今山西昔阳西南，东南流经河北磁县南，东北流经今广宗、枣强、景县入古黄河。㊅㊈④让章邯：责备其连连败退。让，责备。㊅㊈⑤长史欣：即司马欣，前为栎阳狱掾，此时为章邯的长史。长史，大将军或丞相手下的属官，为诸史之长，故称"长史"，地位相当高。㊅㊈⑥请事：向朝廷请求对有关事情的指示。㊅㊈⑦咸阳：秦朝都城，在今陕西咸阳东北。㊅㊈⑧留司马门：在司马门等候接见。司马门，在宫廷的前门之外，以其有兵士护守，故称司马门。司马，武官名，在军中主管司法。㊅㊈⑨还走其军：离开京城，向其所在的军中逃去。㊆⓪⓪出故道：经由来时走的道。出，经由。㊆⓪①孰计之：好好地考虑这件事。孰，通"熟"。㊆⓪②遗章邯书：致书与章邯。遗，给、致。㊆⓪③白起：昭王时代的秦国名将，为削弱东方六国立有巨大功勋。事迹详见《史记·白起王翦列传》。㊆⓪④南征鄢、郢：据《史记·秦本纪》，秦昭王二十八年（公元前二七九年），白起拔楚鄢（今湖北宜城境内）；秦昭王二十九年，拔楚郢（今湖北江陵西北），于是楚国被迫向东北迁于陈。㊆⓪⑤北坑马服：马服原指赵奢，赵惠文王时的将领，被封为马服君，这里是指赵奢的儿子赵括。秦昭王四十七年（公元前二六〇年），白起大破赵括军于长平，坑赵卒四十余万。事见《史记》之《白起王翦列传》《廉颇蔺相如列传》。㊆⓪⑥而竟赐死：白起破赵有大功，遭秦相范雎嫉恨，白起称病辞职，后又因不听秦昭王的指使，遂被赐剑自裁。⑦⁰⁷ 蒙恬：秦朝名将，蒙骜之孙，蒙武之子，于灭齐中立有大功，后又北逐匈奴，开拓了今内蒙古河套一带地区。始皇死后，被秦二世杀害于阳周。事见《史记·蒙恬列传》。⑦⁰⁸ 戎人：即指匈奴。⑦⁰⁹ 榆中地：古地区名，即今陕西北部以及内蒙古河套一带地区。⑦¹⁰ 竟斩阳周：被赵高杀害于阳周。阳周，秦县名，县治在今陕西子长西北。⑦¹¹ 以法诛之：强加罪名将其杀害。⑦¹² 亡失：损失，指损失的秦朝军队。⑦¹³ 素谀：一贯地向皇帝谄媚奉承。⑦¹⁴ 事急：指秦王朝已乱到了这种样子。⑦¹⁵ 欲以法诛将军以塞责：想找借口杀死您以搪塞他的责任。⑦¹⁶ 多内郤：与朝内、宫内的官吏多有矛盾。⑦¹⁷ 无愚智：不论是愚者智者。⑦¹⁸ 孤特独立：光杆一条，孤立无援。孤、特、独，三字的意思相同。⑦¹⁹ 还兵：调转矛头。⑦²⁰ 与诸侯为从：与东方的起义军联合。从，同"纵"，合纵、联合。⑦²¹ 分王其地：瓜分秦王朝的土地，各自称王。⑦²² 此孰与：这与……相比哪个更好呢。⑦²³ 身伏铁质：指被杀。铁，古时斩人用的铡刀。质，通"椹""锧"，亦杀人用的椹垫。⑦²⁴ 妻子为戮：妻、子连带被杀，指灭族。戮，杀。⑦²⁵ 阴使候始成使项羽：暗中派军候始成去会晤项羽。候始成，军候名始成，史失其姓。军候，校尉属下的军官。⑦²⁶ 日夜：犹言"连夜"，极言其行动之快速。⑦²⁷ 三户：即三户津，漳水上的渡口名，在今河北磁县西南。⑦²⁸ 军漳南：中井积德曰："前称羽'军漳南'，此遣军'渡三户'，则往在漳北也。此'漳南'当作'漳北'。"按《汉书》亦作"漳南"，同误。⑦²⁹ 再破之：一连两次打败秦军。⑦³⁰ 汙水：源出河北武安西太行山，东南流，在临漳西注入漳水。⑦³¹ 大破之：徐孚远曰："已约降而再击之，即邯无战心而破之易；其兵愈败，则反顾之念绝，所以促其降也。"⑦³² 期：约定，此指约定会面。⑦³³ 洹水南殷虚：洹水即今河南安阳北的安阳河。殷虚，殷朝故都的废墟，在今安阳西小屯村。⑦³⁴ 为言赵高：对项羽诉说赵高的阴险可恶。⑦³⁵ 雍王：封土雍县，在今陕西凤翔南。雍县是秦国的旧都。⑦³⁶ 置楚军中：项羽虽封章邯为雍王，而实已夺其兵权。⑦³⁷ 使长史欣为上将军二句：司马欣与项氏有故交，故立以为上将军，于此见项羽之用人全凭感情。⑦³⁸ 瑕丘申阳：瑕丘县令名申阳。瑕丘县的县治在今山东兖州东北。⑦³⁹ 下河南：攻下了河南郡的郡治洛阳城。河南是汉郡名，秦朝时叫三川郡，这里是用后来的地名相称。⑦⁴⁰ 从项羽：归附了从河北南来的项羽。⑦⁴¹ 中丞相：专门在宫廷里处理大事的丞相。赵高见天下越来越乱，怕秦二世知道外面的情况而追究他的责任，于是哄骗秦二世，让他只在宫中玩乐，不出宫门。赵高也陪他在宫中决断一切事务，故称为"中丞相"。又在禁中执政，故名。⑦⁴² 设验：设法考验。⑦⁴³ 丞相误邪二句：丞相您弄错了吧？把鹿说成了马。⑦⁴⁴ 阿顺：曲意附和。⑦⁴⁵ 阴中诸言鹿者以法：阴中……以法，捏造罪名，对……予以打击。⑦⁴⁶ 数言：屡说。⑦⁴⁷ 无能为：不可能干出什么；成不了什么气候。⑦⁴⁸ 请益助：请求增兵援助。⑦⁴⁹ 尽畔秦吏：全都起来造秦朝官吏的反。⑦⁵⁰ 应诸侯：响应各路的起义军。⑦⁵¹ 西乡：向着西方杀来。乡，通"向"。⑦⁵² 武关：关塞名，在今陕西丹凤东南，是河南、湖北进入陕西东南部的交通门户。⑦⁵³ 谢病：推说有病。谢，推说。⑦⁵⁴ 啮其左骖马杀之：咬他车驾左侧的边马，给咬死了。骖，拉边套的马。⑦⁵⁵ 占梦：帝王身边负责占梦的人员，上属太祝。⑯卜曰：占卜之后的卦象说。⑰泾水为祟：泾水之神作怪。泾水，源于今之宁夏回族自治区，东南流，经今陕西彬州，至咸阳东汇入渭水。祟，鬼神作怪以害人。⑱斋：斋戒，为某事而虔敬，为之洗沐、独宿、吃素等等。⑲望夷宫：秦宫名。徐卫民曰："由于有匈奴的存在，经常骚扰内地，秦始皇便在咸阳东北的泾水南建了望夷宫，作为瞭望哨所。"〖按〗望夷宫遗址在今咸阳泾阳徐家堡村东北，位于泾河南岸，南距秦都咸阳约八公里。⑳祠泾水：祭祀泾水。㉑沉四白马：将四匹白马投入泾水，以祭水神。梁玉绳曰："此言二世因梦祀泾，故斋望夷，而《李斯传》谓二世射杀行人于上林，故高令出居望夷宫以禳之，两处异词。"㉒盗贼事：指东方反秦，竟至此不可收拾事。㉓咸阳令：咸阳县令，主管郊区农村，与首都咸阳城的长官"内史"有很大不同。㉔易置上：另换一个皇帝。㉕子婴：身世不清，下文云是"二世兄子"，《史记·李斯列传》说是始皇之弟，《史记集解》引徐广说是始皇之弟的儿子。中井积德曰："盖二世之兄也。夫谓扶苏为'长子'，则二世之兄非长子明矣。计其年数，不得有其子长与是谋也。且始皇之孙宜称'公孙'，不得称'公子'。"㉖皆载其言：都听从他的话。载，通"戴"，承、奉行。㉗郎中令：《史记集解》曰："郎中令赵成。"洪亮吉曰："非赵成，别是一人。"〖按〗郎中令统领皇帝禁卫，必随二世于望夷宫，故使其为内应。㉘召吏发卒：召集官吏，征调士兵。㉙劫乐母二句：怕阎乐中途变卦，不听使唤。对其女婿亦不放心，故以其母为质，亦犹周勃令郦寄往骗吕禄，而将其父郦商劫持。见《史记·吕太后本纪》。㉚卫令仆射：守卫宫门的卫士长官，上属卫尉。卫尉是九卿之一，主管守卫宫门。㉛何不止：为何不将其拿下。止，拘捕。㉜卫令：即卫令仆射。㉝周庐设卒：环绕宫廷的都是巡逻的卫兵和卫兵住宿的庐舍。《史记集解》引薛综曰："士傅（环绕）宫外，内为庐舍，昼则巡行非常，夜则警备不虞。"㉞行射：一边前进，一边开弓射人。㉟郎、宦者：郎官与宦者。郎，帝王的侍从人员，上属郎中令。宦者，即后世所谓太监，上属少府。㊱格：拦阻；格斗。㊲格者辄死：谁拦阻就将谁杀死。㊳射上幄坐帏：词语不顺，其意似谓"射上所坐之帷幄"。胡三省曰："上下四旁悉周曰幄。幄，乙角翻。帷，羽非翻，单帐也。"〖按〗帝王之宫室，屋舍高大，故其卧榻四周还得设有帏帐，视故宫之情形可知。帏，通"帷"。床帐。㊴惶扰不斗：惊慌混乱，但无人起来抵抗。㊵入内：逃入内室。㊶早告我：早些告诉我问题的严重性。㊷安得至今：哪里还能活到今天。凌稚隆引张之象曰："此数言痛为人君拒谏者之戒。"㊸即：就；走近。㊹数：缕列其罪状。㊺足下：《史记集解》引蔡邕曰："群臣士庶相与言曰'殿下''阁下''足下''侍者''执事'，皆谦类。"泷川资言曰："不曰'陛下'，曰'足下'，轻侮之辞。"㊻其自为计：请你自己拿主意，意即迫其自杀。㊼丞相：指赵高，意欲亲见赵高求情。梁玉绳曰："此言高谢病不朝，令其婿、弟劫二世自杀，故不见高也。而《李斯传》又言高亲劫二世，歧出。"㊽比诸公子：和自己的其他弟兄一样，同为平民百姓。㊾臣不敢报：谓不敢向赵高请示。㊿麾：大将的指挥旗，这里用如动词，其意同"挥"。(791)二世自杀：泷川资言曰：“与《左氏》所记崔杼弑齐庄事问答词气相似，庸主末路，若合符节。”⑫秦故王国：秦本来也是一个诸侯国，是和其他国家一样都是称“王”的。⑬宜为王如故便：还是改回称“王”，和过去一样为好。⑭乃立子婴为秦王：梁玉绳曰：“《李斯传》言‘高自佩玺上殿，意图篡位，因殿欲坏者三，高乃召子婴立之’，与纪亦异。”⑮以黔首：按一个平民百姓的礼数。⑯杜南宜春苑：杜县城南的宜春苑。杜县在今西安长安西南，当时的阿房宫东南。宜春苑是秦朝的苑囿名，旧址在今西安东南的曲江池一带。〖按〗胡亥墓在今西安雁塔区之曲江池村，墓为圆丘形封土，墓前有砖碑楼，内嵌清代毕沅书“秦二世皇帝陵”碑一通。⑰斋：为对某事表示虔敬而预先做出的一种姿态，如沐浴、独宿、素食等等。⑱庙见二句：到祖庙（即始皇庙）拜祭始皇，会见群臣，而后接受秦王的印玺，宣告即位。〖按〗“玉玺”有本作“王玺”。⑲乃与楚约：与伐秦的楚军相互通谋订约。〖按〗此处的“楚”即指刘邦，刘邦当时为楚怀王将。⑳灭秦宗室二句：据《史记·高祖本纪》确有所谓“赵高已杀二世，使人来，欲约分王关中”语。㉑使人请子婴数辈：即多次派人来请子婴。数辈，多批。㉒宗庙重事：此言继位为王，以奉宗庙之祭祀，乃大事。㉓子婴遂刺杀高于斋宫。梁玉绳曰：“《斯传》言‘婴即位，称疾不听事，高谒病，因召入，刺杀之’。此言婴称病不庙见，高自往请，遂刺杀高于斋宫。两处未知孰是。”㉔三族高家：灭赵高之三族。三族，谓父族、母族、妻族。凌稚隆引王鏊曰：“赵高弑二世与子婴杀高，叙事之妙，当细玩。”史珥曰：“子婴不德赵高立己，声色不动，而讨贼门庭之内，明而能断，叔孙昭子后一人。后世归功宦竖，受制强奴，终身不能自作一事，皆子婴罪人也。”〖按〗叔孙昭子事，见《左传·昭公二十五年》。㉕距峣关：到峣关迎战刘邦军。距，通“拒”。峣关，在今陕西商洛西北，因地当峣山而得名。㉖疑兵：为迷惑敌人而布置的军队。㉗陆贾：与郦食其同为刘邦的谋士，著有《新语》十二篇，《史记》有《郦生陆贾列传》。㉘啖以利：以利益引诱之。啖，使之吃，意即引诱。㉙逾蒉山：翻过蒉山。逾，翻越。蒉山，在当时的蓝田县南。当时的蓝田县在今陕西蓝田西。

【校记】

［19］问左右，左右：原本“左右”不重。据章钰校，十二行本、乙十一行本皆重“左右”。今从十二行本、乙十一行本及《史记·秦始皇本纪》和《通鉴纪事本末》补。［20］数万人：“人”字原无。据章钰校，十二行本、乙十一行本皆有此字。今从十二行本、乙十一行本及《史记·秦始皇本纪》和《通鉴纪事本末》补。［21］吾欲：联系上句为“欲归祸于吾。吾……”，原本“吾”字不重。据章钰校，乙十一行本重“吾”字。〖按〗《史记·秦始皇本纪》作“归祸于吾宗。吾欲”云云，今从乙十一行本补。［22］宜为王如故：“为王”二字原无。据章钰校，十二行本、乙十一行本、孔天胤本皆有此二字。今从诸本及《史记·秦始皇本纪》和《通鉴纪事本末》补。［23］令子婴斋：“斋”下原有“戒”字。据章钰校，十二行本、乙十一行本皆无此字。今从十二行本、乙十一行本及

《史记·秦始皇本纪》和《通鉴纪事本末》删。[24]乃详:"详",原作"诈"。据章钰校,十二行本、孔天胤本皆作"详",乙十一行本作"佯",张敦仁《通鉴刊本识误》作"佯"。今从十二行本、孔天胤本及《史记·秦始皇本纪》改。

【研析】

本卷写了秦二世二年(公元前二〇八年)至秦二世三年的秦王朝内部崩溃、瓦解的情景与起义军中的陈涉失败被杀,而项羽、刘邦两支军队日益强大,以至项羽打败、收服秦将章邯,刘邦胜利进军直逼秦都城下的过程。本卷历史教训最深、令人触目惊心的事实有以下两点:

其一是陈涉起义队伍的惨遭失败寓有深刻教训。陈涉领导的是我国有史以来第一次农民起义,其威力是无比强大的,直使得汉朝建国后的几十年,还为之震惊不已,以至于许多政治家、思想家都反复地分析它、议论它,各自从不同立场、不同角度总结其中的教训。但由于陈涉等人缺乏历史经验,本身又有许多不可克服的农民战争的弱点,诸如各立山头、互不统一,无远大目标、无纲领宗旨、无组织、无纪律,这些都是招致失败的必然因素。但司马迁与司马光还指出了两点:其一是农民领袖的腐化蜕败速度惊人,称王没有几天就开始醉心于物质声色的享乐之中;其二是脱离群众、偏听偏信,致使坏人窃弄权柄、作威作福,直到弄得众叛亲离。陈涉是如此,李自成、洪秀全也是如此。真是如杜牧所写的《阿房宫赋》所说:"秦人不暇自哀而后人哀之,后人哀之而不鉴之,亦使后人而复哀后人也。"

其二是李斯的可悲可耻结局给后人留下的思考。李斯是荀况的弟子,什么书都读过,什么道理都懂得,什么问题都看得清楚,但就是不能挺直腰杆,光明正大、坚持原则地干下去。这种人缺少的不是才干能力,坏事都坏在他的自私自利。在一帆风顺的时候,他也能趁势做一番事业,例如他能辅佐秦始皇统一六国、创建制度等,功劳很大。但一到关键时刻,涉及他的个人利益时,他就经不住考验。当秦始皇死后,赵高、胡亥拉他上贼船时,他完全可以捉起这两个败类,稳定秦王朝的大局;但赵高恰恰看准了他的致命弱点,专门以个人利害威胁他,于是他便因畏祸贪权而卖身投靠了。于是李斯助桀为虐,为虎作伥,从而导致民变蜂起,四海鼎沸,而自己最后也不免被赵高、胡亥所杀。孔子说过:"鄙夫可与事君也哉?其未得之也,患得之。既得之,患失之。苟患得患失,无所不至矣。"这可以说是给李斯的一幅绝好画像。文章描写李斯患得患失的心理,生动真切,栩栩欲活,千载之下,犹如目睹,简直像一面镜子足以为千古读史者之鉴,尤其可为官场中人的千古明鉴。

本卷写项羽在河北破章邯、刘邦在南路破秦入武关是发生在同一时段内的事,材料分别取自《史记》的《项羽本纪》与《高祖本纪》。但司马光将项羽战河北事叙述在前,将刘邦战河南事叙述在后,这是他继承《史记》的结果。倘若没有《史记》

在前，司马光只是依据《汉书》，我想情况就大不相同了。《史记》的排列顺序是《项羽本纪》在前，司马迁浓墨重彩地描写巨鹿之战，突出巨鹿之战的意义，将它定位为消灭了秦军主力，为刘邦西下破秦提供了便利条件，同时又促成了秦王朝内部的瓦解崩溃的一场战役，这就奠定了项羽在破秦问题上的重大意义。项羽所以能被后人称颂为“拔山盖世”的英雄，关键就在于《高祖本纪》之前先有这么一篇《项羽本纪》。如果司马迁当初不是这样写，而是像班固的观点，在《秦始皇本纪》之后接着就是《高祖本纪》，直到几十篇之后的“列传”才出现《项羽列传》，请大家想想，这样的历史还能给后代读者留下“拔山盖世”的项羽形象吗？幸亏有司马迁的《史记》在前，所以司马光也就顺理成章地把项羽的功勋写在了刘邦之前，这真是一件幸运的事。